中国近现代中医药期刊续编

第二辑

苏州国医杂志

王咪咪◎主编

2020年度北京市优秀古籍整理出版扶持项目

北京科学技术出版社

图书在版编目（CIP）数据

苏州国医杂志 / 王咪咪主编. -- 北京 : 北京科学技术出版社, 2021.7
（中国近现代中医药期刊续编. 第二辑）
ISBN 978-7-5714-1484-9

Ⅰ. ①苏… Ⅱ. ①王… Ⅲ. ①中国医药学—医学期刊—汇编—苏州—民国 Ⅳ. ①R2-55

中国版本图书馆CIP数据核字(2021)第049334号

策划编辑：侍 伟 段 瑶
责任编辑：侍 伟 王治华
文字编辑：白世敬 刘 佳 陶 清 孙 硕 刘雪怡 吕 艳
责任校对：贾 荣
图文制作：北京艺海正印广告有限公司
责任印制：李 茗
出 版 人：曾庆宇
出版发行：北京科学技术出版社
社 址：北京西直门南大街16号
邮政编码：100035
电 话：0086-10-66135495（总编室） 0086-10-66113227（发行部）
网 址：www.bkydw.cn
印 刷：北京捷迅佳彩印刷有限公司
开 本：787mm × 1092mm 1/16
字 数：611.61千字
印 张：67.75
版 次：2021年7月第1版
印 次：2021年7月第1次印刷
ISBN 978 - 7 - 5714 - 1484 - 9

定 价：980.00元

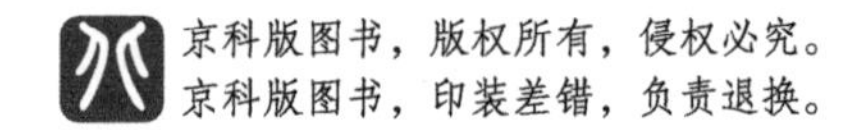
京科版图书，版权所有，侵权必究。
京科版图书，印装差错，负责退换。

《中国近现代中医药期刊续编·第二辑》编委会名单

主　编　王咪咪

副主编　侯酉娟　解博文

编　委　（按姓氏笔画排序）

王咪咪　刘思鸿　李　兵　李　敏

李　斌　李莎莎　邱润苓　张媛媛

郎　朗　段　青　侯酉娟　徐丽丽

董　燕　覃　晋　解博文

序

2012年上海段逸山先生的《中国近代中医药期刊汇编》（下文简称"《汇编》"）出版，这是中医界的一件大事，是研究、整理、继承、发展中医药的一项大工程，是研究近代中医药发展必不可少的历史资料。在这一工程的感召和激励下，时隔七年，我所的王咪咪研究员决定效仿段先生的体例、思路，尽可能地将《汇编》所未收载的新中国成立前的中医期刊进行搜集、整理，并将之命名为《中国近现代中医药期刊续编》（下文简称"《续编》"）进行影印出版。

《续编》所选期刊数量虽与《汇编》相似，均近50种，但总页数只及《汇编》的1/4，约25000页，其内容绝大部分为中医期刊，以及一些纪念刊、专题刊、会议刊；除此之外，还收录了《中华医学杂志》1915—1949年所发行的35卷近300期中与中医发展、学术讨论等相关的200余篇学术文章，其中包括6期《医史专刊》的全部内容。值得强调的是，《续编》将1951—1955年、1957年、1958年出版的《医史杂志》进行收载，这虽然与整理新中国成立前期刊的初衷不符，但是段先生已将1947年、1948年（1949年、1950年《医史杂志》停刊）的《医史杂志》收入《汇编》中，咪咪等编者认为把20世纪50年代这7年的《医史杂志》全部收入《续编》，将使《医史杂志》初期的各种学术成果得到更好的保存和利用。我以为这将是对段先生《汇编》的一次富有学术价值的补充与完善，对中医近现代的学术研究，对中医整理、继承、发展都是有益的。医学史的研究范围不只是中国医学史，还包括世界医学史，医学各个方面的发展史、疾病史，以及从史学角度谈医学与其关系等。《续编》中收载的文章虽有的出自西医学家，但提出来的问题，对中医发展有极大的推进作用。陈邦贤先生在

《中国医学史》的自序中有“世界医学昌明之国，莫不有医学史、疾病史、医学经验史……岂区区传记遽足以存掌故资考证乎哉！”陈先生将其所研究内容分为三大类：一为关于医学地位之历史，二为医学知识之历史，三为疾病之历史。医学史的开创性研究具有连续性，正如新中国成立初期的《医史杂志》所登载的文章，无论是陈邦贤先生对医学史料的连续性收集，还是李涛先生对医学史的断代研究，他们对医学研究的贡献都是开创性的和历史性的；范行准先生的《中国预防医学思想史》《中国古代军事医学史的初步研究》《中华医学史》等，也都是一直未曾被超越或再研究的。况且那个时期的学术研究距今已近百年，能保存下来的文献十分稀少。今天能有机会把这样一部分珍贵文献用影印的方式保存下来，将是对这一研究领域最大的贡献。同时，扩展收载1951—1958年期间的《医史杂志》，完整保留医学史学科在20世纪50年代的研究成果，可以很好地保持学术研究的连续性，故而主编的这一做法我是支持的。

以段逸山先生的《汇编》为范本，《续编》使新中国成立前的中医及相关期刊保存得更加完整，愿中医人利用这丰富的历史资料更深入地研究中医近现代的学术发展、临床进步、中西医汇通的实践、中医教育的改革等，以更好地继承、挖掘中医药伟大宝库。

李经纬 九十老人

2019年11月于中国中医科学院

前　言

《汇编》主编段逸山先生曾总结道，中医相关期刊文献凭藉时效性强、涉及内容广泛、对热门话题反映快且真实的特点，如实地记录了中医发展的每一步，记录了中医人每一次为中医生存而进行的艰难抗争，故而是中医近现代发展的真实资料，更是我们今天进行历史总结的最好见证。因此，中医药期刊不但具有历史资料的文献价值，还对当今中医药发展具有很强的借鉴意义。

本次出版的《续编》有五六十册之规模，所收集的中医药期刊范围，以段逸山先生主编的《汇编》未收载的新中国成立前50年中医相关期刊为主，以期为广大读者进一步研究和利用中医近现代期刊提供更多宝贵资料。

《续编》收载期刊的主要时间定位在1900—1949年，之所以不以1911年作为断代，是因为《绍兴医药学报》《中西医学报》等一批在社会上很有影响力的中医药期刊是1900年之后便陆续问世的，从这些期刊开始，中医的改革、发展等相关话题便已被触及并讨论。

在历史的长河中，50年时间很短，但20世纪上半叶的50年却是中医曲折发展并影响深远的50年。中国近代，随着西医东渐，中医在社会上逐步失去了主流医学的地位，并逐步在学术传承上出现了危机，以至于连中医是否能名正言顺地保存下来都变得不可预料。因此，能够反映这50年中医发展状况的期刊，就成为承载那段艰难岁月的重要载体。

据不完全统计，这批文献有1500万～2000万字，包括3万多篇涉及中医不同内容的学术文章。这50年间所发生的事件都已成为历史，但当时中医人所提出的问题、争论的焦点、未做完的课题一直在延续，也促使我们今天的中医人要不断地回头看，思考什么才是这些问题的答案！

中医到底科学不科学？中医应怎样改革才能适应社会需要并有益于中医的发展？120年前，这个问题就已经在社会上被广泛讨论，在现存的近现代中医药期刊中，这一类主题的文章有不下3000篇。

中医基础理论的学术争论还在继续，阴阳五行、五运六气、气化的理论要怎样传承？怎样体现中国古代的哲学精神？中医两千余年有文字记载的历史，应怎样继承？怎样整理？关于这些问题，这50年间涌现出不少相关文章，其中有些还是大师之作，对延续至今的这场争论具有重要的参考价值。

像章太炎这样知名的近代民主革命家，也曾对中医的发展有过重要论述，并发表了近百篇的学术文章，他又是怎样看待中医的？此类问题，在这些期刊中可以找到答案。

最初的中西医汇通、结合、引用，对今天的中西医结合有什么现实意义？中医在科学技术如此发达的现代社会中如何建立起自己完备的预防、诊断、治疗系统？这些文章可以给我们以启示。

适应社会发展的中医院校应该怎么办？教材应该是什么样的？根据我们在收集期刊时的初步统计，仅百余种的期刊中就有五十余位中医前辈所发表的二十余类、八十余种中医教材。以中医经典的教材为例，有秦伯未、时逸人、余无言等大家在不同时期从不同角度撰写的《黄帝内经》《伤寒论》《金匮要略》等教材二十余种，其学术性、实用性在今天也不失为典范。可由于当时的条件所限，只能在期刊上登载，无法正式出版，很难保存下来。看到秦伯未先生所著《内经生理学》《内经病理学》《内经解剖学》《内经诊断学》中深入浅出、引人入胜的精彩章节，联想到现在的中医学生在读了五年大学后，仍不能深知《黄帝内经》所言为何，一种使命感便油然而生，我们真心希望这批文献能尽可能地被保存下来，为当今的中医教育、中医发展尽一份力。

新中国成立前这50年也是针灸发展的一个重要阶段，在理论和实践上都有很多优秀论文值得被保存，除承淡安主办的《针灸杂志》专刊外，其他期刊上也有许多针灸方面的内容，同样是研究这一时期针灸发展状况的重要文献。

在中医的在研课题中，有些同志在做日本汉方医学与中医学的交流及互相影响的研究，这一时期的期刊中保存了不少当时中医对日本汉方医学的研究之作，而这些最原始、最有影响的重要信息载体却面临散失的危险，保护好这些文献就可以为相关研究提供强有力的学术支撑。

在这50年中，以期刊为载体，一门新的学科——中国医学史诞生了。中国医学史首次以独立的学科展现在世人面前，为研究中医、整理中医、总结中医、发展中医，把中医推向世界，再把世界的医学展现于中医人面前，做出了重大贡献。创建中国医学史学科的是一批忠实于中医的专家和一批虽出身西医却热爱中医的专家，他们潜心研究中医医史，并将其成果传播出去，对中医发展起到了举足轻重的作用。《古代中西医药之关系》《中国医学史》《中华医学史》《中国预防医学思想史》《传染病之源流》等学术成果均首载于期刊中，作为对中医学术和临床的提炼与总结，这种研究将中医推向了世界，也为中医的发展坚定了信心。史学类文章大都较长，在期刊上大多采用连载的形式发表，随着研究的深入也需旁引很多资料，为使大家对医学史初期的发展有一个更全面、连贯的认识，我们把《医史杂志》的收集延至1958年，为的是使人们可以全面了解这一学科的研究成果对中医发展的重要作用。《医史杂志》创刊于1947年，在此之前一些研究医学史的专家利用西医刊物《中华医学杂志》发表文章，从1936年起《中华医学杂志》不定期出版《医史专刊》。（《中华医学杂志》是西医刊物，我们已把相关的医学史文章及1936年后的《医史专刊》收录于《续编》之中。）这些医学史文章的学术性很强，但其中大部分只保存在期刊上，期刊一旦散失，这些宝贵的资料也将不复存在，如果我们不抢救性地加以保护，可能将永远看不到它们了。

上述的一些课题至今仍在被讨论和研究，这些文献不只是资料，更是前辈们一次次的发言。能保存到今天的期刊，不只是文物，更是一篇篇发言记录，我们应该尽最大的努力，把这批文献保存下来。这50年的中医期刊、纪念刊、专题刊、会议刊，每一本都给我们提供了一段回忆、一个见证、一种警示、一份宝贵的经验。这批1500万～2000万字的珍贵中医文献已到了迫在眉睫需要保护、研究和继承的关键时刻，它们大多距今已有百年，那时的纸张又是初期的化学纸，脆弱易老化，在百年的颠沛流离中能保留至今已属万分不易，若不做抢救性保护，就会散落于历史的尘埃中。

段逸山、王有朋等一批学术先行者们以高度的专业责任感，克服困难领衔影印出版了《汇编》，以最完整的方式保留了这批期刊的原貌，最大限度地保存了这段历史。段逸山老师所收载的48种医刊，其遴选标准为现存新中国成立前保留时间较长、发表时间较早、内容较完备的期刊，其体量是现存新中国成立前期刊的三分之二以上，但仍留有近三分之一的期刊未能收载出版。正如前面所述，每多保留一篇文献都是在保留一份历史痕迹，故对《汇编》未收载的期刊进行整理出版有着重要意义。北京科学技术出版社秉持传承、发展中医的责任感与使命感，积极组织协调本书的出版事宜。同时，在出版社的大力支持下，本书入选北京市古籍整理出版资助项目，为本书的出版提供了可靠的经费保障。这些都让我们十分感动。希望在大家的共同努力下，我们能尽最大可能保存好这批期刊文献。

近现代中医可以说是对旧中医的告别，也是更适应社会发展的新中医的开始，从形式上到实践上都发生了巨大的改变。这50年中医的起起伏伏，学术的争鸣，教育的改变，理论与临床的悄然变革，都值得现在的中医人反思回顾，而这50年的文献也因此变得更具现实研究意义。

《续编》即将付梓之际，恰逢全国、全球新冠肺炎疫情暴发，在此非常时期能如期出版实属难得；也借此机会向曾给予此课题大量帮助和指导的李经纬、余瀛鳌、郑金生等教授表示最诚挚的感谢。

王咪咪

2020年2月

目　录

苏州国医杂志……………………………………………………………………………… 1

中国近现代中医药期刊续编·第二辑

苏州国医杂志

内容提要

【期刊名称】苏州国医杂志。

【创　　刊】1934年3月。

【编 辑 者】苏州国医学社。

【发　　行】苏州国医书社。

【办刊宗旨】“振发之（中医），改进之（中医），……欲为中医争存亡，非多多发挥中医之真实学问不可。欲发挥真实之学问，非多多造就中医之专门人才不可。……非欲与西医争一日之短长，无非欲保持吾国固有之学术，……发挥真实学问，造就专门人才”。

【主要栏目】讲坛、言论、学说、治疗、药物、医案等。

【现有期刊】12期。

【主要撰稿人】王慎轩、陆士谔、周禹锡、凌九云、叶橘泉、章巨膺、沈仲圭、潘国贤、曹颖甫、丁甘仁。

该期刊又名“国医杂志”，发行了3年，其内容具有鲜明的时效性特点，现将其主要栏目介绍如下。

“讲坛”栏目主要刊载近代中医大师的演讲， 收录了近20位近代中医名家，如章太炎、祝怀萱、余无言、黄星楼、张赞臣、杨志一、曹颖甫等的演讲内容。中医名家思想汇聚，形成了当时的中医“百家讲坛”。此栏目还刊载了《国医文献研究的意义和方法》《〈千金〉〈外台〉研究法概论》等，这些文章即使在今天也具有非常高的学术价值。

“言论”栏目主要介绍与当时中医继承、发展相关的内容，代表性文章有《中医西医解》《论中国医学之真价值》《医学之空间性及其新旧观》《现代中医应有之认识》《拥护科学的医学》等，从这些文章可以看出当时学术界对中医的继承与发展已经进行了较深入的探讨。

“学说”栏目讨论的内容具有很强的引导性，彰显了该期刊的办刊宗旨，代表性文章有《湿温症之沿革考》《十二经与针术》《研究〈伤寒论〉六经之价值》《中医术语“肾水”与“肝火”之研究》等，这些文章也对中医的继承与发展有着重要的启示作用。

“医学研究”栏目刊载的文章涉及的范围很广，除了贴近临床的内容外，也有关于理论研究的内容，代表性文章有《湿病原理》《六淫与细菌》《论腹诊在诊断上之重要》《国医内科研究法》《治痰饮之五大法》《论脏腑经脉之要谛》《论伤寒传经之非》等，这些文章对今天的中医临床仍有借鉴意义。

“治疗”栏目不定期刊载，该栏目旨在探讨中医的治疗方法，代表性文章有《国医外疗法对于内科疾患之功效举例》《攻下疗法与肠胃病》《湿温治疗法之研究》《治肺痨宜注重脾胃说》等。

“文献研究”栏目刊载的文章虽不多，但却反映了办刊者已意识到文献研究对于继承中医的重要作用，其代表性的文章有《女科医籍考》《古方权量说》《阴阳毒考》等。

“药物”“方剂”栏目有代表性的文章有《麻黄和石膏之医疗作用》《大黄之功用及其补性之研究》《合理的大补药》《药名新考》《芎藭之生理作用》《牡蛎泽泻散的检讨》《泻药与各脏器的关系》《试述毒药的配剂法》《新发明之秘方报告》《白虎汤之科学观》等。从这些文章可以看出，该栏目不仅对单味药和复方的功能进行探讨，也对药物的临床治疗作用进行研究，突显了该期刊内容的临床实用性。

“医案”“验方”栏目刊载的医案都是经典医案，其作者都是当时的名家，如马培之、丁甘仁、曹颖甫、王慎轩等。这些医案具有代表性、实用性，时至今日仍然对临床有一定的参考价值。其刊载的验方在当时也受到很多中医人的欢迎。

“讲义”栏目不定期刊载了中医院校的多学科的教材，除了常用的《黄帝内经》《伤寒论》《金匮要略》以及药物学相关讲义等外，还可见讲授舌苔诊断法的讲义

（这种讲义很少见，它是中医独特的论断学内容，对于今天的中医教学无疑也是一种提示和启发）。

“生理”“病理”栏目具有明显的时代特点。生理、病理是西医学名词，虽然在中医学中这方面内容早已有之，只是说法不同而已，但在近代，由于受到西医学的冲击，中医类期刊往往也采用西医学名词。其具有代表性的文章有《国医之内分泌》《国医所谓之肾》《谈谈营卫》《〈内经〉生理之科学观》《论霍乱之原因及中西治疗法之比观》等，这些文章是了解和研究近代中医学发展不可或缺的重要内容。

除以上栏目外，该期刊还设有“译著”栏目，该栏目主要刊载的是日本的汉医著作的译文，连载的文章有《汉药治疗新解》《和汉药物学》《汉方医学的研究》《汉医要诀》等，这些内容对于想了解近代中医学和汉医交流史的学者来说弥足珍贵。

另外，该期刊还刊载了对中医经典的学习体会类文章，如《阐明〈伤寒论〉中风伤寒之真谛》等，以及学习笔记类文章，如《验方琐记》《治验笔记》《求己斋随笔》等。除此之外，该期刊在个别刊期中还刊载了一些考证类文章，如《张仲景事状考》等。总括来讲，该期刊的内容基本反映了当时中医发展的鲜明特点。

王咪咪

中国中医科学院中国医史文献研究所

蘇州國醫學社編

國醫雜誌

唐慎坊題

創刊號

民國二十三年三月三日呈請內政部登記

蘇州國醫學社（第三屆）招男女生通告

本社以昌明國醫參究科學養成國醫專門人材爲宗旨係遵照　行政院及　中央國醫館令開辦當向各機關備案並聘定講師教員三十餘人新編講義切實教授及附設國醫圖書館國醫診療所國藥實驗所國藥製造所藥園等以資學生之參考實習（均已詳載于本社紀念刊中）茲因第二屆招生期滿不能再收如欲來學者須俟秋季第三屆招生之時矣但可先向蘇州吳趨坊王愼軒女科醫室索章報名預備應考特此通告（章程函索卽寄）

社長唐愼坊　總主任王愼軒啓

（地址）蘇州閶門內穿珠巷八十四號　（電話）一萬零五百六十三號

蘇州國醫學社紀念刊 出版

題簽　章太炎先生

題詞　李根源先生　鄒嘏公先生　戚升淮先生　嚴獨鶴先生　秦伯未先生　黃星樓先生　費仲深先生　謝利恆先生　惲鐵樵先生　曹貴孚先生　張贊臣先生　祝爲先先生

內容　（1）中西醫師演講之醫學筆記——都是臨證實用之經驗談（2）本社學生撰作之醫學論文——都是研究心得之結晶品（3）詳載本會一切大事記及最近之概况章程規則等

優點　（1）內容豐富（2）學說新穎（3）中西合參（4）學驗並重（5）適合科學（6）切合實用（7）闡發詳明（8）選輯嚴密（9）印刷精良（10）裝訂美麗

【價目】每部實洋一元（各醫藥團體及報名各生均收半價）【寄費】外埠函購　寄費一角　外國函購　寄費三角

（發售處）蘇州吳趨坊王愼軒女科醫室　（電話）五百六十三號

蘇州國醫學社國醫雜誌創刊目錄

創刊序　李根源

發刊辭　唐慎坊

言論

醫生對於種族國家社會有莫大之責任論　胡蕭梧

提倡解剖說　洪貫之

中醫西醫解　陳丹華

生理

國醫之內分泌學　王南山

試述月經之生理　嚴襄平

病理

江南果無傷寒耶　范濟春

傷風不愈便成癆之三大原因　邢萬成

產後血暈辨　郁佩英

尿之病理　鄒森源

狂犬病之研究　王景賢

抑鬱傷肝之現代觀察　陸自量

治療

中西治療血虛病之比較　沈潛德

瘀血不去新血不得歸經論　王博平

藥物

烏梅治口甜之研究　王志純

瀉藥與各臟器之關係　周自强

試述毒藥之配劑法　宋克明

瓦楞殼治胃脘痛之研究　陶淑英

醫案

國醫雜誌　目錄　二

馬培之先生內科醫案　王愼軒編　楊夢麒錄
丁甘仁先生內科醫案　王愼軒編　王南山錄
曹穎甫先生內科醫案　王愼軒記　王南山編
黃體仁先生女科醫案　王愼軒編　朱彩霞錄
王氏女科醫案　王愼軒著　長子南山編
懷胎四月頭眩腰痠心煩內熱小溲頻數白帶淋漓舌苔薄黃而膩脈象細滑而數試擬方案　管愈之

驗方

驗方預記（一）　唐愼坊
新發明之祕方報告（一）　張又良
番木鼈治流火之驗方　王蘊玉

通訊

中央國醫館來函
懇請王愼軒先生指示溫經湯治愈崩漏之原理函　黃啓昌
代王師愼軒答黃啓昌先生溫經湯治愈崩漏之原理函　朱彩霞
致朱慕丹先生論括蔞瓜蔞之爭執函　陸士諤

雜俎

國立中醫研究院組織條例
學醫導徑　周禹錫

講義

本社金匱講義　凌九雲
本社藥物講義　王愼軒
本社內經生理學講義（一至四頁）　王愼軒

蘇州國醫雜誌創刊序

李根源

蓋聞學不精。不足以成名。理不明。不足以成學。醫者意也。亦理也。闡其理。達其意。始可以名醫。問嘗稽古代醫書。班固藝文志曰。內經十八卷。素問九卷。靈樞九卷。醫學本源。薈萃於是矣。又攷醫家嗣系。唐人巫咸。周之長生。秦之和緩。鄭之扁鵲。漢之倉公。皆有奇蹟。斑斑可考。張氏仲景。集其大成。乃醫之聖者也。厥後名家輩出。如李東垣劉守眞朱丹溪等。莫不闡發精義。昭示來茲。後之習醫者。奉爲圭臬。濟世活人。良醫功同良相。其關係於國家。豈淺鮮哉。然而時至今日。歐風東漸。侵掠文化。醫人之術。隨流而入。由是中醫西醫。各樹一幟。互相攻訐。莫定是非。彼譏中醫憑三指按切之法。侈陰陽生剋之談。此詆西醫僅外症剖割之術。乏根本治療之方。究之中西醫術。塗徑雖異。理旨自同。中醫所長。或卽西醫所短。西醫所長。或卽中醫所短。二者不可偏廢焉。然而政府法令。偏西抑中。無知者加以摧殘。落阱下石。殊堪浩歎。數千年之國粹。岌岌可危。誠風雨飄搖之日矣。幸得有志之士。振臂而起。吾友唐君愼坊。王君愼軒。創辦蘇州國醫學社。慘淡經營。規模大備。當社中開幕之日。鄙人曾參與典禮。略有講說。嗣讀紀念刊。學生成績。斐然可觀。令人欽悅。今又刊行雜誌。以稿見示。展閱一過。要皆聚精會神之佳構。足爲中醫增聲價者。海內流傳。不脛而走。吾知學社將益發達。學子將益加多。可操左券矣。是爲序。

蘇州國醫雜誌發刊辭

唐慎坊

醫無問中西。貴能治病耳。能活人耳。我國有數千年之歷史。政權淪於異族。我民族爲政治上之奴隸者數矣。惟文化學術。保守獨立之精神。不爲外力所屈服。根深蒂固。人莫得而奴隸之。且從而同化之。此我國人足以自豪。亦足以自慰者也。醫學其一端也。自海禁大開。外人挾侵略之野心。醫術與宗教俱來。於是有所謂西醫。我國人始業此者。或追隨教士。曾充助手。或出身藥室。等於賣藥。此輩捷足先登。往往博得厚利。繼而負笈遊學者有人。畢業專校者有人。鋪張揚厲。無所不至。西醫之聲價日重。社會之信仰漸萌。而中醫也者。不存畛域之見。且欲與之合作。每見中醫治病。遇有疑難。輒對病家推薦西醫者。比比然也。然而西醫則十九自立於與中醫對敵地位。唾棄之。仇視之。甚或痛詆之。著書立說。大放厥詞。直斥中醫爲殺人之具。嗚呼。意氣之盛。一至於此。是亦不可以已乎。近更變本加厲。竟用高壓手段。欲根本剷除中醫而後快。上有好者。下必有甚。種種抑制。非使中醫絕跡於中國不可。豈眞以中醫爲殺人者耶。然則吾儕祖若宗。終其身未必無病。病而治者中醫。何未爲所殺耶。使中醫果殺人。吾人類早絕滅矣。何有祖若宗。更何有吾儕。故爲中醫殺人之說者。是自忘其爲中國人也。且忘其祖若宗爲中國人也。烏乎可。雖然。余非有所惡於西醫也。余子仁緒爲柏林大學醫學博士。其習西醫也。

出余意。其留學柏林也。斥余贅。余心目中固以西醫爲吾國所必需要。而未嘗歧視之也。第不願其取而代之。使吾國固有之醫學。在吾國反無立足之地耳。且以藥品而論。中醫有時用西藥。而西藥絕不用中藥。此已有西藥侵入中醫之徵象。若中醫廢除。惟西藥是賴。毋論漏巵之巨。數可驚人。倘一旦來源斷絕。無藥可用。卽無病可醫。萬一有此現象。何以爲國耶。由是而言。中醫斷斷不可言廢。除少數人外。合吾全國人之心理。察吾全國人之輿論。未有不一致以爲當然者也。中醫既不可廢。而又爲人所傾軋如此。奈何。曰求其在我而已。振發之。改進之。重在實驗而屏空談。廣傳祕方而不居奇。西醫所不能治者。中醫能治之。西醫所不能活者。中醫能活之。眞能治病。眞能活人。乃可以間執讒慝之口。而挽狂瀾於既倒矣。故欲爲中醫爭存亡。非多多發揮中醫之眞實學問不可。欲發揮眞實之學問。非多多造就中醫之專門人才不可。同人等本此意旨。創立蘇州國醫學社。非欲與西醫爭一日之短長。無非欲保持吾國固有之學術。使操治病活人之業者。不復如前日之僅僅案頭抄方隨車出診之貽人口實而已。發揮眞實學問。造就專門人才。則有此希望而未敢自信焉。所幸開學以來。諸生研習。頗多心得。各有紀述。前曾刊行紀念刊。讀者許其成績可覩。茲更彙輯雜誌，季出一冊。雖一知半解。未必可珍。而拋磚引玉。或有小補云爾。

言論

醫生對於種族國家社會有莫大責任論

胡蕭梧

人之所係。莫大於生死。此人人所知也。而一身之病。及天下人之病。莫不賴醫而得以愈焉。堯舜禹湯文武周公孔子。正紀綱。去患難。伐暴亂。挽頹風。救民於水火之中。而登諸袵席之上。皆上醫醫國之道也。即今之世界國家之興亡。社會之通塞。人種之強弱。亦莫不根源於醫者。其責任爲何如乎。苟一國之中無醫生。則人生百病。無處求醫。翹首待斃。姑妄言之。豈有是事哉。緬懷古昔。神農氏作。嘗百草。救萬民。後人乃習成爲醫。醫者意也。亦理也。達其意而明其理。即人民生活之樞與也。然後種族强盛。國家振興。社會安甯。胥賴醫術有以維持之也。夫聚民而成家。聚家而成國。若醫術失傳。則種族漸弱。種族漸弱。則社會不發達。社會不發達。則國家危殆。馴致滅亡。豈不重可懼哉。醫者身居晚近。有救社會之責任。亦即强國強種之道矣。昔范仲淹之言曰。不爲良相。則爲良醫。良醫良相。燮理陰陽。布施德化。良醫則抱濟人之術。以億兆萬人之心爲心。民飢猶已飢。民溺猶已溺。禹稷之責任。一人不被其澤。若推而納諸溝中。伊尹之責任。乃良醫上希聖王。下濟黎庶。沉疴立起。轉險爲夷。所謂良醫功同良相者。誠千秋不易之名言哉。

提倡解剖說

洪貫之

吾華解剖之學。由來久矣。靈樞經水篇曰。若夫八尺之士。皮肉在此。外可度量循切而得之。其死。可解剖而視之。其藏之堅脆。府之大小。穀之多少。脈之長短。血之清濁。氣之多少。十二經之多血少氣。與其少血多氣。與其皆多氣血。與其皆少氣血。皆有大數。又抱朴子言仲景之爲醫。嘗穿胸而納赤餅。後漢書載元化之治人病結在內。鍼藥所不及者。先與以酒服痲沸散。既醉。無所覺。因剖破腹背。抽割積聚。若在腸胃。則斷截湔洗。既而縫合。傅以神膏。四五日瘡愈。一月之間平復矣。他如太倉公解顱而理腦。徐之才剖眼而得蛤。此解剖學爲我國所固有之明證。惜乎隋唐以後。能者日鮮。降及元明。已成絕響。目誦經傳。莫不驚駭。甚且誣爲失實。竟不之信。及至新法傳來。割治盛行。始覺書言之非妄。崇拜之心。隨之而起。於是紛紛求治於西醫之門。而西士亦自侈其技。以爲中國之醫。莫我如也。此誠可笑。又可嘆矣。有清道光間。有王勳臣者。嘗著醫林改錯。有云。著書不明藏府。眞是癡人說夢。治病不明藏府。又如盲子夜行。解剖失傳之後。首發偉論。改正藏府之圖形。考訂學理之謬誤。革新醫學。當推先覺。惟彼時風氣未開。贊助無人。故學甚幼稚。未嘗得以解剖療病。而所改藏府之圖。亦不能盡得其當。學理診治。仍多錯誤。可取者甚少。然當西說尚未輸入中華之時。獨能不顧衆議。不辭勞瘁。注重實驗。毅然創作。爲往聖繼絕學。非思想卓越。具大無畏精神者。又烏能哉。凡我同志。當思共繼王氏之志。急謀提倡。以補遺憾矣。蓋解剖之於醫學。關係重要。解剖不行。則診斷不確。病變不明。治療亦漫無標準。不能直達病所矣。每見今之醫士。生理不明。病理不曉。猶欣欣然號於衆曰。我輩爲醫。固不必知藏府之形狀位置。全體之解剖組織。而治病每能獲效。殊不知先醫之精微玄妙。未有不由解剖而得。醫者必明解剖。此乃東西大同。時醫不明乎此。但以四千年師弟相傳之經驗。藉謀衣食。即被治愈。亦爲偶中。苟詢以診斷病位及病變之形狀。則其所答。未有不與實際相背者。故中國醫學之所以日就衰微者。皆解剖不明之所致也。今者脣已久亡。齒又安得不寒乎。禮失求野。古有明訓。不得不先以東西解剖之學。藉資借鏡。然後自求精進。則庶幾矣。願我同人共除門戶之見。起而響應。推行漸廣。風氣漸移。則異日中國醫學之興盛昌明。何待龜卜。余實有厚望焉。

中醫西醫解

陳丹華

中醫者。須重經驗。尚於理想之哲學也。西醫者。首在解剖。得於實驗之科學也。一則以氣化爲根據。一則以形迹爲基礎。彼此學術。各有所長。纏綿久疾。表裏兼施。此中醫之長也。危急暴病。外科瘍毒。此西醫之長也。如能破中西門戶之見。融會貫通。則醫學之道昌明。人民之痾立起。其幸福何可道哉。顧今日中西醫界。計不出此。不特不會通研究。而反互相詆毀。釀成今日醫學黑暗之現象。良可浩歎。彼西國政府。復利用華人特殊之心理。力逞其推翻中醫之伎倆。對於華人學習其醫學者。定有津貼。及獎勵辦法。以冀推銷西藥。達其經濟侵略之目的。國人之傷心病狂者。趨之若鶩。但求一己之利。甘爲彼輩西藥之推銷員。雖明知有經濟亡國之患。亦不之顧也。吾國政府。明知其弊。不特對於中醫無所扶助。反有廢除國藥之議。何其心肝別具耶。吾望爲西醫作倀之同胞。清夜捫心。憬然而悟。出其所學。互相印證。若者宜保存。若者宜改善。國粹歐化。以臻完備。非獨爲國醫之幸。且能挽回目前亡國之危機也。

生理

國醫之內分泌學

王南山

內分泌學。乃近世泰西最新發明之學說。然發明以來。未及百年。而於生理病理治療上。均有偉大之功績。反觀我國醫學。發明最早。且於內分泌之學說。亦已早有端倪。無如後之學者。不能細心研究。遂致先哲之功績。不爲後世所稱道。豈不深可惜哉。考吾國之內分泌學說。雖無其名。但於醫藥上之實驗。誠已早有暗合矣。茲就鄙見所及者。略述如下。藉以顯示吾國醫藥之可貴也。

(一)蝶鞍腺之內分泌　蝶鞍腺位於大腦下面之土耳其鞍窩中。又名大腦垂體。有前葉後葉之別。後葉之製劑。可爲强心劑。及升高血壓劑。收縮子宮劑。對於婦人臨產之陣痛微弱。頗有特效。爲催生之良劑也。現代西醫所用之催生針。卽本品之製劑。然中國藥物中亦有以動物之蝶鞍腺作爲催生藥者。如博濟方之催生散。準繩方之催生丹。皆以兔腦爲主藥。又如蘇頌之圖經本草。以鷄腦主治產難。夫兔腦鷄腦。雖非純粹之蝶鞍腺。然必有蝶鞍腺混合於其中。故能催生。此中醫已從實驗而知蝶鞍腺之功用。其功績不亦大哉。

(二)甲狀腺之內分泌　甲狀腺位於喉管前面之兩側。功能激起心臟之活動。增加血壓。且能去肥胖病。於身體之滋養。殊有重大之關係。據包曼Bavmann氏化驗甲狀腺之報告。謂其含有多量之碘化合物。若缺乏碘素。則發育障礙。身體羸瘦。心靈愚鈍。食慾減退。治以含碘之藥物。則病可愈也。考國醫向以海藻昆布爲治肺勞結核之要藥。而海藻昆布。實爲含碘最富之藥品。化學家里亨脫謂比普通碘化鉀之碘量更强百倍。並證明食海藻之後。確可增加甲狀腺之碘量。碘量充足。則甲狀腺之機能復常。而虛癆羸瘦等症。自可痊愈。此中西學說之相通者也。又考食療本草曰。昆布久服瘦人。蓋謂肥胖之人。食此能漸瘦也。此又與西說所謂甲狀腺能免肥胖病之理相同也。是則中醫對於甲狀腺之學說。實已早從經驗而發明。豈不深可貴哉。

（三）脾之內分泌　昔日歐醫謂剔出脾臟。並無影響於人。遂以脾爲無用之物。此實大謬者也。夫天生一臟。必有功用。決非無用也。不然。何必多此一臟乎。惟我國醫。早知脾主消化。如內經六節藏象論曰。脾胃大腸小腸三焦膀胱者。倉廩之本。營之居也。名曰器。能化糟粕。轉味而入出者也。蓋謂脾與胃等。皆爲消化器也。而彼歐醫。始猶反譏我說。及至近年內分泌之作用。漸漸闡明。方知脾臟對於消化機能。頗有關係。即消化時脾臟增大。而摘出脾臟。則消化力減退。變爲多食多糞之症。此種糞便增多之原因。謂由於脾臟內分泌刺激素之缺損也。然國醫此說。早已發端於四千餘年前之內經。實足以遠勝於歐醫也。

（四）胃之內分泌　胃之幽門黏膜。產生一種內分泌之刺激素。名曰胃分泌素。或曰胃刺激素。能促進胃液之分泌。故泰西醫家。有將動物之胃摘出。取其幽門黏膜。加以〇・四%之稀鹽酸。磨碎而濾過之。即可抽出其刺激素。用此以注射於人體。能治胃液缺乏之消化不良症。頗有特殊之功效。在國醫雖無胃刺激素之名。但已早知胃刺激素之應用矣。試觀葉天士本草再新以鷄內金主開胃消食。千金方以鷄膍胵治反胃吐食。保壽堂方以虎肚治反胃吐食。本草綱目以牛胃主補養脾胃。此皆以動物之胃治人體之胃病者也。豈非國醫早知胃刺激素之明證乎。（未完）

試述月經之生理

嚴襄平

易曰、乾道成男。坤道成女。男女之生成既殊。故其生理亦異。觀夫女子有胎產。有月經。而男子則無之。豈非確有異乎。茲單就女子月經之生理。述之如下。

(一)月經之意義　月經者。女子自發育期至老年期之子宮自然排泄物也。以其排泄物爲血液及黏液混合而成。而又大抵一月排泄一次。故名月經。

(二)月經之原因　經曰、女子二七而天癸至。任脈通。太衝脈盛。月事以時下。所謂天癸者。內分泌也。任脈者。植物性神經也。衝脈者。大動脈管及大靜脈管也。女子到十四五歲時。青春腺始告成熟。而產生能化生卵子之分泌物。卽所謂女子二七而天癸至也。且此內分泌之作用。有使身體起顯著變化之功能。其分布于骨盤腔內之植物性神經。對于生殖器之各部。于以起自然之作用。而司造卵之工作。卽所謂任脈通也。此植物性神經。又能主宰大動脈管行血之作用。使其血液下注卵巢及子宮。以供卵子之營養。卽所謂太衝脈盛也。迨卵子成熟以後。輸卵管之氈毛。亦賴植物性之作用而起蠕動。輸送卵子。由卵巢以達子宮。斯時子宮粘膜腫脹及粘膜毛血管充血腫脹充血者。所以備卵子之降入子宮也。粘膜腫脹。於是子宮腺分泌之粘液增多。毛管充血。於是大靜脈管紫血迴流。較大動脈管赤血之輸送爲遲。致毛細血管鬱血而破裂。血液穿其壁而滲漏焉。此毛細血管滲漏之血液。與子宮腺分泌之粘液。互相混合。排出體外。卽所謂以時下之月事。亦卽月經也。細察月經之中。又有皮上細胞及組織小片等物。是蓋由黏膜上皮之大部分剝落而來也。

(三)月經之分量　月經之意義。前已言之矣。而實則以二十八日行一次者爲多。蓋月經爲排卵作用之表現。卵子以二十八日成熟一次。故月經亦以二十八日排泄一次也。其行約三日至五日始淨。其一次之總量。大約七八錢至三四兩之譜。視其平常多少之不同而異。若較平時過多或過少。皆爲有病之徵。又或來時甚久。淋漓不斷。或一二日卽停閉者。亦非健康之候也。

(四)月經之色素　月經爲殷紅而微帶赭色之柔黏液質。夫盡人而知之矣。然當女子初潮。其或淡紅而帶黃色。其量亦少。厥後量始漸多。色亦漸紅。惟色以鮮明爲貴。若色過淡過深。或雜有紫色之血塊。固皆爲有病之兆。而色不鮮明。亦非健康之象也。

(五)月經開始及停止之期　經曰。女子二七月事以時下。此言月經初至之期。當在十四歲也。然此不過爲泛言之詞耳。往往有因地氣風俗體質知識之不同。而月經之開始有遲早之各殊也。大抵月經初至之期。居南方溫暖之地。較早於北方寒冷之區。居城市繁華之域。較早於清靜偏僻之鄉。體氣熱者。較體氣寒者爲早。知識聰明者。較知識愚笨者爲早。蓋地氣風俗體質知識數者。皆足以影響於其生理。使其身體之發育有遲早之不同也。二七之說。特道其常耳。經又曰。女子七七地道不通。此言月經停止之期。當在四十九歲也。然此亦不過爲泛言之詞耳。往往有因身體稟賦之不同。而月經之停止有遲早之各殊也。大抵月經開始早者。停止反遲。開始遲者。停止反早。先天足者。停止較遲。先天弱者。停止較早。經所謂有其年已老而有子者。以其天壽過度。氣脈常通。而腎氣有餘也。質言之。卽以其先天足而身體之稟賦厚也。七七之說。亦特道其常耳。此外有因疾病及妊娠哺乳而月經停止者。其由妊娠及哺乳而月經停止者。爲暫時的。其由疾病而月經停止者。或爲暫時的。或爲永久的。須視其疾病若何而異也。

（六）月經對于身體各部之影響　女子二七之年。而月經開始者。以斯時青春腺成熟。發生內分泌故也。近賢惲鐵樵氏謂全身腺體。皆爲一個系統。卽全身腺體。對於全身體之發育與變化。皆能互爲影響也。故月經開始之時。卽生殖器發達之日。亦卽聲帶變化。腰圍廣闊。乳房漲滿。陰部生毛。全體表現女性現象之候。此卽由於全身腺體之內分泌互爲影響也。又月經之來。往往精神上起暫時之變化。卽神經過敏。易受感觸。每因細故。輒動重怒。此亦生理使之然也。至若少女初潮。常發生驚愕恐怖之念。身體之痛苦。蓋亦多矣。

（七）月經之異態　女子自二七至七七之間。除妊娠期及哺乳期外。應有月經時下。此生理之常態也。但亦有因生殖器之發育不完全而不行經者。又有終生不行經而能妊娠者。謂之暗經。二月一行。不爽其期者。謂之并月。三月一行。不爽其期者。謂之居經。一年一行。不爽其期者。謂之避年。此雖屬於生理之異態。然亦間有屬於病態者。是亦不可不知焉。

病理

江南果無傷寒耶

范濟春

我國醫藥書籍。雖汗牛充棟。然其眞確可師可法者。惟仲景傷寒論而已。有識之士。莫不宗之。奉爲金科玉律。自秦皇士傷寒大白一書。謂江南無眞傷寒說之後。而蘇浙皖等地。遂致仲景傷寒論之方。格不能行矣。貽至清代。葉天士吳鞠通以吳儂譾詐之術。揭櫫溫熱。復從而和之。謂傷寒從皮毛入。溫熱從口鼻入。傷寒乍感卽發。溫熱伏久乃發。江南誠無眞傷寒也。以致大江南北下游各地。凡有謂仲景方。不可用者。每爲病者所樂聞。時醫所樂從。雖曾經先賢陸九芝據地輿時令痛闢其謬。至今猶有一派江湖術士。仍遵爲至理名言者。余深以爲憾。故再舉生理與氣候以證之，爲先賢後盾。並爲醫林先進一商榷之。茲略述如下。

據考秦皇士之理由。不過謂江南爲熱帶之區。氣候溫熱。所以患病者。亦溫熱而無傷寒。北方寒冷。故病者傷寒。不病溫熱耳。於戲。何其謬之甚也。蓋人爲熱血動物之最高尚者。具有相當之體溫。賦調節之機能。隨環境之移轉。應氣候之變更而生存者。不若其他物質。天熱則熱。天

寒則寒也。(並附寒帶熱帶體溫不同表藉以備考)

寒帶 {生溫亢進……體溫增多 / 放溫減退……筋肉皮膚密} 以禦外寒……氣候 {驟熱變化 / 增熱太過} 生理機能調節失度……病變 {多熱 / 少寒} 原因……其生理防寒之機能强盛故也

熱帶 {生溫減退……體溫低落 / 放溫亢進……筋肉皮膚疎} 以禦外熱……氣候 {驟寒變化 / 增寒太過} 生理機能調節失度……病變 {多寒 / 少熱} 原因……其生理防寒之機能疎懈故也

夫吾人處居寒帶。其生理也。常使生溫亢進。放溫減退。體溫高筋肉皮膚緻密。復重衾取溫。以禦外界之寒冷。如遇氣候驟熱之變化。或增熱太過。則其發病實多熱而少寒。是因其防寒之機能素盛故也。反之熱帶之人。其生理之機能常令生溫減退。放溫亢進。體溫低筋肉皮膚疎懈。再取風納涼。以禦外界之熱度。倘感氣候驟寒之變化。或貪涼過度。則其發病莫不多爲傷寒而絕少溫熱。何妄謂江南無眞傷寒哉。不聞乎殺人如麻之眞性霍亂。不在于冬而在于夏。可怖之猩紅熱。不在于夏。而在于冬也。況疾病之起。大都感受風寒而來。其所以發熱者。因皮下細胞受寒邪之刺戟而不能抗禦。即時影響脊髓神經。乃命體溫集表抵抗。換言之。即體工自然療能之反應耳。即內經夫熱病者皆傷寒之類也。蓋人之傷于寒。則病爲熱也。今之時醫治病。一見發熱。輒投以淸涼之品。如生地、石斛、麥冬、羚羊、犀角等。而每不效者。此亦未識體溫原理故也。且仲景創立之麻桂等劑。亦不過性取戟刺。使皮膚筋肉疎鬆。汗腺得以放散體溫。

俾生理調和而病除。豈祇有治北方之病而不治南方者乎。總之無論北方南方皆有溫熱。亦卽有傷寒。江南無眞傷寒說。全係荒謬無稽。本不足駁。且不攻自破矣。余所慨嘆者。秦皇士顓頊腦經不足以深責。獨怪葉吳揭櫫溫熱。主三焦之說。與仲景分庭抗禮。欺世盜名。其方藥淡泊。一律以豆豉豆卷爲治。服藥等於飲湯。死生委之天命。至今後學猶有漫不加察。甘受其朦者。可悲也夫。當此西醫挾科學之萬能。藉政府之威權。以與豆豉豆卷衡一高下。中醫有不冰消瓦解以漸滅者乎。

傷風不愈便成癆之三大原因

邢萬成

人之生也。恃乎空氣。衆皆知之。人之死也。亦由于空氣。非衆所能知矣。蓋據最近科學家之檢查。每立方寸空氣。含微生蟲有五千餘之多。而太虛間五洲萬島。何處無殺人機能。何處非巖穴陷阱。且空氣濕度之過高過低。濕度之過潤過燥。皆足以致人于死。豈非空氣亦能死人之明證乎。仲景曰。夫人稟五常。因風氣而生長。風氣雖能生萬物。亦能害萬物。如水能浮舟。亦能覆舟。誠哉斯言。毋亦早知空氣黴菌之科學乎。況倉頡作字。風字從虫。蓋已早知空氣中有微生蟲矣。卽如傷風一症。中醫謂其因于感冒風邪。西醫謂其傳染細菌。其名雖異。其理實可通也。況微生蟲之侵襲于人者。本與空氣之溫度有關。歐醫沛登考丕氏曰。細菌潛入人體。爲氣候不適于人類之生活。而適于病菌之發育。是則中醫之所謂風邪者。言其精也。西醫之所謂微生蟲者。言其粗也。每當氣候不正之時。空氣之中。細菌密佈。體弱之人。在此氣交之中。偶一不愼。疾患卽乘機起矣。諸凡疾病之有傳染性者。百病皆然。非特傷風一症已也。然傷風一症。雖爲小恙。每致變成肺癆。漸入危途。諺曰「傷風不愈便成癆」豈虛語哉。經云「善治病者。治皮毛。其次治肌膚。其次治筋脈。其次治六腑。其次治五藏。治五藏者。半死半生也」是故傷風初起。亟宜及早治愈。若至延入勞途。殆亦危矣。間嘗研究傷風不愈而成勞之原因。約有三端。爰述于下。俾患此者。知所戒焉。

一、體虛　人體受病而能自愈者。全賴乎自身之抵抗力也。抵抗力強。則病可不藥而愈。抵抗力弱。則病必纏綿不已。內經曰。勇者氣行則已。怯者著而爲病。誠至言也。當夫傷風之時。表皮驟受寒邪。毛竅爲之閉束。以致皮膚之呼吸停止。肺臟之呼吸壅盛。痰涎因而泛逆。微蟲乘機進侵。遂成爲咳嗽氣逆。鼻流淸涕等症矣。然其能咳嗽。能流涕者。猶欲將微生蟲向外驅出。亦自然之抵抗力也。斯時在身體強壯之人。尙能不治自愈。苟纖弱者。涕而不多。甚則無涕。咳而不爽。甚則咳血。則不免有纏綿之患。久咳不已。肺葉大傷。偶爲結核菌所侵入。便如油入麵。而癆瘵成矣。此由體虛而傷風不愈。變成癆病者也。

二、藥誤　又有傷風之人。誤進滋補涼遏之藥。每致久咳不愈。變成癆病。亦爲醫家病家。不可不知者也。如素不注重衞生者。平日酒色財氣。任意自伐。一旦傷風。自認爲虛。滋補藥品。自行亂投。或因素體羸瘦。而醫者誤認爲勞。或因素畏攻伐。而醫者迎合人心。遂將沙參、洋參、麥冬、玉竹等。滋補之品。誤亂頻投。或慮其體虛而難任欬咳。或恐其咳嗽而更增吐血。復將梨膏枇杷膏、蛤殼代赭等、涼遏之藥。誤亂早進。使其天然驅逐細菌之咳嗽。反被滋補涼遏而阻止。遂變爲乾咳無痰。音低不揚。偶被結核細菌乘隙侵入。必致變成癆病。此所謂弄假成眞者。實由于藥誤也。

三、食誤　世有因傷風誤食應忌之物。以致久咳不愈。變成癆瘵者。人多忽而不知也。余因屢見不鮮。故特表而出之。凡患傷風者。應忌食生冷酸濇油膩之食物。並忌煙酒辛辣等一切刺激之品。俾其疾病。可以早愈也。否則。食酸冷則變咳嗆不爽。食油膩則變咳嗽痰多。進煙酒則必增咳。進辛辣則變吐血。皆有久咳成癆之虞。不可不愼也。

綜上三大原因。確有釀成癆瘵之害。幸願醫家病家。勿以小恙而忽之。切宜謹愼調攝。對症投藥。庶幾成癆而死者。得以減少。是余之所馨香禱祝者也。

產後血暈辨

郁佩英

嘗讀古來婦科諸書，其論產後血暈之病理。多屬顢頇浮泛之學說。如薛立齋謂由惡露上攻。陳良甫謂由瘀血奔心。李東垣謂由陰血暴亡。心神失養。郭稽中謂由氣血暴虛。血隨氣上。朱丹溪謂由虛火載血上升。空虛所致。葉天士謂由敗血流入五臟。積于肝中所致。種種學說。紛紛不一。究其實際。殊乏至理。試問瘀露何以上攻奔心。及流入五臟。積于肝中。何謂血隨氣上。及虛火載血上升。均無詳細之辨明。奚有精確之實用哉。以愚研究所得。此病之病理。須辨虛實兩端。血暈屬虛者。大抵孕婦臨盆產兒之際。努力過度。必傷其氣。惡露過多。必損其血。氣即神經之作用。血乃滎養之資料。腦部既乏血液之滎養。又鮮健全之作用。則心臟之搏動衰弱。知覺之運用失脫。故致驟然暈厥。此即西醫所謂產後腦貧血之急性症也。血暈屬實者。大抵由于穩婆接產不愼。用具不潔。毒菌侵入陰道。從創口而入血循環。遍佈全身。侵害腦筋。故致神識模糊。甚則昏厥。此即西醫所謂產後染菌病之急性症也。前者之虛症。必先見面白汗出頭眩氣短等貧血症狀。後者之實症。必先見寒戰發熱心煩腹痛等染菌病狀。兩者病源既異。病狀亦殊。務于臨症之際。詳細辨別。審其病情。問其病源。辨明其虛實之分。而後投以相當之劑。血暈之由于虛者。當以補血强心爲主。血暈之由于實者。當以祛瘀殺菌爲主。但中醫之强心殺菌。與西醫不同。强心者益氣助陽。即增進細胞之原動力。恢復神經之作用也。殺菌者。汗吐下和。即恢復生理之常態。增進抗毒之作用也。如是分別虛實而施治之。庶不致誤治而害人生命也。

尿之病理

鄒森源

尿者。腎臟之分泌物也。係淡黃色之透明液體。其味微苦而鹹。具有異臭。此爲生理現象。若與此相反。卽爲病理現象。國醫對於尿之病理。在四千餘年以前所傳之內經。已有發明矣。靈樞口問篇曰。中氣不足。溲便爲之變。此言尿之變爲過多或過少。皆由于中氣不足也。國醫所謂中氣者。卽神經之作用也。神經之作用衰弱。以致小溲變常者。約有兩症。一爲水飲入胃之後。因其神經衰弱。既不能上輸于脾肺。又不能四佈于全體。遂直走而下。變爲小溲過多。故仲景治此症。必用附桂以興奮其神經也。二爲水液入腎之後。因其神經衰弱。既不易分泌而入膀胱。又不易輸送而出尿道。遂停蓄于內。變爲小溲過少。故仲景治此症。亦用桂枝以興奮其神經也。前人以小溲過多者。爲腎氣不足。過少者。爲氣化不宣。又以桂枝能宣膀胱之氣化。凡此氣字。實皆指神經之作用而言。由此可以恍悟也。

素問評熱論曰。小便黃者。少腹中有熱也，素問至眞要大論曰。歲少陽在泉。火淫所勝。民病注瀉赤白。少腹痛。溺赤。此言尿之變爲黃赤者。皆爲內熱之徵象也。蓋內熱過盛。小溲必變黃赤。試以平人清白之小溲。置于玻璃管中。用火酒燒之。卽見其色由白而變黃。由黃而變赤。此可證明前說之不謬也。且又可知黃爲熱輕。赤爲熱重也。

素問至眞要大論曰。諸病水液。澄澈清冷。皆屬于寒。諸轉反戾，水液渾濁。皆屬于火。此又以尿之清濁分寒熱。夫尿色黃赤者屬熱。已如前言。可以試驗于玻璃管中矣。然不黃赤者。必係無熱。甚至原有之淡黃色亦無者。則其原有之體溫。亦必低減，而爲寒症。皆可從前說而推想矣。

且內熱重者。膀胱及腎。必引起炎症。亢進沉澱物之分泌。故致小溲渾濁也。

綜上各點。可知國醫對于尿之病理。早有發明。且可藉此以補助診斷之不足。誠爲精深之國粹也。

狂犬病之研究

王景賢

凡被瘋狗咬傷而致患病者。名曰狂犬病。西名犬毒恐水病 Lyssa. Hydrophobie. 乃是危險之疾病也。世界各國人民之死于本病者。其數甚多。實堪驚怖。爰將狂犬病之原因症治等項。采集中西學說。分別研究如下。

(原因)中醫謂由犬食毒物。臟腑受毒。變成瘋犬。舌出涎流。頭低耳垂。目紅尾拖。急走無定。多見于春末夏初之間。人被瘋犬齩傷。卽成狂犬病矣。西醫謂本病之病毒。有傳染性。犬受其毒。變爲狂犬。其毒質多在病犬之唾液中。人被噬傷。卽將病毒由皮膚破裂處而侵入。但已犯病毒者。並非立卽發作。必須經過相當之潛伏期。大約二星期至六個月之內。則病發作矣。其發作之遲早。以咬傷之部位及傷勢之輕重而異。如咬在足部。以其離中樞神經較遠。則發作較遲。如咬傷在面部。以其離中樞神經較近。則發病必速。又傷勢重者。則沾染之病毒亦重。其發必速。傷勢輕者。則沾染之病毒亦輕。其發必遲。此其大較也。

(病竈)凡患本病之人及犬。病死之後。剖驗其腦部。可用顯微鏡檢出「尼結利小體」Negrische

中国近现代中医药期刊续编·第二辑

Coerperchen 乃是瘀血凝結之堅硬結塊。此以瘀血結在腦部。乃西醫之學說也。唐宗堯曰。歲己丑。邑中多癲犬。遭此患者。十死八九。適有耕牛亦遭此患而斃。剖其腹。獲血塊大如斗。色黧紫。攪之蠕蠕然動。闔邑驚傳異事。有張君者。曉醫術。聞之悟曰。仲景云。瘀熱在裏。其人發狂。又云。其人如狂者。血證諦也。下血。狂乃愈。今患此症者。大都如癲如狂。豈非瘀血爲之乎。不然。牛腹中何以有此怪物耶。吾今得其要矣。于是用仲景下瘀血湯治之。不論毒之輕重。症之發與未發。莫不應手而愈。此以瘀血結在腹中。乃中醫之學說也。吾謂中西兩說。可以相通。蓋中醫謂係瘀血。而西醫亦謂係瘀血。則其病毒。確在血分之中。可以無疑矣。至其瘀血結在腦或結在腹者。或其所結之處有不同也。然結在腹者。諒其腦部亦必有瘀塊小體。故必現癲狂之神經症狀。惟其體甚小。不用顯微鏡。則不能見。故唐君未言及也。

（症狀）發病前之二三日。其咬破之傷痕。突然腫脹疼痛。甚或破裂出膿。由是精神抑鬱。食慾銳減。惡寒發熱。喜怒無常。一二日後。卽至恐水期。因其食道肌肉痙攣而疼痛。以致滴水不能嚥下。見水之後。病勢驟重。神識昏狂。全體痙攣。暴躁叫號。壯熱口渴。以扇搧之。則顫。聞鑼聲則驚。甚或狀如瘋犬。逢人則齩。旋遂轉爲心臟麻痺。昏沈而死。

（治法）本病治法。當推中醫爲佳。蓋西醫治此。用格魯拉兒臭剝、及其他之麻醉劑。使其神經麻痺。狂躁暫止。實非根本之治法。萬無治愈之望也。惟在未發之時。注射拍斯篤氏 Pastur

狂犬血淸。尙屬有效。但一至發病。則束手無策。坐而待斃矣。惟國醫治此。頗有特效之經驗良方。爰擇效驗最著之兩方。分列于下。

(一)生軍(三錢)桃仁(七粒去皮尖)地鱉蟲(七只炒去足此卽古方之䗪蟲)右三味。研末。加白蜜三錢用酒一碗。煎至七分。連渣空心服之。如不能飲酒者。用水對和亦可。小兒減半。孕婦不忌。(有病則病當之故不忌)服此藥後。別設糞桶一隻。以驗大小便。大便必有惡物如魚腸豬肝之類。小便如蘇木汁。數次後。藥力盡。大小便如常。再服則惡物又下。不拘帖數。總要大小便無纖毫惡物爲度。則病根全除矣。

(二)木鼈子(一個)明雄黃(一錢)黑丑(一錢)白丑(一錢)大黃(三錢)共爲細末。以紫銅雍正錢一枚。(如無此錢可以紫銅一小片代之)煎湯送服。服後卽睡。取汗。毒從大便下。重者再進一二劑。俟便中無惡物瀉下。則全愈矣。外用杏仁搗爛。口涎調敷于傷處。

按上列二方。前者以下瘀爲主。後者以瀉毒爲主。均與中西之病理相合。實爲適合科學之良方。故其效驗甚著也。

抑鬱傷肝之現代觀察

陸自量

嘗觀婦人之病。除少數急性傳染病外。十之八九爲淹淹牽牽之不傷命病。詢其所苦。則曰頭痛、頭眩、甚則兼有泛噁嘔酸等症。尤其在近世紀中。此等症狀。直堪稱爲今日之婦女流行病矣。然則其病爲何。蓋卽所謂肝病也。嘗讀昔賢諸書。對于婦女之病。亦以肝病爲最多。如頭痛、頭眩、爲肝陽病。泛嘔、嘔酸、爲肝胃氣病。雖多精論專說。無如千篇一例。謂係抑鬱傷肝使然。維此含糊之說。使人尋味。細嚼之餘。不免生疑。若謂肝爲風木。頭痛頭眩爲風陽上擾。嘔噁酸水爲木尅土位。諸如此說。未免深入顳顬之途。引後學于茫茫大海中。譬如濁中滌垢。仍難望其清潔。在此時期。正欲較準舊說。改革古訓。設仍墨守風木濕土。實有蒙蔽後學之腦筋。使同化于顳顬之徑也。觀內經以愉悅舒暢爲肝(非肝臟之肝)德。憂愁鬱怒爲肝病。細加咀味之。則所謂肝風、肝陽、肝氣、肝火等。依現代目光觀察之。乃泰半指神經爲病而言也。蓋愉悅舒暢。神經得以弛緩。憂愁鬱怒。神經立受刺激。細味古書。又多包括全體之神經作用而混稱爲肝。故所謂肝病者。乃憂愁鬱怒後神經受刺激之謂耳。憂愁鬱怒後何以能致種種病態。則其理頗奧。其意尤深。匪一言所能了解。維古人著書。詞簡意括。初非易於明瞭也。蓋肝病也者。乃交感神經之受刺激也。交感神經者。爲不隨意神經之一部。與迷走神經之作用適反。其出發點。在大腦。其機能主內部臟腑及不隨意運動。故其不聽意識之指揮。分布至爲廣大。外而瞳孔毛髮肌肉。內而臟腑血管。若一旦憂愁鬱怒。則交感神經立受刺激。其所受刺激能影響胃部。使消化起變。減退胃壁蠕動。其胃液酸與配布敦不能化合。使其吸收體內。而仍存留胃中。其積留之酸性愈積愈多。反上泛而爲嘔吐。若是者。卽所謂肝胃氣也。頭爲腦之竅穴。大腦爲神經之總機。神經既受刺激。血液循環失司。上衝于腦部。腦部不受多量之血液。而起充血。則爲頭痛頭眩而現局部病態。若是者。卽所謂肝陽也。又有經水失常。則亦不外乎神經刺激。波及內臟血管。一種腺體起變化。而使如潮之經血不循常軌也。且試我人每于情懷不快時。以指按兩手之脈。覺其動跳不揚。此卽動脈血因神經不弛緩而血壓減低血流遲鈍之故。反之。如奔走操作後。兩脈及全體脈部起非常動跳。皮膚泛紅熱。此卽神經興奮後血壓增高而血流迅速之故。以上種種徵狀。悉屬神經之作用。其所受刺激後。甚至已成病態。其治療之法。取效至爲困難。往往藥力竟不能及。譬之。或因兩性失戀。或因生活環境不良等。試問藥力能否補救之。獲愈之冀。惟有首重心理暗示。次則患者自行極力在改變生活上着想。捨此。藥力之助。難效什一。近有催眠術之行世。耑治一切精神病。爲治藥石之所不逮。如頭痛、頭眩、牙痛、失眠、及種種神經等症。正可代表抑鬱傷肝下一顯明證據矣。抑又進者。考神經病。不僅爲抑鬱刺激而成。亦有因反射性使然者。因女子每因骨盤腔內臟器之變化。如子宮破裂。子宮出血而發生多少之全身症狀。現爲頭痛等。此卽所謂水虧於下。風動於上也。故國醫治療此症。分有二法。一爲治上。乃鎭定神經之繁亂。如羚羊角金石之類。蓋卽平肝息風法。以制其諸痛苦。一爲治下。乃療骨盤腔內臟器之變化。如白芍首烏地黃阿膠之屬。蓋卽滋水涵木法。以救其子宮之破裂。以冀恢復全身之反射症象，至于男子。若有患及神經性疾患。其原因亦有二點。因患者之中樞神經顯二種變態。一爲刺激感應力敏銳。一爲感應之抵抗力薄弱。有此二種變態。老少均能呈神經病症象。簡言之。凡現此種種徵狀者。乃神經已經衰弱。爲其虛性興奮之明兆也。量不敏。抑鬱傷肝作如是觀。竊願有志同道。匡予不逮。使久湮之學術。得一綫曙光。彼空論與玄妙之術語。進而爲科學之理。俾我國醫與世界同演進。則豈量個人之私幸也哉，

治療

中西治療血虛病之比較

沈潛德

人身血液貴乎流暢。流暢則新陳代謝之機能活潑。赤白血輪之產生頻增。自無血虛之患矣。故凡血虛而欲補血者。當于補血藥中。參入理氣活血之品。是爲順自然之正當療法。有利而無弊也。苟或純用補血之藥。而不佐以理氣活血之品。則爲逆自然之野蠻治法。有利而亦有弊也。試觀中西醫家治療血虛病之成績。優劣懸殊。可以知矣。中醫補血之主方。爲四物湯。西醫補血之主藥。爲鐵汁。余嘗觀服鐵汁者。固可使血輪增多。體量加重。然服之稍久。每有肢體浮腫。腑行燥結之弊。卽彼所謂副作用也。而服四物湯者。既可使血液充足。面色紅潤。又可使體力增進。腑行通暢。毫無副作用也。蓋因鐵汁之補血。純補其血也。四物之補血。補血而兼理

氣活血也。純補血者。補而凝滯。逆其血液流暢之常規。故有浮腫減食之弊也。兼理氣活血者。補而活利。順其血液流暢之趨勢。確爲有利無弊之法也。考四物湯者。地黃芍藥當歸川芎也。地黃內含之主要成分。雖亦爲補血之鐵質。然其性寒滑。其汁甚多。本經以此治血痺。實驗以此通大便。實爲補血而又能活血之藥。較諸服鐵汁而有浮腫便閉之弊者。正相反也。白芍內含安息酸。能補白血輪而流通微細血管。當歸內含當歸精。能補赤血輪而滋潤血脈大腸。川芎內含揮發油。性專走竄。有行氣解鬱潤燥活血之功。且川芎性升。有興奮神經。迫血上升之力。芍藥性降。有收斂神氣。使血下降之效。一升一降。適足以助血液升降流行之機能。當歸地黃。均是滑潤之品。有活血潤腸之力。川芎當歸。俱係芳香之藥。有理氣醒胃之功。配合成方。適成和平而流暢之補血良劑。必無副作用之弊也。較西醫之用鐵汁以變補血液者。奚啻天壤之別耶。

瘀血不去新血不得歸經論

王博平

書云。「瘀血不去。新血不得歸經」蓋謂患失血者。有因局部鬱血。血脂脹滿。脹滿太過。血脂破裂。以致出血不止者。當用行血祛瘀之藥。使其局部之鬱血。行散于全身。則不致再呈破裂之象。而失血自止矣。如仲師治吐血不止之柏葉湯。用乾薑艾葉。治癥痼漏血之桂枝茯苓丸。用桃仁丹皮。皆其例也。然非無論何種之失血。必須行血祛瘀。不宜涼血止血也。昧者不察。一見吐血下血之證。皆不致服用止血之劑。並謂止血者。止其已出血脘之血。能使凝固而成瘀血。瘀血阻于血脘之中。新血不得流行。必致再發吐血。較前更甚。此種偏執一端之說。實屬不可盡信也。設遇血熱妄行。以致血管破裂之症。不用涼血止血之藥。反用袪瘀行血之劑。是猶火上潑油。安得不增其病乎。

夫瘀血不去。新血不得歸經者。是指有瘀之病而言也。有瘀者。當去之。無瘀者。可妄攻乎。況古人所謂活血止血及袪瘀生新之語。本有深義存焉。蓋謂活血之劑。不宜專用活血之藥。須參入止血之品。如柏葉湯、既用乾薑艾葉以活血。必用柏葉馬通以止血。俾其鬱血行散之後。出血易於自止也。袪瘀之劑。亦不宜專用袪瘀之藥。必須參入生血之品。如生化湯、既用桃仁炮薑以袪瘀。必用當歸川芎以補血。俾其瘀血袪除之後。新血易於恢復也。此皆先聖垂敎之良規。不可忽視者也。若一味濫用袪瘀活血之藥。即遇有瘀之病。尚恐僨事。而況失血之症。原因甚多。妄施攻破。寧無殺人之禍乎。且普通失血之症。泰半不屬瘀血。偶因內臟之血管破裂。不能凝固自愈。當進以藥力。助其凝結。況血液未經空氣養化者。仍能吸收于血管之中。能隨新陳代謝之機能而行。決不致因服止血之藥。而瘀結不解也。又況止血之理。不外凝結。若必捨止血之法。概用行血袪瘀之劑。則其破裂出血之口。豈能凝結乎。更有血友病之出血。毫無瘀結。概宜止濇。倘若誤用活血袪瘀之劑。必致出血愈多。危及生命。可不愼哉。余因見近世醫家。

每執瘀血不去。新血不得歸經之說。不辨是非。不審脈症。祗知袪瘀。不知止血。殺人甚多。遺禍匪淺。故特辨論如上。

藥物

烏梅治口甜之研究

王志純

欲研究烏梅之治口甜。當先研究口甜之病理。何謂口甜。即口中恆有甜味。雖食物飲料中不含有糖質。而入口亦恆覺其甜。此甜也。蓋非外界飲食之染味。乃由胃中濕熱所蘊蒸。然胃中濕熱何由產生。濕熱蘊蒸。何以口甜。此則又當研究者也。夫胃爲消化臟器。飲食下咽。必先入胃。由胃壁分泌胃液。以滋消化。同時胃壁蠕動磨擦。使食物腐爛。以達其吸收養料之目的。而蠕動之作用。且能使已經消化之食物。向下排擠。以入腸管。然則胃液與蠕動。爲消化之要素。設胃液有所不足。蠕動有所呆鈍。則消化必起障礙。而食物停留不下。食物停留胃中。久則發酵作釀。影響胃壁黏膜。而引起發炎。既發炎則炎處必有一種液體泌出。謂之炎性滲出物。此種液體。非常黏膩。即所謂濕者是也。食物發酵作釀。勢必鬱蒸而生熱。胃中濕熱之產生。蓋由是已。夫鬱蒸而生熱之說。雖近玄妙。然考之外界事物而可證者也。獨不觀夫菜蔬植物乎。苟堆而使鬱。越數日。以手探其中。則轟然有熱氣。余羈客滬上。因事返蘇。時適仲夏。親友囑帶新鮮蓮子。余以便利攜帶起見。剝去蓮房。而存其外皮。包以厚紙。而藏之衣箱中。及抵滬埠。啓箱探取。觸之有暖意。異甚。乃展紙啓視。果然熱氣蓬勃。一若自釜中取出者矣。噫。此非鬱蒸而生熱乎。雖然。熱之由來。不必盡出乎鬱蒸。亦有表證不解而傳裏者。養液不足而燃燒者。濕之產生。不必盡由於炎滲。亦有吸收衰減而造成者。泌尿不良而所致者。不過證見不同。名稱各異。不在口甜濕熱範圍之內。夫惟此種濕熱由於食物鬱釀而來。故有口甜之證象。蓋人之食物。穀類爲多。穀類固含有糖質。以麥能製飴。而酒釀味甘。食積不消。則穀氣蘊釀。而本味上泛。故口爲之甜也。而更足引以考證者。則口甜必與胸悶嘔噁並見。以食物發酵。定必產生氣體。胃中滿貯氣體。故見胸悶。氣體上升。故必嘔噁。而舌苔垢膩。又爲胃中穢濁不潔之明證。烏梅之治口甜。有二說焉。烏梅味酸。能促進胃液之分泌。增加消化。去除食積。食積一去。則炎滲自已。此一說也。烏梅具去除垢污之功。能蕩滌黏膩。此又一說也。二說在事實上。俱有相當之證明。如食後泛泛欲吐者。啖製酸（卽製梅肉）卽已。是則促進胃液分泌。增加消化之證明。凡器物之有垢污者。用烏梅湯浸洗卽除。又口中黏膩不適。稍咀製酸卽淸。是則去除垢污。蕩滌黏膩之證明。由此觀之。則兩說均有至理。然不知其所以治口甜者。究爲促進胃液之分泌歟。抑蕩滌黏膩歟。或二者兼而有之歟。余方疑慮莫辨。適總主任王愼軒先生以出版雜誌。而索稿甚急。乃倉卒寫此。以與海內同志一討論之。

瀉藥與各臟器之關係

周自強

人體內之有質廢物胃從肛門排出而為糞便。此乃健康人之常規也。若糞便燥結。變成便祕。輕者初無感覺。久必現頭痛、眩暈、胃中壓悶等象。重者糞便釀毒。勢必現發熱。譫語。腹中鞕痛等症。是皆有賴於瀉藥之功矣。然便祕之因。厥有多端。或因體溫過高灼傷大腸之津液。或因吸收太過。吸盡腸中之水分。皆可使糞便燥結而為便閉也。又或因膽汁停止。失其膽汁激起腸部蠕動之能力。或因神經衰弱。失其神經鼓動腸部蠕動之作用。皆可使糞便停留。而為便祕也。是則便祕之原因。既各不同。而瀉下之藥劑。自應分別。故治體溫過高者。宜寒下之。神經衰弱者。宜溫下之。吸收太過者。宜滑潤以下之。膽汁停止者。宜疏通以下之。均當隨證施治。不可拘執者也。且瀉藥之功用。不但能療便祕。更且旁治各臟器之疾也。如卒然倒地。昏不知人。國醫謂之中風。歐醫謂之腦溢血。內經曰「血之與氣。併走於上。則為大厥。厥則暴死。」與腦溢血之病理相合。金匱之風引湯。後賢之三化湯。皆以大黃瀉下為主。蓋欲引導其腦部之血液向下。以減除腦中之溢血也。又如頭痛、發熱、口噤、背強。國醫謂之痙病。歐醫謂之腦脊髓膜炎。金匱有用大承氣湯以下之者。他如虹彩炎症之用瀉青丸。肺炎多痰之用葶藶大棗瀉肺湯。皆以瀉藥刺激腸壁。使其腸部充血。發生瀉下。以消退其遠隔部之炎症也。然何以瀉肺不用硝黃。而必用葶藶乎。蓋葶藶既能瀉下以消退肺中之炎。又能降氣以攻逐肺中之痰。實有特效於肺。非硝黃所能代也。至於胃炎而見心下痞氣者。傷寒論以大黃黃連瀉心湯治之。胃潰瘍而見吐血者。金匱以瀉心湯治之。均以大黃瀉熱退炎爲主。芩連健胃消炎爲佐。患膽石而見黃癉者。金匱多用硝黃以下之。如大黃硝石湯、硝石礬石散、茵陳蒿湯。梔子大黃湯等。皆不離乎硝黃也。蓋因黃癉之成病。多起於肝膽。礦鹽瀉劑與水溶解後。由毛細管而靜脈管。而門靜脈管。以入於肝。既至肝藏。則亢進門脈系之血行。且由鹽類作用。促進組織液之灌流。而改良肝藏之榮養也。故瀉劑之於肝膽病。尤有特效。常習便祕。古名脾約。名曰常習便祕者。言其病狀也。名曰脾約者。詳其病源也。經曰「飲入於胃。上輸於脾。脾氣散精。上歸於肺」乃以脾主吸收腸胃中之水分也。小腸乳糜管之能吸收乳糜。或即脾藏內分泌腺之作用使然。脾之約束過甚。吸收異常。則水分缺乏。大便燥結。當以脾約麻仁丸治之。腸內膜炎之下利。純爲身體之自然療能。欲排除腸中之有害物質。斯時宜以硝黃等瀉藥下之。若止其下利。是逆其病機矣。故金匱下利各條。多用承氣湯也。盲腸炎症雖已潰膿。不施刀圭。可與大黃牡丹湯排其膿。自可愈也。虛勞乾血。治以大黃䗪蟲丸。子宮鬱血。主以下瘀血湯。經閉治以抵當湯。少腹滿治以大黃甘遂湯。均以大黃攻其瘀血。且使其大腸充血。而波及骨盤內臟器同時充血。使瘀血易下。經閉易通也。是則上而巔頂之疾。下而子宮之病。內而臟腑。外而肌膚。皆可用瀉藥以治之矣。然利必兼弊。投必中的。苟或不當下而妄下之。亦足以殺人。是在臨證處方之際。詳細審辨。烏可忽哉。

試述毒藥之配劑法

宋克明

毒藥者。藥入動物體中。能使動物之機能。驟起急劇之變化。足以消滅病理之變態。恢復生理之常態者也。然其藥性至猛。常易因此而引起瞑眩。副中毒。或死亡之危。故不宜用單味之毒藥。宜施用適當之配劑法也。中醫配劑之法。極爲奇妙。苟能配合得當。則其治效愈大。能使毒藥不悍其性。不減其功。而有藥到病除之效。如烏頭湯之配以白蜜。四逆湯之配以甘草。十棗湯之配以大棗。皆所以緩其峻勢。解其毒性。使其有功而無過。有利而無弊。實爲制勝病魔之妙法也。但如時醫之配方。以十餘味或二三十味之藥。胡亂配劑。毫無意義。甚或以相反之藥。制其峻猛之性。反使功效盡失。不能愈病。則非先聖之法。亦非吾所謂適當之配劑法也。

瓦楞殼治胃脘痛之研究

陶淑英

王師愼軒治婦人胃脘痛。常用瓦楞殼。頗有特效。淑英初尙不解。及讀藥物學之牡蠣。知其成分爲炭酸曹達。能中和鹽酸。而治鹽酸過多之胃病。竊思瓦楞殼與牡蠣同類。其亦同此理歟。問于師。師曰然。並謂據經驗而論。瓦楞殼治胃痛。尤勝于牡蠣。可代西藥重炭酸曹達之用。爰誌之。以實本刊。

醫案

馬培之先生內科醫案

再門人王愼軒編　再小門人楊夢麒錄

癲厥

恙由驚恐起見。驚則氣亂。傷乎心也。恐則氣下。傷乎腎也。心膽氣偏。痰涎沃乎心包。神志昏亂。寤不成寐。或歌或笑。或泣或悲。飲食倍於曩時。痰火有餘。成爲癲症。擬用瀉心溫膽法。

麥冬（硃砂拌）　石菖蒲　黃連　琥珀　川貝　鬱金　橘紅　猪心血　石決　枳實　粉草　元參　竹瀝

恙由驚恐而起。旋即不寐。心胸熱辣。咽嗌氣痺。呃逆。甚至昏厥。內經云。驚者心與肝胃病也。心氣强則觸之不動。心氣虛則觸之易驚。肝屬木屬風。風木震動。故病發驚駭。胃爲多氣多血之經。胃氣壅則生熱。故惡人與火。聞聲則驚。心主藏神。驚則神舍空虛。陽明痰熱。內居心包。神不歸舍。故見症若是。擬養心和胃。平肝以安神志。

北沙參　半夏　茯神　丹參　遠志　當歸　柏子仁　合歡　蒺藜　佛手　竹茹　龍齒　雞子黃

肝脾不遂。木鬱化氣。脾鬱生痰。痰滯於中。氣道不利。壅閉昏厥。肢搐痰鳴。逾時而醒。已成痫厥之疾。宜解鬱化痰。兼熄風陽。

蒺藜　半夏　丹參　菖蒲　竹茹　橘紅　鬱金　香附　天麻　茯苓　枳殼　生薑

思勞抑鬱。心脾受虧。木鬱不達。氣化爲火。心君被擾。恍惚不寧。言語失經。精神疲憊。四肢驚惕。慮成癲癇之疾。急爲養榮開營心脾。以舒木鬱。

丹參 半夏 沙參 遠志 柏子 鬱金 蒺藜 陳皮 白芍 當歸 菖蒲

風痰痙厥發時神昏。肢搐痰鳴甚至遺溺不知。脈來弦滑而數。痰積於中。氣道不利。厥少之風陽鼓動。已成癇疾。擬柔肝熄風。和陽明以清痰熱。

半夏 蒺藜 菖蒲 石決 雲苓 枳殼 天麻 膽星 鈎勾 川貝 竺黃 竹茹

脈沉細弦急。思慮過度。心肝鬱而不遂。氣化爲火。神思恍惚。意志不樂。不能自如。臥不成寐。防成癲疾。擬養陰清氣。解鬱以寧神志。

沙參 百合 麥冬(辰砂拌) 遠志 鬱金 生草 琥珀 合歡 柏子 川貝 山梔 茯神 金器(一只)

雞子黃(一枚冲服)(未完)

丁甘仁先生內科醫案

門人王愼軒編 再門人王南山錄

溼溫

張左 溼溫六天。身熱有汗不解。胸悶泛噁。口乾欲飲。飲而不多。舌苔薄膩而滑。脈象濡滑而數。陽明之溫。太陰之濕。蘊蒸氣分。漫佈三焦。慮其增劇。姑宜清解宣化。

清水豆卷(六錢) 黑山梔(一錢半) 仙半夏(一錢半) 酒炒黃芩(一錢) 赤茯苓(三錢) 炒枳殼(一錢)

苦桔梗(一錢) 飛滑石(三錢包) 通草(八分) 地枯蘿(三錢) 炒麥芽(三錢) 炒竹茹(一錢半)

甘露消毒丹（四錢包煎）

復診　身熱漸退。胸悶納少。小溲不清。舌苔薄膩。脈象濡滑。濕熱痰滯未楚。脾胃運化無權。今宜宣氣滲濕。

清水豆卷（四錢）　生苡仁（四錢）　光杏仁（三錢）　象貝母（三錢）　赤茯苓（三錢）　福澤瀉（一錢半）　通草（八分）　陳廣皮（一錢）　仙半夏（二錢）　製川朴（八分）　製蒼朮（八分）　佩蘭梗（一錢半）　佛手（八分）　甘露消毒丹（四錢包煎）

三診　濕溫身熱已退。胸悶苔膩。小溲淡黃。脈濡滑不靜。餘邪濕熱未楚。再宜宣氣滲濕。去疾務盡之意。

清水豆卷（三錢）　仙半夏（二錢）　生苡仁（三錢）　通草（八分）　光杏仁（三錢不打）　象貝母（三錢）　赤茯苓（三錢）　福澤瀉（一錢半）　新會皮（一錢）　製蒼朮（八分）　製川朴（八分）　鮮藿香（二錢）　鮮佩蘭（二錢）　甘露消毒丹（四錢乾荷葉包煎刺孔）

俞左　濕溫五天。身熱不解。有汗惡風。遍體骨楚。胸悶泛噁。不能飲食。舌苔膩佈而垢。脈象濡遲。伏溫挾濕挾滯互阻中焦。太陽表邪鬱遏。太陰裏濕彌漫。清不升而濁不降。胃之展和之權。邪勢正在鴟張。擬五苓合平胃散加減。

川桂枝（八分）　製蒼朮（一錢）　清水豆卷（四錢）　赤豬苓（各三錢）　澤瀉（一錢半）　製川朴（八分）　陳廣皮（一錢）　仙半夏（二錢）　枳實炭（一錢）　六神麯（三錢）　鮮藿香（一錢半）　鮮佩蘭（一錢半）（未完）

曹穎甫先生內科醫案

門人王慎軒記　再門人甬山編

傷寒門（遵傷寒有五之說凡六淫之病皆屬之）

太陽傷寒　梅溪衖金左

形寒發熱。頭痛項背强身疼無汗。脈浮緊。雖在炎暑而病機實屬傷寒。宜麻黃湯主之。

生麻黃（三錢）　川桂枝（三錢）　光杏仁（四錢）　炙甘草（二錢）

（記）今之時醫。多謂南方無傷寒。夏月無傷寒。然此方係古歷六月念肆日所開。連服兩劑。病卽豁然。七月中旬。天氣驟寒。患此者甚衆。曹師均用是方。莫不卽愈。愼軒七月念一亦患此證。承曹師書此方一服卽瘥。可見仲師傷寒諸方。不僅爲北方嚴冬而設也。特誌之。與研究斯道者一商榷焉。

又　道前徐左

貪凉飲冷。衞陽胃氣盡爲所遏。發熱身疼。腹痛脘脹食入泛嘔。法當透解。

紫背浮萍（三錢）　前胡（一錢）　藿梗（二錢）　仙半夏（二錢）　淡乾薑（一錢）　淡吳萸（二錢）　桔梗（一錢）　甜瓜蒂（六分）

（記）服此劑之後。吐出濁水甚多。諸恙悉退。

太陽風濕　火神廟陳左

發熱惡寒。一身盡疼痛。脈浮緊。此爲風濕。麻黃加朮湯主之。

生麻黃（三錢）　川桂枝（二錢）　光杏仁（三錢）　炙甘草（一錢）　生白朮（三錢）

服前湯已。諸恙均瘥。惟日晡尚劇。當小其制。

生麻黄（一錢）杏仁泥（二錢）生苡米（二錢）炙甘草（一錢）

又　虹橋李右

新涼外襲。汗液失宣。因而成濕。濕留肺經。因而多痰。脈浮滑。表有濕。當宣太陽。

前胡（二錢）　麻黄（一錢半）　桔梗（二錢）　杏仁泥（三錢）　生白朮（二錢）　生苡米（五錢）　炙草（一錢）

（未完）

黃體仁先生女科醫案

門人王愼軒編　再門人朱彩霞錄

帶下門

沈【老西門】濕熱下注。帶脈爲病。黄帶連綿。腰骨痠楚。舌黄膩。脈弦滑而數。擬易黄湯加減。

川黄柏（八分鹽水炒）　炒白朮（一錢五分）　淮山藥（三錢）　剪芡實（三錢）　雲茯苓（三錢）　粉萆薢（三錢）　車前子（三錢）　苦參片（八分）　厚杜仲（三錢）　川斷肉（二錢）　白果肉（七枚打冲）

陸【帶鈎橋】白帶甚多。來如清水。大便溏泄。面目浮腫。脈象濡遲。恙延多年。圖治非易。

炒白朮（二錢）　潞黨參（三錢）　炒甘草（六分）　帶皮茯苓（四錢）　陳廣皮（一錢）　大腹皮（二錢）　冬瓜皮（三錢）　防風炭（一錢）　焦白芍（一錢五分）　淡乾薑（四分）　炒藊豆衣（三錢）　乾荷葉（一角）

陸【二診】浮腫略退。便溏亦減。白帶尚多。肢體乏力。脈象濡輭。再宜前法加減。

煆牡蠣（四錢）　花龍骨（三錢）　烏鰂骨（四錢）　炒白朮（二錢）　雲白茯苓（四錢）　炒甘草（五分）　淡乾

薑(五分)　藊豆衣(三錢)　炒冬瓜皮(三錢)　陳廣皮(一錢)　白果肉(七枚打冲)

陸【三診】便溏已止。帶下亦減。投劑合度。再守前法出入。

左牡蠣(四錢煅)　烏鰂骨(四錢煅)　赤石脂(四錢包)　炒於朮(一錢五分)　潞黨參(三錢)　雲茯苓(三錢)　福澤瀉(一錢五分)　陳廣皮(一錢)　炒苡仁(三錢)　白果肉(七枚打冲)(未完)

王氏女科醫案

王慎軒著　長子南山編

調經門

衛【道前街】玉體素弱。汎水遞少。或四旬一至。或三月兩來。此是天一之癸水不足。難以催動月汎。太衝之血液不盛。無以化爲經水。血虛不榮於面。面無華色。氣寒不溫於腹。腹有冷痛。痛而喜按。知其屬虛。痛而喜熱。知其屬寒。勞則虛里動躍。心臟之血液衰也。煩則清空掉眩。頭部之血液虛也。神經乏血液之榮養。神機爲之不靈。大腸乏血液之滋潤。腑行爲之不暢。舌質淡白而少苔。脈象弦細而無力。審察症候。參合色脈。確係癸源衰少。衝脈虛寒。擬沈氏决津煎加減。

全當歸(三錢)　大熟地(四錢)　紫丹參(二錢)　抱茯神(四錢)　靈磁石(五錢生打)　紫石英(七錢煅打)　炒烏藥(一錢)　製香附(二錢)　玄胡索(一錢)　廣鬱金(七分)　乾石菖蒲(五分)　沉香片(七分)　肉桂心(三分)　(後二味。研細末。飯爲丸。淡薑湯送下。)

(按)此方服三劑。腹痛已輕。頭眩亦減。神機較靈。腑行略暢。複診去　靈磁石　石菖蒲　沉香片　肉桂心　加柏子仁(三錢)　川澤蘭(二錢)　川牛膝(二錢)　沉香麯(三錢)　服八劑。第三次來診。月經適至。經期已準。諸恙均愈。

復興八珍湯加減。病者感謝再三。欣然受方而去。

男 南山謹誌

呂【上海】脾虛生濕。肝旺生熱。熱動營分。濕注胞宮。黃帶連綿。經行太多。苔薄黃而膩。脈弦細而滑。擬加味歸脾湯加減。

粉丹皮（二錢炒） 焦山梔（二錢） 荊芥炭（一錢二分） 雲茯苓（四錢） 炒白朮（二錢） 清炙草（六分）

綿黃耆（二錢） 炒歸身（二錢） 炒棗仁（三錢） 烏鰂骨（五錢煅） 左牡蠣（五錢煅） 福澤瀉（二錢炒）

陳廣皮（一錢二分） 牛角腮炭（三錢）

〔按〕此方服三劑後。黃帶卽減。再服四劑。經來亦少。復診去烏鰂骨 左牡蠣 牛角腮炭 炒棗仁 綿黃耆 加製蒼朮（八分） 川柏炭（八分） 白槿花（一錢） 炒穞豆殼（三錢）囑服十劑。後因其姑來診。詢知病已愈矣。（未完）

男 南山謹誌

懷胎四月頭眩腰痠心煩內熱小溲頻數白帶淋漓舌苔薄黃而膩脈象細滑而數試擬方案

管愈之

經曰、中氣不足。溲便爲之變。又曰、脾傳之腎。少腹寃熱而痛。出白。此病小溲頻數。白帶淋漓。當屬於脾腎之病矣。蓋脾主運輸水津。腎主分泌尿液。脾虛則運輸失常。津液不得四佈。腎虛則分泌無權。濕濁不得排除。以致津停爲濕。濕鬱生熱。濕熱蘊於子宮。故爲白帶淋漓。濕熱蘊於膀胱。故爲小溲頻數。且濕熱上蒸則心煩。濕熱內鬱則裏熱。是皆脾腎虛而濕熱爲之祟也。腰爲腎之府。頭爲髓之海。髓生於腎。腎居於腰。腰痠頭眩。亦是腎虛之徵也。望其舌苔薄黃而膩。薄爲虛。黃爲熱。膩爲濕也。診其脈象細滑而數。細屬虛。滑屬濕。數屬熱也。懷麟四月。恙延多日。以此嬌嫩之胎。奚堪疾病之侵。且胎繫於腎。又攝於脾。脾腎既虛。胎元安保。况胎居子宮。前毗膀胱。濕熱蘊於子宮膀胱。必致累及於胎。甚可危也。勉擬固真飲加減補脾益腎。化濕清熱。是否有當。尚祈 明政。

土炒白朮(一錢八分) 酒炒子芩(九分) 肥知母(一錢八分鹽水炒) 厚杜仲(三錢五分鹽水炒) 川斷肉(二錢四分鹽水炒) 淮山藥(三錢五分) 左牡蠣(五錢煅) 剪芡實(三錢五分) 穞豆衣(三錢五分) 陳廣皮(一錢二分) 川貝母(二錢四分去心) 抱茯神(三錢五分) 白蓮鬚(一錢)

驗方

驗方瑣記(一)

唐慎坊

先王父師竹公諱煦春。光緒十三四年間。宰浙江上虞縣。余隨侍在署。時年甫八九齡。右足膝蓋右側。忽患一外症。延外科診治。施以刀圭。插藥線。拔膿血。不料日換膏藥藥線。日有膿血而不能收口。於是者數月。足不能履地。終日翹足危坐而已。有萬姓簽稿者(門稿簽稿書稟三大職務。爲前清縣署高等僕人而司案牘者。俗呼大爺)囑用生天南星一枚。醋磨塗敷患處。果不數日而膿盡生肌。遂全愈矣。至今思之。猶歷歷如在目前。考天南星一名虎掌。溫燥辛苦有毒。燥濕除痰。能治癰毒疥癬。然則余所患。其流痰之類歟。

新發明之祕方報告(一)

張又良

（定名）張氏理宮湯

（處方）荆芥（一錢八分炒）防風（一錢五分炒）黃柏（一錢）象貝（四錢）川鬱金（一錢五分炒）生薏仁（三錢）生白朮（一錢五分）苦桔梗（一錢五分）製香附（一錢五分）

（主治）婦人赤白帶下。腥穢淋漓等症。

（附白）此方能退炎化腐。效驗準確。毫無後患。如病人不喜湯藥者。可照上列方量加多四倍（例如一錢改四錢）研爲細末水泛爲丸。如菉豆大。每日飯前一小時服二錢。日三次。尤爲簡便。

治流火之驗方

王蘊玉

壬申夏。家伯父患流火甚劇。兩脛紅腫作痛。日不能行。夜不能寐。惡寒發熱。痛苦倍常。即延中醫診治。服藥數劑。毫無功效。復請西醫診斷。謂須住院。必用解剖。家伯聞之。頗爲驚恐。適值姑夫來見之曰。此症余有靈驗之單方。盍先試之。以免刀割之苦。方用野菊花一兩。煎湯頻服。再用番木鱉以菊花湯磨成濃汁。敷於患處。依法試之。明晨果見奇效。膚起縐紋。紅腫大減。不數日後遽得全愈。越數日。鄰居張某亦患此疾。余以此方授之。亦得治愈。於此可知番木鱉之治流火。確爲靈驗之單方也。諺云。一味單方。氣殺名醫。洵不誣也。倘從西醫解剖。非特臨時之痛苦難受。而且痊愈之時期亦長。實不足以勝我國一味之單方。噫。炫異矜奇者。可以反省矣。

通訊

中央國醫館來函

各省縣市國醫分支館及分支館籌備處各地醫藥團體各國醫均鑒。自統一病名議起。本館不過略示標準。以便從事。既非欲舍己以從人。亦何嘗一成而不變。不意海內反響紛起。數月以來。積牘盈尺。雖措辭容有過當。而平心討論者尚多。愈辯難則眞理愈出。凡事如此。學術之演進。何獨不然。本館收到各處來件。隨時交學術整理委員會悉心審議。於其未當者。固存而不論。其確有見地者。則虛衷採納。並未墨守原議。一意孤行。現在統一病名工作。將次完竣。將來作成草案。仍當發交各該分館。轉行各團體各國醫。共抒意見。再由本館審核。然後勒爲成案。定期施行。惟望此後全國醫林。勿作意氣之爭。勿爲派別所囿。虛心研究。棄短從長。俾集衆思而成偉業。庶幾千年藤葛。化作準繩。中西鴻溝。納諸同軌。醫學前途。實利賴之。

中央國醫館眞印

懇請王愼軒先生指示溫經湯治愈崩漏之原理函

黃啓昌

（上略）一婦人年卅四歲。驟患血崩甚劇。逾二小時後。淋漓多日不止。延弟診治。卽遵陳修園所註溫經湯。月經不通能通。經行不止能止之訓。用溫經湯試服之。一劑知。二服卽愈。但未知此湯何以有如此之效能。故特懇請示教。（下略）

河南延津縣魏邱集攸德堂黃啓昌謹啓

代王師愼軒答黃啓昌先生溫經湯治愈崩漏之原理函

朱彩霞

（上略）此婦驟患血崩之原因。良由子宮機能衰弱。血液流行稽滯。始則血液停積于子宮。而爲子宮鬱血。繼則鬱血脹破其血管。而爲子宮出血。故致驟然崩下也。其後淋漓多日不止者。因停蓄之鬱血。不易盡出。衝脈之新血。不得歸經也。溫經湯爲治子宮鬱血之良方。因鬱血而爲經閉者。服此則鬱血化而經閉自通。因鬱血而爲崩漏者。服此則鬱血化而崩漏自止。故陳修園謂其月經不通能通。經行不止能止也。蓋溫經湯以吳萸、參薑。强健子宮之機能。桂枝、芎藥。流通子宮之血脈。使其子宮强健。血行暢利。則子宮之鬱血自化矣。然猶恐血行暢利。反有暴下之虞。故又佐以甘潤和緩之阿膠、當歸、麥冬。使其血脈柔和。血行歸常。則有利而無弊矣。且鬱血停蓄既久。則子宮內膜必起炎腫。故又佐以丹皮。退其炎性之焮腫。甘草緩其炎性之進行。半夏化其炎性之分泌物也。藥味雖多。俱合病理。故治此婦之鬱血崩漏。有立愈之效也。（下略）

王愼軒謹啓

致朱慕丹先生論括蔞瓜蔞之爭執函

陸士諤

慕丹先生大鑒

貴地括蔞仁瓜蔞仁之爭執。致釀成醫藥界之糾紛。查仲景所用之括蔞實。卽今之全瓜蔞也。蔞仁潤腸。不過是仁必有油諸子皆降之意。此物出產甚多。價値低廉。至於形如狗鱉之括蔞實。價頗昂貴。據言不能淸肺降痰。諤因此藥不見經傳。未敢輕信。從未用過。每用括蔞。通俗總寫做瓜蔞。免得藥店指鹿爲馬。李代桃僵。欲淸上焦之熱。卽用全瓜蔞。欲潤下焦之燥。則用瓜蔞仁。藥店自弄聰明。判括蔞瓜蔞爲兩物。猶之以柴胡一物。硬分做孰爲柴孰爲胡也。全無意義。毫不足取。（下略）

弟陸士諤啓

雜俎

立法院通過
國立中醫研究院組織條例

第一條　國立中醫研究院隸屬於內政部。

第二條　國立中醫研究院之職掌如左。

(1)以科學方法。整理及改善中醫中藥。

(2)指導獎勵中醫中藥學術之研究。

第三條　國立中醫研究院。設院長一人綜理院務。副院長一人協助院長處理院務。均聘任。

第四條　國立中醫研究院。設總幹事一人。幹事三人至五人。承院長之命。掌理文書。會計。庶務等事項。均由院長委任之。

第五條　國立中醫研究院。設理事二十五人至四十九人。爲無給職。聘任。理事會選常務理事五人。其中一人爲理事長。均由理事推舉之。理事會章程由國立中醫研究院擬訂。呈由內政部核定之。

第六條　國立中醫研究院。按醫學分科。並得設所研究及附設醫藥學校及醫院。前項研究所各校及醫院之組織章程。均由國立中醫研究院擬訂。呈由主管機關核定之。

第七條　國立中醫研究院院務章程由國立中醫研究院定之。

第八條　國立中醫研究院依第二條第一款規定研究所得之方案由各關係機關執行之。

第九條　本條例自公佈日施行。

學醫導徑

周禹錫

中國醫書。汗牛充棟。非博覽不足以明理。非反約不足以致用。學者每苦無從下手。徒興望洋之歎。其甚者。各承家技。入主出奴。囿於一家之言。不知通變。余甚病之。迺者。丹徒陳也愚、無錫萬伯英、合撰醫學門徑語。爲西醫之途徑。上海秦伯未、吳江許半龍、各編中醫指導錄。爲國醫之導游。要皆苦心孤詣。繼往開來。然猶未能合一鑪而共冶。當此潮流激盪。學術變遷。墨守成法。固不能立足。而新醫化者。徒喪失本來。非羣策羣力。各盡所長。將何以使其固有之技能發揚光大。爰於診務之暇。從古今名醫著述各書中。抉擇精要可法者。類列統系。建立國醫基礎。用備中央國醫館將來編輯教材之采擇。俾國醫學有歸宿。不亦善乎。

編者按此編非特可供國醫館之采擇。且可爲近世國醫學之標準。及初學國醫者之導師。有功醫林。豈淺鮮哉。

查我國醫學書籍能從科學上劃分者。爲生理。爲衛生。爲病理。爲診斷。爲治療。爲藥物。爲調劑。爲處方。爲內科。爲外科。爲女科。爲兒科。前八科屬於基礎科學。後四科屬於專修科學。茲就平日聞見所及。擇尤分科臚列於後。

其一爲生理學。生理學者。研究人體生活之現象及構造之功用也。凡學醫者。皆必先明生理。而後乃能循序漸進。以達治療之目的。中國生理。昉自內經。後賢闡明其學理。廣而博者。當推楊如侯靈素生理新論。精而約者。當推王慎軒內經生理學講義。二書裏中參西。鎔冶一鑪。誠研究生理學之專書。更進則有蕭北丞校刊之楊上善註黃帝內經太素。暨丹波元簡靈樞識素問識。元堅素問紹識。張琦素問釋義。周學海內經評文。此數書包涵各科學理。爲中國醫書之精蘊。精研國醫之導源。學者必須循序研究者也。

編者按張山雷全體新論疏證。唐容川醫經精義。惲鐵樵生理新語。皆係中西合璧。可供研究生理學者之參考。

其次爲衞生學。衞生學者。卽內經養生之道。聖人治未病之學理。靈樞素問含蓄最精。然散見各篇。未能條分縷析。其能采內經之要言。用科學新理詳細解釋。俾成專科者。則以王愼軒內經衞生學爲精詣。不特爲學醫者必讀之書。抑且爲衞生家必備之寶。欲求進境。則推沈與白中國養生說輯覽。他如張贊臣衞生指南。袁樹珊養生三要。秦伯未飲食指南。王孟英飲食譜。皆有益於衞生之日用。暇時可以瀏覽之也。

編者按中國衞生學。惟修道家及武術家最注重之。欲深究斯學者。再宜參閱修道及拳術等書。

再次爲病理學。病理學者。生理健康之變也。人身軀體臟腑。得其經常。則爲生理。變其經常。卽爲病理。病而名理。則有見病知源。卽因證果之妙。欲研究此科者。先取王愼軒中西病理學大綱讀之。提綱挈要。易於明瞭。再取巢元方諸病源候論。莫枚士研經言。葉子雨伏氣解。劉吉人伏邪新書。周學海讀醫隨筆。皇甫謐甲乙經。喻嘉言醫門法律。高思潛中國地理病學。姚心源新中醫病理學稿裁。一一研究。自得病理眞詮。

又次爲診斷學。診斷學者。診察疾病之所在。斷定疾病之名稱。以辨明表裏寒熱虛實盛衰也。吾國診斷學。以望聞問切爲綱領。望診中如面色、舌苔、口齒、耳目、舉動等。聞診中如聲音、呼吸、及聽臟腑等。問診中如年齡、境遇、稟性、嗜好、舊恙、病因、病歷、飲食、痛苦、睡眠、溲便等。切診中如寸口、胸腹、虛里、脅肋、趺陽等。皆散見於診學各書。欲求其簡括明確。則有王慎軒內科診斷學。再進則有陸晉笙外候答問暨病症辨異。劉冕堂初級診斷學。曹炳章辨舌指南。楊如侯五色診鈎元。梁特巖辨舌要略。周學海脈義簡摩。脈簡補義。診家直訣。平脈辨脈章句。重訂診家直訣。形色外診簡摩。丹波元簡脈學輯要。王慎軒重訂漢譯診病奇侅。吳黼堂中西脈學講義。葉子雨脈說。依次研究。自得診宗三昧。

又考上古診學。分三部九候。徧診全身。至診寸口以決疾病之死生順逆者。始自越人難經。其八十一難。意旨精微。實爲醫家必讀之書。獨惜古文深奧。初學苦之。宜先取王慎軒難經脈法精義十六章熟讀。更研究葉子雨難經正義。筑水藤景仰萬卿難經古義。丹波元胤難經疏證。古屋玄醫難經註疏。滑伯仁難經本義。廖平難經經釋補證。張山雷難經彙註。既可得難經之精髓。更能明診脈之要訣焉。

編者按惲鐵樵脈學發微。張贊臣中國診斷學綱要。亦爲研究診斷學者必讀之書也。(未完)

講義

本社金匱講義（摘錄）

凌九雲撰述
王志純校閱

虛勞篇

未解虛勞之前。有一語當先明白者。曰、倘以金匱所言虛勞大法。以治一切近時所謂吐血咳嗽陰虛勞病。十九必敗。以虛勞有陰虛陽虛之別。陰虛宜清滋。陽虛宜溫補。若陰虛而用陽藥。所謂桂枝下咽。陽盛則斃。咳血者服生薑必致音啞。若用附子。則更以熱濟熱。臟腑燔炙。必犯熱涸陰液之危機。反之陽虛而用陰藥。則陰藥多涼。涼藥礙胃。所謂戕伐其生生之陽氣。必致便溏納減。而成不救。是以偏溫偏涼。均非全璧。金匱論勞。偏重陽虛。然非不知陰虛。惜其太簡耳。如「虛勞虛煩不得眠。酸棗仁湯主之」是則為陰虛虛勞立法。但祇此一條。安足盡陰虛虛勞之繁瑣耶。其言陽虛之證治則詳且備焉。姑略舉數條於左。

男子脈虛沉弦。無寒熱。短氣裏急。小便不利。面色白。時目瞑兼衄。少腹滿。此為勞使之然。

勞之為病。其脈浮大。手足煩。春夏劇。秋冬瘥。陰寒精自出。酸削不能行。

男子脈浮弱而濇。為無子。精氣清冷。

夫失精家少腹弦急。陰頭寒。目眩髮落。脈極虛芤遲。為清穀亡血失精。脈得諸芤動微緊。男子失精。女子夢交。桂枝龍骨牡蠣湯主之。

虛勞裏急。悸衄。腹中痛。夢失精。四肢痠疼。手足煩熱。咽乾口燥。小建中湯主之。

虛勞腰痛。少腹拘急。小便不利者。八味腎氣丸主之。

上列數條。均言陽虛虛勞之症治也。金匱虛勞不詳致病之因。但總屬因虛成勞。其致虛之由。非亡血即失精。故以二者相提幷論。然亡血失精能致陽虛。亦能致陰虛。亡血失精之後。機能猶能亢盛而起救濟作用成虛性興奮者。謂之陰虛。若機能衰減而不能起救濟。致毫無生氣者。謂之陽虛。又金匱論勞。每表男子。其實男子遺精。女子夢交。同歸一體。至於亡血之因。男子惟有吐血、衂血、便血、以及金瘡失血。女子則更有半產崩漏。豈女子之虛勞少於男子耶。惟如原文所云。陰頭寒。精氣清冷。二者爲男子特有證狀。餘則男女皆一也。五臟之中。肺腎兩藏爲最要。以上損起於肺。下損起於腎。從上損起者。先咳嗽而後痰紅吐血。由下損起者。先夢遺而後滑精動血。若痰紅之後。咳嗽更甚。動血之後。遺洩依然。精血兩傷。上下告竭。必致殞命。今先言陽虛虛勞之證治。如陰寒。精自出。精氣清冷。少腹滿。少腹弦急。腰痛如折。面色㿠白。脈浮大而極虛。或沉遲微弱。均爲失精家陽虛之的據。則八味腎氣。天雄散。桂枝龍骨牡蠣。均爲要劑。八味丸中用六味以益腎陰。桂附以溫腎陽。乃陰陽幷補之方。單用回陽。恐涸其陰。若陽虛甚者。丸中陰柔之品宜去之。否則恐制其回陽之力也。天雄散、溫陽攝精。爲陽虛方治之極則。非症見眞確。不可妄用。桂枝龍骨牡蠣。能潛虛陽而濇脫。乃治滑精家極危之候矣。若見以上數症。而兼腹痛食減。便溏清穀。宜參附子理中。香砂六君、故紙、肉蔻、溫腎固濇。若未至陰寒精冷。便瀉清穀。而但夢遺腹痛。面㿠脈遲。舌苔淡白。四肢痠疼。裏急拘攣。則小建中湯爲的對之劑。桂枝和榮調衞。飴糖甘溫。能增加血中之糖質。補充血液。爲血液衰少。神經失養。而屬於寒性者之聖劑。若見建中症。而復表虛者。則建中加黃耆。而爲黃耆建中。若數見虛寒之象。而兼手足煩熱。咽乾口燥。心悸鼻衂。則不能使人無疑。難以用藥。溫養之品。必不敢投。若用寒涼。始或相安。久而增劇。不可治矣。此時便當分其主附。辨其眞假。主症既定。則附症自明。眞形既得。則假象易曉。按症施治。自無差忒矣。例如陰寒精冷。腹痛便瀉。舌淡面㿠脈遲。有一於此。卽可斷爲陽虛虛勞。便宜取用溫養之品。其手足煩熱。咽乾口燥。心悸鼻衂等等。雖似熱象。實乃假熱。謂之陽不生陰。非陰虛內熱也。何以言之。夫人日常飲食。經消化後。吸取其榮養素。入於血液。與呼吸所得之養氣接觸。起酸化作用。緩慢燃燒而生體溫。是謂陽從陰化。然全身細胞。一切機能。皆賴體溫之鼓動。然後始能消化吸收。而得榮養。是謂之陰生於陽。故前賢有云。陽無陰無以化。陰無陽無以生也。陽虛之人。消化力衰弱。榮養素之來源減少。則陰亦隨虛。其手足煩熱者。乃榮養缺乏而局部神經起虛性興奮。其咽乾口燥者。乃津不上潤。其鼻衂者。乃鼻管之血管本是脆弱。常人亦易患鼻衂。虛勞之人。血液清稀。血管更形脆弱。且破裂之後。不易凝固。故偶一鼻衂。即時出不已。見此症候。則溫藥之中。必兼一二養陰之品。如阿膠、熟地、芍藥、之類。養血而不礙陰寒之氣。且能凝固血管。誠爲陽虛及陰之妙法也。更有進言者。內經云。形不足者。溫之以氣。精不足者。補之以味。相并而言。余遍覽成方。均爲溫氣之品。惟仲景當歸生薑羊肉湯中。用羊肉之厚味補虛。爲獨一之治。內經之所謂精者。乃指細胞之成分而言。是有形之物質也。內經之所謂形者。乃指細胞之活動力而言。是無形之氣化也。物質爲陰。氣化爲陽。照生理生化而言。陰陽本屬互根。溫氣與塡精豈可偏廢。故虛勞之治。先用草木藥石溫氣。繼用血肉有情塡精。固爲一定不移之法。若取此捨彼。則偏而不全。未臻完美。塡精之品。如牛乳、牛汁、人乳、鷄子、羊肉、鹿角、鹿茸之類、鹿性純陽、尤爲陽虛之聖劑。歷代名醫。善用異類有情塡補精血者。首推韓氏飛霞。其所著醫通中採用方藥。均爲血肉之品。惜後人以其繁累費資。廢而不用。遂漸湮沒。今略言之。其所用爲塡補者。者鹿峻丸。即鹿精也。斑龍宴。即鹿血也。內鹿髓丸。外鹿髓丸。即鹿之骨髓也。異類有情丸。即鹿角鹿茸龜版虎骨也。以上數種。惟此丸用之者衆。以其便易。餘則近代醫家知者且少。毋論用法。良藥棄廢。可勝惋惜。且韓氏不但以血肉厚味補虛羸。更能以之治癥積。其所發明之霞天膏。倒倉法。去積垢而不傷正氣。尤爲可法可從。餘若景岳之全鹿丸。亦頗膾於人口。實則一邱之貉耳。陽虛之治。至此大法已備。今當轉言陰虛虛勞。至於釀成陰虛之由。有因吐、衂、崩、漏、血液虧損。或房室過度。或素患遺洩。陰精消耗。於是榮養缺乏。全身機能起救濟代償而呈種種虛性興奮。如頭暈、耳鳴、心悸、不寐、寐則盜汗、咽燥咳嗆、五心煩熱、兩顴時紅、舌苦光絳、漸致形瘦骨立、而勞症成矣。則酸棗仁湯。炙甘草湯。可以加減并用。酸棗湯中。棗仁甘草甘酸生津。歛液安神。則虛煩不寐自安。炙甘草湯。方中炙草、人參、生地、麥冬、阿膠、麻仁、皆爲養血補虛之品。則耳鳴、頭暈、心悸、盜汗自愈、若陰傷而肺津告竭。咳嗆無痰。或痰帶血絲。口渴咽燥。則前方須加沙參、川貝、天冬、玉竹、枇杷膏、白蜜之類。以生津潤肺。則燥咳自差。然亦有外感咳嗽。治不如法。遷延不愈。而成勞者。卽語所云。傷風不愈則成勞是也。初由肺邪不解。或誤補壅肺。釀成膠痰。繼則久咳傷肺。血管破裂。而痰紅吐血。實者痰熱。虛者肺陰。補則礙痰。消則竭液。用藥兩難。治多棘手、苟能從此消息。先去其伏風痰熱。繼養其陰津肺液。使其不致引起全身榮養缺乏而成勞損也。故此症治法。當分三期。咳嗽吐痰爲初期。痰紅吐血爲二期。末期則兼見便溏食減。而爲不治之症矣。以陰虛之治。當取育陰清潤之品。清潤礙胃。服之則便溏食減更甚。若先治其腸胃。則止瀉健胃之劑。必取溫燥之品。溫燥刼液。服之而咳嗽痰紅增劇。惟有另取石斛、扁豆、山藥、蓮子、冬朮、苡米之類。止瀉而不燥。養液而不膩。亦是無法中之一法耳。（未完）

本社藥物學講義（摘錄）

王愼軒著　長女景賢錄

山茱萸

（異名）蜀酸棗（本經）肉棗（綱目）魁實（別錄）雞足（吳普）鼠矢（吳普）石棗（雷斆）湯主（和漢藥考）實棗兒樹（和漢藥考）【按】茱、言其實色紅。萸、言其實肥潤也。蜀酸棗、肉棗、石棗。皆象形也。雞足、開花如雞爪也。鼠矢、實乾如鼠矢也。又因其功能截瘧。俗以瘧爲鬼魅作祟。故又名魅實也。

（產地）產于北溫帶之各地。我國中央各省。及日本英美各國。均有產之。（集各家說）以產于浙江寧波者爲最佳。（陳仁山）

（形態）山茱萸屬山茱萸科。山茱萸屬。爲落葉亞喬木。高丈餘。葉卵形而尖。對生。二月開花。花小色黃。數花集成。花後生葉。結實橢圓赤色。乾則紫黑。入藥用實。（植物大辭典 醫學大辭典）實爲橢圓形之漿果。長四五分。廣二三分許。初雖呈綠色。熟則暗紅色。採集之。投于沸湯後。待乾燥。變爲紫黑色。其表面收縮而生皺襞。（中藥淺說）

（性味）味酸甘。質滋潤。性平。無毒。〔按〕本經曰酸平。植物辭典曰甘酸。余嘗其味。酸多甘少。故改爲酸甘也。

（成分）含多量之糖質與有機酸。（顧子靜）內含一精卽口而年。Cornin（丁福保）

（功效）〔綱〕補肝。濇精。止虛汗。截虛瘧。〔目〕味厚固精。味酸滋肝。故于肝腎多功。（會約醫鏡）書載縮小便。祕精氣。以其味酸性濇。得此則精與氣不滑。（綱目求眞）可作强壯藥。治療陰痿。和衰老體弱。（房雄）大能收斂元氣。振作精神。固濇滑脫。……治肝虛自汗。肝虛脅痛。腿疼腰痠。（張錫純）人身元氣壯盛。由于精氣堅固。若精氣不固。則元氣安得而壯盛。山茱萸能祕精。此所以壯元氣也。（顧明）所主治之證。皆其精氣固。元氣壯之效耳。（繆仲淳）近醫陳式治久瀉。初用參朮薑桂罔功。乃舍薑桂而用山萸芡實。同於參朮及炒黑乾薑投之。蓋取此味能收肝腎之陰氣。以資脾陰之化源耳。（劉若金）得溫和潤澤之性。鎭于中。更以酸味招而收之。斯浮于上者回。脫于下者固。既回既固。氣自含蓄于中。陰又安得不强。精又安得不固。（鄒澍）本藥爲滋養强壯性之收斂藥。（湯本求眞）有收斂性。而能止虛汗。又能鎭靜大腦精神部。……能使不安之神經現狀。得以正規。（阮其煜）爲收斂補藥。可代金鷄納霜。以治瘧疾。又爲强壯藥。用于遺精。小便頻數。……腰痛。（丁福保）〔按〕內經曰。酸先入肝。又曰。肝苦急。急食甘以緩之。本品內含有機酸而味酸。又含糖質而味甘。故能入肝而補肝也。肝能貯藏榮養成分。以備補充全身之缺乏。主持門脈循環。以便調劑血液之多寡。又能生膽汁以助消化。增體溫而長筋力。對于人身之健康。實有莫大之關係。故內經稱爲將軍之官也。若肝臟之機能衰弱者。必現種種虛弱之症狀。如內經所謂肝虛則目䀮䀮無所見。耳無所聞。足厥陰之病。腰痛不可俛仰。皆屬肝虛之症。投以此藥。頗有效也。故諸家學說謂爲强壯藥。收斂元氣。振作精神。治腰痛。小便頻數等症。余之臨證實驗。以此治頭眩、耳鳴、腰痛、遺精、自汗、久瘧。頗有功效。但必須屬虛性者。方可適用。

(禁忌)便澀陽旺者。忌用。(會約醫鏡) 陽强不痿。小便不利者。不宜用。(本草從新) (按)生殖腺之刺激素太强而變爲陽强不痿者。及膀胱之內膜發炎。而變爲小便不利者。不宜用此强壯補澀之藥。固當忌用也。但若神經虛性興奮而爲陽强者。及腎虛胞系了戾而爲溲閉者。正須藉此收斂補益之功。不應忌用也。試觀仲景之腎氣丸。內用山茱萸治虛勞及轉胞不得溺。可以知其妙用矣。

(用法)酒拌潤。去核。取肉。……酒蒸一炷香。(本草述) 去核。微焙用。核能泄精。(本經逢原) 核與肉之性相反。用時務須將核去淨。近閱醫報。有言核味澀性亦主收斂者。姑懸疑以待究攷。(張錫純) (按)余嘗核味苦辛。驗其實不滋潤。確與其肉之性相反。當以去核爲是。乃去其無效之部分。專取其有效之部分也。泄精澀精之說。皆不可信。

(用量)一錢至二錢(趙齊賢季愛人同) 每食前服三粒至五粒(顧子靜房雄同) 一至三克(丁福保) 六錢至二兩(張錫純) 七分至二錢(小泉榮次郎) (按)一克合中國新秤約四分。上列五說。各不相同。當以顧丁房氏之說爲輕量。趙季小泉之說爲中量。張氏之說爲重量。審察病之輕重。斟量用之。

(附錄)本經食茱萸主治。從古誤列山茱萸條內。當移入彼處。不失先聖立言本旨。(張驥) (按)此說極是。蓋本經以此主治心下邪氣。寒熱。溫中。逐寒濕痺。純是辛溫發散之功。決非酸澀補益之山茱萸所能治也。張隱庵、葉天士、陳修園、鄒澍、周巖等。均不知其誤。勉强解释。反失經旨。殊堪惜焉。

腎氣丸（金匱）治虛勞腰痛。及消渴小便多。婦人轉胞不得溺。　乾地黃八兩 山藥八兩 山茱萸四兩 茯苓三兩 丹皮三兩 澤瀉三兩 附子一枚炮 桂枝一兩 共研細末。煉蜜爲丸。如梧子大。每服十五丸。加至二十九。溫酒送下。日再服。〔按〕此方用山茱萸以强健肝臟之機能。使其肝能貯藏多量之養分。增長全身之筋力。則腎臟之虛症易復矣。

草還丹（吳旻）益元陽。補元氣。固元精。壯元神。乃延年續嗣之聖藥也。　山茱萸肉一斤酒浸焙 破故紙半斤酒浸焙 當歸四兩 麝香一錢 爲末。煉蜜丸。梧子大。每服八十一丸。臨臥溫酒下。

來復湯（張錫純）治寒溫外感諸證大病瘥後。不能自復。寒熱往來。虛汗淋漓。或但熱不寒。汗出而熱解。須臾又熱又汗。目睛上竄。勢危欲脫。或喘逆。或怔忡。或氣虛不足以息。諸證若見一端。即宜急服。　山萸肉二兩 生龍骨一兩擣細 生牡蠣一兩擣細 生杭芍六錢 野台參四錢 甘草二錢蜜炙 〔按〕上列二方。皆以山茱萸爲君。以其善補肝臟之機能。恢復其肝主將軍之强健作用。則一切衰弱之症。自易挽救矣。

遠瘧湯（陳士鐸）治三陰瘧疾。久而不愈。有汗不渴。每發于夜。　人參一兩 山茱萸一兩 鼈甲一兩 當歸一兩 白朮二兩 熟地二兩 山藥五錢 附子一錢 柴胡五分 白芥子三錢 水煎服〔按〕陳士鐸治肝虛之瘧疾。用護肝湯。治腎虛之瘧疾。用四瘧散。亦皆用山茱萸以治瘧。俱見辨證錄中。茲不贅錄。由是可知本品確能治虛瘧。但必須病久而屬虛性者。方可適用。丁福保謂其可代金鷄納霜以治瘧疾。尙嫌太籠統耳。（未完）

內經生理學講義

古越王慎軒著　涇南周禹錫參　受業宋覺之訂

導言

生理學者。研究人體生活之現象。構造之功用也。凡學醫者。必須先明生理。而後乃能治病。猶爲將者。必須先明地理。而後方能攻敵。苟或爲醫而不明生理。安知微細曲折之病所。而施必效之治療乎。爲將而不明地理。安知崎險緊要之地勢。而操必勝之左券乎。故內經曰。知其常者。乃知其變。蓋以生理者。人身無病之常理也。病理者。人身有病之變態也。欲明其變。必知其常。是則生理學者。實爲醫家必須研究之基本學也。

吾國研究生理之書。首推內經。蓋其所論之生理。常取其精而棄其粗。較彼西說之僅知其粗而不究其精者。實有天淵之隔也。蓋內經之言生理。重在自然科學之氣化。歐西之言生理。重在人工科學之解剖。夫以生活之生理。求於屍體之形迹。安能窮造化之精微。而明各部之眞理乎。例如肺主呼吸。然肺葉何以能闔闢。心主血脈。然心臟何以能搏動。此皆由於無形之氣化爲其主宰也。惟內經之論生理。注重於氣化。故能勝於西說也。況氣化之理。决非空泛無憑之謬說。確有精切無倫之妙義。若與解剖病理治療相對證。莫不絲絲入蔻。誠有不可思議之妙也。然泰西因科學之儀器發達。所得之生理形迹。亦有勝于內經之處。足補內經之不足也。爰以內經之學說爲經。以歐西之學說爲緯。著爲內經生理學。闡明內經以氣化論生理之精義。以供學者之研究。後之學者。更能進而闡發之。則幸甚矣。

第一章 形體

第一節 骨骼

西醫解剖人身之骨。謂全身共有二百零八塊。凡頭蓋骨八。顏面骨十四。耳骨八。舌骨一。胸骨一。肋骨廿四。脊骨廿四。骨盤四。肩帶四。上膊骨二。下膊骨四。手骨五十四。大腿骨二。膝蓋骨二。下腿骨四。足骨五十二。此骨骼之大略也。然彼僅知從屍體檢出之骨數。猶未知從活人驗出之骨間穴會。內經曰。節之交。三百六十五會……所謂節者。神氣之所遊行出入也。此乃中醫從活人中驗出之骨間穴會。可從鍼灸治療之效果上證明之。非玄空虛構之學說也。吾知將來西學昌明。必有證明骨間穴會之日也。且中醫從自然科學上研究而來。尤知骨之生成由于腎。蓋人當受生之始。先有兩腎。兩腎之中。發生腎系。腎生精。精生髓。髓中所含之黏質。得滋養料中之苦味鹹質。凝結而爲骨。故內經謂腎主骨也。骨爲支撐人身之柱幹。故內經以骨爲幹也。然各部之骨。各有作用。如頭蓋骨之保護腦髓及眼珠。胸肋骨之保護內臟。背脊骨之保護脊髓。腰部之骨。主司身體之轉側。四肢之骨。主司身體之動作。內經曰。肢脛者。身之管以趨翔也。此以翔字表示手之作用。狀其能握物而輕便也。以趨字表示足之作用。狀其能行步而强健也。西說謂手足骨中之髓。內雜脂油。夫髓生於腎。脂生於脾。故內經以脾主四肢。腎主肢脛。凡治四肢之無力者。培補脾腎。往往獲效。此從治療上可以證明者也。

第二節 筋肉

內經曰。肝在體爲筋。此理西醫尚未發明。惟云肝細胞內含有多量之肝澱粉。能發生體溫及動力。然人身動力全在乎筋。肝澱粉既能發生動力。則筋屬於肝之說。已有不謀而合之嚆矢也。又曰。脾在體爲肉。此理西說亦未發明。惟云剔出脾臟。則消化力減退。變爲多食而排大量之糞。肌肉日漸瘦削。此可以反證肌肉發源於脾。亦可知內經之學說。確有研究之價値也。常見肝虛者。筋必拘急。脾虛者。肉必瘦削。此又可從病理治療上證明其理也。筋主聯綴百骸。維絡全身。肉主包裹外部。保護內臟。然二者皆有屈伸張縮之力。能主俯仰動作之事。中醫以筋主運動。西醫以肉主運動。各有見地。各有偏長。蓋以人身之筋貫注於分肉之間。肉以筋爲綱。筋以肉爲鞘。肉無筋不强。筋無肉不韌。互相聯合。互相輔助。始成運動之能力也。再爲細細研究之。實則筋之功用。尤重於肌肉。嘗考內經十二經筋之起止。多起於四肢爪甲之間。而後盛於輔骨。結于肘腕。繫於膝關。聯于肌肉。上於頸項。終於頭面。凡面部眼目口舌之開合。全身項腰肢體之運動。莫不由於十二經筋之作用也。卽人身能直立之故。亦由於足三陰之經筋。蓋足太陰之筋。著脊而終。在脊之中部。足少陰之筋。結於枕骨而終。在脊之上部。足厥陰之筋。結陰器而終。在脊之下部。此三筋終結於脊。脊爲人身主骨。得三筋之維持。遂能直立矣。由此觀之。則筋之功用。實可勝於肉也。

第三節　皮毛

內經曰。肺主皮毛。蓋以肺主呼吸。呼吸者。呼出炭氣。吸入養氣也。血在肺中。與吸入之養氣相結合。其色鮮紅。是謂動脈血。及流行於各部。則各部攝取血中之養氣。而推放炭氣於血中。血得炭氣。則鮮紅之色。轉爲紫黯。是謂靜脈血。必再過肺中。然後復成爲動脈血焉。皮毛之孔。亦能略營呼吸。吸取養氣。排除炭氣。故久坐於戲場者。常覺悶窒。因多人聚集于一處。空氣中養氣少而炭氣多。不足以供呼吸也。久不洗浴者。一浴之後。乍覺精神爽慧。因皮毛之積垢除去。而汗孔得以暢行呼吸故也。是則人身之呼吸。肺爲主而皮毛爲副。卽肺主皮毛之理由一也。皮膚又司放散體溫之職。體溫之來源。由於新陳代謝之燃燒作用。卽炭氣與養氣化合而成輕微之燃燒也。惟體溫當以攝氏表三十七度華氏表九十八度半。是爲適量之溫度。然體內燃燒不絕。體溫不致增高者。皆賴皮膚放散其溫度故也。肺之呼氣。亦能放散體溫。故犬之皮膚。不易出汗。每當夏日。則張口而喘。所以代皮膚之散溫也。人傷於寒。則無汗發熱而氣喘。此因皮膚與汗孔收縮。體溫不得放散。故鬱而發熱。且因皮膚失其散溫之職。肺乃起而代之。故

蘇州國醫學社

附設國醫診療所

聘請各科醫師送診給藥

◉宗旨
普濟貧民之疾苦
供給學生之實習

◉醫師
由國醫學社常駐教員兼任之

◉科目
內科　外科　女科　兒科

◉時間
門診　上午十時以前
出診　下午三時以後

◉號金
門診　號金一角
出診　車金八角

◉地址
蘇州閶門內穿珠巷八十四號

◉電話
第一萬零五百六十三號

中華民國二十三年春季出版

蘇州國醫雜誌創刊號

編輯者　蘇州國醫學社　閶門穿珠巷八十四號　電話第一〇五六三號

發行者　蘇州國醫書社　閶門吳趨坊一三七號　電話第五百六十三號

印刷者　蘇州文新印書館　閶門西中市四十六號　電話第八百九十一號

蘇州國醫雜誌價目表

期數	價目	寄費
每季一期	另售一角五分	寄費一分
每年四期	預定大洋六角	寄費在內

蘇州國醫書社最近出版醫書

中醫新論彙編　全國名醫著　全書四厚冊　王慎軒主編　實價銀五元

曾女士醫學全書　曾伯淵著　全書一冊　王慎軒訂　實價八角

漢譯診病奇侅　丹波元簡著　全書一厚冊　王慎軒重訂　實價銀一元

拯瘓軒醫學就正錄　周禹錫著　一大厚冊　王慎軒著　實價一元

傷寒時方歌訣評註　俞根初著　王慎軒評　每部實價　周越銘編　何秀山註　一元二角

傷寒直解辨證歌　薛公望著　全書一冊　王慎軒校　實價四角

溫病指南　王馥原著　全書一冊　王慎軒訂　每部實價　王南山校　大洋四角

診餘舉隅錄　陳菊生著　全書一冊　王慎軒校　實價六角

曹穎甫先生醫案　王慎軒記　全書一冊　王南山編　實價二角

女科醫學實驗錄　王慎軒著　全書四冊　諸門人輯　實價一元

再版 胎產病理學　王慎軒著　一大厚冊　諸門人校　實價一元

女科指南　戴武承著　全書一冊　王慎軒訂　實價八角

新批女科歌訣　邵步青著　全書一冊　王慎軒批　實價四角

婦女病經歷談　祝懷萱著　全書一冊　顧志道校　實價一角

幼科指南家傳祕方　羅田萬密齋著　古越王南山校　每部實價一元

家庭育嬰法　沈酒德女士著　每部實價一角

家庭實用良方　王景賢女士編　每部實價六角

家庭醫藥常識　王寶燦編　每期八分　每季一期　每年三角

家庭醫藥常識第一年彙編　王慎軒編　實價三角

婦女醫學雜誌彙編　王慎軒編　每部實價　諸門人作　一元五角

●外埠函購●寄費加一●郵票代洋●九五折算●

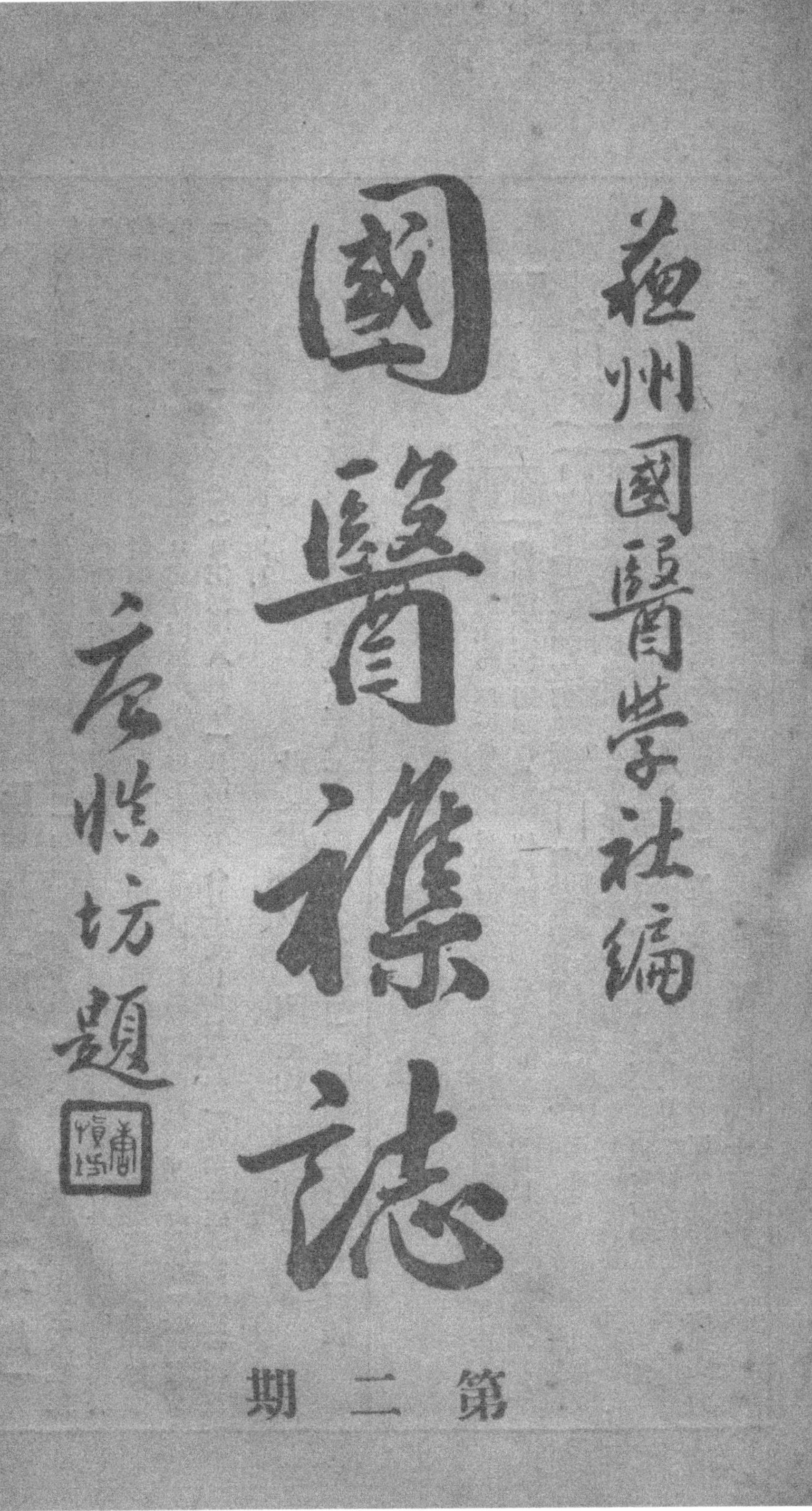
蘇州國醫學社編
國醫雜誌
唐慎坊題
第二期

中央國醫館備案
吳縣教育局備案

蘇州國醫學社（第三屆）招男女生

【宗旨】昌明國醫參究科學養成國醫專門人材【學額】一年級新生四十名二年級插班生五名【學年】三年畢業【課目】黨義國文英文日文化學衛生生理病理醫經診斷藥物方劑治療醫案內科女科兒科外科眼科喉科傷科鍼灸等【教本】選用最新醫書新編實用講義【附設】國醫診療所國藥實驗所國醫圖書館藥園等【補充】有醫學演講會課餘研究班【報名】即日起可向蘇州吳趨坊王愼軒女科醫室報名並繳最近四寸半身照片一張報名費二元【考試】第一次七月廿一日第二次八月十一日第三次八月十九日均以下午一時起新生考黨義國文插班生加考醫學【章程】函索面取均可

社長唐愼坊　總主任王愼軒啓

（地址）蘇州閶門內穿珠巷八十四號　（電話）一萬零五百六十三號

蘇州國醫學社紀念刊出版

題簽	章太炎先生
題詞	李根源先生　鄒敎公先生　戚升淮先生　嚴獨鶴先生　秦伯未先生　黃星樓先生　費仲深先生　謝利恆先生　惲鐵樵先生　曹貴孚先生　張贊臣先生　祝爲先先生

本刊之內容——（1）中西醫師演講之醫學筆記——都是臨證實用之經驗談（2）本社學生撰作之醫學成績——都是研究心得之結晶品（3）詳載本社一切大事記及最近之概況章程規則等

本刊之優點——（1）內容豐富（2）學說新穎（3）中西合參（4）學驗並重（5）適合科學（6）切合實用（7）闡發詳明（8）選輯嚴密（9）印刷精良（10）裝訂美麗

【價目】每部實洋一元（各醫藥團體及報名各生均收半價）　【寄費】外埠函購　寄費一角　外國函購　寄費三角

（發售處）蘇州吳趨坊王愼軒女科醫室　（電話）五百六十三號

蘇州國醫雜誌第二期目錄

譯著

漢醫要訣　大塚敬節著　唐慎坊譯

講壇

顧福如先生演講錄（講中西傷寒）　周自强速記

黄星樓先生演講錄（講中西醫學）　周自强速記

余澤霓先生演講錄（講濕溫新理）　王博平速記

言論

敬告初學醫者　邵求真

對於國醫不究藥物之感慨　朱彩霞

經義

內經曰喜怒不節則傷臟臟傷則病起於陰清濕襲虛則病起於下風雨襲虛則病起於上其義如何試論述之　宋克明

讀傷寒論太陽篇之心得　陳丹華

生理

國醫之內分泌學（續）　王南山

內經論女子之月經以二七至七七爲止然有或遲或早者其故爲何試研究之　蔣洪鈞

病理

肥胖病之研究　楊夢麒

夢遺之原因　陸自量

濕病之病源淺說　衞勤賢

溫病之邪或曰伏邪或曰新感孰是孰非試抒己見而論斷之　張鑑青

治療

治病當順自然說　柳劍南

國醫雜誌 目錄

婦人重身用毒藥之研究 沈潛德

藥物

大黃能延年益壽之管見 管愈之

何首烏治婦人帶下之研究 王博平

方劑

新發明之祕方報告 張又良

梔子豉湯之眞理 周自强

醫案

馬培之先生內科醫案（續） 王愼軒編 楊夢麒錄

丁甘仁先生內科醫案（續） 王愼軒編 王南山錄

曹穎甫先生內科醫案（續） 王愼軒記 王南山編

黃體仁先生女科醫案（續） 王愼軒編 朱彩霞錄

王氏女科醫案（續） 王愼軒著 王南山編

二

筆記

驗方瑣記（二） 唐愼坊

治驗筆記（一） 顏星齋

記嬰兒小便不通之中西兩治法 王蘊玉

雜俎

學醫導徑（續） 周禹錫

神氣淡則血氣和嗜慾勝則疾疹作說 胡藹梧

講義

本社金匱講義（續） 凌九雲

本社雜病講義 張又良

本社舌苔講義 王志純

本社藥物講義（續） 王愼軒

本社內經生理學講義（續）（五至六） 王愼軒

譯著

類證鑑別 漢醫要訣

大塚敬節著
唐慎坊譯

第一編 病證學

第一章 病位 病情

漢醫所謂外邪、邪氣、惡氣、寒邪。殆疾病原因之總稱。驟視之似覺空泛無據。不合於現代之趨向。然吾人致病之機轉實微妙而複雜。卽彼西醫所謂誘因亦不過原因之一斑。仍不免有掛漏之譏。況與其以臆言妄說。推測其原因。毋甯稱爲邪氣。稱爲寒邪。猶有臨床的眞理而爲吾人日常所經驗者也。凡病邪集積之部位曰病位。病位有三。曰表。曰裏。曰半表半裏。

表裏 半表半裏

表 表對於裏而言。所謂表者身體之表面。卽皮膚、皮下組織、以及接觸此等之表部筋肉之總稱也。

裏 裏者指腸管、腸間膜、及密接此等之組織而言。表裏乃對待之稱。欲以解剖學明劃其界限。殊爲不可能之事。

半表半裏 半表半裏者。非純粹之表。亦非純粹之裏。乃半表半裏也。以解剖學言之。則隣接於橫膈膜諸臟器。肋膜、心包、食道等是也。總之、病位最淺者表也。最深者裏也。而半表半裏。則介乎其間也。

陰陽虛實

陰陽虛實者。言病情。非言病位也。詳論於下。

陰　傷寒論曰。無熱惡寒者。發於陰也。陰有寒性之意。故在陰證。既無炎症充血發熱等之熱性症狀。則罕有發熱者。即使發熱。亦與通常發熱不同。陰證之爲病。乃新陳代謝機能沉衰之故。其病情則見消極的、靜的、女性的、潛伏的、一切寒性諸症。

陽　傷寒論曰。發熱惡寒者。發於陽也。陽有熱性之意。故與陰證不同。陽證之爲病。乃新陳代謝機能亢盛之故。其病情則見積極的、動的、開放的、男性的、一切熱性諸症。如炎症充血發熱等是已。

虛　虛爲空虛。故虛證者。病毒殘留于體內。而精氣已現虛乏之狀也。其腹部常柔軟而無力。

實　實爲充實。故實證者。邪氣充盛於體內。而精力猶能抵抗之狀也。其腹部常堅硬而拒按。

以上陰陽虛實之大概。欲確定治療之方針。首須辨別陰陽虛實。參合以下所述之脈證、腹證、舌證、外證、而探究之。未有不瞭如指掌者也。

太陽病

太陽病者。表熱證也。即邪毒在表。未波及於內臟諸器官。而現脈浮、頭痛、項强、惡寒等症狀。此惡寒爲發熱之先兆。感邪淺者。未必發熱。再進一步。其惡寒發熱。同時存在。而熱在體表。未至於裏者。亦爲太陽病之徵象。

以上諸症。皆指病毒滯留於身體之表部組織者而言。此外凡一切邪毒在表之證。皆太陽病證也。

少陽病

少陽病者。病邪聚積於半表半裏之部位。傷寒論曰。少陽之爲病。口苦咽乾目眩也。凡此諸症。指半表半裏部位。有炎症充血而言。他如脈弦細。無太陽病惡寒之證。而往來寒熱。或微熱。且有耳聾耳鳴目赤胸中煩滿等症。皆爲少陽病也。

陽明病

陽明病者。在裏之熱實證。故脈沉實。腹部堅滿而拒按。或腹滿而喘。且有譫語、惡熱、潮熱、便祕等症。

太陰病

太陰病者。病邪留滯於裏。其病位卽陽明部位。但非裏熱證。而爲裏寒證。太陰病。常現手足厥冷、惡寒（陽證惡寒、常有發熱、陰證惡寒、常多厥冷、或僅惡寒而不熱、）之證。雖有腹滿。而軟弱無力。有寒冷之候。而無抵抗之實。雖下利而無粘血便、裏急後重等炎症。且陰證之腹痛。非如陽實證因下利而有漸減之傾向也。

少陰病

少陰病亦裏寒證。與太陰病同。而病狀較急。又屬虛證也。少陰病。脈微細。或細沉。或數。手足厥冷。惡寒。倦怠。但欲寐也。須知少陰病之病勢較緩者。卽爲太陰病。少陰病之病勢較急者。卽爲厥陰病。此三病相互兼發。其區別亦不甚了了耳。

厥陰病

厥陰病。與太陰病少陰病。同爲病邪在裏之證。然厥陰病病狀。最爲急烈。乃三陰虛證之至急者。脈微細欲絕。上熱下寒。（

上半身熱下半身及手足厥冷）或下利不止。手足踡臥。或吐蛔蟲。或飢不欲食也。

合病　併病

合病　合病者。當發病之初。表裏同時受邪也。有太陽陽明合病、太陽少陽合病、少陽陽明合病、太陽少陽陽明合病。

併病　併病者。表先受邪。次傳入裏。而邪猶在表也。例如太陽病之脈浮惡寒發熱等證未去。而已現少陽病之胸脅苦滿默默不欲飲食等症者。即太陽少陽併病也。

轉入（轉變）轉屬

人當發病之初。往往先現太陽證。次則轉入少陽陽明。惟間有先現陽明證。次轉入少陽。更轉入太陽者。所謂轉屬者。轉而繫屬之意。尚未完全轉入也。

兼病　壞病

兼病　兼病者。太陰少陰厥陰互見。此等病位固同在裏。所異者。僅虛實緩急之間耳。故不曰合病併病。而曰兼病。例如太陰兼少陰。少陰兼厥陰是已。

壞病　壞病者。誤治之結果也。證候壞亂。陰陽錯雜。無病可名。因名壞病。

第二章　證

證之意義

證者。證據證驗確證之證。亦即佐證之意。與症狀之症異義。如頭痛下利腹痛惡寒發熱等。可謂之症。而不得謂之證。然則證者果爲何耶。

丹波元堅氏所著傷寒論述義。謂證爲何。卽發熱惡寒讝語腹滿下利厥冷之類是也。脈有常變。證有眞假。故脈證並言而病情已盡云云。然此可謂爲症之說明。而非證之定義。和久田寅叔氏所著腹證奇覽翼。謂證者證據也。凡人身內有障礙。其證據必見於外。取其證以治之。庶無臆斷之謬誤。仲景曰。隨證治之。是以不問其爲內因。爲外因。從見證以施治。乃古之醫術也。後人不解此理。每臨一症。必先考其病因而議治。是何異於已肇焚如。不先救火。而討論其起火之因也云云。又吉益東洞翁所著東洞先生答問書。謂凡治病之法。視邪之所凑。察毒之所在。從其證以處方。不問其病名病因。此則仲景之敎也。故其證同則萬病一方。其證異則一病萬方。能達仲景之旨者自知之也云云。寅叔東洞兩氏之論。說明證之字義。固甚恰當。吾無間然。然無具體的引例。初學者不免有隔靴搔癢之憾。故介紹湯本求眞先生說明證之意義如左。

湯本求眞先生曰。西醫所謂對症療法。與漢醫所謂隨證治之。似同而實異。何則。西醫之對症療法。以病人自覺之不定症狀爲目的。而期其鎭靜。不過漢醫所謂治標之法而已。漢醫之隨證治之。絕非若是之淺薄皮相也。必融合他覺症與自覺症而爲一。以確定不動之症狀爲目的。而處對應之治方。然則證也者。對於自身。可稱原因療法。亦可稱特効劑云云。

再具體的釋明此說。如診肺炎病者。其人若發熱、惡寒、脈浮緊、無汗而喘。此爲麻黃湯證。若僅發熱或喘。則爲症而非證。又若病者往來寒熱。胸脅苦滿。默默不欲飮食。此爲小柴胡湯證。若僅默默不欲飮食。則爲症而非證。若病者咯痰胸滿胸中痞鞕不得息。此爲瓜蒂散吐證。又若脈沉遲、不大便、腹部緊滿、氣喘、潮熱、讝語等。此爲大承氣湯下證。雖肺炎之一症。可隨其證而各用其方。斷非西醫所謂對症療法。如食氣不振。則投重曹、健末、苦味丁幾、稀鹽酸之類。或因心臟衰弱。則濫用吉先太利司、康布兒之類。所可同日而語也。

譯者按重曹又稱重炭酸鈉、爲粉藥、原名 Uatrium bicarbonicum 。爲制酸藥變質藥等用。 健末爲一稱健胃苦味藥。原名 Gentianae 。有人譯作龍膽。實則另屬一藥。原名 Gentianae scabrae 至健末一名。乃日本醫生慣用之略語耳。 苦味丁幾原名 Tinctura amara 爲苦味健胃藥。 稀鹽酸原名 Acidum hydrochloricum dilutum 。爲變質藥。 吉先太利司。亦可譯作毛地黃。原名 Digitalis 。爲强心藥。 康布兒亦可譯作樟腦原名 Camphora depurata 。爲强心藥。兼興奮藥大都用作注射。

主證　客證

主者、主人之意。所謂主證者。初病即見終始如一之證也。客者、客人之意。所謂客證者。見於半途。倏來倏去之證也。當診察之際。必辨其孰爲主證。孰爲客證。而後從主證以施治。則客證未有不隨主證而減退漸告痊愈者也。故千狀萬態之客證迭出。若不誤視爲主證。確定其治療方針。則於客證之來去。無所疑慮而躊躇矣。

標本

標者、病之枝葉也。本者、病之根本也。以原則言。向根本而施治。固爲治療之正軌。若標之症狀急激。則須變通而先救其標。如此隨機應變。在以人類爲對方之醫術。固應爾爾。倘墨守死法。往往有膠柱鼓瑟之弊。可不愼歟。

（待續）

講壇

顧福如先生演講錄

周自强速記

兄弟今日能有機會與諸君來研究醫學。異常欣幸。惟才識疎淺。若有未當之處。尙望諸君諒之。今卽以「傷寒症與腸出血中西學說之不同」爲題。(一)病名　國醫稱傷寒。爲廣義的。西醫稱傷寒。爲狹義的。僅屬傷寒之一部。難經云。傷寒有五。曰傷寒、中風、濕溫、熱病、溫病。卽是廣義的。而近世時醫。又流行數種口頭傷寒。一爲西醫所稱之肋膜炎症。病寒熱、咳嗽、痰多、氣喘、肋痛諸狀。中醫名之曰刺脅傷寒。一爲西醫所稱之肺炎症。見壯熱、咳嗽、氣急。與肋膜炎略似。兼吐痰血。中醫名之曰肺炎傷寒。又有惡性瘧疾症。寒熱甚輕。病如類瘧。日二三次而無定時。驗其血中有惡瘧菌。中醫又名爲類瘧傷寒。今春寒暝無時。痧症大盛。其有痧出未透。回入較早者。痧毒未清。變爲寒熱不退。痧出至數次之多。小兒科又新創其名曰痧毒傷寒。凡此種種。均名曰傷寒。實皆根據於內經熱論篇「夫熱病者、皆傷寒之類也、」一句。故其範圍甚廣也。西醫則不然。言傷寒僅有一種。驗其血中有傷寒反應者。方名之傷寒。不然者。卽不名之。而傷寒之中。又分爲二。一曰眞性傷寒。一曰副傷寒。其範圍甚狹也。(二)病時　我古醫書有云。正傷寒祇北地冬令有之。南方絕無正傷寒。秦皇士傷寒大白。卽主此說。西說則異。是言傷寒四時皆有。南北無歧。而兄弟之經驗。於秦皇士之言。不能認爲滿意。殊不妥貼。卽以蘇地而論。四時莫不有此病者。(三)病原　論病之因。中西亦異。中醫言病從肌腠入。病原起於風寒。風寒傷營衞。遂成傷寒。西醫則言病從口入。病原爲傷寒細菌。由於不煮沸之飲料。不潔淨之水菓。爲細菌之介媒。細菌入胃。繁殖滋長。侵入腸部。則病成矣。中醫言瘟病則邪從口鼻入。傷寒則從皮毛入。又云正傷寒祇一種。餘均類傷寒也。足供參考。(四)治療　國醫素分六經。西醫偏重腸胃。其或初起病人衰弱。或有嗜好(如鴉片等)者。見心臟衰弱症。西醫卽用强心劑。自經過之二三星期中。刻刻顧其心臟。德國有一醫學博士嘗曰。無論何種傳染熱病。應保護其心臟。心强則各病均能抵抗。簡言之。强心卽却病也。考西醫所云之强心劑。卽中醫之補藥。但近世中醫治熱病初起，絕不敢用人參。病家亦疑懼用參。古方中雖有如人參敗毒散。小柴胡湯等。以扶正達邪。喩嘉言亦曰。虛人病寒熱。加入三五七分人參於應用劑中。甚有效。而今時醫謂恐病邪爲參補住。絕不敢用。必至病者虛極。至虛汗厥冷。脈極細微。始用老山參、獨參湯。渴而掘井。於事何補。可謂徒有扶正達邪之言。不敢用扶正達邪之法矣。於傷寒過程之中。又有一腸出血症。然遍考中醫書。既無此病名。亦無是病狀。祗有蓄血症。見少腹急結。小便自利。其人如狂。中有蓄血。以桃仁承氣湯下之。再進一步。主以抵當湯。有「下藎黑物乃愈」一語。又有下痢便膿血者。以桃花湯主之。斯二者。尙與腸出血之症狀相似。西醫言傷寒初步。腸起紅點。至第二星期。紅點發腫炎。第三星期。腫炎至腐爛。甚則腸壁之血管破裂。而成腸出血。更甚則腸壁破爛。延及腹膜、而起腹膜炎。蓋腹膜鄰接腸部。故腸膜極易引起腹膜炎也。腹膜炎症。懊儂不眠。腹大滿痛。痛而拒按。病者自覺胸至少腹膨滿。脈數神倦。十九由腸穿孔而來。西醫見腸出血。卽打止血針。並使之靜臥絕食。甚者外用冰袋。促其血液凝結。而中醫治蓄血症。須與瀉藥。此最大之異點也。考造成腸出血之因。實由下列數端。一卽中醫所云之熱結旁流。大便燥結。於腸中經過腸膜時。每易擦破。引起出血。又著病者煩躁不安。轉側起臥。使腸部不安。或大便不爽。用力硬掙而下。亦易使腸受傷。又有腹滿鬱悶不舒。用手按摩腹部。頻頻不已。如小兒推驚等。按摩雖有治病之能。而不宜於傷寒。更不宜傷寒症而施行於腹部。此三者。均有誘起腸部出血之可能。腸出血之症。其勢極危。更甚於婦女之血崩。輕者糞便中雜以血液。已甚危急。重者下血如注。則不能救矣。兄弟初次遇見此症時。先嚴尙健在。一日隨出診。至一病家。據云昨日熱勢方張。今日熱竟退盡。且反下降。不及三十六度時方啜粥。診畢。下樓擬方。聞如厠聲。方未擬就。突聞樓上呼叫嘈雜。知有異。急趨視之。病人脈伏而厥。面白如紙。以爲昏厥。視其圊桶之糞。赫然半桶鮮血也。遂不治。第二次在五年前。純一中學一學生病傷寒。在二三星期中。泄瀉無度。而腹滿依然。余意其將引起腸出血、急需止瀉。而病家以爲非。另延一純粹之中醫往診。見患者腹滿拒按。遽謂宿滯未淸。且堅持非攻下不可。乃爲處硝黃一劑。服後大便初次甚乾結。病家歡欣。謂余過慮。二次大便微見血絲。不以爲意。三次四次。均見血液。至第五次上圊。鮮血大下。人亦昏厥。急來邀余。囘生已乏術矣。由以上二則觀之。則中醫謂下盡黑物愈者誤歟。曰、又不然。去冬自由農場司帳陳君。於年底患傷寒。閱二星期不解。而舊曆新年已屆。蘇地風俗。年首數日。皆暫停醫藥。故廢曆正月初一二兩日未服藥。初三日病者自覺腹滿便祕。自服淸導丸數粒。至子夜後。急足至。邀余速往。云忽下物極多。黑夜不暇細視爲何物。隨之往視。則所下者盡屬黑瘀。大如卵者數枚。病者寒熱已退。手足厥冷。脈細如絲。腹軟汗多。語聲細微莫辨。爲之注射止血針。處方用人參、熟地、龍牡、炙草等。復因手足厥冷。略加附子。至明日、已不泄瀉。脈亦較好。汗止而手足微溫。乃去附子。數劑而愈。則下盡黑物乃愈之句。亦非虛語也。總之中西學術。各有所長。不可偏廢。兄弟今日所言。似乎抑中揚西。實則學術固無國界也。能以西醫之所長。補吾中醫之短。國粹亦賴之以昌明。吾於諸君有厚望焉。

黃星樓先生演講錄

周自强速記

諸位同學。鄙人這次到蘇州來是代表如皋縣中醫公會出席江蘇全省中醫藥團體聯席會議。這次開會的動機。是爲對付江蘇省管理中醫規則。那項規則的內容。諒諸位都已知道。不必鄙人多講了。不過現在的中醫界。每每受着西醫界的嫉妒。和妄想消滅中醫的野心。竟有運用政府的勢力。來摧殘我們的中醫。眞是可恨可怕啊。他們攻訐中醫的唯一利器。

不過把那「中醫不合科學」「中醫專論五行六氣」及「中醫學說陳腐」等一類話。來攻訐我們。把中醫種種的優點。便一筆抹煞了。我們處在今日的地位。應當怎樣的乾惕奮勵來改良這前途危險的中醫。然而改良中醫。又要認清目標。却不能夠把中醫的根本學術任意推翻。我們要知道中醫根本學術。也有相當的至理。應該據此而發揚光大起來。纔不失中醫立足之點。

我們試先講講西醫攻訐我們的學說。陰陽、不過是個對待名詞。像電體分陰陽一樣。五行、不過是各種代名詞。像ＡＢＣＤ一樣。六氣、不過表示病象和病因的假定標準。凡此種種。都不足借爲攻訐的目標。試問西醫也有許多代名詞的病名。正和中醫一樣。不過換上了英文字。便像新式了。尤在是中國沒落的民族性。和仰外的奴隸性。看見了本國的陰陽五行一類代名詞。便極端的鄙視。看見了外國的ＡＢＣＤ一類代名詞。却非常的崇拜。然而中醫眞正的學術價值。豈因他們鄙視而失去。其實中國的醫學根本不在五行六氣。而在自然科學和藥物經驗上面。所以這種壓迫。吾們並不畏懼退縮。吾們要努力的迎頭趕上。發揚他的眞實價值。

慎軒先生是國醫界中的有心人。費去了精神金錢。培植國醫界人材。爲改良國醫之先聲。諸位又都是年富力强。學識精粹的青年。將來對於國醫界當有無限貢獻。諸位要知道所負責任重大。要努力替國醫前途大放光明出來。這是鄙人唯一的希望。

余澤霓先生演講錄

王博平速記

鄙人自滬至蘇。由王先生之介紹。幸與諸君相見。並得有談話之機會。然鄙人學力淺薄。不免有闕漏之處。請諸君諒之。鄙人今日所欲言者。溫病是也。溫病中有風溫、春溫、溫病、溫熱、濕溫等。雖分門別類。而其最有研究之價值者。厥惟濕溫。況今日時間短促。不及統論諸溫。姑專言濕溫。夫濕溫二字。觀其字義。似不可通。以其既云有溫。何有濕存。既云有濕。何有溫在。惟縷析研究。其味無窮。諸君不見黃梅時節。大熱之天。大地間反因熱而濕化乎。是則濕溫本可同立。故彼西洋醫者。以濕溫二字。評我國醫之矛盾者。徒見其不識大自然之景象而已。

濕溫之說。最初見於難經。難經曰。濕溫之脈。陽濡而弱。陰小而急。後人論濕溫者。當推前清葉天士吳鞠通陳平伯輩。再後王孟英張虛谷則謂病濕熱與濕溫相去不遠。並曰濕溫之證。兩脛逆冷。胸悶腹滿。頭目痛。苦妄言。考前人並無兩脚逆冷之說。可知吾國醫仍在進步中。固未嘗退化也。有人謂濕溫不在六經。章太炎先生則曰濕溫初起。多有胸脅苦滿。寒熱往來之證。即可謂之少陽病。又有人以其病在太陰陽明。而謂病在脾胃。西醫則以爲細菌所侵。有腸窒扶斯副傷寒等。異說紛紜。莫衷一是。余以爲六經皆有濕溫。若見頭痛發熱惡寒。則從太陽論治。見寒熱往來、口苦胸脅滿。則依少陽論治。見便閉神昏譫語。則以陽明論治。不但三陽如此。三陰亦然。不但濕溫如是。無論任何之病。皆如是也。西醫譏吾六經無用。夫豈知六經之旨哉。

濕溫之證。初起熱不退。或日輕夜重。舌膩胸悶。惡寒微汗。或嘔噁懊憹。治法有辛溫燥濕。芳香化濁。苦寒燥濕。淡滲利小便等法。但在初起。有可用輕清宣透。宣氣化濕。如三仁湯之類。寓清透於燥濕之中。誠法之至善者也。苟能辨濕之多寡。熱之輕重。隨證以施治。隨機以應變。則濕溫之治。不患術窮矣。西醫之治濕溫。專以强心爲主。謂病人最宜注意而須保護者。厥爲心臟。心臟既衰。病將不愈。然吾國醫之紫雪、至寶、蘇合香丸、牛黃清心丸等。固未嘗不注重强心。是亦知强心之重要也。

又西醫論濕溫。以腸出血最爲危險。然腸出血尙不足慮。最可危者。乃因腸出血而引起之腹膜炎。及以出血過多而誘起之心臟衰弱也。考腸出血多因瀉劑所致。以瀉劑能刺激小腸。擴大血管。使血壓降低。血壓降低。則心臟危險。至於腸出血之證治。中醫嘗主張桃花湯加附子。用桃花湯以治其腸血。用附子以保其心臟也。不過進退變化。活法在人。不可執一法而應萬變耳。鄙意如是。未識諸君以爲然否。

言論

敬告初學醫者

邵求眞

醫負司命之責。操生殺之權。范文正以良醫譬諸良相。陸忠宣以活人等于活國。其責任之重大。豈可與平常之事業同論哉。故爲醫者。必須有非常之智。有非常之仁。努力研讀。用心探討。多讀古今之醫書。細研中外之醫理。謹戒虛華。崇尙實驗。庶能學成而爲良醫也。然醫書繁複。醫理深奧。或自修。或函授。未得名師之口授。未經實地之考驗。決不能豁然貫通也。其或從師而僅錄方案。略誦歌訣。不讀內難傷寒金匱等古聖醫書。不究生理病理理化等泰西科學。如此而欲行醫者。行於數年之前則尙可。行於近年之後則不可矣。其故何耶。一因政府管理中醫之規則。以後中醫之開業。必經政府之考試。二因中西醫學之競爭。苟無眞實之學驗。必無立足之餘地。有此兩大原因。則今後之爲醫者。必須受過相當之敎育。實地之練習。具有明白之理解。眞實之醫術。方能行醫於世也。余自研讀醫書以來。歷有年所。行將再入蘇州國醫學社。以求精進。

蓋聞該社辦理認眞。教授切實。既可明古今之醫學。又可獲實地之練習。以冀學成之後。可以問世。第觀世之與吾同志而初學醫者。猶未明此。故特作此以敬告也。

對于國醫不究藥物之感慨

朱彩霞

夫醫者。醫病也。藥者。治病也。斯二者本有密切之關係。不可分離者也。但自唐宋以後。醫藥分爲兩途。爲醫者獨習岐黃之學。而藥神農之術。行醫者均不識藥。賣藥者亦不習醫。于是醫藥相隔。弊竇叢生。藥之不效。或反增劇。或竟死亡。而病家只知歸咎于醫師。不知實問于藥肆。殊不知近今藥價日昂。贋鼎日多。或收採非時。則良楛異質。或頭尾誤用。則呼應不靈。或製法不精。則功力大減。或因水浸多日而切片。只求美觀。而恣意用之。不知其效已失。或因貯藏不善而霉爛。只顧圖利而混雜用之。不知其害甚大。或丸散膏丹之類。每以地脚藥及次藥混合之。或貴重罕有之品。每以類似藥及僞造藥僞充之。如野山於朮多以江西種朮代之。沙苑蒺藜每以花草子充之。合歡皮多以楓樹皮代之。石斛多以木斛混之，麝香價貴。奸商多攙蕩枝核末以作僞。燕窩難得。市儈多用洋菜製造以作僞。鹿茸之價尤貴。難有眞貨。余嘗聞一人年邁體虛。醫謂病重在腎。宜峻補之。可久服鹿茸。病者適與北方專以運鹿茸經商者爲友。其價較廉。遂購服之。但久服無效。即向醫問曰。予病恐非鹿茸所能治也。醫曰。何以知之。曰久服無效。故知之。醫曰。固可治也。鹿茸治君之病。必能有效。莫非君所購者。係贋品乎。病者曰。予從北方知友處購來。確係上等血片鹿茸。置在手掌中。立即可卷。何爲僞也。病者之意。猶疑醫師乏術。誘爲僞藥。藉强詞以飾過耳。乃謂醫師曰。託君代辦可乎。曰可。庸知服醫師代辦之鹿茸後。果奏奇效。始知藥有異也。一日置酒而召友。飲至半酣。問曰。吾兄每年可獲利若干。彼曰甚巨。我所售者，僞品也。以猪尾和他藥爲之。故亦能卷。他人以爲我自北方來者。必係眞貨。因此營業頗佳。其人聞之。始恍然大悟。嘆僞藥誤人。奚止億萬。況時至今日。經濟艱難。資本薄弱。奸商圖利。終致藥非其藥。製非其製。欲以愈病。不亦難乎。以致良醫被誣爲庸醫。醫藥日趨于簡陋。豈不深可惜哉。故爲醫者。必當細究藥物。辨識眞僞。最好如唐宋以前。凡藥物均由醫生自辦。或常將藥肆中之藥品。細加考究。庶無誤用僞藥之弊矣。然今之學醫者。隨師錄方。隨車出診。便算學業已成。誰肯細究藥物乎。惟蘇州國醫學社。既有藥物講義之詳細教授。復有國藥實驗所之實地參考。又有診療所及國藥製造所之實地練習。使學生既知醫。又知藥。則國醫前途之蒸蒸日上。可翹足而待也。

經義

內經曰喜怒不節則傷藏藏傷則病起於陰淸濕襲虛則病起於下風雨襲虛則病起於上其義如何試論述之

宋克明

喜怒者。包括喜怒憂思悲恐驚之七情也。傷藏者。傷及心肝脾肺腎之五臟也。七情太過。五臟受傷。以致五臟之機能衰弱。而現種種機能衰弱之陰證。考湯本求眞曰。陰證乃病勢沉伏而難於發顯。爲消極的、衰退的及寒性之意。今因藏傷而現沉伏消極衰退寒性之衰弱症狀。故曰藏傷則病起於陰也。然自西說東漸以來。世之論情志者。皆謂發於神經。傷情志者。亦謂病在神經。而內經七情傷五藏之精義。日漸湮沒而不彰。可慨也夫。殊不知情志雖傷神經。未嘗不及於五藏。且中醫能分情志所傷在何藏。實較西醫尤精尤細也。如喜傷心者。謂喜樂太過。則放縱邪忞。狂蕩無拘。神經鬆懈。心竅大開。心無主權。循環失常。故有喜極而致脈搏停止。神機頓息而暴厥者也。怒傷肝者。謂其大怒過度。則瞋目切齒。盛氣難制。神經與奮。肝葉膨脹。肝無主權。調節失常。故有怒極易致脈搏弦急。血液衝腦而暴厥者也。脾主運化。過思則神經疲乏。過憂則神經鬱結。皆能使腸胃之吸收失常。脾臟之消化失職。每見憂思過度之人。必致食慾減少。故曰思傷脾也。肺司呼吸。悲則心系急。哭則肺葉脹。皆能使肺臟之翕闢失常。呼吸之機能乖亂。每見悲哭過度之人。必致呼吸急促。故曰悲傷肺也。驚爲突然而致之被動刺激。恐爲惴然而懼之自動刺激。二者雖有不同。所傷則一。故岐伯仲聖皆以驚恐並稱也。蓋驚恐則肝腎受傷。腎主生精髓。以上輸於腦。肝主調血脈以資養於腦。肝腎既傷。則神經必受刺激。故有驚恐太過。心跳腰痠。甚則驟變痙厥者也。清濕者。水氣霧露也。其起也。由地而上。既從下起。必從下受。故必先病於足。如脚氣跗腫之類是也。風雨者。賊風暴雨也。其來也。從天而下。既從上來。必從上受。故必先病於頭。如頭重面腫之類是也。然無論其爲清濕也。其爲風雨也。莫不皆由於虛也。蓋邪之所湊。其氣必虛。故曰清濕襲虛。則病起於下。風雨襲虛。則病起於上也。其所以致虛者。多由於喜怒不節。調養失常。以致身體日虛。抵抗乏力。而風雨清濕等邪。遂得乘虛而襲之。是故內經以喜怒不節冠於首。以清濕風雨繼於下。其立意之深邃。立言之切當。尚非詳細研究。烏能明其精義哉。

讀傷寒論太陽篇之心得

陳丹華

仲師傷寒論。分劃六經。綱舉固定之證狀。規定治療之標準。對證用藥。精確的當。所以後世醫家奉爲金科玉律也。太陽篇冠其首。裒然佔全書三分之一。餘篇咸僅寥寥數則。豈非以五經雖有其證。而實皆自太陽傳變轉歸乎。果於病在太陽之時。投治合法。則病愈而無勞他經之治矣。太陽病之重要有如是者。吾儕可不細究乎。今論其大概。夫太陽者。人身至外至表之謂也。表受風寒之刺激。適合病菌之寄生。便爲初期傷寒之症矣。故風寒之傷人。必先著於表。著於表。則脈浮惡寒。頭項强痛。太陽主證自現。此乃正氣抵抗之力。氣血向外向上。欲驅病毒於肌表。使從汗腺排出。故發汗即順生理之作用。爲太陽病之正治。若太陽病失治。或誤治。則邪漸內走。必變生他病。即所謂傳經是也。然人之體質各殊。感邪後之病證。亦隨之而異。若其人之腠理疎泄者。則發熱汗出。惡風脈緩。名爲中風。其人之腠理緊密者。則發熱無汗。惡寒脈緊。名爲傷寒。其人之體溫素高者。則發熱而渴。不惡寒。名爲溫病。故仲師開章、先以風寒溫三者爲提綱。並立桂枝湯爲治風主方。麻黄湯爲治寒主方。麻杏甘石湯爲治溫主方。其餘兼證變證。隨證加減。或另立救誤之方。不問爲風爲寒爲溫、但憑證用藥、而風寒溫無不賅舉矣。大抵兼證變證之治法。多從桂枝麻黄兩湯加減。今先言桂枝湯之加減法。如桂枝證而兼見項背强几几者。加葛根、此因津液衰少。神經失於濡養之故。加葛根以生津液。榮養其項背之神經也。喘者、加厚朴杏子。兼見此證者。有宿疾。有新病。宿疾者。乃其人素有喘病。新病者。乃誤下後。表證未解而見微喘。爲正氣不虛而現上衝抵抗之象。但仲師用藥。從見證不從原因。見喘證。不問爲宿疾爲新病。但加厚朴杏子。以治其喘。然加厚朴者。必具有胸滿之證也。下後、脈促胸滿者。去芍藥。以芍藥能使血管充血。今胸滿則胸部已因充血而擴張。自非芍藥所宜也。若不但脈促胸滿。又微惡寒者。去芍藥加附子。此神經衰極。非薑桂所能爲力。故必加附子。以興奮其神經。庶無恐矣。汗後、遂漏不止。惡風小便難、四肢微急者。加附子。此因過發其汗。體溫放散過度。陽氣不能蒸化津液以四達。故加附子以壯其陽。陽壯則津液自得蒸化而四佈。諸證可愈。汗下後、外證未罷。無汗心下滿微痛。小便不利者。去芍藥加茯苓白朮。心下滿微痛者。乃其人素有水飲。因汗下而增劇。故加苓朮以逐水利小便。去芍藥者。不欲血壓之增高。則水飲之來源減少。而逐水之力更勝也。汗後、身疼痛。脈沉遲者。桂枝加芍藥生薑各一兩人參三兩。此因汗後傷津而未至亡陽。故不用附子。但加芍藥弛緩血管，加人參生薑强健胃機能。以疏濬津液生始之源流也。更有桂枝合麻黃湯。用少量之麻桂。以治太陽留連未盡之寒熱。桂枝加桂湯加桂以平衝氣。治奔豚氣從少腹上衝。凡此皆桂枝湯加減之法也。麻黃湯乃治太陽傷寒之主方。若見煩躁。則熱度尤高。病勢尤重。故加石膏以淸其裏熱。卽大靑龍湯也。見項背强几几惡風者。脊神經之津液已少。不宜過發其汗。故加葛根以生津液。合桂枝湯以緩其發汗。卽葛根湯也。心下有水氣。乾嘔發熱而咳者。加細辛乾薑五味半夏以逐水鎭咳。卽小靑龍湯也。凡此皆麻黃湯加減之法也。若太陽病發汗不解。或誤治。則邪必傳裏。但表不解。不可攻裏。若誤下之。必爲痞。爲結胸矣。蓋誤下則虛其裏。傷其胃。胃自起救濟。而來炎性之機轉。消化不良。於是心下覺痞鞕。仲師用瀉心湯健胃消炎。若與平昔停蓄之水飲相搏結。障礙胃機能。不但胃炎而痞鞕。甚且充實胸膜。致心下結鞕而痛。宜用大陷胸湯。逐水飲。攻結熱。故凡表未解。雖有可攻之候者。均不可下。仲師孜孜訓誨。曰、「太陽病、外證未解。不可下。下之爲逆。」又曰、「太陽與陽明合病。喘而胸滿者。邪在表也。不可下。」諸如此類。皆表未解。不可攻裏之證也。總之見表證。卽當解表。乃一定不移之極則。不必徘徊瞻顧。使邪陷入裏。而致焦頭爛額也。若拘一日太陽宜解表。二日陽明宜攻裏。三日少陽宜和解。恐病毒進行。不能循如是呆板之次序也。以上僅略舉師論之要者言之。非自矜必得特以明仲聖傷寒論太陽篇之眞義而已。

國醫之內分泌學（續）

王南山

（五）胰之內分泌　胰在胃之下面。橫於十二指腸之間。爲一細長之腺體。昔者徐之才以豬胰通乳汁。驗方以豬胰治消渴。均有特別之見解。似有不可思議之理存也。及至近世內分泌學說發明以來。始知胰通乳汁治消渴。實皆由於胰臟內分泌之功用。據 Pratt 氏之報告。就胰腺起人工萎縮後生存三年之犬。加以觀察。而見其交尾期之缺如。外陰部及乳房發育不全云。觀此則豬胰能通乳汁之理。當在補益胰腺。而使乳腺之發育健全。則乳汁自通也。又據顧壽白曰。胰腺內分泌。能將一種刺激素輸入血液中。該刺激素。對於肝臟內肝糖轉化葡萄糖之機能。有相當之抑制作用。故在動物試驗上。將胰腺全部摘出。則尿中卽有糖分出現。考中醫所謂之消渴。卽西醫所稱之糖尿病。由于胰臟萎縮。內分泌停止所致。西醫以胰腺島 Lmulin 治糖尿病爲甚效。胰腺島卽動物胰臟之製劑。適與我國驗方用豬胰者若合符節。誰謂中醫不合科學耶。

(六)腸之內分泌　內經曰。小腸者。受盛之官。化物出焉。大腸者。傳導之官。變化出焉。近據貝利士 Bayliss 及史他林 Starling 之實驗報告。謂曾剝取犬之小腸起始部分之黏膜。用〇・四%稀鹽酸溶液。抽出其有效成分。注入犬之靜脈內。見其胰腺之分泌。大有促進。遂信腸黏膜中確有一種內分泌之刺激素存焉。且近時又有謂腸之內分泌素。尤能促進膽汁與唾液胃液腸液之分泌。夫胰汁膽汁唾液胃液腸液。皆爲消化食物之液汁。皆賴腸內分泌之促進。則內經腸主化物變化之說。實已與西醫最新發明之內分泌相暗合矣。且我國民間每遇病後食慾不振。常令食雞腸鴨腸豬腸等。以增其食慾。此雖與注射腸內分泌略有精粗之不同。然已早知動物之腸有資助消化之能力。又與西醫內分泌之學說相暗合也。

(七)腎之內分泌　歐醫以腎臟爲濾血溲尿之用。若其腎臟之機能不健。則有全身浮腫。甚則死亡之虞。但其內分泌之作用。至今尚未澈底明瞭。祇有人謂腎臟製劑。對於尿毒症狀有利尿之效。使浮腫消退。一般症狀均見輕減。然此說尚未獲得世界之承認。中國醫學在數千年前。已知腎臟有濾血濾尿之功。及腎病有釀成浮腫之害。如素問水熱穴論曰。腎者胃之關也。關門不利。故聚水而從其類也。上下溢於皮膚。故爲胕腫。胕腫者。聚水而生病也。細玩本節經文。豈非中醫早知腎主濾尿。及腎病浮腫之理乎。且如肘後方治卒然腫滿。用豬腎合甘遂。以小便通利爲治愈。又如奉親養老方治年老脚氣。亦用豬腎。又有腎瀝湯。以羊腎煮湯煎藥。治脚氣。夫卒然腫滿與脚氣。皆屬尿毒症也。此又與西醫以腎臟製劑治尿毒症者相暗合矣，彼矜爲最新發明之醫學。而我已發明於數千年之前。豈不深可貴哉。　　（未完）

內經論女子之月經以二七至七七爲止然有或遲或早者其故爲何試研究之

蔣洪鈞

女子之月經。猶植物之菓實。時至則菓自熟。而內經以月經二七爲始者。亦猶是也。然南嶺之梅先發。寒帶之花遲開。先後遲早。無有一定。內經所論。是亦僅道其常。未必人人如是也。體質有寒熱之不同。土地有南北之各異。智質有靈敏與呆笨之分。居處有繁華與偏僻之別。大抵體質熱者。較體質寒者爲早。北方寒地。較南方溫帶必遲。此乃熱則流通。寒則凝塞故也。智質靈敏者。較呆笨者爲早。居於偏僻之鄉者。較鎭市繁華之人必遲。此乃鎭市繁華。智質靈敏者。其情志易受感動。則卵珠亦易於成熟。居於偏僻之鄉呆笨者。其情竇不開。其卵珠亦因之一時不能發達故也。如是則知月經之開始。是隨土地體氣智質爲變遷。而無一定之年齡也。至於年老停經之期。內經又曰。女子七七。天癸竭。地道不通。此亦言其常例。非一概而論也。大抵始經遲者。停經反早。因其先天不充。或體質較寒故也。始經早者。停經必遲。因其先天充足。或體質較熱故也。卽經所謂有其年已老而有子者。此則天壽過度。氣脈常通。而腎氣有餘也。憑此而論。則內經之論月經二七至七七之文。習女科者。卽不可拘于句下。而不知融會矣。

病理

肥胖病之研究

楊夢麒

肥胖病又名脂肪過多症。西名Adipositas。或名Fettsucht。初生小兒及中年婦人。最易患之。患者如逢夏季。汗流似雨。氣急如牛。辦事畏難。掟行不便。狀極難受。在女子患此。非但失却綽約動人之媚態。具此腹如瓠大之醜形。且下體肥胖。子宮縮入。難以受精。何能有孕。然而鄉愚蠢婦。以爲肥胖乃係身體強健之表現。斷無致病之理由。是眞夏蟲不可以語冰也。今將中西學說。分別研究于后。以供探討。

(甲)原因　(1)多食脂肪質或含水炭素、蛋白質、酒精性飲料等。(2)身體運動缺乏。(3)性質遲鈍而好睡眠。(4)屬於遺傳性者。約占百分之四十六。(5)甲狀腺機能減退。缺乏碘素。

(乙)病理　患本病者。甲狀腺缺乏碘素。爲必有之病理。蓋甲狀腺在喉管前面之兩側。其作用能增加血壓。助長發育。尤能去肥胖病。其成分爲多量碘素。倘甲狀腺機能減退時。卽成發育障礙。體溫下降。心思遲鈍。皮膚肥厚。於顏面頸部四肢。尤爲顯著。故甲狀腺對於肥胖病。殊有重大之關係也。他若富貴之人。食則珍饌並陳。出則高車代步。終朝安坐。

徹夜酣眠。毫無動運之規模。詎有衛生之趨向。以致皮下脂肪。積聚太多。血脈流行塞滯不暢。心臟脂肪沉着。心筋退行變性。而是病成矣。卽內經所謂肥貴人膏粱之疾也。

(丙)症狀　身軀豐滿。四肢肥大。頸部短縮。腹部隆起。全身脂肪組織異常發育。呈浮腫狀。語言緩慢。舉步困難。稍一勞動。卽呼吸促迫。心悸亢進。易患糖尿病、動脈硬化、自汗濕爛等症。

(丁)治療　此症自然療法。與藥物療法須仝時並進。方收事半功倍之效。今特分列如下。以供患者之參考。

(一)自然療法

(1)食物減少　凡有脂肪質(如豬肉等)澱粉類(如山芋甘藷馬鈴薯等)糖類、酒類、蛋白質之食物。均宜酌減。脂肪雖屬人體內必要之物質。然超過體重百分之十五。卽成過多症。又如酒類及蛋白質。都有間接之影響。能保護含水炭素之消耗。以致含水炭素積多而變脂肪質。

(2)睡眠減少　以八小時爲限。切忌午睡。如多睡神昏。足以引起消化不健。及經絡阻滯。以致脂肪加多。

(3)勤于沐浴　有促進新陳代謝之效。減少血脈凝滯之功。排除垢膩。通利皮毛。者浴後施行乾摩擦。最屬相宜。餘如蒸氣浴、空氣浴、日光浴、冷水浴。亦均有效。但須常行有恆耳。

(4)動作增加　患者往往憚於行動。不知愈胖愈懶。愈懶愈胖。爲必然之理。故其動作。務使充分。例如登山游泳。遠行盪舟。飯後散步。適當體操等。俱能使氣血流暢。排泄迅速。但劇烈運動。亦宜屏絕。

(二)藥物療法

（中方）國醫謂患肥胖病者。皆由於痰。治療此症。亦以化痰爲主。如二陳湯、導痰湯、痰鬱湯、升發二陳湯、清氣化痰丸等。皆可酌用。甚者宜小胃丹滾痰丸之類。使痰濁排除。則皮下脂肪。自然減少。而肥胖之病自愈矣。餘則服海藻海帶昆布亦尚有效。以其含有多量碘質之故。食療本草謂昆布久服瘦人。蓋謂肥胖之人。服此可愈。斯與西醫用甲狀腺製劑及碘質之理相同也。

（西方）西醫甲狀腺製劑。尋常用 Thyreoidin 作爲錠劑服。（一錠中含甲狀腺成分〇・三）一日與三個。其作用能促進脂肪質與蛋白質在體內燃燒力。故對於脂肪過多不孕症等。頗有特效。其他如 Lodine（即碘劑療法）亦有奇驗。其作用能補救甲狀碘機能衰減。若碘化鉀（即沃度加里一名鉀碘省稱沃剝）用之。往往引起副作用。不甚適宜。此西醫治療之大法焉。

綜上二種療法。務須耐心實行。則不難脂肪減少。肥胖全消。重得固有之健康。恢復天賦之美麗。豈不善哉。尚望患此病者。幸勿作爲老生常談。而等閒視之。

夢遺之原因

陸自量

遺精一症。是男性之一種特殊病。不分古今皆有之。尤其是夢遺。在此二十世紀。生當男女平權。打破廉恥之文明時代。一般情苗勃勃。春心蠢蠢之浪漫青年。爲更難避免。彷彿成爲彼輩之流行病。即使無此病者。亦屬少數。攷遺精之區別。大率可分二種。一是有夢而遺者。一是無夢而遺者。無夢而遺者。其症較重。其治亦較難。其原因不外乎患者之體質較弱。輸精管及精囊之筋。但司蠕動。而有時收縮麻痹。精液遂由尿道洩漏而出。此即所謂滑精。是屬腎（腎爲藏精之臟非也）屬虛者。然亦有體質强壯而患及是症。則不外乎精囊之精液。由兩睪丸輸入有餘而爲溢出者。至于有夢而遺者。國醫謂之屬心。實則非單屬心。亦屬腦也。因腦與心於此症俱有密切之關係。有同司靈機之功能。道學家有腦主元神。心主識神之說。蓋腦爲覺動神經之主。心爲交感神經之主。故凡淫書淫畫。皆能引起是症。晚近更有裸體跳舞之發明。實爲搆成夢遺之良好機緣。因彼所見一切。均有深印腦海之價値。雖到劇能歸來。彼窈窕之身材。婀娜之資式。種種畢露之態。無不存諸眼簾。一瞑目間。猶如電影之一幕一幕演于面前。始而幻想風月。繼入意淫之境。待至夜半睡後。腦不自主。所儲之故事。均歷歷現于夢境。繼而情意甜蜜。遂致雲雨纏綿。消魂眞箇。箇中風味。一如眞在溫柔鄉裏。俄頃、魂已歛。心已平。腦亦清靜。精已射出。而黃粱已熟。方悔往者不諫矣。考其夢中射精。外腎必强擧。其外腎之所以强擧。係日間思想紛亂。至夜心乃憶念。腦爲響應。交感神經遂受刺激。達及末稍神經。末稍神經亦爲之興奮。下半體之血液則輻湊于海綿體之陰莖。復受外界之接觸。如被蓋大腿等。增加摩擦。遂使陰莖勃起。外腎愈經摩擦。而愈爲興奮。其輸精管及精囊筋之蠕動收縮尤烈。驅精液于射精管中。假尿道而射出。是時全體之神經均爲興奮。致有心惕、體熱、耳鳴等等。此卽所謂君火熾、相火隨之亦熾也。故夢遺之症。實是意想之成分。不喩可知。日有所思。夜有所兆。是夢遺者之寫照。現再將一事實證明之。——法國有一心理學家。最先倡夢之原因。由于人體本身之說。彼擧己夢爲例。彼曾于就寢前讀法國大革命『恐怖時期』故事。寢後夢被捕至『幾落丁』斷頭機前。彼頭被納於機中。刀鋒閃爍。觸及皮膚。不勝觳觫。忽然驚覺。始發現係由掛簾之小竿墜下。適架於彼之頸上。因推想竿之下墜。並非適逢其會。乃先由竿墜頸上。而後幻此惡夢。使彼新讀之故事。演現于夢中。——故夢遺亦未嘗不如是也。因想外腎之强擧。並非適在其美夢之時。乃係强擧之後而轉夢及此。換言之。雖有平淡之夢在前。其消魂洩精之事。却發生于外腎强舉經外界接觸之後也。或謂遺精之症。長夏甚于深冬。意謂冬主閉藏。夏主開泄。故最謂不然。惟此夢遺。定必深冬甚于長夏。事實上可以證明之。故藥石治療。其效恐等於零。如精神治療。似若較爲可靠。如靜心養神。拋却慾念。觀一切皆空。毋想入非非。又如子後靜坐。口念彌陀。此數語雖近宗敎口頭禪。實則乃治療夢遺之無上妙法也。老子曰、未見不可思。當見不可亂。旣見不可憶。此爲警戒語。患夢遺者。曷不圭臬乎斯言。

濕病之病源淺說

衞勤賢

濕病之原因。錯雜紛紜。聚訟不已。使學者望洋興歎。莫知所從。勤嘗加以研究。今略述所得。就正海內。幸祈諸道長勿吝金玉。加以指敎焉。

夫濕病有表濕裏濕之分。爰先言表濕。表濕之由來。乃原於皮膚之排洩失常。蓋人之排洩。有一定之限量。常人每日排汗洩液。約二磅之多。然不見滴滴而下者。以其發出汗腺時。即放散於空中故也。若空氣之中。水分有飽和之象。則人體之汗液。已出汗腺者。不得蒸發。未出腺口者。不得復出。而濕病在表之證成矣。

內濕之由來。乃原於腸胃之消化機能不健。或吸收障礙。泌尿不良。蓋飲食入胃。經胃之消化而下腸。由腸之微細管吸收工作。然後藥渣滓而爲糞。排廢液而爲尿。取精微而爲營養。此無病人生理之常例也。若腸胃之吸收有所障礙。則體內液體泛濫而爲濕濁。或腸胃消化力衰弱。食物滯而腐敗。產生穢濁。甚則誘起腸胃炎。分泌炎液而成濕。泌尿不良。則廢液之排泄不暢而爲濕。內濕雖多。要不外乎此三種原因而已。不過三因之中。吸收障礙者。多成寒濕證。食物腐敗、炎液釀成、及泌尿不良者。多成濕熱證。故其治法亦有溫燥、消導、消炎、利尿之不同。各隨其證別以施之。

溫病之邪或曰伏氣或曰新感其理孰是孰非試抒己見而論斷之

張鑑青

昔王叔和著傷寒序例、謂寒毒藏于肌膚。至春變爲溫病。至夏變爲暑熱。喻嘉言又著尙論篇。以內經冬傷于寒春必病溫爲一例。冬不藏精春必病溫爲一例，旣冬傷於寒。又冬不藏精。至春月同時病發。爲一例。自此溫病由於伏氣之說。盛傳於世矣。且謂寒病之傷人什之三。溫病之傷人什之七。或謂南方無眞傷寒。或謂南方皆溫病。溫病只宜清滋。不宜疎散。以致世之醫者。咸中其毒。視麻黃、桂枝、爲終身禁用之鴆毒。以元參、石斛、爲日常必需之良藥。鬱遏病機。障礙汗腺。使其病毒不能外達。輕則遷延日期。重則斷送性命。推溯禍源。甯非始作俑者之罪乎。或曰叔和嘉言諸說。根據于內經冬傷於寒。春必病溫。冬不藏精。春必病溫之說。豈內經亦有錯乎。不知內經之本意。非如此也。蓋內經謂冬不藏精。春必病溫者。乃假定之詞。非必然者也。不過表示冬不藏精之人。則其身之抵抗力弱。至春易感溫病。至夏易感暑病耳。至謂冬傷於寒。春必病溫者。乃陰極生陽。寒極生熱之比例語。皆非指寒邪內伏而言也。夫寒邪凜冽。中人卽病。間有潛伏。至多亦不過二三日。卽當發病。豈有潛伏至數月之久耶。由是觀之。則溫病不由于伏氣。彰明較著矣。旣非伏氣。則爲新感無疑矣。仲景以傷寒初起爲太陽病。以溫病初起亦爲太陽病。豈非溫病與傷寒相同乎。然溫病與傷寒。俱爲新感之病。何以此成傷寒而彼成溫病耶。曰、體質不同故也。若其人體質素熱。雖感寒邪。必成溫病。蓋因素體本熱。體溫增高甚速。故外見頭痛項强之寒症。內兼口渴不惡寒之熱症。因其寒熱錯雜。不純寒。不純熱。故名溫病。若其人之體質素寒。則感寒邪而成傷寒矣。寒溫之別。全視其人之體質而異。如北方久居火炕。及南方常居溫帶之人。易患溫病。亦因其體質本熱之故。安得妄以溫病爲伏氣耶。

治療

治病當順自然說

柳劍南

生理之變態謂之病。病者、反乎生理常態之謂也。然病之原因各殊。病之傳變不同。有因於熱者。有因於寒者。有傳於表者。有傳於裏者。每當病機進行之際。體上常起一種抵抗作用。此種作用。可名之曰自然療能。如傷寒熱病。邪犯於表。體工竭力抵抗。溫度麕集於表。則爲發熱。格寒於外。則爲形寒。神經與奮。則爲頭痛。此時當順其自然趨勢而汗之。則病已矣。又如傷寒入裏。胃腑熱實。體工卽起抵抗以爲救濟。將熱邪竭力排擠。以使下達。遂致腹痛而頻轉矢氣。此時亦宜順其自然趨勢而下之。而病愈矣。昧者不分表裏。違反自然。在表應汗之症。而反投以下劑。輕則爲痞滿。重則爲結胸。在裏當下之疾。而反投以汗劑。小則爲熱灼神昏。大則爲汗出亡陽。此皆不明治病當順自然之故耳。

婦人重身用毒藥之研究

沈潛德

難矣哉。婦人重身之用藥也。夫治常人之病。若能瘳厥疾而不失其常制。則無藥不可以施之。惟治孕婦之病。卽用常藥。亦宜審愼。而况施以毒藥。獨不虞其殞胎乎。故爲醫者。對於孕婦之施毒藥。每有謹戒不用之心。然不用毒藥。輕病雖可治愈。重病必難應手。其或病勢日重，母子俱亡。安可不用毒藥乎。然則、用固難。不用亦難。若欲其既可除疾。又可保胎，兩全其美。豈易事哉。近世有以攻病之毒藥。與保胎之補藥同用者。粗觀其方。似已兩全其美。細究其用。却無絲毫之益。蓋攻藥受補藥之牽制。失其驅病蕩積之功。補藥受攻藥之消尅。失其保正安胎之效。醫仍等於不醫。藥仍猶如不藥。卒至病勢日重。正氣日虛。尚何能保其母子之生命乎。余謂本虛輕淺之病。固不可妄用毒藥。若遇大實瀕危之症。必非重用毒藥。豈足以救一髮千鈞之急哉。倘泥於固胎而模稜從事。孕婦亡矣。胎將焉存。其不兩敗俱傷也幾希。況黃帝問曰。婦人重身。毒之何如。岐伯曰。有故無殞。亦無殞也。蓋言有可攻之病。而用毒藥。有病則病當之。既無殞母之虞。亦無殞胎之禍。誠有兩全之望也。即不幸而竟墮其胎。則孕婦未必俱亡。尚有一生之機。較彼模稜誤事。以致母子偕亡者。猶足以勝一籌也。但亦不可固執此說。妄用毒藥。蓋必推敲其人之病情。領會毒藥之妙用。當用則用。可免則免。察其確有大積大聚者。方可用毒藥以攻之。且必遵內經衰其大半而止之訓。切不可一往直前而妄攻也。總宜因症施治。隨機應變，毋圖功而取禍。毋因循而誤事。斯可矣。

藥物

大黃能延年益壽之管見

管愈之

延年益壽。人皆欲之。然謀延年益壽者。競尚滋補。力避攻瀉。庸知滋補頻投。年壽更短。此何故耶。殆以滋補過度。既足以障礙新陳代謝之機能。又足以壅遏細胞活動之作用。是以富貴之人。因滋補而反致羸瘦死亡者。比比然也。余嘗考究延年益壽之藥。不在滋補。而在攻瀉也。而瀉劑中最有延年益壽之功者。首推大黃。何則。蓋大黃多服頓服。固有蕩滌腸胃。瀉除實熱之效。若少服久服。則有增進消化。强健身體之功。試以生大黃研細末。水泛爲丸。如梧桐子大。每飯之後。用開水送服一二分。久必身體强健。年壽永長矣。蓋飯後稍服大黃。能使新陳代謝之機能旺盛。血液之生產增多。因大黃入胃之後。能促進胃腸消化之能力。鼓勵腸胃蠕動之作用。使其飲食易於消化。大便易於通暢。既無停積發酵之弊。又無蓄垢生菌之害。則無釀成疾病之虞矣。且腑行既爲通暢。胃納因而旺盛。夫胃與小腸。爲生化榮養素之總府。主司消化水穀。產生精微。以供給諸臟器。及各組織之需要。常服少量之大黃。則其腑行通暢。胃納自旺。於是腸胃之消化力强盛。榮養素之產量增多。津血由是而充足。組織由是而强健。新陳代謝之機能。由是而增進，榮養原素之產量。由是而增多。細胞活動之能力。由是而活潑。則其身體自然强壯矣。且抗毒之力。亦必因是而增强。各種疾病。亦可因此而減免。夫身體既强。疾病又無。自有延年益壽之效。較諸妄進滋補而反釀病者。實有天淵之隔也。神農本草經以大黃能調中化食。安和五臟。而又名之曰黃良。殆已早知其益矣。惜乎後之學者。不求古訓。視大黃如鴆毒。以滋補爲良策。卒至滋補太過而死亡。愚孰甚焉。

何首烏治婦人帶下之研究

王博平

何首烏之異名、產地、形態、性味、成分、功效。及其用法用量禁忌等。皆已詳載於吾師藥物講義中。固毋須博平之贅言矣。然於何首烏治婦人帶下之原理。僅據袁淑範之說曰。「能治婦人產後及帶下諸疾者。蓋連用何首烏能恢復一般榮養狀態。又能刺激腸管。故骨盤腔內諸臟器之血行。亦因之而變化。其病遂得全愈。」餘未詳論。博平嘗於課餘之時。研究其理。略有所得。倘堪稍補講義之不足。爰述於下。以就政於吾師焉。

何首烏治婦人帶下之說。見於本草從新。後見袁淑範謂不但能治帶下。且醫婦人子宮骨盤腔內諸病。然何以能治此類之病耶。考其成分。係與大黃相同。兼含有鐵之有機物。大黃能緩下。鐵質能補血。合爲緩下而兼補血之藥品。且何首烏之味甚濇。用鐵刀切之。即現藍黑色。可知其中所含之鞣酸。必較大黃爲多也。鞣酸究爲何物。實乃色白而微黃味濇而略苦之粉末。俗稱之爲單甯酸。富有收歛止血消炎之功能。綜上而言之。則何首烏既有緩下補血之力。又有止濇消炎之能。故爲治婦人帶下之良劑也。蓋婦人之帶下。大抵爲子宮內膜發炎。發炎則炎性分泌物增加。故帶下淋漓。何首烏既能消炎。又能止帶。且得其緩下補血之功。可使其子宮之新陳代謝作用強健。而帶下自止矣。然帶下原因。尚有虛實之分。實者由於子宮內膜不潔而發炎。虛者由於子宮榮養不良而發炎。以何首烏之功效論之。則以治虛性及慢性之多年帶下。最爲切當。未知吾師以爲然否。

方劑

新發明之祕方報告（二）

張又良

（定名）張氏止血湯

（處方）海蛤殼八錢煅打　川貝母三錢　阿膠三錢　生地四錢　紫丹參三錢　參山漆八分研吞

（主治）專治咯血嘔血子宮出血等。

（功效）本方止血之功有四。（一）增強血液中之鈣鹽。以促速纖微素酶之成功。（二）低降血壓。以杜損口之再潰。（三）

增加纖微素母得强大血液之凝固力。(四)收歛血管制止出血俾創口易於恢復。

(附白)此方爲止血之通治劑可以隨症加減。如子宮出血可加當歸香附等。嘔血可加竹茹牛膝等隨證斟酌可也。

梔子豉湯之眞理

周自强

傷寒論之梔子豉湯乃治汗吐下後之虛煩。淵雷先生曾釋之曰汗吐下後因胸部腦部之充血故反覆顛倒。心煩不得臥也。然尚嫌未詳。余特進而解之曰緣汗吐下後。病毒雖減。惟胸部食道因而充血。血壓亢進。影響於腦。故虛煩不得眠。甚則反覆顛倒。心中懊憹。其或煩熱而胸中窒者。或身熱而心中結痛者。皆屬食道充血之明證。故仲師皆以梔子豉湯治之也。但此症因吐下之後。痰滯已去。腸胃已虛。故稱虛煩。不宜再投峻重之藥。祇可用此輕清之劑。以梔子低降其充盛之血壓。豆豉清散其殘餘之病毒。實爲藥病相對之良劑也。惟前人因其方後有「得吐者止後服」六字。遂列入於催吐劑中。實大誤也。據多人之研求。凡服梔子豉湯之後。多不見吐。且以意度之。既稱虛煩。即不宜吐。夫劇痰積食梗阻胃中。我知其能使吐之矣。煩而屬虛。焉可吐哉。不將更虛煩耶。且其原文之下曰「若嘔者。梔子生薑豉湯主之」方中雖有生薑能止嘔。豈有以催吐之劑加止嘔藥而即能治嘔乎。由此可知梔子豉湯。決非催吐劑也。

醫案

馬培之先生內科醫案(續)

再門人王愼軒編　再小門人楊夢麒錄

經曰。陽氣衰於下。則爲寒厥。陰氣衰於下。則爲熱厥。厥之爲病。皆由下虛起見。陽氣勝。陰氣虛。陽乘陰位。則爲熱厥。陰氣勝。陽氣虛。陽不勝陰。則爲寒厥。寒熱之外。又有六種之形症。少陰之厥。腹滿心痛。厥陰之厥。腹脹好臥而屈膝。 尊闆之恙已二十年。作時必嗜臥一日。旋卽胸痛吐逆。肢搐神昏。周時方甦。氣來則舉發並勤。今甫定一日。診得脈象芤弱。尺部洪虛。穀食少納。舌苔中剝。兩旁白滑。細揣色脈。中虛挾痰。隨氣火上升。神明爲之蒙蔽。則神昏嗜臥。沖胃則嘔吐厥逆。火動風生。風木乘土。故四肢搐搦。擬暫進養陰柔肝。兼和胃化痰之法，嗣後再投培養肝腎。佐酸鹹斂降之法。俾龍潛海底。雷藏澤中。不致上冒。庶可杜患。

當歸 白芍 丹參 洋參 半夏 蒺藜 茯神 鬱金 合歡 白朮 炙草 橘紅 紅棗

思慮過度。心脾受虧。木鬱不達。氣化爲火。中土受其剋制。以致胸腹作痕。食少無味。心胸煩悶。恍惚不安。神志不靈。語言欲出忽縮。慮成癲疾。擬養心脾。舒木鬱。

沙參 麥冬 佩蘭 鬱金 山藥 遠志 琥珀 半夏 柏子 丹參 廣皮 茯神 合歡

腹痛有年。日甚一日。發時胸悶。嘔吐眩暈。神昏肢搐。逾時甦醒。旋卽四肢紅紫斑疹。退則神志漸淸。脈弦滑。風伏於脾。侵於榮分。痰滯於中。氣道壅閉。陡然痛作。得吐則胃氣宣通。伏邪分洩矣。用宜中降濁。兼理伏邪。

半夏 白蒺藜 川朴 胡麻 鬱金 荊芥 丹參 青皮 雲苓 降香 生薑

（按）此方服四劑而痛減厥輕。原方加當歸、白芍、（桂枝炒）又四劑。嘔吐止。肢搐厥逆亦定。仍以原方加白朮調理而安。

（未完）

丁甘仁先生內科醫案（續）

門人王慎軒編　再門人王南山錄

李左　濕溫十三天。身熱晚甚。胸悶泛噁。渴喜熱飲。舌苔膩佈。脈象濡滑。此無形之伏溫。與有形之痰濕互阻。少陽陽明爲病。宜和解樞機。芳香化濕。然濕爲粘膩之邪。最難驟化。恐有纏綿增劇之慮。

軟柴胡（八分）　仙半夏（一錢半）　粉葛根（一錢半）　清水豆卷（八錢）　赤茯苓（三錢）　枳實炭（一錢半）

海南子（一錢半）　薑竹茹（一錢半）　澤瀉（一錢半）　六神麴（三錢）　藿香葉（一錢半）　地枯蘿（三錢）

甘露消毒丹（五錢包煎）

二診　濕溫十五天。身熱晚甚。渴喜熱飲。胸悶泛噁。白痦隱隱。佈而不透。咳嗽膺痛。咯痰不爽。苔白膩。脈濡滑。內蘊之濕熱。漸由樞機而外達。痰溼互阻。肺胃宣化失司。還慮增劇。再宜和解樞機。宣氣化溼。

清水豆卷（八錢）　淨蟬衣（八分）　銀州柴胡（一錢）　赤茯苓（三錢）　福澤瀉（一錢半）　通草（八分）　飛

滑石（三錢包煎）　枳實炭（一錢）　藿香梗（一錢半）　製川朴（八分）　象貝母（三錢）　川鬱金（一錢半）

炒苡仁（三錢）　甘露消毒丹（四錢包煎）

三診　溼溫十七天。身熱較輕。胸悶泛噁。渴喜熱飲。白痦佈而甚多。脈濡數。苔白膩。咳嗽咯痰不爽。伏邪痰溼交阻少陽太陰爲病。還慮變遷。再宜疎氣分之伏邪。化太陰之蘊溼。

清水豆卷（六錢）　淨蟬衣（八分）　光杏仁（三錢不打）　象貝母（三錢）　赤苓（三錢）　澤瀉（一錢半）

枳實炭（一錢）　製蒼朮（八分）　製川朴（八分）　仙半夏（一錢半）　藿香梗（一錢半）　冬瓜子皮（各三錢）

甘露消毒丹（四錢包煎）

四診　溼溫二十一天。身熱已退。咳痰不爽。胸悶不思飲食。舌苔白膩滿佈。脈象濡滑。伏邪蘊溼逗留膜原。太陰爲病。還慮纏綿增變。今宜芳香淡滲。助陽化溼。

熟附片（八分）　淸水豆卷（四錢）　光杏仁（三錢不打）　象貝母（三錢）　赤茯苓（三錢）　澤瀉（一錢半）

仙半夏（一錢半）　藿香梗（一錢半）　佩蘭梗（一錢半）　陳廣皮（一錢）　製川朴（八分）　製蒼朮（八分）

甘露消毒丹（四錢包煎）

譚左　伏邪溼熱。挾滯交阻。太陽陽明爲病。身熱咯痰不爽。胸悶泛嘔。腑行不實。苔薄膩而黃。脈濡滑而數。慮其增劇。姑擬疎解淸熱而化溼滯。

粉葛根（一錢半）　酒炒黃芩（一錢）　藿香梗（一錢半）　赤茯苓（三錢）　炒枳殼（一錢）　仙半夏（二錢）

細青皮（一錢）　大腹皮（二錢）　六神麯（三錢）　淸水豆卷（四錢）　炒穀麥芽（各三錢）　炒車前子（三錢）

乾荷葉（一角）

二診　溼溫身熱漸輕。納少心悸。夜不安寐。咳痰不爽。腑行不實。伏邪溼熱未楚。肺胃肅運無權，痰在心下則心悸。胃不和則臥不安。還慮增變。再宜宣肺和胃而化痰溼。

淸水豆卷（三錢）　嫩前胡（一錢半）　仙半夏（二錢）　川貝母（二錢）　硃茯神（三錢）　水炙遠志（一錢）

紫貝齒（三錢）　炒藊豆衣（三錢）　銀花炭（三錢）　焦查炭（三錢）　鮮藿香（二錢）　鮮佩蘭（二錢）

鮮荷葉(一角)　妙竹茹(錢半)　(未完)

曹頴甫先生內科醫案(續)

門人王慎軒記　再門人甯山編

汗後不解　白漾衖王左

汗已出。熱未徹。宜桂枝湯和之。

川桂枝(三錢)　白芍藥(三錢)　炙甘草(二錢)　生薑(七片)　紅棗(十枚)

(記)此案初方係用麻黃湯。因服後汗雖出而熱未退。乃予此方。其後再來複診。病已全愈。僅予調理而已。初方與前第一方相同。後方不關重要。故皆不錄。

風疹　白漾衖王小

發熱有涕。發風疹。此爲風邪。當疏泄太陽。

荊芥(二錢)　防風(二錢)　牛蒡子(三錢)　炙殭蠶(三錢)　苦桔梗(一錢)　蘇葉(二錢)　薄荷(一錢半)

浮萍(三錢)　西湖柳(二錢)　蟬衣(一錢半)

(記)此曾復診三次。均用原方稍與加減。漸占勿藥之喜矣。

濕熱　火車站趙左

發熱咳嗽。溲赤足腫。脈濡數。當從肺治。豬苓湯主之。

豬苓(二錢)　滑石(四錢)　桔梗(一錢)　阿膠(二錢)　雲苓(三錢)　通草(五分)　炙款冬(二錢)

紫菀（二錢）

服豬苓湯。咳嗽已。足腫退。劉診脈象虛細而滑。溼未全去。仍宜前法加減。

豬苓（三錢） 阿膠（二錢） 滑石（五錢） 扁豆（四錢） 冬瓜仁（三錢） 瓜蔞皮（二錢） 象貝母（三錢）

炒澤瀉（三錢） 桔梗（二錢）

秋燥 馬路橋陳右

咳嗽，時發熱。喉中痛。脈濇。陽明燥氣爲病。清潤之。

杏仁泥（三錢） 瓜蔞仁（三錢） 天花粉（三錢） 生石膏（三錢） 大麻仁（三錢） 桔梗（三錢） 枇杷膏（

半兩冲服）

（記）此方服一劑之後。咳嗽大減。再令服二劑。後不再來。諒已愈矣。（未完）

黄體仁先生女科醫案（續）

門人王愼軒編 再門人朱彩霞錄

周【小東門】女子以肝爲先天。脾爲後天。肝脾不和。氣溼交阻。胸悶腹脹。腰痠帶多。脈象弦細。舌苔白膩。先宜理氣化溼。和胃暢中。

製香附（一錢半） 老蘇梗（一錢半） 陳廣皮（一錢） 白茯苓（三錢） 炒枳殼（一錢） 大腹皮（二錢） 春砂仁（八分研冲） 沉香麯（二錢）： 路路通（一錢半） 福澤瀉（一錢半） 炒苡仁（三錢） 製川朴（六分）

炒麥芽（四錢）

周【二診】胸悶略鬆。腹痕亦減。頭眩腰痠。食少帶多。再宜前法加減。

製香附(一錢半)　陳廣皮(一錢)　炒烏藥(八分)　抱茯神(三錢)　煨天麻(八分)　仙半夏(二錢)　厚杜仲(三錢)　炒白朮(一錢半)　炒枳殼(一錢)　大腹皮(二錢)　春砂仁(八分研冲)　沉香麯(二錢)　炒穀麥芽(各三錢)

周【三診】進治以來。胸悶腹脹。腰痠帶多等症。均已大減。再宜前方損益。

厚杜仲(三錢)　炒白朮(二錢)　炒潞黨(一錢半)　抱茯神(三錢)　陳廣皮(一錢)　仙半夏(二錢)　左牡蠣(四錢)　福澤瀉(一錢半)　生熟苡仁(各三錢)　炒穀芽(四錢)　沉香麯(二錢包)　春砂仁(八分研冲)　威喜丸(三錢包)

趙【穿心河橋】顴紅內熱。口苦脅痛。帶下赤白。經水淋漓。舌苔黃膩。脈象弦數。少陽之淫火內熾。圖功非易。

銀州柴胡(八分)　荊芥炭(八分)　淡黃芩(一錢半)　赤苓(三錢)　川貝母(二錢)　煅牡蠣(四錢)　苦參片(八分)　川黃柏(八分炒)　製香附(一錢半)　旋覆花(一錢半包)　廣鬱金(八分炒)　全當歸(一錢半)　通天草(八分)　(未完)

王氏女科醫案(續)

王愼軒著　長子甫山編

李【崑山】昔在經期。驟遇驚恐。驚則氣亂。恐則氣下。氣亂則經亦錯亂。氣下則血亦妄下。是以汎期屢亂。經量不一。或多或少。或前或後。或數月一來。或一月數至。時而神識昏迷。如在夢中。時而舉動躁擾。如喪神守。此病在心腦神經之間。非平常調經之藥所能治也。擬沈氏菖蒲飲加減治之。

乾石菖蒲（八分） 遠志肉（一錢） 川鬱金（一錢半） 硃茯神（四錢） 太子參（一錢半） 麥門冬（二錢去心） 天竺黃（二錢） 川貝母（二錢去心） 陳膽星（一錢半） 眞濂珠（二分） 西牛黃（一分） 當門子（二厘）（後三味研冲） 琥珀定志丸（一錢半開水送下）

李【二診】前以沈氏菖蒲飲加減治之。連進三劑。適值經來。所有神昏煩躁等症。已減十之六七。第覺頭痕眩暈。心悸慒雜。夜寐不安。記憶不健。良由心腦之損傷未復。神經之擾亂未甯。經曰。神爲水穀之精氣也。消化水穀。胥賴乎脾。故治神傷者。治心腦之外。尤當兼治脾也。今擬天王補心合嚴氏歸脾湯加減。

吉林參鬚（八分） 紫丹參（二錢） 全當歸（二錢） 硃茯神（五錢） 炙遠志肉（一錢） 炒棗仁（三錢） 麥冬肉（二錢） 淮山藥（三錢） 炙甘草（六分）川鬱金（一錢半） 川貝母（二錢） 天竺黃（二錢） 龍眼肉（七枚） 琥珀定志丸（三錢包煎）

陸【天庫前】汎行太多。經後腹痛。痛而喜按。按而喜熱。面色皖白。脈象虛弦。良由血海暴虛。神經失養。此乃虛性之神經痛也。治宜仲聖當歸生薑羊肉湯加減。滋養以補其虛。甘緩以止其痛。

生歸身（五錢） 大川芎（一錢） 杭白芍（二錢） 炙綿耆（三錢） 太子參（三錢） 炙甘草（八分） 製香附（一錢半） 春砂仁（八分研冲） 陳廣皮（一錢） 肉桂心（二分） 上沉香（四分）（後二味研細末飯丸吞服） 淸阿膠（二錢陳酒燉化冲入）

〔按〕陸氏服此方後。一劑痛減。二劑痛已。後偕其弟婦來診。深道感謝。余故知之。據我父曰。此方以阿膠代羊肉。較仲聖原方尤佳。蓋阿膠善於養血止痛也。

男　南山謹誌

（未完）

筆記

驗方瑣記（二）

唐愼坊

清末余供職江蘇前高等審判廳。任民庭庭長。案牘勞形。飲食不時。辛亥之春。患溫病甚劇。曹融甫譜弟治一月而愈。正在調理。忽調任江甯地方審判廳廳長。公務尤爲棘手。遂染休息痢。稍進食。腹隱痛。即下痢。始下白物如凍。繼紅如瓜瓤。日十數行。面黃如蠟。行動無力。西醫灌腸亦無效。余父命服參朮。余不信。久之父在滬購參朮歸。濃煎命服。余不得已服之。嗣後日服參一朮二。早晚兩進。冬夏無間。由是痢止。連服一年。而體加豐。身益健。民國四五年間。余因公北上。在舊都晤同鄉閻葆甫君。面黃體倦。詢知亦患休息痢。余告以治愈經過。勸服參朮兩味。閻君照服果愈。西人每鄙視參朮。嘗爲樹皮草根。而孰知有此功效哉。

治驗筆記（一）

顏星齋

余治醫垂三十年。對於一切普通病證。無非以普通之法而治療之。雖多應手。不足述也。其有不經見之證。或治療方面具有特殊情形者。要不可以不記之也。然以是項病證。一經治癒。自思亦甚平常。不過見證確。用藥當而已矣。當時雖未經記述。而過後思量。亦頗有足述者。猶憶十年前。湘友陳佩之君。曾患腹脹。初經他醫診治。投溫中利濕之劑，不但毫無效驗。而且脹勢日見增劇。旋就診於余。診其脈。沉候堅實。督其證。肚腹脹滿。腹皮灼熱。手不可近。便祕溺赤。舌苔厚膩。詢其因。則以嗜食油爆肚對。審知此證既非臟寒。則溫中之法。即屬不宜。而腑實可證。當以通利為主。下之脹已。古訓昭然。因議大承氣湯。日服一劑。藥後有時僅轉矢氣。有時略得結糞。顧大便既未能日日行。則承氣即不可一日斷。而病者謂自進硝黃之後。胃納日增。精神日振。腹部灼熱日減。腹中脹滿日鬆。且鼻竅一聞大黃氣味。心中便覺快然。於是就商於余。請日服原方。不予更易。兼旬而後。積垢盡下。脹滿悉平。後用六君子調理而安。最奇者。斤數大黃入腹。從未溏泄一次。以如此大劑。視同家常便飯。腸胃積滯。可想而知。此證本屬實熱。大積大聚。故承氣入胃。效如桴鼓。倘病者疑慮。不敢繼續服藥。或醫者膽怯。不能始終守方。則此病不易瘳也。因濡筆記之。以實國醫雜誌。

記嬰兒小便不通之中西兩治法

王蘊玉

鄰居陳君之甥兒生方五月。忽然小便閉塞。點滴不通。下既不通。逆而為喘。家人惶急異常。乃延西醫診治。意謂急救之術。西醫較勝于中醫。通便下糞。西醫特有器械之精良。尤為特長。可以發必有驗。此普通人之心理也。該西醫既至。循例施行手術。將皮管插入尿道中。然五月嬰兒尿道既窄小異常。肌肉又柔弱不堪。偶有不慎。危險立至。已足憂慮。幸彼西醫翼翼從事。得免意外。第施術多時。一無成效。醫謂通導不靈。非割不可。家人咸示反對。謂此嬌嫩之軀。曷克切膚剜肉。乃改就中醫張少波診治。抱兒出診時。淡黃之水。不時從口中泛出。少腹脹滿。寒熱一百另二度。湯水不能入口。入口即吐。張醫診畢曰。此乃肺氣失宣。不能通調水道。譬如壺水傾之不注。揭其蓋。即可汩汩而出。揭蓋之法。即宜通肺氣也。因兒小不能啜藥湯。故單用麻黃一味。研細末。用一分許。塗於舌上。初塗時。多隨水吐出。咽下甚少。再塗吐較少。未盡七分。尿已下湧如泉。舉家歡騰。聞者莫不稱中醫用藥之神妙。而斥西醫治法之呆板也。按麻黃本係利水之聖藥。惜舊中醫只知其爲開肺發汗之劑。而不與引用耳。此兒病之用麻黃。可謂藥症相對。故取效如是神速。若張醫肺氣通調水道之說。則去實際遠矣。然其用法之妙。尙足取法。故特濡筆記之。

雜　俎

學醫導徑（續）

周禹錫

又次爲藥物學。藥物學者。研究藥之形色氣味及功用也。蓋藥有治病之能力。亦有反病之危害。故研究此科。尤爲重要。而其有精湛之發明。以合科學者。近從王愼軒最新中國藥物學中見之。是編博采古今本草之精華。參以實地嘗試之經驗。定確切之氣味。明實在之功用。兼及釋名產地形態成分製法用量禁忌等。分類編纂。共八十萬餘字。且其原稿曾經上海丁甘仁先生改政。嗣復易稿三次。更加改良。洵爲中國藥物之善本。進而研究此學者。則以唐容川本草問答。鄒潤安本經疏證。本經續疏。本經序疏要。盧子繇本草乘雅半偈。張壽甫藥物講義。李時珍本草綱目。趙學敏本草拾遺。劉若金本草述。王秉棠重慶隨筆論藥性。精心研究。則藥物之學。瞭然無遺蘊矣。

又次爲調劑學。調劑學者。調和適當。配製成方。依診斷之結果。而處以合法之藥劑也。調劑製藥。古無專書。雖有七方十二劑之分。語焉不詳。配製煮服。毫無統系。處方製劑。無一定標準。以致治療各異。貽譏外人。惟王愼軒中醫調劑學。詳述製方配劑。分四時、五方、五臟、六腑、六淫、七情表裏虛實。寒熱氣血。婦、兒、傷、瘍、君、臣、佐、使、性、質、氣、味、分量輕重古方加減煮服等類之法度。及其他種之關係。分述綦詳。爲臨證製方調劑之要訣。不可不專門研究也。

又次爲治療學。治療學者。研究與人治病之規矩也。是書取上海秦伯未實用中醫學第五編治療學爲佳本。內分一般治療。與湯液治療。一般治療者。概述熨法、灌法、漬法、酒醪、麻醉、起皰、灌腸、導尿、敷法、嚏法、嗅法、箭針、角法、蜞鍼、針灸等十五種治療法。湯液療法者。詳述汗吐下和消清溫補等八法之運用。爲近世研究治療學之善本。又如李惺庵證治彙補。朱丹溪脈因證治。秦皇士證因脈治。張壽甫醫學衷中參西錄。備具治療法程。學者不可不讀。

編者按中醫治療學。向無專本。多係混合在各科醫書之中。惟陳士鐸石室祕籙。以正醫法、反醫法、順醫法、逆醫法、內治法、完治法、碎治法等一百二十五法。論治立方。意周法美。誠爲中醫治療學之佳本。但托名仙佛。故弄玄虛。未免爲智者所竊笑。學者所輕視。誠可惜也。

又次爲處方學。處方學者。研究立方之法度也。猶弈師之有譜。曲工之有節。匠氏之有繩墨也。秦伯未處方學。載在實用中醫學第六編中。節取雷少逸時病論四時感證各法。以及古今名醫驗案。集腋而成。分組織法與立案法。洵處方學之模範。更以張路玉千金方衍義。孫思邈千金翼方。王燾外台祕要。吳洛儀成方切用。羅東逸名醫方論。王愼軒新編傷寒時方歌訣評註。王南山湯頭歌訣大全。陳修園時方歌括。用作研究之階梯可也。

編者按日本松園渡邊熙漢和處方學津梁。編纂尙佳。可供參考。

以上八科。爲基礎學。學者欲進修專門。須先從此下手。基礎既築。再讀楊如侯靈素氣化新論。以明中國醫學之氣化。卽西人科學中之電光熱力。而其變化之妙。有非科學所能範圍者。讀到心領神會。然後進而研究內科學。內科學者。研究外感內傷一切雜病之證候方劑治療之學也。研究此科中。約分傷寒溫病傳染方論醫案暨參證七門。茲舉例其要如左。

(甲)傷寒學　仲景傷寒論。爲治外感之專書。歷代註家。不下百數。惟王愼軒傷寒綱要講義。采取傷寒之精華。編爲淺明切要之講義。分六經爲六編。每編各分正症、兼症、化病、壞病、末病等各病。又有各症之分別。每症中多至十餘節。少至二三節。將一部傷寒論原文。用科學歸納法。冠以提綱。殿以新註。眉目淸晰。一矚瞭然。誠爲研究傷寒學下手之南針。研究之後。復取何廉臣鑒定傷寒論識、新增傷寒廣要、鑒定傷寒述義、增訂傷寒百證歌註、校勘通俗傷寒論、張隱庵傷寒論集註、丹波元簡傷寒輯義、喜多村傷寒疏義、吳綬傷寒蘊要、郭雍傷寒補亡論、周學海傷寒補例、姜國伊傷寒方經解、陳煥堂仲景歸眞、山田正珍傷寒考據、尤在涇傷寒貫珠集、唐容川傷寒論淺註補正、成無己傷寒明理論等書。次第研究。自能左右逢源。

編者按惲鐵樵傷寒輯義按、陸淵雷傷寒今釋、祝味菊傷寒新義。皆根據科學。別立新解。亦可爲研究傷寒之好資料也。

(乙)溫病學　溫病學者。卽秦越人謂四曰熱病。五曰溫病之異於二曰傷寒者是也。蓋以傷寒之治。不可混於溫病。溫病之治。不可混於傷寒。楊如侯溫病講義。辨正正名大綱。診斷總綱分目。舉凡溫病、熱病、濕病、秋燥、溫疫、鼠疫、疫喉、斑疹、痲疹、霍亂、痢疾等之表裏陰陽、外感伏氣、脈舌因證。無不詳備。新舊兼收。完整可法。王愼軒溫病綱要。崇正辨僞。闡明溫病之病理暨治法。駁正葉吳三焦立論之差謬。將溫病之定義、傳變、種類、原理、症狀、治法。以及溫瘟溫著之不同者。一一分析。學者讀此。自有指歸。餘如王孟英溫熱經緯。暨重訂霍亂論。何廉臣重訂廣溫熱論。感症寶筏。增訂時病論。柳寶詒溫熱逢源。吳批章虛谷醫門棒喝。張鳳逵傷暑全書。皆爲溫熱時氣病之正法眼藏。治新感與伏氣病者。皆宜研究之也。

編者按吳錫璜中西溫熱串解，惲鐵樵溫病明理。亦有研究之價值。

（丙）雜病學　雜病一門。最屬繁複。專書雖多。望洋無岸。王愼軒雜病綱要。以寒熱虛實爲總綱。以內經金匱爲根據。以臨證經驗爲標準。提綱挈領。簡明精當。頗合治療實施。此書讀後。再取包識生包氏醫宗第二集內科雜病學。唐容川金匱要略淺註補正。朱丹溪金匱鉤元。尤在涇金匱心典。金匱翼。丹波元簡金匱輯義。元堅金匱述義。喜多村金匱疏義。丹波元堅雜病廣要。王肯堂證治準繩。張石頑醫通。以及聖濟總錄等書。次第研究。自能臨證得心應手矣。

編者按湯本求眞皇漢醫學。渡邊熙和漢醫學實驗集。嚴𩅦孫金匱廣義。陸淵雷金匱今釋。均可爲研究雜病之參考書也。

（未完）

神氣淡則血氣和嗜慾勝則疾疹作說

胡蕭梧

人之所以能生存者。全賴神氣血氣而已。形於外者謂之神。流於內者謂之血。二者實一而二。二而一者也。人既生矣。血氣旣裕。則必陰陽調和。陰陽失調。而病根伏矣。經云。孤陰則不生。獨陽則不長。陰勝則陽病。陽勝則陰病之謂也。而後人誤以嗜慾爲快樂。人生之事。不知喜甚傷心。怒甚傷肝。蓋心生血。肝藏血。心爲君主之官。神明出焉。肝者將軍之官。謀慮出焉。夫血之能營養週身。實氣使然。氣能條達。故血脈流通。不然。則血易停滯。而疾疹斯作。雖然古人調和陰陽。亦以嗜慾有節制之方。今之人則不然。以酒爲漿。以肉爲食。姬妾滿前。窮奢極欲。而不知自滿。竭其精。散其眞。又不能四時調和其神氣。愼其營養。勢不至傷其氣血不止也。故唐孫思邈曰、神氣淡則血氣和。嗜欲勝則疾疹作者。其旨深且遠矣。以其血氣虧虛。不能調和。故疾疹從而作矣。然而我嘗見耗傷其神氣者矣。蹈厲發揚。奮神情之奮往。驕橫倨傲。憑盛氣以凌人。究之形神辭氣之間。轉不若恬安其貌。淡泊其心者。自有瀟洒出塵之態。足以保全其本眞。而身體亦得以滋養矣。所謂神氣淡是也。淡也者。平且薄之謂也。禮記曰。君子淡以成。中庸曰。淡而不厭。淡者。水滿之貌也。水淡淡而流播。人生之血氣。貴乎周流而不息。果能與水體無殊。則血氣運行乎全體。豈不和洽而無所乖戾乎。而神氣之發見。仍覺平滿而淡蕩矣。至若神氣之發泄。嗜慾必勝於儕輩。不能調節其血氣。日日而虧損之。雖體魄素爲强健。漸臻於虛弱不振之地。疾疹不將因是而作哉。今世之人。盍其勉諸。

講義

本社金匱講義（摘錄）（續）

凌九雲撰述
王志純校閱

腹滿宿食篇

腹滿宿食。皆胃腸病也。腹滿以證狀而言。（金匱飿云腹滿乃包含胸肞滿痛在內）宿食以原因而言。腹滿者。腹部望之膨滿。按之或痞或鞕。而病人自覺脹悶疼痛之謂。宿食者。宿昔所食之物。停留不化。因以致病。由是觀之。食爲因而滿爲果。腹滿既由積食而來。治滿祇當去積而已。一言可決。一法可盡。若果如是。則醫事太易。將盡人能爲。而醫者之多。吾知其必途爲之塞矣。夫腹滿有虛實之異。宿食有在胃在腸之別。覺腹滿者。不必皆由宿食。病宿食者。則必兼有腹滿。明乎此。方能論治。仲景之列腹滿宿食於一門。原有深意。彼欲教人於疑似之間。詳細審察。以明其治。宿食之滯也。無定處。古分上中下三脘。其實祗分腸胃二部。別二部者。辨其病之所在。病處不同。治法亦異。然其因於宿食則一。宿食有宿食之病狀。雖因部位不同而異見。然必有主要之點。何以言之。曰、滿痛是。故宿食在胃者。心下滿痛。在腸則臍腹滿痛。金匱之論治也。在上宜吐。在下宜攻。如原文所云。「宿食在上脘。當吐之。宜瓜蒂散。」此卽宿食在胃之治也。然在胃之治。當分二法。若其食並未宿久。其證胸膈滿痛而有泛泛欲吐之象。乃體功欲驅病毒以上出而不得。卽當順其勢而助之以藥力。則惟有吐之一法。瓜蒂散在所必用。或鹽湯探吐之類亦可。若其食停滯稍久。噯氣酸臭。而無泛吐之意者。則涌吐徒傷其胃。吐法不適於用。又當易消之一法。消者助胃消磨之謂也。然亦有虛實之分。因飲食不節。暴食多食而停積不消者。宜專事消導。如神麴、麥芽、山查、雞金、枳實、萊菔之類。外用麩皮炒熱熨之。亦有神效。若胃弱不能消穀而停積爲患者。則消導之中。必兼健胃。如枳朮丸、香砂六君、枳實理中之類。均可取用。再言宿食在腸。腸處腹中。故痛在腹部。則又非上法所治。原文「病者腹滿。按之不痛爲虛。痛者爲實。可下之。舌黃未下者。下之黃自去。」「腹滿不減。減不足言。當下之。宜大承氣湯。」「按之心下滿痛者。此爲實也。當下之。宜大柴胡湯。」凡此諸條。均爲宿食而用下法之明證。何以知其爲宿食之明證。本文云。「脈數而滑者實也。此有宿食。下之愈。宜大承氣湯。」既云實者有宿食。則上之云實者。自然均屬宿食。一篇之中。從一條實字斷爲宿食者。而推斷各條實者爲宿食。以原文證原文。無疑義矣。觀此則知腹滿宿食二症。雖均有滿痛。而按之痛者爲實。爲宿食。按之不痛者非宿食矣。腹痛不減者爲實。爲宿食。痛減如故者非宿食矣。舌黃未下者爲實。爲宿食。不黃或黃而已下者非宿食矣。或謂本篇大建中症。亦痛而手不可觸。何以非實。不知大建中症之痛。輕按似甚。重按反舒。且其痛上下遊走。而有休作。是屬虛寒。故宜溫之。宿食乃有形之物。着處不移。故痛無移動差減之時。既知上下移動休作之痛爲虛寒。則更知不上下。不移動。不差減之痛爲食滯。爲宿食矣。拒按一也。不減二也。不移三也。有此三症。何患其辨之不徹哉。既於滿痛不移不減拒按三者。斷其決爲宿食。然後參之以脈。原文「寸口脈浮而大。按之反濇。尺中亦微而濇。故知有宿食。大承氣湯主之。」原文雖云如是。按浮大微濇。皆非顯然可下之脈。惟臨床時遇病宿食者。其脈沉滑則有之。然不如驗之舌苔、腹候、以及病人之自覺症、凡下劑如大承氣者。尤須診腹與舌。始信而有徵。以腸胃病最顯於舌。診舌即可知其大牢。如前文所云。舌黃未下者。下之黃自去。傷寒論亦云。苔滑不可下。滑者滑潤而不糙。見黃糙始可攻下。以黃糙見於舌。必有熱垢滯於內。故可下之。然下劑如承氣大柴胡湯爲燥矢宿食者。必以舌黃爲候。舌不黃者不可下。至於祛瘀之劑。如桃核承氣湯。大黃牡丹皮湯。下瘀血湯。抵當湯丸等。逐水之劑。如大黃甘遂湯大陷胸湯丸等。同一用硝黃之症。其舌始終不黃。黃者反屬例外。此亦不可不知也。更有兼症合病。變象之類。尤須詳細診察。按法施治。方稱全備。如腹滿而兼頭痛發熱脈浮者。乃外感風寒。內傷食滯。宜表裏並治。如本文「病腹滿發熱十日。脈浮而數。飲食如故。厚朴七物湯主之。」方用桂枝以解表。承氣以攻裏。即是此意。推而廣之。則邪在少陽。食滯腸胃者。又當和解與攻裏同用。如本篇大柴胡湯條是也。若腹滿頭痛如劈。而無身疼脈浮之表象。則非表裏同病。乃內熱熾盛。腦神經受熱薰灼使然。急當下之。幽門通則痛自止。即所謂釜底抽薪之法也。有變象者。見下利而更當下之。原文云「下利不欲食者。有宿食也。當下之。宜大承氣湯。」原文既云宿食。必有滿痛之象。腹滿痛。下利不食而用大承氣者。推原其故。必爲熱結之症。其所下者。必熱臭觸鼻。與虛寒下利自異。即熱結旁流之類也。熱結旁流本宜承氣下之。若見下利不食而漫以虛寒論治。則失之遠矣。上所述者。均屬熱結燥矢。及宿食之屬於熱性者。故用承氣等涼藥下之。若寒積在腸。腹滿便閉者。則非溫通不可。如附子大黃。走馬湯。備急圓之類。均可取用。若病後、或高年體虛液少。腸無津潤。宿垢不得下達。以致腹滿疼痛者。又非下劑所宜。則當易生津潤腸之法。如當歸、芎藭、麻仁、蔞仁、柏子仁、蓯蓉之類。或蜜煎導之亦可。若津液未曾大傷。宿垢內結者。又當潤而下之。如麻仁丸之例矣。本症寒熱虛實之異。在胃在腸之別。與乎變象合病。苟能一一明辨不誤。則宿食之治。如指上觀螺。毫無遺漏之憾矣。卽腹滿之治。亦通其大半。前不云乎。腹滿有虛實之分。然則腹滿之實者。卽宿食之胸腹滿痛無疑。宿食之胸腹滿痛。其治前文言之已詳。今所當論者。特其虛寒者耳。然虛寒之中。又分虛多寒少。寒多虛少。虛多則滿。寒多則痛。原文「病者腹滿按之不痛爲虛」「腹滿時減復如故。此爲寒當與溫藥」覺腹滿者。乃胃腸虛弱。失其收縮能力而弛緩擴張。中無實物。故按之不痛。若其病未甚。有時仍能營適當之收縮運動。故其滿時作時止。卽所謂時減也。胃腸之弛緩既爲虛弱而來。則培補爲唯一之治。而參朮爲必要之品。其兼寒者。則理中湯。附子理中。附子粳米加參朮之類。均爲的劑。若寒重於虛者。則不滿而痛。如大建中症之腹中若有物。上衝皮起。出見有頭足。上下痛而手不可觸。蓋腹中寒盛，腸蠕動過劇。得由皮表目擊也。故用蜀椒乾薑之辛熱。人參飴糖之甘溫。溫寒爲主。補虛佐之。溫其腸。則蠕動靜止而痛停。卽所謂寒重虛輕之治也。淵雷先生嘗云。古書之通例。凡機能衰減者爲寒。機能亢盛者爲熱。反之。臟腑得熱則機能亢盛。得寒則機能衰減。而惟腸之蠕動則不然。太陰下利。腸蠕動亢盛也。得薑附溫藥。則蠕動靜止而利瘥。故太陰爲寒病。陽明燥結。腸蠕動衰減也。得硝黃寒藥。則腸蠕動亢盛而便通。故陽明爲熱病。西醫以灌腸法通導大便時。水之溫度不得高於體溫。否則不效。故知寒熱刺激腸機能。與其他臟腑適相反。觀此則大建中症之屬於腸寒而蠕動過劇者。益信無疑矣。

然亦有非之者。則曰、腸之蠕動既爲得寒則亢盛。得熱則衰減。蠕動亢盛則利下。衰減則便閉。然則、寒積之用巴豆。以及附子大黃同用者。其將何以解之。蓋尋常通便之法。有爲熱結而成燥矢者。有爲液燥而成宿垢者。熱結用硝黃以涼下。腸燥宜增液以通便。食滯未結者則有消導之法。至用巴豆之症。其積決非與尋常之宿食燥矢可比。其物必稠濃粘膩非常。或重濁沉澱之品。停滯腸胃脹滿疼痛。大便閉結。此之便閉。非腸蠕動衰減也。乃物之粘濃沉澱而難能消化排除耳。斯時吐既非宜。消又不當。惟有急攻掃蕩下之爲善。然是非大黃芒硝所能解決。蓋芒硝功在軟堅。大黃乃使腸部充血而加緊蠕動。今蠕動既不停止。所留又非燥矢。則硝黃在所不宜。惟是下劑之中。巴豆最爲合法。巴豆雖溫。其性蕩滌。腸胃並治。非若薑附之溫而兼守。又非硝黃之用專於腸。至巴豆之症。愚嘗經遇二次。可以引證。 其一、在母校國醫學院時。見同學沈濟蒼君。爲門房之母診一病。其人年近七旬。素嗜糯食。一日猛食糕糰七枚。以致胸腹脹滿疼痛。食飲不下。大便不通。沈君投以備急圓合消化之劑。是晚便通而痛止滿除。 其二、庚午夏。敝鄉某婦。已寡居數年。旋又懷孕。因聞鄉愚之言。服鉛粉能墮胎。乃購亙量以服之。豈知服後非但不能達其目的。反致胸腹疼痛。心下按之如石。徹夜呌呼。其苦莫能名狀。初延醫診治。猶諱其病源。不肯直告。致醫者束手無策。每辭不治而去。時予尚肄業母院。適暑假返里。乃邀予往診。予至、見病者仰臥藤榻。已氣息奄奄。面色慘淡。舌苔垢膩灰白。胸腹堅硬拒按。予頗疑服毒。然不知究服何種毒質。正在躊躇之際。値其當媳至。詢之究竟。始吐前情。乃爲處方。用巴豆與丁香乾薑等溫胃之品。翌日、果便通痛愈。以上二案。一爲稠濃之品。一爲沉澱之物。均非巴豆之溫下不可。至於附子大黃同用者。其用大黃以攻局部之實。用附子以溫全身之陽。其必初起實症。久延成虛。所謂正虛邪實。是以用藥有攻補兼施。溫下並行之法。例如休息痢之用溫脾湯。乃硝黃與參附同用。即此意也。予今春診一病。係便血延二年。血在糞前。臨圊痛澀不暢。大便溏薄。唇面不華。該女年已十七。尚未發育。其榮養缺乏可知。按便血血在糞前。謂之近血。近血本直腸部有癌腫潰瘍之類。若依其直腸都之實症。則非用大黃之攻下不可。奈病延已久。全身已呈虛象。況大便溏薄。倘更用大黃。則恐一瀉不止。而更虛其正矣。於是擬方以大黃牡丹皮湯合黃土湯二方加減並用。其中亦大黃與朮附並進。不十劑而病已痊愈。予之書此。並非自誇其能。實欲使學者得用下劑之標準耳。

本社雜病講義

張又良著

第一篇　消化器病

第一章　噎塞

原因　本症原因甚多。大略可分七種。

(一)食管潰瘍　本病由於食管血行障礙而成。(如鬱血血栓動脈痙攣等。)

(二)神經性食管異常過敏　本病由於憂忿悲鬱。或精神過勞。食管觸覺神經起興奮性過敏所致。是以患者雖受柔輭食物嚥下之輕微刺激。食管肌即起反射性痙攣而發本症。

(三)食管癌　原因現尚未明。惟多發於四十歲以上之老者。

(四)食管弛緩　本症由於肌肉變性。收縮無能。不能行降下運動所致。

(五)食物哽塞　如固形物骨類等之哽塞於食管是也。

(六)食管炎　由於過食刺激物。或誤服毒烈藥品所致。患者咽下食物。極感刺激痛苦。甚或被刺激之粘膜。以反射性使肌層痙攣而成食管狹窄症者有之。

(七)食管麻痺　本症起於腦脊髓及迷走神經病。或爲心包炎動脈瘤等之壓迫症。或爲白喉梅毒之一分證。

證狀　輕者。食物下嚥。胸骨後發限局性障礙。重者。食物下嚥哽塞於胸。欲出不得出。欲下不得下。胸疼氣窒。苦痛不堪。甚或壓迫心肺而起呼吸困難。心悸亢進等急迫證狀。必須待胃中之噯氣。始得反流而出。最甚者。水粥不能下嚥。因之飢餓而死。

診斷　食道炎症。食物下嚥。胸骨後必感刺激痛苦。食管弛張症則反是。但感阻塞而已，且其病之起。由輕入深。逐漸而來。若患者素無他疾。偶食巨物骨片。不慎咀嚼而嚥下。因之突然阻塞者。爲食物哽塞症。痛有定處。綿綿不休者。爲食管癌及食管潰瘍症。食管麻痺症。則與弛張症無甚分別。但可辨之於已往症及兼發症。神經性食管過敏症。患者憂鬱悲忿之情緒。必形露於外。且噎塞有間歇而不持續。尤爲此症之特徵。

經過　食管炎及食物哽塞症。經過迅速。餘皆慢性。

預後　食管炎。神經性食管異常過敏。食物哽塞症。預後良。食管麻痺及食管腫瘍症。有良、有不良。餘均不良。

治法　血液枯燥者。宜噎膈膏。四物湯。豬脂丸。滋血潤腸丸等。精神過勞而致者。宜歸脾湯。養心湯等。憂忿悲鬱而致者。宜木香通氣飲子。五膈飲。人參利膈丸。香砂寬中丸等。食管炎。宜黃連湯。或甘草含嚥之。胸骨後綿痛者。宜血鬱湯。雲岐人參散等。骨哽者。宜諸骨哽法。食哽者。宜治食哽法。體虛者。宜補氣健脾丸。八珍湯等調補之。痰多者。宜滌痰丸。七聖湯等和化之。食管麻痺食管弛張等症。久治不愈者。則乾薑湯通氣湯五噎丸神仙奪命丹等均可消息用之。後附單方二則。以備患者試服。

附方

(1)膈噎膏　人參　牛乳　蔗汁　蘆根汁　龍眼肉汁　薑汁　人乳　熬膏蜜收

(2)四物湯　當歸　白芍　川芎　地黃

(3)豬脂丸　杏仁　松子仁　白蜜　橘餅(各四兩)　豬脂熬淨一杯。同搗食之。

(4)滋血潤腸丸　地黃　白芍　當歸　紅花　桃仁　枳殼　大黃　韭汁沖服

(5)歸脾湯　人參　白朮　黃耆　當歸　甘草　茯神　遠志　酸棗仁　木香　龍眼肉　生薑　大棗

(6)養心湯　人參　黃耆　甘草　茯神　茯苓　當歸　柏子仁　半夏　神麯　遠志　川芎　肉桂　五味子　酸棗仁

(7)木香通氣飲子　治一切氣噎塞。痰飲不下。

青皮　木香　莪朮　檳榔　橘紅　萊菔子(炒各五錢)　藿香葉(一兩)　炙草　人參　枳殼(各五錢)　白芷(二錢半)

右爲末。每服五錢。水二盞。煎八分。溫服。

(8)五磨飲　檳榔　沉香　烏藥　枳實　木香　白酒磨服。

(9)人參利膈丸　治胸中不利。痰咳喘滿。和脾胃壅滯。推陳致新。治膈氣聖藥。

木香　檳榔(各七錢五分)　人參　當歸　藿香　甘草　枳實(各一兩)　大黃(酒浸)　厚朴(各二兩)

右藥爲末。滴水爲丸。如梧子大。每服五十丸。

(10)香砂寬中丸　茯苓　白朮　陳皮　半夏　厚朴　甘草　木香　砂仁　蔻仁　香附　青皮　檳榔　薑煉蜜爲丸

(11)黃連湯　黃連泡湯。徐徐飲之。

(12)血鬱湯　丹皮　紅麴　紅花　降香　蘇木　山查　桃仁　韮汁　山甲

(13)雲岐人參散　人參一兩煎濃汁　加麝香　冰片各五厘　治好飲熱酒。膈痛血瘀胃口。

(14)治骨哽法　以鹿筋浸令濡。合而索之。大如彈丸。以線繫持筋端。吞之入喉。推之哽處。徐徐引之。哽着筋出。

(15)又法　薤白煮令半熟。小嚼之。以線繫薤中央。捉線。吞薤下喉。至哽處牽引。哽即出矣。

(16)又法　吞豬膏如雞子大。不瘥更吞。

(17)又法　取飴糖丸如雞子黃大。吞之。不去更吞。

(18)治魚骨哽法　威靈仙三錢。煎服自化。　又法。魚網灰。服方寸匕。　又法。鸕鷀屎。服方寸匕。

(19)治食哽法　滿口着蜜。食之即下。

(20)補氣健脾丸　人參　茯苓　黃耆　白朮　陳皮　半夏　甘草　砂仁　生薑　大棗

(21)八珍湯　當歸　白芍　川芎　地黃　人參　白朮　甘草　茯苓

(22)滌痰丸　南星　半夏　枳殼　橘紅　菖蒲　人參　茯苓　竹茹　甘草

(23)七聖湯　半夏　黃連　白蔻　人參　茯苓　竹茹　生薑

(24)乾薑湯　乾薑　石膏　人參　桂心　括蔞皮（集驗作桔梗）　甘草　半夏　小麥　吳茱萸　赤小豆　治飲食輒噎。

(25)通氣湯　半夏　生薑　桂心　大棗　治胸滿氣噎

(26)五噎丸　治胸中久寒。嘔逆逆氣。飲食不下。氣結不消。　乾薑　川椒　食茱萸　桂心　人參（各五分）　細辛　白朮　茯苓　附子（各四分）　橘皮（六分）

右十味爲末蜜丸如梧子大。酒服三丸。日三。不止稍加至十丸。

(27)又方　治五種之氣。皆令人噎。　人參　半夏　桂心　防風　小草　附子　細辛　甘草（各二兩）　紫菀　乾薑　食茱萸　芍藥　烏頭（各六分）　枳實（三兩）

右十四味。爲末蜜丸。如梧子大。酒服五丸。日三。不止。加至五十丸。烏頭與半夏相反。但去一味合之。

按張路玉曰。方後云烏頭與半夏相反。但去一味合之。此必後人羼入。半夏烏頭並用。專取激發奏功。金匱赤丸成法也。

(28)神仙奪命丹　專治噎食

烏梅（十三個水浸去核） 硇砂（二錢） 雄黃（二錢） 乳香（一錢） 百草霜（五錢） 菉豆 黑豆（各四十九粒）

右將烏梅杵爛。前藥幷豆爲末。入梅再擣和勻。丸如彈子大。以乳香少許。硃砂爲衣。陰乾。每服一丸。空心噙化。待藥盡。烙熱餅一箇。劈碎。入熱茶泡食之。無礙爲驗。過三五日。再服一丸。卽愈。極有神效。

(29)治噎單方 用杵頭上細糠。蜜丸如彈子大。每服一丸。噙化津液嚥下。

又方 取老牛涎。如棗大。內水中飲之。終身不復噎。

（未完）

本社舌苔講義

王志純

望、聞、問、切。診病之四大要法也。惟是聞聲於希微。切脈於杳忽。非有相當之經驗。不能體會。欲求精到。殊不易易。問診雖簡便而易知病情。第以病家每匿病試醫。諱不明告。是以法雖至妙。而苦累於習俗。然則四診之中。望色尚矣。不過古人之言望色。看重面目。以五色部位配五藏。效雖著而說頗玄妙。難以取法。且體質各異。風霜所侵。眞色之流露者甚微。非別具高眼者不易得。尤以女子每喜修飾。脂紅粉白。恆不能窺其眞色。求其精要簡確。淺而易知。顯而易見。眞而不疑。其惟舌苔乎。開口一望。病之寒熱虛實燥濕。一一了然。略詢病情。參以脈象。便無遁情矣。昔有善診者。不問而知病情。人以爲神。實則並非全由脈出。舌苔實居其半。舌苔之有益也如是。學者可不加之意乎。余所授溫熱辨惑中。雖有論舌一節。但寥寥數語。缺而不全。猶恐不敷應用。爰將師友所授。書籍所見。參以個人之經驗意見。編爲講義。無聊者。刪而不取。不知者。缺而不論。雖不能全善全美。要亦大致粗具。苟能通體理會。一一服膺。則他日臨診實用。亦差可應付矣。至於觸類旁通。精益求精。是在乎學者之研究焉。

舌有舌苔舌質之分。前人以舌苔屬氣分之病。舌質屬血分之病。惟所謂氣者。絕非今日之空氣化學氣體也。設以前人所言之氣。而認爲今日化學之氣。則未免失之遠矣。夫人自肺藏呼吸以與外界交換炭養外。別無通氣貯氣之所。有之亦僅限於胃腸。蓋食管與氣管。在咽喉本是毗連。呼吸時間或有空氣誤入食管。故其胃腸間有承受空氣之機會。又或消化機能不健。消化遲鈍時。胃腸亦能由其內容物醱酵。而自行產生氣體。不過是項氣體。無論爲呼吸所誤入。或醱酵所自產。皆絕不吸收入循環而施組織。仍直接由噯氣或矢氣排除之。是以其他各藏器及各組織。均無容納氣體之可能。設有之。則體內之氣體。積漸而多。不將成爲打氣之皮球乎。古人所謂氣爲血之帥。血隨氣而行等說。均是想像之語。實則血中不混入絲毫之空氣。試觀西醫注射各種藥水針。必須先將針內之空氣抽盡。如有一毫之空氣。誤注于血管之中。便有立刻死亡之虞。此可爲余說之鐵證也。夫中醫所言之氣。往往泛濫無定。或指全身細胞之生活力。或指各藏器、各組織、各官能之機能病。如謂陽氣、眞氣、元氣、胃氣（有時亦有指解剖上之胃者）等。是皆指細胞之生活力而言也。所謂氣結、氣鬱、氣滯、氣分不暢等。皆指各藏器各組織各官能之機能障礙而言也。所謂補氣者。乃增加其細胞之生活力也。所謂理氣者。乃取芳香流動之品。以疏通其障礙。而恢復其機能也。然而此處所言之氣分之氣。亦與上述者不同。蓋對血分而言。以與血分相對照。血爲有形之物質。氣爲無形之能力。係人體上兩種相對之事物。有形之物質。謂之形質。無形之能力。謂之形能。所謂血分病者。乃概括形質上之一切病變而言也。所謂氣分病者。乃概括形能上之一切病變而言也。證之實際。氣分之病。淺而輕。血分之病。深而重。故舌苔無論何色。皆屬易治。舌質既變。卽當察其色之死活。活者舌底隱隱猶見紅活。此不過血行有所阻滯。非血之敗壞也。死者底裏全變乾晦枯痿。毫無生氣。是血已敗壞。不能治矣。嘗見患俗所謂肝胃氣痛者。其舌質恆見通體隱隱藍色。此即血行阻滯之例也。又見有人他無所苦。但常滑泄。視其舌中心如錢大光滑無苔。其色淡紫。是乃胃陽衰弱。不能生苔之故。又無與血分之事矣。氣血既明。再言苔之有根無根。

苔根之有無。胃氣之存亡繫焉。不可不察。根者何。即舌苔與舌質之交際也。苔之有根者。其薄苔必勻勻舖開。緊貼舌面之上。其厚苔必四圍有薄苔輔之。亦緊貼舌上。如從舌裏生出。若厚苔一片。四圍潔淨如截。一若別以一物塗於舌上。不是舌上所自生者。是無根也。此必久病。先有胃氣而苔。繼乃胃氣告竭。而不能接生新苔。如驟因誤服涼藥而傷胃陽。或熱藥而傷胃陰。乍見此象者。急救之。猶或可復。若病勢纏綿日久。漸見此象。則真氣已索。無能爲矣。常見寒濕內盛之病。舌根一塊白厚苔。如久經水浸之形。急用溫裹。此苔頓退。復生新薄苔。即爲生機。若通體光而無苔。便是虛症。再審其光淡。光絳。光淡屬氣血兩虧。光絳屬陰虛內熱。前者宜氣血幷補。後者宜育陰退熱。舌苔在診斷上占重要地位。有相當之價值。固不待言。惟局部疾患。往往不影響及舌苔。又病之發乎太驟者。舌苔亦恆不及變化。如夏秋間之真性霍亂。吐瀉正盛時。察其舌。往往仍紅而不淡。甚或乾燥不潤。渴欲飲水。最易誤認熱症。祗須診其脈象微細。所瀉清稀。腥而不臭。即是寒症。急與四逆。吐瀉一止。口渴頓減。而舌亦反轉紅爲淡矣。余已屢驗不鮮。蓋此症之口渴舌乾。全係體內水分耗失過多。要求救濟。舌色見紅。乃病驟而不及變化也。設投寒涼。必無生理。不可不慎。更有煙體。亦不能與常人同例。以其素吸鴉片。神經受煙毒之刺激。常呈興奮。津血受煙熱之焦灼。恆形乾燥。舌苔受煙氣之薰蒸。每現垢黃。故有症之須服薑附者。其舌仍然質紅苔黃。不可泥於舌苔而斷爲熱症。於臨診時。宜格外注意。與舌苔最有關係之病。厥爲溫熱病與胃腸病。今姑專論溫熱。（未完）

本社藥物學講義（摘錄）（續）

王愼軒著　長女景賢錄

五倍子（附）百藥煎

（異名）文蛤（開寶）川文蛤（逢原）五棓子（和漢）五樠子（山海）五焙子（寧鄉縣志）百蟲蒼（拾遺）

（按）因商人收此。可得五倍之利。故名五倍子。形似海中文蛤。故亦同名。產於四川爲良。故又名川文蛤。五樠、五棓、同音也。以火焙爲宜。故又名五焙。以其內多小蟲。故又名百蟲倉也。

（產地）在處有之。（馬志）以蜀中者爲勝。（蘇頌）

（形態）蚜蟲寄生於鹽膚木上。刺傷其葉。成囊狀之蟲瘤。中藏蚜蟲之卵。謂之五倍子。（醫學辭典）大如拳。小如菱。其形圓長不等。初青綠。後變黃。中空質脆。（動物辭典）堅脆如角質。破碎面光澤如玻璃。外有灰白如絲之毛被。且有穴孔。爲蟲脫出之口。中係空洞。藏有灰白色之粉質。與已死之蟲。具一種特異之臭。（和漢）此藥之貴賤。不在外形。而在蚜蟲。以蚜蟲有不同耳。（白井）

（性味）酸平無毒。（開寶）呈酸性反應。味濇。（新中藥）收斂性極强。（小泉榮次郎）

（按）古以鹹酸苦辛甘爲五味。其不稱濇味者。蓋濇乃酸之變味也。故五倍子味濇。而本草謂爲酸也。

（成分）主要素爲單甯酸50%。沒食子酸3%。糖和膠2.4%。餘爲樹脂、蛋白、澱粉、（勞遼）百分中含有單甯酸六十至七十七分之多。餘則爲樹脂、脂肪、糖分、護謨越幾斯質等。（新綱目）

（功效）（綱）斂肺、止嗽、固脫、止汗、止瀉、止血、消瘡毒、斂潰瘍。（目）其味酸鹹。能斂肺、止血、化痰、止咳、收汗。其氣寒。能散熱毒瘡腫。其性收。能除泄痢溼爛。（綱目）濇能斂肺。鹹寒能降火、生津、化痰、止欬血。（再新）噙之善收頑痰。治黃昏咳嗽。（丹溪）斂濇之功敏於龍骨、牡蠣、(和尚維摩)固脫住汗。(眞求)焙研極細。以自己漱口水調敷臍上。治盜汗如神。(鄭寶賢)腸虛泄痢。(藏器)有收斂之效。用于慢性下痢。子宮出血。及其他之出血。(靜顧子)治鼻血腸出血。腸結核。(勞逸)用以止血收斂底覆及制酵。(和漢)療齒宣疳䘌。風濕癬瘡。瘙痒膿水。五痔下血不止。(和歌)斂潰瘡收脫肛。摻口瘡止諸血凡口齒咽喉眼鼻皮膚風濕瘡癬。皆不可缺。(圖解)

(按)本品內含單甯酸甚富。考單甯酸能治慢性氣管粘膜炎。及氣管支粘膜炎。即斂肺止嗽之效也。又能收縮汗腺減少汗液之排泄而止汗。收縮腸壁。障礙腸液之分泌而止瀉。收縮血管。阻止血液之滲出而止血。且單甯酸觸於有炎症之粘膜。或表皮剝去之皮膚。能與其組織表面之細胞及漿液中之含窒素物。與炎症之分泌粘液。互相化合。而成不溶解於水之化合物。形成被膜。被覆局部。使其炎症之黴菌。不能發育。外來之刺激。不易侵犯。且能殺滅病原黴菌。破壞細胞壞死時所生之細胞溶崩性[illegible]酵素。及發炎性物質。故能消瘡毒斂潰瘍也。且能使其局部之血管收縮。減少液體之分泌。及血液之游走。而消散其充血之紅腫。且又乾燥而變堅硬。知覺亦鈍麻。故外用于濕爛腫痛之外瘍。亦有特效也。

(禁忌)風寒外觸暴嗽。及肺火實盛者。禁用。以其專收而不能散也。故痰飲內盛者。誤用則聚斂于中。往往令人脹閉而死。(逢原)瀉非虛脫者。禁用。(初階)習慣性便祕。慢性消化不良症。並忌與綠礬膽礬明礬卵白代赭石禹餘糧同用。(新中藥)忌鐵。(和漢)

(按)本品入胃後。能使胃內之百布辛 Pepain 及蛋白質均為凝固而阻礙其消化機能。將胃粘膜收縮。使分泌減退。故慢性之消化不良症。亦當禁忌也。又本品遇鐵。及鐵之化合物。(即綠礬、膽礬、代赭石等)能變酸化鐵。若同服之。令人中毒。故新中藥及和漢藥物學。均有忌鐵等說也。

（用法）或生、或炒、擣末用。（從新）內服煎用。外用研末敷罨。（勞逸）以粉末供用。每食前五十分時服。（子醇）嚮來我國。（日本）將五倍子蒸殺。及熱湯浸殺之法。均不免減損有效成分。不如火焙殺蟲之法。較爲有利無弊。讀中國甯鄉縣志有云。五倍子卽五焙子之義。知中國亦以火製之也。（白井光大郎）

（用量）內服輕量五分至八分。中量八分至一錢五分。重量一錢五分至三錢。外用不拘分量。隨酌用之。

（附錄）（一）採取五倍子之時期　此五倍子中有蟲。蟲出則五倍子自然枯死。其效力卽有減損之虞。故欲採取者。必須在蟲未出之前。其時期隨地氣而異。大約在九十月間。（和漢）霜降前採取。蒸殺貨之。否則蟲必穿壞而殼薄且腐矣。（時珍）（二）百藥煎　用五倍子爲粗末。每一斤以眞茶一兩煎濃汁。入酵糟四兩。擂爛拌和。器盛置糠缸中罯之。待發起如發麵狀。卽成矣。捏作餅丸。曬乾用。功與五倍子不異。但經釀過。其體輕虛。其性浮散。且味帶餘甘。治上焦心肺欬嗽痰飮。熱渴諸病。含噙尤爲相宜。（時珍）（三）染烏鬚髮法　用鹹砂八兩。米醋浸五日。炒略紅色研末。五倍子。百藥煎。沒石子各二兩。訶黎勒皮三兩。研末各包。先以皂莢水洗髭鬚。用米醋打蕎麥麵糊。和鹹砂末傅上。荷葉包過一夜。次日取去。以蕎麥糊四味敷之。一日洗去卽黑。（聖濟總錄）

（按）五倍子。百藥煎。沒石子。訶黎勒。俱含多量之單甯酸。遇鹹砂則起酸化而爲黑色。故可染烏鬚髮也。以五倍子汁。加入綠礬。可以製爲墨汁。因綠礬爲鐵之化合物。亦能酸化而爲黑色也。但此種墨汁有毒。不可入目。入目則有腐蝕眼球之害。切宜愼之。

醫報國藥專號

焦易堂題

第二卷第一期目錄

改良國藥之我見……廉文熹
亟應恢復漢唐用藥概念……易萬育
關於藥物的幾個主張……壽守型
國藥研究狀況之一斑……鄧源和醫師
國藥功用發明之是與非……章巨膺
國藥雜說……何公度
國藥雜憶……陸淵雷
藥物片談……祝懷萱
國醫之强心藥……章次公
藥談……徐瀛芳
常山草果於瘧疾……許持平醫師
杏仁對於陰虛欬嗽……張忍庵
桂枝脞談……李克蕙
川椒驗案……高礀莊
牛蒡子功用正誤……孫硯伞
釋民間實驗方……楊子鈞
石膏之性質……許濟弘
中藥臨床之研究……阮其煜
回生起死丹……葉橘泉
醫方求野錄……陸沈本琰
藥性本草作者之佚事……謝誦穆
附啓……廉文熹

本報第一卷第二期至十二册每册實售壹角合購十一册減售壹元第二卷擴充篇幅每册實售壹角六分預定全年壹元六角半年八角香港台灣全年壹元八角國外貳元每卷出專號貳次每册另售四角常年定戶不另加費以示優待郵局郵匯不通之處郵票九五折計算索樣本第一卷第二期附郵五分即行寄閱醫報

發行人廉文熹敬啓

館址　上海貝勒路道德里六號

代售處　蘇州吳趨坊國醫書社

兼氣喘。是則人之散溫。皮毛爲主。而肺爲其副。此亦肺主皮毛之理由二也。彼喜新厭故者。妄謂內經之學說不可信。其然乎。其不然乎。

第四節　鬚髮

人之有鬚髮。猶地之有草木也。地之水土膏腴。則草木豐茂。人之精血充盛。則鬚髮長盛。故內經謂女子七歲髮長。四七髮長極。五七髮始墮。六七髮始白。男子八歲髮長。五八髮墮。六八髮鬢頒白。八八則髮去。此皆精血盛衰之所致也。然髮之生於頭者。何也。經曰、腦爲髓海。卽頭腦爲精髓聚會最多之處。得此最多之精。以養毛髮之根。故頭毛最長而爲髮。此髮生於頭之原理一也。經曰、腎、其榮髮也。蓋太陽督脈二經。精氣最旺。均隸於腎。而上交於頭。得此上交之精。以養毛髮之根，故頭毛易長而爲髮。此髮生於頭之原理二也。其有生於上唇者曰髯。生於下唇者曰鬚。生於承漿以下者曰髭。今人統稱之曰鬚。此又因何而生耶。昔者黃帝問于岐伯曰。婦人無鬚者。無血氣乎。岐伯曰。衝脈任脈。皆起於胞中。上循背裏。爲經絡之海。其浮而外者。循腹右上行。會於咽喉。別而絡唇口。血氣盛則充膚熱肉。血獨盛則澹滲皮膚。生毫毛。今婦人之生。有餘於氣。不足於血。以其數脫血也。衝任之脈。不榮口唇。故鬚不生焉。黃帝曰。士人有傷於陰。陰氣絕而不起。陰不用。然其鬚不去。其故何也。宦者獨去。何也。願聞其故。岐伯曰。宦者去其宗筋。傷其衝脈。血瀉不復。皮膚內結。唇口不榮。故鬚不生。黃帝曰。其有天宦者。未嘗被傷。不脫於血。然其鬚不生。其故何也。岐伯曰。此天之所不足也。其任衝不盛。宗筋不成。有氣無血。脣口不榮。故鬚不生也。此以鬚之生成。由于衝任之血也。然西說以鬚由男子性腺之發育。中西學說不同。豈內經之說不足信乎。曰非也。內經以衝脈任脈皆起于胞中。又以衝脈出氣街。循陰股內廉。任脈上毛際。循腹裏。是皆爲性腺發源之近處。其以鬚由衝任之所主。蓋已早知鬚由性腺所發生之端倪矣。且西說所謂之性腺。卽內經所謂之天癸也。西說以性腺對于人身生理之變化。大有關係。且男女兩性。各不相同。如卵珠成熟。月經時下。乳房隆起。乃女子性腺發達之表徵也。如精蟲成熟。聲帶長大。髭鬚發生。乃男子性腺發達之表徵也。內經所論之天癸。亦有男女之分。故經以男子二八天癸至。精氣溢瀉。女子二七天癸至。月事時下。此非天癸卽性腺之明證乎。當男子生鬚之時。適在天癸發育之際。則鬚之發生。必由於男性天癸之發育。固已暗示于人。正與西說相合也。彼矜爲最新發明之學說。而我已發明于四千餘年之前。惜乎金礦寶藏。無人開掘。反被外人所輕視。誠可慨也。

第五節　腦髓

經曰、腦爲髓之海。又曰、髓海有餘。則輕勁多力。自過其度。髓海不足。則腦轉耳鳴。脛痠眩冒。目無所見。懈怠安臥。此以腦髓能主運動及聽覺視覺等。正與西說腦主知覺運動之說相符也。且內經尤能論及腦髓生成之來源。及腦髓靈性之主動。探本窮源。發明頗精。如內經曰。腎生

蘇州國醫學社

附設國醫診療所

聘請各科醫師送診給藥

◉宗旨　普濟貧民之疾苦　供給學生之實習

◉醫師　由國醫學社常駐教員兼任之

◉科目　內科　外科　女科　兒科

◉時間　門診　上午十時以前　出診　下午三時以後

◉號金　門診　號金一角　出診　車金八角

◉地址　蘇州閶門內穿珠巷八十四號

◉電話　第一萬零五百六十三號

中華民國二十三年夏季出版

蘇州國醫雜誌第二期

編輯者　蘇州國醫學社　閶門穿珠巷八十四號　電話第一〇五六三號

發行者　蘇州國醫書社　閶門吳趨坊一三七號　電話第五百六十三號

印刷者　蘇州文新印書館　閶門西中市四十六號　電話第八百九十一號

蘇州國醫雜誌價目表

期數	價目	寄費
每季一期	另售一角五分	寄費一分
每年四期	預定大洋六角	寄費在內

蘇州國醫書社新出醫書目錄

外埠函購 郵票代洋 寄費加一 九五折算

中醫新論彙編 全國名醫著 全書四厚冊 王慎軒主編 實價銀五元

本草再新 葉天士著 每部實價 王慎軒校 一元二角

曾女士醫學全書 曾伯淵著 全書一冊 王慎軒訂 實價八角

漢譯診病奇侅 丹波元簡著 全書一厚冊 王慎軒重訂 實價銀一元

拯瘓軒醫學就正錄 周禹錫著 一大厚冊 王慎軒著 實價一元

傷寒時方歌訣評註 俞根初著 每部實價 周越銘編 一元二角

傷寒直解辨證歌 薛公望著 全書一冊 王慎軒校 實價四角

溫病指南 王馥原著 每部實價 王慎軒訂 大洋四角

診餘舉隅錄 陳菊生著 全書一冊 王慎軒校 實價六角

曹穎甫先生醫案 王慎軒記 全書一冊 王南山編 實價二角

女科醫學實驗錄 王慎軒著 全書四冊 諸門人輯 實價一元

再版 胎產病理學 王慎軒著 一大厚冊 諸門人校 實價一元

女科指南 戴武承著 全書一冊 王慎軒訂 實價八角

新批女科歌訣 邵步青著 全書一冊 王慎軒批 實價四角

婦女病經歷談 祝懷萱著 全書一冊 顧志道校 實價一角

幼科指南家傳秘方 羅田萬密齋著 每部實價一元

家庭必備 食治秘方 尤生洲著 每部一冊 王南山校 實價一角

家庭育嬰法 沈酒德女士著 每部實價一角

家庭實用良方 王景賢女士編 每部實價六角

家庭醫藥常識 王寶燦編 每期八分 每季一期 每年三角

家庭醫藥常識第一年彙編 王慎軒編 實價三角

婦女醫學雜誌彙編 王慎軒編 每部實價 諸門人作 一元五角

（總發行所） 蘇州閶門內一三七號 蘇州國醫書社

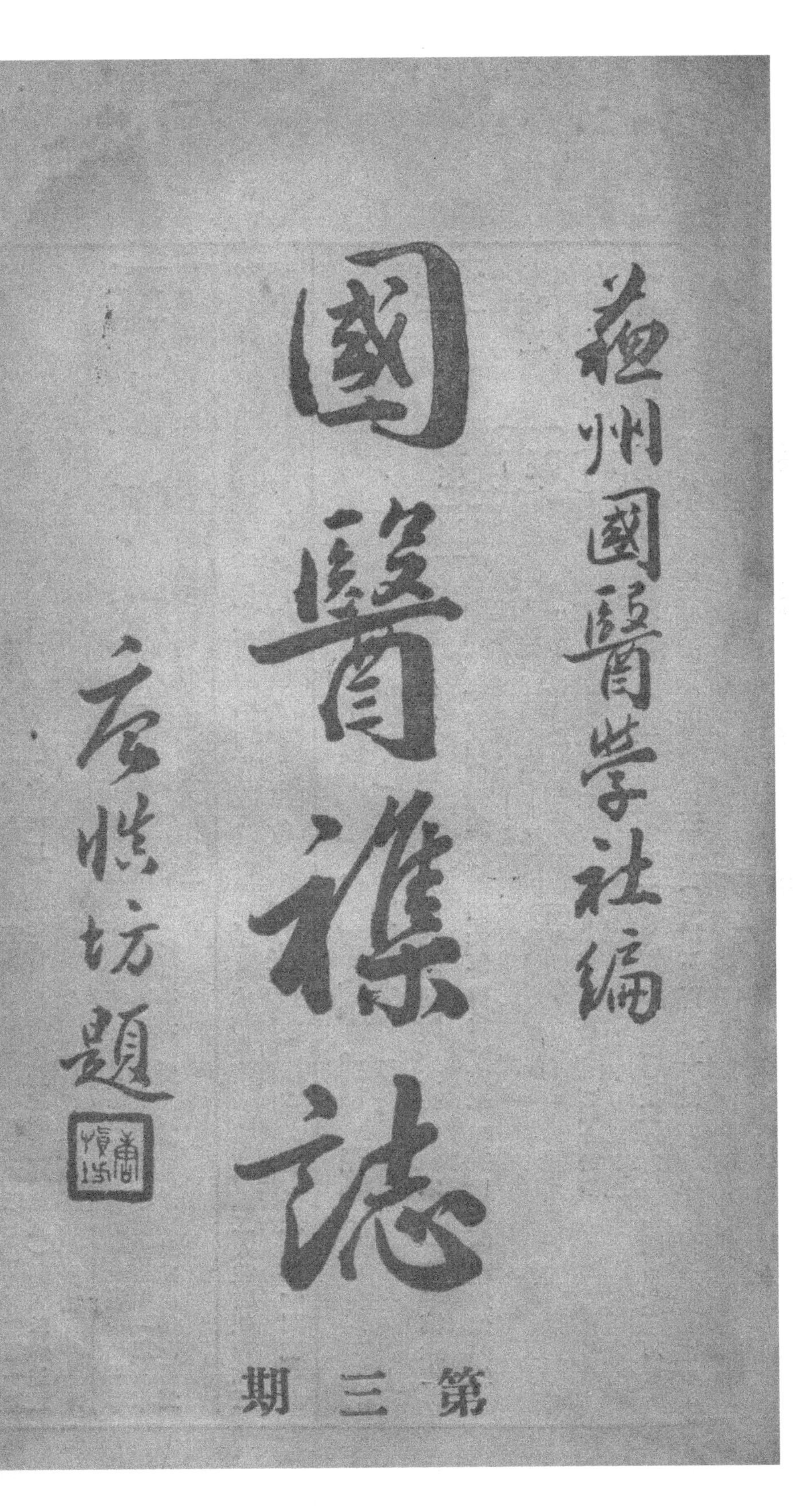
蘇州國醫學社編
國醫雜誌
唐慎坊題
第三期

蘇州國醫學社購買租賃校舍事啓

本社現因學生增多原有校舍不敷應用現擬租賃或購買較大之房屋一所如有房屋在三四十間以上並有空地者（地點以在城中心或閶胥平門之間爲最適宜）請先示知地址間數及租價或賣價合則通知領看面議可也此啓

蘇州閶門內穿珠巷　蘇州國醫學社啓

王慎軒啓事

前因鄙人診務冗繁並爲吳縣中醫公會辦理中醫登記諸事蝟集夙夜無暇復因文新印書館失愼不能趕速出版以致本期雜誌愆期已久有勞愛護本雜誌之諸君迭函催詢殊爲抱歉但現已組織國醫編譯館以後編輯有人當不致再愆期矣

蘇州國醫編譯館 徵求編輯員 招收練習生

本館現擬招請編輯員二人並收練習生三人備有章程函索即寄（館址）蘇州穿珠巷八十四號

蘇州國醫學社紀念刊 出版

題簽　章太炎先生

題詞　李根源先生　鄒敭公先生　戚升淮先生　嚴獨鶴先生　秦伯未先生　黃旻樓先生　費仲深先生　謝利恆先生　惲鐵樵先生　曹貴孚先生　張贊臣先生　祝爲先先生

本刊之內容：
（1）中西醫師演講之醫學筆記——都是臨證實用之經驗談
（2）本社學生撰作之醫學論文——都是研究心得之結晶品
（3）詳載本會一切大事記及最近之概況章程規則等

本刊之優點：
（1）內容豐富（2）學說新穎（3）中西合參（4）學驗並重（5）適合科學（6）切合實用（7）闡發詳明（8）選輯嚴密（9）印刷精良（10）裝訂美麗

【價目】每部實洋一元（各醫藥團體及報名各生均收半價）　【寄費】外埠函購寄費一角外國函購寄費三角

（發售處）蘇州吳趨坊王慎軒女科醫室　（電話）五百六十三號

民國二十三年蘇州國醫學社秋季開學全體攝影紀念

杏林春滿
甲戌仲秋為
蘇州國醫學社
紀念寫 迦盦陳摩

蘇州國醫雜誌第三期目錄

譯著

漢醫要訣（續前期） 大塚敬節原著 唐慎坊譯

和漢藥物學（蟾酥） 日野五七郎著 王博平譯

講壇

孫永祚先生演講錄 周自强記

言論

醫學之空間性及其新舊觀 張忍庵

新生活運動與衛生之意義 范行準

經義

闡明傷寒論傷寒中風之真諦 楊夢麒

傷寒論五瀉心證之研究 周自强

學說

溼溫症之沿革考 余濂寬

研究傷寒論六經之價值 衛勤賢

生理

國醫之內分泌學（續完） 王南山

國醫所謂之腎 王景賢

病理

疫痧之研究 柳劍南

論霍亂之原因及中西治療法之比觀 陸自量

論瘧疾之病源與治法 奚明之

藥物

藥物實驗錄 周禹錫

鳳尾草之功用 李雄俠

方劑

白虎湯之科學觀 朱彩識

國醫雜誌 目錄

大小陷胸湯合論　華志誠

醫案

馬培之先生內科醫案(續)　王慎軒編　楊夢麟錄
丁甘仁先生內科醫案(續)　王慎軒編　王南山錄
曹穎甫先生內科醫案(續)　王慎軒編　王南山錄
黃體仁先生女科醫案(續)　王慎軒編　陶潄英錄
王氏女科醫案(續)　王慎軒著　王南山編

筆記

求己齋隨筆　余梓生

驗方瑣記(三)　唐慎坊
綠豆可治骨槽風重症記　羅省曾

雜俎

學醫導徑(續)　周禹錫

講義

本社金匱講義(續)　凌九霄撰　王志純校
本社方劑講義(續)　余澤霓編
本社雜病講義(續)　張又良著
本社藥物講義(續)　王慎軒著　王景賢錄

譯著

漢醫要訣（二續）

大塚敬節原著　唐慎坊譯

第三章　瘀血（血毒）

瘀血之意義

瘀血之瘀。與汚濁之汚同義。瘀血者。卽汚穢之血液。而非生理的血液。不惟已失血液之功用。反爲有害人體之毒物也。瘀血之說。爲漢醫所獨言。非現代西醫所承認。然余等信其有臨床的眞理也。

瘀血之原因

研究瘀血之原因。亦非臨床上全無意識之事。故特節錄湯本求眞先生之說。並加以鄙見。略述於左。

湯本先生所著皇漢醫學云。瘀血之源。恐有多端。就余所知者有三。第一、由遺傳而來。第二、因打撲等外傷而溢血。第三、熱性病之溶血症。猶有月經不通、惡露停滯等。皆爲瘀血之原因也。近時流行之皮下注射筋肉注射及靜脈內注射。亦足致瘀血。

瘀血與第二原因同。余頗有實驗。惜限於篇幅。不能詳述。又瘀血與內分泌之間。究竟有無關係。尚待後學之研究焉。

瘀血之爲病因

第一、瘀血既非生理的血液。故其自身有毒素。第二、無生理的機能。故細菌易於寄生而繁殖。第三、瘀血成塊。沉着於血管壁而起循環障礙及營養障礙。或壓迫隣接臟器而起諸種器能障礙。於是成爲血栓。而爲諸種疾病之原因矣。故確知有此瘀血而驅除之。乃疾病之原因療法。且所謂上工治未病也。

瘀血之種類

瘀血之種類。大別爲陽證瘀血。陰證瘀血。及陳久瘀血三種。陽證瘀血。桃核承氣湯桂枝茯苓丸主之。用桃仁丹皮之寒性驅瘀血劑以去之。陰性瘀血。當歸芍藥散芎歸膠艾湯等主之。用當歸川芎之溫性驅瘀血劑以去之。陳久瘀血。抵當丸大黃䗪蟲丸主之。用水蛭蝱虫蠐螬等溶解血塊之作用。及乾漆有下陳久瘀血之效者以去之。惟須知其爲何種瘀血。必從外證腹證脈證而審辨之。詳第二編診候學條下。

瘀血之外現

瘀血已如上述。可爲疾病之原因。若投適當之驅瘀血劑。則著如何之現象耶。本於諸先輩之治驗。及余之實驗。略爲解說如左。

先投適當之驅瘀血劑。吾人常見病者皮膚發溢血斑。或其溢血範圍本小。及投劑乃驟然擴大者。由此觀之。可見在裏之瘀血。因藥劑而退走於外。現於外部。凡有此現象者。其疾病必減輕矣。亦有不發溢血斑而發麻疹者。皮膚既有如此變化。同時子宮亦出血。或衄血。或大便有粘血便也。若痔出血、溺血、咯血、吐血而排出於外部。此等血液。其色紫黯而成塊。或如豚肝。或如腐魚臟。一見而知其非生理的血液。故如上述現於皮膚之變化。及諸種之出血。又從一方面觀之。見瘀血之外證。即可知有瘀血在內也。

瘀血之部位

瘀血沉着於下腹部者最多。此種理由湯本先生嘗言其大意。第一、下腹部在於身體之下部。爲有最多量之血液。而不若他部之運動。第二、存在此部之門脈。缺少他靜脈可防血逆流之瓣膜。及此靜脈下流。流入肝實質。故抵抗面甚大。因使血流迂緩。第三、婦人月經血及分娩後之惡露停留於此部者多。自以上三理由觀之。下腹部瘀血易於沉着。且可成爲血栓。而從外部以手觸知之。但下腹部係瘀血駐屯之大本營。其一部分仍與血液流布於身體。而爲諸種疾病之原因誘因也。

第四章　水毒

痰之意義

痰者淡也。即漢醫所謂水毒之意。故應認爲非生理的體液之總稱。而不可解爲狹義的咯痰。又古書所謂濕家者。指素日多痰（即水毒）之人而言。夫水毒以如何之原因而停滯。雖至今日。西醫猶不明其理。惟以排泄身體中老廢物爲任務之皮膚、呼吸器、泌尿器及消化管等器能有障礙時。其結果必致水毒停滯。此當然之理也。

今據西醫所報告。人類之身體六〇——七〇%爲水。其中四、七%含於血液中。五六、八%含於筋骨中。六、六六%含於皮膚中。在健康之體。固互相保持而調節者。一旦調節失常。水分猶潴留於身體。或與熱結。或與血毒相合。或與食毒相混。停蓄各處。而水毒停滯之部位及病狀之差異如何。詳述於下。

水毒之分類

飲亦水毒之義。名醫方考曰。稀者爲飲。稠者爲痰。二者以此爲區別而已。然所謂痰飲（淡飲）者。留飲之意。今見胃下垂症、胃擴張、胃加答兒。謂爲胃內停水也。懸飲者。水留胸中而欬唾引痛。與今日之滲性肋膜炎、肺炎相類也。溢飲者。即今日所謂水腫。金匱要略云。飲水流行。歸於四肢。當汗出而不汗出。身體疼重。謂之溢飲也。支飲者。水在心下。氣息喘滿。與氣管枝炎喘息等相類也。伏飲者。水毒潛伏。診者從其外證脈狀（脈沉緊）腹證等而知之也。

水毒之爲病因

水毒停滯於不當停蓄之處。而爲非生理的體液。此所以可爲病因者。因以下之三機轉耳。第一、因水毒自身有毒素。使惹起自家中毒症。第二、浸潤於全身之組織。使減弱機能。且使組織膨化弛緩。而細菌易於侵入及繁殖。第三、水毒停滯達於高度。則因物理的作用。使諸種臟器起壓迫症狀。故漢醫學排除水毒之諸種藥劑。從其證而用之。或發汗劑。或利尿劑。或吐劑瀉劑。使之從皮膚、泌尿器、消化管排洩而出。例如因皮膚排泄障礙。水毒停滯而發頭痛氣喘等症。則用麻黃湯發汗治之。又水毒停滯而下利。則用葛根湯發汗救之。或水停胃內。其毒上衝犯腦。使現神經衰弱症狀。則用苓桂朮甘湯除胃內之水。水除則病痊。各從其證而處方。排除水毒。其病即退。惟臨床上以單純水毒爲基因之疾病甚鮮。其水毒多與瘀血相結。或食毒相合。既呈複雜之症狀。故治療亦非簡單耳。

第五章　食毒

食毒

食毒與前記之血毒水毒爲三大病因之一。停滯於消化管內。成爲宿便或燥屎。（宿便歷多日而堅硬者）壓迫隣接臟器。阻害血流。不僅起鬱血之症。且不良之食物。經過多日。食物之殘渣。腐敗醱酵而生毒素。吸收於血液之中。而起自家中毒症。故皇漢醫學對於宿便及停滯之不良食物。或用下劑。或用吐劑。以排除之。因身體之虛實。病狀之緩急。毒素之强弱。處方各異。決不可濫用下劑也。

（未完）

和漢藥物學

日野五七郎著
王博平譯

蟾酥

異名 癩蛤蚆

原生 採取蟾蜍皮膚分泌之毒汁。與糊狀之澱粉質。勻和而成餅狀。

采治 宗奭曰。眉間白汁。謂之蟾酥。以油單紙裹眉裂之。酥出紙上。陰乾用。時珍曰。取蟾酥不一。或以手捏眉稜。取白汁於油紙上。及桑葉上。置背陰處。一宿即乾。或安置竹筒內盛之。眞者輕浮。入口味甜也。或以蒜及胡椒等辣物納口中。則蟾身白汁自出。以竹篦刮下。麵和成塊。乾之。其汁不可入人目。令人赤腫盲。或以紫草汁洗點即消。

性狀 蟾酥之不乾固者。爲白色乳糜狀之粘液。在化學上呈弱酸性反應。若檢于顯微鏡下。則可察出脂肪顆粒。及脂化上皮。其生理作用與基尼達利斯相等。（ヂギタリス又英文 Digitalis 元參科之二年生草本。我國稱之爲毛地黃。）和以麵粉而成扁圓形餅塊。穿穴于中。貫之以繩。陰乾之而售於市場。其色近黑褐。或現暗赤褐色而帶光澤。質地堅硬。其破碎面爲介殼狀。邊緣爲半透明。其味初嘗辛辣。漸使口中消失一時性之知覺。

成分　蝦蟆(蟾蜍)皮膚分泌之毒成分爲布奥太林。(Bufotalin)及布奥甯。(Bufonin) 始研究其化學成分爲奥斯加先克(Oscar-Seeck) 氏氏於一千九百零二年分離爲二種成分。一即布奥太林。(Bufotalin) 有類似基尼達利斯(Digitalis)之作用。二即布奥甯。(Bufonin)是也。在化學上雖甚與前者近似。而其作用則微遜耳。

布奥太林之製法　蒸發蝦蟆皮之酒精浸出液。取其殘渣。溶解於水。再加鉛醋。濾別所起之沈澱。通硫化水素於濾中以除去其鉛分。再入沃度汞沃度加里液(碘化鉀)時此毒物即移於沈澱。依普通方法用酸化銀使毒物游離後。次用哥羅方姆(クロロフォルム)振蕩之。再加石油以脫(醇精)而使沈澱。

布奥甯乃蝦蟆皮之酒精浸出液。濃厚之際。成爲細長針狀結晶或稜柱狀等之結晶而析出。其記號爲 ($C_{34}H_{46}O_2$)。係中性化合體。其生理作用與布奥太林同爲心臟毒。然較布奥太林稍弱耳。布奥太林之記號爲 ($C_{34}H_{46}O_{10}$)。爲無晶形。雖化學之本性不明。可視爲一種微弱之酸。其於哺乳動物致死量行皮下注射時。凡體量一公升爲〇、五米厘克蘭姆。

蟾酥毒之試驗　據廣橋正三郎氏報告謂蟾蜍之毒素係含於蟾蜍之疣狀皮膚腺液中。就中以耳背隆起部分爲最富。其毒素恰類達基太林(ダギタリン)之心藏毒。凡取以供試驗者。則用到處棲息之蟾蜍。

一、表皮之得量與水分。　1「體重與新鮮表皮之比」如體重爲一〇〇瓩。得量則爲一〇至一五瓩。平均一一・四瓩。　2「體重與乾燥表皮之比」如體重爲一〇〇瓩則得量平均爲三・五六以至四瓩。　3「表皮之水分」乾燥者。平均爲七二・五%至八〇%。

二、表皮之毒價　取切細乾燥表皮一瓦。以熱湯浸出其液。用金線蛙施以生理之試驗。則其皮膚浸液之毒價。比基尼達利斯葉之浸液爲强。約有一與二至四之比。蓋以精良基尼達利斯葉之粉末。製爲一〇%之浸液。以供試驗之蟾蜍體四〇分之一之用量。至心動静止約需一〇分鐘。至對於心臟生理作用。類於基尼達利斯起顯著之蠕動。但其吸收較易於基尼達利斯。若以酒精浸其表皮。則毒素大部分溶出。其浸液較水浸液更含有多量之毒素。與基尼達利斯葉之毒價相對照。大約表皮爲一。葉與三之比例。

三、腺液之毒價　腺液爲乳白色粘稠脂狀之物質。若乾燥之。則殆成透明膠狀之塊。難溶於水。若與水共研。則爲白濁之液。新鮮者。有特異難聞之臭味。又有苦味。其腺液布於皮膚全部。疣狀部分蓄積極少。故採集頗難。倘壓榨四隻蟾蜍。（總量四六九瓦）之耳背。僅得〇・三八瓦乳液。再放置於安克西加托爾（エキシカートル）中。約六日之久。乾燥之。得〇・一六瓦乾燥粉末。倘加入一定量之水。而温浸之。乃可得白濁之溶液。以行生理之試驗。則腺液猛毒。雖在五〇〇〇倍之稀薄液中。尚察有顯著之生理作用。其毒價較精良之基尼達利斯葉。近三〇〇倍。毒素之吸收甚速。一分半鐘。有静止心動之可能。

四、毒素之溶解性　欲究毒素之溶解性。同時欲定其適當之浸出法。故以各種之溶解劑。浸出乾燥及新鮮之皮膚。更用適當之溶解劑。於其殘渣。就其處理所得之浸出液。而比較檢定其毒素。

1蟾蜍毒素。從其新鮮表皮。及乾燥表皮。用酒精及水浸出較易。在哥羅方姆則溶出其一部。至安托爾（エーテル）殆全不溶解。

2新鮮表皮。較乾燥表皮。容易溶出毒素。

3不論用酒精或水。不論用新鮮表皮或乾燥表皮。總之。用上記之浸出法。欲完全溶解其毒素。殆爲困難。因在其殘渣中。尙發見有多量之毒素也。

五、毒素之抽出法　一、「原液」取體重二一九瓦之蟾蜍。剝離其皮膚。加入酒精一〇〇cc。米湯煎三〇分鐘而溫浸之。反覆三次。蒸發全液。除酒精分。加水得一二二・五cc全液量。酒精浸出液。爲金黃色透明而微帶綠色之螢石彩。發散阿摩尼亞。呈鹼性反應。水性液爲類黃白濁之液。取水溶液一〇〇cc。加一〇%之單甯酸四cc。使之沈澱。集濾紙上。以一〇cc水洗之。再取小乳鉢加酸化鉛二瓦。研和去塊粒。加酒精二〇cc。米湯煎三〇分鐘而溫浸之。反覆二次。蒸發全液。除酒精分。得全量一〇〇cc之水性液。(甲法)　前項之殘渣中。更加稀酒精二〇cc如前辦法。(乙法)　將由沈澱濾淨之濾液。再加酸化鉛於其間。照甲法蒸發。前項之殘渣。更加稀酒精照乙辦法。考單甯酸之沈澱中。雖含有毒素之大部分。然難以酸化鉛分離之。單甯之酸濾液中。尙含有小量之毒素者。不甚明瞭。原液一〇cc中。加少量之單甯酸。全使沈澱。溶解其沈澱於稀薄苛性加里。再加少量哥羅方姆。强振盪之。取哥羅方姆層蒸發酒精以處理之。　二、加派利托水(パリツト水)於初次濾液中。除去過剩之單甯酸。更以稀硫酸。除去派利托水。依以上之成績。單甯酸或鹼性溶液。得以哥羅方姆抽出毒素。單甯酸之濾液。含有少量之單甯酸者。反應顯著。以派利托水除去之者。則反應不顯。　三、從乾燥表皮一瓦。用酒精溫浸而成水溶液。以單甯酸而使沈澱之毒素。因派利托而易於分離抽出。即其濾液中。亦含有多量之毒素。

六、蟾蜍血清與其毒素之關係　據考柏爾脫(Kobert)氏。於一八九一年之報告。謂蟾蜍對於基尼達利斯。有顯著之抵抗力後。又有佛爾柏姆(Vulpian)氏之報告。謂蟾蜍之皮膚毒。對於其同族之動物無感應。僅不過有毒而已。余以此項關係。恐存於血淸中之特殊恩千托克新(リンチトキシン)之緣故。試取蟾蜍之血液放置之。從已分離之淡黃色濃稠之血漿一一瓦。以既分離之血餅一〇%之食鹽水五cc。攪和而得之浸出液。再混和於毒素之水性液。檢索其毒力之强弱。以其毒素之水性液與加血漿或血餅之食鹽水浸出液相較。其毒價認爲無甚相差。其濃淡之度於理論上。當爲相等。而今反發見原液較低。(薄)依此小試驗中。雖不能直可斷定。然已知蟾蜍之血液中。含有能中和其毒素之特殊物質也。

應用　蟾酥內服。治小兒之疳疾。外用和以乳汁。治乳兒之腦際頭部溼疹。點滴新鮮之分泌液於牙中。可治齲齒之疼痛。若配伍爲膏。可應用於癰疽、脾脫疽、等。

用量　每次成年人〇•〇〇三至〇•〇〇五克(即三毫至五毫)

(本篇完)

講壇

孫永祚先生演講錄

周自强記

我到蘇州已有半年。對於蘇州醫生却沒有一個認識的。前天王先生枉駕來訪。差不多是「空谷足音」。我知道王先生辦這醫學社。尤其歡喜。現在中醫形勢。彷彿四面楚歌。政府不許中醫列入學校系統。又不許中醫函授。其意若曰只要把舊醫學斬草除根。即令中國人一個個用西法醫死了。也是甘心的。想不到諸君還要逆潮流來學這中醫。在西醫看來。眞是開倒車了。

現在西醫的猖狂如彼。中醫的衰微如此。尋常一班人說「中醫要科學化」。然而中醫科學化這句話。還有商量。恐怕中醫眞的科學化了。就投降了西醫罷。在我想起來。不必科學化。譬如上海到南京。有一條鐵路已經造成了。走起來當然很快。我們何妨再造一條汽車路。不是也可以到麼。譬如診熱病。他們用熱度表。量到不錯絲毫。我們不用。祇要用手摸摸。就辨得出虛實。診肺勞。他們用 x 光線。我們望望面色就夠了。「上工望而知之」。本來用不著什麼器械。又如病在死法中的。他們定要醫。臨死還用强心針。我們早一候已經謝不敏了。豈不比用强心針打死他高得多。原來「決死生。別嫌疑。定可治」不是西醫所知的。

所以我說要換一條路走。我們無所用其熱度表 x 光線。如果亦步亦趨。他不來打倒你。你先已投降了。還成什麼學術。諸君到此地來。當然以爲中醫還有學習的價値。既知中醫眞有價値。當然見了西醫不怕。我想漢朝的經生。今文學派盛行。古文學派不許立學官。但是仍舊有人講古文。清朝科舉盛行。然而還有人研究漢學。情願不應科舉。你去做八股文考狀元。我研究我的漢學。我看現在中醫要有些漢朝古文家清朝漢學家的精神。然後可與西醫抵抗一下。

我不知道蘇州醫生情形如何。在王先生那裏聽得一些蘇醫治熱病的方法。又看到貴校的出版物中有一篇說。「傷寒的病。在蘇州。四時皆有。」我看了這話。以爲不然。要知西醫說的傷寒。從細菌立名。中醫名病。隨時令轉變。他驗到了腸窒扶斯的菌。才名傷寒。我在冬天叫傷寒。到夏天就叫著溫。不叫傷寒。我有我的路。何必去迎合西醫。現在上海的中醫也有這般可笑的。西醫說那是傷寒。中醫看了。自己胸中本來沒有溫病傷寒的標準。就跟着西醫說傷寒。以見得中西一致。庶幾病家信仰他的醫道。竟不亞於外國博士。這種苟且行爲、看了令人大怒。簡直是「枉道從人」。但只怕媚眼做給瞎子看了。

傷寒溫熱的名稱本來弄不清楚。現在來了西醫。把腸窒扶斯譯成傷寒。更是糾纏不清。要知「熱病者皆傷寒之類」「人之傷於寒也則爲病熱」這是廣義的說法。內經之法。四時配五行。五行配六氣。六氣配十二經脈。所以熱病的名稱。隨時令轉變。應該冬天的熱病謂之傷寒。春天的謂之風溫。夏天的謂之暑溫濕溫。秋天上半期是伏暑。下半期是傷寒。任他西醫個個病驗出來都是腸窒扶斯菌。我自依着時令名病。何以故。藏氣與時令相應故。所以冬天發汗用麻黃。夏天就該用香薷。祇見我的左右逢源。讓他死守着黴菌的話去殺菌罷。我祇叫他粗工。我照時令的冷熱。看藏氣的變化。應用不同的藥劑。他死守著驗菌的法子。不知時令藏氣的遞變。冬天用這藥。夏天也用這藥。比較起來。不是我的醫法精細。他的醫法粗疏麼。

何以冬天的熱病謂之傷寒。內經之法。冬氣通於腎。病在足太陽少陰。故謂之傷寒。照此類推。春氣通於肝。風溫是足厥陰少陽病。夏氣通於心。暑溫是手太陽少陰病。長夏氣通於脾。濕溫是足太陰陽明病。我們把時令分別熱病名稱。所根據者。却是見證不同。傷寒有傷寒的見證。溫病有溫病的見證。縱有非其時有其氣的病。然而病名總照著大多數立名。傷寒者惡寒口中和。故用麻黃桂枝。假令發熱而渴。怎能用麻桂。風溫必見痙瘈。痙瘈屬神經。即是足厥陰症。暑溫汗出的最多。發熱弛張。西醫見了發熱。用退熱劑發汗劑。汗出更多。熱度降了又升。心臟衰弱了。打强心針。弄得心臟腫大起來。西醫說心囊裏有水了。要放水。放了再腫。腫得更大。等不到再放。已經死了。誰知無汗的是手太陽病。用黃連香薷飲。一藥可愈。有汗的是手少陰病。甘露消毒丹六一散利小便也特效。必那當從小腸瀉之。不利他的小便。水何由出。祇管强心針打下去。結果必心囊腫大放水而死。這種醫法拙到極點。還有說西醫巧的。不知巧在什麽地方。濕溫的見證身重口味淡。又非麻桂葛根所能解。必須活人方蒼朮白虎湯乃有效。但西醫往往以爲瘧疾。用瘧藥治之。所以也多誤事。

暑溫古人謂之暍。濕溫古人但稱濕。近來有人以爲暑溫的病名不妥。我有一個女學生。從惲先生學醫。到上海衛生局應考。口試時候。主考問他「你近來看些什麽病。」學生說「近來暑溫最多。」主考說。「暑溫這話你回去請你先生不要再說了。」這學生看書也不多。答言「夏天有的暑傷於暑而發熱。就叫暑溫。長夏傷於濕而發熱。就叫濕溫。不是一樣的麽。何以濕溫可以成立。而暑溫不要再說呢。」主考倒無話可答。我知道了。對學生說。「你何必如此大發議論。你就說這名詞在溫病條辨中古人已經說過了。不是我先生造出來的。不就完了麽。」其實濕能成溫。風能成溫。中暑發熱。何嘗不可名爲暑溫呢。

向來說溫病傳手經。傷寒傳足經。此語的確不差。所以傷寒方可治冬日春日的病。却不可施諸夏日。本來傷寒論云。痙濕暍與傷寒宜應別論。金匱雖有治濕暍的方藥。都不能取效。劉河間才是治濕暍的高手。要知痙濕暍與傷寒相濫者。傷寒發熱。暑濕溫也發熱。故云相濫。仲景本來不論這相濫的病。或竟不會醫這病。金匱諸方治寒濕或有可取者。至於暑症用人參白虎湯就怕不對了。

仲景是醫聖。此言不錯。然而也不過是一個醫生。未必有異於人。所以謂之聖人者。知人論世。當時大家不會看的病。他發明了治法。自可謂之聖人。要說他語語都是金科玉律。恐怕未必。譬如太史公的文章。杜工部的詩。當然千古無兩。但是其中也有不通之句。我們飲水思源。自然應該尊崇他。然而劉河間李東垣朱丹溪也有發明。也有心得。我們講醫學。但以治病效驗爲斷。不是講古玩。要從漢魏金元分出高下來。

有人說古方不可治今病。我也贊成這話。何以言之。冬天的水汀。夏天的電扇。古人有的麼。現在的飲食衣服。都與古人一樣麼。古今人生活環境不同。生出病來。當然不同。或許現在的病比較細膩。竟有古人意想不到的。如何可直用古方。由此推之。西洋人皮膚毛髮。先與我們不同。他們天天喫羊肉牛肉。我們天天喫素。難道生了病。就可以一樣治療。不要說中西異種。江浙兩省和湖南四川廣東的病。已有不同。我常見他們用附子一兩二兩。黃耆三兩作一服。江浙人喫了。不死也受傷。湖南人附子燒肉喫。江浙人喫了。怕不好過罷。所以不要學日本古方派那樣直鈔仲景方。不敢加減一味。要知仲景方只可算是主藥。單用主藥。不用副藥。不能取效。主藥不錯。副藥錯了。也不能取效。而況仲景方竟有不可用者。我想最好的辨法。要把醫病的經驗。一面發明古方的精義。一面也改正古人的錯誤。合之事實符合的。才是。不符事實。不管是仲景非仲景。我總要改。如今中醫要和西醫抵抗。你若抬出內經來。他根本打倒黃帝岐伯。你抬出仲景來。他根本打倒傷寒論金匱要略。你要抬出病人來。他醫不好的病。我醫好了。看他還有話說。他治暑溫。把心囊弄腫大了。我用甘露消毒丹六一散醫好了。他還有話說。

諸君到此地學醫「篤信好學」固然要緊。但是也要有「登東山而小魯登泰山而小天下」的氣概。不要像註釋傷寒金匱那許多老先生。轉來轉去。轉不出這一個圈子。我敢說一句刻薄的話。他們都是幫助古人壓倒病人的。

本期因孫先生演講錄一稿。字數稍多。且其餘稿件。均甚擁擠。尙有各位名流之演講稿。祇得移於下期發表。諸希鑒原。

編者附識

言論

醫學之空間性及其新舊觀

張忍庵

世界各國。就該把「中醫」廢除了去。不然而反爲之提倡。十足表現中國的弱點。直是腾笑萬邦。」他們這話。未免把學術的「地方性」忽略了。一個地方有一個地方的環境及其物質條件。不但東西洋要有分別。就拿國內南北部份說。南方部份人生活慣吃米飯。北方部份人生活慣吃麵飯。這種不同的習慣。並非天生成。而是由於各該地方環境及其物質條件決定的。因爲南方部份多產米。北方部份都產麥。人們生活爲適應其地方環境及其物質條件起見。才養成了各不相同的習慣。如其南方部份人而腾笑北方部份人吃麵飯。北方部份人而腾笑南方部份人吃米飯。徒然暴露其爲「淺薄」自己受人家的「腾笑」而已。中國之所以發生中國的醫學。和西洋之所以發生西洋的醫學。全然有其不同的地方環境和物質條件在。從歷史上看。中國所有而西洋所無的學術。不只是醫學。指南針、而西洋何嘗自有首先有的乃是中國。却不因爲中國獨有而腾笑萬邦。轉是萬邦從中國學習了去。用在航行上佔取最主要的地位。印刷術、西洋何嘗自有首先有的乃是中國。却不因爲中國獨有而腾笑萬邦。轉是萬邦從中國學習了去。用在文化上佔取最主要的地位。火藥、西洋何嘗自有首先有的乃是中國。並不因爲中國獨有而腾笑萬邦。轉是萬邦從中國學習了去。用在作戰上佔取最主要的地位。整個的西洋文明都導源於中國。並不腾笑萬邦。爲什麽輪到了醫學。會要腾笑萬邦呢。中西醫學各有地方環境和物質條件不同的發生起來。這分明是空間上的區別。却是現在一般西醫硬要派牠爲時間上的區別。因爲時間上的區別。他們對於中醫叫作「舊醫」。而以「新醫」自居。舊的是過去了。代之而起的乃是他們的「新醫」。中西醫假如眞是「新」與「舊」的分別。中醫自然可以沒有的了。無如牠的發生處之於不同的地方環境和物質條件。空間性固然如此。即從學術本身上看。也顯著牠原則上的不同。所謂醫學。大別可以分爲「診察」和「治療」兩大部份。診察部份。中醫重視整體。西醫重視局部。西醫認定一隻手。就只一隻手。一瓣肺就只一瓣肺。連在整體上的手和截斷了的手是沒有什麼分別。活人的手和死人的手是沒有什麽分別。因為局部的觀念太深。所以治療起來單獨截斷一隻手。挖取一瓣肺。是平常的事體。那裏知道生理組織是並不這們簡單。局部要接受整理的影響。反轉來整體也要接受局部的影響。生物肌體最小的單位是細胞。細胞要有營養。細胞營養取賴於血液。而血液是整體的循環著。肝臟的血液惡劣。決不至於到了肺臟就截然的良好起來。肺臟的血液惡劣。決不至於到了心臟就截然的良好起來。五行生剋固然荒誕。但生理各部份之有其關連。影響就不能避免。由於這一種關連。往往肺病之「因」而發為腸病的「果」。因之治療腸之「目的」而用治療肺的「手段」在中醫看起來。並非絕對沒有理由。中西醫整個的觀念歧異。治療方式也就大相庭徑。中醫重用湯藥。而西醫則重用手術。查內臟疾患。除接受於外界的損傷以外。大都起於營養不良。解決社會問題。要從整個社會上着眼。解決疾病問題。也要從整個生理上着眼。比如肝之所以生癌。必有使肝所以生癌之環境和條件在。此其環境和條件是「因」。生成的癌是「果」。如其只搬去了「果」。而沒有消泯牠的「因」。難保第二次不再生起來。西醫特其技巧的高明。處處地方用得到手術。自然「割」、「切」、「麻」、「醉」可以解除內臟的疾病。癌似乎也並非不可以割除掉。但施行手術中間所含的「危險性」是無可諱言。直接「開刀」送命和間接因開刀而施行麻醉。致於一暝不視的人們。隨時隨地都有得聽到。即使手術第一次安全經過。但其結果不過搬去了「果」而已。要是第二次乃至第三次再生起來。舊創痕間新創痕。「危險性」是益加增大的了。施行手術的場合固然多種。而以臟器的切除為最不合理。他們以為一瓣肺結核了。為防止蔓延起見。把一瓣肺切除掉。以為盲腸發炎了。為防止釀成腹膜炎起見。把一截盲腸切除掉。那一臟器發生疾病。切除那一臟器。充其意義。必且至於內部臟器切除淨盡。人們因爲有肺才病結核。因爲有盲腸才病發炎。要是天生沒有肺。肺病根本就不會有。天生沒有盲腸。盲腸炎根本就不會有。準是。肺與盲腸是多餘生的。非但肺與盲腸是多餘生的。其他各部份臟器亦莫不多餘生的。要是各部份臟器。以至於整個人們都沒有。什麼疾病也就沒有的了。豈非得大解脫。但這根本違反了生人的意義。是屬於消極的。中醫治療顯然不是這樣。中醫固然因爲物質文明落後。「操刀」的本領不如西醫遠甚。牠却根本不主張重用手術。牠明白局部的疾病不能沒有其整體的關聯。所以牠特別重用走與飲食營養同一條徑路的湯藥。使得普遍地吸收入血液而送到每一個部份裏去。利用生理自然機能。把反常的狀態恢復過來。牠是癌也罷。牠是炎也罷。統統要牠消褪了去。從生理的立場說。這、不能不算是積極的辦法。尤以沒有西醫手術中間所含的「危險性」爲最大不同之點。這樣看起來。中西醫學絕對不是簡單的「新」與「舊」的區別。而是有其原則上的不同。近幾年來。西醫在診察上。逐漸逐漸地重視整體營養。在治療上。因爲接受整體營養的觀念。感於局部手術並非良好辦法。同時。覺得有其「危險性」。慢慢變其主張於藥物內服。叵耐西醫藥物貧乏的可憐。最新發明自然療養。什麼「日光浴呀、」「空氣浴呀、」「海水浴呀、」等等。在他們是最新的發現。而不知這只是生人應有的條件。大自然間因爲具備了這些生人的條件才生出人們來。西洋所謂文明的技巧的生活。太違反了自然。所以生成疾病。那麼回返到自然境界。自然是生活上的康莊大道。藥物內服是重在利用生理的自然。回返大自然間療養。是重在利用生活的自然。這一種自然的原則。在中國醫學上。尤其是「道家」學上所最熟知的原理。故「黃」「老」往往並稱。而豈知西洋學術上。詡爲創獲。這畢竟是中國新呢。還是西洋新呢。西洋的醫學。短短的二十年來。其趨勢無論在診察上面。在治療上面。無不顯著牠向着中醫那一條道路。那麼中醫真是他們的未來的境地。西醫算不得新醫。新醫該是我們中國的醫學。但、我們並不忽略了學術的空間性。西醫、我們並不否認牠。不過我們認爲東西洋學術自有合化的可能。陳立夫先生給我的信裏說。「西洋醫學是科學的。其所見局部者小。東方醫學是哲學的。其所見整體者大。假如兩者能合起來。可以成爲世界上最完備的醫學的造就」總理告訴我們「固有文化要保存。新的文化要迎頭趕上去」各位研究醫學「發皇古義。融會新知」所負於學術上的責任正大哩。

新生活運動與衛生之意義

范行準

最近　　其提出重要意義有曰：「現在先從南昌起，開始新生活運動，要使南昌所有的國民，個個都過整齊清潔簡樸，一切能合乎禮義廉恥的新生活，可以做全國人民的模範，」又謂「提高國民智識道德，使一般國民衣、食、住、行，能整潔簡樸，合乎禮義廉恥」最近又在行營紀念週上講述「目前中國一般人生活，可以用浪漫、頹唐、懶怠、汚穢幾字來包括」此種定義、可謂極爲正確。自從上文發表後，不旬日即已喚起全民重大注意。各都市中相繼成立此會，莫不竭力唱導，作擴大宣傳，聞在南昌方面已收相當效果，全國整個效果如何，相離時日尚遠，吾人雅不願效預言家之預言成效可至若何程度。不過吾人　　衛生方面，確有重大關係。中國人向來對於衣食住行四項日常必須之生活條件，太不留意。亦太浪漫，此種習慣，得之蓋非一朝一夕，乃千百年來相傳之習慣。

說起浪漫生活，要以六朝時代士大夫階級中人最爲顯著。北齊顏之推，在所著顏氏家訓中說得極其明白，其描寫當時一般貴族階級中人生活曰：「梁朝全盛之時，貴遊子弟，多無學術，至於諺云：上車不落則著作，體中何如則祕書。無不熏衣剃面，傅粉施朱，駕長簷車，跟高齒屐，坐棊子方褥，憑斑絲隱囊，列器玩於左右，從容出入，望若神仙。……」此瀟散放逸生活，即世間果有神仙而在，亦不過如此。但其結果，則「孤獨戎馬之間，轉死溝壑之際，當爾之時，誠駑材也。」又其描寫梁時士大夫生活曰：「梁世士大夫皆尚褒衣博帶，大冠高履，出則車輿，入則扶侍，郊郭之內，無乘馬者；……及侯景之亂，膚脆骨柔，不堪行步，體羸氣弱，不耐寒暑，坐死倉猝者，往往而然。……」顏氏所述當時貴族生活，雖用在今日，依然符節。不過在享受物質上有所差異而已，無庸吾人一一爲之比擬也。

顏氏所說當時貴族士大夫熏衣傅粉，大抵皆承魏晉士大夫，如何晏荀令倩等之遺風，但是此輩弱冠之年，早已夭折，（何晏爲司馬懿所殺，年祇二十歲。荀令倩因妻死自傷而亡，年亦祇二十左右。）對於當時國家民族，毫無裨益，徒攜折千百年來民族朝銳之氣，以送入遲暮之境已耳，此種贅疣，司馬氏殺之，殊非失當。

其時又有頹廢派（狂放或是自裝）之文人，如阮籍嵇康，彼等對於日常生活，幾乎無一事可以納入正軌，雖然是因當時環境，故作玩世之態，然影響後人，實非淺鮮。所以阮籍之狂，嵇康之懶，雖今日猶傳爲美談。阮籍之狂，自以車轍所窮，痛哭而返，最能使人不忘，而沈溺於酒，雖有其隱衷在，（即拒絕司馬氏求婚，一醉六十日事）亦爲當年時尚也。（蓋竹林之酒，與正始之樂，同爲一時風尚。）叔夜雖著養生論一卷，然實際上並未做過養生之事，戕生則有之。吾人若讀與山巨源絕交書，即可明白：「……性復疏嬾，筋駑肉緩，頭面常一月十五日不洗，不大悶癢，不能沐也。每常小便而忍不起，令胞中略轉，乃起耳。」又曰「性復多蝨，把搔無已。」（按宋王安石衣面常不洗，又宋某名士嘗作蝨賦，備述自已生蝨之苦；近人陳獨秀亦以生蝨聞。至忍小便，章太炎與某先生書中亦曾自言之。此數人者，殆爲嵇康信徒乎？）所以結果不免

「況復多病，顧此恨恨，如何可言」等悲感之語而已。總之六朝時代士大夫，終日只知放浪形骸，度其極端浪漫，頹廢生活。養成一種躲坐琉璃屏風之後，猶恐被風吹去之軟弱如綿身體，而當時國家社會便在此種浪漫頹廢生活之下覆滅。余以爲東亞病夫之根株，實亦種生於此。

爲問今日權貴士大夫，豪華子弟，能不浪擲精力於聲色狗馬之間者，果有幾人？能身體茁壯者，果有幾人？能了解衛生之道，又果有幾人？

至現在一般無產智識階級，及勞工階級，終日匍匐於生計問題之上，對於衣食住行四項，人生生活極普通之必須條件，皇皇焉猶不能解決，卽一勺之水，一尺之縷，猶需相當代價，則欲其衣冠整潔，正亦難言。而吾人急欲解決之衛生問題，不啻猶孤懸千里之外，何日可幾，惟有視吾人努力如何耳。

管子曰：「倉廩實，知禮義，衣食足，知榮辱。」苟能足食豐衣，何人甘居下流，過盜賊生活哉？又有何人願忍饑捱寒，以召病魔，過呻吟床第生活哉？故欲使國民能享整潔簡樸之衣食住行四字，必先充牣倉廩，換言之，卽繁榮已枯落之經濟也。否則，新生活運動，僅能在少數可能範圍內收其效果，除此以外，不過爲羔雁之具而已！而多數民衆衣食住行依然不脫其牛馬生活，而疫癘之網，仍撒佈全國，病魔亦仍得張其饞吻，向此飢餓民衆吞噬，吾恐平原暴骨如莽，必仍不減以往之盛也。衛生二字，更無從說起矣。

雖然，今既有[illegible]唱導於前，吾人在可能範圍內，必須實踐新生活意義，「以昨死今生之決心」，革除浪漫，頹唐，懶怠、污穢等千數百年來亡國之惡習。大之可以救國，小之亦可使個人身體上獲到健康，尤其是有權勢者，先如此做去，勿再沉溺於聲色狗馬之中，以 吾人對於中國衛生前途之希望！

經 義

闡明傷寒論中風傷寒之眞諦

楊夢麒

（一）總論

中風之與傷寒。昔人多以榮衛氣血等名詞解釋之。成無已有中風乃風傷衛傷寒乃寒傷榮之說。唐容川力闢其謬謂中風乃風中太陽之肌腠而中榮血。傷寒乃寒傷太陽之膚表而傷衛氣。各執一端。莫衷一是。徒使後學者岐路徘徊。混淆莫辨。其實古人所謂榮衛者直言之。榮即白血球。衛即體溫也。（詳見王師所著內經生理學中）傷榮者。未必不傷衛。傷衛者。未必不傷榮。但能隨證施治。莫不立奏功效。奚必斤斤於榮血與衛氣哉。夫中醫治病。重在辨證。大凡急性傳染病之前驅症。有脈浮頭項强痛而惡寒者。輒名曰太陽病。再視其人兼證之不同。或與桂枝湯。或與麻黃湯。隨證治之。然二者雖同屬太陽病。而病理則絕然不侔。昧者罔察。指鹿爲馬。其不草菅人命也幾希。今分別闡明於後。非敢自矜。聊與諸同道一商榷之。

（二）中風傷寒命名之原理

中風傷寒。非一則專傷於風。一則專傷於寒也。實視其傳變陽明熱症之遲速而異。遂以其傳變速者。則根據內經風者善行而數變之義。定名爲中風。其傳變緩者。則根據內經寒則凝泣而不行之義。定名爲傷寒。故傷寒論曰。服桂枝湯大汗出不解。脈洪大者。白虎加人參湯主之。又曰傷寒若吐若下後七八日不解。熱結在裏。表裏俱熱。時時惡風。大渴舌上乾燥而煩。欲飲水數升者。白虎加人參湯主之。前條由太陽中風症而變爲陽明熱症。傳變甚速。後條由太陽傷寒症而變爲陽明熱症。傳變頗緩。且太陽傷寒有十三日不解者。而太陽中風。最多不過六七日。由斯可以證明余說之不謬也。

(三)　中風傷寒受病之原理

疾病之最大原因。多由於人身抵抗力之衰弱。即內經所謂邪之所湊。其氣必虛是也。然何以同受風寒。一則成爲中風。一則成爲傷寒。此爲必須研究之重要問題。究其原因。實視其人之體質如何而異。凡素體偏於熱性之人。其皮膚多粗疏而弛緩者。則見發熱、惡風、脈浮緩之中風症。若素體偏於寒性之人。其皮膚多密緻而緊張者。則見或已發熱、或未發熱、必先惡寒、體痛、咳逆、(原文作嘔逆今改作欬逆其義詳後)脈陰陽俱緊、之傷寒症。

(四)　中風之病理

(1)發熱　人身之肌膚。爲寒邪所刺激。發生反應之防禦作用。體溫亢盛。超過常度。即爲發熱。惟中風之發熱。較速於傷寒。蓋因其人素體本熱。是以發熱較速也。(2)汗出　熱性之人。汗腺素鬆。固束乏力。因其熱度增高。熱迫汗液而外泄。故爲汗出。(3)惡風　汗出而肌腠開。熱氣蒸騰。斯時表部與空氣之溫度相隔無多。故不惡寒。然其蒸散之熱氣。爲風所吹。即有寒冷之感覺。故惡風。(4)脈緩　血管壁之神經。隨皮膚汗腺。同時弛緩。故脈亦柔輭而緩弱。

（五） 傷寒之病理

（1）或已發熱或未發熱　大論所謂或已發熱。或未發熱者。蓋言其熱之發作。不比中風之驟然即發。而有一時不易發熱之勢者也。因其人素體偏于寒性。不易驟然發熱。必待寒束肌表。汗孔閉結已久。一方面體溫不得放散。一方面內部起反應作用。病機集中於表。始得發熱。故其發熱較緩也。（2）惡寒　未發熱之惡寒。乃由末梢神經受風寒之刺激而起攣痙之病態也。已發熱之惡寒。乃因血液挾高溫以向外。皮膚灼熱。與空氣之溫度相隔懸殊。故覺洒然毛聳也。（3）體痛　全身血管。受寒邪之刺激而凝泣。不通則痛。故體痛也。（4）咳逆　原文作嘔逆。然傷寒論以欲吐為邪傳陽明少陽之徵。傷寒初期。本屬太陽。必無嘔逆之理。矧肺與皮毛為表裏。今邪襲膚表。安得不牽及於肺。而為咳嗽氣逆耶。況麻黃湯中之麻黃。為肺家欬逆上氣之專藥。則其嘔逆二字。必係欬逆無疑義矣。蓋內部體溫過高。汗腺無以放散。而反上逆於肺。故為欬逆也。（5）脈陰陽俱緊　即三部九候之脈搏。俱見緊張之象。此因其人素體本寒。又受外寒。凡物寒則凝縮。故其脈管。亦隨皮膚汗孔而同時緊縮。且其體溫增高。血壓復繼續有增無已。體溫愈高。則脈搏愈見充盈。故見緊脈。

（六） 結論

綜上所說。僅舉梗概。然其原理。一言以蔽之。即在於病家體質寒與熱之不同。及汗腺緊與鬆之關係。不必拘執傷榮傷衛之成法。而徒信口嘵嘵。空言無補。至於從經驗上言之。傷寒有時可以變為中風。故服麻黃湯後。亦可以再服桂枝湯。因服麻黃湯後。能使汗腺疎鬆。且發熱多日。亦可使皮膚弛緩。故有變為中風症之可能性也。要之。變化無常。活用在人。是在臨證時隨機應變耳。

傷寒論五瀉心證之研究

周自强

易曰。天地不交萬物不通則謂之否。否者閉塞不通之謂。按痞與否通。大論曰。「脈浮而緊。而復下之。緊反入裏則作痞。按之自濡。但氣痞耳」然則胸中痞塞不通。尙可生乎。故曰「但氣痞耳」。但氣痞。固未至完全痞塞不通。其非死證可知矣。治以瀉心湯者。以瀉其心下之痞。蓋古人不明內臟眞象。見病者煩悶脹滿。在於胸部。測其地位正在心下。遂謂之心下痞。而名治痞之湯曰瀉心。非眞瀉其心臟之謂也。然所謂心下者果何指耶。原其所以成痞者。以見浮緊之脈。則病勢方盛於表。治宜解其表邪。乃不是之務。逆其機以下藥攻之。此心下痞所由作也。嘗諸西醫籍。急性胃炎之成。由飲食物等刺激胃粘膜而起。如素有微菌者。亦乘時崛起。胃部於是脹滿不舒。而煩渴嘈雜。嘔吐噁心。及腸鳴下痢。頭目眩暈諸症作矣。與痞之證狀病原適合。當夫太陽爲病。氣血集中肌表之時。胃腸之肌。恆多衰弱。不作祛表之圖。而逞於一下。胃粘膜受下藥刺激。安得不發炎哉。由是以言。痞卽胃炎可知。而胃部適當心下。故胃部之痞曰心下痞。心下者。卽胃部也。迨痞既成。症有緩急純雜之殊。其人或素有宿疾。或正氣衰微。或尙有腐物留滯未楚。國醫以其證有殊而異其治。爰有五瀉心之別。

大論曰。「心下痞。按之濡。其脈關上浮者。大黃黃連瀉心湯主之。」

夫曰「心下痞。按之濡關上浮」。固不若金匱瀉心湯症吐血衄血者之重焉。用是之故。但以麻沸湯漬之而已。林億謂方中當有黃芩。按此說頗是耳。故藥徵曰。黃芩主治心下痞。但此所謂「心下痞。按之濡」。初按似濡。重按猶有力焉。否則純虛之證。疲軟不任一按。則非本方所主矣。故按之此症。實乃成無已所謂虛熱也。罷伯以爲實熱者誤矣。信哉。藥徵謂其大黃通利結毒。黃連治心中煩悸。以得病之初。形氣俱實。急宜驅邪養正。所謂有故無殞也。易之市醫。必不敢矣。仲景蓋不若市醫之姑息觀望也。

又曰「心下痞。而復惡寒汗出者。附子瀉心湯主之。」

此胃炎而兼心臟衰弱者。故見汗出惡寒也。大黃芩連治其胃炎。附子以強其心。各施所用。與原文「傷寒大下後。復發汗。心下痞。惡寒者。表不解也。不可攻痞。當先解表。表解乃可攻痞。解表宜桂枝湯。攻痞宜大黃黃連瀉心湯。」有不同者。彼則汗下逆施。痞雖成而表仍未解。此則痞既成而正已疲。人之強弱有差。藥之寬猛不同焉。

又曰「傷寒五六日。嘔而發熱者。柴胡證具。而以他藥下之。柴胡證仍在者。復與柴胡湯。此雖已下之不爲逆。必蒸蒸而振。却發熱汗出而解。若心下滿而硬痛者。此爲結胸也。大陷胸湯主之。但滿而不痛者。此爲痞。柴胡不中與之。宜半夏瀉心湯。」

金匱嘔吐篇曰「嘔而腸鳴。心下痞者。半夏瀉心湯主之。」

半夏瀉心與上二方殊功者。在於痞而有水氣。故又治嘔而腸鳴。夫素有水毒者。一經誤下。微特造成胃炎。水毒又必乘機蠢動。助長病勢。（素病水毒者、多於各病中夾雜、所謂痾邪引動宿疾也、）夫痞之所以云虛者。是乃空虛之炎症。發於胃部。初非有實物在內。故不可吐。此方以薑夏除水。芩連退炎。參草大棗補益中氣。惲氏鐵樵疑大陷胸與本方并列爲不倫。更謂解外則痞自已。恐無若是之易也。且進而疑太陽下篇爲僞。毋乃太過乎。半夏瀉心湯治腸胃炎。功效甚著。

千金方等亦以之治水穀不消等症。即腸胃病變失職之故。誰謂本方可廢乎。

論曰「傷寒汗出解之後。胃中不和。心下痞鞕。乾噫食臭。脅下有水氣。腹中雷鳴下利者。生薑瀉心湯主之。」

積食於胃。日久不消。則醱酵而腐敗。存於胃中之氣體。因而增大其容積。瓦斯上出食道。則爲乾噫食臭。急性熱病中。多見腸胃病者。以正氣抵禦病毒。不暇循常道兼理內臟故也。但斯時水毒助虐。腸炎繼起。諸證踵見。薑爲芳香興奮健胃祛水之劑。半夏芩連以治其痞。人參甘草以安其中。王晉三所謂不離乎開結導熱益胃是也。由是觀之。胃之弛緩擴張及多酸症。及胃腸加答兒。盡可以本方一類。審證治之矣。

又曰「傷寒中風。醫反下之。其人下利日數十行。穀不化。腹中雷鳴。心下痞鞕而滿。乾嘔心煩不得安。醫見心下痞。謂病不盡。復下之。其痞益甚。此非結熱。但以胃中虛。客氣上逆。故使鞕也。甘草瀉心湯主之。」

無論傷寒中風。表邪若在。總不得下。下之則逆。陸氏所謂「素患胃擴張及慢性胃炎者。舌上胎厚而便難。醫被惑於二證而誤下。」此亦理也。但誤下則腸胃機能愈虛。下利無度。心下痞鞕。乾嘔心煩。斯時若仍執謂結熱而下之。或誤認大柴胡之痞滿而下之。乃更形痞滿急迫。胃腸中實物。雖經兩次大下而蠢去。炎症依然。衰弱益甚。硬滿且急迫也亦如故。故以甘草和緩之。瀉心以除其痞。丹波氏云。方中應有人參。余亦謂然。蓋無人參。何以善大虛之後哉。

夫人之上部。易起充血。下部則不然。驗之傷寒。在表者輒有嘔逆鼻衄等症。乃可徵實。心下作痞。殆不出胸部充血與胃中作炎二途。故小柴胡湯梔子豉湯甘草生薑半夏瀉心諸湯。症實相類而非懸殊。藥徵曰。柴胡主治胸脅苦滿。梔子主治心煩。香豉主治心中懊憹。蓋可見矣。是故五瀉心湯皆側重於腸胃一面。而大黃黃連附子大黃黃連。側重通利痞氣。半夏生薑甘草三瀉心湯。側重水氣腸鳴。以其方內皆有半夏等也。多用生薑以爲主者。治其乾噫食臭也。多用甘草以爲主者。緩其急迫也。學者苟能熟悉其症狀。權衡其輕重緩急。其庶幾矣。

學說

濕溫症之沿革考

余澤霓

溼溫之名。內經無考。始見難經。曰「傷寒有五。一曰中風。二曰傷寒。三曰溼溫。四曰熱病。五曰溫病」。蓋為五種傷寒之一。但難經對於濕溫。僅論其脈。曰「陽濡而弱。陰小而急」。至於證狀。則未載也。脈經卷七引醫律云。「傷寒溼溫。其人常傷於溼。因而中暍。溼熱相搏。則發濕溫。病苦兩脛逆冷。腹滿叉胸。頭目痛苦。妄言。治在足太陰。不可發汗。汗出必不能言。耳聾不知痛所在。身青面色變。名曰重暍。如此死者。醫殺之也」按古書首載濕溫證狀者。始於此。乃王叔和徵引醫律之言也。因難經濕溫條下有小字註云。右二首出醫律。（尚有一首乃風溫症）故得知耳。曩讀醫報。見陸淵雷先生論濕溫。其中有曰『前幾天晉謁過章太炎先生。章先生說「濕溫之病。難經只說脈。王叔和說出證候來。相沿至宋。無有異說。然非今之溼溫」小子記得喻氏法律。有一段論溼溫。引王叔和脈經。在王叔和本書上。却沒有繙到。不知是太炎先生僅據喻書。抑是別有出處。』案坊間本脈經。確無此節記載。陸先生所查攷者。諒必坊本無疑。故於此節記載。未之見也。而余所見者。乃元刊本脈經。則確有此節記載。太炎先生所見者。度亦屬此本歟。惟太炎先生並未說出此節係出醫律。直誤為王叔和說出。豈於脈經附註。未及細耶。據此。則古書所載溼溫證狀。確始於脈經。而脈經又引據醫律所云。則為出於醫律。確無可疑。然此所謂醫律者。蓋古有之矣。第世無傳耳。初非指喻昌之醫門法律也。蓋喻氏之醫律、自是晚出書。與王叔和所引之醫律。豈可同日而語哉。若夫仲景傷寒論。則濕溫之名。亦無考。惟有痙濕暍三篇。太炎先生以爲濕溫之治。卽在是間。其言曰。「大論痙濕暍。本在太陽篇中。王叔和無故移篇。而溼溫之治。遂不可見。」觀此。可知先生似認痙溼暍之濕症。卽係濕溫。竊謂未盡然耳。（註天士鞠通輩。皆誤痙濕暍之濕爲濕溫。其謬訛之由來。蓋非一朝矣。）蓋嘗攷痙溼暍溼症之證狀。既非近世葉薛所云之溼溫。如薛氏之「始惡寒。後但熱不寒。汗出胸痞。舌白。口渴不飲」等證。又非醫律所云之濕溫。如「兩脛逆冷。頭目痛。苦妄言等證」。然則非指濕溫症而言。殆可知也。至金匱所列麻黃加朮湯、麻黃杏仁薏苡甘草湯、防已黃耆湯桂枝附子湯、白朮附子湯甘草附子湯、等六方。雖均爲治濕之方。按之實際。乃治風溼寒濕之證者。以之療治濕溫。恐勿切當耳。鄙人嘗就今日之症候學。觀管痙濕暍之溼證。實與西籍之僂麻質斯。頗相酷肖。且觀其用藥。亦頗暗合。因僂麻質斯可發汗而愈。而上述治濕六方。亦是發汗之劑。可知此非濕溫症矣。

基於上說。則溼溫之名。傷寒論亦不見。降是以後。宋龐安常傷寒總病論。朱肱活人書。許叔微本事方諸書。皆據難經之脈。醫律之證。以定溼溫。而金元明之醫書。復輾轉稱引。大致無或異是者矣。以上所述。皆明以前諸書所論濕溫之大略也。逮及有清葉桂薛雪吳塘北山平伯輩。踵接崛起。論溫始有專書。葉桂首創「溫邪上受。首先犯肺。逆傳心包」之說。鞠通從而和之。復妄分三焦。遙翼與仲景之六經抗禮。凡此諸論。雖嫌怪說萌與。但綜其研究與闡述。不可謂不詳盡矣。故於溫病之治療上。不無禆益也。是以濕溫一症。至于此時。乃有相當之認識。孰謂非渠等之功勛耶。然香巖雖爲雍乾間名醫。而生平不事著述。今惟所傳溫證論治二十則。笠山謂「乃天士遊於洞庭山。門人顧景文隨之舟中。以當時所語。信筆錄記。一時未加修飾。是以辭多佶屈」。經笠山爲之條達移撥。而辭句之佶屈仍如故。然則信非先生之手筆已。尙有臨證指南醫

中国近现代中医药期刊续编·第二辑

案十卷。亦其門人取其方藥治驗。分門別類。集爲一書。附以論斷。非盡先生本意也。雖然。此二書於先生之微言大意。固得而窺其一斑焉。其源固不可謂非出先生也。今觀溫證論治所論者。似爲泛言一切溫病。如風溫春溫濕溫之治法。無不賅括於內。雖甚廣廓。而尋繹其所論舌苔驗齒斑疹白痦種種。則知於濕溫一症。實頗有關發焉。當此之時。有薛生白者。亦精於醫。與葉天士齊名。世相傳之濕熱病篇。或云卽薛氏所作。或云乃陳平伯所作。然唐大烈更謂「薛氏不屑以醫自見。故無成書」據此。則言人人殊。竟無從覈實。惟標曰濕熱。實則卽溼溫症也。試觀濕熱病篇曰。「溼熱證。始惡寒。後但熱不寒。汗出胸痞。舌白口渴不飲」與鞠通所謂「頭痛惡寒。身重疼痛。舌白不渴。脈弦細而濡。面色淡黃。胸悶不飢。午後身然。狀若陰虛。病難速已。名曰溼溫」。豈非二而一乎。可知濕熱卽係濕溫也。降是吳塘論溫。分別三焦。其論溼溫一症。較之前人。更爲詳盡。然發明此證之治法。當推鞠通爲最多。如三仁湯等。皆爲鞠通所製。以治此症。頗具效驗。且又定治療濕溫之三大法。卽所謂「芳香化濁」「苦寒燥濕」「淡滲利小便」是也。蓋濕溫症治至此始燦然大備矣。余以濕溫一症在溫病之中治愈最難。而其源流如何。尚鮮稽考。因忘其譾陋。聊書其沿革之大略如此。

研究傷寒論六經之價值

衞勤賢

傷寒論一書。以六經爲提綱。復由此而推演證治。後世醫者。皆奉爲金科玉律。莫敢有違。然若究其定義。則議論紛紛。莫衷一是。蓋因昔之註傷寒論者。皆以內經之六經。釋傷寒論中之六經。穿鑿附會。不求實事。以致後世學者。如墮五里霧中。迷迷茫茫。不知適從。實則傷寒論之六經。未可以內經之六經範圍之。蓋內經乃論經脈起止之名詞。傷寒論爲疾病劃分表裏之形容詞。其性質固有不同。殆如方枘圓鑿。不能相合也。今欲攷究傷寒論六經之價值。當先知中醫陰陽之性質如何。

而後方可知其價值。夫所謂陰陽者、乃中醫書中相對性之代名詞也。如代表强弱、寒熱、進行病、退行病之類是也。故如以疾病而言。陽以代表進行性病。陰以代表退行性病。如以內外爲言。陽以代表外。陰以代表內。依此推之。則傷寒論中所云之六經。亦復如是。三陽症大抵爲機能亢盛之進行性病。三陰症大抵爲機能衰弱之退行性病。然若以爲太陽必當用麻黃湯桂枝湯。陽明必當用白虎湯承氣湯等等。則膠柱鼓瑟。未免太鑿矣。試觀桂枝湯麻黃湯雖爲治太陽中風傷寒之正法。然太陽篇中。除此二湯外。尚有承氣湯抵當湯眞武湯之類。如「太陽病。三日。發汗不解。蒸蒸發熱者。屬胃也。調胃承氣湯主之。」「太陽病。身黃。脈沉結。少腹硬。小便不利者。爲無血也。小便自利。其人如狂。血證諦也。抵當湯主之。」「太陽病。發汗。汗出不解。其人仍發熱。心下悸。頭眩身瞤動。振振欲擗地者。眞武湯主之。」此皆太陽病而不用麻黃湯及桂枝湯之法也。又如承氣湯白虎湯。原爲正治陽明之湯劑。然陽明篇中。除兩湯外。尚有太陽之桂枝湯麻黃湯。少陽之小柴胡湯等。如「陽明病。脈遲。汗出多。微惡寒者。表未解也。可發汗。宜桂枝湯。」「陽明病。脈浮。無汗而喘者。發汗則愈。宜麻黃湯。」「陽明病。發潮熱。大便溏。小便自可。胸脅滿不去者。小柴胡湯主之。」此皆陽明病而不用白虎湯及承氣湯也。又如太陰病中。亦有桂枝湯證。如「太陰病。脈浮者。可發汗。宜桂枝湯。」又如少陰病中。亦有承氣湯證。如「少陰病。得之二三日。口燥咽乾者。急下之。宜大承氣湯。」由此觀之。則醫者之治病。必當隨證以用藥。不可因經以定治。至於發于何經。傳於何經。或始終只在一經。或轉屬他經。或爲合病。或爲併病。自有各種之證候可驗。亦有各種之治法不同。不可以拘泥日數之多寡。而定名處方者也。章太炎先生曰。『按日傳一經。義出內經。而仲景並無此言。且陽明篇有云「陽明居中土也。無所復傳」。可見陽明無再傳三陰之理。更觀太陽篇中。有云二三日者。有云七八日者。甚至有云過經十餘日不解。何嘗日傳一經耶。蓋傷寒論全是活法。無死法。陽明無再傳三陰之理。而三陰反借陽明爲出路。乃即內經所謂中陰溜府之義也。且傷寒本非極少之病。亦非極重之病。仲景云「發於陽者七日愈。發於陰者六日愈」足見病之輕者。不藥已可自愈。更可見傷寒爲常見之病。若執定日傳一經者爲傷寒。否則非是。不獨與本論有悖。且內經所謂熱病者皆傷寒之類也一句。亦有抵觸矣。故六經遞傳之說。予以爲不能成立」然則六經之說。殆無重要價值。但宜辨別表裏標本寒熱虛實。審證確切。而對證用藥足矣。六經云乎哉。

生理

國醫之內分泌（續完）

王南山

（八）性腺

男女生理之所以不同者。由于性腺之異也。性腺即男子之睾丸。與女子之卵巢。其重要之作用。爲產生精蟲與卵子。以營生殖。此乃性腺之外分泌作用是也。然除產生精蟲與卵子之不同外。尙有種種不同之副性徵。如男子之鬚。及陽莖、陽囊、輸精管、輸精冠等。皆爲女子之所不具者也。而女子之子宮、陰道、輸卵管。亦爲男子之所不具者也。至於男子之聲音宏壯。與喉頭高大。體格豐偉。而女子之乳腺發達。尻骨長大等。亦爲男女不同之處。此種性徵。雖爲遺傳而來。然其發達之原因。必賴於性腺之輔助也。

睪丸　睪丸製劑之醫治效用。有興奮强壯之力。能增加筋力。減退疲勞。調整消化器之機能。使食慾旺盛。便通正規。亦能興奮生殖。對於生殖性神經衰弱。陽痿老衰等有特效。此西人之說也。在國醫方面。如以肝胸臍補中助陽。治陰痿精冷。療虛損。適與內分泌之學說相合。蓋補中者。即調整消化器機能。使食慾旺盛。便通正規也。治陰痿精冷者。即所謂對於生殖性神經衰弱有特效也。療虛損者。即有興奮强壯之力。能增加筋力。減退疲勞。治老衰也。其辭雖異。而其理則一。且本事方金鎖丹以羊石子（羊之睪丸）主治腎虛精滑。亦即興奮生殖慾也。誰謂中醫學說不合科學乎。

卵巢　卵巢製劑。對於月經失調。子宮及外生殖器發育不全。以及月經停止。有良好之效果。此 Fränkel 氏之實驗報告也。凡女性之各臟器。大々有該素之存在。而其中以濾胞黃體脫落膜胎盤乳汁血液羊水等含此最多。故卵巢製劑。多爲上述諸物中所抽出。在我國醫籍所載以該物治病者。如吳球活人心統。以紫河車治婦人無子。月水不調。孫氏集效方。以驅胞衣（即駒之胎盤）治婦人天癸不通。趙恕軒本草拾遺。以猴月經治乾血癆。蓋胎盤與月經。皆含有卵巢刺激素故也。

（九）胎盤

胎盤之內分泌。始於 Frank 氏之實驗。彼以胎盤製劑。注射家兔之皮下。能使家兔之乳腺。突然膨大。連續注射。遂分泌乳汁。此殆因胎盤有內分泌之刺激素。足以促進乳腺之分泌也。國醫書籍。雖無此項記載。然臟器以紫河車主治血氣羸瘦。婦人勞損。紫河車即胎盤。殆已早知胎盤之內分泌素。有偉大之功效歟。何則。蓋乳汁缺乏之者。亦屬虛證之一。况婦人勞損。乳汁必見缺乏。古人以此物治之。見其乳汁增多。遂曰治婦人勞損也。况余每見農家於母牛生產之後。常以胎盤及羊水喂之。謂可增加乳量。殆彼已知胎盤有刺激素。可以促進乳腺之分泌乎。

上述諸條。皆足以證明國醫對於內分泌學說。早有端倪矣。惜乎後之學者。不能精益求精。以致西學輸來。反覺相形見絀。余故不揣愚陋。略述如上。但草創之作。其中牽强附會。在所不免。倘祈海內先覺。賜以月旦。匡其不逮。非特余之幸。實亦國醫前途之大幸也。

國醫所謂之腎

王景賢

國醫所謂之腎。非西醫所謂之腎。西醫名曰 Kidney。在腹腔之背。左右對列。共有兩枚、主分泌溺液。而濾清血液者也。而國醫書籍上所稱之腎。非單指分泌溺液之腎。乃包括性腺、副腎、交感神經、及分泌溺液之腎也。茲考證如下。

(一)國醫所謂之腎有指性腺而言者。

甲、內經曰。腎者、主蟄。封藏之本。精之處也。

乙、內經曰。腎藏精。

丙、內經曰。有其年已老而有子者。此其天壽過度。氣脈常通。而腎氣有餘也。

(二)國醫所謂之腎有指副腎而言者。

甲、內經曰。腎氣虛則厥。

乙、難經曰。諸精神之所舍。原氣之所繫。

丙、傷寒論曰。溲便遺失。狂言、目反直視者。此腎絕也。

(三)國醫所謂之腎有指腦神經而言者。

甲、內經曰。腎者作強之官。伎巧出焉。

乙、內經曰。腎藏志。

丙、內經曰。腎盛怒不止。則傷志。志傷則喜忘其前言。

（四）國醫所謂之腎。有指泌溺之腎而言者。

甲、內經曰。腎合膀胱。膀胱者。津液之府也。

乙、內經曰。腎者。胃之關也。關門不利。故聚水而從其類也。上下溢于皮膚。故為胕腫。胕腫者。聚水而生病也。

丙、難經曰。腎有兩枚。

病理

疫痧之研究

柳劍南

（1）導言　（2）原因　（3）症象　（4）診斷　（5）治療　（6）預防　（7）看護

（導言）　疫痧古無是名。且無是症。蓋古方書於兒科門列有痘疹兩門。為重要大症。痘即天花。相傳馬伏波征南後。始有此症。痧為瘄痧。吳人呼為痧子。浙人則呼為瘄子。山西人謂之糠瘡。粗大成片者為瘄。細小如沙者為痧。而疫痧之名。始於有清末葉。琴川陳耕道著有疫痧草二卷行世。今歲是症。自二月起。迄六月中未止。流行頗廣。傳染極速。我鄉小兒罹於是厄者比比。甚至棺木售罄。死亡枕藉。聞之傷心。言之酸鼻。爰將此數月中臨床有得。彙參攷中西典籍。草成斯篇。貢諸當世。如蒙博雅君子。政其謬誤。則幸甚焉。

（原因）本症爲傳染病之一。西名猩紅熱 Scharlach Scarlitina 攷之丁氏內科全書。曰猩紅熱又名疫毒痧。其病原菌尚未明。傳染之途。或爲直接。或爲間接。多由空氣傳染。而長州張石頑氏謂本症由乎太陰陽明蘊熱所致。然據編者二十年之經驗閱歷。大約本症完全爲傳染性。蓋如在仝一時期。仝一地點。有一二患本症之人。即能蔓延全村全鎮。甚致不獨小兒易於傳染。即成年後亦多被其侵襲。編者曾診過有四十餘歲患者三人。二三十歲數十人。小兒患者最多。亦可見本症傳染性之劇烈矣。實因今歲入春以來。雨量過少。風勢頗大。空氣乾燥。溫度上升。遂醞釀一種細菌。多由空氣中傳佈。故風熱與細菌。皆爲本症之原因也。

（症象）本症所以別於普通痳痧者。普通症其前驅期必有一定現象。如兩目紅赤。眼淚汪汪。鼻流清涕。噴嚏咳嗽。而本症則上列症象不見。其初期與尋常寒熱相仝。不過熱度二三日不退。有汗不解。胸次悶懣。口渴神煩。夜寐不安。間或骨節痠痛。三四日後。耳畔頸項。漸見細粒之痧點。繼則佈及胸腹四肢。仝時白痦逐佈。與痳痧兩相續發。甚致白痦有連發二三次者。必待痧痦佈足。於是熱度退減。五七日後。遍體脫皮落屑乃愈。

（診斷）診斷本症。較普通痧子爲難。即上列所述之無特殊現象也。但在本症流行時期。寒熱有汗不解。神煩胸悶。以紙燃燃火照之。覺有一層紅色隱於皮膚之內。即爲本症無疑。速用透解。使其外達。如熱度平平。以體溫計驗之。在華氏壹百零二度以下。汗洩濈濈。痧痦逐佈。夜寐安謐。神氣清朗。此輕症也。預後必佳。如一二日。熱度增高。在華氏表一百零三度以上。焦灼無汗。神煩不寧。痧瘖隱約細密。以火照之。一片猩紅。不能透達。此重候也。恐有卒變。預後不良。如痧佈一日即回。餘邪內熾。瘖點稀少。汗不得洩。內陷於心。則神昏不語。上傳於肺。則氣逆鼻煽。此時千鈞一髮。頃刻有喘脫閉厥之慮。十難救一。預後極危險也。

（治療） 本症治療。可分作三期。（第一期）寒熱一二日。焦灼無汗。或有汗而不多。神痧隱約。胸悶異常。神煩不寧。口渴欲飲。或咳或不咳。脈情浮數。或浮弦滑數。舌白或黃。此時邪正由表發越。治宜辛涼透解。如豆豉、牛蒡、蟬衣、薄荷、荊芥、前胡、連翹之類。體實者。可加紫背浮萍。便瀉不已。可加葛根。咳而稀少不暢。可加生紫菀、桔梗、杏仁、川象貝。總使其汗暢痧佈。從頭至足。方可熱退身涼。若痧已佈足。依然神煩不寧。此必白瘖未齊。仍須透之。乃能熱退神安。如痧瘖皆透。仍然壯熱不退。此轉入第二期矣。（第二期）痧瘖皆佈。壯熱不退。須察其熱勢。逗留在氣分。抑或營分。如熱留氣分。症屬陽明肺胃。必見口渴引飲。神煩汗多。咳嗽。脈洪大弦數。舌黃或白。宜用薄荷、石膏、知母、銀花、連翹、桑葉、皮、杏仁、川象貝、鮮蘆根、淡竹葉之類。如熱留營分。必熱勢有汗不解。口乾唇燥。齒垢。瘖痧紅紫密佈。脈情弦數。舌乾灰無澤。或乾絳起刺。此熱傳營分。津傷火熾。失治有轉入第三期之可能。亟宜大劑涼營清熱。存津養液。如犀角、鮮生地、豆豉、鮮石斛、元參、丹皮、連翹、銀花、熱盛者。可加川連、石膏。大便閉結。多日不通。而見腹痛拒按者。生軍、元明粉。亦可用。蓋釜底抽薪法也。（第三期）從第二期傳變而來。或有第一期竟入第三期者。此時神機已昏。啼不出聲。咳不得揚。蓋邪熱不由表而達。反從裏而陷。上焦清明之區。已成烟霧之鄉。病機至此。險重極矣。亟投至寶丹、或紫雪丹、萬氏牛黃丸、及鮮石菖、胆星、竺黃、帶心翹、黑山梔、銀花、益元散、淡竹葉、淡竹油、川象貝、杏仁之類。或可挽回生機於萬一、然既不曲突徙薪於前。終成焦頭爛額於後也。

（預防）本症預防法。方書未見。蓋痘症則先種牛痘。可免傳染。而痧子則西醫無預防法也。今歲本症流行時。編者家中小兒五六人。恐被傳染。時適盛夏。因囑日日飽啖西瓜。並常服綠豆湯。結果僅一二人傳染。三四人皆無恙。蓋西瓜乃天生白虎湯。綠豆清熱。皆能先將口鼻中吸入之暑熱。從小便排洩而出。故能稍免傳染。未始非預防之一法也。

（看護）本症看護果難。蓋患者多屬小兒。飢飽不知。寒暖不明。全賴爲父母者。體情并察天時。作欲寒欲暖之標準。如今歲本症流行最劇時。適在夏令五月中。熱度已升至百度以上。斯時患者。須稍帶涼。務使內外之熱。不致交迫。每見無知病家。在盛夏時。猶復重衾厚被。以爲所慮者惟風寒耳。聊至熱邪內竄。推痧未透而熱已內閉。不旋踵痙厥閉脫而死。病家無醫學常識。良深浩歎。

論霍亂之原因及中西治療法之比觀

陸自量

霍亂病者。長夏大暑中最劇烈之染傳病也。其霍亂之病名。殆係其症狀上得之。因患者受病須臾。即行上吐下瀉。漫無關閘。遂時立能竭津亡陽。即所謂揮霍撩亂是也。本病在數千年前。早有發現。雖亦知其有染傳之可能性。惟以不良之氣候。及不潔之食料。爲本病之絕大原因。而絕不知其有染傳力劇烈之病菌耳。自德人柯霍氏發現虎列拉原蟲後。始知虎列拉即係我國之霍亂。其病因由于菌之染傳。亦遂恍然大悟。同時虎列拉之病名。亦遂普遍我國矣。時至今日。孰不知霍亂之染傳力。比任何染傳病爲劇烈而迅速。故一至霍亂將臨之長夏。莫不心意惴惴。畏如虎狼也。考霍亂之盛于夏暑者。因長夏大熱。正適合其病菌之生活耳。故我人設一旦食入此萬惡之霍亂菌。彼立可直接破壞胃腸之細胞。入於胃。則撲滅胃中之鹽酸。入血管。則破壞血球。是時胃腸中之細胞既經破壞。則其存留于胃中之糟粕。及腸中之營養物。適足助長其腐蝕之機會。故雖暴受其菌。立可上吐下瀉。雖一二小時間。立能使人肌肉癟削。甚至大汗亡陽。而置人于死地也。其肉削、螺癟、脈細、膚冷、轉筋等種種症狀。均屬眞性霍亂轉危必見之證候。肉削螺癟者。乃大吐大瀉。而將腸胃中之營養料。完全傾盡後。猶不足。乃反開倒車。將各組織。及血管中之液質。倒注入腸內。作瀉利之原料。是時實有高谷深淵。傾瀉無淤之概。此時全身各組織。既因吐瀉而致一蹶不振。則其在生理上所有之能力。如能以發生熱力之可燃性營養物。及藉以浸潤諸部之燐質、脂肪、糖分、炭素、酸素、電流、以及赤白血球、消化腺、淋巴腺等。無不亦隨瀉吐而爲之消亡。此卽所謂表裏陰陽兩相消失也。故染有霍亂菌者。其人苟無免疫之本能。則不至此垂危之局也幾希。此病之病原。以中醫言。則謂之疫邪直中三陰。對于症狀。則謂之陰陽兩亡。西醫但謂虛脫。西醫檢得細菌。故治療以殺菌爲前提。注射鹽水。所以殺菌也。鹽水非單殺菌。藉可增加組織中之鹽素。以浸潤諸組織。注射强心劑。所以起心臟之搏動也。强心非獨起心臟之搏動。藉可添加燃性熱力。以促進細胞之活動。中醫不識細菌。遑論殺菌。於治療上自無處置病菌之手續。僅僅與簡單之湯劑。而竟能療此萬惡之細菌病。此非極有趣味而具有値得研究之價値乎。然則、更可見古方之奇妙矣。西醫治病。多屬對證治療。但一部分有直接剷除病因之必要。正如治療本病之注射强心。同時注射鹽水是也。中醫治病。則全在審察病之反應機轉。以及其機轉之趨勢目的爲目的。此之謂證候治療。爲國醫特有之證候學。有制止其病理變化之趨勢。及糾正病理機轉之現象。所謂約制其邪氣是也。一方面兼顧病者體工之自然療能。冀其產生自然抵抗力。所謂扶植正氣是也。雖絕少直接殺蟲機會。而亦能療此細菌病者。不得不嘆服我國醫治療手腕之神秘矣。四逆湯人參四逆湯。中醫療眞性霍亂之聖劑也。方爲附子、乾薑、甘草、三味而已。附子大熱。性能鼓舞已衰減之細胞生活力。及保留其殘亡之體溫。助肌體養化之生理燃燒劇烈。所謂附子走而不守也。乾薑辛而熱。性能刺激內部各臟器細胞生活力之衰頹。增消化機能之養化力。以維持其消化分泌諸作用。所謂乾薑之守而不走也。若增倍其量。則名通脈四逆。能振其脈搏之細微欲絕。即專爲心臟衰弱而設。甘草性甘平。功能弛緩全體機能之急迫。所謂甘能緩急。甘能緩和也，人參味甘溫。强心之力益强。國醫以其專入氣分。謂能補氣。生津、止渴。因其含有酸素。能奮起全體機能神經之頹敗。及浸潤諸組織。故曰功善補氣是也。古人處方。可謂面面周到。絲絲入扣。不强心而心能自强。不增鹽素而津能自潤。不殺菌而菌能自殲。對於藥劑轉筋等症。不治而自愈。所謂治正症而副症同時消滅。此種治療。可謂去繁就簡之治療。其目的全爲喚起病者之體工生理恢復。蓋其產生體工之自然抗毒力及抗菌素。以驅病菌病毒於體外。或使之死滅。故中醫療法。未始不可謂自然療法也。綜上中西之療本症。于生理上。兩者均殆有缺憾。何則。蓋如西醫注射强心。雖亦能助其燃性熱力。究覺屬于暫時而狹義的。其强心之力既有餘。而喚起體工自然療能之力尙不足。中醫之處四逆湯。其奮起體工療能之力雖有裕。而浸潤組織之功尙不逮也。觀乎此。則治療霍亂之法。中西同施。最爲合宜。正是互相補助也。

論瘧疾之病源與治法

吳明之

瘧疾爲往來寒熱發作有時之流行病也。種類雖多。然其正常之病型。總不外乎寒戰、發熱、汗出、熱退、三程。寒時則現戰慄鼓頷。腰瘦骨楚。皮膚蒼白而呈鷄皮狀等證。寒象一去。繼即發熱。則現體溫驟增。皮膚淡紅。頭痛口渴等證。終則汗出熱退。一若平人。至明日或越日。復發如故。仍須經此寒熱汗三程。西人論此症之病源。在古昔因蒙理想之害。均謂疫癘由泥沼蒸發之氣蘊結而成。於近二十世紀內。因物理、化學、生物各科科學發達之故。醫學遂得漸入康莊大道。當西歷一千八百八十年。法醫拉非蘭氏。Lareran 於患瘧者血中。檢得有一種胞子蟲。名麻拉利亞原蟲。Plasmodinm 簡名瘧疾原蟲。認爲致病之原。此蟲入人血中。各踞一赤血球以自養。及蟲成熟。則分裂爲許多胞子。遂破赤血球而出。各復踞一新赤血球以自養。當赤血球被破壞時。瘧疾原蟲所產生之毒素。混入血液。經血循環流行全身。則瘧病作矣。其有日日發、間日發、三日發者。蓋瘧疾原蟲。種類不一。成熟分裂之時。互有長短。故瘧發亦異。病瘧之人所以面黃貧血者。因瘧疾原蟲。每分裂生殖一次。必有多數之赤血球被破壞。新生之赤血球不足以補充故也。又在一千八百九十七年。露斯氏 Renald Ross 證明瘧之傳染。非由健康人與病瘧人直接傳染之故。乃係一種蚊。名安俄斐雷斯 Unopheleg 者。爲之媒介。大抵謂病瘧之人。血中既含有瘧疾原蟲。經瘧蚊刺吮。瘧原蟲隨血入於蚊體。此蚊復吮健康人時。瘧疾原蟲即移注於健康人之血循環。經過相當之潛伏期。(至多不越三星期。)其人亦即發病。明之初頗疑之。以爲蚊以夏時爲多。而瘧多發於秋。曾見有深秋及隆冬病瘧者。寒熱汗三程悉具。斯時蚊之絕跡已久。則蚊染瘧之說。豈能通哉。且既謂蚊爲瘧之媒介。然則每當流行之時。其第一病之瘧菌。從何而來耶。乃詢之淩師九雲。曰、蚊非瘧之媒介。實乃致病之原。且有種瘧之特技。其嘴蕾銳。刺入人膚。直達微細血管。吸血之時。有毒汁放出。而此毒汁。如含有瘧蟲者。入於血內。即由血循環運行全身。而爲瘧病。惟此種瘧之蚊。與尋常之蚊自異。其色黃褐。棲息時。必斜豎其體。俗名瘧蚊。多生於秋日。故秋多瘧病。其隆冬病瘧者。良由秋時感受瘧菌較少。漸形繁殖。至冬始發。或則秋瘧雖愈。而血中之瘧菌未盡。故至冬復發也。余聆斯說。疑竇解矣。究之吾國論瘧疾之原因。詳於內經。、曰夏傷於暑。秋必痎瘧。乃假定其人不能順長夏之令。至秋無以奉收。則生理之能力細矣。生理之能力既細。則其身之抵抗力弱。偶得病菌侵之。體工無由抵禦。遂成痎瘧。非真傷於暑。暑氣伏而爲病也。至秋必痎瘧者。

亦乃假定之詞。不過夏秋較多耳。非其餘三季。毫無瘧病發生也。夫古來醫書。大匠之規矩也。融化變通。在於後學。習而施治之。有效不效者。大匠不能與人以巧也。奈何時師。不解詞意。崇尚氣化。誤將內經夏傷於暑。秋必痎瘧。訓爲伏氣。曰、盛夏之時。貪涼取快。不避風寒。邪伏皮肉。入秋復感新涼。觸伏氣而發矣。嗟乎。彼時醫之崇尚氣化。何若斯之深歟。試想邪入人膚，人體非木石。豈無抵抗之力。焉能使邪泰然伏於人體。有一季之久耶。且西醫之傳染病有潛伏期。決無如斯長久。今之醫者。每見瘧病。動輒伏氣。常以伏氣感新涼而發句。冠其方首。又以痎瘧之寒熱往來。與傷寒少陽證類似。遂致拘守一柴胡。加常山草果。不問虛實。概治諸瘧。千方一律。貽害非淺。考瘧有正瘧類瘧之異。須鑒別明晰。而後可以論治。正瘧者、即上述之瘧蟲爲祟者是也。治當殺蟲。藥如常山、草果、檳榔之類。徵之實驗。均有殺蟲截瘧之效。不亞於西藥之奎寧。挾虛者。參與補藥。以兼顧正氣。類瘧者。即溫瘧、牝瘧、寒瘧、癉瘧等是也。金匱論之甚詳。茲不復贅。惟因原因迥異。治法判然。當識脈辨症。隨其虛實寒熱而施治之。爰將後人諸瘧之治法。略引論之。如寒熱交併。噯氣惡食。胸滿腹脹。脈滑有力者。傷於食之胃瘧也。宜查麯平胃法。加入藿香草果治之。如因山嵐瘴氣。人感之即時昏悶。寒熱因循。遂成瘧病。宜局方不換金正氣散。如寒少熱多。頭痛自汗者。風瘧也。初宜辛散太陽法。俟寒熱分清。則以和解之法治之。若遍身覺痛。寒熱有汗。脈象浮鈍者。濕瘧也。宜達原飲去知母、白芍、恐寒潤酸斂之品。有以礙濕也。若寒熱頭眩。痰氣嘔逆。脈弦而滑者。痰瘧也。宜順氣化痰藥內。加入草果藿香治之。若兩脅脹滿而嘔者。宜小柴胡湯，若脈虛有汗。但輔其正氣而邪自除。且夫痎瘧之病。變症尤爲繁夥。殊難罄述。務在臨證活法。勿徒執一小柴胡概治諸瘧可耳。

藥物

藥物實驗錄

周禹錫

(一)九香蟲

原生　生於黔屬赤水河上下三十里。他處則無。此物春生水中游泳。至立夏後。始出水面。啣兩岸所生之鹿啣草葉而食。夏至後漸漸能飛。立秋後草葉嚙盡。羣皆飛至溟邊。聚嚙肉桂葉。至立冬後。仍飛返河灘。潛入砂石下。雌雄成對。蟄伏不出。冬至後採取爲佳。過早則蟲無花紋。效力不足。若遲過大寒未採。則盡爲花蜘蛛所噬。立春後一無餘存矣。採法。攜玻璃瓶或瓦罐。尋覓能通空氣而乾燥無水之砂石下。輕將砂石掀開。每石之下。或二三對。四五對不等。卽輕手將蟲檢入瓶中。手不可重。須注意蟲腹下有黃水。一觸卽破。破則黃水流出。蟲力卽遜。此黃水淸香有肉桂氣味。採畢。將黃水用瓶另貯。蟲取出晾乾。其黃水效力。勝蟲百倍。

性味　辛甘微溫無毒　蟲生水中。其性本寒。初嚙鹿啣草葉。其性亦寒。繼嚙肉桂葉。遂變寒性而爲微溫之性矣。

效用　溫暖肝腎强壯氣血開暢胸膺　按此物生於水中。產於春日。應時而出。能飛能潛。雌雄成對。知去知返。稟天地特殊之正氣。具陰陽五根之靈能。故能溫暖腎肝而不燥。强壯氣血而不膩。心胸痺痛者。能開暢而使之鎮定。男子精滑陽萎。能攝納而使之奮起。女子胞寒帶下。能煖固而使之氤氳。他如貧血萎黃。服之能煥發容光。精寒無子。服之能毓麟衍慶。且得酒則香芬散出。具龍麝之奇。能入腹則藥氣盤旋。勝鹿茸而莫匹。

用量 蟲每日用十四枚。作三次服。蟲水兌百倍之黃酒。每次服一錢許。

用法 生熟各半。（據貴州省誌載、九香蟲以七枚去翅炒熟、七枚生用、一日服盡、以黃酒送下、功效實大、）去翅研細十四枚。分三次黃酒送服。凡胸中陽虛。或服栝蔞薤白半夏白酒湯。赤石脂烏頭丸。以及歸耆大小建中等湯。俱不效時。此物立能治之。或同他藥混合作丸服亦佳。

禁忌 陽强有餘。及有熱邪者。均忌用。

附案 一人患胸痺。痛甚。諸藥罔效。求治於余。適蟲已用完。僅餘一枚。急令嚼服。送以溫黃酒。服下痛卽止。胸痺亦開。投劑遂愈。

一人患少陰病。欲寐不能熟寐。脈微細欲絕。精神困乏。以此蟲十四枚。分三次嚼服。溫黃酒送下。是夜卽能熟寐。次日精神遂爽。脈息亦和。由此驗知此蟲不但有興奮之功。且有催眠之效。誠爲神經病之特效藥也。

一人患厥陰病。陰器縮入腹中。痛痛欲死。急用此蟲生者八枚。一次嚼服。逾時疼止陰出。隨進烏梅丸一劑而痊。

其他精滑陽萎胞寒帶下萎黃貧血神經系諸病。治愈甚多。不及悉錄。

（未完）

鳳尾草之功用

李雄侯

本品應用。不見於現代之藥鋪。爲民間治療之草藥。適者腸炎肆毒。由民間治療。而得到本品之功用。方今高唱研究國藥。而本品乃應時而顯其功用。殆所謂草野之英雄歟。爰特舉其功用如下。借供同道之研究。庶勿使其湮沒不彰也。

產地　本品爲多年生之隰草。垣隅陰濕之處多有。臨冬經霜則萎。入春復萌。

形態　全株叢生。高六七寸至尺餘。葉作五爪形。宛如鳳尾。地下根如柴胡首。

性味　其味頗苦。察其功用。而知其性涼。且苦味多涼。

功用　以其性涼能消炎淸熱。味苦能堅陰殺菌。腸炎症下血。及痢疾用之。皆具特效。本品亦應用於氣管支炎。

用量　三錢至八錢。

禁忌　就本品治療上觀察。對於非炎症。皆當禁用。

處方　治腸炎下血。和以少許之赤糖。亦治痢疾。伍以天冬、紅棗、甘草、赤糖、罌粟殼、煎收作餅治氣管支炎。

附告　凡欲索樣品須附郵票五分寄福建涵江宮下萬安藥房

方劑

白虎湯之科學觀

朱彩霞

(一)湯名　此湯出於傷寒論。爲著名之古方。其命名之意。蓋古以白虎爲西方之金神。西風一起，炎暑自解。本方善能解除高熱。故以此命名也。

(二)主治　本方主治陽明病。壯熱汗出。大渴引飲。不惡寒反惡熱。脈洪大滑數。及中暍煩熱口渴等症。　按疾病之發熱。

大都由於細菌毒素作用及體溫調節失宜之所致。其無汗而發熱者。由於散溫中樞障礙。有汗而發熱者。由於生溫機能興奮也。白虎湯證壯熱汗出。乃因病毒蓄積於內。刺激溫中樞。以致體溫亢進。而壯熱何以汗出而熱不退。緣皮膚雖盡量放散。而體溫去路。仍不能敵其來源。故汗出而熱不退。熱盛則不惡寒而反惡熱。此爲陽明病。必以白虎湯主之。即內經所謂熱者寒之是也。患陽明病者所放散之體溫。比健人之體溫。增多一倍半乃至二倍。而造成之體溫有比健人多至三倍者。故汗出雖多。身熱反壯。高溫內灼。津液枯槁。唾腺不能如常分泌。故唇舌乾燥而渴。腦神經受高溫之薰灼。故煩。體溫過高。則心房之張縮強而速。故脈洪而數。淺層動脈擴張。使熱血得充分達於肌表。以放散體溫。故脈大而滑也。

(三)藥味　石膏　知母　甘草　粳米　按本方以石膏爲君。清熱止渴。因其中含有硫酸加爾曳謨($CaSO_4+2H_2O$)。此外則夾雜珪酸礬土養化鐵等。爲硫酸鈣之含水結晶體。有鹼性反應。主治煩渴。旁治譫語身熱自汗。以其善于阻止造溫機能之進展。故以此爲君藥也。以知母爲臣。生津解熱。因其味甘苦。其性滋潤。試以知母含于口中。即覺滿口津生。誠爲生津之妙品。津液得以恢復。則口渴自除。故以此爲臣藥也。又以甘草爲佐。因其內含甘草里晉爾熙輕。(Glycyrrhizinsaure)($C_{44}H_{63}NO_{18}$)。善于生津清熱。且能緩和病機急進之勢也。再以粳米爲使。因其內含榮養成分甚富。善于養胃生津。能輔助諸藥。共建奇功也。凡陽明病壯熱汗出。大渴引飲等症。得此清熱生津之劑。自然鼓桴相應。病斯愈矣。

(四)禁忌　凡用白虎湯。必須陽明表裏俱熱。或三陽合病。有上述主治條下之症狀者。方可與之。苟或大便閉結。腹部硬痛者。宜承氣湯下之。又或惡風發熱。頭痛骨楚。無汗而煩躁者。宜大青龍湯汗之。又或症象白虎。面紅目赤。肌膚燥熱。煩渴引飲。脈洪大而虛。重按無力者。宜當歸補血湯補之。此皆與白虎湯證相類似。不可妄與白虎湯也。不然。失之毫厘。差以千里。可不慎哉。

大小陷胸湯合論

華志誠

夫大小陷胸二湯。皆爲治結胸症之方劑。然其主治及藥理。實有不同者也。卽大陷胸湯主治大結胸。小陷胸湯主治小結胸。兩者不可混治耳。茲特分述於後。

大結胸症。心下石鞕。疼痛拒按。甚則從心下至少腹鞕滿而痛不可近。此種症候。從藥效上推究之。殆因其人素有痰飲。又患太陽風寒症。及陽明宿食症。是以雖見太陽表症。復見脘腹疼痛。於法當先解其表。後攻其裏。醫者不知按序進治之法。見其脘腹疼痛。卽用承氣湯等下之。但凡病在太陽者。病機集中於表。妄投下藥。適與病機相反。素有痰飲者。胃中機能。大都衰弱。雖進下藥。每難遽得瀉下。故此症誤下之後。宿食痰飲。非惟不去。反因硝黃等藥之攻下。引導病機。併集於內。以致釀成胃炎。增重裏症。故由脘腹疼痛。而變爲鞕痛拒按之大結胸症也。方用大黃芒硝。所以攻其宿食而消炎症也。甘遂所以驅其痰飲也。舒馳遠以結胸既因誤下而得。不宜再用大陷胸湯峻下。惲鐵樵亦謂大陷胸湯不可用。實皆未明此理也。章太炎先生謂結胸有惡涎。此有形之物。非徒無形之熱也。非更以下救下。將何術哉。此語甚是。惜其言之未詳耳。

小結胸症與大結胸症不同之點。小結胸症。祇在心下。大結胸症。痛連脅腹。此其不同一也。小結胸症。按之則痛。不按不痛。大結胸症。痛不可按。不按亦痛。此其不同二也。小結胸症按之不鞕。大結胸症按之石鞕。此其不同三也。蓋小結胸者。初亦爲太陽病而兼痰飲宿食之症。在表雖見頭項強痛惡寒發熱等症。在裏又見胸脘不舒大便不通之候。醫者不知先解其表。而反先攻其裏。故亦如大結胸症之轉變。釀成胃炎。增重裏症。由胸脘不舒而變爲按之則痛之小結胸症也。此因其人之宿食痰飲。本較輕於大結胸症。故其證狀亦較輕也。且用藥祗以半夏化其痰飲。黃連退其胃炎。瓜蔞潤導其宿食。不用甘遂硝黃之峻藥。以其病輕故也。

由是觀之。大小結胸。雖同爲誤下之壞證。然輕重懸殊。治療大異。安可不細審哉。

醫案

馬培之先生內科醫案（三續）

再門人王愼軒編　再小門人楊夢麒錄

鬱症

鬱之一症。共有六條。氣血痰火濕食也。脈象虛弦。左細右關浮弦滑。痰鬱損心脾。肝胃不暢。痰氣阻滯於中。胸脘不舒。飲食入胃。則氣閉神昏。牙緊肢冷。背俞作痕。吞酸作吐。脾陽不升。濁痰不降。上蒙淸竅。左目紅絲。瞳神縮小。視物不明。胃濁不降。大便艱難。目眶青黑。痰滯於脾經。來腹痛。木鬱不達。擬和暢肝脾。化痰舒鬱。

丹參　半夏　橘紅　鬱金　夕利　枳殼　山梔　雲苓　遠志　竹茹　菖蒲　佛手

思勞抑鬱。心脾受虧。木鬱不達。氣化爲火。心君被擾。恍惚不寧。言語不經。精神疲憊。四肢驚惕。慮成癲癇之疾。急爲養陰。開暢心脾。以舒木鬱。

丹參　半夏　沙參　遠志　柏子　鬱金　夕利　廣皮　白芍　當歸　菖蒲

悲哀傷中。氣火擾動陽明胃經。夾有濕痰。以致神志恍惚。胸痛臥不成寐。腿足痛而乏力。急宜開暢胸懷。怡情靜養爲要。

丹參　茯神　鬱金　遠志　半夏　秫米　廣皮　合歡　枳殼　炙草　柏子　料豆

脈象沉弦且細。沉者鬱也。弦爲氣滯。細爲血虛。心脾鬱而不遂。氣互於中。脘中迷悶不暢。不嗜米穀。只餐麵食。麥爲心穀。米爲脾穀。子虛求助於母也。穀食不食。則形神日羸。擬養心調脾。以甦胃氣。

藿梗　於朮　益智　遠志　廣皮　半夏　佩蘭　穀芽　參鬚　鬱金　雲苓　蓋棗

〔二診〕養心脾以舒鬱。甦胃氣以生陰。脘中較暢。飲食稍增。仍不甘味。口滲清涎。脾虛不能收攝。宗前法進步治之。

人參　於朮　益智　遠志　廣皮　當歸　淮藥　炙草　佩蘭　白蔻　茯神

心脾鬱而不遂。氣化爲火。浮越於上。以致頭面烘熱。欠寐。心神不安。下部怯冷。擬養心脾以舒鬱。

北沙參　丹參　遠志　淮藥　當歸　半夏　合歡皮　鬱金　廣皮　白芍　柏子　秫米

〔二診〕養心脾以舒鬱。鬱火較平。惟疑慮不決。心脾氣餒。不能自主。情志內傷之病。全在自己開暢胸懷。心君太和。諸病自已。

沙參　丹參　遠志　當歸　茯神　柏子　雞子黃　鬱金　合歡　石斛　秫米　廣皮　白芍(沉香三分炒)

脈象沉細而弦。兩尺下垂。腎水自虧。心脾鬱而不遂。氣血偏阻。左頭汗。胸腹不舒。精神困乏。欠寐耳鳴。當養心脾以舒鬱。

參鬚　廣皮　半夏　當歸　沙苑　遠志　丹參　茯神　合歡　淮藥　白芍炒　紅棗　（未完）

丁甘仁先生內科醫案（三續）

門人王慎軒編　再門人王南山錄

濕溫

周童　濕溫挾滯太陰陽明爲病。身熱九天。朝輕暮重。寐則譫語。多夢紛紜。舌苔薄黃。脈象滑數。白疹隱隱。症勢非輕。姑擬蒼朮白虎湯加減。

製蒼朮（八分）　熟石膏（三錢）　粉葛根（錢半）　赤茯苓（三錢）　枳實炭（一錢）　淸水豆卷（四錢）　福澤瀉（錢半）　飛滑石（三錢包煎）　炒麥芽（三錢）　炒竹茹（錢半）　甘露消毒丹（四錢包煎）

周（二診）　濕溫挾滯太陰陽明爲病。身熱十一天。夢語已減。腑行溏薄白疹隱隱。舌薄膩而黃。脈濡滑而數。慮其增劇。姑擬葛根黃芩黃連湯加味。

粉葛根（二錢）　酒炒黃芩（一錢）　酒炒川連（四分）　淸水豆卷（三錢）　赤猪苓（各三錢）　枳實炭（一錢）
福澤瀉（錢半）　六神麯（三錢）　銀花炭（三錢）　大腹皮（二錢）　飛滑石（三錢包）　車前子（三錢炒包）
乾荷葉一角　甘露消毒丹（四錢包）

周（三診）　身熱十三天。早輕暮重。便溏漸止。白疹隱隱佈而不透。舌苔膩黃。脈象滑數。伏邪濕熱。蘊於膜原。再擬葛根黃芩黃連湯加減。

粉葛根（二錢）　酒炒黃芩（一錢）　水炒川連（三分）　淸水豆卷（四錢）　赤猪苓（各三錢）　福澤瀉（錢半）
海南子（二錢）　製小朴（八分）　飛滑石（三錢包）　六神麯（三錢）　甘露消毒丹（四錢包）

周（四診）　濕溫十四天。身熱較輕。便溏漸止。白疹佈而不多。苔薄膩而黃。脈濡滑而數。伏邪濕熱。蘊於膜原。再擬葛根芩膽湯合達原飲加減。

銀州柴胡(一錢)　粉葛根(二錢)　酒炒黃芩(一錢)　淸水豆卷(四錢)　赤猪苓(各三錢)　福澤瀉(錢半)

海南子(錢半)　製小朴(八分)　飛滑石(三錢包)　通草(八分)　甘露消毒丹(五錢包煎)　佩蘭葉(錢半)

周(五診)　濕溫十六天。身熱大減。白瘖佈而漸回。便溏輕而未止。苔薄白而膩。脈濡滑而數。伏邪濕熱內蘊少陽陽明爲病。再宜和解宣化。

銀州柴胡(一錢)　粉葛根(二錢)　淸水豆卷(六錢)　赤猪苓(各三錢)　福澤瀉(錢半)　大腹皮(二錢)

製小朴(八分)　通草(八分)　飛滑石(三錢包)　甘露消毒丹(五錢包煎)　鮮藿香佩蘭(各錢半)

袁左　濕溫八天。壯熱有汗不解。口乾欲飲。煩躁不寐。熱盛之時。譫語妄言。胸痞泛噁。不能納穀。小溲渾赤。舌苔黃多白少。脈象弦滑而數。陽明之溫熾甚。太陰之濕不化。蘊蒸氣分。漫佈三焦。有溫化熱濕化燥之勢。症非輕淺。姑擬蒼朮白虎湯加減。

生石膏(三錢)　肥知母(錢半)　枳實炭(一錢)　通草(八分)　製蒼朮(八分)　茯苓皮(三錢)　炒竹茹(錢半)　飛滑石(三錢包)　仙半夏(錢半)　活蘆根(一尺去節)　荷梗(一尺)

袁(二診)　今診脈滑數較緩。壯熱之勢大減。稍能安寐。口乾欲飲。胸悶泛噁。不能納穀。舌膩苔黃漸化。伏溫漸解。而蘊濕猶留中焦也。旣見效機。毋庸更章。參入芳香淡滲之品。使濕熱有出路也。

熟石膏(三錢)　製蒼朮(八分)　飛滑石(三錢包)　赤茯苓(三錢)　仙半夏(錢半)　枳實炭(一錢)　福澤

中国近现代中医药期刊续编·第二辑

瀉(一錢) 通草(八分) 炒竹茹(錢半) 鮮藿香佩蘭(各錢半) 荷梗(一尺)

裘(三診) 熱退數日。復轉寒熱似瘧之象。胸悶不思納穀。且有泛噁。小溲短赤。苔黃口苦。脈象左弦數。右濡滑。此伏匿之邪移於少陽。蘊濕留戀。胃失降和。今宜和解樞機。芳香淡滲。使伏匿之邪從樞機而解。濕熱從小便而出也。

軟柴胡(八分) 仙半夏(二錢) 酒炒黃芩(一錢) 赤苓(三錢) 炒枳實(一錢) 炒竹茹(錢半) 通草(八分) 澤瀉(錢半) 鮮藿香佩蘭(各錢半) 荷梗(一尺) (未完)

曹穎甫先生內科醫案 (三續)

門人王慎軒記 再門人南山編

陽明胃寒 梅家弄王右

飲入即吐。欲治他症。其道無由。法當先止其嘔。

淡吳萸(三錢) 潞黨參(三錢) 生薑(五片) 紅棗(五枚)

(記)服後吐即止。曾來復診。但後用何方所治何病。已忘之矣。因其後不再來。原方不返故也。

陽明熱證 倉橋葉左

闕中痛。日晡發熱。大渴引飲。白虎湯主之。

生石膏(三錢) 知母(三錢) 炙甘草(二錢) 生薏米(四錢) 陳米(一撮)

(記)據曾師云。昔年治靑和坊楊左。闕中痛。不大便七日。大渴引飲。壯熱多汗。脈大而實。用大承氣湯下之。一劑而闕中痛止。惟浮齒而痛。乃再與白虎湯清之而愈。是與此案相同。故附誌之。

陽明實證　倒川街張左

潮熱。自汗。脈滑數。屬足陽明。下之愈。

生川軍（三錢後入）　炒川朴（一錢）　炒枳實（三錢）　芒硝（二錢冲）

少陽傷寒　唐家衖姜左

口苦。咽乾。目眩。脅痛。乍寒乍熱。少陽爲病。當和之。

柴胡（二錢）　條芩（二錢）　仙半夏（二錢）　生潞黨（二錢）　佩蘭梗（二錢）　炙甘草（一錢）

少陰傷寒　小南門俞左

咽喉不舒。默默欲臥。脈沉細。屬手少陰。桔梗湯主之。

桔梗（二錢）　炙草（二錢）

（記）以上三方純用經方。效果如響。

厥逆重症　小南門陳左

脈脫。手足厥冷。四逆湯主之。

生附塊（四錢）　淡乾薑（三錢）　炙甘草（三錢）

（記）此方一服。卽脈復肢溫。後與調理而愈。據學兄章戒之云。此證在前兩月。已經曹師診治。其病臥則壯熱。起坐行動則身冷。趺陽不出。但人迎微動。亦服此方而愈。

（未完）

中国近现代中医药期刊续编・第二辑

黃體仁先生女科醫案（三續）

門人王愼軒編　再門人陶淑英錄

帶下門

馬〔崑山〕年已五旬。帶下甚多。頭眩腰痠。形瘦神疲。舌中光剝。兩邊薄膩。脈象虛細。尺部尤甚。脾腎大虛。津液下脫。恙延已久。圖功非易。

大熟地（三錢）　淮山藥（三錢）　山萸肉（三錢）　雲茯苓（三錢）　粉丹皮（一錢半）　福澤瀉（一錢半）　左牡蠣（四錢）　剪芡實（三錢）　川柏炭（八分）　炒白芍（三錢）　沙苑子（三錢）　菟絲子（三錢）　白果肉（七枚去殼打）

馬〔二診〕前進六味地黃湯加味。頭眩已減。帶下亦輕。腰痠尙甚。腑行不暢。腰爲腎之府。腎虛則腰痠。腎主二便。腎虛則便難。再宜前法加減。

大熟地（四錢）　淡蓯蓉（一錢半）　生首烏（三錢）　淮山藥（三錢）　麥冬肉（二錢）　潼蒺藜（三錢）　紫石英（四錢煅）　靈磁石（四錢生打）　生歸身（二錢）　生白芍（二錢）　粉丹皮（一錢半）　川黃柏（八分炒）　白果肉（七枚去殼打）　猪脊髓（一條陳酒洗）

孔〔小西門〕衝任虛寒。固攝乏權。白帶連綿。癸汛屢愆。結褵八年。未育一胎。時而形寒。時而腹痛。舌質淡紅無苔。脈象沉細而遲。治宜溫經祛寒。固任益衝。

上官桂（八分）　淡吳萸（八分）　炮薑炭（五分）　全當歸（二錢）　京赤芍（二錢酒炒）　紫丹參（二錢）

白雲苓（三錢）　陳廣皮（一錢）　製半夏（二錢）　川貝母（二錢）　菟絲子（三錢）　茺蔚子（三錢）　鹿角膠（二錢陳酒燉化冲服）（未完）

王氏女科醫案（三續）

王慎軒著　長子南山編

調經門

李〔閶門外〕誕乳連絲。氣血虧耗。氣失煦和。形為之寒。血失濡養。筋為之瘦。氣虛而不能催促血液之流行。血虛而不能灌注衝脈之充盛。是以癸汛屢愆。經水遲少也。且血虛者。肝必旺。肝旺者。脾必弱。脾弱而寒客之。肝旺而氣擾之。此腹痛裏急之所由來也。陽脈濇。陰脈弦。當宗仲景小建中湯之意。若與普通調經之劑。必無濟耳。

上上肉桂（三分研細末飯丸吞服）　赤白芍（各一錢半陳酒炒）　全當歸（三錢）　製香附（一錢半）　老蘇梗（一錢半）　陳廣皮（一錢）　炒烏藥（八分）　玄胡索（一錢）　沉香麯（三錢包）　炙甘草（六分）　飴糖（三錢後下）

李〔二診〕昨進小建中湯加減。形寒已解。腹痛亦輕。惟前次經來。愆期兩旬有餘。今番經期。又逾半月未至。遍體痠疼。少腹裏急。陽脈濇。陰脈弦。猶是血虛肝旺氣虛寒盛之象。第榮血既虛。則平肝之藥。不宜過于香燥。陽氣既虛。則祛寒之藥。不宜過于辛散。再擬小建中合溫經湯加減。甘緩與辛溫並進。適剛柔互濟之法也。

上上肉桂（二分研細末飯丸吞服）　全當歸（三錢淡吳萸三分同炒）　京赤芍（三錢酒炒）　大川芎（八分）　製香附（一錢半）　廣橘皮絡（各一錢）　玄胡索（一錢）　川牛膝（二錢）　澤蘭葉（二錢）　柏子仁（三錢）

炙甘草（六分） 生薑（三片） 紅棗（四枚） 飴糖（三錢後下）

李【三診】陽脈之濇者。已較利矣。陰脈之弦者亦較平矣。故其形寒體痠腹痛等症。均已漸愈矣。昨夜裏急尙甚。今晨癸汛已行。經色淡少。血猶虛焉。精神疲倦。氣猶衰焉。惟適在經行之際。忌進大補之藥。先宜養血和榮。溫經理衝。俟其潮汛平後。再議滋補重劑。未爲晚也。

紫丹參（二錢） 全當歸（三錢） 大川芎（八分） 抱茯神（三錢） 柏子仁（三錢） 炙甘草（六分） 上官桂（八分） 淡吳萸（三分） 紫石英（五錢） 川牛膝（三錢） 澤蘭葉（二錢） 絳通草（九分） 玉液金丹（一粒去殼研細末化服）

（未完）

筆記

求己齋隨筆

余梓生

（一）鵝血

曩讀某筆記云有一老僧。病噎食。臨終。謂其徒曰、我不幸罹斯疾。胸膈間必有物爲祟。歿後剖視。乃可入殮。其徒如教。得一骨如箸形。取置經案。久之。有兵帥借寓。一日從者殺鵝。其喉未斷。偶見此骨。取以挑刺。鵝血濺骨。骨立消。後其徒亦病噎。因前事悟鵝血可療。數飲之遂愈。因廣其傳。以方授人。無弗愈者。余謂此說不可信耳。鵝血濺骨。骨立消。恐無如許能力。縱使有之。噎症之成。原因殊多。殆非一端。骨塞胸膈間。或足致此。非必皆由骨之阻塞而成也。遑論鵝血未必能消骨耶。且余嘗以鵝血療噎。多不驗。可知此說之無稽矣。

(二)瘧鬼

瘧疾。今知爲麻拉利亞原蟲。在血中破壞赤血球所致。故發作則寒熱往來。其發作有時者。原蟲成熟之時期有一定故也。其有一日發間日發三日發之不同者。原蟲之種類非一。其成熟之時期亦有長短之殊也。其發作時所以有神昏譫語等之證狀者。以發作時之高熱及原蟲所產生之毒素。影響於腦神經也。疇昔之時。病理學尚未昌明。古人對於斯疾。頗有視爲鬼物所憑者。職是之由。醫書有鬼瘧之稱。而稗史野乘。記載鬼神爲瘧者。尤爲逼肖。故迄於今日。鬼物爲瘧之說。猶爲一般鄉村鄙夫所樂道也。如新齊諧所載瘧鬼一說。本甚荒謬而不足信。其爲臆出杜撰無疑。但殊可笑之至。因錄之。以餉讀者。

上元令陳齊東少時。與張某寓太平府關帝廟中。張病瘧。陳與同房。因午倦。對臥床上。見房外一童子。面白皙。衣帽鞋襪皆深青色。探頭視張。陳初以爲廟中人。不之問。俄而張瘧作。童子去。張瘧亦止。又一日寢。忽聞張狂叫。痰如湧泉。陳驚寤。見童子立張榻前。舞手蹈足。歡笑顧盼。若甚得意者。陳知爲瘧鬼。直前撲之。著手冷不可耐。童走出。颯颯有聲。追至中庭而沒。張疾愈。而陳手有烟薰色。數日始除。

(三)蟾蜍

馬子騰云。陝西邊西番一路。西寧莊浪等處。多三脚蟾蜍。其膠可軟玉如泥。西番取蟾蜍。將眉切開。其酥皆成塊者。不待和合曬晾也。此爲最佳。若中土人搯取酥漿。合成麵餅。曬乾用者。力甚薄。難取效也。右見廣陽雜記。梓生按。宗奭曰。世傳三足者爲蟾。人遂爲三足枯蟾以罔衆。但以水沃半日。其僞自見。蓋無三足者也。據此可知蟾無三足者。有之亦係贋品。則子騰之說。殆非確實。然瀕湖又曰。許氏說文謂三足者爲蟾。而寇氏非之。似是。但龜鼈皆有三足。則蟾之三足。非怪也。準於此說。則子騰之說。又似可信。

然嘗攷龜鼈二物。種類頗多。爾雅所云三足龜者。綱目又名賁龜是也。山海經云。狂水西注伊水中。多三足龜。食之無大疾。可以已腫。又三足鼈。爾雅云。鼈三足爲能。故綱目名之曰能鼈。郭璞云。今吳興陽羨縣君山池中出之。或以鯀化黃熊即此者。非也。藏器曰。凡鼈之三足者。赤足者。獨目者。頭足不縮者。其目四陷者。腹下有王字十字文者。腹有蛇文者。是蛇化也。有毒。殺人不可食。又讀安姚福庚巳編云。太倉民家。得三足鼈。命婦烹食。畢。入臥。少頃。形化爲血水。止存髮耳。隣人疑其婦謀害。訟之官。時知縣黃延宣。鞫問不決。乃別取三足鼈。令婦如前烹之。取死囚食之。入獄。亦化如前。遂判定其獄。準此可知龜鼈三足者。確有其事。且三足鼈又有毒殺人。不可食也。竊謂能之有毒。不應如此。蓋有毒害人。亦未必至於骨肉盡化也。而山海經云。從水多三足鼈。食之無蠱。此又言三足鼈無毒者。何其相反耶。綜之。此類究係罕見之物。雖使無毒。甯屏之弗食耳。推此。則三足蟾蜍。其眞者。雖不敢云絕無。然可知亦係僅有者。以余一生。未曾目擊。猶憶程趾祥此中人語。有目擊三足獺蟆一則。但不知確否。姑錄之於下。

俗語云。三足獺蟆無尋處。兩脚婆娘處處有。蓋獺蟆三足。人所罕見也。余平時好閑遊。一日偕友人閑步。偶過洪福廟。見男女老幼。奔走急忙。圍繞於山門之外。僉云看三足獺蟆。余異之。亦入廟。見住持僧方以瓦缶供上。盛三足獺蟆於中。始知其不謬。且後足恰在正中自屬天生。審視久之而返。可知天地之大無所不有。人但少見多所怪耳。

驗方瑣記（三）

唐愼坊

韓昌黎祭十二郎文有曰余年未四十。而視茫茫。而髮蒼蒼。而齒動搖。余年五十有五矣。齒健如少壯。過屠門而大嚼。人咸羨之。不知余之齒老而不壞。畢生無齒痛患。蓋有一種極神祕而又極簡易之訣焉。回憶余髫齡時。從伯父子榮公詔余以此訣。余童而習之。數十年如一日。果獲奇效。及長閱冷廬醫話。始知其訣固有所本。但人苦於不知。或知之而不能行。行之而不能久耳。冷廬醫話云。秀水新塍鎭屠氏。人多耆壽。牙齒至老堅固不壞。有家傳祕訣。自幼大小便時。咬定牙齒。不令洩氣。（法本張景岳）即有人詢問。亦不答應。歷久勿間。故牙齒從無墮落之患。醫話之言如此。余終身持此訣。人不知也。大小便時。有人問話。余若罔聞。事後告之以故。且勸仿行。迨後詢之。行者百不獲一。惟幼子仁耀時侍余側。面命耳提。倘能行之弗怠耳。

綠豆可治骨槽風重症記

羅省曾

骨槽風一症。頗屬危險。苟一不察。必致口內腐爛。甚則穿腮落齒而亡者。不知凡幾。蓋此證多由少陽陽明二經之火毒上升。深襲筋骨陰分。起於耳前。連及腮頰。筋骨隱痛。腫硬不消。牙關拘緊。不能飲食。斯時也。若與之發散。是促其潰腐。過服苦寒。必肌肉堅凝。成慢性腐臭。多致不救。故兩難之間。醫多束手。余曾得一方。以綠豆若干。煮汁頻飲。獲效頗多。蓋綠豆甘寒。稟土中陰氣而生。善於解毒。可謂淺易中最佳最捷者。非若苦寒之降遏也。景岳有云。凡熱毒、勞熱、諸火熱極。不能退者。綠豆可以解之。蓋亦以苦寒之品。足耷鬱遏火邪。故以綠豆甘寒清解熱毒。更不致有傷胃氣也。故綠豆之治骨槽風者。解火毒也。亦求本之治也。噫、兵在精而不在多。可以喻於斯矣。

雜組

學醫導徑（續）

周禹錫

（丁）傳染學　傳染病在吾國古書通稱疫毒。蓋疫爲天地間一種戾氣。薰蒸成毒。毒必有菌。或由皮膚接觸。或由口鼻呼吸。或由飲食混合。初由氣管達於血管。將氣血凝結。襲於淋巴腺上口總匯管之津門。津鬱成痰。阻滯氣機。內陷心包。淤塞血脈。其病最急。其死甚速。故名急性傳染。治不得法。頃刻即死。治之得法。須臾可生。時逸人中國傳染病學。爲近世治療之專書。恰合科學。可爲傳染病開一新紀元。至如劉松峯說疫全書。暨溫疫類編。吳又可溫疫論。隨霖萬羊毛瘟證論。過鑄治疔彙要。費養莊重訂痧疫指迷、包識生包氏醫宗第一集內科傳染病學。何廉臣溼溫時疫治療法。曹炳章瘟痧要略。鄭肖巖鼠疫良方。皆爲時行疫癘之專書。不可不一一徧讀。以會其通。

（戊）方論學　方論學者。闡明古方之運用。俾可臨床應用也。王慎軒古方新論。選取內經金匱千金外臺等要方。明白發闡。使學者能運用古方。不致落於時派。又將吳鞠堂評註三因方。王晉三古方選註。徐靈胎古方新解。宿彌永賴醫心方。雉間子炳類聚方集覽。尾臺逸士類聚方廣義。研究了解。出而臨證。徹底可無疑竇。

編者按葉天士本事方釋義。羅東逸三朝名醫方論。湯本求眞漢方醫學解說。均係方論之佳本。學者不可不讀也。

(己)醫案學　醫案者。所以記治病之成績也。何廉臣編全國名醫驗案類編。分四時六淫。八大傳染。用科學整理。無玄虛之弊。每案分別病者病名原因證候診斷療法處方效果八欄方式。學者取法乎此。以之立案處方。治病無遺憾矣。其次則爲王慎軒內科醫案。選輯古今一百餘家名醫之驗案。以案證精確。藥味切當者爲主。每案之後。均附按語。使學者易於了解。二書讀後。并將江篁南魏柳洲正續名醫類案。俞東扶古今醫案按。陸士諤編葉天士吳鞠通王孟英三家分類醫案。蕭琢如遯園醫案。秦伯未清代名醫醫案醫話精華等書。逐段研究。蓋每家醫案中。必有一生最得力處。細心尋味。去短取長。他日出而問世。方能運用隨心。

(庚)參證學　醫學一道。非精不能明其理。非博不能致其約。欲運用隨心。須廣資參證。王慎軒醫學摘要。采醫家應用之要言。爲臨診必需之祕書。他如徐洄溪醫學源流。吳鞠通重訂醫醫病書。葉選醫衡。凌曉五醫學薪傳。唐大烈吳醫彙講。陸定圃冷廬醫話。張杲俞弁正續醫說。李冠仙知醫必辨。莫枚士研經言。粟田淺田先哲醫話。魏玉橫柳洲醫話。王孟英潛齋醫話。尤在涇醫學讀書記。王肯堂醫鏡。蔣儀藥鏡。渡邊熙和漢醫學眞髓。王慎軒中醫新論彙編。陳也愚中國醫學史。謝利恒中國醫學大辭典等書。參考印證。應用自無窮矣。

編者按西醫生理學病理學診斷學等書。中醫亦宜參究之。和田啓十郎所著醫界之鐵錐。徐勤業所著中外病名對照錄。皆中西合參。亦足爲研究醫學之參考書也。

以上七門。皆屬內科學。範圍至廣。關係甚鉅。舉凡婦孺各科。因人身內部生理異常。而以藥物調和使之復原者。皆屬之。故進修專門科學者。必先以內科學始。如古所謂治經者。必兼治羣經。而後專治一經之理相同也。

講義

本社金匱講義（摘錄）（續）

凌九霻撰述
王志純校閱

肺痿肺癰篇

同一肺病。肺痿肺癰。虛實不同也。同一肺痿。寒痿熱痿。症治有別也。今先言肺痿。金匱論肺痿之因。起於津亡肺熱。而所以致此津亡肺熱者。則另有因焉。書曰「熱在上焦者。爲肺痿。」上焦肺所處。是肺受熱而痿也。又曰「肺痿之病。從何得之。師曰，或從汗出。或從嘔吐。或從消渴小便利數。或從便難。又被快藥下利。重亡津液。故得之。」是言肺痿肺熱津亡之因也。因雖不同。而汗出嘔吐消渴。小便數。均爲傷津刼液之病則一。大便難。腸中液少。腸無津潤也。復用快藥下利。下多亡陰。重亡津液。津液既亡。肺熱更熾。而肺痿之症成矣。肺痿之症。欬嗽。口渴。息張。口吐涎沫。舌光脈虛數。久則形瘦骨立。肢體痿軟。不利舉動。而成痿躄。致不能起床。則風消息賁而死。良由肺津已傷。肺熱內熾。肺氣上逆。則喘息欬嗽。舊論肺痿之症。緣於肺炎葉舉。豈真肺葉上舉。無非狀其上逆之勢耳。息張口者。呼吸急迫。而鼻管狹小。呼吸之氣不能從容出入。故必張口以代償。肺熱津傷。氣管乾澁。更加呼吸急促。而肺管受空氣之鼓煽。勢必更形燥棘。於是肺氣泡中之水分。趨向肺管。以資救濟。但肺管中任何物質。均不能留。偶一有之。亦必力排之於外而後已。故肺痿之症。涎沫因欬而吐出氣管。因吐而愈乾。肺氣泡之水盡量救濟。而涎沫欬吐不已。如此循環不息。及肺中之水分殆盡。則全部肺葉萎縮。故名肺痿。肺痿所吐涎沫。其色純白。不可拘於黃痰屬熱。白痰屬寒之成說。而認爲寒飲。細爲分辨。自然明晰。肺痿所吐乃涎沫。並非痰也。若已凝結成痰。

時間長久。斷無不黃之理。設若不黃。便是寒飲。今僅爲涎沫。可知其勢急迫。津液方從腺體分泌不及停留。便已上出。故肺痿之欬。必連續無斷時。其吐涎沫。亦必頻頻無休歇。極顯火性急迫之象。肺有熱則口渴。肺津竭則舌光。脈數爲熱。脈虛爲津液不足也。脈症相參。毫無疑義。即可照肺痿之法施治。金匱論肺痿。並未出方。疑有脫簡。惟清熱生津。肅肺降逆。當爲一定不移之治。麥門冬湯可以取用。喻氏清燥救肺。尤爲肺痿合方。投之得當。自可化險爲夷。若言寒痿。則症治又有不同矣。

原文「肺痿吐涎沫而不欬者。其人不渴。必遺尿小便數。所以然者。以上虛不能制下故也。此爲肺中冷。必眩。多涎唾。甘草乾薑湯溫之。若服此湯渴者。屬消渴。」本條乃寒痿之症治也。以其吐涎沫而不欬不渴。顯非肺炎葉擧之象。故名之曰寒痿。其實吐涎沫而不欬。其涎非從肺出。若從肺出。則無有不欬者。涎沫既非肺出。病竈自不在肺。病竈既不在肺。病名即不當冠之以肺。但以吐涎沫而謂之肺痿。可見古人於病名。殊疎略不足據。吐涎沫而不欬。乃胃寒之證。故以甘草乾薑湯溫之。而其尤不可解者。如云「遺尿。小便數。所以然者。以上虛不能制下故也。」遺尿數者。由於下體虛寒。膀胱括約肌麻痺弛緩。尿無約束所致。乃陽虛虛勞之見象。更與肺臟無關。舊云肺爲水之上源。故證候見於排泄器者。每每謂之肺病。如本文遺尿小便數而見寒象。故曰肺中冷。時或小便赤澀短少。即曰肺失治節。清肅之令不行。凡此似通非通之論。舊醫書中。往往見之。寒痿之症。有名無實。與暑病之陰暑無異。若循名以求病。則如鏡中照月。捫之杳然。且遺尿症而治以乾薑甘草溫胃生津之品。可乎不可。依余經驗言之。凡患遺溺尿意頻數者。服桂枝龍骨牡蠣。無有不應。考其藥效。亦不過斂之納之而已。寒痿之名。雖不若熱痿之名符其症。然其病等是虛也。若與肺癰較之。則虛實判然矣。

（未完）

本社方劑學講義

余澤霓編述

結言

國醫之特長。在方藥不在理論。以方藥爲古人經驗之結晶。而理論則爲累世穿鑿傅會之論。不合於近代科學也。然則取方藥而尋繹之。註疏之。一一整理之。亦安得已。是編於仲景諸方。一概不錄。因本校既有傷寒金匱兩科。則仲景方之精義。當無復有遺蘊矣。若再及之。誠恐雷同焉爾。惟囿於時間之缺乏。無充分之發揮。掛一漏萬。知所不免。修正補闕。俟諸異日。世有鴻達。有以教之。則幸甚。

發表之劑

發表劑者。發汗藥也。其性能感動皮膚。刺激汗腺。令發汗較平時更多。因人當無疾病時。亦有汗生。惟汗少故不覺耳。如飲酒或飲熱茶。能令其體溫暖。血液之循環加速。而輒易發汗。此最易見者也。夫人至有疾病而發熱時。當其始也。即我國醫所謂太陽病者近似。然此雖有傷寒中風風溫濕溫之區別。而大凡惡風惡寒之表症仍在者。當解其表。固無以殊。則或皮乾汗少。或汗雖出而不暢。是非服發表劑不爲功矣。蓋發表劑即能興奮汗腺。令發汗力增加。血行加速。將疾病所產生之毒素。排泄體外。而疾病遂得霍然一旦。或雖不能痊愈。亦暫得減輕其症狀。縮短其經過焉。若夫國醫之發表劑。但有異於西醫之發汗藥爾。何以言之。以西醫之發汗藥。其作用多爲單純者。國醫則不然也。或方藥之本身固有直接作用。刺激汗腺。令血行加速而發汗者。或僅藉溫湯之力以發汗。而自身祇能奏和緩腸胃之效者。或參入強壯興奮之藥於溫湯及發汗藥中。以佐助發汗。因或發生其他有益之作用者。凡此種種。以下均有論及。是以歸納國醫發表方法之名稱。有曰辛溫發表法。曰辛涼發表法。曰益氣發表法。曰助陽發表法。曰養血發表法。曰滋陰發表法等數種。倘可與其他方法相配用者。

亦甚夥。然則以與祇知單純發汗者。相較豈可同日而語哉。審如此也。則信乎國醫之發表劑。固至有愈疾之能力也已。

方　名　神朮湯（王海藏）

處　方　蒼朮（製）　防風（各二兩）　甘草（一兩炙）　加生薑葱白煎。

加減法　本方除蒼朮。加白朮二兩。薑三片。不用葱。名白朮湯。（按亦海藏製）　治前症有汗者。

主　治　三時外感寒邪。內傷生冷而發熱。及脾瀉腸風。

方　解　喻嘉言曰。此海藏得意之方。蓋不欲無識者輕以麻黃桂枝之熱傷人也。

柯琴曰。此是太陰之劑。可以理脾胃之風濕。而不可治太陽之風寒。亦不可以治陽明之表症。與少陽之半表半裏也。內經所謂春傷於風。邪氣留連而洞泄。至夏而飧泄腸澼者宜之。若冬傷於寒。至春溫病者。又非宜也。今人不知仲景立方之旨。只恐麻黃桂枝之傷人也。得此平和之劑。恃爲穩當。不知營衛不和。非調和脾胃者所可代。胃家之實者。非補虛之品所能投。肝膽之相火往來。少陰之水火相射者。不得以燥劑該攝也。先明藥之理。始得方之用。能知方。始可用方而不執方。若病在太陽。先發陽明之汗。是引賊破家。易老豈獨爲葛根道哉。

編者按張機書論朮。不辨蒼白。蓋古方本草。皆不分焉。不僅仲景然也。梁陶弘景。始言有兩種。乃各施用。嘗考後世本草及方書言蒼朮與白朮兩種功能。略不相同。大致蒼朮之功用。能發汗除濕燥胃。白朮之功用。能補脾和中。燥濕利小便。而粤稽傷寒論所載朮之功效。則如桂枝去桂加苓朮湯。附子甘草湯。五苓散等。以療小便不利者。如眞武湯理中丸等。以療嘔吐泄利者。如朮附湯等。以療風濕相搏者。如苓桂朮甘湯等。以療心下逆滿者。蓋朮之功用能利小便和中、散風濕也。然未嘗專用朮以發汗者。大抵朮之爲物。富有揮發油。用諸發表藥中。能助汗則有之爾。若云能直接發汗。殊非盡然。至白朮能補脾之說。大抵起於李東垣輩。蓋東垣爲醫。側重脾胃。因有補中益氣湯等方之製。後世遂謂白朮補脾矣。嗚呼、脾果能補哉。徵諸今日之解剖。覈以內經之說理。乃知古書所言之脾。實多指今日所謂小腸之功能。而非泰西今日解剖上所見之脾也明矣。審乎如此。則所謂補脾者。此類藥物。殆不過能興奮或恢復小腸之功能而已。然以補字爲言。循名責義。未免失實耳。準斯以論。白朮既曰補脾。其亦有上述之功能也可知矣。不但此也。白朮既能促進或恢復小腸之吸收。凡小腸吸收障礙而起之疾病。如腫滿等。皆可得已矣。如小便不利之證。亦以腸胃既得整調後。因得自趨速愈。或遂爾恢復生理之常態。抑由白朮更能刺激泌尿器。因得利小便之功效。均未可知。要之。蒼朮所含揮發油勝於白朮。整調腸胃之力。因亦倍於白朮。然刺激性頗重。故腸胃有炎症者。（古人所謂有熱有火）或有潰瘍者。不能多用。甚至絕不能用。（濕溫雖能用而不能多用。）古書有謂陰虛津傷。與非有濕者。則不堪用。甚是。又謂蒼朮性味辛烈頗堪信已。至柯韻伯謂此方不可治太陽之風寒。度亦以本品過嫌燥烈。恐投鼠忌器之故。誠哉言也。惟太陽風寒之兼濕化者。此乃的對之方。則又焉能束閣者耶。

（未完）

本社雜病講義（續）

張又良著

第二章 痞滿

（原因）痞者。痞塞也。滿者。滿悶也。皆爲胃病之一分證。考其原因。殊甚繁雜。歸納之。可分爲三大綱。一曰胃機能病。二曰胃器質病。三曰神經性胃病。茲述其大要如下。

(一)胃機能病　本症因胃肌或胃神經衰弱。不能行正規收縮運動（如胃擴張胃弛緩胃下垂）所致。故在解剖上無病理變化。其原因爲營養不良、妄服瀉藥、貧血、神經衰弱、及感受不良氣候等。

(二)胃器質病　本例之主要病症。爲胃潰瘍與胃炎二種。前者由於服食過熱物、腐蝕物、及胃循環障礙（如血塞、血栓、鬱血、動脈瘀變等）所致。後者有急性慢性二症。急性者。由於傷食、傷酒、吞食腐敗物、細菌、（如釀母菌乳酸菌鵝口瘡菌）毒烈藥、（如硫酸硝酸石炭酸昇汞等）刺激物、及繼急性傳染病（如傷寒產褥熱痘瘡等）而起。慢性胃炎之原因。又有特發性與續發性之不同。特發者。因飢飽無常、口腔不潔、常服瀉藥、及急性原因之持續作用於胃黏膜而致。續發者因萎黃病、梅毒、貧血、動脈硬化、澱粉變性。及因心肝肺腎而起之鬱血等所成。其他如幽門癌腫等。能妨礙食物入腸者。亦爲痞症之一因。

(三)神經性胃病　本病由於胃神經受腸、膽、生殖器病、及煩勞或情感等之影響。而失其正規之生理作用。於是其所司之胃臟。乃起機能障礙。或分泌異常而發痞症。

(證狀)心下滿悶。食慾不振。或噯氣泛噁。口膩苔厚。若延不治愈。則患者胃中食物。不得良好消化。發酵腐敗。產生毒素。吸入於血循環中。乃現頭目暈眩。精神不振。善鬱易怒等之自家中毒證。

(診斷)胃脘膨滿。隨飢飽而大小者。多屬胃弛緩。膨滿而不減。空腹時胃中尚有殘餘食物者。多屬胃擴張。胃炎則有嘔吐大量胃液之特證。胃潰瘍有疼痛嘔血之兼證。惟神經性胃病。頗難診別。但發作者爲間歇性。上述五證之區別。舉其大略而已。欲得精確之診斷。則須恃器械與化學之檢查。然國醫診病處方。以證狀原因爲標準。此種手續。似無採取之必要。（指近日國醫而言）茲略之。

（經過）多慢性。

（預後）胃癌胃腫不良胃潰瘍胃梅毒無定餘均良。

（治法）神經衰弱。營養不良貧血者宜四君子湯異功散。治中湯枳實理中丸。資生丸等。傷食者。宜保和丸。大和中丸。枳朮丸。枳實消痞丸等。飲涼而致者。宜和胃煎厚朴溫中湯等。情志抑鬱者。宜木香消痞丸。陳橘皮散。橘皮枳朮丸等。便祕者。宜小陷胸湯。瓜蔞實丸等。胸中作痛。痛有定處者。宜血鬱湯。暑月、熱渴滿悶者。宜三物香薷飲。消暑丸。雞蘇散等。上列各法乃雜症痞滿之治法。而頭暈身重苔白泛嘔者。宜平胃散。不換金正氣散等。傷寒五六日。嘔而發熱。柴胡證悉具。而以他藥下之。心下痞。但滿而不痛者。宜半夏瀉心湯。傷寒汗出解之後。胃中不和。心下痞硬。乾噫食臭。腹中雷鳴下利者。宜生薑瀉心湯。傷寒中風。醫反下之。其人下利。日數十行。穀不化。腹中雷鳴。心下痞硬而滿。乾嘔。心煩不得安。宜甘草瀉心湯。傷寒發汗後。復下之。或下之復發汗。心下痞者。宜大黃黃連瀉心湯。病如桂枝證。頭不痛。項不强。胸中痞硬。氣上衝咽喉。不得息者。宜瓜蒂散。太陽病。外證未除。而數下之。遂協熱而痢。痢下不止。心下痞硬。表裏不解者。宜桂枝人參湯。心下痞。而復惡寒汗出者。宜附子瀉心湯。心下痞硬滿。引脅下痛。乾嘔短氣。汗出不惡寒者。宜十棗湯。

按傷寒五六日嘔而發熱者以下係張仲景原文。雖爲救逆而設。實乃治痞之正法。故錄之。

附方

（30）四君子湯　人參　白朮　茯苓　甘草

(31)異功散　人參　茯苓　陳皮　白朮　甘草

(32)治中湯　人參　白朮　乾薑　大棗　青皮　陳皮

(33)枳實理中丸　人參　乾薑(炮)　白朮　枳實　炙草(各一兩)

右爲末。煉蜜丸。如鷄子黃大每服一丸。白湯下。或沸湯化下。(活人書有茯苓)

(34)資生湯　人參　白朮　陳皮　茯苓　神麴　厚樸　甘草　山藥　苡仁　查肉　黃連　扁豆　白蔻　蓮子

麥芽　芡實　桔梗　藿香　澤瀉　蜜丸

(35)保和丸　神麴　山査　茯苓　半夏　陳皮　連翹　萊菔子　麥芽

(36)大和中飲　山査　厚朴　枳實　半夏　陳皮　乾薑　澤瀉　木香　麥芽　砂仁

(37)枳朮丸　枳實(去穰麩炒黃色一兩)　白朮(去梗二兩)

右同爲細末。荷葉裹燒飯爲丸。如梧子大每服五十丸。不拘時。

(38)枳實消痞丸　枳實　黃連(各五錢)　乾生薑(一錢)　厚朴(製四錢)　人參　白朮　半夏麴　炙草(各三

錢)　茯苓(二錢)　大麥麴(二錢)

右爲末。飥餅糊丸。如梧子大每服五六十丸。

(39)和胃煎　厚樸　陳皮　生薑　甘草　(或加茯苓　半夏　丁香　木香　砂仁　藿香亦可)

(40)厚朴溫中湯　厚樸　陳皮　赤苓　炙草　木香　豆蔻　乾薑

(41)木香消痞丸　木香　紅花　乾薑(各五錢)　柴胡(四錢)　橘紅(三錢)　當歸尾(二錢)　半夏　炙草(各一兩)　爲米飪餅糊丸。如菉豆大每服七八十丸。

(42)陳橘皮散　橘紅　紫蘇　大腹皮(各一錢)　漢防己(五錢)　木香(五錢)　梹榔　木通　赤苓(各三分)

(43)橘皮枳朮丸　枳實　橘皮(各一兩)　白朮(二兩)

右爲細末荷葉燒飯爲丸。如梧子大每服五十丸。

(44)小陷胸湯　黃連　半夏　括蔞實

(45)瓜蔞實丸　瓜蔞實(別研)　枳殼(麸炒)　半夏(湯洗七次)　桔梗(各一兩炒)

右爲末薑汁打糊爲丸。如梧桐子大每服五十丸食後淡薑湯下。

血鬱湯　見十二

(46)三物香薷飲　香薷　厚樸　扁豆

(47)消暑丸　半夏　茯苓　甘草　薑汁糊丸

(48)鷄蘇散　滑石　甘草　薄荷

(49)平胃散　蒼朮　陳皮　厚朴　炙草

(50)不換金正氣散　半夏　藿香　蒼朮　厚朴　陳皮　甘草

(51)半夏瀉心湯　半夏　黃芩　乾薑　甘草　人參　黃連　大棗

(52)生薑瀉心湯　生薑　甘草　人參　乾薑　黃芩　半夏　黃連　大棗

(53)甘草瀉心湯　甘草　黃芩　乾薑　半夏　大棗　黃連

(54)大黃黃連瀉心湯　大黃(二兩)　黃連(一兩)

右剉以麻沸湯漬之。須臾絞去滓。分溫再服。

(55)瓜蒂散　瓜蒂(一分熬黃)　赤小豆(一分)

右二味。各別搗篩爲散已。合治之。取一錢匕。以香豉一合。用熱湯七合煑作稀糜。去滓取汁。和散頓服之。不吐者。少少加。得快吐乃止。諸亡血虛家。不可與瓜蒂散。

(56)桂枝人參湯　桂枝　甘草　白朮　人參　乾薑

(57)附子瀉心湯　大黃(二兩)　黃連　黃芩(各一兩)　附子(一枚炮去皮臍別取汁)

右剉以麻沸湯漬之。須臾絞去滓。內附子汁。分溫再服。

(58)十棗湯　芫花(熬)　甘遂　大戟　大棗

(未完)

本社藥物講義(續)

王愼軒著　長女景賢錄

罌子粟(藏器)

(異名)米囊子。(開寶)御米。(開寶)罌粟。(和漢)罌蓿。(和漢)鶯粟。(和漢)米殼。(原始)

(按)李時珍曰。其實如罌子。其米如粟。而可以供御。故有諸名。其子及殼俱入藥。近世處方多用罌粟殼。

(產地)舊不著所出州土。今處處有之。圖經 南部歐羅原產。植物辭典

(形態)穀類。開寶 罌粟科罌粟屬。植物辭典 二年生草。高三四尺。葉爲長橢圓形。邊緣有鋸齒。平滑無柄。抱莖淡綠色。五月開花。大而美麗。有紅深紅紅邊紫黑等色。花瓣凡四萼二片。多雄蕊。雌蕊如壺狀。實爲乾果。亦如壺狀。醫學辭典 實爲蒴果。狀如瓶。可榨油入藥用。及作油畫。嫩葉可作蔬。實未熟時。中有漿。爲製鴉片之原料。故今禁種之。植物學講義 其殼生者色綠。乾則變灰綠或茶褐。外面有突出之縱紋十條至十五條。內亦相同。入藥多用果皮已傷阿片已盡之餘殼。間取成熟之蒴果。除去種子用之。其子爲黃白色或藍色之小種子。其形似腎臟。外皮有薄網之皺紋。其一面廣凹。胎芽彎曲作馬蹄形。和漢

(成分)殼與阿片含相同之成分。但不多耳。子含脂肪油四十八至五十%。嗎啡〇•〇六%。和漢 雅片的成分是含有嗎啡(Morphin)可丁。(Codein)納爾可汀。(Narcotin)拍拍法林(Papaverin)等。罌粟殼和罌粟子中。也含有少量的嗎啡。日用新本草

(性味)甘平無毒。政和 酸濇微寒。求眞 濇溫微毒。本經逢原 性質平。味酸濇。中國實用藥物學 新鮮者有麻醉性之臭氣。殼味苦。子味甘。似油。和漢 呈弱酸性反應。味苦氣香。新中藥

(按)各家本草論本品之性味。多不相同。莫衷一是。然余嘗其味。殼苦而濇。子甘而濇。是則前人所謂甘者。指其子也。所謂苦者。指其殼也。此可斷定矣。至若其性究屬溫乎寒乎。考圖經本草。以本品主治丹石發動。合竹瀝作粥。大佳。然性寒。利大小腸。不宜多食。食過度則動膀胱氣耳。乃知後世各家主性寒者。蓋本於此。殊不知圖經所謂性寒者。乃指竹瀝而言。合竹瀝則性寒。不合竹瀝則性不寒。何以故耶。圖經非不云主行風氣。治反胃胸中痰痞乎。夫行風氣。及行痰

殭之藥。宜溫性而不宜寒性。今一則曰主行風氣。治反胃胸中痰殭。一則曰性寒。决不致矛盾如斯者也。然則罌粟之性。不屬寒而屬溫者。亦可斷定矣。

〔功效〕〔綱〔一〕〕止嗽。〔目〕斂肺治虛嗽。（會約醫鏡）治久嗽。斂肺氣。（本草原始）入手太陰肺。斂肺止嗽。（醫學摘粹）治嗽多用粟殼。不必疑。但要先去病根。（丹溪）有鎮咳之作用。（新本草教本）可丁有鎮欬的作用。故殼和子可治瘵咳嗽。尤其是治瘵喘息。和肺結核的咳嗽。很有功效。用爲袪痰藥。（日用新本草）

〔按〕本品所以能奏止嗽定喘之效。不外本品含有嗎啡、可丁、及拍拍法林等數種成分之故。因嗎啡入於人身。能麻醉大腦。且有鎮靜呼吸中樞之力。（卽對於咳嗽及呼吸困難之作用。得以鎮靜之。）使呼吸中樞。對於異常刺激之感受性。得以減低。如有欬嗽等刺激。遂可消失焉。可丁者。嗎啡之甲完鹽也。（Metnylester）麻醉與鎮痛之效。雖不及嗎啡。而對於呼吸中樞之鎮靜。殆不遜於嗎啡。故藥理學謂如係鎮欬之目的。用嗎啡不如用可丁爲佳。良有以也。拍拍法林者。係噎素切奴林 Isochinolin 之誘導體。麻醉作用頗微弱。但其弛緩滑平筋纖維之作用。殆甚顯著。故用於氣管枝筋痙攣等時。能使滑平筋弛緩。而氣喘咳嗽等症。遂得平息。此本品能止咳定喘之原理也。但本品含有嗎啡。用於鎮咳之時。必須氣管枝分泌物稠粘而量少。有不斷之咳嗽刺激時。始克用之。若氣管枝分泌旺盛時。此種咳嗽係生理之動作。爲咯出其分泌物而咳者。概不可妄用此藥。否則反將其多量分泌液貯留於氣道內。而莫能排出。必致妨其呼吸。增其病勢。不可不慎也。又據西籍記載。肺結核等咯血之時。嗎啡爲不可或缺之藥。蓋可藉此而精神平穩。欬嗽暫止。使呼吸器安靜。而促血栓之搆成。得以止血也。據此則罌粟殼。亦得用於肺結核咯血之欬嗽。爲吾輩所當知也。

〔綱二〕止嘔〔目〕治反胃胸中痰滯。本經逢原 治丹石發動不下飲食和竹瀝煮作粥食極美。開寶 能治胃粘膜炎。新中藥

〔按〕此藥用於因胃黏膜炎之反射與刺激而起之嘔吐。確有特效。蓋嗎啡等有麻痺胃部知覺感受性之能力故能止嘔也。但用少量則佳。多用則反使證狀增惡。但據余之經驗。有服鴉片而吐者。其例數見不鮮。推究其故。則以嗎啡能閉鎖幽門瓣與亢進胃之蠕動故也。

〔綱三〕定痛〔目〕治筋骨諸痛。會約醫鏡 治心腹筋骨諸痛。本草從新 行風氣。唐本草 有鎮痛之作用。新本草教本 嗎啡有鎮痛的作用。故罌粟殼和子。可治瘀腸痛和關節痛。日用本草 新用為鎮痰藥。和漢

〔按〕本品內含嗎啡及拍拍法林。嗎啡者麻醉劑也。拍拍法林者弛緩劑也。本品定痛之作用。即賴此二物耳。因嗎啡能麻醉介大腦皮質。俾知覺刺激之感受性木然不靈。而痛感遂可消失。故嗎啡可以治一切疼痛也。拍拍法林治寒疝痛最佳。以其能除去疝痛原因之平滑筋纖維痙攣(弛緩作用)故也。若以治膽石疝痛。腎石疝痛。則不但能使輸膽管輸尿管弛張。且能將膽石腎石排泄體外。而奏根本治癒之功也。

〔綱四〕濇精〔目〕澀精固氣。能入腎故治骨病尤宜。東垣 主祕精。醫學摘粹 治遺精。日獨

〔按〕遺精一症。其原因雖多。但交感神經頻起虛性興奮實為其最大原因之一。蓋如交感神經頻起虛性興奮者。人當睡時。其陽物必時勃起。因而射精管之神經。常易興奮。則為遺精之病矣。本藥內之嗎啡。能麻痺交感神經系之中樞。此其所以能濇精歟。

〔綱五〕止瀉痢。〔目〕止瀉痢。固脫肛。澀腸。（日觀）固腸。治久瀉脫肛。（會約醫鏡）止下痢。肺虛大腸滑者宜之。（本經逢原）入手陽明大腸。固腸。（醫學摘粹）粟殼治痢。人皆薄之固矣。然下痢日久。腹中無積痛。當止澀者。豈容不澀。不有此劑。可以對治乎。但要有輔佐耳。（楊氏直指方）粟殼治痢如神。但性緊澀。多令嘔吐。故人畏而不敢服。若用醋制。加以烏梅。則用得法矣。或與四君子湯同用。尤不致閉胃妨食而獲奇功也。（王碩易簡方）有止瀉之作用。（新本草教本）能治腸結核。（新中藥）爲腸加答兒、赤痢之收斂劑。（漢藥實驗談）嗎啡和可丁。全有止瀉的作用。故可治療腸加答兒和下痢。（日用新本草）

〔按〕罌粟之止瀉。蓋亦嗎啡之功耳。誠以嗎啡能鎮靜腸蠕動。使腸粘膜得以安靜。故患急性腸粘膜炎。及腸蠕動亢進而瀉利者。服此可以治愈也。觀乎健康之人。用鴉片或嗎啡。則起便祕。即可證也。蓋腸壁本有一定之求心性神經機關。主感受由腸內腔而來之刺激。而傳諸腸壁之自働中樞。即奧爲巴喀神經叢。(Plexus Auerbachii) 使之起運動。而嗎啡能使奧爲巴喀神經叢之知覺感受麻痺。減少其應接外來之刺感。是以腸之蠕動。因此得以減弱也。此外又有使胃幽門瓣及迴盲瓣閉鎖之力。有減少膵液腸液之分泌作用。此皆本品止瀉之原因也。且據藥理學記載。止瀉等用嗎啡。其力不大。必佐以可丁拍拍法林。其力始宏。本品既含嗎啡。又含可丁拍拍法林。是以善于止瀉也。且用本品以安靜腸之蠕動。尤可治腹膜炎。盲腸炎。腸出血。及腸穿孔等症。又如鉛毒性疝痛。因腸筋痙攣而致便祕者。以本品麻醉之。去其痙攣。能使大便通行。則又有間接通便之功。不可不知也。且凡瀉痢過久。輒易脫肛。此品既能止瀉痢。又有收縮性。故又能固脫肛也。

〔綱六〕治多溺。〔目〕治多溺。（本草從新）並療多溺。（中國實用藏藥學）

〔按〕本品之治多溺。亦由於嗎啡之作用。蓋嗎啡能使尿道括約筋起痙攣性之收縮。又能麻痺交感神經。減少其尿液之分泌。故可治多溺。但不可用多量。若用多量。恐其尿道括約筋之痙攣性收縮太過。變爲尿閉之尿意頻數症也。

（禁忌）風寒作嗽。瀉痢初起者。勿用。（會約醫鏡）有火邪者。誤用殺人如劍。戒之。（本經逢原）酸收太緊。令人嘔逆。醋製而與參朮同行。可無妨食之害。且兜積滯。反成痼疾。瀉痢初起。及風寒作嗽忌用。（本草從新）此是收後藥。要先除病根。（丹溪）

〔按〕因蓄便之刺激而腹痛者。或因不消化之食物起異常醱酵而下痢者。均宜用下劑排去腸內之容積物。慎勿誤用本品。又本品之止痛。多係取效於一時。能建除根之功者甚少。用時不可不知。

（用法）凡用以水洗潤。去蒂及筋膜。取外薄皮。陰乾。細切。以米醋拌炒入藥。亦有蜜炒蜜炙者。（綱目）蜜炙止嗽。醋炙止痢。（逢原）罌粟子生用或炙用。罌粟殼去杜頭及花梗。水浸。劙去殼內皮之筋紋。塗蜜焙。或醋煮。取出。晒乾焙用。（和漢藥攷）採取初熟的果實。攤在新聞紙上。放在日光下曝晒。該果實便自然裂開。放出其中的種子。更用棒打擊該果實的上部。使其中的種子完全出來。然後再使他十分乾燥。照着這樣得着的罌粟殼。可治療腹痛和欬嗽。又把罌粟殼做成粉末使用也好。（日用新本草）

（用量）罌粟殼之用量。輕量八分至一錢。中量一錢至二錢。重量二錢至三錢。罌粟子宜減半用之。

（附錄）（一）罌粟花可供玩賞（遊默齋花譜）江東人呼千葉者。爲麗春花。或謂是罌粟別種。蓋亦不然。其花變態。本自不常。有白者、紅者、紫者、粉紅者、杏黃者、半紅者、半紫者、半白者。豔麗可愛。故曰麗春。又曰賽牡丹。曰錦被花。可供玩賞。（二）罌粟殼治久嗽不止之驗方（危氏）久嗽不止。用粟殼去筋。蜜炙。爲末。每服五分。蜜湯下。甚效。（三）罌粟殼治久痢不止之驗方（集要）用粟殼蜜炙。厚朴薑製。各四兩。爲細末。每服一錢。米飲下。忌生冷。（四）罌粟殼治水泄不止之驗方（經驗）罌粟殼一枚。去蒂膜。烏梅肉大棗肉各十枚。水一盞。煎七分。溫服。（五）鴉片之中毒（嗎啡毒物）鴉片之中毒。可云嗎啡中毒所致。鴉片及嗎啡在藥用上應用極廣。中毒之來源。或由於誤服多量藥劑所致。或由於謀殺自殺。吾國吸鴉片者。養成習慣。以致慢性中毒。形成病夫。其致死量與年齡之大小有關。大概幼童爲易中毒。純粹嗎啡。爲白色粉末。然亦有爲白色絲狀針體者。易溶解於酒精稀酸溶液及鹼溶液。其所成之酒精溶液有左旋(Leavorotary)性。生理作用。以其能影響神經系。且使心臟惡化而瘋癱。據邁尼曾(Meihnizen)氏研究。謂嗎啡又能增腸之運動。所起病徵。急性者通常可分爲三期。(1)興奮期。於中毒後。二三十分鐘後。即覺脈搏快速。瞳孔收縮。面色漲紫。再進而爲(2)麻醉期。至此期病者嗜睡。脈搏及呼吸遲緩。關節發紅。頭面尚覺漲紫。再深而入(3)昏迷期。病者至此時不能喚搖使醒。呼吸響且鼾。面色灰白。皮膚冷而蒙粘汗。瞳孔逐漸放大。卒至於痙攣而死。慢性中毒者。無論食嗎啡或鴉片。皆屬之。結果思想力減退。不耐工作。食慾減退。面色淡白。手指顫抖。失眠及神經病痛等。（六）鴉片解毒法（嗎啡毒物）對於鴉片嗜好者。最好設法每日逐漸減少服量。久之完全戒淨。對急性者。速將胃中毒質抽淨洗淨。飲以咖啡茶少許。過錳酸鉀能將遺留之嗎啡分解。故有用爲解毒劑者。但此皆不能與已吸之毒物起作用。據麥累(W.J C.Merry)氏謂氮氣之吸入。對於解救鴉片中毒頗奏效。此外宜使病者散步。搖動之。且不時嗅以阿摩尼亞氣。使病者不致垂睡。（七）戒鴉片之簡便方（鄒春風）用食鹽五分至一錢。每逢吸烟時。先備熱水一杯。入帶殼鮮雞蛋一枚。候吸完。將蛋破一洞。納入食鹽。乘熱服下。因曾試以鴉片一斤或數斤。投入食鹽數錢。即起化學作用。盡變爲廢料。故能戒烟云。

（未完）

蘇州國醫學社

附設國醫診療所

聘請各科醫師送診給藥

◉宗旨
普濟貧民之疾苦
供給學生之實習

◉醫師
由國醫學社常駐教員兼任之

◉科目
內科　外科　女科　兒科

◉時間
門診　上午十時以前
出診　下午三時以後

◉號金
門診　號金一角
出診　車金八角

◉地址
蘇州閶門內穿珠巷八十四號

◉電話
第一萬零五百六十三號

中華民國二十三年秋季出版

蘇州國醫雜誌第三期

編輯者　蘇州國醫學社　閶門穿珠巷八十四號　電話第一〇五六三號

發行者　蘇州國醫書社　閶門吳趨坊一三七號　電話第五百六十三號

印刷者　蘇州文新印書館　閶門西中市四十六號　電話第八百九十一號

蘇州國醫雜誌價目表

期數	價目	寄費
每季一期	另售一角五分	寄費一分
每年四期	預定大洋六角	寄費在內

蘇州國醫書社新出醫書目錄

外埠函購 郵票代洋 九五折算 寄費加一

中醫新論彙編 全國名醫著 全書四厚冊 王慎軒主編 實價銀五元

本草再新 葉天士著 每部實價 王慎軒校 一元二角

曾女士醫學全書 曾伯淵著 全書一冊 王慎軒訂 實價八角

漢譯診病奇侅 丹波元簡著 全書一厚冊 王慎軒重訂 實價銀一元

拯瘼軒醫學就正錄 周禹錫著 一大厚冊 王慎軒著 實價一元

傷寒時方歌訣評註 俞根初著 每部實價 周越銘編 一元二角

傷寒直解辨證歌 薛公望著 全書一冊 王慎軒校 實價四角

溫病指南 王馥原著 每部實價 王慎軒訂 大洋四角

診餘舉隅錄 陳菊生著 全書一冊 王慎軒校 實價六角

曹穎甫先生醫案 王慎軒記 全書一冊 王南山編 實價二角

女科醫學實驗錄 王慎軒著 全書四冊 諸門人輯 實價一元

再版胎產病理學 王慎軒著 一大厚冊 諸門人校 實價一元

女科指南 戴武承著 全書一冊 王慎軒訂 實價八角

新批女科歌訣 邵步青著 全書一冊 王慎軒批 實價四角

婦女病經歷談 祝懷萱著 全書一冊 顧志道校 實價一角

幼科指南家傳秘方 羅田萬密齋著 每部實價一元

家庭必備食治秘方 尤生洲著 每部一冊 王南山校 實價一角

家庭育嬰法 沈酒德女士著 每部實價一角

家庭實用良方 王景賢女士編 每部實價六角

家庭醫藥常識 王寶燦編 每期八分 每季一期 每年三角

家庭醫藥常識第一年彙編 王慎軒編 實價三角

婦女醫學雜誌彙編 王慎軒編 每部實價 諸門人作 一元五角

（總發行所） 蘇州閶門內吳趨坊一三七號 蘇州國醫書社

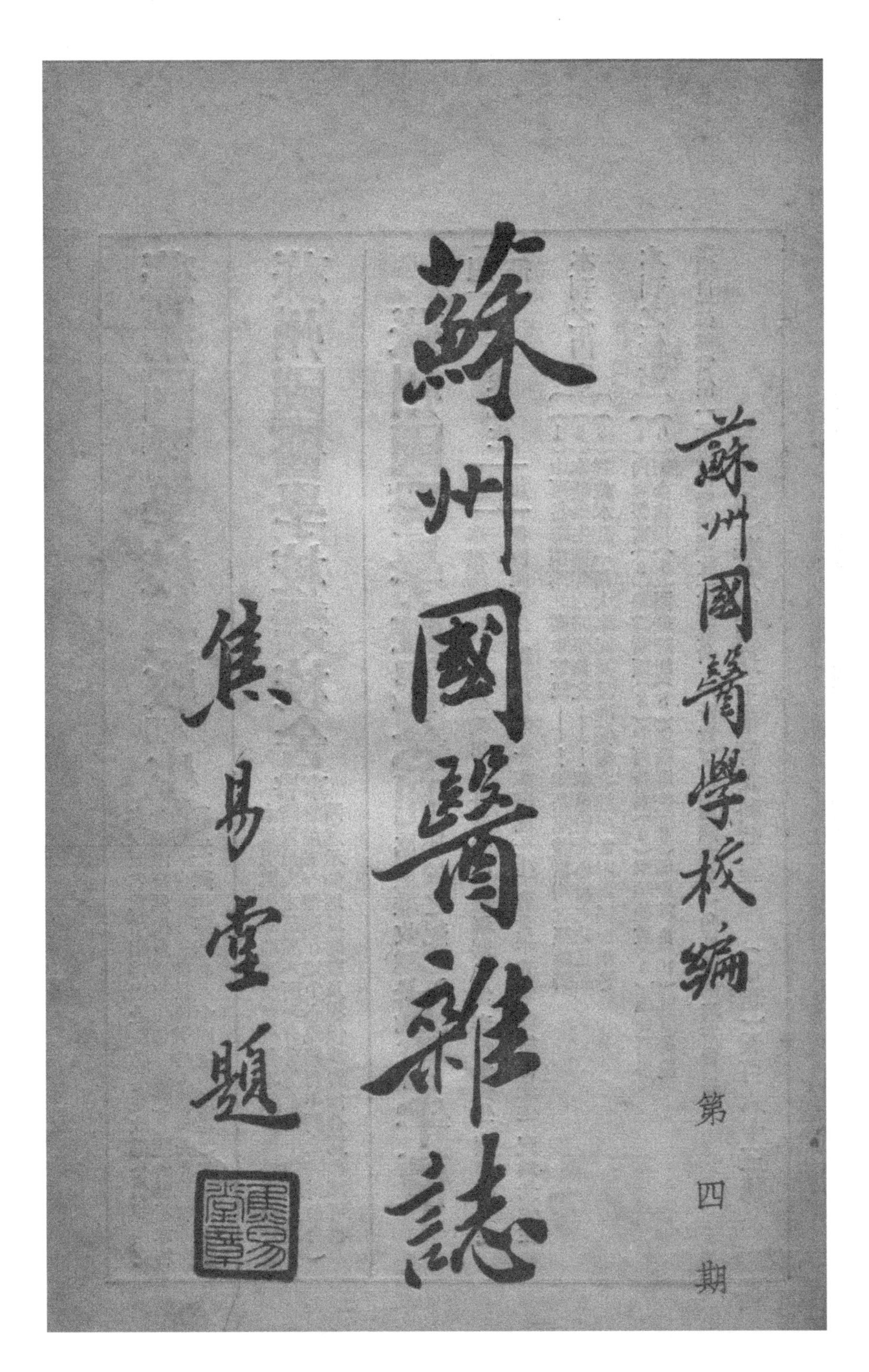
蘇州國醫雜誌
蘇州國醫學校編
第四期
焦易堂題

蘇州國醫學校招收男女生

本校原名蘇州國醫學社現已呈准改稱今名並擴充學額添招新生及插班生即日起隨到隨考函索章程即寄

校長唐慎坊　副校長王慎軒

(校址)蘇州穿珠巷八十四號　(電話)二三六七號

蘇州國醫學校購買租賃校舍啓事

本校現因學生增多原有校舍不敷應用現擬租賃或購買較大之房屋一所如有房屋在四十間以上並有空地者(地點在城中心或閶胥平門之間爲最合)請先示知地址間數及租價或賣價合則面議可也

蘇州國醫學社紀念刊爲呈准改稱學校之紀念減售半價

【題簽】章太炎先生

【題詞】李根源先生　鄒敦公先生　戚升淮先生　嚴獨鶴先生　秦伯未先生　黃星樓先生　費仲深先生　謝利恆先生　惲鐵樵先生　曹貴孚先生　張贊臣先生　祝爲先先生

本刊之內容
(1)中西名醫演講之醫學筆記——都是臨證實用之經驗談
(2)本社學生撰作之醫學論文——都是研究心得之結晶品
(3)詳載本社一切大事記及呈准備案之經過並附章程規則等

本刊之優點
(1)內容豐富(2)學說新穎(3)中西合參(4)學驗並重(5)適合科學
(6)切合實用(7)闡發詳明(8)選輯嚴密(9)印刷精良(10)裝訂美麗

【價目】每部實價一元現售特價祇收大洋五角　【寄費】外埠函購寄費一角外國函購寄費三角

(發售處)蘇州吳趨坊王慎軒女科醫室　(電話)五百六十三號

蘇州國醫雜誌第四期目錄

譯著

漢醫要訣(續) 大塚敬節著、唐愼坊譯

神經衰弱的灸治療法 中山忠直著 徐觀濤譯

講壇

張贊臣先生演講錄 周自强記

朱振聲先生演講錄 周自强記

言論

醫學與民族之關係及中西醫應有之覺悟 徐觀濤

論中國醫業 顧允士

內科

近世內科國醫處方集(痎咳病) 葉橘泉

神經系病 富晚香

百日咳之研究 楊夢麒

女科

痛經 張又良

白帶之病理 嚴襄平

兒科

關於痧子 潘國賢

急慢驚風與太陽病症之研討 陸自量

藥物

藥物實驗錄(續) 周禹錫

失血應用三七之標準 張鑑青

醫案

馬培之先生內科醫案(續) 王愼軒編 馮長楷錄

丁甘仁先生內科醫案(續) 王愼軒編 馮長楷錄

曹穎甫先生內科醫案(續) 王愼軒記 王甯山編

蘇州國醫雜誌　目錄　二

黄體仁先生女科醫案(續)　王慎軒編　朱彩霞錄
王慎軒先生女科醫案(續)　王南山編　王景賢錄

筆記

驗方瑣記(四)　唐慎坊
女科奇病治驗錄(一)　王慎軒

雜俎

修正江蘇省管理中醫暫行規則　沈仲圭
冬令之食補品
催眠術之研究　陳丹華

講義

本校舌苦講義(續)　王志純
本校藥物講義(續)　王慎軒

謝利恒審定　陸淵雷校閱
宋元明清名醫類案
徐衡之　章次公　姚若琴合編
發售特價
精裝兩厚册定價六元八角特價三元九角半
平裝六厚册定價五元六角特價三元三角半
外埠寄費三角
代售處蘇州國醫書社(蘇州吳趨坊一三七號)

譯著

漢醫要訣（二續）

大塚敬節原著
唐愼坊譯

第二編　診候學

第一章　診察之大要

漢醫之診察。用望聞問切四種方法。故又稱四診。

望　望者、望而見之也。故望診爲依視覺而診察之方法。依此可望知病人之顏色營養之狀態。皮膚爪甲之色。毛髮之狀態。排泄物之淸濁及其色。舌之乾溼、舌苔之有無及其色。此卽視診也。

聞　聞者、聞而知之也。依此可聞知病人之音聲。咳嗽之性狀。喘鳴、譫語、鄭聲、妄語、噴嚏、呃逆、噯氣、振水音、腹中雷鳴等。而膿汁帶下大便等之香臭。嗅而知之。亦可謂之聞也。

問　問者、問而知之也。因與病人之問答。而知其遺傳的關係。既往症。及自覺的症狀。如疼痛、煩悶、不眠、嗜臥、痲痺、發熱、惡寒。食思之有無。月經之調否。大便之次數軟硬。小便之利與不利。淋濁帶下之有無。並其日常生活及嗜好等。莫不可由問而得焉。

切　切者、以指按之也。故切脈意卽診脈。然有人區別切與按。以爲切者切脈。按者按腹。按腹卽腹診也。但按與切同一意義、若以按腹稱按。遂謂四診之外。別有按法。則爲不當。蓋腹診必兼望聞問切四者而行之。始爲完備耳。

第二章　脈診法及脈象

脈診法

關於脈診法。自古各異其說。而其診脈之部位亦多。若一一詳細說明。不獨繁冗。而且有使其原來之目的曖昧之慮。無補實際。無益臨床。故略而不論。茲述普通脈診法如左。

漢醫學通例。以寸口關上尺中三部位爲診脈之處。所謂關上者。橈骨結節之內側。醫生先置中指於病人左右手之關上。次用食指及無名指排接而下、無名指所在。卽尺中也。若病人身材高者。各指排列稍疎。身材低者。排列稍密。若係乳兒。僅用一指可已。

脈診之目的。約言之、則欲知病人之陰陽虛實而已。故脈雖分類附以各種名稱。而診脈之要。不必拘執。只以爲判別陰陽虛實之手段可矣。

脈診之際。醫生精神貫注。調勻呼吸。中指食指無名指交互重按。或輕按。或尋索。尋索者、卽不輕不重宛轉以探取之也。

脈象

脈因性狀而分浮、沈、遲、數、虛、實、細、大、洪、芤、弱、微、結、緊、散、等。及其他各種分類。此等命名。以斷陰陽虛實。因欲判定其證。在便宜上設此分類。故不可爲此分類所拘束。而忘却原來之主旨。以致陷於枝葉末節之議論。誠宜注意及之也。

蓋脈象者。因手指之感觸而判別。故說明脈象。固必須將感觸之程度表現如眞。然又畢竟非語言文字所能形容。本章不過略述基本主要脈象之大概而已。栗園醫訓云。脈學先以浮沈爲經。以緩緊遲數滑濇爲緯。而研究其疾病之進退。血氣之旺衰。其餘脈義漸漸應手而得。此其祕訣也。

浮　浮脈者。浮於上而動於表面之脈也。指端所觸。輕按卽得。重壓其指。與指同沈。稍緩其指。隨指而上。此種脈象。大抵病毒在表。卽太陽病也。

沈　沈脈者。沈於下而有力之脈也。輕按則其上若無。重按則在下有力。此種脈象。大抵病毒在裏也。

數　數脈者。脈來之次數多也。在成人一分鐘九十至以上。乃爲數脈。數脈多見于發熱之時。而虛弱證有時亦見之。蓋數脈以至數言。不以形狀言。在實際臨床上。有滑數細數洪數等名。

遲　遲脈者。亦非指形狀而言。乃以至數爲標準。卽在生理的脈至之數以下也。故臨床上、不僅言遲。幷有沈遲、遲弱、等名。沈遲之脈。在陽實證者爲多。若遲弱之脈。則多見於虛弱證也。

伏　伏脈者。伏而不顯。潛伏於骨。重按漸得。故非反覆鄭重而診察之。則有誤爲絕脈者。蓋在暴發病時。其體內充斥之邪毒。未遑透出於體外。致現此脈。可從其證而汗、而吐、而下。擇用其一。速除其病毒。脈乃回復其常態。此脈伏而難顯。所以異於微小欲絕之脈者。以其有底力耳。故若誤認此伏脈爲微脈。而投以大熱劑。如通脈四逆湯者。其死可立而待也。

芤　芤脈者。失血或精氣虛乏之徵象。如置指於葱管切口。覺其中空也。

弱　弱脈者。病後如腸窒扶斯回復期等易見之脈。重按絕無。輕按則得。蓋軟弱而無力者也。

洪 洪脈者。幅員廣大。指端滿觸之脈。洪者、有熱之象。故浮而洪。則表有熱。沈而洪。則裏有熱也。

滑 滑脈者。圓轉滑利。指端如有轉丸。來去流滑之脈。滑脈多現於有熱之際。有滑數洪數等名。

弦 弦脈者。如弓弦之勁細。此脈代表少陽證。病邪在半表半裏也。

緊 緊脈者。緊密緊束之脈。對於散而言。浮緊、為表實之象。沈緊、乃水毒充滿於裏之象也。

濇 濇脈者。與滑脈相反。濇滯而不流利也。

微 微脈者。微小將絕之脈。精氣既竭。隱示其死期將近也。

實 實脈者。對於虛脈而言。毋論重按輕按。均有迢迢而長動之力。此脈所謂實證之徵象也。

以上解說基本之脈象。猶有二三脈診上宜注意之要項。引用先哲舊說如左。

脈應求神之有無。

(診家樞要)東垣云。無病之脈。不求其神而神無不在。而有病之脈。則當求其神之有無。

【註】脈有神者。脈有生意也。脈無神者。精神已亡而無生意也。

脈沈弦者下重。

(方輿輗)論曰。脈沈弦者下重。是沈弦者有積於內之候也。夫下利者。脈宜微弱。今見沈弦。由於病毒積滯耳。

【註】下重者、裏急後重之意。裏急後重者。病邪猶滯腹內之左證。

脈大者病進。

（方輿輗）脈大者。病進之脈也。腹痛始終不止者難治。

【註】此條就下痢病而言。

腹中痛、脈洪大者有蚘蟲。

（金匱要略）腹中痛。其脈當沈若弦。反洪大。故有蚘蟲。

【註】後藤艮山氏曰。凡有痛者脈多緊弦。今反洪大。因有蚘蟲耳。

無爲脈所眩惑。

（勿誤堂一夕話）無爲脈所眩惑。如投大柴胡湯而得下者。內熱解。心下和。六脈反流利而有力。

【註】本條說明不可拘泥於脈象也。脈弦細或細弱。看似小柴胡湯之脈象。不必與小柴胡湯。間有參照他證而與以大柴胡湯者。與之而下利。脈反有力。

水病脈出者死。

（金匱要略）水病脈出者死。

【註】水病者。水腫病也。惠美甯固氏云。譬如溺於水者。有生氣必沈。既死必浮。其元氣衰者。脈自沈微。故水病之脈滑浮者凶。沈實者吉。

瘀血之脈象。

（皇漢醫學）（上略）凡瘀血增劇至某一定度以上時。阻礙血流。其脈必現血液不流行之象。可以此爲結論焉。然此惟陽實性而高度之脈狀爲然。非可一概而論也。又此脈狀必現於左脈。無見於右脈者。是余多年之經驗也。

四肢歷節痛。脈沈者有留飲。

（金匱要略）四肢歷節痛。脈沈者。有留飲。

【註】四肢歷節痛者。僂麻質斯及其他如關節炎四肢痛之病也。故本條四肢歷節痛而脈沈者。水毒停滯於胃之證據也。

脈數而滑者有宿食。

（金匱要略）脈數而滑者、實也此有宿食。下之愈。宜大承氣湯。

【註】實者、實證之意。

第三章　腹診法及腹證

腹診法之大要

漢醫學之腹診法與西醫之目的異。非以定臟器位置而探索該部之腫脹疼痛及腫瘤爲唯一之目的。乃以斷病人之陰陽虛實。以爲根據而診定其證爲目的也。

腹診之際。先使病人仰臥。伸其兩足。醫生位於其左側。使呼吸如平時。而探究之。最初醫生精密觀察病人之胸腹部。知該部之膨隆陷沒之程度。發赤腫脹之部位。腫瘤蠕動亢進之狀。發疹青筋及呼吸之狀態等。其次醫生用手掌輕按胸腹部。

察知該部皮膚之乾燥程度。寒熱之狀態。及抵抗感觸如何。同時在心下部及臍下部。視其動悸之强弱。以上既畢。再次則辨其心下痞鞕。胸脅苦滿。腹皮攣急。（直筋攣急）瘀血之腹證。胃內停水之有無。宿便、妊娠、子宮等。同時可知其臟器之下垂。腹水之有無。腫大及疼痛所在部位焉。心下痞鞕、胸脅苦滿、腹直筋攣急、及瘀血之腹診等法。詳述於左。

心下痞　心下痞鞕

心下痞之痞。與否通。俗云胸悶。卽此心下痞之義。雖爲自覺之證候。但亦可由他覺而診得之。心下痞者。心下部柔軟而抵抗弱。不若心下痞鞕者。其心下部有堅鞕之感覺。心下痞鞕者。心下堅鞕而壓痛。同時亦有痞之狀。然心下痞鞕有浮於腹表者。有沈於腹底者。其程度有强弱也。故診察者。須鄭重而精密焉。

胸脅苦滿

胸脅苦滿。在自覺的。謂胸脅部充滿而苦悶。在他覺的。謂肋骨弓下有抵抗及壓痛。此苦滿有左右兩側同一程度者。有左側强而右側弱者。有右側强而左側弱者。其程度及狀態有種種不同。

然則胸脅苦滿。如何探察。可用以下二法。其一卽除去拇指。用其餘四指頭抵脅下肋骨之端。藉知該部之抵抗壓痛之法。其二卽除去拇指。用其餘四指緊貼於胸廓。以拇指頭從肋骨弓下。沿前胸壁裏面向胸腔而壓上。使之移動。藉知該部之抵抗壓痛之法。然余日常診察時。每用後法。不用前法。

腹皮攣急（腹直筋攣急）

古書所謂腹皮攣急者。指腹直筋之攣急而言。此攣急鮮有左右同一程度者。或强於左。或强於右。是爲常例。左側强者。其病多基因於瘀血右側强者。其病多基因於水毒食毒。但其理由至今不明。

然則此腹直筋攣急之有無。何以知之。先使病人仰臥。在臍之兩側。左右腹直筋之上。醫生同時置兩手拇指頭。按之於左右方向。比較而檢查此腹直筋攣急之有無。同時亦可暗示其他筋骨攣急之有無也。

瘀血之腹證

瘀血之腹證。現於下腹部者。已如上述。故察腹診而觸知此部有抵抗及壓痛之腫瘤或索物狀。確定其非寄生蟲、宿便、妊娠、子宮者。皆瘀血之腹證也。參照其所在之部位及形狀。壓痛之緩急。並外證、脈象、舌苔等。而斷定其瘀血爲陽證。爲陰證。爲新鮮。爲陳久。因證以處方而已。至其詳情。則參照各論處方條下。

腹診及腹證上應注意之二三事項

摘錄諸名家論說中關於腹診及腹證上應注意之事項如左。

腹診時手指不可過於用力。

（方伎雜誌）診腹症時。手指不可過於用力。大病之人。羸弱之人。腹內動搖。診後大礙氣分。甚至於痛。宜細心妥診爲是。

腹滿按之不痛者爲虛。

（金匱要略）病者腹滿。按之不痛爲虛。痛者爲實。可下之。

【註】腹滿而軟弱不壓痛者。爲虛證。不可下。有抵抗而壓痛者。爲實證。宜下之。

虛狀之腹證

(永田德本)從中脘至臍下。按而察之。迄無底力者。爲難治之虛症。又腹部視之如脹滿而摩其腹上。如油紙之粗糲者。死症也。(下略)

【註】中脘謂臍部與劍狀突起直線之中央。

瘀血之腹證

(方輿輗)凡百疾病。腹中有形塊。按之不移處。口不惡食。小便自利。大便黑。面黃手掌赤紋。肌膚甲錯等。皆察瘀血之大法也。(中略)蓋小便自利爲瘀血症。自古已爲定式。然腹滿之病人。後多不利。初起爲血。迨後爲水。

【註】小便自利。小便快利之謂。肌膚甲錯。皮膚如魚鱗而枯燥。口不惡食。食思無變化之意。

腹不滿而其人自謂滿者。有瘀血。

(類聚方廣義)腹不滿。而其人自謂我腹滿者。此不僅血塊。且爲瘀血在絡之症也。

【註】無他覺的腹滿而自覺的感腹部膨滿者。此又瘀血存在之象。故雖無瘀血塊之證明。亦可爲瘀血之腹證。絡者、血管也。

(待續)

神經衰弱的灸治療法

日本皇漢醫學中山研究所長 中山忠直著 徐觀濤譯

一 原因與療法

神經衰弱的原因，在西醫認爲是由心身過度的疲勞而起，例如學生拚命的用功，或爲了某種問題的不易解決，而心中非常的憂慮，都足以引起腦底疲勞，促成神經衰弱之症狀。

但皇漢醫認爲神經衰弱的原因並不如此簡單，西醫所說的『心身過度的疲勞』不過是全部原因中的一部分而已。

因爲內臟器官的病弱，而影響到腦底組織的不健全，故所謂神經衰弱症，實在是內臟器官的一種病弱現象。因此我們雖然承認西醫對於神經衰弱的治療法，不無相當的效力，但終究不是根本的療法。唯有根據皇漢醫學所述的病理而產生出來的治療方法，才是根本的療法。

人類底身體，全賴榮養與酸化作用來維持牠的生存，若這二種作用中的任何一種起了障礙，則病的現象馬上就發生了。此種作用起障害的原因，是由於日常生活的不合理——其中最主要的錯誤，就是食物的不衞生。

大凡日本人的普通食物，以野菜和半搗米爲最適當，獨怪現在日本有許多的病人，崇拜西洋傳來的肉食衞生的學說，這種情形，實在是一種盲從的舉動；殊不知主張肉食衞生的西洋，近來亦有人提倡人類應以野菜和穀物爲正常的食品。

過分地吃肉、魚、卵、菓一類的東西，則腸胃因爲沒有異常的分解作用（新鮮的刺激作用，）而漸漸地積成有毒的成分；一被吸收後，內臟器官便受其害，因而便影響到神經的活動；尤其是心臟，當那種毒素侵入運動神經的機能，便起心臟肥大症，而致血液循環發生障礙。

心臟作用如果不完全，則腦部微血管的血行亦發生障害，加之食物所釀成的毒素，混入了血液之後，腦質便因榮養不良而發生癱瘓的病象了。我們用漢法來診察神經衰弱的原因，大概以上述的原因爲最多。

這樣說來神經衰弱的主要原因是在消化系統，若內臟器官很健康，雖相當的用功亦無妨害；但如老是過度的用功或憂鬱，必將使肝臟和脾腎都陷於衰弱了。

所以照皇漢醫學的理解，治療神經衰弱的根本方法：第一要以半搗米及野菜爲主要食物，藉以保持內臟的健康，第二就是用相當的方法來治療肝臟脾臟腎臟的虛弱。

二　灸治療法

灸治是治療神經衰弱最簡捷的方法，既不費一點的金錢，又沒有服藥的麻煩，非常適合於一般民衆的治療之用。灸治的方法，雖然有種種不同的派別，但我對於神經衰弱的治療，根據『因食物不合衞生而內臟中毒爲神經衰弱的原因』的見解，選最根本的部位，施行適當的灸治，常常得到非常滿意的結果。至於灸點的部位，全身有三百六十餘處之多，但灸治神經衰弱當以肝俞、脾俞、腎俞爲最適當。

以棘狀突起脊骨的第九棘和第十棘之間爲中心，距此處左右各一寸五分的兩點爲肝俞，在十一棘與第十二棘之間的左右各一寸五分的兩點爲脾俞，在第十四棘與第十五棘之間的左右兩側爲腎俞。(參照第一圖)

但讀者須注意這裏所謂一寸五分，並非以米達尺或英尺爲標準，而是灸療特有的一種量法，其法請病者曲其中指，在指的第一節與第二節之間的一段，名曰一寸，此段骨節的一半，名曰五分；指的長短，常與身體的大小成正比例，所以量時必根據病人自己的指的長度，方爲正確。

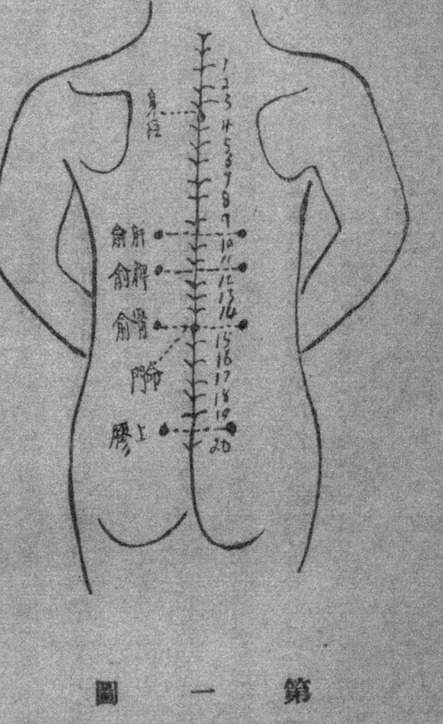

第一圖

灸肝俞點，主治肝臟病；灸脾俞主治脾臟病；灸腎俞主治淋病、消渴、腰痠背痛等病。內臟之病既愈，神經衰弱的證狀，當亦自然消退。惟腎臟爲調增男女精力的機關，在各種內臟器官中尤佔重要的地位，灸在腎俞，對於神經衰弱症更具偉大的功效。

除了上述的幾處主要部位之外，如能再施行適當的補助灸，則治病之效力，將更顯著。茲說明其主要部位如下：

（1）身柱——在脊骨第三棘與第四棘的中間。

（2）上膠——從脊椎骨第十八棘至尾骨處，有一塊骨板名曰薦骨；這骨有特別的痕跡，可以用手探得，在這骨的左右兩側的穴，就是上髎穴。

上髎的灸治，對於睪丸炎，卵巢膿腫，子宮頸腫，赤帶，白帶，子宮脫垂等症，均能見效。

（3）中脘——以指按胸骨鳩尾處，有劍狀突起的小骨，小骨的尖端，與臍眼恰成一直線，在這尖端與臍的距離的中心點，便是中脘；但如肥胖的病者，此劍狀突起骨，往往不甚明顯，醫者可用手指探得左右肋骨的鳩尾處，與這二鳩尾處同在一直線的臍之上部，適爲中脘。（參照第二圖）

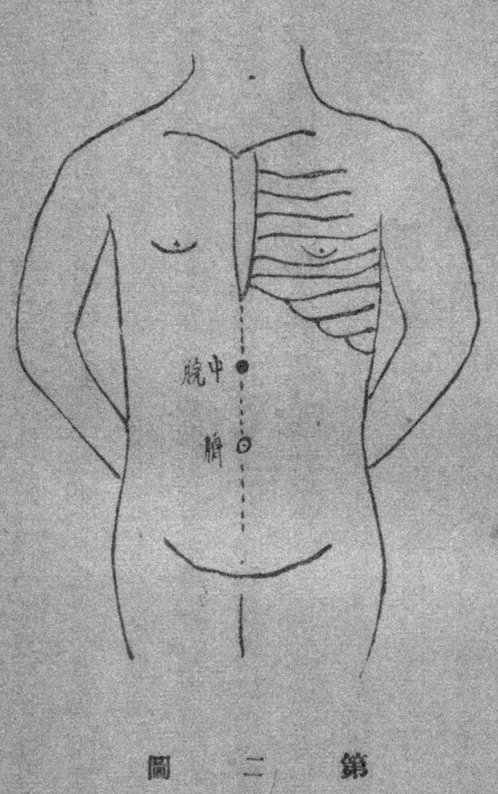

第二圖

灸在中脘，對於子宮後屈（不妊症原因之一）胃擴張，胃痙攣，消化不良（如小孩疳積，）黃疸病等，均能見效。

背的中間名曰命門，僅賴前面的說明，在外行的人，是不易確定它的地位的；茲有一簡單的方法：用竹片一條，如病人臍眼高處切斷，再把竹片移至病人背後，在如竹一樣高的地方，作一記號，這就是命門的地位，俗稱『竹杖穴』。

又有三里穴，在脛的外側，日本的老年人都知道這是著名的長壽灸穴，我希望健康的人，亦能夠每月開始的時候灸四五壯。

譯者的話：中山忠直先生，宗淺田宗伯先生之學說，為近代日本權威的漢方醫學研究家，在日本健康之友及其他的新聞或雜誌上，常有漢醫祕藥及祕法發表，同時用著作或講演高唱復興皇漢醫學的理論，他底學問，早為世人所公認。茲篇係譯自日本健康之友第八卷第一期。

講壇

張贊臣先生演講錄

周自强速記

兄弟此次到貴校參觀，認為非常滿意，因為貴校開辦以來，沒有多年，而學生已經很多，設備也很完全，實在非常難能！近年來中醫感受到切膚的痛苦，好像打着嗎啡針的模樣，已經能夠逐步的改進，所以各地似『風起雲湧』的創立了許多中醫學校。不過內容實在好的，却是極少，教育方式上面，也難使人滿意。就上海一地而論，已有兩所中醫學校，而出來的人材，和得到的成績，差不多都沒有特長的效果；雖然開辦了許多年，還是沒有進步。兄弟曾經擔任中國醫學院教授，拿過去的經驗，推究它的緣故；在學科分配，和教本的選擇上，實在占有絕大的關係，因爲他們所授的教本，多沒有一定的規定；而所聘的教員，也沒有固定的人材；大概他們的教本，多隨教員自己選定；而教員多半是流動性的，倘使一位教員去了！他所擔任的課本，也就停止；換了一位教員，就換一次課本；這樣的教授，對於青年的學業，那裏沒有重大的妨礙呢？時間是很快的！四五年之後，已到了畢業的時期；所得的學問、絲毫沒有系統，怎能有良好的結果呢？貴校教課用書、都有一定的規定；教授中國醫學，多數採用古今最精良的醫書，並有最新編就的講義；教授生理解剖等科學，完全採用泰西最新的課本；全部教材，都有一定方式；實在是很好的表率！况且貴校聘請許多良好的教師，能使諸位同學得到諸師長的特長，融冶在一爐；將來治病的成績，必定能受社會人士的推許！假使我們光從了一個先生，雖然也讀了多少的醫書。但是近世的醫生們「淹有衆長」的極少，「偏執一見」的很多，或是專偏溫補的；或是專偏清滋的，光從了一位先生，縱使努力學習，也不過學成一個偏執的庸醫罷了！那裏能夠及得貴校諸君「兼收並蓄」的優良呢？但是兄弟還希望諸位學成之後。當本研究所得的學問，來闡發中國固有的醫學，使其走上軌道而有系統。講到中醫學說，所以不上軌道的原因？大半是因幾千年來的學術，沒有經過科學的整理；我們要將雜亂無章而醫學，找出一個系統來！使它走上軌道，確是一件很困難的事情！依照兄弟的管見：現在要革新中國醫學，決不能把舊的學說完全推翻，也不能把新的科學，絕對拒絕；應該先從整理舊學入手；大家運用清晰的頭腦，和精確的判斷，擷取它的菁華，棄掉它的糟粕；再參以泰西之學說；使它變成極有系統的醫學。切不要「好異矜奇，」「喜新嫌故，」把自己的固有學術輕輕放棄；纔能將中國醫學、逐漸革新。這種意思，諸位以爲是嗎？

朱振聲先生演講錄

周自強速記

現在中醫的環境非常惡劣。諸君諒已深知。不容多贅。有人說。中醫所以致此。全由兩種原因。(1)中醫得不到政府的保護。(2)遭着西醫的攻擊。然而兄弟以爲這個原因。不是中醫衰落的要素。重大原因。還在中醫自身不能振作。所以我們今後進取途徑。當認淸目標。努力健全自身。且普及民衆醫藥常識。中醫以前。素來神祕。民衆對于中醫。一向模糊。這是給西醫可乘之隙。所以現在要致力于普及工作。使民衆知道中醫所長。一方面又要多設國醫學校。養成專門人才。尤須視其性之所近。專攻一科。俾其學術專一而易精。可以成爲良醫。我觀市上一般醫生。往往如萬能博士。走進一個病人來。無論是兒科女科、或是耳目口鼻之病。無不統治。揣其心理。不過重視金錢。和誇他的博大。而病家除犧牲金錢外。往往延誤病機。致人于危。這種結果。徒然失去中醫信譽。引起病家懷疑。也須急待改革。諸位在此學醫。最好也要專學一科。以求精良。將來各本所學。或有著作行世。也要用淺近筆墨。抒寫出來。免得像內經一般。使淺一些的人看了。一點不懂。這是我所供獻與諸君的管見。完了。

言論

醫學與民族之關係及中西醫應有之覺悟

徐觀濤

孫總理云『民生是歷史的重心』所以不論屬於社會科學之政治經濟,法律,宗教藝術;屬於自然科學之天文算學,物理化學以及動、植、礦物諸學說，無不爲保衞人類之生命而自然地發明。人類生命之脆弱，誠如歐陽修秋聲賦中所云：『人爲動物，爲物之靈，百憂感其心，萬事勞其形，有動乎中，必搖其精；而况思其力之所不及，憂其智之所不能；宜乎渥然丹者爲槁木，黟然黑者爲星星。』是精神之戕賊，既如此之厲害，而孰知物質之戕賊，更有甚乎精神者：肺癆，肺炎，傷風菌之侵入，足使人類患呼吸器病而死；傷寒，痢疾，霍亂等菌之傳染，足使人類患消化器病而亡；他如性慾之過度，以及意外之創傷，無一不足致人於死命。

然則人類處此危險之巔崖，所以能不致滅亡，而反日見繁榮者，其理果何如乎？我可一言以蔽之曰：因人類能發明醫學故也。

醫學爲解决人類痛苦之一種自然科學，人生偶有感受，不論其爲內傷，爲外感，爲輕症，爲重病，莫不痛苦形於色，憂愁發於聲；當此之時，如有醫者爲之細心診察，虛心考慮，而施以適當之治療，俾得恢復其健康，則此後事業之成就，子孫之繁衍，其前途豈能限量哉？！非然者，病者呻吟於床第，家族束手而無策，其能不生命喪亡者幾希矣。嗚呼！個人爲民族之分子，民族爲個人之集體，醫學之關係於民族之存亡，不亦重且大乎？！

嘗考中國醫學，創自軒岐，集大成於後漢張仲景，廣支派於金元四大家（劉完素主寒涼，張子和主攻下，李東垣主溫補，朱震亨主養陰）創新說於方有執、喻嘉言之流，辨溫熱於葉天士、吳鞠通、王孟英諸人，以迄於中西醫學互爭消長之今日，已有四千六百餘年之歷史；守舊之徒，不明世界潮流之所趨，不以研究學術爲立場，祇因本身飯碗有被他人襲取之危險，遂不惜誇大其口氣曰：中國醫學爲國之粹，有四千六百餘年之經驗，中國人口賴以繁衍至四萬萬，其功甚偉，何物洋奴，敢曰中國醫學無存在之餘地哉?!」而後起之秀之西醫，則又因中國民衆大都信仰中醫，彼瞿業務之發展，不能如其理想，遂借科學之權威，儘量攻擊中醫，同時更假政治之勢力，以圖縮短中醫之壽命。更有一部份人，既崇拜外來文化之優良，又不忍舊有學說之淘汰，高唱中西醫學溝通之說，如以衞氣爲淋巴，以太陽爲神經；其結果非但眞理不能發現，徒見其牽强附會而已。

夫醫學既是人類爲維持自己生命而發明之學術，則其理論與技術進化之程序，亦當隨客觀之條件，而自然地演進；決非所謂千古卓絕之天才者，所能憑空臆造而得。時至今日，世界學術之進步，大有一日千里之勢，

雖然，彼頑固守舊之徒，固不足與言醫學之改進，而高談科學之西醫，則又爲擴展業務，圖謀私利起見，竟至否認中國藥物之偉效，專以推銷外洋藥物爲能事，甚且專以偏面之理由，攻擊國醫國藥，必欲使中醫絕跡，國藥盡廢而甘心；此等利令智昏之人，亦何可與言醫學之改進耶?!

東鄰日本，當明治維新之際，曾下令廢止漢醫，舉國上下均銳意研究德國醫學，同時設廠製造新藥；皇漢醫學幾瀕絕跡。及至歐戰開始，新藥來源頓告斷絕，自造新藥，不敷應用，人民疾病發生，大家束手無策；幸皇漢醫學乘機再起——曾在當時完成其救濟人類之使命，得羣衆之信仰。近來各種醫事雜誌競相登載皇漢醫學之論文，行將淩西醫學並重於其國矣。

目下世界經濟破產，國際間相互之衝突日益嚴重，倫敦會議，軍縮會議，相繼失敗，第二次世界大戰，迫在眉睫，萬一戰爭開始，西藥來源必將斷絕，環顧國內，自造新藥，罕如鳳毛麟角，但因公共衞生之疎忽，國民體力之孱弱，疾病之發生，萬難倖免，試問我有四萬萬同胞之中華民族，果束手待斃乎？抑所以謀自救之道乎?!以中國之地大物博，動植礦物之豐富，甲於全球；歷代沿用之藥，類皆有效，使國內中西醫者果能站在民族利益之立場，停止個人意見之相爭、作開誠公佈之合作，——共同研究學理之改進，使中國醫學兼有中西二者之長，成爲世界最完美之醫學，而被他國所取法；共同研究藥物之創製，使中國新藥層出不窮，成爲世界產藥最多之國家，而被世界各國所採購，則中華民族前途之光榮，當非今日所能意想也。

我親愛之從事中西醫藥之同胞乎！復興民族之重任，全在我輩之仔肩，果欲完成這偉大之使命，當自中西醫者共同攜手始！

論中國醫業

顧允士

吾慨夫國人之習西醫者。惟知掮博士學士之位。以壓迫中醫。甚至倡廢止中醫之說。以遂其壟斷之詭謀。何其與昔賢濟世之心。適相反也。彼於內經難經。旣未窺其奧。卽仲景思邈唐宋四家之成法。亦未暇問津。又何怪其持論之偏耶。徒以詆排中醫爲能。多見其不知量也。夫醫者濟也。所以濟世也。導天下於和平。登斯民於仁壽。其功甚偉。其效彌宏。故宋儒之言曰。不爲良相。則爲良醫。嗚呼。是可窺昔賢之用心矣。自後世人心不古。私見日深。于是略知一二者。輒祕爲神奇。襲故蹈常。無復進步。加以市賈牟利。僞品雜售。醫藥旣分。功效愈遠。此吾國醫道。所以不振也。泰西醫學發達。不過百年。施治諸法。間合吾國古意。惟中外之水土既異。人類之體質攸殊。趨舍之間。尙待攷慮。請得而備論之。西人合藥。金石爲主。以之治體質虛弱之人。受損實多。不得執彼國已成之效。而强就之。吾國丸散。多純和之品。於華人爲宜。自較西藥見長也。蓋水泉之別。論之綦詳。治病之功由是而著。吾國水泉至繁。辨證用藥。各地亦未可强同。是豈西人之所能備悉者。又豈習西醫之華人。所能融會而貫者。今不顧水土之異。不察體質之殊。入主出奴。以自固其地位。惟日冀其營業之發達。爲唯一之目的。吾竊爲吾國病者危也。卽以營業言之。器械藥物。歲爲外人推銷。不可數計。以助彼國之經濟侵略。似非愛國者所宜出也。爲今之計。亟宜要求政府。提倡中醫。廣立國醫學校及藥學研究所。羅致人才。造就後進。實事求是。務臻完善之境。又爲之設獎勵之方。以堅其志。定學位之制。以榮其軀。如是則習中醫者。人人自奮。復昔時醫學之盛。紹前賢濟世之緒。其有裨於世人者。實大且宏。彼爲營業起見。務新異以炫人。妄肆其攻擊之技者。可以杜其口矣。

內科

近世內科國醫處方集（摘錄）

葉橘泉

瘈咬病

【異名】又名恐水病、瘋犬咬、舊稱癲狗咬。

【病原】此係溫血動物之一種急性傳染病。最易患者爲犬。次爲狼、狐、貓、馬、牛等。病之傳染。大抵由於狗。病毒之性質尚未確實查明。毒寓居之處。以神經系統爲主。有時或在各種分泌液內。而以口涎爲特別含毒之分泌液。蓋病毒由神經而入犬之涎腺。非由血管而至該處。病毒入人體後發顯症狀。有遲速之不同。依年齡或傷口輕重傷區部位爲異。在頭面者更危險。小兒亦然。

【病理】重要之損害。係中樞神經系統之血管及腦細胞之周圍屯積白血球而運動神經節細胞尤然。肝脾腎等不顯病毒。脊髓腦及周圍神經等則受毒甚重。

【症狀】潛伏期之久暫極無定。平均約六星期至二三月不等。前驅期則傷處顯刺戟疼痛麻木。頭痛厭食。急躁不眠。恐懼。感覺過敏。燈光稍亮及聲音稍大卽厭忌畏惡。或無論何種刺激如聲光風等均能激發凶烈之反應痙攣。口及喉肌痙攣更甚。病者一欲思飲。喉舌諸肌卽發劇烈之痛痙。因此病者怕見水。有恐水病之名。此等痙攣之發顯。或與狂狀相伴。在間歇期內精神亦不昏亂。此時體溫大概上升。然亦有不發熱者。病人對於看護者無加害之意。當痙攣發作劇烈時尤自懼而或偶然損害他人。間有狂狀凶惡者。喉咽肌收縮時發出怪聲。此期約經二三日而逐漸入於麻痺狀態。麻痺期病者安靜。痙攣止歇。人事不省。心之動作漸弱。不過六至十八小時。心臟麻痺。動作停止而死。

【治法】本病治法愈早愈妙。至症狀發顯期大概無辦法。潛伏期間。國藥治療處方頗有成效。玆選最有效者數則於後。

【處方一】加減抵當湯　大黃一二・〇桃仁一二・〇䗪蟲七個去足炒白蜂蜜一二・〇

右三味。研細。拌入蜂蜜。用陳紹酒合水共四百西西煎至二百五十西西。一日分二次。空腹服。小兒減量。孕婦不忌。（實驗）服藥一劑後。別設褻桶以驗大小便。必有惡物如魚腸猪肝瘀血等。小便則如蘇木汁。通下數次後。藥力盡。二便如常。須再服一劑。再驗溲便。大便仍有惡物。俟藥力盡。大小便如常。再服再驗。服藥不計劑數。直服至藥後大便毫無惡物。祇略便溏而色正常爲止。假令惡物未盡。中止服藥。則留餘毒。定貽後患。不可不愼。（方解）大黃爲健胃及緩下藥。能瀉瘀血。破癥瘕。化積聚。攻留毒。蕩滌胃腸。推陳致新。用以攻逐惡毒。安和胃腸。　桃仁爲消炎性去瘀解凝藥。有淸血殺菌。及緩下作用。能改良血液。增進抗毒力。治癥瘕。瘀血。蓄血。血閉等症。　蟅蟲爲通經藥。有行血化瘀鎭痛作用。能消腫解毒。改血通脈。續筋。實用於跌打損傷，瘀血血閉等症有特效。　蜂蜜爲緩下藥。有滋養作用。善能滋潤咽頭喉頭。緩和急迫拘攣。止咳止痛和中解毒。　酒爲興奮性行血藥。能通暢血脈。溫壯神經。用以助藥物發揮功力。

▬處方二▬敗毒紫竹湯　眞潞黨參一二·〇羌獨活各六·〇柴胡五·〇甘艸五·〇前胡六·〇茯苓一二·〇枳殼六·〇桔梗五·〇生薑六·〇生地楡四·〇紫竹根四〇·〇川芎五·〇

右十三味。剉。作三百西西煎劑。去滓。一日分三次服。須連服三五劑。被瘋犬咬後。卽服爲佳。（實驗）服藥三五劑後、可試嚼生黃豆。如不覺生豆氣者。須再服一二劑。過一星期後。再試嚼生豆。必待覺生豆腥氣而噁心欲吐者。方爲毒盡。可不必服藥矣。（方解）黨參用作滋養强壯藥。　羌活獨活二物。均爲鎭痛鎭痙藥。用治神經毒。　柴胡爲淸涼藥。主淸導淋巴腺之鬱滯。而改血抗毒。　甘艸爲最有效之緩和性解毒藥。　前胡爲淸涼藥。主呼吸器氣管疾患。　茯苓爲利尿藥。有鎭靜作用。爲神經性之營養强壯劑。　枳殼用作健胃芳香藥。　桔梗用爲呼吸器之排痰藥。　地楡爲收斂性淸血解毒藥。有改血變質作用。　川芎爲神經藥。有活血行血鎭痛作用。　生薑爲健胃發汗藥。　紫竹根爲狂犬病毒特效藥。（附註）本方爲人參敗毒散原方。加地楡紫竹根二味。用於瘈咬病之早期。藥理雖未能明析。經驗上確實有效。而敗毒散原方。可活用於多數急性傳染病之初起者。方內雖無顯著之殺菌滅毒藥。而功效頗著。其抑各種藥物混合後另具一種作用耶。還望學者注意而精密研究之。

神經系病

富晚香

導言

遍考我國醫籍。並無腦神經之名。然則國醫無治腦之方矣。曰否。古代醫學。不究解剖。專以生理抗病反射之形能。為唯一之根據。（如感冒則惡寒發熱。傷食則腹痛嘔逆。）醫者即以此體工抵抗之生理反常現象。為治病之繩墨。此即所謂中醫氣化治病。固不必拘拘於解剖也。茲將古醫籍神經系之形態舉例如下。

一、曰肝。內經云『肝在天為玄。在人為道。在地為化。化生五味。道生智。玄生神。神在天為風。在地為木。在體為筋。在藏為肝。在變動為握。在竅為目。』按文中之肝。殆即指腦也。「玄」「道」「化」乃形容腦之奧妙。而於玄道化下。更指出智神二句。以明腦之妙用。更覺顯然。其所謂變動為握者。神經之疾患。即俗所謂肝風者也。在竅為目。按之生理。我人目之能視。即視神經之視覺官能。故曰為肝竅。更足以明古所謂肝。即指今之腦神經也。

二、曰心。內經云『心者君主之官也。神明出焉。』又曰『心藏神。』又曰『所以任物者謂之心。心有所憶謂之意。意之所存謂之志。因志而存變謂之思。因思而遠慕謂之慮。因慮而處物謂之智。』按神明思慮智。皆大腦之用。

三、曰氣。內經云『余知百病生於氣也。怒則氣上。喜則氣緩。悲則氣消。恐則氣下。驚則氣亂。思則氣結。勞則氣耗。』又曰

『上氣不足。腦爲之不滿。』按喜怒悲恐驚思。皆大腦中樞官能也。

四、曰火內經云『諸熱瞀瘛。皆屬於火。諸禁鼓慄。如喪神守。皆屬於火。諸病驚駭。皆屬於火。諸躁狂越。皆屬於火。』按瞀瘛狂越。乃運動神經之患。鼓慄驚駭。乃脊髓神經之反射。

綜合以上四點。我人可知醫籍所謂肝、所謂心、所謂氣、所謂火。皆神經爲患。今當進論及神經之重要。我人喜怒哀惡悲恐驚。以及一切思想知覺運動。莫不由腦神經之主宰。他如胃之蠕動。腸之排便。亦皆由交感神經之不由意志命令。是故神經有疾。大者足以影響於民族之智愚。小者足以引起全身之疾患。晚近歐風東漸。科學發明迭起。如瓦特之發明氣機。愛迪生之發明電器。莫不獨坐試驗室。苦思力索。用腦數十年。始克成功。甚矣。腦之可以啓秀強國也。大矣。吾人爲醫者。能不盡心於民間之腦患。以富國強民也。腦神經之名。古籍雖不可考。其可得以記者。維以症候方劑之屬於此一類而已。茲將其彙輯成篇。如屬於腦患者。有眞類中風。（腦出血腦充血）急慢驚風。（單性腦膜炎結核性腦膜炎）狂忘。（狂人進行性麻痺）癡呆。（早發病）頭痛。（三叉神經痛）後頭痛。偏頭痛。梅毒頭痛。（腦梅毒）屬於脊髓患者。有剛柔痓。（急慢性脊髓膜炎）癱瘓。（肢體痿廢）脅痛。（肋間神經痛）腰痛。（腰神經痛）屬於神經官能性疾患者。有癲癇。奔豚。（發作性神經性心悸亢進）藏燥。（歇私的里）怔忡。健忘失眠。（神經衰弱）遺精。（性神經衰弱）他如末梢神經疼痛之可以發於身之任何一部者。更立疼痛一條。腦及脊髓膜炎之屬於流行性者。則列入時行病中。茲依次分述如下。草草成章。掛一漏萬。在所難免。尚望海內宏達。加以指正。則幸甚矣。

中風（腦出血）（腦充血）

述古　內經名中風有三。曰煎厥。曰大厥。曰薄厥。如脈解篇曰『肝氣當治未得。故善怒。名曰煎厥。』調經論曰。『血之與氣。

幷走於上則爲大厥。厥則暴死。氣返則生。不返則死』生氣通天論曰『陽氣者大怒則形絕。血菀於上使人薄厥。』

金匱要略有入藏府經絡之分。如『邪在於絡。肌膚不仁。邪在於經。卽重不勝。邪入於府。卽不識人。邪入於藏。舌卽難言。』又曰『脈浮而大者爲風。脈浮而數。中風使然』又曰『寸口脈遲而緩。遲則爲寒。緩則爲虛。營緩則爲亡血。衛緩則爲中風。』

千金方名中風有四。其半身不遂者。名曰偏枯。身無痛。四肢不收者。名曰風痱。奄忽不知人。名曰風懿。諸痹類風狀者。名曰風痹。

按後世更有眞中類中之別。考其語氣。眞中風殆卽西籍所謂腦溢血。類中殆卽西籍所謂腦充血乎。

病因　由先天性遺傳素因。（腺病質）或暴飲。（酒精中毒）心藏肥大。血壓亢進。致動脈內膜炎時變成粟粒動脈瘤。及動脈硬化而起。

病理　吾人運動中樞。在大腦皮質之兩半球前後中央迴。知覺中樞。分司於各葉中。如視中樞在後葉之皮質。聽中樞在顳葉之皮質。嗅中樞在鉤狀迴轉。味中樞在穹窿迴轉前部。中風由腦血管溢血腦神經受壓迫而起。故溢血在半邊。則損及半身。千金名爲偏枯。要非無故。

預防　凡覺大指次指麻木者。或不用者。三年內必有中風之患。預防之法。宜不使動脈變性硬化。及腦充血。飯菜類如海帶茶紫菜等藥品類如海藻昆布牛膝之類。（皆含碘沈降之品）

豫後　既發之後。多屬不良。蓋雖能一旦輕快。其後卽再生出血。必無救之之術也。

症候　輕症、食思不振。身體違和頭重惡心嘔氣。行步困難。言語障礙。甚者半身不遂。脈來弦强有力。

重症、人事不省。顏面潮紅。脈搏强實而徐緩。呼吸發鼾聲。現昏睡狀。眼球傾斜。瞳孔縮小。口角喎斜。上下肢現完全之運動麻痺。謂之偏枯。（多現於左側）起抽掣言語障礙。甚則不能言語。發此症者。體質適與結核病相反。每發於短大肥滿頸圍闊大之人（所謂腺病質）發時起嚥下麻痺。食物不能下嚥。唾液輒下行喉頭。故發喘鳴。往往障礙呼吸。衰脫而死。

治法　（1）開關（即用藥以刺激鼻喉粘膜。使收縮血管。改變充血重心。）

（2）清裏法（即用藥以刺激胃腸粘膜。使改變充血重心。）

（3）去內風法（即消炎鎮靜沈降是也。）

（4）外貼（即用藥以刺激皮膚使改變充血重心。）（又名引炎藥。）

開關方　刺激鼻喉粘膜。使收縮血管改變充血重心

聖濟白礬散　治急中風口閉涎上。欲垂死者。

白礬（二兩生）　生薑（一兩連皮搗水二升煎取一升二合）

右二味。合研濾分三服。旋旋灌之。須臾吐出痰毒。眼開風退。方可服諸湯散救治。若氣衰力弱。不宜吐之。

又方　牙皂（一錢）　煅研。取三分。吹鼻中。

本事急救稀涎散　治中風涎潮。口噤氣閉不通。

猪牙皂角(四挺肥實不蛀者去黑皮)　晉礬(光明者一兩)

右爲細末和匀。輕者半錢。重者一錢匕。溫水調灌下。不大嘔吐。但微微冷涎出一二升便得醒。次緩緩調治。大服亦恐傷人。

(未完)

百日欬之研究

楊夢麟

(一)病名　本病經過百日有自愈之可能。故名百日欬。一名痙攣欬。以其有特殊痙攣性之欬嗽也。又名疫欬。因能傳染。且有疫性。一度罹患。多不再染也。西名(Der keuchhusten pertussis)蓋即兒科方要保赤全書所謂頓嗽也。

(二)原因　皆由感冒不正之氣候而發生。每當春夏之交。氣候不正。細菌滋生。或接觸患此之病人。或接觸染有細菌之物件。即爲傳染此病之原因也。中醫歸之于六淫。西醫歸之於細菌。其實彼僅知病之發生由于細菌。而不知細菌之發生由於氣候。知其然而不知其所以然。尚未達於至境也。

(三)病理　病原菌。從口鼻中侵襲於肺。肺虛之人。即繁殖於氣道之上部。蔓延於氣管枝細梢。以致呼吸器之粘膜。受細菌之毒素。而起炎性。由炎性之刺激而起痙攣。由反射之作用而起欬嗽。至於本病患者。多係小兒。殆以小兒之肺多屬虛弱。是以病菌易於乘隙而犯之。即內經所謂邪之所湊。其氣必虛是也。

(四)症狀　本病可分爲下列三期。

(1)黏膜液期(Stadium Katarrhale)亦名前驅症。其病狀鼻塞噴嚏欬嗽。與平常傷風相同。尚無劇烈之病狀發現。

（2）痙攣期。(Studium Convulsivum) 凡經過前驅症一二星期後。即現痙攣性之劇烈欬嗽。短促而連續。甚則不能平臥。必至面色青紅。涕淚交流。頸項靜脈暴脹。胸腹隱痛。噁心嘔吐。然後稍稍安靜。約隔半小時許。發作如前狀。一日中如是者數回。夜間尤甚。逗留期、短則半月餘。長則二三月。

（3）輕快期(Stadium Decrementi) 發作次數。逐漸減少。痙攣性亦稍退。惟有輕鬆之小欬嗽而已。一二星期後。漸趨痊愈。

（五）診斷　本病除見上列之症狀外。尤當從診斷上。審其兼症及脈舌。俾可分證而施治。大抵有下列四證之異。當分別之。

（1）風熱證　發熱面紅。氣喘口渴。脈象浮數。舌苔薄黃。

（2）寒痰證　形寒面青。胸滿氣喘。脈象弦遲。舌苔白膩。

（3）熱痰證　心煩面紅。痰鳴氣喘。脈象滑數。舌苔黃膩。

（4）寒食證　肢冷面青。脘腹脹痛。脈象沉滑。舌苔垢膩。

（六）豫後　本病多有合併症之可能性。若氣管支炎。毛細氣管支炎。再進而為氣管支肺炎。瀰蔓性肺結核症。則豫後都不良。如無合併症發生。則豫後都良。

（七）治療　中醫治療此病。雖無專方。但隨證施治。實較勝於西醫專用麻醉鎮欬之藥也。爰就上列診斷條下所分之四證。舉其治法如下。

(1)風熱證　治宜麻杏石甘湯。
(2)寒痰證　治宜小青龍湯加杏仁。
(3)熱痰證　治宜葶藶大棗瀉肺湯。
(4)寒食證　治宜香砂平胃散。(按此方載在盧抑甫所譯之新醫學中藥治療法中。謂其亦奏效。余之實驗。每於應用方中多加化痰消食藥。若枳實、萊菔、查炭、神麯等。亦頗應手。藥雖不同。殆與平胃之意相同耳。)

(八)調養　發作時嘔吐屢起。對於食物榮養方面。大受妨礙。務於嘔吐之後。當稍與易於消化。及富有滋養料之食物。且肺主呼吸。更宜常處於新鮮空氣之中。此二者。爲本病必須注意之調養法也。又有轉地療養之法亦佳。因氣候變更。能使收效較速也。

女科

痛經

張又良

(原因)經事欲行。臍腹絞痛者。血澀也。海藏 臨期作痛者。血不足也。無擇 經水將行。腰腹脹痛者。此氣滯血實也。密齋 經前疼痛數日後行經者。其經水多紫黑之塊。是鬱極而火不能化。士鐸 臨行時。腰腹疼痛。乃是鬱滯有瘀血。丹溪 經來腹痛。由風冷客於胞絡衝任、或傷手太陽少陰經。或憂思氣鬱而血滯。良甫 因經水來多。胞虛受寒所致。衡隱 經行後作痛。血氣俱虛也。丹溪 經水過後。腹中痛者。此虛中有滯也。密齋婦人有經後小腹作痛。人以為血氣之虛。誰知是腎氣之涸乎。夫經水乃天一之水。滿則溢。空則虛。亦其常也。何以虛能作痛哉。蓋腎水一虛。則水不能生肝。而肝必不尅於脾土。土木相爭而氣逆。故作痛也。士鐸

【按】考痛經一證。在西洋醫學。非獨立之病名。乃一部分婦人疾患之附屬症。其原因不外乎器械性、神經性、充血性、卵巢性四種而已。所謂器械性痛經者。由於子宮强度之前屈或後屈。（前屈之原因、由於先天發育不全、左側本靱帶之短縮、及子宮薦骨靱帶之炎性萎縮而起、後屈之原因、由於產褥後子宮靱帶弛緩、或骨盆內炎後之靱帶萎縮、或先天性發育不良、肌肉靱帶薄弱等所致、）及鎖陰。（由於先天發育異常、或强度之炎症、潰瘍、腐蝕等之瘢痕閉鎖所致、）急慢性子宮內膜炎。（由於細菌（淋菌、釀膿菌、大腸菌等）鬱血、手淫、房勞、感寒、虛弱等而起、）肌腫、茸腫等症。障礙月經下流之通路。經血不得下流。則瀦積於內。以器械作用。使子宮起强度之收縮。遂發本症。其疼痛、多在於經行之後。神經性痛經。則多發於歇司的里之婦人。或精神過勞、及萎黃病等之患者。其內生殖器。無病理變化。蓋在行經期而發作之神經痛也。充血性痛經。由於輸卵管炎、（原因與子宮內膜炎相同）子宮內膜增殖、（為非菌性之子宮內膜炎、其原因、由於虛弱手淫鬱血房勞等所致、）肌腫等症。受經期充血之影響。而炎腫增劇。以壓迫作用。刺戟患部之神經。遂致輸卵管或子宮。起反射性收縮而發本症。此與器械性痛經。似同而實異也。其疼痛、多發於經期之前。卵巢性痛經。由于子宮內膜因卵巢內分泌異常而起特別之變化所致也。由是論之。則經前之腹痛。海藏所謂血澀。密齋所謂氣滯血實。丹溪所謂鬱滯有瘀血。士鐸所謂鬱極而火不能化者。殆為充血性痛經而言也。經後腹痛。密齋所謂虛中有滯者。殆為器械性中之子宮內膜炎、肌腫、茸腫症痛經而言也。丹溪所謂氣血俱虛者。殆為器械性中之子宮前屈。或後屈症痛經而言也。至於良甫謂經來腹痛。由風冷客於胞絡衝任。或傷手太陽少陰經。衡隱謂經水來多。胞虛受寒所致者。乃指

子宮內膜炎。輸卵管炎之痛經而言也。士鐸所謂土木相爭。良甫所謂憂思氣鬱而血滯者。乃爲神經性痛經而言也。無間謂臨期作痛。血不足也。似爲卵巢性及內膜增殖症痛證而言也。

（證狀）經期前或行經期。少腹作痛。或痛連兩腰。或時痛時止。或續痛不休。或經行而痛止。或經行而痛甚。或痛甚而起四肢厥冷。失神。嘔噁等證者有之。

（診斷）實痛者。多痛於未行之前。經通而痛自減。虛痛多痛於既行之後。血去而痛未止。或血去而痛益甚。大都可按可揉者爲虛。拒按拒揉者爲實。然有血氣本虛而血未得行者。亦每拒按。此氣虛血滯無力流通而然。景岳

『按』痛經痛於未行之前。經通而痛自減者。此爲充血性痛經。蓋充血性痛經之所以痛者。由於充血太過。壓迫神經所致。經通之後。則壓迫神經之充血外泄。故疼痛乃減也。痛經痛於既行之後。血去而痛未止者。此爲器械性痛經。蓋經水未行之先。子宮腔無瘀滯積。故不痛。既通之後。則瘀血停積。而呈器械之作用。故作痛也。至若血氣本虛。每亦拒按者。殆爲子宮後屈症。及陷於榮養不良之肌腫、茸腫、衰弱性、慢性子宮內膜炎等之痛經也。

（治法）血實。四物湯加桃仁香附黃連。丹溪 血虛。宜用當歸建中湯補之。金鑑 氣血俱虛。以八珍湯加減。丹溪 氣逆作痛者。宜排氣飲。瘀血不行者。宜通瘀煎。卓人 憂愁氣鬱而血滯。用桂枝桃仁湯。良甫 氣滯其血。氣血凝滯。宜用加味烏藥湯開之。金鑑 因冷而積。因積而痛。宜大溫經湯。元禮 虛而寒甚者。宜理陰煎。漸加培補。久必自愈。卓人 鬱滯有瘀血。四物加紅花、桃仁、莪朮、玄胡索、木香。有熱者。加黃芩、柴胡。丹溪 虛中有滯。加減八物湯主之。密齋 血結而成塊。用萬病丸。良甫 血滯痛甚者。玄胡索散。元禮 土木相爭而氣逆。宜後調湯。鬱極而火不能化。宜定鬱調經湯。士鐸

白帶之病理

嚴襄平

白帶爲女子子宮之病。其在西醫名曰子宮內膜炎。或膣腔內膜炎。患是病者。子宮有白色之陰液下行。綿綿如帶。故名白帶而淺識者。恆誤帶爲帶脈之病。實屬大謬。殊不知白帶爲任脈之病。內經不云乎。任脈爲病。女子帶下瘕聚。是明指任脈爲病。烏得誤爲帶脈乎。蓋任脈起於胞中。胞中即子宮也。白帶既由子宮而出。則其病屬於任脈無疑。至若帶脈束于半身之間。下不通乎子宮。豈能爲帶下之病哉。嗚呼女子之健康。關係國家之强弱者至鉅。而白帶之爲病。最足以影響女子之健康。吾國女子之患白帶者。十居八九。業醫者對於白帶之病理。既多謬誤。然則欲求其治法之不謬誤。以躋國家於强盛之域者。安可得乎。爰就近日研習女科醫學所知。試一述其病理焉。

任脈者。即西人所謂之植物性神經系也。起于胞中。連于臟腑。爲陰脈之總司。主臟腑之營運。白帶者。即由任脈感病而成。其病有虛實之分。屬于實者。爲任脈感受風寒、濕熱、痰溼、血瘀、氣滯之刺激而成。屬于虛者。爲氣血督任之虛弱而成。茲更分述其病理如下。

(一)實性白帶

1風寒症　六淫之中。其足以致白帶之病者。厥惟風寒。風寒內侵於脾。傳病於腎。腎臟之神經。因風寒之刺激。則腎臟起反射之作用。遂迫腎液下注而爲白帶。與目受風寒而流淚。腸受風寒而瀉泄之理相同。故經曰、脾風傳腎。則爲帶下。

2溼熱症　女子氣度狹小。性情偏窄。易致鬱怒。傷損肝臟。肝火橫逆。影響於脾。脾失健運。釀成溼熱。蘊于下焦。以致子宮內膜炎腐而爲白帶。與溼熱蘊于腸中而爲利下白垢者。同其理也。惟丹溪以帶下皆屬于溼熱。所見殊不廣耳。

3痰溼症　脾胃虛弱。易生痰溼。痰溼阻於胞宮。陽氣不得宣通。於是陰中之液。與痰溼俱化。下流而爲白帶。猶之池水之汚濁者。其上流之水雖清。至此亦與之俱化而爲汚水矣。且白帶重者。百病叢生。胎孕無望。亦猶水之汚濁者。子孓繁殖。魚蝦不生也。

4血瘀症　產後血液停留。或年老體虛。經行不盡。致瘀血阻於子宮。神經受其刺激。陰液不得濡佈。遂下流而爲白帶。猶之沙塵入目而致流淚也。罹此症者。日久且有崩漏之虞焉。

5氣滯症　近世女子患肝病者。十居八九。患白帶者。亦十居八九。可見白帶與肝病有密切之關係也。蓋足厥陰肝經。循繞陰器。肝氣鬱滯。脾溼不化。遂循任脈下注子宮而爲白帶也。上述三症。亦多關乎氣滯。以氣滯則溼熱痰溼瘀血皆易留戀也。

(二)虛性白帶

1氣虛症　脾腎陽氣充盛。而後體內之津液。能藉以蒸化而佈于週身。若女子之氣虛。則津液不惟不能蒸化四佈。且下注子宮而爲白帶。甚則狀類米泔。如崩而下。其症甚急。頗有昏暈厥脫之虞。古之所謂白崩者。殆即此也。

2血虛症　女子有血中鐵質缺乏。紅血輪減少。按月行經。而色白如水者。此實月經變淡。雖有類乎白帶。而究與普通之白帶不同也。患是症者。血虛已達極點。停經之期。必不遠矣。

3督虛症　腎生精。精由督脈上輸於腦。而生腦髓。故古人以督脈喻爲河車之路也。若督脈虛弱。則精不能上輸於腦。反下注於子宮而化爲白帶。白帶愈久。則骨髓愈空。而成虛勞難治之症矣。

4任虛症　白帶爲任脈之病。前既言之矣。然則上述各症。皆屬於任脈之病。可無疑義。不過非任脈之自病。乃由於他病而累及任脈也。惟任脈虛弱。斯爲任脈之自病耳。夫任脈爲陰脈之總司。主胞中而任胎兒。若任脈虛。則脈中之陰液不能固攝。遂下注而爲白帶。莫能勝孕育之任矣。

白帶之病理。大抵爲上述數種。近人費澤堯氏有白帶之原因。屬於思想手淫及房事過度之語。見識亦甚超卓。堪補古人之闕。因附及焉。

兒科

關於痧子

潘國賢

痧子亦名瘄子、又或稱曰痲疹。因地域之不同。稱呼因之而異。一離母胎之嬰兒。欲防止傳染天花。則可以種牛痘。如欲防止痧子。則不可能。且出天花者。可以終身免疫。而痧子雖亦有免疫力。然間有再度發生。是則痧子常識之重要。可想見矣。

病狀　初起時咳嗽、噴嚏、鼻流清涕、眼珠潤溼。繼則發熱。甚或嘔吐、神倦。皺眉不欲語。如此約經三日後。則項背胸膺間發見色紅形如痲粒之痧子。由稀而密。由項背胸脇而遍及週身。如是約三日。漸次隱沒。而熱退矣。今將佳良兇惡之病狀分晚於後。

甲、痧疹

一　由紅而漸淡者佳。

二　忽然隱退或中止者兇。

三　轉變紫黑者多危。

乙、熱度

一　由漸而退者佳。

二　忽然降落者危。

三　退後重發。或稽留者不良。

丙、流血

鼻孔或大小便及其他部流血者。必死。

丁、合併症

一　氣急者宜速治。

二　久咳不止。易成肺炎而多危。

三　尿質多者佳。濁而少者不易恢復。

四　面部及手足腫者病重。

五　眼邊爛者易成失明。

六　口角或舌邊爛或瀉者病重。

七　角膜爛者多危。

八　肺炎者多死。

九　病後胃口猛進者固佳。然不注意消化。更因食傷者不佳。

病原　中醫舊說。以此病由于先天之胎毒所發。西說則謂由于細菌之傳染。余以爲兩說皆似是而非也。何則。中醫之所謂胎毒者。因此病多患于小兒而誤認者也。庸知此病有免疫力。患此一次之後、恆不再發。故多病于小兒也。彼西醫之所謂細菌者。因從顯微鏡檢視而强斷者也。庸知細菌必遇不正之氣而發生。實當以不正之氣爲最大之原因也。故當春夏氣候初變溫暖之時。最易流行此病。若至大暑秋燥大寒之時。多無流行。是可證明余說之非謬也。

看護　小兒於痧子流行時發熱咳嗽。須注意下列各點。

一　勿與葷腥生冷等食物。及回春丹保赤丹等藥。

二　康健之小兒。勿使入病兒家。

三　家中如有病兒。則其他兄弟姊妹須分居。

四　痧子既出。葷油氣味不可使病兒嗅得。

五　乳母亦須戒絕葷腥。

六　病兒勿當風受冷。亦不可過暖。

七　若見熱重無汗氣急鼻搧面白泄瀉諸逆症。急須延良醫醫治。

八　痦子之後。禁食芥菜蝦蟹等一個月。犯之則爲癩疥周身作痒。

治療　在初起咳嗽發熱涕淚交流時。若無汗即可用麻黃發表有汗即加荆芥、防風、葛根、茅根、薄荷、連翹、桑葉、杏仁、象貝、橘紅等疏散宣肺化痰之品。均可酌用。痰多熱重。可採用括蔞、黃芩、黃連。舌乾汗多煩躁。可採用石膏。兼有食積。可採用查炭、神麯、腹皮、萊菔子、枳實、檳榔、穀芽等消導之品。小便短赤。泄瀉不止。可採用車前、猪苓、赤苓、澤瀉、扁豆衣、芡實、荷蒂等品。咽喉腫痛可採用牛蒡、玄參、桔梗、馬勃。口渴可用茅根去心煎湯代茶。

急慢驚風與太陰陽病症之研討

陸自量

余嘗作驚風病症之討論。于吳縣醫報第五二期。研討對于急慢驚風之病原和症狀。惟詞意俗劣。文法粗陋。大有半新不舊。非驢非馬之譏。結果乃武斷曰。急慢驚風是一種症狀。並非病原。簡言之。乃由病而產生的。非屬原來的也。茲更作進一步研求。不揣譾陋。不憚詞費。作急慢驚風與太陰陽病症之研討。

太陽病之症狀。(一)脈浮。或緊頭項强痛而惡寒。(二)項背强几几。無汗惡風。或汗出惡風。(三)頭痛發熱……惡風無汗而喘。

太陰病之症狀。(一)腹滿而吐。……自利益甚。(二)(少陰症)脈微細。但欲寐。

急驚風之症狀。——身熱面赤。角弓反張。目直視。牙關閉。手足抽搐。痰鳴氣促。脈弦。

慢驚風之症狀。——脈細微。面色慘白。神識沉迷。四肢逆冷。大便溏泄。腹膨嘔吐。有時亦目上視。牙關閉。手足微抽搐。

綜上諸病症之比觀。小兒之急驚風。或即是仲師太陽病之症狀。慢驚風。或即是太陰病之症狀。蓋所謂身熱面赤。角弓反張者。殆即太陽病之發熱與項背强几几也。其他如目直視。牙關閉……等者。似即太陽頭痛之甚至極點。而擾亂神經之疾患也。因小兒之腦神經柔弱。感應力敏銳和薄弱。故暴感外邪。一發高熱。遂有熱竄腦經。而發種種之神經疾患也。痰鳴氣促者。即無汗而喘也。脈與氣促。皆屬肺病。蓋係發熱之後。熱竄腦際。全體之造溫機能。與散溫機能。均失其固有職司。調節機能。亦無能爲之維持。肺臟遂生局部之炎性滲出物。既阻其呼養吸炭之功。而肺氣之出入。無有不受其障。故有痰鳴氣促與有汗無汗之徵象、肺主一身之氣。及肺合皮毛之說。即此故也。

對于慢驚風。與太少陰病之症狀。在病理上。初視之尤爲吻合。何以言之。蓋慢驚之腹膨嘔吐。大便溏泄。實即太陰病之腹滿而吐與自利益甚。脈細微。面色慘白等者。正是少陰病之脈微細但欲寐也。手足逆冷。微抽搐者。因病機漸趨消極。體溫消沉。筋肉無津液維護而致攣急之故。且太陰病。亦有微細之脈。少陰病。未嘗無腹滿吐利。尤有下利脈微矣。致其所以致太少陰病者。泰半緣陽病之過治。或誤治。或係日久因循而自致者。考慢驚。亦未始非由急驚之誤治與失治使然。何以故。觀上相比。慢急驚風。即是太陽與太少陰病症已具相當之價値。急驚者。即仲景所謂痙矣。痙正可以與表劑。如葛根、桂枝、之屬。隨症施治。使其在表之邪。藉藥力以驅之外出。冀其不致轉成慢驚。即使病之不能一旦驅之盡淨。在理亦可縮短其經過。此正大可樂事也。無奈今之醫者。咸謂葛根升提。桂枝性溫。小兒乃純陽之體。不宜施此孟浪之劑。而反投以平淡無味之桑葉、鈎勾蠶。此時體溫不得盡量放散。而病之不長驅直入也幾希。從驚之字意解。驚者。恐之極之義。設非腦神經爲病。決不以致此。又觀仲景之謂驚。驚者。狂之漸。煩躁之極也。現在驚風症狀。既非受外界之刺激。又非因火逆使成。何得以驚名之。現引諸家之說。藉以參考。陸彭年曰。小兒得急性熱病。熱高者往往發痙攣。時醫卽謂急驚風。其實非眞正腦病。急解其表熱。則痙攣自止。至于慢驚。小青囊云。理中湯……又治小兒慢驚。脾胃虛寒泄瀉。又通脈四逆加猪胆汁條。雖間獲云。慢驚風危篤者主之。類聚方廣義云……慢驚風危篤者此方有效。觀上諸家學識。則急驚宜解其表。以驅病邪而使外出。慢驚宜溫其裏。以强心臟。而與奮諸組織。若此。則急慢驚風之或卽太陰陽病可以知也。若然。則邪犯心胞。肝風上逆。木横侮土之說。可以休矣。質之現代驚風專家。以爲如何。設謂急慢驚另是一病。與太陽太少陰症判然不同。則余非專家。奚嘵嘵爲。暫以此篇爲引玉之作也可。

藥　物

藥物實驗錄（續）

周禹錫

（二）梧桐子

原生　爲落葉喬木。高可尋丈。葉大如扇。有四五岔尖。皮碧色。木甚鬆脆。昔有鳳凰棲止。故伏羲用爲造琴良材。是爲樂器之祖。鐰木或其梗葉浸水稠黏。用以揉髮。俗名美人膠。夏間樹頂開細黄花成叢。花落結角圓錐形。中含皂色水。爲結子養料。秋前徽老角裂水流成兩尖瓢形。下覆如肺。兩邊口上有子。排列各二。計四枚。鮮者剝食有蓮芡味。深秋乾老。則皮皺而枯。炒食如豆。可以消閑。

性味　甘淡平無毒。

效用　恢復肺能。調節心胞。矯正治節。通暢氣機。　按梧葉落而知秋。得西方肅殺之金氣最早。結角破裂後。瓢下垂如肺。能恢復肺臟已損之形。能且位居樹頂。得氣清高。又能矯正肺臟治節之靈。能子藏瓢下。如心居肺下。更能調節心包之弛解。其木鬆脆。內含養氣最富。養氣上聚角中。成皂色之水。以長養其子。故子含養氣尤富。養氣之功用。能使津液流通。氣機和暢。故能通暢氣機。舉凡六淫外襲。肺臟萎枯。七情內傷。心包弛解。證見欬嗽頓嗆。氣喘聲嘶。痰沫粉紅。汗洩溲失。寒輕熱熾。嘈雜難堪。頭眩面赤。夜不能寐。脈虛大數。舌赤苔黃。種種危候。皆能應手而愈。

用量　四錢至九錢。

用法　漫火炒微熟。杵碎。煎湯作飲料。

禁忌　此藥切勿炒枯。枯則無效。且生不良之弊。

附案　余素有肺病。凡遇酷暑嚴寒之後。天氣轉變時必發一次。發則欬逆喘息不得臥。痰嗽甚多。恆十餘日不愈。諸藥皆不能治痊。蓋肺爲嬌臟。余素稟肺虛。固不任氣壓之高熱寒降所刺激也。閱醫界春秋王君錫光述此藥之功效。爰即試用。竟一服即愈。迄今亦未復發。眞肺病之無上特效藥也。

一婦生產過多。肺損喘欬。十餘年來日益增劇。余囑服此藥十餘次遂痊。

一人茹素多年。眞陰內損。欬嗽喘促。倚息不得臥。諸藥無效。求死不得。余囑服此藥數次。不但喘欬獲瘳。而向日之血虛怔忡驚悸等宿疾。俱皆一律痊癒。

一人患肺痿。欬唾膿血、白沫。汗出消渴。大便難。脈虛數。進炙甘草湯。千金葦莖湯。養肺去痿湯及其他諸藥不效。投此藥數次。亦漸獲瘳。

一人患肺癰。初起欬嗽。膿血腥臭。觸臭難聞。對症治療。數劑平平。未生大效。照原方加此藥一兩。一劑而膿血止。三劑而腥臭除。卽以此藥善後。

其他關於心肺間病治愈甚多。玆不概錄。

失血應用三七地榆之標準

張鑑靑

三七地榆皆能治失血。而三七爲溫性藥、地榆爲寒性藥。性旣不同。則其所治之症。雖同爲失血。亦必有所分別焉。今將失血應用三七地榆之標準。述之如下。

凡一切失血。因瘀血留着。循環障礙。激動血管而出血者。如咳血而兼胸脇疼痛。嘔血而兼胃脘疼痛。便血而兼臍腹疼痛。崩漏而兼少腹疼痛等證。皆可用三七以止血。蓋三七功能散瘀活血。而此種出血。皆由瘀血停阻爲患。故得此散瘀活血之三七。則其瘀血之病原旣去。血行自如。不受阻礙。自不致激動血管而出血矣。又一切外傷出血。亦可用三七研末敷之。甚爲有效。蓋外傷出血。必有瘀血。三七旣能散瘀。又有收斂創傷血管作用。創面收斂。則血液自易凝止。故其奏效甚速也。若出血而非由於瘀血。及體溫甚高。血壓亢盛之出血。則非三七所宜矣。蓋三七溫性而功專散瘀活血。適與病情相反也。

者誤用之。必致血出反洶湧而不止矣。可不愼乎。

至失血之用地榆治者。必須屬於炎症潰瘍者。於膿血夾雜之症。尤有特效焉。如血痢血痔血淋血帶等症是也。凡此等症。用地榆治之最爲合宜。蓋地榆內含多量之鞣酸。有殺菌制酵。收縮血管。遮覆創口。及排除炎性物質。減少液體分泌之能力。而此等症之出膿血。必由於炎症潰瘍之爲患。此藥之鞣酸。旣能與蛋白質相融洽。而產生一種不溶解性物質。以被覆炎症之創面。且有止洩制泌制酵等諸作用。自能使膿血漸止。而奏治愈之效也。且本品之成分。除鞣酸之外。尙有苦味質。大凡苦味之藥。多有消炎之功效。故其治效尤爲速捷而宏大也。但下血崩帶之屬虛及初起者禁用。久痢膿血者。瘀晦不鮮者。亦當禁用也。

醫案

馬培之先生內科醫案（續）

再門人王愼軒編　再小門人馮長楷錄

虛損　內傷　勞倦　音瘖

心主血而藏神。脾統血而藏意。肝藏血以榮筋。思慮煩勞。榮血固虧。而氣分亦弱。肺爲氣之主。腎爲氣之根。夫榮出中焦。衞出下焦。故腎爲主命之本。勞則氣墜於下。心神不安。四肢慵倦。形神消瘦。口渴便難。是中虛榮損顯然。幸脈息尙和。眠食如常。擬養心脾。調中益氣。

炙耆 人參 益智仁 杜仲 枸杞 當歸 橘紅 半夏 酸棗仁 熟地 山藥 茯苓 炙甘草 於朮

白芍 鹿茸 柏子仁 野料豆 紅棗 圓眼 清膏(卽鴉片)

陰虛之質。肺氣不清。脾虛又有濕痰。嗆咳音瘖痰多。勞動氣促。肛有漏卮。水虧于下。氣浮于上。當肅肺養陰。以清痰氣。

北沙參 雲苓 橘紅 淮藥 女貞子 甜杏仁 蔞皮 料豆 象貝 半夏 枇杷葉 款冬花

(二診) 肺屬金主氣。腎屬水藏精。氣輕浮易上而難下。精沉重易下而難上。此物性之自然也。腎水素虧。前年因熱病而致嗆咳咯。血血止而咳嗽未除。勞動氣促不能平臥。肺虛清肅不降。腎氣少藏。還宜金水並調。佐以攝納。

北沙參 淮山藥 女貞子 象貝 生地(蛤粉炒) 牡蠣 金櫻子 甜桔梗 料豆 雲苓 毛燕 合歡

(三診) 進調金水以攝下元。嗆咳已止。尚覺氣短。精關不鍵。腎水下虧。氣猶不固。仍進金水同治。

參鬚 百合 牡蠣 金櫻子 女貞子 沙參 淮藥 生地(蛤粉炒) 沙苑 甜杏仁 料豆 貝母 毛燕

蓮子

(未完)

丁甘仁先生內科醫案(續)

門人王慎軒編 再門人馮長楷錄

濕溫門

(鄭左) 濕溫十六天。身熱甚壯。有汗不退。口渴欲飲。煩躁少寐。譫語如譫。目紅溲赤。舌糙無津。脈象弦滑。紅疹佈于胸膺之間。舌質絳苔薄黃。脈象滑數。此溫已化熱。濕已化燥。燥火入營。傷陰劫津。有吸盡西江之勢。化源告竭。風動痙厥之變。恐在目前。亟擬大劑生津涼營。以清炎炎之威。冀其津生邪却。出險入夷。爲幸。

鮮生地（六錢）　天花粉（三錢）　羚羊片（八分）　冬桑葉（三錢）　嫩白薇（五錢）　粉丹皮（二錢）　金銀花（八錢）　連翹殼（帶心三錢）　硃茯神（三錢）　川貝母（二錢）　生甘草（八分）　鮮石斛（四錢）　茆蘆根（一各一兩）　鮮竹葉（三十片）

（鄭二診）　濕溫十八天。甘寒清解。已服兩劑。舌紅糙略潤。津液有來復之漸。身熱口渴均減。夜寐略安。佳象也。紅痦佈而漸多。目白紅絲。小溲短赤。脈數不靜。少陰之陰已傷。水不濟火。榮分之熱尙熾。木火升騰。前方既見效機。毋庸改弦易轍也。

原方加　西洋參（五錢）　鮮藕（四兩）

（鄭三診）　濕溫三候。溫化熱。濕化燥。叠進生津涼解。身熱大減。夜寐亦安。紅痦滿佈。榮分之熱已得外達。脈數不靜。舌轉光紅。小便黃。七八日未更衣。木火尙熾。餘燔未淨。陰液難以驟復。仍宜生津泄熱。佐通腑氣。雖緩下。亦寓存陰之意。

西洋參（五錢）　鮮生地（四錢）　鮮石斛（四錢）　冬桑葉（二錢）　粉丹皮（二錢）　嫩白薇（五錢）　生甘草（六分）　天花粉（三錢）　川貝母（三錢）　硃茯神（三錢）　郁李仁（三錢）　大麻仁（四錢）　活蘆根（一尺）

（鄭四診）　濕溫二十二天。身熱已退。寐安神清。紅痦佈而漸化。腑氣亦通。舌質紅。苔薄白。脈象濡軟而數。精神疲倦。小溲淡黃。飲食無味。邪退正虛。脾胃鼓舞無權。今擬養正和胃。寒涼愼用。慮其過猶不及也。

米炒西洋參（三錢）　川石斛（三錢）　生甘草（五分）　硃茯神（三錢）　瓜蔞皮（二錢）　川貝母（二錢）　廣橘白（一錢）　生穀芽（三錢）　通草（八分）　北秫米（三錢包煎）　（未完）

曹穎甫先生內科醫案（四續）

門人王愼軒記　再門人王甯山編

瘖後善哭

永興橋陳劬

發瘖子後善哭。經言肺在志爲悲。在聲爲哭。證屬肺虛。以其金實則無聲。金虛則成聲。當實金。

大麥冬(五錢) 北沙參(三錢) 滑石(五錢) 甜桔梗(二錢) 炙草(四錢)

(記)此方書就之際。度無大效。不謂次日來復診。云已不哭矣。可見醫者意也。但明其理而意會之。自有得心應手之妙。

狐蜮

蕫立橋高劬

病後濕熱未楚。蟲蝕上下。聲嗄。心煩。便溏洩膿。肛門赤爛。唇齦亦腐。此名狐蜮。甘草瀉心湯主之。

黃連(一錢) 半夏(二錢) 乾薑(一錢) 條芩(一錢半) 潞黨參(二錢) 使君子(三錢) 雞內金(二錢) 炙甘草(三錢) 大棗(十二枚)

(記)考金匱百合狐蜮二病。皆屬病後餘熱未清之候。今世醫者。以狐蜮病之蝕于上者爲牙疳。蝕于下者爲下疳。蝕于肛者爲臟頭風。在上者用殺蟲之法。在下者用清濕熱之法。治多無效。良由聖法失傳。殊堪嘆息。如此一服之後。諸恙均瘳。誠哉經方之宏功。迥非常法可比也。

瀉痢門

發熱泄瀉

白漾衖金左

泄瀉表未解。當先解表。

生麻黃(二錢) 紫浮萍(三錢) 白杏仁(三錢) 生白朮(四錢) 生薏仁(四錢) 川桂枝(三錢) 炙甘草

（二錢）

洞瀉　大南門郭左

洞泄當分利。

川桂枝（一錢）　猪茯苓（各三錢）　生白朮（三錢）　炒澤瀉（二錢）

寒瀉　小西門陳右

泄瀉脈遲細。當溫之。

淡乾薑（二錢）　熟附片（二錢）　生白朮（三錢）　炙甘草（二錢）

（記）凡用以上三方治愈者前後凡二百十餘人。茲不贅述。章成之兄以爲司空見慣。非虛言也。（未完）

黃體仁先生女科醫案（四續）

門人王愼軒編　再門人朱彩霞錄

帶下門

馮（小南門）帶多致虛頭眩腰痠。形瘦體倦。脈象沉細。先宜和養。

鹿角霜（三錢）　厚杜仲（一錢）　川斷肉（二錢）　炒白朮（二錢）　淮山藥（三錢）　炒苡仁（三錢）　福澤瀉（一錢半）　左牡蠣（四錢煅）　花龍骨（二錢煅）　剪芡實（三錢）　金櫻子（三錢）　沙苑子（三錢）　威喜丸（三錢包）

又（二診）昨藥尚覺合度。再守原法進步。惟病久體虛。難期速效。當耐心久藥。幸勿一暴十寒。

鹿角膠（二錢陳酒化冲） 製狗脊（三錢） 厚杜仲（三錢） 雲白苓（三錢） 炒白朮（二錢） 淮山藥（三錢）
炒苡仁（三錢） 炒澤瀉（一錢五分） 左牡蠣（四錢煅） 花龍骨（二錢煅） 剪芡實（三錢） 金櫻子（三錢）
猪脊髓（一條酒洗）

中（肇嘉路）寒濕下注。白帶連綿。肝氣內阻。脘腹疼痛。舌苔白膩。脈象弦遲。宜理氣溫中而化寒濕。

製香附（一錢五分） 高良薑（八分） 玄胡索（一錢） 赤茯苓（三錢） 炒枳殼（一錢） 製半夏（三錢） 旋覆花（一錢五分包） 沉香粬（二錢包） 陳廣皮（一錢） 春砂仁（八分研冲） 陳佛手（八分）

又（二診）脘痛已減。腹疼亦輕。白帶連綿。久而不止。再宜前法加減。

旋覆花（一錢五分包） 瓦楞殼（四錢煅） 薑半夏（二錢） 赤茯苓（三錢） 炒白朮（二錢） 炒枳殼（一錢）
陳廣皮（一錢） 大腹皮（二錢酒洗） 沉香粬（三錢包） 春砂仁（八分研冲） 白扁豆花（一錢五分）（未完）

王愼軒先生女科醫案（續）

王南山編 王景賢錄

調經門

顧（幽蘭巷）氣爲血之帥。血隨氣而行。氣鬱則血亦鬱。氣亂則血亦亂。此胸腹脹痛。汛期凌亂之所由來也。先哲曰。調經必先理氣。正與此病相合矣。

製香附（一錢半） 台烏藥（八分） 陳廣皮（一錢） 抱茯神（三錢） 川貝母（二錢） 仙半夏（二錢） 旋覆花（一錢五分絹包） 川鬱金（一錢五分） 玄胡索（一錢） 沉香粬（三錢絹包） 大腹皮（二錢酒洗） 春砂

仁（八分敲小粒後下）　代代花（十四朵）

楊（石塘橋）月事超前。更衣見血。審係血之熱也。腹笥膨大。瘕塊攻痛。當屬氣之滯也。血熱而心神不安。則夜寐恍惚。氣滯而脾運不健。則晝餐式微。舌苔薄黃而膩。脈象弦細而數。清熱而遽投寒藥。慮其氣得寒而益滯。理氣而過用香燥。恐其熱得燥而益亢。處方用藥。殊非易也。

左顧牡蠣（六錢煅）　青龍齒（三錢生杵）　靈磁石（六錢生打）　抱茯神（四錢）　酸棗仁（三錢枳實炭一錢仝炒）　遠志肉（一錢水炙）　旋覆花（一錢五分包）　瓦楞壳（六錢煅）　沉香釉（二錢包）　製香附（一錢五分上川連五分仝炒）　槐花炭（三錢）　側柏炭（一錢五分）　藕節炭（五錢）

又（復診）昨夜入寐較安。今晨更衣無血。此是血熱已減之徵候。腹笥膨大。尚甚瘕塊攻痛未減。斯屬氣鬱未解之現象。氣滯于中。胃納式微。濕注于下。白帶連綿。當茲黃梅時節。又屆癸汛將臨。慮其另生枝節。切宜加意謹慎。

童便製香附（一錢五分）　廣鬱金（八分）　合歡皮（四錢）　抱茯神（四錢）　炒枳壳（一錢）　陳廣皮（一錢）　大腹皮（二錢酒洗）　沉香釉（二錢包）　萊菔子（三錢春砂仁末八分仝打絹包）　旋覆花（一錢五分絹包）　瓦楞壳（八錢煅）　金鈴子（二錢炒）　炒藕節（五錢）

又（三診）前方連服八劑。諸恙已減九分。經水適來。經期較準。胃納欠旺。腑行不暢。舌苔薄膩。脈象弦細。再宜前法加減。

全當歸（二錢生切）　柏子仁（三錢生打）　瓜蔞仁（二錢打）　旋覆花（一錢五分絹包）　沉香釉（三錢包）　大腹皮（二錢酒洗）　製香附（一錢五分）　萊菔子（三錢春砂仁末八分仝打絹包）　茺蔚子（三錢炒研包）

紫丹參（二錢） 紫石英（二兩煅） （未完）

筆記

驗方瑣記（四）

唐愼坊

余祖宰山陰時。余年十二三。從師張銘蓀先生習舉子業。張殊嚴酷。遂鬱鬱患瘰癧之症。百治無效。紹郡某鄉有扁豆庵庵尼能以灸療人疾。余父挈就診。灸十數穴。備受痛苦。毫無效驗。繼聘外科徐姓自贛來坐治二年。耳下兩枚。徐醫以爛藥爛之。乃皮肉潰爛。而瘰癧不消。又無法收口。頷下腋下及上臂纍纍如串珠。如雞卵。幸未潰爛。余十七歲。侍父居杭垣。鄰有鍾叟少琴。見而憐之。謂可治。即敷以藥粉。猶憶藥黑色。云有烏梅。不一月而核消創平。內服野菊根汁貝母如後方。未幾即愈。嗣後每年服貝母一料。忌食發物。後數年。晤其公子琴孫。詢以所敷何藥。公子不甚了了。旋承寄刊方一紙。內服之菊根貝母詳載方內。而敷藥不知是樟腦雄黃和以烏梅否。歷三十餘年。中心藏之。茲錄方於左。倘患者依方治愈。願毋忘鍾先生之大德也。

附方

結核未破者　用野菊根搗爛酒煎服。以渣敷自消。（結核在胸者均治。）眞川貝母（去心八兩）淡竹瀝（一兩大碗）以貝母入竹瀝浸透取出陰乾。再浸再乾。以瀝盡爲度。研成細末。每日食遠後淡薑湯服二錢。四十日愈。

潰爛者　用荆芥梗煎濃湯溫洗良久。看爛處紫黑。以針刺去血。再洗三四次。用樟腦雄黃等分爲末。麻油調。掃出毒水。次日再洗再掃。以愈爲度。即延至胸前腋下及兩肩四五年不愈者均治。

肥皂子仁（去黑皮八兩）夏枯草（乙斤）共爲細末。蜜丸桐子大。食遠後。每服三錢。至重者。二劑必愈。再每日以夏枯草代茶飲。戒食羊肉栗子猪頭肉肝腸醋等發物數年。尤切忌動氣。

又余父官南通時。有金君黼堂者。頷下創痕纍纍。詢之知曾患瘰癧三年。頸項潰爛。偶乘船。見舟子頸頷多疤。亦患瘰癧而得愈者。口受一方。依方治之而愈。玆並錄之。

眞菜油貳斤。銅勺熬滾。入活壁虎貳叁拾頭。同熬融化。貯瓶中。以此油搽爛處。搽後以布束之。一月即愈。

女科奇病治驗錄（一）

王慎軒

滸關正大蓆行。夏姓女。年十二歲。新歲來城。遊城隍廟。歸即狂言。兩目圓睜。兩手抽掣。口稱城隍老爺傷役來召。即須往矣。其母惶急甚。求神許愿。延僧拜懺。所費不貲。而病仍如故。乃延余往診。診其脈搏。或遲或數。或大或小。望其面色。時青時白。時紫時紅。余曰此病古名客忤。或稱鬼祟。實係痰熱內阻。神經錯亂之病。非鬼神也。先與至寶丹一粒。去殼研末。以淡竹瀝二兩。燉溫和勻服之。再以鐵落、龍齒、牡蠣、等鎭定其神經。血珀、茯神、燈心等安靜其心神。川貝、膽星、化其痰。羚角、川連、淸其熱。煎湯與服。是夜即得安寐。寐醒之後。狂言已止。諸恙均愈。次日即能來城復診。已與常人無異矣。

雜組

修正江蘇省管理中醫暫行規則

本省管理中醫暫行規則業經第七二三次會議重行修正通過。訓令各縣頒佈遵行。茲錄其原則如下。

第一條　本省開業之中醫。在未奉中央頒行中醫法規以前。除法令別有規定外。暫依本規則管理之。

第二條　在本省開業之中醫。除具有本規則第三條規定之資格經民政廳審核合格准許發給開業執照者外。一律須受檢定。得有檢定及格證書後。方准執行業務。檢定規則另訂之。

第三條　凡具有左列資格之一者。得隨時檢同各項文件呈由該管縣政府轉呈民政廳審核給照。㈠曾在公立或私立已備案之中醫學校肄業三年以上。並領有畢業證書者。㈡曾領有本國衛生署頒發醫師證書或開業執照者。㈢從師三年以上在一定地方開業五年以上。確有學識經驗得原業師之證明及同境領有執照中醫三人之書面保證者。㈣有中醫著述經民政廳審核及格者。

第四條　有左列各款情事之一者。雖具有第三條資格或經檢定及格。仍不得給予執照及證書。其已發者。得隨時撤銷。

一、非因[illegible]而曾判處三年以上之徒刑者。二、心神喪失者或精神耗弱者。第二款之原因消滅時。再發給證書及執照。

第五條　請領開業執照者。須繳履歷書二張。二寸正面半身相片二張。照費大洋五角。印花稅大洋二角。連同第三條各款之證件。呈由縣政府轉請民政廳核發。因故遺失呈請補發者同。並須登報聲明。

第六條　開業執照須張掛於執行業務處所。不得轉借或讓予。

第七條　已領照之中醫。其開業歇業遷移復業死亡。均應由其本人或關係人。於十日內報明該管縣政府。

第八條　開業執照。應於每年八月間。繳呈縣政府請驗一次。驗明後將執照加蓋縣長小官印發還。不得收取費用。

第九條　中醫診視傳染病人後。應隨時報告該管當地公安機關或當地區公所轉報縣政府。

第十條　中醫不得高抬診金及無故拒絕應診。其藥方應繕於自備規定之處方箋。字跡須清楚方尾并須署名蓋章。

第十一條　中醫應置備診療日記簿。詳記每日診病人姓名及治療經過。俾供事後稽考及縣政府或公安機關及區公所之查驗。

第十二條　中醫違反本規定者。得按照情節輕重分別處以五十元以下之罰金。或撤銷其開業執照。

第十三條　經審查或考驗合格給照開業之中醫。有特殊學識技能者。應由各縣政府保送民政廳。候定期舉行審查。如經選錄者。呈請省政府獎勵。

第十四條　本規則由省政府委員會議決公布施行。並咨內政部備案。如有未盡事宜。得由民政廳呈請省政府修正之。

冬令之食補品

杭州沈仲圭

歲月不居。冬將半矣。體弱多病之人。輒於此際延醫進補。以資療養。然「藥補不如食補。」昔人早有明訓。爰將有益無損之滋養品。介紹八種於下。

1 鷄汁

(製法)以黃雌童鷄一隻。去毛及皮骨翼翅頭足。將肉切成寸許之塊。用瓷罐盛貯。加黃酒少許。隔湯煮透。但飲其汁。

(功效)肺病食鷄。獲益最鉅。病後產後。亦宜恆食。如治肺勞。可加麥冬五錢。或百合一兩同煮。以其有化痰止欬之効也。

2 胡桃

(製法)古書載服胡桃法。初一日服一顆。每五日加一顆。至二十顆止。周而復始。常服。(按吾杭飲胡桃酒法。胡桃搗爛。冲以沸熱黃酒。略加砂糖。徐徐呷之。味極腴美。)

(功効)令人皮膚細膩光潤。鬚髮黑澤。血脈通順。愚意胡桃脂肪頗富。能使大便通調。其衣含單寧酸。可治遺精喘欬。每晨以鹽炒胡桃二三顆。佐牛乳或可可飲之。大有滋養之功。

3 山藥粉

(製法)糯米一升。水浸一宿。瀝乾。慢火炒令極熱。磨細。羅過如飛麵。將生懷山藥微炒。研末。入米粉內。每日清晨用半盞。入砂糖一茶匙。胡桃末少許。滾湯調食。

(功効)此方見冷廬醫話。云治泄瀉。少進飲食。蓋山藥能緩和腸道之刺激。增加腸壁之吸收也。

4 羊肉粥

(製法)羊肉山藥各四兩。煮熟搗爛。下米煮粥食之。

(功効)羊肉補虛勞。益氣力。其營養價值。初不遜於牛肉。配以滋養健胃之山藥。用代老年虛體之夜膳。不惟味美。并能健身。

5 五妙湯

(製法)豆汁一盌。龍眼肉汁一盃。乘熱沖入生鷄卵一個。(須打鬆)廣橘皮一張。白糖一兩。

(功効)豆汁鷄卵之富滋養。易吸收。盡人皆知。無待贅言。龍眼養心安神。橘皮調氣開胃。故此湯不但爲消化不良者之恩物。亦神經虛弱者之良友也。

6 坤髓膏

(製法)黃牛脊髓。去筋膜。八兩。山藥蒸。研細。八兩。煉白蜜八兩。共搗勻。入磁器內。隔湯煑綫香一炷爲度。空心用鷄子大一塊。白湯調服。

(功效)此方爲肺病之强壯劑。其因精液消失過巨而現全身慢性衰弱者。服之亦良。

7 鳳髓湯

(製法)牛髓一斤。白蜜半斤。仝煎沸。以絹濾去渣。入甜杏仁(去皮尖研如泥)四兩。炒山藥(研細)四兩。胡桃仁(研如泥)四兩。仝入瓶內。油紙封口。隔湯煑一日。早晚白湯化服二三匙。

(功効)此方卽坤髓膏加胡桃以滋補固精。杏仁以化痰鎭欬。故性病久遺。肺病乾欬。其效亦勝於坤髓膏也。

8 益脾餅

(製法)熟棗肉半斤。白朮四兩。鷄內金。乾薑各貳兩。先將白朮鷄金研細焙熟。再將乾薑研末。共和棗肉內。搗如泥。作小餅。木炭火上炙乾。

(功効)雞金乾薑。助胃部之消化。白朮助腸部之吸收。棗肉爲强壯藥。故此餅健康人食之。固有益於胃腸。消化不良或泄瀉胃祕者食之。尤能止瀉進食。家庭常備。以貽小兒。無異一服健胃劑也。

催眠術之研究

陳丹華

前言

催眠術者。導人於非生理睡眠之方法也，今科學界中已認此爲特殊之學問。頗有研究之價值。催眠治病。輔醫藥之不逮。厥功尤偉。昔西洋醫聖歇頗拉參斯云「喜悅乃催促疾病治愈之方法」中國神醫扁鵲云「不信醫則不治」以及祝由科之遷移枯柳。憂采束薪。每獲奇效。可見古代醫界已知利用催眠術以治療疾病矣。今不揣謭陋。略作研究。諒吾道所樂聞也。

催眠術之理論

麥獨孤(Mc.Dongall)氏云。陷入催眠狀態。由于大腦作用之分化。大腦每部神經各司其職。一旦分化。則大部神經中樞已經休息。而一部特殊之神經仍蘇醒活潑。對之施以暗示。即成催眠種種行爲。又創灌溉理論。謂常人如嚴重注意一事。集中全部之心思。則神經小刺激之感受不能影響發生行爲。必歸入大刺激而能發生行爲也。例如一人正在冥思默索研究一事之理。則雖有別種聲音之刺激。並不起擾亂思想之作用。故在催眠狀態中被術者之注意力集中於施術者之命令。是以其餘聲音。其餘刺激。不受影響。蓋已灌溉入大思想之刺激故也。

耶拿德(Janet)氏云。有心理病態者。則易陷入催眠狀態。故謂催眠術即人造睡行症(artificial somnambolism)是變態病象且謂常人腦中之觀念。未發出行爲之前。具有判斷力。以辨觀念之善惡。以定行爲之行止。如陷入催眠狀態者。則無判斷能力。一有觀念。必發行爲。完全服從施術者之命令。可謂盲從而已。

催眠術在十八世紀。尙無其名。惟麥施沫氏(1734—1788 Mesmer)所創動物磁氣說。殆與今日催眠術治療法相同。並著行星與疾病一書(醫學叢書)其治療方法。用兩手稍離病人身體。由頭部順下撫至足部。並解釋曰施術者身內之磁氣流動力。由手傳到病者身上。使病者體內所缺乏之磁氣。得以補充。病症即可無藥而愈矣。

英醫勃蘭特(James Braid)于一八四二年始創催眠術之名詞。反對動物磁氣說。唱導視神經疲勞學說。其後催眠術由英傳至法國各別研究。最著明者有南西(Nancy)派與撒路皮托(Salpriére)二派。南西派有來彼得(Liébault)及白爾罕(Bernheim)二人。撒路皮托派有查科達(Charcot)及耶拿德(Janet)二人。南西派主張人爲睡眠狀態說。來彼得著類睡眠論一書。白爾罕並主張暗示說。著暗示及治療應用二卷。暗示說側重心理學方面。估催眠術中重要地位。撒路皮託之主張。偏於病理方面。云催眠狀態爲誘導被術者發現歇私的里(Hysteria)病狀而已。分大催眠與小催眠二種。大催眠是完全之催眠。小催眠是不完全之催眠。當時此學說頗佔勢力。惜缺乏强固根據。不經南西派暗示學說之攻擊。

催眠之現象

(一)消極之幻覺(Negative Hallucinations)幻覺者。海市蜃樓之類是也。彼催眠者恆有幻覺之現象。麥獨孤(Mc. Dougall)氏曾試驗之。暗示被術者曰。某君已離座。爾可坐也。是時某君尙在。而被催眠者坐其膝上。安適自若。詢以某君在座否曰不在也。又一試驗。預以五張郵票置桌上。暗示被催眠者曰。桌上有郵票三張。汝試撿之。究幾何。待計之曰三張也。Mc. Dougall氏解其理曰。凡人入催眠狀態後。則人格分化。其意識雖見五張郵票而下意識僅見三張。蓋其時下意識異常活潑。非意識所能勝也。

(二)感覺特別靈敏　如於數十張紙牌中置特異者三張。同時對被術者施以暗示。然後命揀出之。則結果無誤。其感覺之靈敏。非常人所能及也。

(三)回憶已往事實　達到催眠狀態之後。能回憶往昔經歷之事實。甚則二三歲時之情況。尚能歷歷在目。因此催眠術有治療精神病之價值。(a)使病者回憶事實。(b)感受暗示力特別增加。前者因下意識發現被抑制之情感。得以充分發洩。故能歷歷回憶也。後者乃對施術者之信仰心也。其治療之神效。職是之由。據弗洛特(Freud)氏之理論云。意識與下意識常衝突。例如心愛一件特式衣服。下意識以爲美觀。欲取而服之。但意識以爲羞恥。抑之而不許。蓋平常意識力較强也。設抑制太過。則夜夢新衣。以下意識之發現也。若下意識發現於晝日。則成瘋子矣。應用催，術療病而有效者。以其能使久被抑制之下意識發洩無遺。

(四)殘續暗示　催眠時之暗示影響。待醒覺後。尚能繼續實踐。甚則延至一年之久。曾試驗被術者。誘入催眠狀態之中。令二手緊握。曰俟余將此窗開啓。爾手始可放下。及醒覺後。兩手依然緊握。固命其放下不從。雖擘之恐之亦不從。乃將窗開啓。其手立放。詢其故。不能答。然猶强詞奪理(Ratio nalization)曰。因窗開則空氣新鮮。故釋手也。又試驗一已入催眠狀態者。曰爾於星期四中午十二時至余寓一敍。俟醒覺後。果如期準時而往。問曰何爲而來。不能答。復强詞奪理曰。特來省候君耳。此難解之奇妙現象。Mc. Dongall 氏釋曰。因經誘入催眠狀態之中。下意識訓練異常活潑。故醒覺後。意識已無力剋制。乃繼續實踐暗示之命令矣。

(五)精神影響身體之作用　例如常人當憂愁之時。則飯量減少。因精神不快。影響胃液之分泌也。Mc. Dongall氏云。催眠狀態中。精神影響身體尤甚。因是時被術者精神異常恍惚。一切循環排泄呼吸分泌感覺等。恆為精神所控制。例如脈搏之增減。呼吸之緩速。隨意肌不隨意之動作。體溫之升降等。均可自由支配。此現象不能以生理學交感神經管理內臟之循環呼吸消化之運動學說解釋之。蓋催眠狀態中中樞神經能管理交感神經系之職務。爲人之體溫。經過實驗。用催眠暗示可使被術者昇高華氏表十度。美心理學博士達而勃夫(Delbaneuf)試驗將二手用刀刺傷。待腐爛時。使之陷入催眠狀態中。暗示曰。君之右手漸漸愈也。則果較左手先愈。故精神能影響身體云。

(六)嗅覺能力增加　英醫卡平所著之心理生理學(Mentas physiology)書中云。曾將一青年施行催眠術。試驗召集醫院中之看護雜役等六十餘人。各將手上之手套脫下。放於桌上。將被術者雙目緊紮。然後施暗示誘起其嗅力非常强敏。將每一雙手套用鼻嗅過誰之手套則歸還誰。被術者果感暗示。將手套嗅過。又將每人之手嗅過一次。即將手套一一送還原人。毫無錯誤。

(七)積極之幻覺　前云消極之幻覺爲實際有形體。而被術者則不見。積極之幻覺爲實際無形體。而被術者則覺有現象。例如施術者暗示曰。「君看君之好友在此。」被術者真似見好友在前。面現喜色。立起歡迎。其實彼前面並無一人。催術者用暗示誘起之幻覺也。

暗示之理論

麥獨孤(Mc. Dongall)氏云。被術者感應暗示。是自卑天性之發現。施術者聲望馳名。手段高妙。則被術者。易於感受暗示。被術者如智識高尚者。感受性弱。智識缺乏之者。感受性强。內省者較外展者强。倦憊者與酒醉時。感受性亦較强。信仰心愈大。感受性愈强。意志弱者較意志强者爲强。安心者較恐懼者爲强。

弗洛特(Freud)氏云。催眠時被術者感受暗示後。恢復嬰兒時期。發生性之天性。信仰施術者、即躍情於施術者也。施用征服法(Paternol method)好似父親有威嚴之態度。使被術者恐懼入眠。施用誘導法。(Maternal method)好似母親哄騙孩兒以引入催眠。

催眠順序

施行催眠術之前。須先使被術者。精神集注。觀念停止。然後施以手術。則易於入眠。可令被術者。身背光綫。坐於安適之榻上。使其肌肉弛緩。入於安靜狀態。立刻施以誘導暗示。　(一)制服法　施術者用恐嚇方法制服被術者。使其畏懼而入眠。時間較速。但被術者醒覺後。對施術者常存恐怖之心。爲此法之遺憾也。　(二)感應法　施術者以誘導方法。使被術者極端信仰。而陷入催眠狀態。費時較久。然亦無別服法之弊端也。感應法如(A)凝視法。(B)動眼法。(C)按摩法。(D)壓腹法。(E)結指法。(F)氣合法。(G)旋頭法。(H)電流法。同時口念單調之咒語。返復數次。使被術者精神集注。則易入催眠。然被術者必當具十二分之信仰心也。

催眠狀態步驟

被術者陷入催眠狀態。可分四時期。第一時期肌肉完全弛緩。不思動作。第二時期始能服從施術者命令。第三時期四肢柔軟已入深眠狀態。第四時期達最深狀態施術者命令絕對服從。

夏路哥氏分三時期(1)不隨意狀態(2)昏睡狀態(3)睡遊狀態

普烈駝氏分三時期(1)淺催眠狀態(2)深催眠狀態(3)昏睡催眠狀態

弗列路氏分三時期(1)微眠狀態(2)深眠狀態(3)夢遊狀態

耶拿德(Janet)氏云。在催眠狀態中。不能使被術者作犯罪行為。其門人曾試驗催眠一年輕女子。待入眠後。命其向己下跪。被術者立刻醒覺反對此命令。但昔曾有一催眠家試驗一入眠者授以一紙刀。曰「某為汝仇速往刺之」其人果往某前以紙刀刺之。適與耶氏之說相反。研究結果。如被術者平素作犯罪行為者。則入催眠狀態後。亦可使之犯罪。否則不可能也。

催眠與睡眠之異點

睡眠時四肢血管擴大。催眠時四肢血管縮小。試以針刺入催眠狀態者。血液不能立即流出。或竟點滴不流。催眠感應外來暗示。即起活動。睡眠則不能感應外來之暗示。即能接受亦不靈敏。睡眠狀態因腦髓皮質活動力消滅之原故。是以觀念聯想力與意志完全停止。但催眠狀態則觀念與意志雖略遲鈍。而聯想與意識則尚存在。睡眠僅能恢復疲勞。而催眠並能治療感化及偵察等功用。

胎教與睡眠

婦人妊娠時。必存良好觀念。施以心理暗示。影響胎兒。使成良善之天性。出世後已得善根。必結善果。即於產婦本身之健康。亦有莫大之利益。

結論

以上所論各點。雖爲催眠學術之一鱗半爪。然均是最新之學說。足以資研究醫學者之參考也。今限於篇幅。未能充分研。欲探求催眠學識。則博考他書也可。

講義

本校舌苔講義（一）

王志純

昔人論舌。以顏色部位分屬五臟。如舌尖屬心。舌根屬腎。兩邊屬肝膽。中心屬脾胃。白苔屬肺。黑苔屬腎。紫紅屬肝膽。鮮紅屬心與膻中。黃苔屬脾胃。夫此之所謂五臟者。絕對非解剖上之五臟。乃變病上之代名詞。假之以分病之淺深而已。若以之爲解剖上之五臟。則難以解釋。讀古人書貴乎體其意。而不當咀其詞也。舌苔主氣。舌質主血。凡病之傳變。必先氣而後血。故先言舌苔之變化。以辨氣分之淺深。後言舌質之變化。以辨血分之安危。至氣血兩病。表裏夾雜者。則又當合苔質之變化而並論之焉。夫溫熱初起。恆見白苔。白薄而潤者。宜辛溫散表。然必須具惡寒之證象。若雖惡寒而不甚者。又宜辛涼疏表。不惡寒而但熱者。只須辛涼清解可耳。白薄而乾者。表未解而津先傷也。宜辛涼清解中佐以甘寒生津之品。如沙參麥冬花粉川貝蘆根汁之類。白厚而膩者。濕濁內盛也。其症必胸悶。口渴不引飲。宜溫化濕濁。藿香正氣散。平胃散。皆可取用。白厚而乾者。陰傷而濕不化也。宜甘淡利濕。務使化濕而不傷陰。選藥當純。須平時留意。六一散亦允爲妙劑。甘草守津。兼能清熱。滑石利濕。並不傷陰。若白苔漸漸化黃。是表症不解而裏症已有繼起之機矣。其症寒熱起伏。口苦嘔噁。胸脘悶滿。形如少陽病。昔人謂之邪戀三焦。其實即胃炎之爲患耳。當分苔色以定治法。其苔白中帶黃。白多黃少。是炎症尙輕。不可遽投苦寒。戕伐胃之生機。當用輕苦微辛法。三仁湯最爲合拍。杏仁苡仁滑石通草半夏排除濕濁。蔻仁厚朴疎通胃機。濕去機復。則炎不消而自消矣。若舌苔灰白。證見不渴惡寒。嘔吐清水。大便溏泄者。寒濕內盛。而腸胃機能衰弱也。宜平胃以溫化寒濕。薑附以恢復機能。若舌苔黃或鮮黃或濁黃或灰黃。症見胸脘痞脹。或按之痛。或自痛者。是胃病已深。炎勢已熾。小陷胸瀉心各法。可隨症以取用。若舌苔嫩黃黏膩。其症胸脘但悶而不痛。渴喜熱飲。泛噁口甜者。是亦僅用苦辛開泄可矣。若熱勢壯甚。渴欲冷飲極多者。又宜苦寒爲主。淡滲辛寒爲佐。溫燥之品。在所當禁矣。若苔黃薄而潤。表症未解者。仍可用汗解之法。至於黃薄而乾者。則又當與白薄而乾者同例焉。夫高熱不解。最易消爍津液。使腸胃乾澀。而排泄因之障礙。內容固體不能下達。乃滯留而爲患。若是者。即所謂熱結胃府。其苔必糙黃老黃。厚而垢濁。熱結之甚者。且燥裂斷紋。或竟焦黑。當分其腹痛拒按之部位以定治法。痛在臍上者。宜小承氣涼膈散。大柴胡。痛在臍下或環臍者。宜大承氣。或調胃承氣加檳榔青皮枳實。然是皆糙黃老黃而未至燥裂斷紋時之治法也。若斷裂已見。斯腸胃之津液已涸。純用攻下。恐無濟於事。又當易爲增水行舟之法矣。

黃龍湯方意雖佳。第選藥不合溫病之用。增液承氣諸方。則極精妙。可以取法。若痛在臍下。連及少腹。雖拒按而按之不硬。

大小通利者。此乃畜血及熱入血室之症也。同一腹痛拒按之症。一驗其舌。瘀滯立辨。其法不更捷乎。至論黑苔。黑帶焦枯。或生芒刺。皆大熱大毒之候。然當觀其兼證。腑閉症實者。用急下存陰法。用寒涼泄火法。如五汁飲犀角金汁石膏雪水等。均可取用。并須急用多用。方有生機。遲則自焚而死矣。若黑而滑潤。症見肢冷便泄不渴諸象者。則爲陰症。又當易清爲溫。易攻爲補。桂附至爲要藥。更有詳細之分辨。則熱而實結者。其苔必厚膩燥裂。其質必紅。但熱不結者。其苔必乾燥而不垢厚。其質必絳而鮮赤。陽虛陰寒者。其苔必滑潤。其質必暗晦。或淡白。若舌苔黑乾而不厚。舌質紅淡或紅絳。而色帶乾枯者。此乃陰虛內熱之候。又宜黃連阿膠湯。六味地黃湯。育陰以退熱。總上黑苔。可分而爲四。一爲陰虛。一爲陽虛。一爲有熱有結。一爲有熱無結。同一黑苔。而寒熱虛實。迥然不同。可不詳加審察乎。若病毒已離氣而入血。血受熱侵。其色必絳。然絳有深紅鮮赤光亮痿枯之不同。但捫其舌上。幷未乾濇。而上層尙罩黃白之苔者。是陰津未傷。而氣分之邪。時有襲營之勢。宜宣衛透營以兩解之。此時萬不可專用血藥。血藥礙邪。必使其病無外解之機。須待舌苔盡化。紅絳全露。乃其時也。然若少有薄黃乾膩之苔。症見神識昏憒者。此乃濕熱夾營熱上侵於腦。腦神經受其影響而昏糊也。卽前人所謂邪蒙清竅。宜犀角元參生地丹芎鬱金菖蒲等。加牛黃丸。至寶丹。淸腦與解熱並進。涼營和化濕齊投。而丹中龍腦麝香。更具刺激之作用。能使腦神經之昏糊者。立返於蘇醒。投之得當。效如覆杯。若深紅無苔。而中心乾者。是血熱固熾。而津液已傷。腦神經失其濡養也。雖症見昏糊。又非前藥所可治。當涼營救液。兩顧其急。若絳而光亮者。則體內津液。已告竭蹶。宜濡潤之品。如生地洋參石斛麥冬花粉蔗漿梨汁之類。大劑頻服。或可得全。否則其絳而光亮者。必黑亮而起殼。津枯液涸而死矣。第絳而光亮之中。須察其神色。猶見紅活者。尙屬可救。乾枯色死者。無能爲力矣。其有舌絳欲伸出口抵齒而難驟伸者。痰熱內阻。痙厥將起。宜鹹寒以化痰。涼潤以清熱。紅絳而不乾濇者。陰津未傷。設無神昏之症。只須單用涼營。若兼見神昏者。則涼營並當清腦。犀角羚羊。又不可少。若神識昏糊而兼見四肢抽搐者。則無論乾與不乾。均須重用羚羊及石决牡蠣磁石等鎮壓之品。總上所論。紅絳無苔者。可分以下數例。絳而不乾者。但涼其營。絳而中乾者。涼營為主。滋液為佐。絳而光亮者。滋液為主。涼營為佐。見神昏者。加犀角羚羊。兼抽搐者。增石决牡蠣。並重用羚羊。見痙厥者。至寶丹可以暫用。以其具刺激作用。而有强心之功也。昔人謂其能開竅。言雖殊而理固同。然亦惟其有刺激之作用。故可暫用而不可多用也。紅絳之症候雖繁。要不能出此數種範圍焉。更論紫色。紫而鮮澤者。為熱甚。紫絳不鮮而帶乾枯者。血液乾涸也。當用黃連阿膠湯加生地天冬或二甲復脈等滋養血液。淡紫而帶青滑者。乃陽虛有寒。治宜溫運。其症必有惡寒肢冷等象。若紫而乾晦。舌體痿弱者。血液已壞。症屬不治。更有其人素有瘀傷。宿血蘊於體內。一遇熱病之引發。其舌亦紫。特紫而潮濕。其色必瘀。且其胸脅脘腹必有刺痛不休之處。當於清營涼血中。加入散瘀之品。如琥珀。丹參。歸尾。猩絳。蛤殼。桃仁等。此症最易發狂。急宜防患於未然。又嗜飲酒毒為害。其舌亦紫。然必紫而腫大。宜犀角、黃連。清熱解毒。夫以上所論。皆屬舌質之紫絳。而主血分之變化。乃無與苔之事也。若舌質兼苔而言之。其色不同。病情亦異。又當分晰於後。如質絳苔白膩而不乾者。乃濕遏熱伏。此症神昏極易。急宜辛開苦降。以泄其濕。待濕化熱透。再用寒涼之品。以清其熱。若舌質紫絳。而苔粉白乾糙者。名白沙苔。乃斑疹將發之候也。瘟疫時毒。往往見之。其症必煩躁胸悶。口乾脣燥。不能以其苔白而發表。亦不能以其乾糙而養陰。急用攻下清裏。以解裏毒。裏毒一清。斑疹齊透。始為轉機。否則殆矣。若質絳而苔黃薄且乾者。此津液已傷。而氣血之熱未已。宜甘寒生津為主。佐以辛涼清解之品。白虎湯亦可借用。若質絳而苔黃膩者。又當主以苦寒。取其清熱而兼能化濕也。葛根芩連。

可稱的劑。若質絳而苔老黃糙裂者。當先用攻下。然後再視其舌質之轉變以治之。其有舌質絳而舌上罩有極微之灰黑黏膩物。似苔非苔者。乃營熱而夾有穢濁之氣也。宜清營藥中。加入芳香泄化之品。若舌紫絳而上有白黃之碎點者。謂之舌疳。紅紫點者。熱毒尤盛。宜犀角，黃連金汁之類。清解熱毒。其有舌質不絳。舌苔灰黑而滑。無陽虛之症。而僅見胸脘痞悶嘔噁者。是乃濕飲內停。又宜祛濕化飲。如白苔而兼灰黑。其苔浮滑黏膩者。此係濕濁為患。濕溫初起。多有之。治當化濁滲濕。如黃苔而帶灰黑。亦浮滑黏膩者。又屬濕熱並盛。更當清熱利濕。其有苔症不合。病無凶險之特象者。當詳詢病人曾否啖青果及其他能染色之物。若以此而舌苔黑者。名曰染苔。然其黑必揩抹卽去。斯乃人工造成之苔。故不能與脈症相合也。更論舌之青者。青而滑潤。症屬陰寒。四逆吳萸。可以隨症酌用。青而深藍。瘀血為患。當視其輕重以定治法。至若食積停留。其苔必滿佈而厚。厚白而乾膩者。消導當兼健運。輕則枳朮丸。重則香砂六君加檳榔枳實查麯雞金等。厚黃而乾膩者。可以專主消導。輕則保和丸。重則枳實導滯。若厚黃而乾糙。則非攻下不可。然攻下之。又有上下輕重之不同。金匱宿食門中。言之詳矣。可為法則。今不過偶言舌苔連類及之而已。又小兒之患食積者。與成人不同。其舌苔往往剝落而成花斑。不能以其斑剝而用養陰。當詳察其腹診。苟有硬滿之象。卽當消導無疑。其有舌苔帶色而起黴點者。乃實熱可下之症。而舌本强硬。亦屬可下。但須合苔質兼症而並參之。苔黃乾燥而腹硬便閉者。當下無疑。苔白黏膩而症見昏糊者。卽所謂痰厥。當先用蘇合香丸以救其急。再用導痰湯加礞石滾痰丸以化其痰。若苔薄黃乾膩。質絳而神昏者。又當用牛黃紫雪清熱以涼營化痰以醒腦。紅絳無苔而鮮赤者。育陰涼營。或可挽回。紫絳無苔而枯晦者。多屬不治。更有舌短一症。昔人亦以為可下。然必須具有可下之條件焉。否則又安知其無痰熱內阻耶。

（未完）

本校藥物講義（續）

王愼軒著　長女景賢錄

礬石 本經上品　時珍曰礬者燔也燔石而成也

【異名】涅石泥綪石山海經　郭璞註云礬石也楚人名涅石羽涅本經　郭璞曰秦人名爲羽涅白礬別錄　弘景曰煉成純白名白礬雪礬綱目　時珍曰潔白者爲雪礬明礬綱目雲母礬綱目　時珍曰光明者爲明礬亦名雲母礬明石　悶石　鐨海石和漢藥攷强鍬釩化學新本草

【產地】礬石生河西山谷及隴西武都石門。別錄今出益州北部西川。別錄出晉州慈州無爲州入藥及染人所用甚多。唐本草波斯大秦所出白礬色白而瑩淨內有束針紋入丹竈家功力逾於河西石門者近日文州諸番往往有之。蘇珣出晉地者上。青州吳中者次之。時珍各國俱有之產於山石中。和漢藥考白礬產火山及出煤等處。化學新本草

【形態】天然產的明礬很少大概多是人工製成的。這種明礬是等軸系八面的大結晶體。普通的是白色半透明有玻璃樣的光澤質軟易溶於水燒過則成白粉。日用新本草　屬石膏式礦類硫酸鹽類屬六方系菱形半面像晶族。（軸率1:1.252C）爲立方體狀之菱面體然多爲結核狀之團塊或爲土狀或粒狀之集合體間成纖維狀在塊體之裂縫或孔隙中常有褐鐵礦之被膜結晶爲半透明光澤黯淡劈開面現真珠光爲塊狀者無光豔體無色或白乃至帶紅或帶黃有時爲灰色性脆硬度三·〇五至四·比重二·五八至二·七五地質礦物學大辭典雖屬於等軸晶系然多爲塊狀無色或帶白淡紫色有玻璃狀光澤爲透明及半透明斷口呈介殼狀。中藥淺說

【成分】為硫酸鉀鋁。新本草教本 化學上謂之硫酸亞爾密紐謨加僧謨。一名加里明礬。和漢藥攷 本品可取硫酸鋁。使與硫酸錏或硫酸鉀化合製之。中華藥典按此即人造明礬 普通人工製法。可以硫酸鋁與硫酸鉀化合。曰鉀明礬。與硫酸錏化合曰錏明礬。藥物一夕本鄒文凱 本品所含$Al_2(SO_4)_3(NH_4)_2SO_4 24H_2O$或$Al_2(SO_4)_3K_2SO_4 24H_2O$應在99.5%以上中華藥典 燒明礬又稱枯礬(Al|K)紅熾則放二氰化硫。與氫分解。為氰化鋁及硫酸鈣。比重為一・七五至一・九。硬度為二・〇至二・五中藥淺說

【性味】酸寒無毒。本經 濇涼有小毒。甄權 酸濇溫無毒。本草原始 味甜而澀。後則略酸。藥物出產辨 酸鹹寒。性濇而收。本草分經 其味微甘而有收斂性。溶於十一分之水。呈酸性反應。不溶解於酒精。日本藥局方 明礬於九十二・五度之熱時。則其結晶溶解於水中。於百度以上長熱。或有較高之溫。即放結晶水之全部。為白色鬆疏之塊。中藥淺說 其水溶液有使蛋白質及膠質凝結之性。和漢藥攷 鋁明礬1gm能在水5.2cc或沸水0.3cc中溶解。鉀明礬1gm能在水7.2cc或沸水0.3cc中溶解。在醇中均不溶。在甘油中均易溶解。若取本品熱之即熔融。熱至200°c結晶水即失去。再加強熱。即放出三氰化硫。而變成不能全溶於水之物質。中華藥典

【按】本品之性味。或言味酸性寒。或言味鹹性溫。或言味甜。或主無毒。或主有小毒。異說紛歧。羣言淆亂。然細究之。實當以本經酸寒無毒為然也。蓋古以辛甘苦酸鹹為五味。而不云濇。殆以濇即酸之變味也。且本品性具收斂。正合相傳酸主收斂之說。故古人曰味酸。其實賅言澀味而言也。礬味雖澀而曰酸者。即本此義耳。且治病之功效。多係消退制止解除等消極作用。能治一切進行性之熱性病證。則其性當屬于寒也。功能解毒。當係無毒之藥。至于服多量而有使蛋白質及膠質發生變化之害者。此乃效力較大之藥。所必有之條件。與中毒者不同。未可謂為有毒也。

【功效】【綱 二】止血【1】止血（日華）療鼻衄（甄權）枯礬貼嵌甲牙縫中血出如衄。（衍義）主治血崩內腎出血，（萬國藥方）治崩取其收而燥溼也。（本草備要）用為止血收斂藥。（和漢藥攷）用於各種之出血內外皆可用。（新本草教本）白礬收斂之性極大。無論身之一處或全體。俱有此性。服之則為胃腑所收傳入血內。分離身遠處。（如手指足趾之類）亦不流血。溺血、吐黑血、欬血等病。服之均有益。第其功效大小無一定。然亦可減便血之病。又如肺胃或大小腸內腎等處出血諸症。每服此藥末一分半至二分半。每日服四五次。自能療治。外科用之。能收斂脈管。止血。（漢藥實驗談）於齒齦出血。用枯礬末撒布。（中藥淺說）

【按】本藥所含之成分為硫酸鉀鋁。性極收斂。嘗考諸藥理學所載一切酸類。皆有使血液凝固之作用。如直接用于接觸部分之出血時。則血尤易凝固。然本品止血之功。以硫酸為最著。鉀鹽則鮮效。惟鋁與硫酸相合。則成硫酸鋁。而其收斂之性尤較勝也。雖然、今日醫家。外用明礬則尚多。內用明礬則甚少。而藥理學亦謂明礬往往以收斂為目的。內用於下痢與腸胃出血。但今則用途不廣耳。據此。可知明礬用於內服並非重要，且外用明礬。用之過度。往往反因酸而喚起炎症。並發强大之滲出作用。內用明礬。用之過量。能使體內之蛋白質膠質發生變化。是則無論內服外用。皆不可多用也。然藥物者。原所以補偏救弊也。雖其藥性偏峻。全在施用之得當耳。用之得宜。砒石可以已病。用之失當。甘草亦足戕人。何獨明礬為然乎。觀諸古之名方。如白礬丸。蠟礬丸。斷紅丸。玉龍丸。大斷下丸。丹礬丸。搜風丸。搜風化痰丸。祛風丸。飛礬丹。辰砂化痰丸。金珠丸。金珠化痰丸。人參半夏丸。勝金丸。五癇丸。伐木丸。白金丸等類。皆用以內服者。然用亦未始不廣也。但大都或為丸。或為丹。煎劑殊罕用之。是則古人能善用明礬故也。綜之。明礬用之得當。未嘗不可廣供內服。惟不宜過量而已。且失血一症。原因各殊。酸濇之品。不可概投。當審其所因而分別施治。是又不可不知者也。

【綱二】化痰【目】能化痰。（本草新義）消痰。治中風失音。（大明）治癲癇痰迷心竅。（會約醫鏡）治痰飲。取其收而燥溼也。（握靈本草）古人多用爲打痰藥。（藥物一夕鄒文凱）主風熱痰涎乳蛾。（原始）治急喉痹。（甄權）生含嚥津治急喉痹。皆取其去穢之功也。（本經原始）礬石即白礬得巴豆同煆令枯。取礬研末。以鵝翎管吹入喉中。流出熱涎。立解喉痹。其症俗呼爲纏喉風是也。（本草經疏）用于支氣管卡他兒等。（中藥淺說）

【按】此藥能化痰涎者。即握靈本草所謂取其收而燥溼是也。良以此藥含有硫酸。入於體內。頗能奪除水分。減少分泌。寇宗奭謂「此藥水化書紙上乾則水不能濡。故知其性却水」亦此意爾。近世處方所用之仙半夏。即用明礬所製。取其善化溼痰耳。

【綱三】燥溼【目】能燥溼。（本草分經）治溼痒木舌。（原始）止狐腋臭氣。脚汗。陰汗。其性燥。可治溼邪。（會約醫鏡）能燥溼殺（古方藥品考）能治水腫（原始）

【按】白礬內含硫酸甚富。而硫酸有奪除水液之作用。即古人所謂燥溼也。故脚氣溼痒脚汗陰汗等。用之有效。取其收歛而能奪除水分也。

【綱四】解毒【目】解一切毒。（李珣）人中砒毒。用白礬三錢。調水飲之立解。（醫臆）能解血中鉛毒（萬國藥方）如因鉛病而肚痛。食大服亦能有益。或能泄瀉而減鉛毒之害。因鉛毒能被含硫養三之質化分（漢藥實驗談）

【按】漢藥實驗談所論礬石解鉛毒之說。甚是。至醫臆謂其能解砒毒者。蓋砒與硫酸相合。能中和而爲硫酸砒。礬石中含有硫酸。故有是效耳。惟李珣謂其能解一切毒。未免過於籠統。或因礬有引吐去垢之效。使其毒易吐出。殆即能解

一切之毒歟，

【綱五】療瘡傷【目】主治陰蝕惡瘡。（本經）其治陰蝕惡瘡。專取滌垢之用。（本經逢原）治陰蝕惡瘡者。礬石酸澁殺蟲也。（本草崇原集解）治陰蝕惡瘡者。味烈性寒。故能殺溼熱之蟲。除溼熱之毒也。（徐靈胎）可以洗陰瘙毒瘡。（古方藥品考）收脫肛陰挺。理疥癬溼淫。（本草簡明圖說）去鼻中瘜肉（別錄）爲末去鼻中瘜肉。用治氣分之痰溼癰腫最捷。（逢原）療䶎鼻鼠漏瘰癧，（甄權）蝕惡肉生好肉。治癰疽疔腫惡瘡。虎犬蛇蠍百蟲傷。（時珍）治爛弦風眼。煆用生肌。（曾約醫鏡）同焰硝可燒水銀成粉。治一切瘡中有毒。得黃蠟和丸名蠟礬丸。治一切腫毒如神。凡治癰疽。當服之以護膜。膜苟不破。雖劇必瘥。（本草經疏）治脫肛。陰挺。瘡瘍。取其酸濇而收也。治喉痹。癰疽。中蠱。蛇蟲傷螫。取其解毒也。（顯興本草）爲含漱藥。用於咽頭炎。口內炎。（新本草教本）適用於口峽炎。咽頭炎。以之爲含漱及吸入劑。（診療醫報醫家之藥典周夢白）更能作收斂性之漱喉藥。洗眼藥。與外導藥等。（漢藥實驗談）

【按】此藥之能療瘡傷者。以其內含硫酸鉀。因硫黃對于皮膚病有溶解角質之局部作用。硫酸有殺菌防腐之功用。鉀鹽有麻醉局部之效能。且其性極收斂。故對于創傷出血疼痛。以及一切皮膚病。患瘡瘍癰疽。用此外治。均能見功。

【綱六】退黃癉。【目】治癉疾。（綱目）治黃癉。（原始）

【按】仲師曰黃家日晡所發熱。而反惡寒。此爲女勞得之。膀胱急。少腹滿。身盡黃。額上黑。足下熱。因作黑癉。其腹脹如水狀。大便必黑時溏。此女勞之病。非水病也。腹滿者難治。消石礬石散主之。按此種黃癉與膽石病不能同例施治。膽石病乃輸膽管發炎。故須用茵陳黃柏梔子大黃等消炎退熱之品。殆卽古時所謂陽黃也。而此用硝石礬石散者。係鉤蟲爲祟。故用礬以殺蟲。兩者不可同日而語也。

【綱七】催嘔吐。【目】嘔吐痰涎。藥物出產辨可作吐劑。本草新義能吐風熱痰涎。會約醫鏡涌涎。本草分經同皂莢。可吐風痰。國醫藥物學吐利風熱痰涎。取其酸苦涌涎。嵩厓尊生爲吐藥。漢藥實驗談

〔按〕此藥所含硫酸鉀鋁性極收斂。且其味濇用之內服。能使幽門胃壁諸神經收束。而引起嘔吐。凡患中風病者其胃食道內爲風痰阻塞。以致神識昏迷者可用此藥以吐之故稀涎散中用之。卽本此理。

【綱八】止瀉痢。【目】主寒熱洩痢。本經主瀉痢。本草原始治久痢疾。藥物出產辨白礬專收溼熱固虛脫故本經主寒熱泄利。蓋指利久不止。虛脫滑泄。因發寒熱而言。本經逢原主寒熱泄痢者。謂或因於寒。或因於熱而爲洩痢之證礬石清滌腸胃故可治也。本草崇原集解治泄痢。取其收而酸濇。嵩厓尊生治泄痢。取其收而燥溼也。握靈本草白礬爲收斂藥。能止瀉。又如久痢。每服用此藥末一分。清水調服。每四點鐘服一次。漢藥實驗談明礬於內用用於腸加答兒等。中藥淺說

〔按〕藥理學謂凡爲酸類。多有妨礙黴菌發育。制止腐敗之作用。特多不能到達腸部耳。須多用之。始可抵達。惟硫酸鉀鋁之明礬。雖亦有普通酸類之作用。但止泌之力特大。一經服下。雖未到達腸部。而減退分泌之力。已影響及之矣。故此藥止瀉痢之功。實可以遠勝各種酸類之藥也。然必施諸久痢滑泄者爲宜。若瀉利初起。積滯未清。竟貿然用之。其弗僨事者幾希。

【綱九】止帶。【目】主治白沃。本經赤白漏下。李珣治崩帶。綱目其治白沃。專取滌垢之用。本經逢原治白帶。取其收而酸濇。嵩厓尊生治帶取其收而燥溼也。握靈本草治白帶。漢藥實驗談

〔按〕白帶者女子子宮與陰道間之炎性分泌物也。其病變所在之部位雖殊。其爲發炎則一。故治療此症。遇初起時子

宮等部正當發炎。應以消炎之品爲主。徒用止濇無益也。故中醫用清化溼熱等法。卽暗寓消炎之旨耳。迨後急性者。漸變爲慢性。則治療上消炎已居次要地位。乃可施用止濇一法。則礬石可以用矣。如張仲景以礬石丸納陰中。而治女子下白物。王肯堂以白礬丸內服。而治赤白帶下。皆取其內含硫酸鋁。有極大之收歛性。能使體內之分泌減少耳。

【綱十】止濁【目】在赤白濁證。如子午丸治心腎俱虛之赤白濁證。且又治消渴飲水。漩下赤白。（本草述）對于淋病。可作注入劑。（醫家之藥典）治白濁。（漢藥實驗談）

〔按〕濁卽淋病。因其所分泌者。形質溷濁而厚。故名曰濁。蓋濁者。亦溷濁之意也。若其所分泌之黏液。夾雜血液。成爲紅色。則名赤濁。若純係白色。則名白濁。赤白相兼者。則名赤白濁。赤白濁之定義如此。故所謂治濁者。無論爲赤濁白濁。或赤白濁幷發。均可治也。赤白濁若在女子。卽爲赤白等帶。故濁之性質。與女子之白帶略同。推其病變之所在。多爲尿道膀胱等處發炎。而分泌稠粘之物質。然若究其炎症之所由成。其原因雖有種種不同。但處今之世。花柳病極爲猖獗。要亦不可謂非一大原因也。至若論其治法。與白帶治法。大同小異。然則用礬者。亦必須久濁之症。始可投之。否則幸勿孟浪。但若初起外用洗射。間亦可以暫用也。

【禁忌】久服傷人骨。（吳普）多用則傷齒。（逢原）俗中合藥火熬令燥。以療齒痛。多則壞齒。卽傷骨之說也。而經云堅骨齒。誠爲可疑。（宏景）不可多服。損心肺。却水故也。水化書紙上乾則水不能濡。故知其性却水也。（宗奭）損齒傷肺。雖金匱治女勞癉有消石礬石散一方。然畢竟剷伐之品。外治爲優耳。（本草便讀）白礬止泄痢。亦由泄痢久不止。虛脫滑泄。而此味性濇以止脫。故能主之。假令溼熱方熾。積滯正多。誤用收濇。爲害不少。治目痛不由胬肉及有外障。亦非所宜。礬性燥急。而能却水。用之貴得所宜。咽喉痛者。尤宜審之。目痛由陰虛血熱者。亦不宜用。（本草述）此藥收斂之性極大。無論身之一處或全體。俱有此性。服之則爲胃腸所吸收。傳入血內。令身內之各津液減少。故不宜多服也。（漢藥實驗談）明礬之鹽基性微弱。有顯著之酸性。故局部用之過度。則不起收斂。反因酸而呈發炎作用。並發强大之滲出作用。（藥理學）有損害食慾之虞。（醫家藥典）

【用量】一分至三分。（和漢藥考）一回〇・一至〇・八克。（中藥淺說）劑量一次爲〇・一——〇・二五克。（醫家之藥典周夢白）

〔按〕此藥無論外用內服。皆不宜多。已詳於前條禁忌之下。惟用於引吐劑。必須重用。方可有效。

【用法】細研入瓦罐中。火煅半日。色白如輕粉者。名枯礬。惟化痰宜生用。治齒痛喉痺。懸裹生含咽之。（本草述）取潔白光瑩者。火煅用。又法以火煅地。灑水於上。取礬布地。以盤覆之。是爲礬精。未盡者更如前法。再以陳酒化之。是爲礬華。七日可用。百日彌佳。（和漢藥考）治內臟之出血。一日量〇・五至一・〇五格蘭姆。溶於一百格蘭姆之水中。分三次每食後一時服。外部之出血。以明礬百分之一至五之水溶液。塗布或撒布其粉末。又含漱料用百分之二至五之水溶液。衄血用明礬粉末。或百分之三水溶液。浸脫脂綿。塞入鼻腔中。痔之出血與膣腔炎。用爲局部浴。（新本草教本）凡胃腸出血。及血尿痢疾。婦人帶下等症。每服自二厘至一分。研細和白糖服之。如誤服毒物。用作吐劑。取明礬末二錢。糖湯一碗冲服。若不能卽吐。可再用二錢。多加溫水冲服。必吐。服火柴頭鴉片各惡物者。以此物治之。使吐便得。外用可削爲小錠。對於子宮黏液漏。及生產後。收縮不全。用以摩觸子宮頸。惟常人不明生理及手指等消毒法。不可妄試。於腋臭或耳門咽喉潰爛。及女子生殖器病。分泌過多。可用明礬一分。小粉十分。混和吹入。鼻血或帶下過多。宜用明礬水。取藥棉花醮塞。眼疾羞明流淚。可取百分之一之明礬水。點入。喉嚨腫痛。牙齦出血。口腔諸病。可作含漱劑。足汗過多。慢性皮疹。每日用明礬水洗滌甚效。

溶解於水。可供洗眼浣腸陰道洗滌等。於齒齦出血。鼻茸口腔潰瘍鵝口瘡腋臭等。用枯礬末撒布。（中藥淺說）（藥物一夕談　鄒文凱）

【附錄】（一）礬之種類　礬有五種。其色各異。有白礬、黃礬、綠礬、皂礬、絳礬之不同。礬石即白礬也。（崇原）礬石種類甚多。五色皆備。初生皆石。煎煉而成。黃礬丹竈家所須。黑礬出西戎。亦名皂礬。染色所須。綠礬入咽喉口齒藥用。白礬出晉州無爲州。色白明淨。亦名明礬。礬原名涅石。煅枯名巴石。輕白者名柳絮礬。又有波斯白礬。按礬石雖分五色。實則白綠兩種耳。（本草簡明圖說）

【按】古人所稱之礬石。即今所謂白礬明礬也。或以天產者。爲礬石。經人工燔煉者。爲明礬、白礬。再經火煅者。爲枯礬。此亦是也。至若綠礬又名青礬。又名皂礬。爲硫酸鐵。祇可供染料及製墨水之用。膽礬爲硫酸銅。絳礬又名紅礬。爲皂礬之煅赤者。皆係有毒之物。不可入藥。惟膽礬爲硫酸銅。雖亦有毒。尚可供作催吐之良劑。然皆與白礬不同。宜細辨之。

（二）明礬之製法　明礬之製法有數種。其原料用明礬石及粘土。1碎明礬石入鍋內燒之。至瓦斯發生而止。乃以水溶解。濾過蒸發濾液。使成結晶。再精製之。2明礬石燒後。再加硫酸製成明礬。與第一法同。3粘土中加硫酸。使成硫酸礬土。再加硫酸加里。製成明礬。與第一法同。4在有溫泉之地方。盛粘土於亞硫酸瓦斯發生之孔內。復灌以水。覆以蘘薦。使化生硫酸礬土。乃以水溶解。濾過。再加木炭汁。又濾過。蒸發濾液。使成結晶。再精製之。日本製明礬。即此法也。（和漢藥考）

凡溫氣焰氣所發之山。皆有之。山中地熱而焰氣未發。人爬取其土。復撒置地上。略注水。覆蘘薦。則相蒸蠢蠢上殖如麴花。是乃礬也。此時最忌雨水。故必須候晴天作之。又爬得其土。盛器水攪洗之。灑過。如此數時。其滓仍撒置地上。以其濾出之水。再和木灰汁煎兩三時。盛入大桶。冷定成礬。然未精。復以笊籮濾取之。則如粉。又熬之如膏。桶盛。冷定則潔白堅

中国近现代中医药期刊续编·第二辑

硬如厚冰。是乃明礬也。和漢三才圖會（三）生礬之藏法醫家之藥典 須防其吸收溼氣及放出水分。宜祕密貯藏之。（四）枯礬之藏法。新本草 如露空氣則發潮。宜存貯於玻璃器密塞之。（五）明礬與枯礬之異醫家之藥典 其除去水分者曰無水明礬。或曰枯礬。其吸水力。消毒力。腐蝕力。均大於明礬。（六）明礬止血之驗方漢藥實驗談 白礬末二錢。牛奶十二兩。白糖八錢。右和勻。煎沸濾淨。每次服一茶杯。能止血斂血。凡肺胃或大小腸內腎等處出血。服之皆效。（七）白礬治齒齦出血不止之驗方千金方 礬石一兩燒。水三升煮一升。含漱。（八）白礬治衄血不止之驗方聖濟方 枯礬末吹之妙。（九）白礬治中風痰厥四肢不收氣閉膈塞之驗方本草述 白礬一兩。牙皂角五錢。為末。每服一錢。溫水調下。吐痰為度。（十）風痰癇病化痰丸握靈本草 生白礬一兩。細茶五錢。蜜丸。如梧桐子大。一歲十丸。茶湯下。久服。痰自大便中出。（十一）白礬化痰治嗽之驗方握靈本草 明礬二兩。生參末一兩。苦醋一升。同熬為膏。收乾為丸。每用一丸。放舌下。其嗽立止。（十二）白礬治風溼膝痛之驗方。御藥院方 燒礬末一匙頭。投沸湯。淋洗痛處。（十三）礬石治黃腫水腫之驗方濟急方 推車丸。用明礬一兩。白麵半斤。同炒令赤。以醋煑米粉糊為丸。棗湯下三十丸。（十四）治鉛病肚痛。白礬雅片酒方漢藥實驗談 白礬末二分半。每二點鐘服一次。服至作瀉而止。或每次加鴉片酒八滴同服。最佳。（十五）礬石治虎犬傷人之驗方。握靈本草 礬末納入裹之。止痛。蛇蠍螫痛。刀頭燒赤。置礬滴汁于上立瘥。（十六）礬石治口舌生瘡下虛上壅之驗方本草述 用白礬湯濯足。（十七）礬石治鼻中瘜肉之驗方本草述 用明礬一兩。蓖麻仁七個。鹽梅肉五個。麝香一字。杵為丸。綿裹塞之。化水自下也。（十八）礬石治疔腫惡瘡之驗方本草述 用生礬末黃丹各等分。以三稜針刺血。待盡敷之。不過三敷決愈。（十九）礬石治小兒鵝口滿口白爛之驗方握靈本草 枯礬一錢。硃砂二分。為末。每以少許敷之。日三。（二十）礬石治婦人陰脫作癢之驗方。本草述 礬石燒研。

空心酒服方寸匕日三。(二十一)礬石治喉癰乳蛾之驗方(本草述)用礬三錢。銀銚內溶化。(不可用銅鐵者)入劈開巴豆三粒。煎乾。去豆研礬用之吹喉立愈。甚者以醋調灌之。名通關散。(二十二)礬石治爛弦風眼之驗方(握靈本草)白礬一兩。銅青二錢。研末湯泡澄清點洗。(二十三)礬石治婦人黃癉經水不調房事觸犯所致之驗方(本草述)白礬黃蠟各半兩。陳橘皮三錢爲末化蠟爲丸。梧桐子大。每服五十粒。以滋血湯或調血湯下。(二十四)白礬涌吐方(化學實驗新本草)白礬末三四錢。湯服。未吐再服。服吐後須多飲暖水以助嘔。此方能救服鴉片各毒物。(二十五)礬石治泄瀉下痢不止之驗方(握靈本草)白龍骨白礬煆過爲末。好醋飛羅麵。打和爲丸。梧子大。赤痢、甘草湯。白痢、乾薑湯下。(二十六)礬石治冷勞洩痢食少諸藥不效之驗方(普濟方)用白礬三兩。燒。羊肝一具。去脂。釅醋三升。煮爛。擂泥和丸。梧子大。每服二十丸。米飲送下。早晚各一服。(二十七)礬石治婦人白沃之驗方(金匱方)用礬石。燒。杏仁一分。研勻。煉蜜丸。棗核大。納入陰中。日一易之。(二十八)礬石治虛憊便濁滴地成霜之驗方(本草述)蓮肉去心。乾藕節。龍骨。遠志各一兩。枯礬、靈砂、各二錢五分。爲細末。糯米糊爲丸。梧子大。每服十五丸。食前白湯下。

(未完)

介紹醫書

中國醫藥衛生常識 葉橘泉著 實價大洋六角 浙江湖州雙林存濟醫廬
合理的民間單方 葉橘泉著 實價大洋八角 浙江湖州雙林存濟醫廬
春溫伏暑合刊 宋愛人著 實價五角六分 上海白克路西祥康里中國醫藥書局
吐血肺勞指南 慈航居士 函索附郵五分 杭州糧道山十號慈航醫室

蘇州國醫學校

附設國醫診療所

聘請各科醫師送診給藥

◉宗旨
普濟貧民之疾苦
供給學生之實習

◉科目
內科 外科 女科 兒科

◉時間
門診 上午十時以前
出診 下午三時以後

◉號金
門診 號金一角
出診 車金八角

◉地址
蘇州穿珠巷八十四號

◉電話
第二千三百六十七號

中華民國二十三年冬季出版

蘇州國醫雜誌第四期

編輯者 蘇州國醫學校
蘇州穿珠巷八四號
電話第二三六七號

發行者 蘇州國醫書社
蘇州吳趨坊一三七號
電話第五百六十三號

印刷者 蘇州文新印書館
蘇州景德路六十七號
電話第八百九十一號

蘇州國醫雜誌價目表

期數	價目	寄費
每季一期	另售一角五分	寄費一分
每年四期	預定大洋六角	寄費在內

蘇州國醫書社新出醫書目錄

〔外埠函購 郵票代洋 寄費加一 九五折算〕

中醫新論彙編	全國名醫著	全書四厚冊	王慎軒主編	實價銀五元
本草再新	葉天士著	每部實價	王慎軒校	一元二角
重訂孫眞人海上方	孫思邈著	全書一冊	王南山訂	實價二角
曾女士醫學全書	曾伯淵著	全書一冊	王慎軒訂	實價八角
漢譯診病奇侅	丹波元簡著	全書一厚冊	王慎軒重訂	實價銀一元
拯瘼軒醫學就正錄	周禹錫著	一大厚冊	王慎軒批	實價一元
傷寒時方歌訣評註	俞根初著	每部實價	周越銘編	一元二角
傷寒追解辨證歌	薛公望著	全書一冊	王慎軒校	實價四角
溫病指南	王馥原著	每部實價	王慎軒訂	大洋四角
診餘舉隅錄	陳菊生著	全書一冊	王慎軒校	實價六角
曹穎甫先生醫案	王慎軒記	全書一冊	王南山編	實價二角
女科醫學實驗錄	王慎軒著	全書四冊	諸門人輯	實價一元

再版胎產病理學	王慎軒著	一大厚冊	諸門人校	實價一元
女科指南	戴武承著	全書一冊	王慎軒訂	實價八角
新批女科歌訣	邵步青著	全書一冊	王慎軒批	實價四角
女科祕訣	鄭厚甫著	全書一冊	王慎軒校	實價二角
婦女病經歷談	祝懷萱著	全書一冊	顧志道校	實價一角
幼科指南家傳祕方	羅田萬	每部實	密齋著	價一元
家庭必備食治祕方	尤生洲著	每部一冊	王南山校	實價一角
家庭育嬰法	沈潛德	每部實	女士著	價一角
家庭實用良方	王景賢	每部實	女士編	價六角
家庭醫藥常識	王寶燦編	每期八分	每季一期	每年三角
家庭醫藥常識第一年彙編			王慎軒編	實價三角
婦女醫學雜誌彙編	王慎軒編	每部實價	諸門人作	一元五角

〔總發行所〕 蘇州閶門內吳趨坊一三七號 蘇州國醫書社

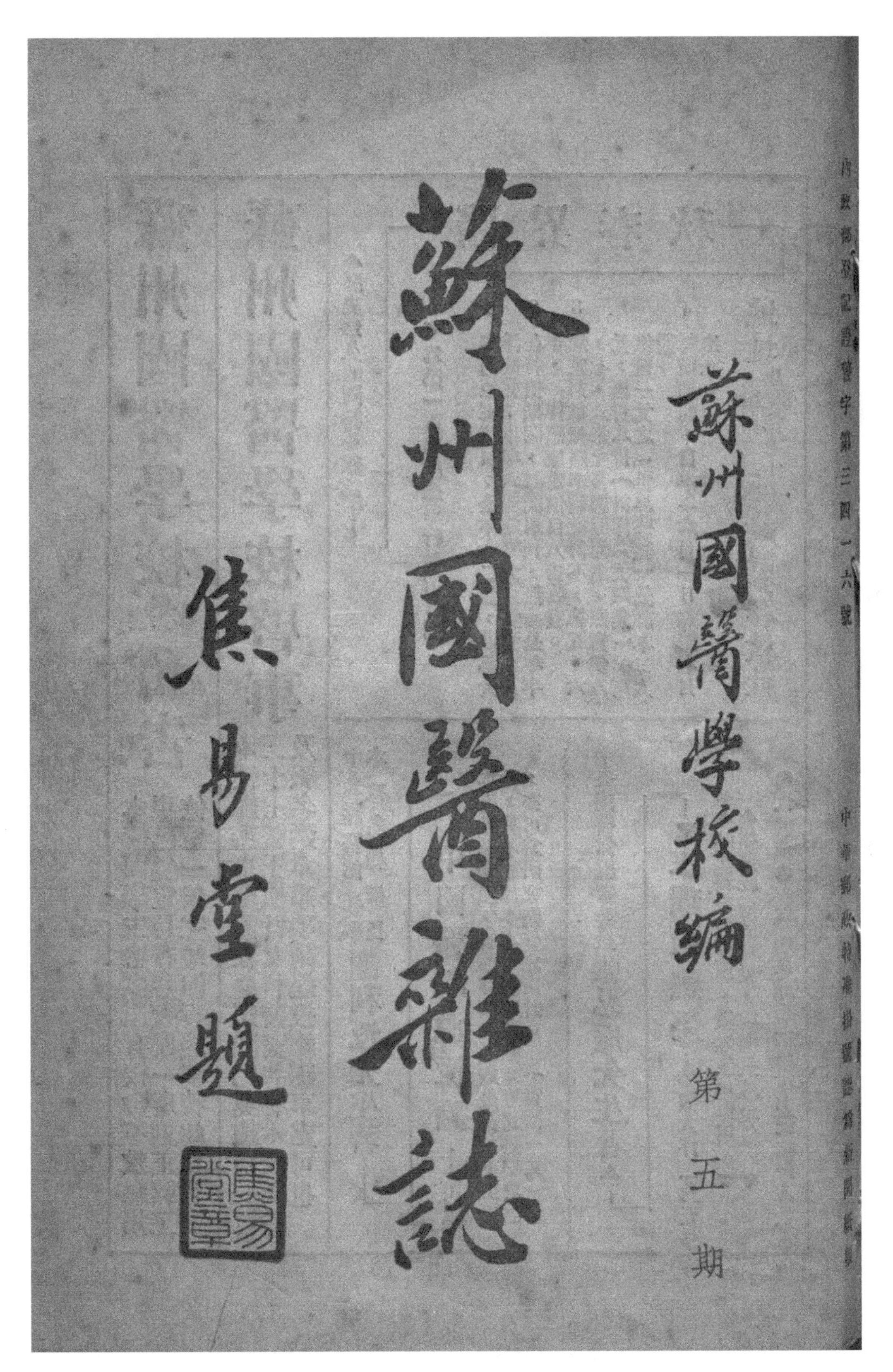
蘇州國醫雜誌
焦易堂題
焦易堂章
蘇州國醫學校編
第五期
內政部登記證警字第三四一六號
中華郵政特准掛號認為新聞紙類

蘇州國醫學校遷移預告

本校因學生增多原有校舍不敷應用現已覓定長春巷大廈一所刻正興工修造一俟完竣即行遷移特此預告

蘇州國醫學校啓事

本校總辦事處設在蘇州閶門吳趨坊一百三十七號王愼軒女科醫室如有本校函件及報名索章事項請逕投總辦事處可也

醫界春秋

▲歷史悠久的國醫藥雜誌

▼爲第一百期紀念舉行特價訂閱：

1 本刊原定價目：全年十二冊，連郵大洋貳元；半年六冊連郵大洋壹元。
2 在特價期間，訂閱本刊無論全年半年，一律照原定價目八折收費。
3 新定戶欲補購本刊彙訂本第五・六・七・八集全書四厚冊者，照實價八元，再打八折（計洋六元四角）另送價值一元之「世界醫報」彙訂本二大冊。
4 特價期間，自本年六月一日起至七月底止。

地址上海白克路西祥康里第七十七號醫界春秋社

中國醫學源流論……出版！

中央國醫館理事 本校名譽校長 謝利恆先生著

本書編制新穎，敍述詳明，上起炎黃，下至近世，臬不原原本本，若網在綱。可爲醫學史讀，亦可爲研究醫學之南針。（實價一元）

生理的燃燒……特價大洋二角五分

中央國醫館編審委員張忍庵先生著

▲站在科學的立場，敍述生理作用。▼
▲根據經驗的結果，說明病理現象。▼

●代售處● 蘇州吳趨坊一百卅七號國醫書社

蘇州國醫雜誌第五期目錄

譯著

漢醫要訣（續） 大塚敬節著 唐慎坊譯

漢方醫學的新研究 中山忠直著 徐觀濤譯

講壇

杭州董志仁先生演講錄 王雲芳錄

甘肅柯與參先生演講錄 石蔚華錄

言論

論傷寒金匱之異點 潘國賢

研究國醫學的意義和方法 王東英

生理

談談營衛 楊醉梅

內經生理之科學觀 徐觀濤

心理

一個醫生所應該知道的心理學 潘菽

夢話 周自强

內科

近世內科國藥處方集（腹膜性病） 葉橘泉

神經系病（續） 富晚香

女科

女科醫藉考 張又良

痛經治療談 顧志道

兒科

天花 章巨膺

說小兒疳積 胡蕭梧

藥物

葛根非發汗藥 楊夢龢

1936. 5. 25.

接骨仙桃草對於血症之功效　蘇善寶

方劑

論國醫治黑熱病驗方　葉古紅

古方治療一得　陸自量

醫案

馬培之先生內科醫案（續）　王愼軒編　馮長楷錄

丁甘仁先生內科醫案（續）　王愼軒編　徐觀濤錄

黃體仁先生女科醫案（續）　王愼軒編　朱彩霞錄

王愼軒先生女科醫案（續）　王南山編　王景賢錄

筆記

驗方瑣記（五）　唐愼坊

女科奇病治驗錄　王愼軒著　王景賢錄

雜俎

雞肉瑣談　沈仲圭

本校二年級課餘研究會記錄　陳丹華記

講義

本校雜病講義（摘錄）　王志純

本校藥物講義（摘錄）　王愼軒

本校近訊

一、聘請章太炎先生謝利恆先生爲名譽校長；添聘江蘇省國醫分館館長王碩如先生爲校董。

二、添聘西醫蔡焦桐先生爲生理學、解剖學、細菌學、產科學教授；孫永祚先生爲醫學教授；馬文福先生爲國術教授。

三、本校因學生增多，原有校舍不敷應用，特在長春巷新闢校舍；自興工修建以來，業已大部完竣，定于暑假期內，遷入新校址。

四、本校新校舍，添闢標本室，施藥室，自修室，演講臺，雨操場，乒乓球室等。

五、本校爲使學生多得實習機會起見，决定自下學期起擴充診療所範圍，凡校長及各教師均輪流擔任醫務。

譯著

漢醫要訣（三續）

大塚敬節原著　唐愼坊譯

第四章　舌證

就舌治療之法則

西醫臨床上、不以舌之變化爲重要。而漢醫則舌證之價値頗爲重大。與脈證、腹證、外證等。同有安詳審別之必要。故將重要舌證數例。解說於左。

舌有白苔者

其在太陽病。大抵舌無變化。惟大靑龍湯及小靑龍湯加石膏等證。則以其爲石膏證。故舌現白苔而且乾燥。五苓散證。茯苓澤瀉湯證。其舌亦現白苔。惟此舌與石膏證之舌不同者。因其濕潤而不乾燥也。然舌有白苔者。多爲邪毒在半表半裏部位之象。屬於小柴胡湯及小柴胡湯加減法之證爲多。小柴胡湯證。其舌苔薄而滑。小柴胡湯加石膏證。其舌苔厚而乾燥。且有口渴之狀。以石膏爲主藥之白虎湯證。其舌亦苔厚而乾燥。且有口渴之症。他如舌有白苔。而下見紫黑色者。內有瘀血故也。

舌有黃苔者

溫疫論曰。邪在膜原。(半表半裏位)則舌上有白胎。邪在胃家。則舌上有黃胎。胎老則爲沉香色。白胎不可下。黃胎宜下。黃胎者卽邪毒在胃家(裏位之意)之象。乃宜投下劑之證也。金匱要略曰。病者腹痛。按之不痛爲虛。痛者爲實。可下之。舌黃未下者。下之黃自去云云。此黃苔因下而消滅。若失時不下。則黃苔遂變爲黑苔矣。

舌有黑苔者

舌有黃苔。雖邪毒在裏。其病位猶淺。大柴胡湯之所主也。及黃苔漸變黑苔之時。則邪毒深侵入裏。乃大承氣湯調胃承氣湯等下之。之證。溫疫論說明之。謂邪毒在胃。薰騰於上。而生黑胎。有黃胎老而成焦黑者。有津液(體液)潤澤而作軟黑胎者。有舌上乾燥而作硬黑胎者。下後二三日。黑皮自脫。

舌無苔黑而濕潤者

此爲陰證之舌。宜用附子。若誤爲陽實證之黑苔而乾燥者。投以下劑。則死可立待耳。

陽證之舌與陰證之舌

大年口訣抄云。陽病舌乾燥。陰病舌滑。總之陰證之舌。濕潤而不乾燥也。

舌色紅而乾涸者

此舌爲地黃或麥門冬等之證。丹波元堅氏於其所著時還讀我書中。謂今世醫者診傷寒。每遇舌無苔。乾燥而甚赤者。斷爲附子之證。不知其何所據。以余數十年之經驗而言。凡此種舌。乃津液竭乏之象。非滋潤不可。倘與附子。必增其燥而生變云云。余本自己之經驗。亦極贊同此說。然有持桂里氏於其所著方輿輗中。謂眞武證(眞武湯內有附子)有舌候。其舌純紅者。十之七八。但痢疾舌赤者爲惡證云云。有持氏所謂舌純紅者。究爲乾燥耶。抑爲濕潤耶。頗不明瞭，既係眞武證。恐爲濕潤之舌也。

舌有芒刺。

瘟疫論曰。舌有芒刺。熱傷津液。此疫毒之最重者。當急下之。老人之微疫無下證。舌上乾燥。易生胎刺。以生脈散生津潤燥。芒刺自消云云。芒刺者。舌苔如刺也。疫者。流行病也。生脈散者。麥門冬人參五味子等藥所構成之。後世方也。由此可知舌有芒刺。或因熱致津液乾燥而起。或因體液缺乏而生。不外此二端而已。前者陽實證。治宜下之。後者宜用滋潤劑如生脈散之類。故僅僅舌證。猶不足恃。必參照脈證腹證外證而熟慮判斷耳。

舌裂

瘟疫論曰。舌裂因日久失下。血液枯極者。多有此證。又熱結旁流。日久不治。在下則津液消亡。在上則邪火毒熾者。亦有此證。急下之。則裂自滿云云。按熱結旁流者。腸內大便堅塊固結停滯。而堅塊之間有臭水流下而爲痢也。邪火毒熾者。即炎症之意耳。

舌短舌硬舌卷

瘟疫論曰。舌短、舌硬、舌卷。皆爲邪勝正虧。急下之。則邪毒去而正氣回。舌自舒。此皆宜投下劑之證也。

舌有白砂胎

瘟疫論曰。白砂胎者。舌上白胎乾硬如砂皮。一名水晶胎。較僅有白胎津液乾燥。邪入胃家。不能變黃。宜急下之。此舌證亦宜投下劑之徵象也。

瘀血之舌證

金匱要略曰。病人胸滿。脣痿。舌青。口燥。但欲嗽水不欲飲。無寒熱。脈微大來遲。腹不滿。其人言我滿。為有瘀血云云。舌青者。有瘀血之證。又舌無胎而有赤紫斑點。或如牛舌者。亦瘀血之舌證。脣痿者。脣瘺之意。

虛舌

諸家奇方書云。虛舌從口而出不止者死。虛舌者、時時伸舌也。

(備考)古書舌胎作胎今作苔。

第五章　外證

一般狀態

凡經驗豐富之醫師。一見病人。卽可識別其病症。而得診斷上重要之資料。例如病人為陰證或陽證。自其姿勢、顏貌、音聲、步行之狀態、及其全身觀察而得。四診備要云。凡病人開目見人者為陽症。閉目不見人者為陰症。又云循衣摸床。兩手撮空。直視等狀大抵為陽明病。手足卷縮身踡者。多陰證。亦臨床上不可忽之事實。傷寒論曰。病人身大熱。反欲得衣者。熱在皮膚。寒在骨髓也(皮膚為表骨髓為裏)身大寒。反不欲近衣者。寒在皮膚。熱在骨髓也。朱丹溪曰。肥人濕多。瘦人火多。皆臨床上足資參考者也。

音聲言語

病人之呼號、鄭聲、譫語等。因其緩急高低音律。而隱示其疾病為何類。如診察幼兒時。須於其舉動及哭聲細加注意。

王叔和氏曰。小兒病忽作鴉聲者死。吾人於乳兒脚氣將死之兒童。常聞鴉聲。鴉聲者。已失神之聲也。

傷寒論曰。實則譫語。虛則鄭聲。鄭聲、重語也云云。譫語聲大有力。鄭聲聲低無力而喃喃一語反覆叮嚀。此精氣虛弱所致也。

觀於皮膚之變化

皮膚之色蒼白貧血之狀。多屬陰證。反之、赤銅色或充血潮紅之皮膚。則屬陽證。然有生來色黑。視若陽證。而實為陰證者。又有視若陰證而實為陽證者。故診察之際。不可不慎重焉。

面色之潮紅充血者。概宜用瀉心湯或解毒湯等以下之。然有時厥陰病上熱下寒之潮紅。亦相類似。故此面色之潮紅。為陽證耶。為陰證耶。欲判別之。不可不參照外證、腹證、舌證、脈證也。若誤陰虛證之潮紅為陽實證而投下劑。則是置病人於死地。烏乎可。

皮膚及黏膜面有紫斑點、或青筋。或皮膚甲錯等。瘀血存在之現象也。皮膚乾燥或枯燥者。體液缺乏。營養不良。陳久瘀血之存在等之現象也。皮膚之濕潤者。組織液過剩。蓄積體內。或分布狀態之均衡已破也。

熱

漢醫所謂熱者。不必以體溫表為標準。故局部的熱感。亦可謂之熱。熱之一語。炎症之意。

西醫對於熱。因熱型而別為稽留熱、弛張熱、間歇熱等。因熱勢而別為惡熱、輕熱、中等熱、高熱、過熱等。此等分類與直接治療法。無甚關係。反之、漢醫對於熱。則有陽證。有陰證。有實熱。有虛熱。而陽證之中。又有太陽病之熱。有少陽病之熱。有陽明病之熱。故熱之分類。與直接治療法。頗有關聯。試將其重要熱狀。解說如左。

惡寒發熱　惡寒發熱。惡風發熱。同爲太陽病之熱。惡風者較輕於惡寒。

往來寒熱　惡寒發熱者。惡寒與發熱同時存在。往來寒熱者。惡寒止而熱來。熱去而惡寒來。卽寒熱互相往來。此少陽病之熱也。

潮熱　潮熱者。不惡寒而全身皆熱。吉益南涯氏觀證辨疑云。夫潮熱者。取充實之義。海水潮、則海隅江曲穴中岩間。無不有水充滿。潮熱發、則身體手足胸腹中。無不有熱充滿。故曰潮熱者實也。此爲陽明病之熱也。

熱入血室　血室者、子宮之義。熱入血室。熱與瘀血相結之意。

身熱　中西惟忠氏傷寒論名數解云。身熱者、胸脅常熱也。其熱在肌膚。使人身重微煩。凡少陽病及由少陽病移於陽明病之時所現。故多以柴胡湯、或小柴胡湯加石膏。或大柴胡湯主之。

惡熱　傷寒論名數解云。惡熱之惡。如惡寒惡心之惡。其熱全在分肉。鬱鬱蒸發。炎炎如炊。使人常煩。卽陽明裏實證之熱也。

陰證發熱　陰證常無熱而惡寒。故雖發熱而脈沈微細。有手足寒冷、或厥逆之候。惟飲食不失其味。

虛熱　療治經驗筆記云。凡諸病有熱者。或爲陰虛之熱。或爲陽虛之熱。可於左法辨之。陰虛之熱。脈細數而無根。口能辨五味。是知陰虛之熱也。陽虛之熱。脈大而無根。且口不辨五味。補中益氣湯條下所云失五味是也。是知陽虛之熱也。虛熱亦有陽虛陰虛之別。虛熱較之實熱。大抵自覺症狀較少。

汗

汗出有陽證。有陰證。而陽證之中。有太陽病桂枝湯證所見之汗自出。有少陽病小柴胡湯證所見之盜汗。有陽明病大承氣湯證所見之手足漐漐汗出。又下利清穀。裏寒外熱。汗出而厥之通脈四逆湯證之汗出及汗出不止而死之厥陰病之汗出等所謂陰證之發汗也。不可不參照腹證脈證外證等以判別之。

便 附腹痛下痢

凡實證大抵便祕、且有宿食及燥屎。故傷寒論曰陽明之爲病。胃家實也。腸胃充實。固陽明裏實之徵。然熱結旁流。（便之堅塊塞腸管而堅塊之間有臭水流下）或下重。卽裏急後重。雖有下痢之症。亦爲實證也。

虛證多便軟而有下痢及失禁之傾向。且下痢無度。故無宿便燥屎之可言。

大便熱臭、腐臭、或混粘血者。大都爲陽證之下痢。而下利清穀。（食物不消化而下利）或大便不臭而有精液類之臭氣者。大都爲陰證之下痢。

胃中燥。大便硬。

傷寒論曰陽明病。其人多汗。以津液外出。胃中燥。大便必硬。硬則譫語。小承氣湯主之。

【註】此章所謂譫語者。知其由於宿便卽食毒之自家中毒而起。故主以小承氣湯。去其病因之宿便則譫語自愈。有燥屎。故繞臍痛。發作有時。

傷寒論曰。病人不大便五六日。繞臍痛。煩躁。發作有時。此有燥屎。故使不大便也。

【註】腹痛與煩躁發作。因有燥屎之故。主以大承氣湯。下其燥屎。則腹痛煩躁俱去矣。

表熱裏寒。下利清穀。

傷寒論曰。脈浮而遲。表熱裏寒。下利清穀者。四逆湯主之。

【註】下利清穀者。裏有水毒。使其新陳代謝機能沈衰之故。此表熱為假熱而非眞熱。脈雖浮而非太陽病之表徵。乃太陰之脈也。

遺屎（大便失禁）

方輿輗云。遺屎無陽症。凡痢疾泄瀉。十度之內。失禁過三度。則非陽而為陰。此眞武四逆之證也。

裏急後重

方輿輗云。下重非附子所主。而宜主以白頭翁之類。或下劑。

焦窗雜話云。痢疾有後重者。大抵皆屬實症。然亦有屬於虛者。未可一概而論。

尿

傷寒論曰。傷寒不大便六七日。頭痛有熱。小便反赤者。可與承氣湯。小便清者。知不在裏而仍在表也。當須發汗。若頭痛者必衄。宜桂枝湯云云。小便清澈。知其裏無熱。然因其小便色赤。遽斷定其裏有熱。亦有不當。吾人對於裏熱證、如石膏證者。常見其小便為赤色。

小便不利。小便淋濁。尿意頻數。有如大便之便祕裏急後重之關係。多爲利尿劑之適應症。然亦有用大黃芒硝石膏者。大黃芒硝（軟其堅塊又有利尿之效）用於此等諸證。其意在啓北牖以納南風耳。傷寒論曰。大下後。復發汗。小便不利者。亡津液故也。得小便利必自愈。因體液減少之結果而小便不利者。不可與利尿劑。又汗家重發汗。必恍惚心亂。小便已。陰疼。與禹餘糧丸。亦因其體液缺乏。故小便難出。排尿時尿道疼也。但禹餘糧丸果爲何藥。至今不明。

小便本應不利。而反自利者。瘀血存在之現象。傷寒論曰。太陽病。身黃。脈沈結。少腹鞕。小便不利者。爲無血也。小便自利。其人如狂。血證諦也。抵當湯主之云云。小便自利。爲瘀血之外證。然方輿輗云。小便自利爲瘀血之症。此古來之定式。然成爲脹滿之病人。後多不利。可見小便自利爲瘀血之外證。亦非一定不易者也。遺尿爲石膏所治。觀於傷寒論白虎湯條曰。三陽合病。腹滿身重。難以轉側。口不仁。（口不知味）而面垢。譫語遺尿云云而知之。

其他應注意之二三外證

健忘

傷寒論曰。陽明證。其人善忘者。必有畜血。所以然者。本有久瘀血。故令善忘。屎雖硬。大便反易。其色必黑。宜抵當湯下之。

【註】善忘者。健忘之意。畜血者、瘀血也。惠美寧固氏云。健忘屬於畜血。宜抵當丸。抵當丸卽以抵當湯製爲丸劑。皆有排除陳久之瘀血之效也。

無故吐衄。

遊相醫話云。傷寒不傷食而無故吐蚘下蚘。此凶兆也。內熱太甚。蟲不安居。故出。或爲藏寒。或在隔上。此二者宜注意焉。

【註】膈上者、橫膈膜之上。卽口腔食道上之意。

項背强几几。

皇漢醫學云。項背强几几者。從腰部沿脊柱兩側向後頭結節而上走之筋肉羣。有强直性痙攣之意。故病人或覺肩凝。或呼腰背攣痛。依前說問診而尙有疑者。卽於上開之筋肉羣。沿其橫徑以指頭强爲按壓。覺其凝結攣急。其時病人亦呼痛者。則斷爲項背强几几。百不失一。

頸項强。（參照小柴胡湯條）

皇漢醫學云。頸項强者。從肩胛關節部沿鎖骨上窩之上緣向顳顬骨乳嘴突起部攣急之謂。應與葛根湯證之項背强區別。是亦臨床上注重之點。不可忽視也。

手足或全身厥冷。

醫宗金鑑云。傷寒脈微細。身無熱。小便清白而厥者。是寒虛厥也。當溫之。脈緊身無熱。胸滿煩而厥者。是寒實厥也。當吐之。脈實大。小便閉。腹滿硬痛而厥者。熱實厥也。當下之。今脈滑而厥。滑爲陽脈。知爲裏熱。是熱厥也。然內無腹滿痛不大便之證。雖有熱而裏未實。不可下。當清之。故主以白虎湯。

【註】手足或全身厥冷者。有極陰證。有極陽證。陰證又有虛證（寒虛厥）與實證（寒實厥）。陽證又有裏實（熱實厥）及熱厥。其治法各異。蓋陰證宜用通脈四逆湯。或通脈四逆加猪膽汁湯等治之。寒實厥宜用瓜蒂散等。熱實厥宜用大

承氣湯。熱厥宜用白虎湯。（待續）

漢方醫學的新研究

——摘譯——

徐觀濤

服漢藥後的瞑眩現象

瞑眩不是中毒作用

漢藥服後，每呈一種奇怪的類似病理變化的現象；驟視之，和服西洋劇毒藥過量，或因錯服漢藥而起的中毒現象沒有異樣，而實際却是完全相反。原來當藥力和病毒搏戰的時候，人體正氣亦被喚起而與病毒相衝突，病人除了習慣的自覺症狀外，又加突然而起的異常感覺；如腹痛、頭痛、嘔吐，或用發汗劑而反下利，用下劑而反發汗，或身體驟覺疲勞等證，吾人常稱之爲藥的瞑眩現象。

西醫常以爲此種現象是藥物的副作用，但據吾人之經驗，知道這是服漢藥後所特有的現象；尚書曰：『藥不瞑眩，厥疾不瘳』就是指藥效的反應作用而言。怎樣知道瞑眩是藥力驅逐病毒於體外的現象，而不是中毒作用呢？我們但看能使病人瞑眩的藥方，如果持續服用，等到病毒驅盡時，瞑眩現象便自然消失，這就可證明瞑眩不是中毒現象了。

使用漢藥，沒有西醫所謂的「副作用」，而且藥性和平，適用於小兒病，對於治婦人經痛等病，也絕無痲醉性；又西醫的單味藥，若持久用之，往往會起累積作用，而漢藥則無此種缺點。

瞑眩實例

漢醫復古派鼻祖吉益東洞翁，曾有許多瞑眩的實例，茲介紹二則如下：

（一）南部候京屋舖留守居役某，患腹滿，來乞翁往診，至則見其喘鳴息迫，（氣急）小便不利，投以大青龍湯，服之四十日許，藥未見效，翁之門人疑其藥不對症，但翁堅信自己主張，說「這不過藥效之遲速問題罷了」，於是復增其分量與之，此後約二十天，突接病家急告曰：「病勢垂危矣。」翁往診之，除前證更加暴劇外，復惡寒戰慄，汗下涔涔，似甚危急，合家騷然，以爲必死；翁曰：「此瞑眩之現象也，可毋驚，」復用前藥，徹夜大汗出，換衣六七次，至翌日天明時，腫滿減半，喘鳴亦治，小便快利，調治十日，諸恙皆愈云。

（二）京都祇園伊勢屋長兵衛某，病泄瀉，世醫皆曰難治；召翁診之，心下痞硬，水瀉，嘔逆，命將絕矣。翁曰：「此病療法，世醫所懼；能的中時必大瞑眩；如畏瞑眩，則病必不治。」於是得病家的同意，投以生薑瀉心湯，服至三貼，於午後四時許，病人大吐瀉而氣絕；舉家惶急，醫者畢集，咸謂死矣。翁往觀之，果然面無生色，脈搏呼吸皆絕，已逾二時許，翁曰：「其人不致死，乃藥之瞑眩也，可復與之。」至夜間十二時許，病人開目如夢初醒，見家人咸集，驚問何故，家人告之以「今日四時起，色、脈、呼吸均無他，醫見之均謂死矣……」等語，病人聞之，恍惚如夢醒曰：「日間大吐瀉後，甚爲困倦，乃沉沉睡去，現因氣力恢復，所以復醒；」於是再招附近醫者診之，脈與常人無異，不知其何病云；是夜病人因元氣恢復，吃茶泡飯三碗而熟睡，翌朝即回復康健，且多年宿病亦全愈矣，

綜上所言，前例雖經六十日而病無效，猶用同一方劑，後例敢於生死一髮之間而用瞑眩之藥，如果不是見識卓越，意志堅强的名醫，曷能臻此?!聽聽這樣的事實，可以明白學問的重要了。特舉之，以告世之醫者。

講壇

杭州董志仁先生演講錄

——急性肺炎——

王雲芳錄

今天我本預備講肺炎的，可是時間不早，恐怕說得太冗長，所以改述「急性肺炎」。錯誤失當之處，還希諸位加以匡正！

據急性肺炎的症狀，是與我國醫所稱「肺脹」者相近似。所謂肺脹，就是靈樞脹論篇所說的：「肺脹者虛滿而喘欬」；金匱上所說的「上氣喘而躁者屬肺脹」；脈經所說的：「肺脹者、虛而滿、喘咳逆倚息、日如脫狀、其脈浮者」的肺脹。就臨床上的經驗，小兒患肺炎較多於老人；男子多於女子，發病時間，大概在春秋兩季，因屬急性，乃有「馬脾風」的名稱，通俗稱爲「肺風痰喘」因此肺炎一症，似乎不能從國醫書籍上尋覓適當正確的代替名詞；但在治療上，用國醫方藥療治肺炎，是比較穩妥而多把握。

急性肺炎分作格魯布性肺炎，及氣管支肺炎兩種。

（格魯布性肺炎）就是急性眞性肺炎，爲原發性肺組織的疾患。病原雖屬細菌，爲傳染病的一種，但因接觸而傳染的很少。原來健康人的口腔、咽頭、氣管、及肺臟，本來什九有肺炎重球菌的駐足，所以不即發生肺炎的緣故，正如結核菌的傳播雖極普遍而感染的未必個個患生肺痨的症狀，必須逢到適當時令，有破壞身體抵抗力的誘因時，病菌才可大施伎倆如果一有冒寒或胸部外傷或過度疲勞或有礙氣體的塵埃類吸入，就能誘發肺炎。

（格魯布性的症候）正如內經素問所說的「肺熱」病相同素問刺熱篇說：「肺熱病者，先淅然厥起毫毛、惡風寒、舌上黃、身熱熱爭則喘欬、痛走胸膺背、不得太息」僅僅這幾句已將格魯布性肺炎的證候說出，不過太簡單了！大概此症初起突然戰慄，如覺有重病似的，在幼兒則痙攣發作或嘔吐，體溫驟高呼吸次數增加而迫促，脅肋刺痛，腮部現青紫色，鼻搧欬嗽，音聲簡短，咯痰稠黏，着物不易去，有一種特別色澤黃而淺紅色的，稱做「鏽色痰」病至第三日，口鼻間發生匐行疹體溫為稽留熱，即俗稱長熱不退者，脈搏浮數每分鐘百至或百二十至，以充實而緊張者（即浮大有力或浮緊有力）為佳兆，頻數而小弱者屬凶象。經過一星期後，體溫減退，此種體溫減退，叫做「分利」；分利時大概發汗，多在夜間睡眠中，體溫低降後，病者即感輕快，再過數日或二三週，即能全愈，如體溫顯然低降而脈搏及呼吸不減，一般症候又不甚輕退，是屬假性分利，往往於十二小時內，其下降之體溫，仍復上升，但假性分利，有時現於真正分利之前一日或前二日者，所以我們如要簡快的認識格魯布性肺炎，祇要診察他必要徵候鏽色痰，肋痛，稽留熱，胸高，氣促，及降熱時的分利狀，可是例外的亦有：

1 體溫下降時，不由分利，於二三日間，漸次消散，各症徐徐復於常態者，是屬遷延性分利。

2 初起並不戰慄，即現昏瞶譫語狀態，其經過不依定型，有時且無鏽色痰者，是屬無力性肺炎。

（格魯布性肺炎的豫後）在剛才不是說過脈搏頻數而小弱者，是凶象；如再加上神識溷濁，體力沈衰，往往發氣管喘鳴而死。大概心臟衰弱，肥滿嗜酒，有腎臟病的，容易到這種地步，一月內之小兒，六七十歲的老人，及懷妊孕婦，患生本病，皆屬危險。

（格魯布性肺炎的治法）初起用越婢加半夏湯甚效，（麻黃石膏半夏薑棗）或與小青龍湯，（麻黃桂枝芍藥甘草生薑半夏五味子細辛）麻杏石甘湯，（麻黃杏仁石膏甘草）混合加減施用亦佳，因爲格魯布性肺炎初起時，肺泡內被義膜性纖維凝塊所充塞，於是肺葉堅若肝臟，所以要用麻黃等發汗解熱定喘劑，使肺泡變原狀，早期疏緩融解，同時用石膏等減輕血管充血，而制止發炎，加用半夏等藥，以鎮靜祛痰，能止嘔吐，這樣就會使病狀停止進行。又以肺泡中多數肺炎菌，已因生理的自然作用，在赤色變肝期，大部分死滅而消失，於是越婢加半夏湯療治肺炎初起，就可免後顧之慮了。如果初起時遷延失治，或體力不佳者，已現脈數無力，或脈細微弱時，顯著的是心臟衰弱，即國醫所稱血虛血痹不利，往往有直視撮空譫語現象，應該用眞武湯（附子白朮茯苓生薑芍藥）加乾薑五味細辛。若仍用清解消炎劑，而畏眞武湯的熱藥，是增痹重虛，結果可預料不良。惟有脈搏弦數，而現手足痙瘲，或昏瞶不語，譫語撮空者，是熱極之象，或有腦膜炎合併的疑點，應該用犀角、羚羊、生地、石膏、連翹、菖蒲、麥冬、鉤籐、牛黃、至寶丹等，鎮靜消炎重劑急救，否則差以毫厘，就要失之千里！

在治療格魯布性肺炎中，更須注意的，就是有合併症：如肋膜炎，腦膜炎，肺膿瘍等，皆能與肺炎症併發；尤以肋膜炎爲最多，可酌用柴胡半夏湯，（柴胡桔梗半夏黃芩枳實青皮栝蔞仁杏仁甘草薑棗）或大陷胸湯（大黃芒硝甘遂）等法。

（氣管支肺炎）是與眞性肺炎同樣具有危險的，又名黏膜性肺炎，起勢甚緩，初起症狀甚輕，不如眞性肺炎的起勢甚急者一樣，所以臨床上往往稱爲「風溫」。

（氣管支肺炎症狀）顏面蒼白，食慾不振，體溫增高，（在四十度左右）作不規則之弛張熱，即高低不定的發熱，脈搏頻數，呼吸迫促，亦有鼻煽抬肩，咳嗽短而痛，形如乾嗆，痰量不多，爲黏液膿性，痰中時有血線，但並非眞性肺炎的鏽色痰黏稠，此項症狀經過一星期後，熱度漸漸降低，亦有遲至數星期或數月以後者。

（氣管支肺炎的豫後）如果身體素弱，榮養欠適；或患佝僂症，痲疹，百日咳者，往往發現沈睡；或昏瞶譫妄，於是心臟衰弱，顏色紫變，而轉歸死亡，總之本病危險之點，不讓於眞性肺炎。所以也有人說

（氣管支肺炎的治療，）可以仿照眞性肺炎，我却以爲不然！因爲氣管支肺炎發作甚緩，往往與痲疹，百日咳等症併發；或繼續痲疹，百日咳而發生，是屬續發性肺炎；與原發性肺炎，顯然不同，不能再投發散劑，即使不是續發性，必須發散者，亦不必用越婢加半夏湯的峻劑，祗須用薄荷、蟬衣、前胡、瓜蔞、牛蒡、桑葉等辛涼解表藥，亦可應付，如果熱勢不減，不妨進用石膏、蘆根。如氣急痰喘甚劇，可用葶藶、蘇子、馬兜鈴、杏仁、桑皮、蔞皮等，如見舌紅或光絳時，應輔用消炎性的滋養劑，如沙參、天麥冬、知母、石膏等類，若發現抽搐譫妄者，往往加用抱龍丸、回春丹、保赤丹等丸劑，亦頗效驗，因此類丸劑中的膽星、竺黃、硃砂、牛黃、全蠍、鉤藤、均有消炎祛痰鎭靜的功效，還有一個

（外治療法，）無論眞性肺炎，氣管支肺炎，皆可用芥子泥（用芥子搗爛用涼水調勻）罨貼胸部，可以引炎外出，每次敷貼時間約二十分鐘，這不但是歷來名醫經驗過，就是國外西醫施用此法，亦屬於肺炎的正當治療法。

無論眞性肺炎，與氣管支肺炎，如治療失當，熱度經久不已，可轉爲慢性肺炎、由慢性肺炎可轉爲結核性肺炎。尤其

在痲疹與百日咳之病兒，又有許多不完全治愈，而轉發肺膿瘍（肺癰）的，不可不注意。

中央國醫館理事甘肅分館館長柯與參先生演講錄

石蔚華錄

這次兄弟從甘肅到蘇州來參觀貴校，蒙王愼軒先生之介紹，得與諸君見面的機會，兄弟覺得非常的愉快！不過你們蘇州，是名醫很多的地方，我所要說的話，諸位恐怕早已聽到過了。我覺得沒有什麼可講，姑且與諸君談談我們中醫今後應走的路徑：近年來，中醫界本身，感到中醫前途的危險，改良的呼聲，響徹雲霄；但是誰能告訴我們一條正確的途徑呢？直到現在還沒有使我們滿意的答覆。惟據兄弟之管見，覺得今後值得吾人之注意者，厥有兩點：

（1）應以建設求進步，勿以破壞爲能事——西醫說我們中醫空談氣化，不合科學；但據吾人之經驗，西醫之重實質，遠不及中醫『氣化』之合理；考中醫氣化之說，係根據道家『內觀』而來，氣是一種自然作用，吾人之身體，全賴氣化作用而生存，一旦氣機停止，則出入廢，循環息，而臟腑之實質，頓成無用之廢物矣。西醫注重血肉有形之實質，往往不顧人的體氣如何，妄投猛峻之劑，常使病人有虛脫之危險，較中醫以和平之藥劑，調整人體之氣化，其優劣何啻霄壤耶?!所以我們復興中醫，應當在哲學的基礎上力求醫學之進步；不可效西醫之口吻，妄詆中國固有學說，這是我個人所希望於諸君的。

（2）應以科學證哲理，勿降哲理從科學——中國古方，皆從科學哲學中發明出來的，惜後世之人不肯繼續研究，以致被西醫譏爲不合科學原理。實則中醫所說之腎虛，即西醫所謂之內分泌證候，中醫所說之肝旺，即指西醫所說的神經系病而言，中醫學說不但合於科學，而且含有高深的哲理；其價值決非淺薄的西醫所能望其項背，所以我們研究中國醫學，要用科學來證哲理，勿降哲理從科學，才算是正當的態度。

以上三點，是兄弟個人的管見，諸位都是中醫界未來的中流砥柱，負有復興國醫學的重大使命，兄弟除了供獻意見備諸君採納外，敬祝諸君努力前程！

言論

論傷寒金匱之異點

潘國賢

漢張仲景著傷寒雜病論十六卷，今傷寒論十卷，即其傳也。當其時，以剞劂未精，印刷乏術，得其書，慶寶蘇矣，遂轉相傳錄。然書中言詞玄深，非通俗所能瞭解，註之釋之，錯訛在所不免。又外六卷，時皆散佚，至宋有王洙者，於館閣蠹簡中發現金匱玉函要略方三卷。玉函一書，係說明傷寒之診治，故與傷寒論無多出入，惟字句間有若干之軒輊耳。至於金匱，則有論傷寒論所未發，補傷寒論所未方，精彩頗多，亦可爲後人法。然年湮代遠，多有散闕，時有高保衡、孫奇、林億輩，規仲景法，博采而集成全書，名曰金匱要略，要略云者，故已非其原本矣。

此傷寒金匱二書，爲吾國醫方書之鼻祖，亦治療學也，示人以對證用藥，茲以二書有不同之處，略述於下，以待明者正之。

仲景之著書也，必示人以對證用藥，決不以虛理煩文，眩人耳目，此仲景書之所以可貴者也。然今讀傷寒金匱諸書，間有涉及理論者，必是後人羼雜耳。傷寒論仲景治傷寒之正文也，迄今雖未失傳，已經後人刪改，然亦不過寥寥耳。至于金匱，乃雜病論也，多有補傷寒論未逮處，然于宋王洙以前，世已失傳，至洙於館閣中得之，諒必多有蠹而不能明其全文者，故有高保衡輩。擷取千金方外台祕要諸書而成要略，試觀要略之方劑，有出自千金外台者可為左證，且要略一書，多有不言對症用藥，蕃衍理論，可益明矣。

綜上所述，其不同處有二、一傷寒論為治傷寒之正文，金匱為旁文。二傷寒論多對證用藥，金匱多空言理論，此其大別也。

夫學醫貴在知要，讀其書，知其要可矣，繩愆糾謬，責在後人，喻指為月，指終非月，學者因指識月焉可也。

研究國醫學的意義和方法

王東英

一 研究中國醫學的意義

自從民國十八年中央衛生會議通過廢止中醫案，以及同年三月十七日全國中醫大團結，力爭保存中醫後，對於中醫之存廢問題，頗為國人所注意，上至要人，下至黎庶，莫不以口頭或文字發表其個人之意見。綜合數年來報章雜誌所載，大抵不外二種見解；主張廢止的人說：『舊醫的理論，以陰陽五行生尅為根據，全屬荒謬不稽，現在是提倡科學的時代，此種玄虛之學說，根本無存在之餘地，惟有科學的西醫，才能負起保衛人類生命的責任，才值得國人去研究。』主張保存的人說：『中醫有四千六百餘年之歷史，靈素難經為萬世不易之名論；且中西風土不同，人之體質亦因之而異；

中醫適合國人之體質習慣，故治病之效能超過西醫，不惟不宜廢止，且應保護之發皇之。』我以爲一味保存舊說固爲時代潮流所不容，但如因其舊而不去加以研究，率爾廢棄之，亦未免淺見偏激。蓋中國醫藥之發明，係先有經驗，而後始有學理，經驗由治病之實效而得，學理乃由後人推想臆造而成。章太炎先生嘗謂：『問藥於中西大醫，不如問之鈴醫爲審。』故五行生尅，陰陽六氣之理論，固無吾人一顧之價值，但數千年來之藥物經驗，實未可一概抹殺；現近代科學的西醫，對於頑固性的肺癆，腎臟炎及原因不明的痲疹諸病，均無根本治療之方法。章太炎先生曰：『有時求之今人而窮，莫如退而反古。』吾人果能對於固有醫術，加以刻苦之鑽研，則中國醫學未始不能放其光芒於世界，即不能達此奢望，當茲西藥暢銷，金錢外溢之時，能改進國藥之效用，對於國計民生，總不無小補。因此我們研究中國醫學的意義，絕對不是主存主廢那樣的偏狹，茲略述之如下：

A整理固有學術：孫中山先生說『我們固有的東西，如果好的，當然是要保存。』中國醫學有數千年之歷史，其以能歷久存在，不被時代潮流所淘汰，自有牠不可磨滅的眞價值存在；頑固的舊醫們把靈素難經詡爲萬世不易之理論；偏激的西醫，把古代醫書一脚踢出於研究室外，對於固有醫術的摧殘和蹧蹋，可說是異途同歸。我們所要研究的，是用科學的方法，去鑑別其何者爲荒唐無稽，應毅然廢棄之；何者爲價值眞確，應努力提倡之。這樣方不致蹈舊醫們高唱保存國粹而不知何爲國粹的覆轍。

B充實國內經濟：經濟是國家的命脈，這是誰都知道的，中國經濟的衰落，都市農村的破産，完全是帝國主義實施經濟侵略的結果，這也是誰都不敢否認的事實；單就西藥一項來說，牠的輸入的數量，與國民智識程度之提高，成正比例，據中報年鑑所載西藥進口數額民國二十年爲八·四五六·二一六海關兩，二十一年六·二〇三·一〇四海關兩，二十二年上半年爲二·五八六·〇五〇海關兩，共計一千七百二十四萬五千三百七十兩。僅僅二年半之內，已有此驚人之數目，長此以往，單是西藥一項，累進不息，則金錢頻頻外溢，國計民生，日益凋敝，西藥亡國之說，未始不能成爲事實。所以研究中醫學術之改進，發揮中藥効力和應用，實爲抵制西藥輸入，保持國內經濟唯一的要圖。

C 闡揚民族文化：一切有價值的新學術，都是建設在舊學術的基礎上，從舊學術裏蛻變出來的，決不是從所謂千古卓絕的天才者，憑空臆造而成，試觀西洋醫學之進步，當紀元前三百年時，著名的哲學家兼科學家亞里士多德（Allistotle）也把人體認爲由地、水、火、風、四種元素所合成，對於疾病，則認爲是這四種元素不調和的現象；何嘗不和中醫的以陰陽五行來解釋病理相同?!厥後由希坡克拉忒斯(Hippocrates)的液體病理學，阿斯克勒披亞德斯（Asclepisdes）的固體病理學，經摩爾甘尼(Morgagni)的臟器病理學時代轉而爲費爾孝（Virchow）的細胞病理學，成爲近代完美的病理解剖學和病理組織學的基礎，其間不知經過多少次的蛻變，耗費多少學者的心血。中國醫藥學術經過數千年之治病實驗，已經有了很好的基礎，我們如果能用科學的方法，去研究牠的學理，發明牠的價值，則在西洋醫學未臻完美的今日，未始不能補救西洋醫學的缺點，實現化中醫爲世界醫之理想。我親愛之青年同胞！整理固有的學術思想，闡揚優美的民族文化，是我輩應負的責任，盍不於中醫學術加之意乎?!

二 研究國醫學的精神

曾見許多的人，目見中醫能夠治好西醫所束手的疾病的事實，很頌讚中國醫學的效力，便去翻閱古今醫書，刻意鑽研，但結果，有的因其學說之玄奧費解，知難而退，有的索性迷信陰陽五行的玄說，做了古人的奴隸，對於中國醫學的眞價值，仍然毫無發明；這並不是中醫學術太艱深，也不是研究者的不努力，純粹是因爲研究方法不確當的緣故；我以爲研究舊醫藥學術，至少須具有下面幾種精神：

A科學的精神：中國醫書，自神農黃帝以來，不下數千百種，其學說十分龐雜，眞、僞、優、劣，難以判擇，若只隨便拿些古書來讀，非食而不化，卽知難而退，要想改進醫學，難如登天。所以我們要研究中國醫學，第一應該用科學的方法，去把牠們整理出一個系統來，用科學的眼光，去鑑別牠們的是非眞僞，屏棄牠們的糟粕，吸取牠們的精華，纔能把中國古老的學術，提到摩登的科學的境域裏來。

B疑古的精神：試讀中國醫學史，歷代醫家都把靈素難經奉爲金科玉律，從來沒有人敢加以批評或懷疑，他們所著的書，無非替古人做點註解，或勦襲古人的陳言；據我所知道的，除日本的東洞吉益、和田啓十郎、湯本求眞、山田珍氏等之外，在中國祇有清朝的王清任和近世陸淵雷……尚能抱疑古的態度去研究醫學。這無怪中國醫學永遠沉淪在陰陽五行的迷網裏，沒有和科學接觸的機會了。此後，我們如果要使中國醫學脫去玄虛的衣裳，受科學的洗禮，那麼我們在讀古書的時候，不論是對於正文，對於注解，都應該處處抱着懷疑的態度；甯可錯疑，不可錯信。

C實驗的精神：我國的舊醫書，對於一切的疾病，都用玄之又玄的五行生尅的理論來說明，所以診斷治療也都不重實驗，而以空論和假說爲標準；但是醫學的使命，是治療疾病，不是空談理論，或徒看書本所能完事的。我們要明瞭某種疾病的原因，及其治療的方法，或想明瞭某種藥物的成分，及其所治的病症，切忌根據抽象的理論來從事思索，應該以十分虛心和忠實的態度，去精密地實驗：如用理化的實驗不可靠，則繼之以生物學的實驗，然後再繼之以臨床實驗，直到斷定其確有眞正的效力之後，纔正式用以治病。尤其是中國藥物因爲本草所載大都誇大其辭，不合事實，亟待吾人用實驗的方法，來確定牠們的眞價值。

(待續)

生　理

談談營衛

楊醉梅

營衛兩個名稱，我們中醫向來沒有確切的解釋，有人以謂營衛就是指氣血的作用而言；還有人以謂「非氣非血，另有其物」然而我們參攷西醫學說的結果，可以證明營衛就是白血球同體溫。何以呢？讓我慢慢的說明在下面，請讀者加以指致，

(1)營底說明

攷白血球(White Carpuscle)爲脾所製造；按脾的位置在人身的中部，和內經裏說「營出於中焦」的道理，互相暗合的。又考中醫所說的脈，就是西醫所說的血管；西醫說白血球在血管中，和內經裏說「營在脈中」的道理，又是互相暗合的。並且中醫名牠「營」字的本意，就是說牠像兵家的營壘嚴守着，不許盜賊來侵犯，即西醫所說白血球能夠消滅細菌的意思。上面已經說明中醫的營和西醫的白血球，就是一樣的東西。現在，我來說明牠底形狀及作用：

白血球有核，表面有突起物甚多，如桑葚，能伸縮運動，如阿米巴。平時附在血管壁，循行血液中，一旦遇着細菌侵犯時，立卽由脾臟製造許多白血球出來，隨着血液流行趕至病所，把侵入身體的害菌包圍而吞食，抵禦在前的，都犧牲而變成膿，抵禦在後的，能把病毒驅除出外，又能夠產生一種殺菌精（Bacteriolysin）來殲滅病菌。

（2）衞底說明

更攷體溫，係人身體上的熱度，是一種無形的東西，由內裏蒸發出來，至外面皮毛間，和內經裏「衞在脈外」的學說相同，又能夠使肌肉溫和，皮膚因溫和而潤澤，腠理因溫和而暢利，汗腺因溫和而容易開闔，故內經裏說「衞氣者所以溫分肉，充皮膚，肥腠理，司開闔者也。」並且衞字的本意，等於兵家的護衞，卽體溫蒸發不許外面寒冷來襲擊的意思。可見得衞和體溫的稱謂，是名異實同的。現在我再說明牠底產生和作用：

食物消化後，變成榮養物質，遇着血液中的氧分而起輕微的燃燒，這是產生體溫的第一原因；肌肉運動時，關節磨擦很劇，心臟搏動增速，這是產生體溫的第二原因；血液流行時磨擦血管壁，這是產生體溫的第三原因。多食脂肪質的肉類，這是產生體溫的第四原因。（按肥豬肉每磅含有三千五百五十五加羅里底熱價）

人體的平常溫度，爲攝氏寒暑表三十七度，卽華氏寒暑表九十八度六。既然一方面造溫機能日夜沒有停止，同時熱氣由身體各部散出體外，也就一樣地沒有停止。放散熱度最重要的機關，就是皮膚底傳導及發散，其他像汗腺的分泌，呼吸的蒸發，二便及涕涎的排泄，也能夠帶出體內的熱度。

然所以能夠保持着平常溫度，不會得過分升高及過分降低，還靠着人身體溫的自然調節。像運動劇烈的時候，血行增快，體溫也增高；同時一方面增加汗腺分泌，使體溫能夠放散。又像嚴冬寒冷的時候，血行遲慢，體溫也減低；同時一方面收縮皮毛孔，減少汗腺分泌，使體溫不易放散，所以內經裏說牠「司開闔，」我認為一些兒也不差。

牠又能夠保護人的周身，不許外界寒氣來侵犯，一旦被寒氣逼迫，即起強烈的反射作用，增高體溫去抵抗病毒；所以傷寒證的發熱，就是這個道理，倘使身體衰弱，體溫不足，就可以直中三陰的。

照上面種種說來，可以得到一箇結論，所謂「營即是白血球，」「衛即是體溫，」惜乎，內經的文義太簡單而深奧了，以致後來的醫家，越纏越不清楚，越弄越不明白；醫學大辭典裏也說「營即人體發血管中之血，」亦稱動脈血；「衛即人體迴血管中之血，」亦稱靜脈血；這兩句話我看了以後，險些兒把飯都噴出來，讀者是明眼人，這裏不必我再來囉嗦了。

內經生理之科學觀

徐觀濤

宇宙之間，森羅萬象，幾如變化之無窮，然總括之，悉可納諸物質與勢力之二大原則；昔之學者，以自然物質為科學之對象，而對於比較複雜之社會現象，則以為無一定之體系，素被擯棄於科學之門外，如發明國家學，政治學之柏拉圖，Plato 人不以科學家稱之，咸稱其為哲學家，即其明證也。迨至後世，因科學本身之進步，而社會現象，遂亦被納之於科學之範圍矣。

夫人身一小宇宙也，雖身體之結構，錯綜複雜；機能之變化，靈妙幽玄，然試以科學之方法歸納之，亦不外乎物質—肉體之構造，與勢力——機能之活動的二大體系而已。肉體藉機能以維持其存在，機能藉肉體以發揮其作用，二者實有不可分離之關係；吾人欲防疾病於未發，及施藥石於已病，則對於人體生活之本態，不得不先了然於胸中；所謂生活之本態者何?即肉體之構造與機能之活動是也。西洋醫學自十六世紀初葉 Andereas Vesalius 氏解剖人體以來,對於肉體構造之說明,可謂詳且盡矣,惟闡明機能活動之生理學,則爲科學程度所限,尚未能盡愜人意也。近觀中國醫學「肺只五葉,以爲六葉,肝實居右,以爲居左」,解剖學之不及人,固無可自諱,且亦不必自諱——自諱反足阻害進步;但對於說明機能活動之生理學,實較西醫學說爲確切且合理也。試觀內經藏象諸篇,其能以形體說明者,則逕就其形體說明之;其幽微玄妙之處,不能以形體說明者,則假陰陽以別之,別之以陰陽猶未能達其說明之目的,則更代之以五行,假之以生尅,可謂盡其說明人體幽微玄妙之作用之能事也。由此觀之,中醫之生理說明,固未嘗不合科學。但國人之業西醫者,不知研究固有之學術,妄斥中醫生理學說爲不合科學,而奉內經爲圭臬之中醫,亦硬把內經學說拉入哲學之範圍中,遂致中國生理學與當時之社會學遭同樣之命運——被丢出於科學之領域。嗚呼!是誠不思之甚矣!余不禁爲中國醫學前途悲也!

余以爲保存國粹,首當整理國故,其虛玄荒誕者,不妨嚴詞以闢之,使其不爲害羣之病馬;其言之成理,論據有證者,則宜發揚之光大之,使其爲科學國中之座上賓。然後以吾固有之生理,參以西洋之解剖,形成一握有權威之新的醫學組織,則中國醫學庶不致被時代狂流所淹沒也。中醫內經,爲中國生理學之最先著作,雖其玄虛之處不可勝計,但其中亦不乏具有較西醫生理學價值更高之學說在,茲本整理國故之意義,以沙中淘金之方法,略擇其有價值者,加以淺顯之理解,以爲同志之參攷;至於精詳之理解,及系統之發揮,則吾師慎軒夫子之內經生理學講義,不久行將問世,料是書之出,必能副讀者之期望也。

經脈別論曰:『食氣入胃,散精于肝,淫氣于筋。』

案肝臟爲人體中最大之腺器官,位於腹腔的上右部,與胃相接近;食物經過胃腸消化後,被腸粘膜之毛細管所吸收,其中除脂肪類取道淋巴管經胸導管而至血內,由全身血循環帶至身體各組織外,大部分物質——水分、礦鹹、葡萄糖、及已消化之蛋白質則由門靜脈而入肝,在肝中被肝細胞所吸收,再和其他物質發生化合作用之後,成功一種能幫助膵液消化脂肪的肝液,由肝細胞分泌出來,經肝液管以入膽囊;尚有一部的葡萄糖,果糖(Levulose or fructose)和化乳糖(Galactose)則變成臟粉(Glgeagen)暫時散貯在肝細胞中,以供人體缺乏糖分時補償之用;故內經稱此種作用爲『散精于肝』實在是很有理由的。等到體素需要糖分時,則此種臟粉(Glgeagen)復從肝入體循環,隨血行以至身體各組織;惟此種成分以行至肌肉間者爲最多,(見解剖生理學)在肌肉細胞內與氧化合,即能助肌肉迅速之變化而生肌力;據此則內經『淫氣于筋,』亦不能說他是玄虛無理了。

又曰:『食氣入胃,濁氣歸心,淫精於脈。』

案食物在胃腸消化之後,其滋養部分即由血液及淋巴輸送至身體各部之組織內;在組織內與細胞化合之結果,除補償耗損,供給生長外,剩下的尾產物就是廢料和二氧化炭。此種成分在人體中不但無益而且有害,於是復由組織之滲透作用,將此種無用成分排洩入靜脈血,由靜脈血帶至右心耳,以便由動脈輸送至肺臟及其他排洩器官排洩之。惟此種濁物(廢料和二氧化炭)混入靜脈血後,血液混濁不清,其色亦變爲黯黑,西醫特稱靜脈血爲濁血,故內經謂此種作用曰『食物入胃,濁氣歸心,』實亦至有理由也。

此種濁血入右心耳之後，即下流至右心室，次入肺動脈，得與肺中空氣交換變爲清潔而充滿氧分之新鮮血液，由肺靜脈回至左心耳，由左心耳下流至左心室，即由總動脈而散流入全身各部之支動脈，再至佈滿全身組織中的微血管，輸送養料於組織；我人對於此種循環生理作用，固亦可概括言之曰：『淫精于脈』；惟此處尚待吾人之注意者，內經所言淫精于脈之『脈』，當爲全身動脈，非僅指撓骨動脈而言，幸讀者思想勿爲寸關尺等名詞所囿也——又曰：『脈氣流經，經氣歸於肺，肺朝百脈，輸精于皮毛。』

案代謝作用的尾產物——二氧化炭，對於吾人身體之無益，前已言之，而此種二氧化炭如留存體內並且增加到相當的程度時，初則全身疲勞，呼吸促迫；繼則致人死命，危險非常，幸人體天然具有排洩二氧化炭的肺臟和血液，尚能不受其害；原來動脈血初至體素時，牠裏面氧底分壓很高，而二氧化炭底分壓却等於零；同時體素裏面則反氧底分壓低，而二氧化炭底分壓高，故因物理的作用，二者適相交換。血液吸收二氧化炭後，便由靜脈而經心入肺，由肺之呼吸作用，將血液帶來的二氧化炭，排出於體外，同時送入充分的氧於血液中，使血液由混濁之黯黑色，復變爲清潔之鮮紅色；故內經以『脈氣流經，經氣歸於肺，肺朝百脈』說明此種生理現象，雖文義欠暢，而理由固甚充足；所謂肺朝百脈者，言全身脈管之血液，均須經過於肺臟也。

經肺臟澄清（吐炭吸養）之鮮血，由肺靜脈經左心耳下流至左心室，由心臟之鼓動作用把血液送遍全身組織中之微絲血管，同時皮層血管亦充滿氧分豐富之血液，使人之毛髮光澤，肌膚紅潤，內經所謂「輸精於皮毛，」蓋指血液達表層動脈之現象而言也。

——待續——

一個醫生所應該知道的心理學

潘菽

我這裏所說的醫生，是指普通的一般的醫生而言。在外國有許多醫生，專門是治神經病的。（可惜現在中國還找不到一個）神經病的醫生必須有充分的心理學知識，這是沒有問題的了。這裏吾所要提起注意的，是一個尋常的所謂治生理的毛病的醫生所應該知道的心理學。

一個治生理上的疾病醫生何以必須知道心理學？驟然看來，這似乎是奇怪的。但仔細考察一下，就可明瞭所有的密切關係。人的生理過程，是身體的構造所表現的機能，人的行爲和感覺作用，嚴格的說來，也同樣是身體構造的機能。所以兩方面是能互相影響的。正如各種生理上的機能，能互相影響一樣。因此一方面的健康有賴於其他方面的健康，一方面的變態也足以引起其他方面的失調。所以醫生對于病人，必須兼顧到他的心理方面，才能得到正確的診斷和有效的治療。只能就病言病的醫生，決不能成爲一個好醫生的。醫生因爲不懂心理學而失敗，或誤人生命的，隨在而有，人無論有病無病，都是一個很複雜的行爲機構，而一般的醫生，都把一個來求助於他的病人，當做完全是生理的東西。一切錯誤和一切悲劇，都是這樣產生的。

心理學對於一個醫生的幫助，可有三方面，即（1）在預防上的幫助，（2）在診斷上的幫助，（3）在治療上的幫助。

一個醫生所要對付的疾病，一般的說來，大概不外乎三種，卽純粹的神經病，純粹的生理病和神經生理兩者都包含的病，神經病的診斷和治療，在醫學上是特殊的一門。牠須要建立在一個健全充分的心理學基礎上，那已不用再說。至於尋常所視爲純粹的生理上的變態，我們要改正牠處理牠，也有許多地方須要應用心理學的知識，這是在這裏我們所要說明的。

現在醫學上的一種新傾向，就是注重預防，因爲等到病發生了以後，再去治療，不如預先想法使牠不發生。所以能治病醫生，不如能防病的醫生預防應該是醫學最高的目的。疾病的預防，可以分爲個人的和公衆的兩種。有許多疾病，如傳染病之類，非用公衆的預防法不可。其他的病，似乎只是個人之事，只須個人注意，保持自己的健康就是了。但嚴格的說來，沒有一種個人的疾病不影響到公衆的健康的。所以一切疾病的預防，都應該從公衆健康的立足點出發。不能聽個人的自便。近世醫學上，漸覺悟到疾病不單是個人問題，並且是社會的問題，這也是所以注重預防的一個主要原因。

但要人在沒有生病以前就預防疾病，這裏有一種很大的阻力，必須克服；就是人的『忽於遠禍』的傾向。俗語所說『平素不燒香，臨時抱佛脚，』凡人都是如此，就是有知識的人也不免。一個要推進公共衞生或個人衞生的醫生，必須能克服這種最普遍的人的行爲方面的阻力，然後能希望達到他的目的。心理學對於疾病預防的幫助，就在這種地方。能避免疾病，固然沒有人不願意的，但要對于一種僅僅有可能性的疾病作預防準備，必須忍受身體上的痛苦，實行上的麻煩和金錢上的損失，這也是一般人所要避免的。人是否願意犧牲目前的少許的不利，以保證將來健康上的安全，還是只圖目前的偷安，而不顧將來的禍害，這完全要看兩方面的衝動的强弱如何。假如目前偷安的衝動强，他就不能顧慮到將來可能的疾病的禍害。假如顧慮將來的衝動强，醫生方能使他對於疾病作有效的預防。一個促進公衆健康的醫生，除了應用他所學的醫學上的知識和技術以外，還應該知道怎樣減低一般人目前偷安的衝動而同時設法增强他們對于將來的顧慮的衝動。

因爲要克服目前偷安的衝動，所以疾病的預防方法，假如是須要個人的合作的，必須愈簡便愈省費愈不引起身體的苦痛愈好。現在的許多預防針所以能收很大的功效的一個主要理由，就是省便而少苦痛。假如許多預防針能由公共衛生機關完全免費並挨戶注射，必可對于公家健康獲得極大的效果。因爲這個理由，所以疾病的預防必須有公家機關或慈善機關來辦理，而不能讓之個人的。

至於增强人對於將來病痛的顧慮的衝動，主要的方法，是在增進他的知識。許多人對於種種危險的傳染病不知預防，完全是因爲他們不明瞭疾病的由來。他們以爲許多疾病的危險，對於他們是不相干的，而不知在日常的環境中，就有很多的機會可以被他們所侵入。譬如關於霍亂的預防，你假如只告訴人說，凡生冷的水和蒼蠅叢集過的食物都不可以吃，聽的人必覺得這種話是空洞而抽象的，不見得就能引起他們有效的顧慮衝動。但假如我們能把生水裏和蒼蠅脚爪上所集聚的病菌指給他們看，他們就可以覺得這種危險的傳染病，不僅是將來的一種可能，而是目前眞實的威脅了。有了這種覺悟以後，他們的顧慮衝動，才能增强，而引起預防的必要的行爲。一般人對於疾病的預防所以忽略的理由，是因爲覺得所預防的疾病的禍害，不過是可能的而不是眞實的。一個醫生所要做的，就是設法使他們知道這種禍害，不僅是可能的，並且是眞實而切迫的。推進公共衞生的醫生能否克服一般人目前偷安的衝動而提高顧慮將來的衝動，完全要看他應用心理學知識的手段是如何？

（未完）

夢話

周自强

久蟄思起，久濊思噓，有工作斯有休息。晝則作，夜則息，息多偃臥。臥者，天性也，常情也，方百骸弛然之際，器官多緩和其動作，神經亦大體作休息。然則夢何自來？曰：一部份神經感受知覺能力猶存，恍惚迷離，起局部之反應，故其來也，意志多缺乏，情志多主觀，而境狀多怪誕，蓋去清醒時之錯覺幻覺不遠矣。以是得大別其類曰：夢分「幻影的」與「幻想的」：幻影的夢，從幻覺錯覺之變化而來。如滴水於沉睡者面，夢出行遇雨；灑香水於其鼻，夢步行玫瑰花徑；聞蚊聲以爲雷；墮己足以爲蹶。Maury 曾自告其經驗曰：「一夕熟睡間，法國大革命起，喧囂呼號聲中，暴徒數十蜂湧入其室，摑縛之，押赴斷頭臺，臺旁血已成渠，頭下如滾瓜，閃耀鋒利之大刀，忽焉加諸其頸矣！驚極而覺，汗涔涔，乃一夢也。身固安然床褥，而縶帳之竿，橫擱頸上，由竿繩驟斷，適當其頸然也。」由是觀之，「幻影的」之夢，實由外感覺影響所致，故臥室所在，務求安靜。不爾，夢必愈多。然而內感覺之刺激，亦何嘗不能致夢？飽脹之餘，夢被人重壓，斯時隨意肌又極難運動，致不得動側呼喊而爲魘。若血壓增加，則夢跨馬疾馳，踴躍鞍上，寐間呼吸不暢，夢登高山危崖，不勝掙扎震盪。又如腹痛，夢爲犬所嚙，受創甚苦，此內感覺肇夢之因也。

「幻想的」夢，由幻想之變化而出。晝思鄉里，夜則夢父母之婆娑，弟妹之嬉憨；夢佳期於還寢，慰離魂之踯躅，此類是也。Kimmins 云「夢境視年齒異體。童稚時代多夢神怪妖魔，荒誕無所稽。及少長，夢多「懼怕」或「希望」，如荒郊遇獅虎，曠野値鷙鳥，以及耆慕自由車；夢寐得御之。耆覩美物；夢中快朵頤。過屠門而大嚼，聊且快於意也。迨成人以後，夢境亦隨年齡以進，複雜益甚，如復仇冒險戀愛等等，不可勝計矣。

M. Bentley 與其門弟子共同研求之結論曰：「夢者，畫圖也，實物也，絕少「思想的」「意志的」。廣漠無垠，大廈鉅麗，夢中能及見之，若夫繁複之數學，精詳之學說，殆未易覯」。故夢中感覺，視覺之刺激最夥，所謂畫圖實物是也，聽覺次之，嗅覺溫覺又次之。瞽者夢中乏視覺，聾者夢中乏聽覺。聾者所得唯視覺嗅覺，瞽者所得唯摸索揣想等夢。何以故？曰：以其未嘗習見習聞故。夢中情狀，皆平素曾見聞者。孩童夢神怪，彼嘗見諸畫片偶像；聞諸野語稗說矣。瞽者未復明，聾者未復聽，又烏能覩奇麗花卉；美妙音聲於夢中乎？故古人夢中，能見前人衣冠，而絕跡乎飛機汽車。1934之人，未由見1940年事物於夢寐也。

夢之多寡，與時間有關係。Miss Calkins 曰：清晨四五時許，熟睡之期已過，鳥聲清麗，晨光曦微，欲睡未醒，倦怠交熾時；夢幻最多。或曰：吾人入睡至醒，無時不有夢，特酣睡之頃，不能復憶於醒時耳！折衷言之，能令人驚覺之夢易憶，非然則易忘。或曰：夢之能復憶，與「頻數定律」有關係。占時長則記憶強，時小則影象弱。而 Freud 則曰：夢中事實，多令人不愉，以是忘之。若甜蜜愉快之夢，當可不忘。此生理上良好現象，非若是，不幸得懊喪事，將益唏噓不自已，猶能遣懷否乎？此與 M. Bentley 之為言：「夢境歡樂少，憂愁多，和平少而恐怖多，故夢多灰色」意相若。Freud 又曰：「未來朕兆，往往於夢中得之，如見烈焰飛騰，黔廬赭垣之夢，當謹防祝融降臨」。L. H. Horton 之言曰：「氣管有炎，夢中見紅色。故夢者，神經之錯覺幻覺，如畫片搖曳，翻瀾虛誕，皆能見也」。斯言蓋得之，若謂吉兇禍福，可測之於夢，則猶有疑焉。

晝夢。(Day dream)晝夢者，介於思想與夢之間，謂之思想，則多屬虛杳，無可究詰，謂之曰夢，固條貫有統，井然無紊，冥悟幽思此惟內省派多有之；青年童孩尤甚外展派所鮮有也。有故事云：「嘗有女孩，擕筐蛋，且行且思曰：以筐中蛋孵雞，雞又生蛋，蛋復孵雞，往復循環數年，將雞蛋售於市，可以致千金致華屋矣。手之舞足之蹈未艾，而筐中蛋盡墮地碎，幷實在雞蛋而無之」是即晝夢之類也。論者謂此惟精神暫受安慰，易流諸「坐思不作」之惡習。英諺有云「Escape from reality and seek refuge in the to wer of ivory.」(逃避現實長生象牙塔中。)蓋謂此也。古來文人蹈此覆轍者衆矣！呻吟其間，未嘗起而行，亦半意識之模糊恍惚者。附論於此，取名同焉。

內科

近世內科國藥處方集(摘錄)

葉橘泉

釀膿性病(敗血病或膿毒血病)

【病原】此病傳染不僅一端。病菌亦不僅一種。惟釀膿之球菌爲其最常最要者。所謂敗血病者。係指人體血液。及組織被膿菌毒素所侵而言也。

【病理】鏈球菌或葡萄球菌。由局部傳染。如生膿之外傷。大葉肺炎。脾脫疽。淋濁……………等。大約先爲局部病。繼卽侵入血循環及組織而成菌血病。或膿菌毒素侵入血中。爲毒血病。

【症狀】原染處若係外傷。則其傷處或變重。倘流膿。膿亦變狀。全身症初起爲寒戰大作。熱升高至一百零三四度。繼出多汗。其寒戰每日或間日復發。雖似瘧。然前後寒戰相距之間亦微熱。病者顯沉重。全身症狀。皮常發斑瓣。若染處在肺則氣喘、咳嗽、胸膜及心胞亦或受累。現極度之貧血、皮白、或染膽色而微黃。脾增大。或發炎而極痛。敗血病之急性紫瓣。可于三十六小時完全遍佈。尋常有暗紅斑。爲之前驅。膿泡、水泡、深膿疱等。間或併發。患最急性者。似重腸熱病之情況。病者昏迷而死。

【治法】『處方一』正宗湯牛蒡子一二•〇柴胡七•〇連喬九•〇貝母一〇•〇荊芥一〇•〇右五味。剉作三百西西煎劑。去渣。一日分三次服。(適應症)膿毒血病。寒戰發熱。喘息咳嗽。全身發斑瓣或膿疱等。(方解)牛蒡子爲清血解毒藥。常用於瘡毒斑疹。膿疽惡瘡。喉痺咳嗽。熱中消渴等症。柴胡爲解熱藥。有疎導淋巴管消炎清血變質作用。常用於痘疹斑瓣。發熱諸症。連喬爲改血變質藥。有殺菌抗毒作用。常用於癰疽惡瘡。瘰癧結熱。寒熱蠱毒。小便不利等症。因其有排膿。止痛。利尿。散熱。消腫之功也。貝母爲袪痰鎮咳藥。有排膿解毒散腫作用。荊芥爲解熱藥。有清血抗毒鎮痙驅風作用。常用於產褥熱。破傷風。痙攣。頭痛。能消瘡腫斑疹。利咽喉。止吐衂。

『處方二』黃連解毒湯黃連三•〇黃柏六•〇黃芩六•〇梔子一二•〇連翹一二•〇甘草四•〇牛蒡子一二•〇右七味。剉作三百西西煎劑。去渣。一日分三次服。(適應症) 膿毒血病之因於鏈球菌而起。發熱劇烈。煩渴胸悶。全身症狀重篤。而脈搏有力者。(方解)黃連爲健胃消炎藥。常用於發熱嘔吐。煩渴。黃疸。天行熱疫。惡血瘡腫諸症。黃柏爲健胃解熱藥。有清血殺菌抗毒消炎作用。黃芩爲清涼性解熱藥。對于疔瘡膿腫。天行熱疫。肺熱喘咳。瘀血赤腫。上部充血諸症有特效。梔子爲解熱解毒藥。常用于敗血病、黃疸、吐血、衄血等有特効。甘草用爲緩和解毒藥。連喬牛蒡。均見前。

『處方三』平血散　升麻、葛根、甘草、芍藥各一・〇。右四味。剉。爲細末。煎作二百西西。去渣。一日分三次服。(適應症)膿毒血病。遍身發斑癧膿皰。膿血、焮腫熱痛且癢。(方解)升麻爲解熱解毒藥。有清血消炎消腫作用。對於熱毒痘瘡。咽喉腫痛。肺癰吐膿等有特效。葛根爲淸涼解熱藥。有解毒治瘡作用。芍藥爲鎭痙鎭痛藥。有和血通經作用。對于上部充血之頭疼、目赤、鼻衄、喘急、癰疽惡瘡、小兒痘瘡等有特效。甘草見前。

神經系病(續)

富晚香

淸裏方——刺激胃腸粘膜。使改變充血重心。

按中風之由於氣血向上而起之腦血管破裂。前已言之矣。今既勢已向上至極。瀕於破裂。血管之摩擦生熱。已成炎性也無疑矣。按之病理發炎之處。必有滲出物。名曰炎性滲出液。吾人之所謂痰。卽此物也——方書有痰中一症。鄙意不過中風中之一證候耳。

應用上列三方。須察其腦血管充血(或破裂)在呼吸中樞。則痰涎上湧。鼻有鼾聲。當與鼻刺激法。如在消化中樞。則痰聲漉漉喉間而有嘔噁。當與胃刺激劑。古人所謂痰迷心竅。治以開竅逐痰劑。開竅逐痰者。殆卽今之刺激引炎療法乎。惟治病之道。貴乎隨機應變。若此時已見腦將麻痺。心臟漸衰者。則當急進以强心與奮之劑。列方如下。

蘇合香丸　治中風痰氣相搏。閉其經隧。神暴昏。脈暴絕者。

白朮　硃砂研　烏犀角屑　青木香　香附　訶子煨取肉　白檀香以上各二兩　龍腦研五錢　薰陸香　安息香另爲末以無灰

酒一升 熬膏 蘇合香 入安息香膏內各一兩 麝香 研七錢半 沈香 丁香 蓽撥 各二兩

右藥研爲細末。和匀。入安息香膏。并煉白蜜。和劑爲丸。如桐子大。清晨取井花水。溫冷任意化服四丸。溫酒亦得。空心服。

按本方於犀角硃砂等鎭靜神經劑中。加入龍腦、（卽冰片以樟腦製成）蘇合香。麝香等爲興奮呼吸中樞劑。既可以防止腦痲痺。又不致卽時虛脫。且有開痰之功。較之西醫於此時期中。專以樟腦注射。妥善多矣。

參附湯 治中風。脈暴絕。欲脫者。

人參 製附子

用參須倍附子。不拘五錢或一兩。酌宜用。薑水煎服。有痰加竹瀝。

按附子少用强心興奮。多用反使心臟痲痺。故方中須參倍於附也。

清裏方——刺激腸粘膜使其改變充血重心

三化湯 潔古 治中風內有便溺阻隔者

厚朴 枳實 大黃 羌活等分

右剉細如痲豆大。每服三兩。水三升。煎至一升半。終日服之。以微利爲度。

按清裏之三化湯一方。僅能改變充血重心。蓋大黃內服。能使大腸及大腸隣近器官血管擴張。本艸有通經之說。亦卽此意。仲景於吐血、衄血。用瀉心湯。最爲合理。織此方者。當逐其痰涎。蓋滲出液之爲患。不亞於出血之壓迫神經也。方中或佐以强心之劑。使不致暴脫。列方如下。

滌痰湯 金匱翼 治中風痰迷心竅舌强不能言。

製南星 半夏泡七次各二錢 枳實麩炒 茯苓各二錢 橘紅一錢五分 石菖蒲 人參各一錢 竹茹七分

水一鍾半生薑五片煎八分食後服。

清心散 金匱翼 治風痰不開

薄荷 青黛 硼砂各二錢 牛黃 冰片各三分

右為細末先以蜜水洗舌後以薑汁擦舌再將藥末蜜水調稀擦舌本上。

去內風方——消炎鎮靜沈降。

候氏黑散 金匱 治大風四肢煩重心中惡寒不足者。

菊花四十分 白朮 防風各十分 桔梗八分 黃芩五分 細辛 乾薑 人參 茯苓 當歸 川芎 牡蠣 礬石 川桂枝各三分

右十四味杵為散酒服方寸匕日一服二十日。溫酒調服禁一切魚肉大蒜。常宜冷食六十日止。即藥積腹中不下也，熱食即下矣冷食自能助藥力。

張石頑曰。方中用菊花四十分為君。以解心下之蘊熱。防、桂、辛、桔以升發腠理。參、苓、白朮、以實脾杜風。芎、歸、以潤燥熄火。牡蠣礬石以固濇腸胃使參朮之性。留積不散。助其久功。乾薑、黃芩、一寒一熱。寒為風之響導。熱為火之反間也。用溫酒服者。令藥性走表以開其痺也。冷食而禁諸熱物者。恐礬得熱而下。不能盡其藥力。以礬性得冷即止。得熱即下也。

編者以爲本方於鎮靜沈降之外。尙有消炎宣痺去瘀之功。中風宜去瘀之理。當於結論時詳述之。（未完）

女科

女科醫籍考

張又良

小引

考女科醫籍。自漢唐迄今。諸家撰述。雖不下二百種。然多孤本流散。欲讀無從。苟不記其崖略。則日久湮沒而不傳。烏足以光先賢而昭來茲。因將平生所讀者一百數十種。錄其撰人卷數編制內容。并加評騭。藉別瑕瑜。以撰于何代。足可稽考者爲上篇。不明撰時年代。或妄署古代年號。查而屬僞者爲下篇。雖行文俚俗。不足以語大雅。而於女科醫籍。或可窺其一斑爾。

上編

經效產寶三卷。唐太和節度隨軍昝殷撰。全書都四十一論。二百六十一方。諸方結構。除妊娠下痢各方。及胎前不忌薑朴外。餘皆精當。其論「因母病以動胎。但療母疾。其胎自安。又緣胎有不堅。致動以病母。但療胎則母瘥」尤足爲後世法。

產論一卷。不著撰人姓氏。爲宋濮陽李師聖所得。全書凡二十一篇。其議論之精確。爲產科諸書所罕見。惜乎有論無方。是其所短。及醫學教授郭稽中。以所收家方附於諸論之末。遂成完書。

產乳備要一卷。不署撰人姓氏。後為宋趙瑩增入楊子建七說。元竇致君。又雜以御藥院雜病方論。入月產圖。體玄子借地法。安產藏衣方位等。其原本遂不可復覩矣。

胎產集驗方一卷。宋陸子正輯。全書五十有五方。自謂『此皆摭諸家精要之方。手試親驗而有效者』。然偏閱其方。多為單方之類。僅可供民間用。不足為醫者法也。

產寶諸方一卷。不錄撰人姓氏。宋史藝文志不載。見於陳振孫書錄解題。全書凡九十一方。（四庫提要訛作七十餘方。）又十二月產圖一篇。所載諸方。均尚切當。四庫提要譏其『多降氣破血之品。辛熱震動之劑』。蓋未曾細究之語耳。

產育寶慶集二卷。不著撰人姓氏。以產論二十一篇。三十四方。及陳言方評一十六首為上卷。以產乳備要。楊子建七說為下卷。宋史藝文志以為郭稽中所撰。然考趙瑩序曰。『余友人得產乳備要。乃盱江傅君教授嘗刊于澧陽縣庠。因以家藏舊本。稍加較正。增以楊子建七說。并產論同為一集。』則是書似為趙氏輯。非郭氏撰也。

備產濟用方一卷。宋紹興中。餘杭虞流撰。虞氏性好方藥。所得產方甚衆。因與其平生所聞之說。共為一書。以妊娠、入月、臨產、產後諸證用藥例。妊娠食忌。入月借地法等為前卷。胎前產後八十八證方為後卷。全書除治妊娠諸方外。多屬俚俗之法。不足為訓。

產科備要。宋淳熙朱端章輯。全書凡八卷。一百四十五方。其卷一之入月安產法。體玄子借地法。逐月安產藏衣并十三游神法。本之外臺祕要。禁草禁水。催生符法。出聖濟總錄。卷二卷三。皆採之孫眞人千金方。卷四全錄李師聖產論二十一篇。及張與臣累用經效方等。卷五則采劉寶經驗方居多。卷六則全錄備產濟用方。及許叔微本事方中胎產諸方。卷七則全錄胎產經驗方。卷八則雜采千金外臺聖惠肘後巢氏病源小兒集驗嬰童寶鑑諸法。雖書次雜亂。而選擇尙精。堪作產科參考之用。

婦人大全良方三十四卷。宋臨川陳自明纂。陳氏爲三世醫士。家藏醫籍甚廣。因撫諸家女科之精要者。凡二百數十餘論。每論之末。附之以方。分調經、衆疾、求嗣、胎敎、胎候、妊娠、坐月、難產、產後、補遺十門。合成一書。爲宋代女科書之最博者。明醫薛立齋。感其重複闕略。乃爲增删補注。並於每論之後。附以驗案。又易其名曰婦人良方。雖較原本稍見精備。然已失陳氏之舊矣。（待續）

痛經治療談

顧志道

婦人按月行經。爲生理之自然。本無痛苦可言。其有經行而腹痛者。乃病理之現象也。治之之法。當求其原因而分別之。考女科諸書。均謂經前之痛。爲血氣凝滯。多屬實症。經後之痛。爲氣血虧弱。多屬虛疾。與西醫學說。經前之痛有梗阻性、充血性、神經性三種。經後之痛。爲子宮黏膜之上皮脫落相同。雖屬扼要之言。然亦不可拘執也。如婦人氣血素虧。經將行時。即感血液缺乏。不能濡養骨盤神經而作痛者。安可因其痛在經前。而漫用理氣活血之劑乎。又如經正行時。偶因氣鬱食冷等。以致子宮靜脈鬱血。不能充分排洩而痛者。亦安可因其痛在經後。遽用補氣養血之劑乎。且不特此也。觀書中治實痛之法。泰半用破血逐瘀之品。病果屬氣滯而血凝。投之自桴鼓相應。若內食酸冷炙煿之物。外感風寒濕熱之邪。累及血室機能障礙者。投以攻劑。反足僨事。總之治痛經之法。不可以經期前後爲惟一標準。尤不可以通經破血爲不二法門。當以脈證爲主。審其爲寒濕者宜溫化之。瘀熱者宜清瀉之。七情鬱結者宜疏解之。黏膜脫落者宜補益之。蓋去其血室障礙。則循環機能自可恢復。補其黏膜脫落。則神經刺激自可消失也。他若婦人經行犯房而成鬥經重症。宜用化瘀通濁之法。室女經汛初潮。即感腹痛者。乃屬先天性輸卵管狹窄。必待產子之後。始能自愈。亦臨床時不可不知也。

兒科

天花

章巨膺

天花俗名出花。方書稱天痘。爲極危險之事。及發明種痘法後。遂少此病。然有父母溺愛過甚。往往生三四月後猶不種痘。值春發秋燥天花流行時節。空氣傳染。遂罹出天花之禍。

（病狀）天痘大約分六期。第一期爲發熱期。發熱咳嗽。與流行性感冒相同。與出痧疹之前兆亦同。目珠含潤。呵欠噴嚏。第二期爲發斑期。頭面見點。以次及於上身。遍及週身。此二期大約各三日。六日之後。第三期爲發蕾期。斑點逐漸擴大。中心高起。形圓整。至第四期爲水泡期。疹點頂漸變透明。形同水泡。此二期大約共爲三天。第五期爲化膿期。水泡變黃。漸化爲膿。第六期爲結痂期。膿色漸乾而結痂。蓋此二期亦各三日。嗣後痂蓋漸脫而病愈。大概前後三星期上下。自發斑起至結痂期止。爲最危險之時期。

（病原）痘症據我國舊說。是先天之慾火胎毒。胎毒內藏。感受時氣。散於經絡而發之病。據西醫籍說。痘痳猩紅熱等是急性傳染病。兩說當併作一說。胎毒慾火是內因。流行傳染是外因。必有內因。然後外因始得引誘。故一度傳染或種過牛痘之小兒。縱在天痘流行時節。卽能免疫而不傳染。

(診斷)小兒未經種痘。在天花流行時節而發熱咳嗽者。往往會出天花。亟宜延醫診治。初起治之得法者順。失治者其後多逆。在發熱時期。二便如常爲順。若大便不通。小便短赤。口渴煩燥。舌苔黃厚爲重。若手脚冷。面色青。氣急鼻扇。大便瀉。無汗。但見一證卽爲逆。在發斑期。疹點勻整者順。若疹點細碎如蚊咬。或粗大如碗豆大。均爲逆。在發蕾期。點粒根脚分明者順。若此點與彼點分際不明。根脚牽連者逆。在水泡時期。點頂圓湛。色鮮明。根脚紅潤者順。若頂不飽滿。色澤晦滯。根脚淡無血色者逆。在化膿期。膿色黃質肥厚者順。若不黃。膿質薄稀者逆。在水泡化膿時期。有臭味者順。無則爲逆。痘出稀者輕。密者重。裏外徵紅者輕。外白裏不紅者重。痘點頂黑陷塌下者死。

(看護)小兒發熱初起。忌予葷腥及不消化之食物。乳母亦宜忌口。出天痘房中空氣宜暖和。若在嚴冬。須生火爐。燈火不宜太亮。電燈宜圍以紅紙。陽光入戶亦不宜。最好亦糊以紅紙。以光線有刺激故也。忌葷酒氣味及不潔之穢味入病兒之口鼻。若病室離廚房甚近。宜設法使油氣不侵入。病兒及乳母不可食黃豆及豆製之食品。如豆腐等。犯之則將來口臭。理由不明瞭。忌食醬油。至病愈後一個月止。犯之則痘痕有黑斑。不幸爲麻面。則麻點色黑。至發蕾期。痘已有水泡。宜臥兒於軟棉褥中。懷抱手脚宜輕。及化膿期尤爲要緊。至發蕾期。須以小兒之兩手裹縛。否則面癢抓破。則爲麻面。小兒在病中不宜多予乳食。宜頻頻予溫開水。

(治療)初起宜辛涼透達。及宣肺藥。如荊芥、葛根、茅根、薄荷、連翹、象貝、杏仁等。病至第二期。痘點已透達。熱不甚。別無氣急等狀。二便調勻。可以勿藥。若熱甚。仍不忌茅根葛根。至第三期。斑點逐漸擴大。形圓整。神情完好。亦可勿藥。若根脚不紅。

當於清熱解毒方中。酌加活血如紅花、川芎、之類。至第四期。水泡透明。形圓根紅潤。熱不甚。二便調。亦可勿藥。不然者。按證施治第三期法。至第五期。化膿期中水泡黃質厚。神情安逸。亦可勿藥。若膿不厚。黃而清稀。塌陷不圓滿。急宜延醫。此時用藥切忌寒涼。宜黃耆、黨參、鹿角霜、鹿茸等。至第六期已出險。用藥不過清補化毒。如人參、歸身、白朮、白芍、甘草、銀花等類。

(附錄)水痘與天花病機相同。已經種痘而胎毒未淨。值天花流行時節而傳染得之。初起如痘。至水泡後遂乾癟結痂。治法與天花大同小異。禁忌亦同。

說小兒疳積

胡肅梧

疳之爲言乾也。小兒體質柔嫩。往往食味過多。厚肥不節。運化無權。致乾澀而成停積。不但此也。積之爲病。有食積。有濕積。有蟲積。有血積。有氣積。積之途甚多。因滯而成積。因積而成疳。疳積不治。勢將成蠱。遂難醫矣。治疳之法。不離脾胃。胃實則瀉之。有食積。則用枳實枳殼蓬莪朮等藥。有濕積。則用厚朴白朮茯苓等藥。蟲藏於中。則有檳榔使君子雷丸等藥。藉爲殺蟲之品。且有歸尾丹皮玄胡索等物。以除血積。有木香香附青皮等物。以消氣積。有熱則加苦寒清火之劑。有寒則加辛溫健運之品。此治小兒疳積之大概也。然或熱盛五臟。大病之後。飲食不謹。誤用下藥。致亡津液。脾不運化。積滯難行。此亦因乾而成疳積之原由也。此時用藥宜以消導之方。兼尚潤澤之味。然後知隨機施治。因病分配。而藥到病除。可操左券矣。

藥物

葛根非發汗藥

楊彥麒

葛根這味藥歷古以來的醫家多說牠能夠「解肌發汗；」像陶弘景的名醫別錄裏說：「療傷寒中風頭痛，解肌發表，出汗開腠理。」蘇頌說「張仲景治傷寒有葛根湯，以其主大熱解肌發腠理故也。」徐用誠說：「葛根其用有四，一止渴，二解酒，三發散表邪，四瘡疹難出。」李時珍說：「本草十劑云輕可去實，麻黃葛根之屬；蓋麻黃乃太陽經藥，兼入肺經，肺主皮毛；葛根乃陽明經藥，兼入脾經，脾主肌肉；所以二味藥皆輕揚發散……」近來的醫學大辭典裏也說是：「解肌發表出汗。」丁福保中藥淺說裏又說是「爲有名發汗解熱藥，尤適於汗不出而發熱者。」小泉榮次郎新本草裏更說是：「效能發汗清涼解熱。」

照上面各家的意思，可以得到一個統計，都說能夠「解肌發汗；」然何以要作「非發汗藥」呢？讓我先來逐條的駁他們一下。

一、陶弘景的謬誤點：據陶弘景的話說起來可「療中風頭痛解肌，」似乎可以代表桂枝湯的功效。「療傷寒發表，出汗，開腠理，」似乎又具有麻黃湯的作用。哈哈！想不到一味葛根，倒有如此偉大的效力；然何以張仲景老夫子有了葛根，再要用桂枝湯和麻黃湯呢？讀者看到這裏，閉了眼睛想想，這個問題，是否可以成立吧！

二、蘇頌的謬誤點：　據蘇頌的話說起來可以「主大熱」又可以「解肌發腠理」。然而到大熱的時候，病勢已到了第二期陽明經了；假使再發其汗，恐怕免不了亡陽的。况且張仲景的本意，葛根湯原是治項背強几几，和太陽陽明合病下利證，並非是「以其主大熱」的。祇有白虎湯纔是治大熱的對症藥。

三、徐用誠的謬誤點：　據徐用誠的話說起來既能「止渴」又能「發散表邪」。像「止渴」，是增加津液。「發散表邪」，是耗損津液。那有一味藥，發生相反的作用；一望就可以知道他矛盾的所在了。

四、李時珍的謬誤點：　據李時珍的話說起來似乎和麻黃有同樣的效能；都是有「輕揚發散」的力量：不過一爲太陽經藥，一爲陽明經藥的不同罷了；然而傷寒論裏告訴我說太陽病是「脈浮，頭項強痛而惡寒」。陽明病是「身熱，汗自出，不惡寒，反惡熱。」可見得太陽病，和陽明病的病狀，是完全不同，那末葛根既然是陽明經藥，何以和太陽經藥的麻黃，同有「輕揚發散」的力量呢？

五、醫學大辭典的謬誤點：　據醫學大辭典裏所說：「解肌發表出汗。」是和陶弘景名醫別錄有同樣的錯誤。

六、中藥淺說的謬誤點：　據中學淺說裏所說「尤適於汗不出而發熱者。」明是當牠麻黃了；不知道這有名「發汗藥」，是否從經驗上得來呢？恐怕也是抄襲前人所說的誤說吧！

七、新本草的謬誤點：　據新本草所說「發汗清涼解熱。」是和徐用誠所說一樣的，上面已駁過了。

被我這樣一說；上面各家的意思，都是可稱爲絕對不確實的。但是葛根究竟的作用，是怎樣呢？照我的主張，是作牠「止渴生津清熱退炎」藥。倘若不信的話，讓我拿許多學說來逐條的證明，請讀者細細地聽吧！

一、神農本草經的證明：考本草經裏面說「主治消渴身大熱，……」豈非是當牠「止渴生津清熱」藥麼？

二、張仲景傷寒論的證明：考傷寒論裏說「太陽病項背强几几，汗出惡風者，桂枝加葛根湯主之。」按項背强几几，因爲熱度過高，熏灼背脊神經，津液不能夠濡養神經，所以變成拘急汗出惡風，是桂枝證。故而桂枝湯中只加一味葛根，滋養背脊神經津液就夠了。又考「太陽病，項背强几几，無汗惡風者，葛根湯主之。」這條和上條的不同，一是出汗，一是無汗，所以這條葛根湯中用麻黃發汗，桂枝去輔佐麻黃；葛根仍是去治他項背强几几。再考「太陽與陽明合病者，必自下利，葛根湯主之。」同「太陽與陽明合病，不下利，但嘔者，葛根加半夏湯主之」兩條。一則腸內部加答兒，一則胃內膜加答兒，用葛根去增加他腸胃津液；即生津可清熱，清熱可退炎的意思「清熱退炎，」加答兒就可消散了。再考「太陽病，桂枝證，醫反下之，利遂不止，脈促者，表未解也。喘而汗出者，葛根黃芩黃連湯主之。」按這條下利不止，津液已是虧耗極了；雖有表邪，不能發汗，必須用黃芩黃連，退腸間炎性。再用甘草，去和緩病勢。保護炎性，勿使牠蔓延。葛根既「生津，」又可「退炎，」眞所謂最對證沒有了。倘若葛根作牠「發汗藥」說法：那末桂枝加葛根湯證已經汗出；葛根湯證，和葛根加半夏湯證，已有麻黃桂枝在內；葛根黃芩黃連湯證，已經津液虧耗；那有再用發汗藥的道理？照上面所說幾條的理由，豈不是一個大大的明證呢？

三、張仲景金匱的證明：考金匱裏說「太陽病，其證備，身體强，几几然，脈反沉遲，此爲痙，栝蔞桂枝湯主之。」身體强，几几然，與傷寒論裏的桂枝加葛根湯證底項背强几几病理相同。所以葛根和栝蔞根，具有同樣的效力。再可以曉得栝蔞根成分是有多量澱粉，葛根的成分也是有多量澱粉，栝蔞根蒸之可以當食品，葛根也可以當食品，又致中國藥學大辭典裏說「葛根與栝蔞根形態相同」照上所說也可以知道葛根「非發汗藥」了。是同栝蔞根有相似的作用。

四、大明本草的證明： 考大明本草裏說「葛根治胸膈煩熱發狂，……」這條又是當牠「清熱」藥的明證。

五、聖惠方的證明 考聖惠方裏說「治小兒熱渴久不止，葛根半兩水煎服」這條又是當牠「止渴生津」藥的明證。

六、梅師方的證明： 考梅師方裏說「治熱毒下血因食熱物發者，……」這條又是當牠「清熱退炎」藥的明證。

七、千金方的證明。 考千金方裏說「治酒醉不醒，……」這條又是當牠「清熱」藥的明證。

八、房雄日用新本草的證明： 考日用新本草裏說「葛根的成分含有多量澱粉質效用可作緩和的包攝藥。又可作滋養藥治療胃腸病，又能治胃腸加答兒有特效。」這條說得很透切毋用我來講明了。

九、東洞吉益藥徵的證明： 考藥徵裏說「葛根主治項背强」這條也可以證明「非發汗藥」的不謬。

根據上面幾種學說可以得到一個結論是「葛根能夠清熱退炎，又富於滋養成分，能增添津液。又是治項背强几几的特效藥。」所以發汗的這句荒謬話從實驗上證明向書籍裏參考簡直是根本不能成立。然而何以歷古以來的醫家都作牠「發汗藥」呢？這是因爲他們不曉得細細的研究，只曉得一味地盲從的結果。我現在要鏟除這種陳陳相因的積習，所以我寫了這一篇使讀者們看過之後可以明瞭他們所說的差誤。我寫到這裏不禁要大聲地吶喊着，「葛根非發汗藥。」「葛根絕對不是發汗藥。」倘使那一個主張說牠是「發汗藥」我敢說一聲他就是違反了醫界之聖張仲景老夫子傷寒論裏的眞正底意義了。這是毋庸强辨的、也毋庸諱言的。

接骨仙桃草對於血症之功效

蘇善寶

綱目拾遺。載有接骨仙桃草一藥。乃水處田塍多有之。非僻生不易見之物也。此草於穀雨後生苗。立夏後開白花。小滿後而成穗。芒種後而採用。若過夏至。則效力全失。無甚用矣。此草由生長及採時。僅兩閱月。可知時間短促。務宜及時採取也。家嚴採用此草。治諸血症。二十餘年。治癒失血症者百數十人。治癒肝胃氣病小腸氣痛者數十人。用治婦人產後虛損等症。亦常奏效。曩將『接骨仙桃草之實驗談』一文，發表於秦伯未夫子所編中醫指導錄五十三期中。引起讀者諸君紛紛索閱草樣。不下五百餘人。誠出鄙人之意料也。茲值仙桃草將生時。特再詳細述之。以供吾國醫藥同仁之研究。

【本名】 接骨仙桃草。

【異名】 奪命丹。活血丹。蟠桃草。八卦仙桃。

【產地】 近水處田塍多有之。

【形態】 形似鱧腸草。結子如桃。熟則微紅。小如蓁豆。內有蟲者佳。葉光長類旱蓮。高尺許。（短者四五寸）莖空。摘斷不黑亦不香。（焙製後其味香如茶葉）立夏後開白花。亦類旱蓮而成穗。

【採法】 芒種後採用。須俟實將紅。蟲未出生翅時收用。藥力方全。蓋此藥之效用。全在蟲。須曬焙乾燥。令蟲死於內。若掛懸風乾。恐內蟲生翅而出。失其效用。若過夏至。則蟲穴孔而出。化爲小蚊。苞空無用矣。

【性味】 甘淡無毒。

【功效】 和胃治勞損虛怯。（童便製透用）吐血。（搗汁和人乳服）肝氣病。又能消癰毒之腫。治跌打損傷。（搗汁或屑服俱效。）

【驗方】一方專治肝氣胃氣小腸疝症

仙桃草(有蟲者)金橘核。福橘核。蓽澄茄各等分爲末。砂糖調丸。如菉豆大。每晚服一錢許。至重者。二服斷根。

一方治勞損虛怯

仙桃草(有蟲)用童便製透。入補藥用。

一方治吐血

仙桃草新鮮搗汁。加人乳和服。按吐血諸方皆用涼血之劑。惟此藥性熱。加人乳。能引血歸經故妙。

一方治跌撲損傷

接骨仙桃草五錢　地蘇木四錢　八角金盤根一錢　臭梧桐花三錢　酒煎服

【治驗例】(一)治癒三日內吐血十餘碗之危症

勞神過度。肝旺脾虛。加之運動太力。血液循環增速。脈管破裂。以致血液上衝。三日內口吐紅血十餘碗。腑行亦見瘀血成塊。糞兼黑色。舌紅剝苔膩。脈搏濡弱而芤。左大於右。胸次微悶。按其宗氣不大動。氣平靜。心煩不寐。懶言欲靜。身有小熱。按此症情急。宜以膠固血管。緩其循環爲主。再用補養之劑。以善其後。

仙桃草五錢童便浸　抱木茯神四錢　老冬朮三錢　當歸頭三錢　清水阿膠五錢　生杭白芍二錢　淮山藥三錢　炙甘草一錢五分

綿杜仲四錢生　穭豆衣三錢　鮮紅花一錢　川續斷三錢　白茅根一兩代水煎　鮮藕汁半碗冲服

此方服兩帖後。吐血已止。精神轉佳。以後用野山別直參與仙桃草煎服一月。即恢復原狀。

（二）治癆咳嗽吐紅之肺勞症

少年努力。思慮過度。加之家境維艱。身材瘦弱。鬱氣久而化熱。陽絡受傷。則血外溢。木火刑金。肺失清肅。客邪易於乘襲。於今春三度欬嗽。屢次咯血。每次約十餘口之多。家人惶恐萬分。在京求治名醫。終鮮效驗。後經家嚴診治。脈滑滯不一。關後虛孔。舌紅。苔膩。食慾頓減。面色蒼白。惟精神尚佳。爲擬一方如左。

仙桃草五錢童便浸　紫菀三錢　仙鶴草四錢　野鬱金一錢五分　福橘絡一錢　桑葉絡二錢元米炒　京川貝一錢　全當歸三錢

叭噠杏仁二錢　大沙參三錢

服三帖後。吐血見止。飲食已進。後用鮮接骨仙桃草搗汁。加人乳調服。不但精神強健。而平素晨間小欬。亦已霍然斷根矣。

按以上所錄仙桃草及其效方。非不佞誇大其辭。乃實驗所得也。

編者案當茲西藥輸入。金錢外溢之際。研究國產藥物。闡明其治病之價値。擴大其應用之範圍。實爲吾人當前之要務；愼軒夫子曾將此草作一度之臨床應用，果有效驗；惜病例未多，未敢確定其實效，擬待將來得有相當結果，再行公諸社會；讀者如欲研究此草，請附郵票向南京中山門外東流鎭青陽堂國藥號索取可也。

方劑

論國醫治黑熱病驗方

葉古紅

黑熱病在國醫學療法中。有無特效方劑。斯亦最有研究價值之一問題。鄙意醫者之目的在愈病。而達此目的之方法果多。法不同而收效則一。求之國醫除去一部份五行生尅之說。每有暗合科學原理者在。不佞於疳勞症應用集聖丸輒收著效。其症狀爲勞倦。發熱無定時。四肢消瘦。胸脅脹悶。而腹部獨大。按之有硬塊觸手。面色黃而兼蒼。大便或泄瀉或祕結。小便多混濁。如米湯汁。藥後大便得下粘液汚穢物。小便清。腹部亦漸消而愈。是病曩於北地常見之。其徵兆絕似黑熱病。今按集聖丸藥味。如使君子黃連用以消炎殺蟲。蘆薈與起腸蠕動機能。以促進膽汁分泌及起瀉下作用。砂仁、廣皮、青皮、木香等芳香健胃。五靈脂、夜明砂、莪朮、祛除瘀血。活潑局部神經。以奏消腫解凝效能。當歸、川芎、通經。調整血行。主藥之蟾蜍。其表皮腺分泌液。含有加瑪茵成分。等於實芰答利斯(毛地黃)效能。而無其蓄積作用。能強心與奮。應用於血行障礙。鬱血炎腫疾患有特效。豬膽汁爲苦味解凝藥。殺蟲藥及促進糞便排洩藥。混合應用有強心、健胃、殺蟲、消炎等功能。則治黑熱病用以消炎、殺蟲、强心、祛瘀、理想的效用。似尚合於事實。

曩遊東瀛。獲一民間驗方。專治癖塊、勞熱、消瘦、倦怠、無力。似癌非癌。試之良效。方用鱉甲一味。醋炙酥研末。配以極微量之砒石。拌勻。每服自一錢至二錢。陳酒送服。日二次。考鱉甲爲動物骨質之一。富有燐酸鈣、炭酸鈣等鈣鹽成分。有機性鈣鹽在醫學應用上之一般作用。由腸部吸收入血。能制止滲漏。增强活潑白血球與凝固素。砒石有變質殺蟲作用。自昔應用於貧血。惡性淋巴腺腫、癌疾等病。是方適與肘后方用鱉甲雄黃治勞瘧久瘧方相同。雄黃爲三硫化砒。亦砒劑之類。患者如嫌砒石毒性劇烈。可用鱉甲一兩。醋炙酥雄黃二錢。共爲細末。陳酒送服。

集聖丸方

乾蟾蜍（炙焦）一兩二錢　蘆薈八錢　五靈脂八錢　夜明砂（淘去灰土）八錢　砂仁八錢　陳皮八錢

青皮八錢　莪朮八錢　木香八錢　黃連八錢　使君子肉八錢　川芎一兩二錢　歸身六錢

右藥共爲細末。以雄猪膽汁四枚。和粟米粉爲丸如龍眼核大。每服二丸。米飲下。日服三次。

古方治療一得

陸自量

近醫謂古方不能治今病。尤不能治南方之今病。此葉薛輩信徒之語也。余嘗以古方療今病。其效如桴鼓者。縷指難記。仲景百十三方中。不採用者固嘗不鮮。然則非今之無此等病證。特近醫之無審察是等病證之學識也。余不敏。最喜用經方。無奈學識經驗兩感缺憾。致不能探驪得珠。因鑒古方之湮沒已久。問津者尙屬寥寥。不亦惜哉。余用古方而愈今病。轉覺古方之處劑精當。適合近代學理。研究之餘。趣味橫生。故寫古方治療一得。謂之倖中亦可。

苓桂朮甘湯瀉心湯之合治

有胡姓老叟。年事花甲。病恰三日。診得身無寒熱。神情爽朗。舌白膩。苔厚。心下痞滿。時時頭眩。乾嘔。嘔吐。相繼而作。中無物質。僅僅似痰似沫。日夜頗多。詢自略食葷膩及硬飯而起。食後卽覺不適。而致于此。據述久居滬上。數日前曾患重病。幾瀕于危。因而下鄉。不數日病卽漸瘳。已能納物。因此强加餐。釀成斯疾。細繹病情。因食而引起病之復變。時醫名之曰『食復』。考之古書。其實卽尤怡所謂傷寒邪解而飲發之症也。蓋胃府已虛。停水未消。因傷寒之過程中。汗吐下必已兼備。故無其他見證表現于外。以示腹內無充實之病毒也。水毒上衝。故時時頭眩而嘔噦。至于心下逆滿之心。時醫每作心臟之心解。簡直十足的屬胃。在傷寒論中。亦可悟得。如此。嘔噦當是胃證無疑矣。上衝與嘔噦並見。治法則當降衝、鎭嘔、健胃爲主。乃處方。與桂枝、蒼朮、茯苓、甘草、半夏、左金丸、黃芩、乾薑、生薑、青陳皮。翌日病無進退。但覺嘔證稍稀。再進一劑。嘔又稍減、痞悶仍然。因思飲之所以留胃。緣于胃結膜之胃腺分泌失常。尤其病後胃力微弱。加以強食胃壁之蠕動受其壓迫。以致食物停留于胃。而成胃部膨滿症。所謂運化無力也。故于第三劑加生大黃。改蒼朮爲白朮。以冀促進胃壁蠕動。及增加腸腺之分泌。自服此劑。于夜半忽然戰寒大汗。床笫爲震。從此逐日向愈。

按、前二劑易白朮爲蒼朮者。因白朮帶補脾臟。今脾臟尚無患害。不需于補。故用瀉性之蒼朮。且其吸水之力亦較白朮爲強。故於飲病有特效。此即所謂蠲飲滲濕者是也。去參者。無攣急證也。不用棗者。停水故也。戰汗病退者。瞑眩而愈也。

桃核承氣湯之治驗

張姓之女。年方二九。患病匝月。仍未少瘥。延余診治。證得形瘦色白。神識雖清。兩耳失聰。入夜則神煩譫語。日間則其狀若失。如此見象。蓋已旬日。盜汗自汗。日夜無間。舌無苔。余以陽虛證治。處以附子、桂枝、龍骨、牡蠣、芍藥等。明日復診。病無進退。惟自汗較少。病家反加責難。蓋欲病迅愈。人同此心。思至此。不禁嘆爲醫之難矣。是時實無詞應付。惟有敷衍主義。相以爲慰。繼而轉輾思維。難得病之真諦。籌思再三。乃悟得熱結膀胱。始有此種見候。因此目的吃緊于腹診。因念醫生以愈病爲天職。設存瓜李之嫌。實有阻我學術之進步。結果。診得腹腔軟癟。在少腹部份得有堅硬之物質。隆然若塊石。同時病者亦訴痛。乃認定爲熱結膀胱。少腹結急之腹證。並詢得旬日前病盛之際。曾患便血。爲某名醫所治愈。其蓄血之證。益形露骨。乃毅然處以桃核承氣湯。加龍骨、牡蠣、白芍、茯苓。令服二劑。此後遂未往診。久久沉杳。心自惴惴。幾疑此人已不食人間烟火矣。後得鄰人謂。現已起床照鏡。開窗看菊。此昔年九秋事也。後又邀余。謂新患略吐紫血。精神尚未恢復。想係蓄血未淨。

反覆上衝使然耳。再與前方、去芒硝、入炮薑、三七。漸次向愈。余以為該病之便血時。正是熱結膀胱。血自下。下者愈之良好機會。無奈某醫不察。反加堵塞。而反多此一翻手續。然則病家亦未嘗不歡迎也。病人苦極已。為之一嘆。（待續）

醫案

馬培之先生醫案（續）

再門人王慎軒編 再小門人馮長楷錄

脈象虛細。左關較弦。脾胃久虧。肝陽偏旺。加以操持過度。心氣亦虛。入夏以來。又感寒暑之邪。其患腹痛泄瀉諸候。現已就痊。黎明時腸鳴腹痛。口泛清涎。四肢骨節痠痛。口渴心煩。夜不安寐。餌葷則便薄。舌苔中剝。氣陰兩傷。中氣不能建立。偏寒偏熱之劑。在所難投。調養心脾。兼立中氣。

黨參 淮藥 棗仁 烏梅 白芍 炙草 於朮 當歸 茯神 料豆 炙耆 益智 棗

（二診）昨晚腹痛未萌。似覺煩躁。臥不安寐。少腹氣逆衝胸。入臥則血歸於肝。氣歸於腎。血少脾虛。腎氣少納。仍調榮建中。兼納腎氣。

黨參 淮藥 棗仁 白芍 炙草 棗 於朮 當歸 茯神 炙耆 牡蠣 龍骨 益智

陰虛木鬱。入夏暑濕之邪傳肺。咳嗽見血。血止而咳不平。秋後面浮肢腫。動勞氣促。力乏音低。形神日羸。穀食大減。小溲短滴不禁。呃逆無聲。肢冷舌白。脈濡兩尺不應。肺脾腎三陰大敗。真陽欲離。胃從中竭。症在不治。勉投參附回陽。以盡人事。

人參　附子　半夏　炙草　破故紙　雲苓　炮薑　白芍

（二診）昨服回陽固腎。脈象較起。呃逆較平。小溲轉固。尚有轉機。仍宗原法進步。能日臻佳境乃吉。

人參　附子　半夏　炙草　破故紙　雲苓　炮薑　白芍　丁香　柿蒂

究恙原心悸。自汗頭眩。胸悶懊憹。食減少寐。周身痠痛。間作寒熱。業已有年。此乃心脾腎三經不足之症。心主血而藏神。心榮虧則神不安舍。脾生血而藏意。脾之生氣不旺。無以生化新血。陰津不能內守。多勞多動。氣機不續。經以榮出中焦。衛出下焦。產育頻多。下元根蒂已虧。擬養心調脾。兼育腎陰。

黨參　甜朮　歸身　淮藥　茯神　炙生地　棗仁　遠志　沙苑　料豆　柏子　炙甘草　麥冬　廣皮　圓眼　紅棗　杜仲　川斷　黃耆　共熬膏

（二診）前恙較好。惟下午面色發赤。喉舌乾燥。

原方加白芍。　（未完）

丁甘仁先生內科醫案（五續）

門人王慎軒編　再門人徐觀濤錄

濕溫門

（范童）初起間瘧。寒短熱長。繼因飲食不節。轉成濕溫。身熱早輕暮重。熱盛之時。神識模糊。譫語妄言。胸痞悶泛噁。腑行不實。舌苔灰膩滿佈。脈象滑數。良由伏溫夾濕。夾滯蘊蒸生痰。痰濁蔽蒙清竅。清陽之氣失曠。與陽明內熱者。不可同日而語也。顧慮傳經增變。擬清溫化濕。滌痰消滯。去其有形。則無形之邪。自易解散。

淡豆豉（三錢） 嫩前胡（一錢半） 薄荷葉（一錢） 淨銀花（三錢） 連翹（三錢） 赤苓（三錢） 半夏（二錢） 藿香（一錢半） 佩蘭（一錢半） 炒枳實（一錢半） 薑竹茹（一錢半） 神麯（三錢） 菖蒲（八分） 荷葉（一角）

（范二診） 服前方以來。諸恙漸輕。不過夜則譫語如讝之象。某醫以爲暑熱薰蒸心胞。投芩連、益元散、竹葉、茅根等。轉爲臍腹脹滿。泄瀉無度。食不知飽。渴喜熱飲。身熱依然。舌灰淡黃。脈象濡數。此藜藿之體。中氣本虛。寒涼太過。一變而邪陷三陰。太陰清氣不升。濁陰凝聚。虛氣散逆。中虛求食。有似除中之象。陰盛格陽。眞寒假熱。勢已入于險境。姑仿附子理中合小柴胡意。冀其應手則吉。

熟附塊（一錢半） 炒潞黨（二錢） 炮薑炭（六分） 炒冬朮（二錢） 炙甘草（四分） 雲茯苓（三錢） 煨葛根（一錢半） 軟柴胡（七分） 仙半夏（二錢） 陳廣皮（一錢） 炒苡仁（三錢） 炒穀芽（三錢） 紅棗（二枚） 荷葉（一角）

（范三診） 溫運太陰。和解樞機。連服三劑。身熱洩瀉漸減。脹滿亦鬆。脘中雖飢。已不多食。均屬佳象。惟神疲力倦。渴喜熱飲。舌淡黃。脈濡數無力。中虛脾弱。飲水自救。效方出入。毋庸更章。

炒潞黨（二錢） 熟附片（一錢） 炮薑炭（三分） 炙甘草（五分） 大砂仁（八分） 陳廣皮（一錢） 炒白朮（二錢） 炒苡仁（三錢） 炒穀芽（三錢） 荷葉（一角）

（范四診） 服前藥三劑。諸恙均減。原方加炒淮山藥（三錢）

(趙童)濕溫已延月餘。身熱朝輕暮重。有時畏冷背寒。熱盛之時。譫語鄭聲。渴喜熱飲。小溲短赤。形瘦骨立。納穀衰少。舌質紅。苔薄黃。脈象虛弦而數。白㾦佈而不多。色不顯明。良由病久正虛。太少之邪未罷。蘊濕留戀膜原。樞機不和。頗慮正不敵邪。致生變遷。書云過經不解。邪在三陽。今擬小柴胡合桂枝白虎湯加減。本虛標實。固本去標為法。

潞黨參(一錢半)　軟柴胡(一錢)　生甘草(五分)　仙半夏(二錢)　熟石膏(三錢)　硃赤苓(三錢)　炙遠志肉(一錢)　川桂枝(八分)　通草(八分)　福澤瀉(一錢半)　焦穀芽(三錢)　佩蘭葉(一錢半)

(趙二診)　進小柴胡合桂枝白虎湯加減。寒熱漸退。譫語亦止。白㾦佈而漸多。脈象濡數。苔薄黃。太少之邪已有外達之勢。口乾不多飲。精神疲倦。穀食衰少。正氣已衰。脾胃鼓舞無權。今擬制小其劑。扶正袪邪。理脾和胃。冀其胃氣來復。自能入於坦途。

潞黨參(一錢半)　軟柴胡(一錢)　生甘草(五分)　仙半夏(二錢)　雲茯苓(三錢辰砂拌)　生葛根(一錢半)　嫩白薇(一錢半)　佩蘭葉(一錢半)　廣橘白(一錢)　川通草(八分)　生熟穀芽(各三錢)　薑(一片)　紅棗(三枚)

(未完)

黃體仁先生女科醫案(續)

門人王愼軒編　再門人朱彩霞錄

陸(斜橋)衝脈虛寒。經期腹痛。形寒肢冷。胸悶吐水。脈象沉細而遲。衝脈麗于陽明。陽明者胃也。治宜溫胃調經。

淡吳萸(五分)　炮黑薑(五分)　上官桂(八分)　赤茯苓(三錢)　炒枳殼(一錢)　薑半夏(三錢)　旋覆花(一錢半包)　代赭石(五錢煅)　沉香麯(二錢包)　製香附(一錢半)　元胡索(一錢)　陳廣皮(一錢)　春

砂仁(八分)

李(肇嘉路)脾主信。肝主血。肝脾氣鬱。經汛亂期。乍寒乍熱。頭脹胸悶。舌苔薄膩。脈象弦濇。當先理氣。

製香附(一錢半) 老蘇梗(一錢半) 陳廣皮(一錢) 赤茯苓(三錢) 炒枳殼(一錢) 製半夏(一錢半)

旋覆花(一錢半包) 沉香粬(二錢半包) 炒烏藥(八分) 春砂仁(八分研冲) 大腹皮(二錢洗) 福澤瀉(一錢半) 藿香正氣丸(四錢包煎)

又(二診)寒熱已退。頭脹亦輕。胸悶欠暢。癸汛亂期。先哲有云。氣爲血之帥。氣隨血而行。欲調其經。必先理其氣也。

天台烏藥(八分) 製香附(一錢半) 陳廣皮(一錢) 赤茯苓(三錢) 白通草(八分) 福澤瀉(一錢半)

沉香粬(二錢包) 春砂仁(八分研冲) 大腹皮(二錢洗) 八月扎(一錢) 路路通(一錢半) 廣鬱金(一錢) 陳佛手(八分)

洪(楊樹浦)產多崩久。癸血大虧。面色晄白。形肉瘦削。經行甚少。腹無痛苦。脈象細軟。當補養之。

潞黨參(三錢) 炙黃芪(三錢) 白歸身(二錢) 抱茯神(三錢) 淮山藥(三錢) 炙甘草(八分) 紫丹參(二錢) 大川芎(八分) 大熟地(六錢) 春砂仁(八分研冲) 陳廣皮(一錢) 遠志肉(一錢) 鷄血藤膠(三錢陳酒燉冲)

(未完)

王慎軒先生女科醫案(續)

長子王甯山編 長女王景賢錄

崩漏門

劉〔桃花塢〕血崩有塊。補濇無功。少腹痠痛。大腹痕滿。胃納不旺。腑行不暢。舌苔薄白而膩。脈象弦細而濇。良由肝脾氣鬱。統藏失司。治宜理氣解鬱。和脾調肝。固非蠻投補濇所能取效也。

醋炒香附（一錢五分） 川鬱金（一錢半醋炒成炭） 陳廣皮（一錢） 旋覆花（一錢半包） 沉香籼（二錢包） 仙半夏（二錢） 春砂仁（八分敲小粒後下） 老蘇梗（一錢半） 荊芥炭（八分） 生歸身（一錢半） 炒丹參（二錢） 參三七（五分切片） 炒藕節（兩枚）

劉〔二診〕昨投理氣解鬱之劑。不止血而血自減矣。且痠痕疼痛等症。均已較輕。舌苔脈象諸診。亦已較佳。其爲藥病相契。固無疑矣。再守前法。毋庸更章。

醋炒香附（一錢半） 川鬱金（一錢半醋炒成炭） 旋覆花（一錢半包） 廣橘皮絡（各一錢） 春砂仁（八分敲小粒後下） 沉香籼（二錢包） 荊芥炭（八分） 生歸身（一錢半） 側柏炭（一錢半） 丹參炭（二錢） 藕節炭（四錢） 震靈丹（三錢包）

劉〔三診〕進治以來。血崩漸止。諸恙均差。胃納較旺。腑行欠暢。面色無華。肢體乏力。舌苔薄膩。尖邊光剝。脈象沉細。按之無力。良由崩下已久。血去過多。榮養缺乏。還宜慎調。

生歸身（二錢） 炒白芍（二錢） 柏子仁（三錢生杵） 生棗仁（三錢） 沙苑子（三錢） 桑椹子（三錢） 旋覆花（一錢半包） 廣橘白（一錢半） 川鬱金（一錢半醋炒成炭） 春砂仁（八分敲小粒後下） 沉香籼（二錢包） 側柏炭（一錢半） 震靈丹（三錢包）

程〔王樞密巻〕陰虛陽搏。暴崩甚劇。血去多而榮陰益虛。榮陰虛而虛陽益亢。以致頭昏昏如欲仆地目䀮䀮如無所見。血不養心。心悸失眠。血不養筋。筋痿難動。舌光無苔。脈數無力。勢甚危篤。即防虛脫。勉遵古人血脫益氣之訓。參以養血止血。育陰潛陽。是否有當。尚祈 明政

吉林人參（三錢） 西洋參（三錢二味另煎沖） 左牡蠣（一兩五錢煅） 花龍骨（一兩生打） 龜版炭（五錢）

靈磁石（五錢生打） 側柏炭（一錢半） 陳棕炭（三錢包） （待續）

筆記

驗方瑣記（五）

唐慎坊

余今年二月間因西街曹府喪。往弔。席間聞某君談伊有便血症。常發而劇。後得一單方。即在南貨店購洋菜少許。入水煎化。溫服一飯碗。日二三次。試之果愈。此後便血一發。輒服此方。無不立止云云。按洋菜夏日家中用以煮成涼粉。和糖而食。清涼甘美。或用以拌雞絲肉絲。亦甚可口。不謂此種普通食品。竟有如此功效。

女科奇病治驗錄（二）

王慎軒著 長女景賢錄

閶門外。新舞台司賬吉如山君之夫人。仲春忽患奇病。恍惚易驚。悲傷欲哭。時而涕淚交流。時而懊憹莫名。頭目昏暈。胸脘痞悶。腰痠如折。經多如崩。望其色面青顴赤。診其脈左弦右滑。其證雖似臟燥。但不喜食滋補甘膩之食品。則金匱之甘麥

大棗。不可妄投。其病雖如鬱症。但不傷于憂思悲鬱之情志。則局方之逍遙歸脾。亦難中肯。籌思再三。惟學士之眞珠母丸。可治驚悸、怔忡、妄笑、妄哭。魏夫人之震靈丹可治眩暈、恍惚、崩中漏下。孫眞人之溫膽湯。可治驚惶、怯懦、痞悶、懊憹。三方相合。始與此證針鋒相對也。遂以此三方加減進治。果得一劑而病大減。再劑而病若失矣。

雜俎

鷄肉瑣談

沈仲圭

珍貴之熊掌。鮮美之肥雞。同爲饕餮家所稱道。熊掌價昂。不能常得。姑勿論。茲就管窺所及。與諸君一談雞肉在醫藥上之價值。

所謂滋養品者。必須(一)蛋白質之含量豐富。(二)易消化。(三)有美味。此三條件。雞悉具之。故本草稱其「治勞損益精血」而西醫用爲消耗症及熱性病恢復期之補品也。

雞肉傳染病毒者頗少。消化吸收。又較獸肉容易。故除牛肉外。其他獸肉。難與頡頏。

就肉類言。以雞爲貴。就雞言。以童而雌者爲上。因鳥類之脂肪蛋白。牝多於牡。而未經交配之童子雞。全身細胞既健全。內分泌又旺盛也。

肺勞病人日以童鷄一隻。煮汁飲之。迄百日。有大效。如煮鷄時加入寬麥冬一兩。或普陀山小百合二三枚。尤勝。因麥冬有化痰作用。百合可治欬血也。

謝觀中國醫藥大辭典贊鷄汁之功效曰『此物大補元氣。與人葠同功。爲治五損虛勞之良品』。圭按謝氏此言實屬擬於不倫。惟有益虛勞。確然可信。爰述雞汁之製法於下。以黃雌童鷄一隻。去毛及皮骨、翼翅。頭足。將肉切成寸許之塊。盛以磁罐。少加黃酒。蓋密。重湯煮至爛熟爲度。

陳日華曰『黑雌鷄補產後虛勞』。斯言信然。蓋婦人分娩耗血過多。產後恆致面黃肌瘦。允宜多啖鷄肉、鷄卵、羊肉、生薑、鮮魚、肉汁、等以滋養之。

鷄肉富蛋白。(母鷄含二一·五%)豕肉富脂肪。(肥豕含三七·三四%)山藥富澱粉。(含一四·八〇%)若以此三物製爲「紅燒肉」。實一理想的衞生美菜。惜夫家庭餐館。多不知此法耳。

國醫以鷄合藥治病。女科白鳳丹爲最著名。白毛雌雞一只。以川石斛、香青蒿各四兩。煎湯煮鷄。另以人參、北沙參、麥冬、生地、熟地、丹參、白朮、茯苓、黃耆、當歸、牛膝、秦艽、鼈甲膠、艾葉、地骨皮、川貝、川芎、川連、丹皮、銀胡、各一兩。上藥各爲細末。雞肉去骨搗爛。與藥末和勻。米糊爲丸。治婦人骨蒸內熱。面黃肌瘦。月經不調。白帶頻下等病。(圭按觀此方各藥。重在養陰清熱。佐以調經。似於婦人肺勞潮熱月閉者。最爲合拍。又宋忠鈺醫師嘗以此丹治愈產褥熱六人。亦清滋之效也。)

陳丹華記

本校二年級課餘研究會記錄

本校爲利用課餘時間，給學生以互相研究疑難問題之機會，培養其自動研究之興趣起見，特設課餘研究班；事前由學生或導師擬定研究題目，定期公開討論，屆時除全級同學均須參加討論外，並有導師一人從旁指導，使討論問題得有正確的結果；右爲二年級課餘研究會記錄之一也。

編者

地點：蘇州國醫學校二年級教室

日期：二十四年四月卅日

出席：二年級全體同學

導師：王愼軒先生

【問題】

腦出血症，爲眞中風？抑爲類中風？

【討論】

甲曰：腦出血者，眞中風之證也。內經云『風善行而數變，』腦出血之證狀，爲卒然昏仆，或猝然暴斃，使人措手不及救，其迅速之程度，正與因空氣之突然暴變而生風相同，故爲眞中風之證也。

乙曰：余意不然；試觀中醫方書，皆以小續命湯爲治眞中風之主方，果如甲君所言，則腦出血亦當用小續命湯矣。腦出血症本爲動脈充血所致，如再用麻桂附子之劑，豈非火上加風，安能不僨事哉?!

丙曰：腦之所以出血，由於血壓之過高；血壓之所以驟高，由於氣行之不調；氣行之所以失調，實由於賊風之驟侵，故我人以爲腦出血症是眞中風之證也。

丁曰：嘗見本病患者，大多足不出戶庭，未嘗犯風邪；謂本病之發生，由於賊風之相侵，我頗不以爲然也。

戊曰：人體驟當風寒，則皮膚血管（淺層動脈）收縮，而致深部動脈因充血而破裂；根據科學之病理，我敢斷曰：甲、丙之言是也。

己曰：素問生氣通天論曰：『大怒則形氣絕，而血菀於上，使人薄厥，』又調經論曰：『血之與氣并走於上，則爲大厥，厥則暴死；氣復反則生，不反則死，』按腦出血之證狀，爲顏面潮紅，脈搏緊張，頸動脈及顳顬動脈作强度之搏動，卽內經所謂血菀於上，氣血并走於上也。旣無所謂賊風侵襲，安得爲爲眞中風耶?!

【結果】

王師愼軒起而言曰：諸生或用西醫學說以證理，或據中醫古籍而立論，足見平日修學尙勤，頗瑞嘉慰；惜乎博而未能精，食古而不能化也。國醫在上古時代，本無中風之名，內經所稱之薄厥大厥，實卽後世所稱之中風也。迨至中古時代，始有中風之名，然因眞類未分，凡遇卒倒昏厥等證，不問其證狀之有無不同，原因之是否各異，槪以中風二字混統名之；其所以稱爲中風者，或係以小續命湯等辛溫驅風之劑，偶然治愈卒倒昏厥之證，或附會內經：「風者善行而數變」及賊風中人等說，妄立中風之名也。其實卒倒昏厥非小續命湯所可統治，雖有應手而待效者，不過偶然之倖中耳，故近人張山雷先生曾於其所著中風斠詮中痛論金匱中風篇之荒謬無理，以爲小續命湯完全不能適用於中風；但據吾人之經驗，小續命湯固不能統治一切卒倒昏厥之證，然亦間有以小續命湯治愈卒倒昏厥之事實，山雷先生謂小續命湯不能適用等語，亦未免矯枉過正矣。蓋同一卒倒昏厥，約有陰性與陽性之分，陰性之證大都由于老人或重病之後，神經虛脫，心臟衰弱，循環發生障礙，以致神經麻痺而現卒倒昏厥之症者，卽西醫所謂腦動脈栓塞症之類，固可用小續命湯等興奮神經强健心臟之劑也。至於陽性之證，多由于大怒之後，及勞心過度之餘，神經興奮，血壓亢進，腦動脈管壁因充血而破裂，血向外溢所致，卽內經所謂血之與氣幷走于上則爲大厥之類，亦卽西醫所謂之腦出血症也，夫以神經與奮，血壓亢進之本症，投以薑附麻桂等與奮之劑，則不啻以風助火，鮮不僨事。必須投以鎮靜神經，降低血壓之劑，如大黃石膏龍骨牡蠣等藥，方能應手奏效也。古人旣以用小續命湯等風藥之證名爲眞中風，則不用風藥之證，無以名之，祇可名之曰類中風，是則古人所謂眞中類中者，實以用風藥與否爲命名之標準也。抑有進者，近世中西醫者咸以中風卽腦出血症，其立論亦未免過於含混，蓋古時所謂中風，固包括眞中類中而言，而後世所謂眞中類中，其範圍仍寬廣，甚則因大暑而昏，因食而厥，凡一切卒倒皆包括在內，而西醫所謂之腦出血，祇可云類中內之一症耳。

講　義

本校雜病講義（摘錄）

王志純編

咳嗽篇

咳嗽爲最普通最習見之症，而治法最難，以其原因複雜，證別繁多，且頑固而不易速愈也。雖然，苟能探索微妙，辨析毫芒，則亦未見其爲難治，不過以其爲習見之症，患之者恆不加注意，治之者亦忽於研究，兩相因循，輾轉遺誤，遂使陷於難治之境耳。今姑將其原因證象病理治法以及兼症變化，一一剖析而分言之。欬嗽者，乃人體極重要之一種反射運動也。惟其有此反射運動，故竄入氣道之異物，可再排出於體外，而滯留於氣道肺胞內之分泌物，濃汁血塊等，亦得以去除之。其最易致欬嗽者。厥爲分布於氣管粘膜之迷走神經知覺枝之刺激。故凡有形物。無論固體流質。苟侵入氣管而刺激其粘膜之迷走神經知覺枝者。均必發爲欬嗽。夫欬嗽之作用。無非排除氣管內物質而已。故是項欬嗽。大抵以物盡爲度。而無繼續性。乃生理運動而非病理之變化也。設一旦而起病理變化。則其欬嗽必致繼續不休。蓋病理變化之最普通者。卽氣管炎也。迷走神經知覺枝受炎性分泌物之刺激。而發欬嗽。分泌不悉。則欬嗽無已。而其發炎之原因。乃泰半由於感受寒冷空氣之刺激。故普通欬嗽。往往與外感病同見。且寒天較多於暑日也。雖然暑日之氣溫。恆與人身之體溫不相上下。宜其無欬嗽之發生矣。然而暑日之欬嗽。終不能避免者何也。蓋暑日受寒之機會雖少。而飲冷之程度却增。喉頭氣管受冷飲之刺激。亦能引起炎症。是以暑日之欬嗽。非惟不能避免。而反多用溫藥之症候。世之俗醫。用藥必拘時令。豈其然乎。夫欬嗽之由於氣管炎也。固知之矣。然炎症之性質不同。而炎灶之大小有別。故治法亦隨之以各異。今先言急性氣管炎。急性氣管炎者。亦卽普通氣管炎也。有濕性乾性之區別。喉頭管枝之分等。第氣管乃人體內臟之物。非目覩而能見。又安可窺其眞相。然則將無以知之乎。曰不然。中醫之治療。長於辨證。凡內臟之一切病變。均可設法從辨證推得之。故以上種種病情。可從欬嗽痰液舌苔表症諸端相參而推覈之。如欬嗽而兼見表證者。知其爲急性氣管炎。再考其欬嗽之聲調頻度。痰液之稀稠多少。舌苔之黃白乾膩者。咳嗽頻繁則炎症熾。欬嗽稀少。則炎症輕。痰多清稀。則爲濕性。舌苔必薄白而膩。痰少稠黃。則爲乾性。舌苔必薄黃而乾。至於治法。則三拗湯可爲主方。麻黃辛溫善散。昔人謂其能開肺氣散表邪。杏仁苦辛。能化痰袪濕。麻黃去其致欬之因。杏仁制其致欬之具。一君一臣。其功已逼。益以甘草和之。無不調之疾矣。惟於此尚須解釋者。則炎症之炎字。須活看。不能拘於字義而以謂炎者必熱。蓋所謂炎者。乃不過形容紅腫充血而已。然其紅腫充血之原因。則固未必由於熱也。試觀人之患外傷者。皮膚之局部呈紅腫充血時。設初起膿毒未成。均得治以消散。考其用藥。無論外敷內服。咸爲麻桂荊防羌獨芎芷等。辛散之品。蓋辛散之品均能流通血行。血行暢利。則紅腫自消矣。夫氣管與皮膚。雖內外不同。然而其理可通。故凡氣管炎者。亦有用辛散之可能。不過症別各異。是以用藥亦有分等。如症見惡寒無汗。鼻塞清涕。痰多稀涎。舌苔白而薄滑者。宜三拗湯加桂枝。而變爲麻黃湯法。若有汗惡風者。則桂枝湯去芍藥加杏仁最爲合拍。去芍藥者。嫌其酸斂而不合初欬之病機也。若無表症。而因驟飲冷飲。或多喫生冷以起者。可加乾薑。或以生薑易之亦可。若因過喫酸鹹而起者。當加冰糖或飴糖。若欬嗽不劇而表症輕淺者。則時方香蘇、葱豉、荊芥、防風等。亦可取以代之。若發熱身重。骨節煩疼。胸悶不舒。渴不欲飲。欬多濁痰。而聲如甕中出。舌苔膩厚者。宜三拗湯加苡仁。又變爲麻杏苡甘湯法。再重則用麻黃加朮湯。或三拗合平胃二陳同用亦可。輕症則時方雞蘇散最佳。輕而且靈。若無表症。則四苓澤瀉之類。亦可取效。若但熱無寒。痰色黃稠。鼻鳴而乾。口渴脈數。舌苔薄黃者。宜三拗湯加石膏。則變爲麻杏石甘湯法。症輕者則桑、菊、銀翹、薄荷、牛蒡、杏貝、蘆根、竹茹之類。即能應付。毋須割雞而用牛刀。若乾欬無痰。或有極少量之痰。而不易咯出。鼻乾咽燥。喉中毛梗。舌絳少津。而兼表熱者。宜三拗湯加麥冬、玉竹、花粉。而變爲葳蕤湯法。若表去欬在者。則喻嘉言清燥救肺湯。爲不二之效方。可以依此進退。惟方中人參阿膠。初起者不宜用。當以鮮沙參天花粉易之。石膏非熱重者。不可輕用。當以鮮蘆根易之。則平穩而無流弊矣。若久咳不已。夜臥更甚者。葛可久清咽太平丸最佳。臨臥噙化一丸。欬自不作。餘如補肺阿膠散。瓊玉膏等。均可取用。輕則枇杷膏亦靈。此急性氣管炎欬嗽。濕性乾性之治法也。若咳嗽而兼見音啞者。均當加入胖大海、射干、牛蒡、鳳凰衣。兜鈴、蟬蛻、玉蝴蝶等。開音之品。然此爲暴欬音啞者設法。而非爲久欬聲嘶者立治也。昔人之論音啞。分爲二種。曰金實不鳴。曰金敗無聲。不特時間之新久與兼症有別。卽其音啞亦大不相同。蓋暴欬音啞。乃音低不揚。而無破象。久咳聲嘶。則聲如敗鑼。昔人實敗二字。下得極有意味。顧名思義。要能得之矣。更有一種音啞。不因咳嗽。乃大聲發言過度。傷其聲帶。如演說家戲劇家多有之。但見音啞。餘無所苦。單方以炒米花白糖調開水溫服極效。或以玉蝴蝶冲生鷄蛋。清晨空心服之。亦能音聲清越。若傷重不復。日久如故者。則非建中不愈。再重則當易爲補中益氣加飴糖矣。考之西籍。音啞得三例焉。一曰聲帶炎。聲帶囊有粘液而不能發聲。二曰全身榮養障礙之重症患者。身體諸筋之緊張力衰減。而喉頭筋之緊張性亦並行消退。使聲帶失其效用。三曰聲帶疲勞麻痺。此三例者。與上述三證。頗相吻合。故特錄之。以備參考。又有一種。百日咳。又名痙咳。亦名頓欬。此症專限於小兒。欬聲連續不斷。痰不能出。甚至面紅頸赤。泛隠嘔吐。每多得於痧後。或由外感欬嗽纏綿日久而來。考其病理。爲氣管枝患間歇性痙攣也。治宜麻杏石甘湯。而麻黃尤爲主藥。以其能弛緩氣管之痙攣也。藥肆中有鸕鷀涎丸。治頓欬亦極靈效。考其藥味。卽麻杏石甘合桔梗花粉細辛射干鸕鷀涎而成。第蘇地藥舖。無有出售。不妨仿其意以立方。又單方冰糖調竹瀝。及建蘭葉煎服亦靈。若久欬不愈。以麻雀一具。取肉蒸飯食之。亦有奇效。更須問其欬嗽何時最劇。如黃昏之後劇者。則用上列諸法。如黃昏不劇。而清晨爲劇者。乃胃病熱積所致。宜用土炒黃連土炒黃芩爲主。佐以知母象貝焦麯焦查麥芽鷄金萊菔子等。清熱消積之品。此亦頓咳之別治也。再論慢性氣管枝炎。此症頗類痰飲。所謂痰飲者。有廣義狹義之別。廣義者。乃包括支飲懸飲溢飲而言。狹義者。則僅飲中之一種耳。此處所言乃狹義者也。其症大抵由急性氣管枝炎反覆侵襲而成。故有老欬之稱。亦有初發卽爲慢性者。於老人恆見之。性甚頑固。不易就愈。秋冬之際。病勢加劇。春夏溫暖。則病勢輕減。留滯不去。連年舉發。有乾性粘液性惡臭性之分。乾性者。乾咳而煩苦。用力欬嗽。僅得排出少量之痰。其痰粒粒成球形。性極膠稠。若不排出。積於氣管支內。甚覺苦悶。呼吸亦形困難。此症頗類勞風之候。勞風咳痰如彈丸而帶綠色。胸中熱悶。治宜柴前連梅煎。方爲柴胡前胡川連烏梅童便秋石猪胆汁。柴前川連猪胆。清熱疎泄以消炎腫。烏梅童便秋石。滌濁柔堅。以化膠痰。痰盛者可合瀉白散加竹瀝半夏同用。此方治虛勞胸有膠痰者。亦極靈效。昔曾親驗一人。病者爲一年近三十之婦人。症起產後。及余診治。已虛勞第二期矣。形瘦骨立。潮熱顴紅。寐則盜汗。欬嗽頻頻。吐痰灰綠。堅稠如彈丸。胸中熱悶。自覺有物上下。臥則上塞喉際。更形窒悶。而欬亦加劇。起則下落胸中。而欬亦稍鬆。按瘕則能移動。而無形質。癥則有形質。而不移動。彼既能移動。又有形質。定爲膠痰無疑。遂投以柴前連梅煎合瀉白散加竹瀝半夏川貝杏仁等。藥後至午夜。欬嗆大作。倍劇平常。歷半小時。吐出一物。大如拳。狀若敗肺。血絲滿攀。粘稠異常。自是胸際熱悶頓減。欬嗆略平。復診。以其胸中熱悶尙未盡除。故仍與原方。服後復吐如前物。第形積小其半。嗣後胸中舒適如平人。乃進以育陰之劑。病勢大有起色。後因病者遷歸原籍。未得獲其全功。至今猶引爲遺憾。然一得之驗。亦不無稍慰。此得益於中醫專校程師門雪教導者也。飲水思源。能無感哉。雖然程師之惠我多矣。又豈止於此耶。賢哉程師。使我銘德而難忘。粘液性者。欬痰之量甚多。常爲稀薄粘膩性。俗呼之爲老欬嗽。亦名老痰飲。治法當視苔色兼證而定。若痰白稀薄。背常惡寒。而舌苔白膩者。宜小青龍湯。或苓桂朮甘合二陳加遠志。若痰多黃稠。背不惡寒。而舌苔黃膩者。輕則利金湯加半夏杏仁。重則三子養親湯。惡臭性者。以欬出惡臭性粘液樣膿樣痰爲主。其症有類於肺癰之吐膿。治法亦與肺癰相同。凡能治肺癰之方。均可借用。輕則桔梗湯四順散。重則葦莖湯去桃仁加桔梗杏仁。或三子養親湯。此慢性氣管炎。乾性粘液性惡臭性之大概治法也。又有氣管擴張之症。往往由粘液性慢性氣管炎之頻發不休而成。蓋氣管發炎。痰液壅塞。氣管壁受通氣排痰之壓迫而擴大也。擴張部中鬱痰不多者。全無證狀。然患部氣管能製造稀薄膿狀液。不甚粘稠。此種膿狀薄液。隨時貯蓄於氣管支囊中。漸漸充滿。病人於此時。若起臥倚側。身體之位置一變。則囊內滿貯之痰卽溢而入於氣管中。因其刺激。驟發欬嗽。而大量之痰。遂衝口而出。痰盡乃安。一回咳出之痰量甚多。有斷非尋常氣管腔內所能容納者。此其特證也。治宜豁痰爲主。導痰湯可爲主方。兼熱證者。加礞石滾痰丸。兼寒證者。加附子肉桂。以上所論。皆氣管病之欬嗽也。更有肺炎、肺積水、肺結核、肋膜炎等。亦均能病欬。又當分而言之。肺炎可分三種。曰急性眞性肺炎。曰氣管支肺炎。曰慢性肺炎。眞性肺炎者。有傳染性。以冬春兩季爲最多。壯年較少於老幼。女性較少於男子。當其發生之始。突然戰慄。如覺有重病。數小時內。體溫上升。而發高熱。漸覺肋側刺痛。呼吸迫促。而發疼痛性短咳。其痰稠粘。着物不易去。有黃而淺紅之色澤。名曰鏽色痰。此肺炎之特證也。宜越婢加半夏湯小青龍加石膏湯。氣管支肺炎者。又名粘膜性肺炎。常繼支氣管炎而發。患此症者。其體溫常急速升高。惟不發戰慄。呼吸迫促。脈搏頻數。全身之證。頓形重篤。欬嗽短而痛。痰量不多。爲粘液膿性。痰中時有血線。然非若眞性肺炎之爲鏽色稠粘也。卽其發熱亦非若眞性肺炎之甚。然而其危險則不弱於眞性肺炎也。治法與眞性肺炎同。惟考之證象。眞性肺炎之咯鏽色痰。氣管支肺炎之痰中有血線。且兩症均欬而疼痛。是肺循環必有障礙鬱滯之處。均當參用辛潤通絡之品。如川貝括蔞旋覆猩絳歸鬚澤蘭鬱金桃仁等類。慢性肺炎者。乃繼眞性肺炎而發。或繼氣管枝肺炎而發。其繼氣管支肺炎而發者。以痲疹百日咳後爲尤多。病屬慢性。多年不愈。然患者之身體無大損害。重者僅患慢性咳嗽。呼吸略短促。外此無恙。仍能操輕易之工作。每易誤認爲肺結核。然除欬嗽外。無他結核症狀。欬嗽間時發作。痰多。或爲粘液膿性。或爲漿液膿性。又或惡臭。治法與惡臭性慢性過管炎相同。方藥可以參考酌用。惟此症頗類古書之所謂寒熱欬。餘無他證。但欬不止。逢寒則甚。逢熱亦甚者。古法治以百部款冬紫苑遠志金沸蘇子杏仁桑皮之類。而尤以百部爲主藥。謂非此不效云。肺積水又名肺水腫。大概可分兩種。一爲炎症性水腫。乃於肺炎之初期。血管內漿液滲漏於肺胞中。或既發生之肺炎灶。其周圍肺胞內漿液滲漏者也。二爲鬱血性水腫。多於瀕死之際見之。瀕死者。姑置弗論。而專言炎症性者。其證狀爲呼吸困難。呼氣延長，排出有泡沫之漿液性略痰。胸中滿脹。治法當去其積水。葶藶大棗瀉肺湯主之。而小青龍加石膏湯。越婢加半夏湯。亦可借用。蓋麻黃本能利水。得半夏石膏則其功益著。且此兩湯者。本爲治肺炎之正劑。今肺積水。既由於炎症之滲漏而來。追本窮源。當能通用無疑矣。肺結核者。又名肺癆。由於結核桿菌傳染所致。而中醫舊籍則名之爲虛癆。由於外感欬嗽失治。或誤投補劑所致。在茲中醫無細菌檢驗設備之下。祗得姑從舊說。其病型大概可分三期。第一期但欬嗽羸瘦。第二期則兼吐血盜汗。顴紅潮熱。甚則音啞。第三期則兼便溏納減。至於治法。第一期欬嗽痰多。舌苔薄白。或薄黃而滑。仍可用輕辛微散。肅肺化痰之劑。如蟬衣牛蒡兜鈴馬勃甜杏川貝蛤殼枇杷葉甘桔湯瀉白散之類。加減出入。兼喉癢者。當參三拗同用。欬嗽痰少。舌苔薄白。或薄黃而乾者。宜加甘寒生津之品。如沙叄花粉麥冬蘆根枇杷膏之類。乾欬無痰。舌紅無苔者。宜育陰潤肺。如瓊玉膏補肺阿膠散之類。若胸中痞熱如烙。喉中痰聲如鋸。舌苔黃膩者。乃屬膠痰內結。柴前連梅煎合瀉白散最妙。熱甚者。更當加入黛蛤散瓜蔞霜。海浮石竹瀝半夏枯芩川貝白前雪羹白蘿蔔汁等。以化痰結。再重則礞石滾痰控涎十棗皂莢丸之類。可以酌用。暫開其結。膠痰得化。再商調理。不然必無轉機。若畏虛投補。則更助邪傷正。定致結者益結。虛者益虛。實不可攻。虛不能補而已。第二期乾欬無痰。形瘦骨立。五心煩熱。骨蒸顴紅。盜汗吐血。舌光無苔。腑行燥結。宜生津斂液。育陰退熱。生津如石斛沙參麥冬蘆根花粉梨汁蔗漿之類。斂液如烏梅五味訶子粟殼牡蠣石英淮麥棗仁之類。育陰如地黃阿膠龜版鱉甲之類。退熱如銀柴白薇地骨皮之類。炙甘草湯。黃連阿膠。六味地黃。秦艽扶羸。秦艽鱉甲。黃耆鱉甲諸方。均可加減取用。能得血止嗽平。方可云吉。血止而欬不已。終入危亡。倘欬血俱不止。則可以計日矣。若兼見咽腫喉痛喉梗膺痛者。則旭高心欬湯去半夏爲主。加元參阿膠雞子黃豬膚以育陰。秋石童便胆汁川連以降火。或犀角地黃湯亦可用。如進此不效。咽痛更甚者。可用滋腎丸。內有肉桂少許。以爲反佐。引火下降。再不效。而音啞聲嘶。咽喉腐爛。則難乎爲治矣。有外用珠粉川貝中白青黛研末吹之者。亦不過聊備一格耳。第三期便泄納減。是腸胃已敗失其消化吸收之能力。都成不救。蓋湯藥入胃。必須經消化吸收而後始能產生效力。治癆必須育陰。育陰之藥類皆滋膩涼潤。有礙腸胃。設先健其腸胃。則健腸胃之藥。全係甘溫香燥之品。又皆傷津劫液。不利於癆症之陰虛欬血。顧此失彼。重重障礙。故屬不治。有用甘平之品。清養腸胃。如石斛扁豆山藥蓮子麥冬苡米之類。然亦聊盡人事而已。更有陽虛虛癆。面色㿠白。口淡吐沫。汗多畏寒。小溲不禁者。清滋之品。皆所不宜。又當主以溫補。如建中腎氣之流。雖不多見。不可不知。至於肋膜炎亦可分爲乾性濕性兩種。其原因不外感冒外傷。及臟器炎症之波及。症見脅肋疼痛。深呼吸及欬嗽時。則痛必隨而加劇。其欬往往乾嗆無痰。此症頗類古書之肝欬。又如飲門之懸飲。類肝欬者。乃乾性肋膜炎。如懸飲者。乃濕性肋膜炎。亦卽漿液性肋膜炎。乾性肋膜炎。恆但見乾欬脅痛。而不甚發生呼吸困難。濕性肋膜炎。則必見呼吸困難。其病理爲肋膜腔內貯多量之炎滲漿液而膨滿。肺葉受其壓迫而退縮。呼吸面積減少故也。試以手按濤其肋側。必漉漉有水聲可聞。治法。乾性者。宜小柴胡湯去人參。加辛潤通絡之品。而蘇子降氣湯。加柴胡杏仁旋覆代赭大腹皮亦至佳。尤以柴胡爲主藥。非此不靈。濕性者。以攻逐水毒爲主。舉凡礞石滾痰控延十棗之類。均可取用。然大毒之藥。咸所畏懼。故痼疾之得瘳者寡矣。欬嗽諸治。大法已備。今所當言者。乃諸欬之兼症耳。急性氣管炎。有表症而兼陽虛者。素體陽弱。復感表邪。欬嗽。面色皖白。小溲清長。形寒多汗。脈象緩弱。過用疎散。必致汗多亡陽。且正氣不足。不能抵抗病毒。宜用桂枝湯加紫菀款冬遠志沸草之類。桂枝以助正散表。款冬遠志紫菀以利肺化痰。陽虛甚者。可加附子。表欬與陽虛同治也。若兼陰虛者。是本質陰虧。復受表邪。苔中光剝。其大如錢。舌乾脣燥。咽中毛梗時痛。脈形弦細。如專發散。必致汗多傷陰。且陰液不充。亦無作汗之資料。無汗表重者。用淡豉生地同打。或以麻黃與石斛同打。或用蟬衣薄荷研末塞入蘆管中法。有汗表輕者。用阿膠散。或以蟬衣桑葉蘆根花粉牛蒡元參生草苦桔黑芥沙參同用。辛涼解表。甘寒生津。表欬與陰虛同顧也。慢性氣管炎而兼表症者。慢性氣管炎爲宿疾。表症爲卒病。理應先治卒病。後顧宿疾。或變方同治。其原用方如乾性之柴前連梅。濕性之小青龍苓桂朮甘。惡臭性之桔梗湯等。固均具解表之功。祇須略爲增損可耳。若兼陰虛兼陽虛者。則當於其應用方中。加入育陰扶陽之品。惟濕性之用育陰。至爲可商。蓋陰藥礙濕痰。而以阿膠熟地爲尤甚。切不可用。宜以歸身山藥代之。麥冬沙參。則尚屬清養而不甚滋膩。然終牽掣功用。藥力不專。難圖速效。醫者遇之無不蹙額焉。至於肺炎肺積水。則雖有兼症。亦當採急則治標之法。蓋症勢危急。無暇以事兼顧也。惟慢性肺炎。不在此例。有兼顧之可能。兼表者。先祛其表。兼陰虛陽虛者。得隨其見症而加味。乾性肋膜炎之兼表症者。如小柴之柴胡。蘇子降氣之桂枝。固能解表。故表輕者。無須加味。若無汗表重者。加麻黃以助之。兼陰虛者。加歸芍生地。兼陽虛者。加參附薑桂。此症養陰不取熟地阿膠沙參麥冬。而用歸芍生地者。以其具利血之功。補中有行也。濕性肋膜炎兼表症者。用橘皮半夏湯。或越婢加半夏合五苓同用。表邪與水濕同治也。兼陽虛者。輕則五苓散加薑附。重前附子理中湯送下。控涎十聚。兼陰虛者。如血家煙體津液素耗。雖兩脅漉漉有聲。而形瘦。舌紅上蓋膩苔。或中剝絳而兩旁白潤。逐水則傷陰。養陰則礙水。最爲難治。普通治療如石斛沙參合蛤殼海石法。洋參麥冬合半夏橘紅茯苓甘草枳實竹茹法。總以養陰與逐水同用。如麥門冬湯之半夏麥冬相合用。麥冬以育陰。半夏以逐水。或瓜蔞瞿麥丸之用附子瞿麥茯苓以行水。花粉山藥以養陰。猪苓湯之用阿膠以養陰。猪苓茯苓澤瀉以利水。均有意義。可以取法。進一步則以石斛葶藶同用。石斛養陰。葶藶逐水。或用養陰之品爲湯送下十棗控涎之類。若用養陰藥作悶者。祗得先泄其水。後用養陰。或間日而服亦可。總之。此症最不易治。雖活法在人。變化隨機。而藥力不專。有所牽掣。終屬危多功少。以經驗言之。欲求立方之平穩。當取養陰逐水同行之治。欲言功效之多寡。則非一切不顧。大刀闊斧。先用逐水不可。雖稍涉冒險。而每建奇功。至於虛癆夾症。尤爲緊要。純虛易治。用藥無兼顧之憂。夾雜難醫。立方有牽掣之弊。綺石老人論勞欬有二警語曰。胸有膠固之痰。背受非常之寒。確係經驗中得來。甘苦之論。爲治癆不二要着。蓋起首卽夾外感夾痰飲者。固易分別施治。最恐初起經治之時。確乃純虛之症。連進補劑向安。而中途偶感表邪。則所謂非常之寒也。夫無病之體。猶易感受外邪。何况體虛抵抗薄弱者乎、或初起本屬純虛。而中途偶聚痰飲。蓋平人猶易凝痰聚飲。何况體虛而有肺患者乎。此則所謂胸有膠固之痰也。此時若不細心診察。觀其變化之異常。但以前服之方既合。仍當守此以進。或更再接再厲。重投膩補。必致表邪留戀不解。膠痰愈形膠固。治之而劇。則諉之天命而已。如此情形。數見不鮮。倘遇是症。最宜留意。夾痰者。當必先去其膠結。卽或不能。亦必同治。與濕性肋膜炎。兼陰虛者同法。夾表邪者。款冬花散最佳。雖麻甘杏於阿膠款冬之間。補中有散。行中有守。可以兩得其利。惟其中半夏。如嫌過燥。當以百合易之。則更完美。柴前連梅亦可用。臨症之時。對病選擇可耳。或先用輕劑。表散表去。再商養陰。每有臨危癆症。投攻痰而得愈者。或癆欬久劇。用疎散而見鬆者。即係中途變化之故。病變而方不變是以致劇。苟遇高手救之得法。雖有獲痊。然逆流挽舟。所愈者寡。而所傷者多矣。此諸欬兼症變化之治例也。更有所謂大腸欬。小腸欬。膀胱咳者。又嘗附而論之。大腸咳狀。欬而遺矢。小腸欬狀。欬而失氣。膀胱欬狀。欬而遺尿。均以症狀而命名。其病理不外久咳正虛。肛門括約筋。膀胱括約筋之收縮力衰弱。治法。以補益正氣爲主。補中益氣湯乃唯一妙劑。昔同學馬君伯孫。曾以桂枝龍牡治膀胱咳而得效。並進而悟得治遺尿病。余亦曾經試之病者而獲效。惟原方補力不足。當加參朮著以同用。從而類推。則補中益氣湯亦有加龍牡之必要。蓋補中益氣。純係補虛之劑。而無收濇之功。遺矢遺尿。均非收濇不效。龍牡功專收濇。故爲斯症之要藥也。

（未完）

本校藥物講義（摘錄）

王愼軒編

人尿 別錄 時珍曰尿從尸從水會意也

（異名）溲素問 小便素問 人溺衍義 輪迴酒綱目 還元湯綱目 時珍曰方家謂之輪迴酒還元湯隱諱也 童便 寇宗奭曰人溺須童子者佳故近世處方多用童便

（形態）無病時蒼白黃色之液體。有病者變白赤黃之顏色。中醫新論彙編高思潛

（性味）鹹寒無毒。別錄 性濇不寒。綱目 味鹹氣寒無毒。中醫雜誌丘煜

（成分）尿素。尿酸。馬尿酸。食鹽。硫酸鹽。硝酸鹽等。和漢藥物學 水尿酸。尿素。馬尿酸。尿色素。鹽。硫酸鹽。燐酸鹽。安莫尼亞等。中醫新論 叢錄高思潛 水分。尿素。尿酸。鈣及鎂之燐酸鹽。燐酸鈉。綠化鈉。——鹽——阿莫尼亞。游離酸——蓚酸。——吳綸

（功效）〔綱〕止血。〔目〕止吐血鼻衄。日華 諸虛吐衄咯血。須用童子小便。其效甚速。吳球諸證辨疑 善清一切血熱妄行。會約醫鏡 能涼

血去瘀。引血下降。若吐血危急時。飲童便止血。實爲無上妙品。（醫報國藥專號徐瀛芳）

〔按〕本品治熱性之吐血血崩等證。確有止血之效。故民間婦人孺子多巳知之矣。徵諸化學實驗。亦頗合理。一則因其內含食鹽。食鹽有止血之效。其作用能刺激胃粘膜之知覺神經。以擴張腹腔血管。使血壓沉降。此外又因吸收作用能將凝血原動素。由組織攝出。移入血中。令血液凝固性得以增加。而建止血之效。二則因其內含鈣質。鈣質亦有止血之效。三則因其內含燐酸鹽。燐酸鈉。能緩通大便。有間接止血之功也。

〔綱二〕治癆。〔目〕主久嗽上氣失聲。（唐本草） 益聲。去咳嗽肺痿。（本草拾遺） 療肺痿失音。（會約醫鏡） 治痰喘咳嗽。（雷公藥性） 定嗽消痰。（本草圖解） 治勞熱咳嗽。（本草述） 止勞渴潤心肺。（日華） 陰虛火動骨蒸癆熱用之降火最速。（本經逢原） 退陰火除勞療骨蒸。（會約醫鏡） 凡陰虛火動蒸熱如燎。服藥無益者。非小便不能除。（握靈本草）

〔按〕本品治療肺勞確有特效。推其原理。約有五端。一因內含鈣質。鈣質治療肺勞本有威權。以其力能包圍病竈。殲滅癆菌。又能制炎止血也。雖尿中之鈣係燐酸鹽類。除有 $cah_4(po_4)_2$ 式之次亞燐酸鈣對於肺勞有效外。其餘之燐酸鈣。究竟是否有他種治癆鈣質之同等效果。尚未可必。然而燐酸鈣之於潰瘍有偉效。則肺癆之結核炎亦必有效也。二因內含尿酸。功能振起食慾。內含食鹽。功能扶助消化。使其食慾旺盛。則榮養充足。抵抗增加。而肺勞易愈矣。三因內含燐酸鹽。燐酸鈉。有緩下之功。能使患肺勞者大便通暢。則結核炎症不致亢進矣。四因內含阿莫尼亞。對於肺勞之氣管支分泌亢進。及自汗太多者。均可有效。五因內含尿素。能因一種細菌之媒介。與水分作用。而化生炭酸錏。炭酸錏有祛痰興奮等效。對於肺勞咳嗽確可有功也。

〔綱三〕通便。〔目〕利大腸。推陳致新。本草拾遺

〔按〕本品內含之燐酸鹽類。有緩下之功。對於習慣性之便閉。及肺勞之便閉。頗有特效。且上述之便閉。服潤腸藥。則有粘膩礙胃之弊。服攻瀉藥。則有大瀉增病之害。惟服人尿能使便雖通而不瀉。誠爲無上之通便良藥也。

〔綱四〕解毒。〔目〕解毒。綱目

〔按〕此之所謂解毒者。非能解砒鉛等毒質也。唯因其內含鹽類。有防腐殺菌之功用。對於腐爛化膿之症。可用此以解毒也吾鄉民間以童便治走馬牙疳。頗見功效。殆亦與此同理歟。

〔綱五〕清暑。〔目〕治中暍。綱目 療熱狂及中暍。本草述

〔按〕中暍者。即中暑也。中暑之病。由於感受高度之暑熱。以致體溫驟增。血壓太高而現暴厥之證狀。本品內含之燐酸鹽。燐酸鈣綠化鈉等鹽類。俱有緩下大便低降血壓之功。故能治之也。

〔綱六〕療瘧。〔目〕療瘧。綱目

〔按〕本品用以療瘧者頗罕見之。大抵熱重之瘧疾。兼見昏狂熱證者。可用此以緩下大便。低降血壓。得以減殺熱勢耳。且內含之鹽類。又有殺蟲之功。瘧疾亦爲胞子蟲傳染之病。宜其可治也。

〔綱七〕殺蟲。〔目〕殺蟲。綱目

〔按〕本品用以殺蟲者。亦頗罕見。但據藥理學謂攝取多含鹽類之食物。能使絛蟲受刺戟而衰弱。本品內含鹽類甚富。或即殺蟲之理也。

（未完）

蘇州國醫書社新出醫書

中醫新論彙編	王慎軒編	實價五元
曾女士醫學全書	曾伯淵著	實價八角
漢譯診病奇侅	丹波元堅	實價一元
拯瘼軒醫學就正錄	周禹錫著	實價一元
本草再新	葉天士著	一元二角
傷寒直解辨證歌	薛公望著	實價四角
溫病指南	王馥原著	實價四角
診餘舉隅錄	陳知生著	實價六角
曹穎甫醫案	王南山編	實價二角
女科醫學實驗錄	王慎軒著	實價一元
再版胎產病理學	王慎軒著	實價一元
女科指南	戴武承著	實價八角
新批女科歌訣	邵步青著	實價四角
婦女病經歷談	祝懷萱著	實價一角
幼科指南傳家祕方	萬密齋著	實價一元
食治祕方	尤生洲著	實價一角
家庭育嬰法	沈潛德著	實價一角
家庭實用良方	王景賢編	實價六角
家庭醫藥常識第一年彙編	王慎軒編	實價三角
婦女醫學雜誌彙編	王慎軒編	一元五角
蘇州國醫學社紀念刊	國醫學社	特價五角
女科祕訣	鄭厚甫著	實價二角
經方捷徑	楊夢麒編	實價一角
重訂孫眞人海上方	孫思邈著	實價二角
傷寒時方歌訣評註	周越銘編	一元二角
家庭醫藥常識	王寶燦編	每年三角

中華民國二十四年春季出版

蘇州國醫雜誌第五期

編輯者 蘇州國醫學校 蘇州穿珠巷八四號 電話第二三六七號

發行者 蘇州國醫書社 蘇州吳趨坊一三七號 電話第五百六十三號

印刷者 蘇州文新印書館 蘇州景德路七十六號 電話第八百九十一號

蘇州國醫雜誌價目表

期數	價目	寄費
每季一期	另售一角五分	寄費一分
每年四期	預定大洋六角	寄費在內

介紹醫藥雜誌

國醫公報	全年連郵二元	南京長生祠中央國醫館
醫界春秋	全年二元一角	上海白克路西祥康里七七號
山西醫學雜誌	全年八角九分	山西省城中正街中醫改進會
光華醫藥雜誌	全年連郵二元	上海北山西路棣隆里九號
東西醫藥報	全年日金三元	臺灣臺北永樂町二丁04番地
廣濟醫刊	全年二元四角	杭州缸兒巷四十六號
醫學衛生月刊	全年七角二分	蘇州吳趨坊國醫書社代售
家庭醫藥常識	全年連郵三角	蘇州吳趨坊國醫書社
診療醫報	全年連郵一元	上海霞飛路一〇四號
永好醫報	全年連郵二元	河南博愛縣城內李煥卿
新中醫學報	全年連郵八角	廣東梅縣新中醫學社
現代醫藥月刊	全年連郵一元	福建福清城內官塘墩本刊社
神州國醫學報	全年連郵一元	上海廈門路尊德里神州醫會
上海國醫雜誌	全年二元四角	上海西門石皮弄國醫學會
社會醫藥	全年一元五角	上海大沽路新馬安里三七號
醫林一諤	全年連郵二元	廣州大德路蔴行街
東方醫學雜誌	全年連郵二元	奉天省城南市場福安里50號
如皐中醫月刊	全年連郵三角	如皐育德所中醫公會
衛生雜誌	全年連郵一元	上海薩坡賽路一九〇號
大乘醫學月刊	全年連郵二元	上海白克路西祥康里本刊社
長壽週刊	全年連郵二元	上海三馬路雲南路本週刊社
常熟國醫雜誌	全年連郵六角	常熟小河下二十二號
正言醫報	全年連郵三元	天津文學東箭道國醫研究所
晨光國醫雜誌	全年一元二角	廈門中華路七十七號二樓
中國醫藥雜誌	全年連郵一元	山東沂水黃山鋪街
醫事公論	全年九角六分	鎮江中正路北六二號又二號
中醫新生命	全年一元四角	上海牯嶺路人安里十一號
中西醫藥月刊	全年二元四角	上海北四川路永豐坊六五號

現代中醫	全年連郵一元	上海西門石皮弄一號
江蘇國醫報	全年一元二角	揚州古旗亭三十六號
國醫新聞	全年連郵五角	杭州佑聖觀巷國醫公會
杏林醫學月報	全年連郵一元	廣州大德路蔴行街八十四號
中華醫藥報	全年連郵四角	上海醫光啓路中華國醫學會
國醫旬刊	全年連郵一元	福建廈門國醫專門學校
湖北醫學月刊	全年連郵二元	湖北新市場上側永福里一號
醫藥雜誌	每冊定價二角	漢口湖北國醫專科學校
醒亞醫報	全年連郵一元	廈門丁仔巷門牌一號

介紹醫藥書籍

中國急性傳染病學	時逸人著	實價二元二角	山西省城中正街中醫改進會
醫學衷中參西錄(傷寒講義)	張錫純著	實價二元二角	天津大安里中西滙通醫社
漢和處方學津梁	沈石頑譯	實價一元	上海南陽橋安納金路昌明醫書局
和漢醫學眞髓	沈石頑譯	實價一元五角	同上
春溫伏暑合刊	宋愛人著	實價五角六分	上海白克路西祥康里中國醫藥書局
合理的民間單方	葉橘泉著	實價八角	浙江湖州雙林存濟醫廬
吐血肺癆指南	慈航居士	祗收寄費	杭州糧道山十號
海上名醫眞案第一集	黎年社編	實價四角	上海山東路中醫書局代售
兒科常識	尤學周編	實價五角	上海南陽橋麋鹿路永華里二十五號

蘇州國醫雜誌

蘇州國醫學校編

第六期

章炳麟題

本誌第七期「新遷校舍紀念專號」出版預告

特點

(一)名人題詞　(二)仲聖遺像　(三)校景圖畫　(四)全體攝影
(五)本校概況　(六)本校圖表　(七)醫學教育　(八)實驗報告

要目

國民政府林主席　立法院孫院長　司法院居院長　考試院戴院長　中央國醫館焦館長施副館長等題詞　本校遷移紀念典禮黨政各機關長官訓辭　本校遷移之經過　本校教育方針　本校行政概況　本校訓育之實施概況　本校之健康教育　本校國醫圖書館之概況　本校診療所擴大範圍之實況　本校國醫編譯館之過去工作　本校訓練戰地救護術之動機與實現　國醫教育的現況與展望　改進國醫之具體方案　濕溫爲難治之病　腦膜炎　婦女不孕之原因與療法　產後服生化湯之標準　麻黄與石膏之醫療作用　大黄之功用及其補性之研究　古方權量考　本校診療所古方實驗組之工作報告　本校各科講義　我的開業計劃……等

⊙本期雜誌內容特別增多紙張比前加倍另售實價三角惟新舊常年定戶仍照舊價⊙

蘇州國醫雜誌第六期目錄

譯著

漢醫要訣……唐愼坊譯

漢方與民間治療法……徐觀濤譯

講壇

楊志一先生演講辭……王景賢錄

言論

研究國醫學的意義和方法（續）……王東英

論中國醫學之眞價値……邢萬成

生理

體工調和血液之自然良能……李克蕙

內經所言之天癸究爲何物試根據近世生理學詳細研究之……吳少九

心理

一個醫生所應該知道的心理學（續）……潘　萩

心理療法在醫學上之重要……楊夢麟

治療

古方治療一得（續）……陸自量

治肺癆宜注重脾胃說……王桂林

內科

近世內科國藥處方集（摘錄）……葉橘泉

神經系病……富晚香

淋病……周自强

女科

女科醫籍考……張又良

停經……王景賢

兒科

蘇州國醫雜誌 目錄 二

臍風預防法……潘國賢
痘症梗概……陳丹華

藥物
論中醫之補氣藥……吳明之
山藥能治肺癆之吾見……潘愷義

筆記
驗方瑣記……唐慎坊
履冰室醫學隨筆……夏伯和著 馮長楷錄

雜俎
蓮藕瑣談……沈仲圭
學醫導徑(續)……周禹錫

文苑
藥名詩……胡蕭梧
國醫學校頌詞……楊夢麒
參觀東吳大學科學展覽會記……黃獻甫

講義
藥物講義……王愼軒

蘇州國醫學校啓事

本校前因學生增多校務發展原有校舍不敷應用爲應實際需要起見特覓定本城長春巷大廈一所爲本校校舍自興工修造以來業已完竣並自即日起全部遷入新校舍辦公特此通告

蘇州國醫學校第五屆招收男女生

(學額)新生四十名插班生十名(報名)即日起(索章及報名處)蘇州閶門內吳趨坊王愼軒女科醫室(校址)蘇州長春巷三十九號

主席校董李根源 名譽校長 章太炎 謝利恆 校長 唐愼坊 副校長 王愼軒

譯著

漢醫要訣（四續）

大塚敬節原著
唐慎坊譯

第三編　治療學

第一章　漢醫治療之法則

先治卒病後治痼疾

金匱要略云。夫病痼疾。加以卒病。當先治其卒病。後乃治其痼疾也。卒病者、急病也。今有人患大柴胡湯桃核承氣湯之合方證。而又新罹風邪。現葛根湯證。此時當暫停前所服用之藥。先與葛根湯以治新病。然後再攻其痼疾也。

治法四則

漢醫之治法。大別為汗、吐、下、和四則。所謂汗者。以發汗作用排除病毒於體外。吐者。以催吐作用排除之。下者。以瀉下作用排除之。和者。和解病毒之意。為汗、吐、下、以外治法之總稱。若邪毒在體表。則汗之從皮膚而解。若邪毒充滿於胸膈。則吐之從口腔而出。若邪毒積聚於腸管。則下之從肛門而泄。此為治法之通例。卽通其自然之路。各以速除病毒為目的也。雖然證有不可汗。不可吐。不可下者。故將此等之所禁忌。揭載於左。至其適應證。則當讓之各論之處方條下也。

發汗劑之禁忌

咽喉乾燥者。不可發汗。(傷寒論)

【註】咽喉乾燥。乃體液缺乏之結果。故不可更發汗。以致失其體液。由此觀之。如喉頭結核。當知發汗劑之不可用也。

淋家不可發汗。若發汗。則必便血。(傷寒論)

【註】淋家、卽患淋病之人。若發汗而失其體液。則小便濃厚。而致尿血。

瘡家雖身疼痛。不可發汗。發汗則痙。(傷寒論)

【註】瘡家應解爲患梅毒瘺疾之人。更廣義言之。凡因諸種腫痛。或外傷等而失其血液及體液之人。或因此等疾病尚在排膿血之人。皆可解爲瘡家也。痙者、痙攣也。

衄家不可發汗。汗出必額上陷。脈緊急。目直視不能眴。不得眠。(傷寒論)

【註】衄家者。有衄血症之人。額上陷者。非眞陷也。乃心理上之陷耳。不能眴。卽目難轉動之意。

亡血家不可發汗。發汗則寒慄而振。(傷寒論)

【註】亡血家。卽失血家。漫遊雜記云。亡血家及氣疾家。(神經質)其易火逆者。(易起炎症者)均不可過用發汗劑。蓋恐其一轉而成勞。(肺結核)耳。

吐劑之禁忌

嘔噎、勞瘵、鼓脹。若吐之。則促命期。(吐方考)

【註】噎嗝者。與今之食道癌胃癌相當。勞瘵之瘵。必死而被祭之意。與今之肺結核相當。鼓脹者。與腹膜炎腹水等相當。妊娠、產後、吐血、欬血、梅毒、血崩、亡血、虛家。及年過六十者。不可吐。（吐方考）

【註】欬血卽咯血。血崩之崩。如山崩狀。卽子宮出血之劇烈者。

腹氣不堅實者。決不可吐。（吐方考）

【註】此腹似指大腹。卽上腹部之意。非必指少腹。卽下腹部也。

既吐之時。見有直視搐搦之候者。卽可止其吐。（吐方考）

【註】過吐不止時。或啜冷粥一杯。或飲冷水一盞。均無不可。

下劑之禁忌

太陽病外證未解者。不可下也。下之爲逆。（傷寒論）

【註】此與所謂有表證者。不可下之意相同。卽有脈浮惡寒等之表證。忌用下劑耳。

傷寒若多嘔者。雖有陽明證。不可攻之。（傷寒論）

【註】陽明裏實。可下之證雖具備。但嘔吐多時。則不可用下劑攻下。

病人欲吐者。不可下。（傷寒論）

【註】此證多爲吐劑之適應證。

太陰之爲病。腹滿而吐。食不下。自利益甚。時腹自痛。若下之。必胸下結鞕。（傷寒論）

【註】總之陽虛證皆不可下之。若誤太陰之腹滿爲陽明證之腹滿而下之。必至胸下結鞕（從玉函解爲痞鞕）自利者。未投下劑而自然下痢之謂。若爲陽實證之下痢。則下痢多而腹痛自減。此乃陰證下痢。故雖下利而腹痛仍無輕減之傾向。

第二章 煎法 服用法

煎法

煎法之要。固使生藥之成分分離而出。然操作甚繁。實際極感不便。茲僅以吾儕日常應用之簡便有效之一般煎法。略述於左。

凡富有揮發性之成分者。不宜多煎。反之、若爲動物質中如骨質者。必須多煎也。雖然、一方之中。每以揮發性者。不揮發性者。或骨質者相混合。故理想中當先以宜於多煎之藥。浸於水中。使軟而先煮之。然後再投入有揮發性之藥。雖然、日常如此操作。不但徒費手續。且於實際臨床上。又多不便。惟用下列方法。庶得所期之效果也。

（一）用爲頓服以外者。通例一次煎成一日所服之藥。

（二）煎器可用土鍋或銀製之器。

（三）藥物悉宜剉細。不必入袋。即投於水中而煮之。惟用爲浸劑者。乃可入袋。其不入袋之理由。欲使藥物在煎器中各味沸攪。可十分煎透其成分也。

（四）火力加減。固爲重要。初煎之時。火力宜弱。煎至水量只剩二分之一。或三分之一時。（因處方有多少而不能一定）

暫加强火力。而使沸騰。旋卽將藥滓與藥液分離。務使已煎出之成分。勿再被藥滓所吸收。

(五)煮沸過度。以致藥液濃稠。效果反而減少。故須注意及之。又中途加水再煎。亦不相宜。

服用法

欲令發汗及陽虛證而應溫之者。煎劑必須溫服。但如白虎湯證之有熱厥狀。欲除其熱而使淸涼。及如小半夏加茯苓湯證之嘔吐激烈者。其煎劑皆宜冷服。若嘔吐甚者。一日間多次冷服少許。然在一般慢性病者。服藥溫冷。均無妨耳。

服用時間。最宜於空腹時。故通例主劑令於食前一點鐘服用。兼用方則常使食後服之。西醫謂因其傷胃。故宜於食後飲用。其意全與此異。蓋和漢之藥。若不誤其用法。斷無傷胃之事。因漢醫學爲綜合的有機的治療法。不僅以一局部爲目標者。故斷無有益於此。有害於彼之矛盾也。

其次爲飲用藥物之量。今本書所載爲普通病症所與之一日量。或頓服量。若其病甚時。當增其量而服用之。方伎雜誌云。大病劇症等。必須晝夜服藥數次。固也。但帖數雖多而藥劑輕微。以之治篤疾險症。因此而死者。仍醫之過也。不問尋常之病。與重大篤疾。均以二錢三錢之藥治之。何能見效。

瞑眩

尙書云。若藥不瞑眩。厥疾不瘳。東洞翁慨乎言之。謂世人畏瞑眩如斧鉞。保疾病如子孫。然則此瞑眩爲何。茲舉一例於左。

醫事或問云。「(前略)余前曾治愈京師祇園町伊勢屋長兵衞。其人患泄瀉。他醫治之不效。邀余診視。見病者心下痞鞕。水瀉嘔吐不絕。余曰、余用此方療治。恐爲世人所大駭。因用此方藥。苟中病時。必大瞑眩也。然惟其瞑眩。病始能治。病家會意。而乞用藥。乃用生薑瀉心湯三帖。是日七時許。病人大吐瀉而氣絕。舉家惶恐。集醫診視。咸謂已死。又急招余往診。見色脈呼吸皆絕。但細究其形狀。斷爲非死。乃云藥既中病。再以前方服之可也。是夜九時許。病人如夢初覺。見眷屬集聚。驚而問故。家人告以七時至今。死而復蘇之狀。病人自言大瀉之後。不自覺苦。但如熱寐。後乃飲茶三盞。欣然而臥。翌朝醒後。益覺清健。痼疾若失。此人自幼不能多食。四十以後更甚。至此乃能食。年至七十。仍健在云」此爲瞑眩中之最甚者。此等重症。偶遇而治愈。頗足自豪。是瞑眩云者。非藥之中毒之謂也。湯本求眞云「漢方劑服用後。其反應往往現不測之不快症狀。此卽所謂瞑眩。其發此症狀也。以爲中毒症狀。疑懼交加。此大謬也。蓋若爲中毒症狀。繼續服藥。在理必更增變。瞑眩者。不過藥劇之反應現象。其症狀爲一時的。若連用藥劑。不惟此症狀若失。卽本病亦必霍然而愈矣。今舉一二實例言之。余嘗治重症之惡阻病。處方用半夏厚朴湯。服後反大嘔吐。未幾吐止。病者絕食已數十日。至此欣然進食。由此可見服藥後之嘔吐。乃此方驅水毒作用實現之反應症狀也。彰彰明矣。又本病患者。吐止之後。隨患腹證。因與桂枝茯苓丸、加川芎、大黃數日之後。腹痛子宮出血。排出葡萄狀鬼胎。不日復原。由此可見服藥後之腹痛子宮出血。乃此方驅瘀作用實現之反應。又顯然也。不特此種方劑爲然。卽其他諸方服用之後。往往發現種種之瞑眩症狀。此因體內細胞。得有力之藥劑援助。驟然奮起以驅逐病毒作用之反應現象。此症狀之發現。爲漢方原因療法之左證。洵爲可貴。昧者不察。偶見此證狀發現。卽貿然易醫。且多有痛詈漢方者。至可慨嘆云云」

由此觀之。可知瞑眩者。乃病毒被藥力驅逐時所呈之一種現象也。與西醫所謂中毒。全然有別。不可混爲一談。（未完）

譯者按：此書現已全部譯竣。由本校編譯館刊印單行本。卽將出版

漢方與民間治療

徐觀濤譯

呼吸器病

【感冒】風邪爲萬病之本；肺結核，肋膜炎，僂麻窒斯，神經痛及其他種種之宿疾，殆皆以風邪爲誘發之原因；故能善治風邪之醫者，即爲手段高明之醫者；但無發熱之鼻感冒輕症，祇須於寢前用雞蛋酒（雞蛋與酒混合）注入蘿蔔熱湯，飲用一杯就寢，大都當夜即愈；惟眞正之感冒，則須按其病狀，用左例處方——其分量係以「格蘭姆」爲單位。

（處方一）桂枝湯——頭痛、發熱、自汗、上衝（兼有腹部拘攣狀）爲其主證。

桂枝九·〇　芍藥九·〇　生薑九·〇　大棗九·〇　甘草六·〇（溫服）

（加減）若咽痛，痰難出者，右方加桔梗六·〇。

時時作咳者，加半夏六·〇。

（方解）▲桂枝有制止上衝之作用。

▲芍藥治硬結拘攣，然有制止發汗，通便利尿之作用，不能多用於本方證之患者。

▲生薑：治拘攣急痛，兼治咳嗽、奔豚、煩躁、身體疼痛、脅痛、腹痛等證。

▲甘草：能緩解因筋肉急劇緊縮而起之疼痛，及其他各種急迫證狀。

▲大棗治拘攣急痛，並治咳嗽、奔豚、煩躁、身疼痛、脅痛、腹中痛等症。

▲半夏下胃內停水，治惡心嘔吐。

(處方二) 麻黃湯——頭痛、發熱、無汗、惡寒、喘咳、(大都兼有身體疼痛之證狀)爲其主證。

麻黃二·〇　杏仁二·〇　桂枝七·〇　甘草三·〇(溫服)

(加減) 若氣管支及肺胞內，有痰阻塞，感覺呼吸困難者，右方加桔梗六·〇。

(方解)▲麻黃能發瀦在於肌表之水氣。

▲杏仁有驅水作用，能治喘咳；又爲緩下、鎮痛、防腐、及制止發酵藥。

▲桔梗有排膿作用，治膿血及咯痰困難等疾，又有治咽喉炎之效能。

▲桂枝甘草見前。

(處方三) 葛根湯——無汗、惡寒，項背强，爲其主證。

葛根八·五　麻黃六·五　生薑六·五　大棗六·五　桂枝四·五　芍藥四·五　甘草四·五(溫服)

(加減) 有咳，右方加半夏一一·〇。

咽痛、痰多，加桔梗六·〇。

葛根湯證而有鬱熱、頭痛、咽喉痛、煩渴等症，則按其病情，加石膏二〇·〇——二〇〇，蓋石膏用量輕，不能見效也。

(方解)▲葛根能發疹，治小瘡之類，又能緩解筋肉之痙攣。

▲石膏治煩渴身熱，因本藥性寒，故應用目標爲壯熱煩渴。

▲麻黃、生薑、大棗、桂枝、芍藥、甘草見前。

〔處方四〕 家傳風藥——細川藩之御典醫深水氏，曾獻其家傳邪風祕藥於君公，其方爲桂枝、芍藥、大棗、麻黃、葛根、甘草各四・〇，煎煮溫服。即桂枝湯、麻黃湯、葛根湯之合劑，故能應用於一切感冒也。

【氣管支炎】 氣道爲呼吸時空氣出入之要道，亦稱氣管枝，初爲一主幹，至近肺處，次第分歧，遂成無數小枝；此無數小枝的末梢，與肺氣胞相通連，若氣管因種種原因而起炎症，就漸次蔓延至氣管枝末梢部，稱之爲氣管枝炎。

〔處方一〕 對於右證用金匱麥門冬湯，能奏卓效，且該方應用之範圍亦廣。

麥門冬二〇・〇 半夏一〇・〇 人參二・〇 甘草二・〇 粳米五・〇 大棗二・〇（冷服）

〔加減〕 若因咳嗽而出血，於右方加地黃四・〇、黃連二・五、石膏一〇・〇。

咽喉腫塞，麥門冬湯加桔梗六・〇。

〔方解〕 ▲麥門冬有粘滑、强壯、消炎、鎮咳作用，治肺熱頗有效。

▲人參之應用目標，爲胃弱，心下拘攣。

▲粳米富於澱粉，爲滋養强壯藥，除緩和包攝作用外，兼有清涼止渴作用。

▲地黃有止血、利尿、强壯、强心、解熱、鎮咳等作用，能治貧血虛弱及臍下不仁。

〔民間療法一〕 車前子與開希軋拉（ケシガラ）各一八・〇，用水三合，濃煎一合，一日三回分服，猛烈的咳嗽，頓時即止矣。

〔民間療法(二)〕 地龍三·〇，入糙米湯內煎服，能解熱。

【肺炎】 肺炎之證狀，爲肺氣胞之大部分因腫脹壅塞而致呼吸困難；如肺炎菌毒素侵入血液，則使心臟衰弱而死亡。其調護之法，不外用溫濕之厚法蘭絨包裹患者之胸部，並置熱水盆於病室，以保持適當之溫度與濕度。應用漢醫方治療本病，須隨病情而斟酌應付，不能以一方而應無窮之變，其比較最通用之處方則爲越婢加半夏湯，與皂莢丸。

〔處方(一)〕 越婢加半夏湯——肺炎之特徵，爲因上衝而起之咳嗽、氣喘、頭痛，及眼球痛，此等證狀，同時亦爲本方應用之目標；蓋方中之石膏半夏有鎭靜之效也。

〔方解〕 見前。

〔處方(二)〕 皂莢丸——患者橫臥時，咳喘頻發，以致終夜靠壁而坐，不能就眠，而且時吐混濁之痰涎等證，爲本方應用之對象，但此方本爲强烈之刺戟藥，如非醫生不應擅自加減！皂莢末棗肉等分，以蜂蜜爲丸；每次用二·〇——四·〇，一日三回服用。

〔民間療法(一)〕 切開黑鯉魚的頭，絞取其血，令患者飲之，自能淸醒精神。

〔民間療法(二)〕 患者體溫在三十九度以上時，可將鯉魚搗爛如糊，敷攤於油紙，罨於患者之胸部，約一晝夜，熱卽降至三十七度左右；此時卽可將其取去，換以溫濕布。

〔民間療法三〕 如無鯉魚時，可用豆腐小麥粉，對半練合，以代鯉魚之用。

〔肺結核〕 謂本病無藥可治，固然沒有理由；但如不知善自調理，則雖服用無論如何合乎理想的藥，不能有效。嘗見患者一聽到自己所患爲肺結核的宣告，便一味地迷信博士、良藥，幷滋養豐富的食品，對於如何攝生之問題，反置諸腦後，往往如此空費二三年的光陰。

患者第一嚴禁之事，厥爲房事與吸烟；因肺結核之患者，大都性慾異常亢進，故青年之患者，較中年以上之死亡率高；蓋往往有逐漸向愈之病體，經一回之房事，而引起危險者。至於吸烟，亦足以削弱醫藥之效果。故藥物療法雖然重要，而謹慎調養，則更宜注意也。

漢方醫學，認爲肺痿即肺結核，適應之方劑甚多，須根據確切之診斷而下藥，非一成不變者，茲揭示其中之二三焉。

〔處方一〕 竹葉石膏湯——食慾缺乏、盜汗、不眠、微熱、胸部覺拘攣苦悶，爲本方之適應證。

竹葉三・五 石膏一四・五 半夏五・〇 人參二・五 甘草二・〇 粳米八・〇 麥門冬一〇・〇（冷服）

〔方解〕▲竹葉：治胸中鬱熱，咳嗽、上氣，止消渴，鎮靜熱狂悶煩。

▲餘藥見「感冒」「氣管支炎」條。

〔處方二〕 三物黄芩湯——咳嗽發熱，四肢燒熱，口中乾渴，心氣抑鬱，爲其適應症。

黄芩八・五 苦參八・五 地黄一七・〇（冷服）

（方解）▲黄芩主治充血或因炎性機轉之心下痞；旁治胸脅滿、嘔吐、下利等症。

▲苦參：殺虫治瘡毒；味苦，性寒，單味可作驅蟲劑用。

〔處方三〕炙甘草湯——盜汗出多涎唾，心臟及腹部大動脈搏動顯著，胸中苦悶，爲其適應證。

甘草三•五　生薑二•五　桂枝二•五　人參二•〇　阿膠二•〇　地黄一二•〇　麥門冬八•五　麻子仁五•五　大棗二•五

右用水五合，煎取一合，去渣，溶阿膠於其中，一日三回，冷服。

（方解）▲阿膠：有止血作用，爲粘滑藥；主治出血，咳嗽，小便不利，或尿意頻數等症。

▲麻子仁：爲粘滑性緩下藥，略有消炎作用。

▲餘見前。

〔處方四〕橘皮竹茹湯——胸悶而覺痛，咳嗽，及嘔氣頻作者，宜用本方。

橘皮一九•〇　竹茹五•〇　大棗四•六　生薑五•〇　甘草三•〇　人參〇•六（溫服）

（方解）▲橘皮：有健胃作用，能鎮咳、鎮嘔、鎮痙，止吃逆，有消魚毒之特別功能。

▲竹茹：功效略同竹葉。

▲其餘見前。

〔攝生法〕就普通之攝生法而論，當以日光浴爲最有益；如事實許可離開大都會而去高山或海濱作坐禪那樣的修養，則精神鍛鍊，足以支配肉體，自能得偉大之效果；又每日三餐的食物，尤宜細細地咀嚼。

〔食養法〕 肺結核患者之食物，可撒胡麻鹽於半搗米飯中，或以少許的油炸豆腐及落花生補給身體，以植物性脂肪。（惟過食脂肪質食物容易惹起下痢，故須注意「少量」二字）野菜穀類及海中動物之海參亦為優良之食品；即胡麻、「蒟蒻」、蘿蔔、林檎、米、小麥、豆粉等中，雖或有比較難以消化之食物，祇須少食而細嚼，亦決無妨礙也。此外如豆類、菠薐草、韮菜、百合、人參、萵苣、海苔等，亦為肺病人之良好食物。

以上食物之適宜支配，為飯七分，副食物三分，動物質以小魚類為良，須連食其骨。至於牛肉、豚肉、鰹、鮪、鰯等，則以避免為宜。

〔民間療法〕 本病患者，每多食慾不振，故宜强健胃腸，增進食慾。其法或行腹部按摩，或用中國產之「飯匙倩草種子」四兩，及「グンショユ」五兩，常常煎服，如日日飲之，則胃腸機能逐漸强健，消化吸收作用亦日漸旺盛矣。（未完）

講壇

楊志一先生演講辭

王景賢錄

兄弟此次到蘇州來，蒙王先生熱誠招待，非常感激；現在乘此機會來與諸君隨便談談：自少數西醫把持中央衛生委員會，於民國十八年春間議決有廢止中醫中藥等案後，我們中醫界所處的地位，幾於無日不在風雨飄搖之中，雖已經過吾道同志據理力爭彼等不得逞其鬼蜮伎倆；但影響所及，仍不免發生下列使人悲觀的現象：㊀爲辦理中醫教育的人，因受刺戟而失望灰心，以致國醫學校寥若晨星；㊁爲青年學生對於中國醫學的隔膜與鄙視。這不但中醫界本身的不幸，實在也是整個民族前途的危機！大家都知道，我們中國因受帝國主義列强政治、經濟、文化之侵略，一面是不景氣的空氣籠罩着整個的社會——不論都市或農村，都在高速度地趨向着沒落和荒凉；一面是主權的喪失，與領土的淪亡；而最使人寒心的，還是民族意識的模糊，和民族精神的衰頹，古人謂「哀莫大於心死」這句話，應用於現在，就是說「一個民族而喪失自己的意識，則該民族遲早必被其他民族所滅亡。」我以爲唯一的救亡圖存之道，不外治標與治本的二端：

（一）復興民族經濟：因爲國人過分崇拜西洋物質文明，同時又不肯自己研究發明，只想享受人家的現成貨，以致釀成日常生活之資料，幾乎全部取給外貨之趨勢，即以醫藥一項而論，據實業部國際貿易發表，民國二十二年份，西藥原料及化藥產品輸入統計金單位爲二千六百零八萬一千二百三十八金，以一九五二升值國幣五千零九十一萬零五百七十六元五角七分六厘，在國內業西醫藥的人數尚未相當發展的現在，每年流出國外的金錢，已有這樣可驚的數目了。如中國青年都盲目地趨向西洋醫學，對於固有的合乎最高理想原則的中醫學術和取之無盡用之不竭的國產藥物，反棄之如敝屣，則勢必西藥之輸入額——亦即金錢外溢之數量，與國內西醫人材之增加適成正比例；說一句「西醫足以亡國」的話，也不能算是過分呢？至於中藥的價值如何，靠自己誇大是沒有用的，但據報載日本政府曾下令人民種植漢藥，法國當局也獎勵越南人民栽植中藥的事實來證明中藥價值的偉大，這是可以勝過一切的雄辯。我以為中國的青年，果有救國的熱誠，那末對於這促使中國經濟破產的偌大漏巵，總無論如何不能加以忽視，應該把救國的熱誠和研究的精神寄託到這被人奚落和鄙視的中國固有醫學的整理和國產藥物的研究這方面來使中國醫學經過科學的整理而日臻完善，中國藥物經過科學的研究而效用益彰，則不但漏巵可塞，且能使中國藥物伸足於世界市場，昂頭獨步，對於復興民族經濟當有重大的意義，并且還能為我民族增光不少咧！

（二）復興民族文化國家為民族所寄託，民族是國家的靈魂，要求國家的强盛，必先健全民族的本身；而民族精神之衰盛完全寄託於文化，故欲恢復民族精神，當然地必先恢復自己的文化，這是誰也不能否認的；外國人畢竟比我們聰明得多哩：他們早知道這個理由，為了替自己打算起見，不惜耗費鉅大的金額派遣基督教徒到中國來實施文化侵略；而在他們自己的國內，如日本政府禁止臺灣民衆學習漢文，暹邏政府封閉華僑學校，强迫兒童入暹邏學校專讀暹文，同時爪哇、非律賓等處都有同樣的事實發生，揆度他們的用意，無非想從消滅中國文化着手，慢慢地消滅我們民族的精神，以遂其吞併侵略之目的。可憐我們中國的教育，在少數洋氣十足的留學生操縱把持之下，竟使青年們沒有認識中國固有文化的機會，這無異為帝國主義者間接地出力。在這樣的教育方針下所造就出來的人材——尤其是名副其實的西醫，不但以能說洋話用洋藥為榮，就是給病家處方的時候，也非用橫行的蟹文不可；更有的人，明明看不懂洋文，也要去買幾本洋文書來，擺在案頭，藉以表示自己是懂得洋學的學問家；有人說，「從文化的領域去展望，現代世界裏固然沒有了中國；中國的領域裏面，也幾乎已經沒有了中國人」。這話眞是針對着現代中國智識界的至理名言，中國醫學為中國文化之一部分，是數千年來民族的結晶，過去曾經有過光榮的歷史，惜乎因為沒有人去理睬它，以致漸漸地落伍，不能和西洋醫學一樣地光輝燦爛，抛棄了自己的寶藏，而去摭拾他人的唾餘，這是多麼愚笨而使人痛心的舉動;!唉!無怪我們底民族精神要一天天地頹唐下去了!中國的青年，果有復興民族的決心，那末對於這在民族文化裏佔有重要地位的中國醫學應該何等地加以嚴重的注意啊!?

以上的話，我是指一般的現象而言，但我看到了貴校的情形，覺得諸君都能具超越的見解，早已認清民族的病態和根源，並且承認固有醫學的價值，而在加以刻苦地研究了;同時貴校的教育當局，也絕不因環境的險惡而表示失望灰心，仍忍艱耐苦地在風雨淒淒，前途漫漫的黑夜，領導着青年學生前進;不但使我對於中國醫學前途的悲哀底情緒，頓時輕釋了許多，就是對於中華民族的復興也似覺有十二分的希望。不過我在對諸位賢師生欽佩之餘，還要貢獻一點小小的意見:所謂研究固有醫學，並不是叫你「食而不化」，所謂發揚國粹，也並不是叫你把古人的東西，不分青紅皂白，一古腦兒都搬出來就算。我們應該抱不守舊不盲從的態度，對於固有文化加以不姑息的檢討，去其渣滓，存其精英，然後以中國醫學爲基本，再采取西洋醫學的優點，建立起另一嶄新的「中國本位的醫學」組織來，使中國醫學能恢復過去的光榮，並且在世界文化裏閃爍着燦爛的光明。那時候，僅僅醫學的發展，也夠使中華民族揚眉吐氣了!

年青有爲的學生諸君!

熱心教育的賢明師長!

陰霾的濃霧，總有消散的一天，

漫漫的長夜，也有黎明的時候;

我們負有改進中國醫學的責任，
我們負有復興民族文化的使命；
我們不要渙散了自己的精神；
我們不要灰頹了自己的勇氣；
我們要堅忍地苦幹呵！
最後的勝利畢竟是屬於眞理！

言論

研究國醫學的意義和方法（續）

王東英

三　讀醫學書的方法

醫學是應用技術之一種，我們閱讀醫學書籍，並不是把書本裏所說的話，毫無遺漏地裝進腦袋裏就算了。應該把從書本裏所得來的知識，下一番自己整理的工夫，使成爲有系統的能實用的，才算是自己的知識。否則，不過是做書本的奴隸而已，要想實際的應用，是不可能的。況且古今醫學書籍浩如烟海，如果不分靑紅皂白，拿來就讀，必致耗費許多寶貴的光陰和精力，而依然茫無所得。上述二種弊病的發生，都不是由於研究者的不努力，而完全是因爲我們不懂將讀書方法的緣故；所以爲免浪費光陰和精力，增進研究的效率起見，我們第一要有良好的讀書法：

A 讀書之前：應先決定讀書的目的，及明瞭書本之性質；如傷寒論、金匱要略等主要的書藉，應該精讀的，就準備去精讀；如醫案、醫話、醫史等僅供參攷的書，祇要略得印像的，就準備泛覽一下；如脈訣本草等需要記憶的，就準備去熟讀，並且讀了之後，就想法找將機會來實驗。至於書本的選擇，雖是讀前最要注意的事，但是初學的人自己沒有抉擇的能力；這問題，須待醫學教育專家來替我們解決。但你假如等不到那時候，那麼你最好去請教爲你所信仰的醫學界的先進者。

B 讀書時：須時時顧到你所研究的目的，時時用你的智力去判斷和組織書本所給你的知識，具體的方法，約有下面幾種：

(1)寫札記或摘錄疑問——凡是書中發現了要義或有疑問的地方，便記之於手冊；手冊最好是活葉式的小簿子，因牠易於分類的排列；譬如讀陸淵雷的傷寒論今釋，我們便可以把解釋生理的地方札記下來，歸入生理類；解釋病理的要語，札記下來，歸入病理類；其中有診斷方法的說明，藥物成分的記載，方劑效用的發揮，各種醫案的集錄，都可擇其重要者札記於簿，分類保存之，以供將來之參攷。

(2)深究書籍內容——古人的書，是古人經驗和思想的記載，未必處處皆是，也未必處處皆非，遇到可疑的地方，應該用舊經驗或其他書籍來證明牠是不是正確，務期澈底了解，棄僞取眞而後已。如能用自己固有的知識，去補充書中說明或支拄論點的論證的不足，使舊經驗和新知識聯繫起來，則獲益自然更多了。

（3）做讀書綱要——每本值得我們精讀的醫學書，一定有牠底邏輯的結構，有一個綱要的。我們如能把牠的內容，用自己的文字，按照邏輯的程序，做成提要大綱或關係表，則對於該書的理解格外深刻；所得的知識也較有系統而易於保存，可以經濟複習的時間。

C讀完以後：我們讀完一本書後，第一要自檢所得的結果是否能和預期的相合，並且能否實際地應用；如未能澈底了解或不能實際地應用，除更進一步的努力外，還要留心書籍的本身是否有缺點。其次把所得的結果，就其性質，分別融化到舊經驗裏去，然後再用自己的文字，把新舊融化而成的整個思想，概要地寫出來，例如我們讀了湯本求眞的漢方醫學解說對於小青龍湯的解釋後，不妨和汪訒庵的醫方集解裏解釋小青龍湯之文互相對照比較，然後再搜集歷代醫書上所載小青龍湯的治驗案來引證，或加以自己或朋友經驗之所得，作成一篇小青龍湯之研究的文章，寄投醫報醫刊去發表，不是很有興趣的一回事嗎？其他關於生理、病理、診斷、藥物，無不可以這樣做。讀後的發表，第一能使所得的印象深刻而有系統；第二能使所研究的格外透澈地了解；第三能養成自己發表思想的技能。（待續）

論中國醫學之眞價値

邢萬成

醫所以防疾病於未然，施藥石於已病。爲人類生命之護衞也。嘗考吾國醫學，始自軒岐。厯經仲景丹溪東垣河間諸醫聖之創明。歷代名家之發揮。功效卓著。史冊彰然可見。及自歐化東漸。國人競尙西洋醫學。毀詆中國之陰陽五行爲虛僞。臟腑經絡爲渺茫。高唱解剖。蔑視氣化。耳目爲之撩亂。人心爲之炫惑。甚至黨國領袖。亦有根本廢除中醫提倡西醫之議。嗚呼。中國前途之危殆。於玆爲極矣。中國積數千年之經驗。歷代沿用之藥類。具顯明之功效。西醫固有提倡之價値。中醫亦安無保存之必要。茲請略述中國醫學之價值。

夫天地之間。六合之內。五洲佈焉。萬邦列焉。風氣厚薄。寒熱溫涼。從燥從濕。隨處而異。東西人種不同。身體大小各異。臟腑有强弱。肌肉有肥瘦。病有外感內傷之分。七情六慾之別。或輕或重。變化百出。惟中醫以人身合之自然。方列奇偶大小。藥具君臣佐使。上配於天。下合於地。毋絲毋毫。隨病情而變化。無不合之病。此中醫之所貴焉。西醫則以人身合之機械。其治病也。施修理機器之手術。用金石燥烈之藥劑。不顧病情之輕重。不明病機之變化。概以呆板之方法應付之。無怪西醫殺人之新聞。層出不窮。堂堂中央醫院。常有被人控告之事實也。反觀吾國醫學。風寒燥濕。各有特效之成方。虛實升降。自有對症之藥物。又如針灸之術。每見一針刺下。沉疴立起。其治病之效能。遠超西醫。孰謂中醫之經絡渺茫無據。更誰能曰中醫之「氣化」無價值耶。且西醫之所謂白血球與赤血球。即中醫之營與血也。中醫之所謂肝陽與腎陽。即西醫之所謂神經作用與生殖腺也。彼以擅長割診自誇。而中醫華陀亦嘗刮骨療毒。剖腦驅風矣。總而言之。西醫僅為中醫之一部份。西醫不能包括中醫。中醫則能包含西醫。西醫善治表症。中醫則表裏俱能也。故深奧精妙之中醫。與機械式之西醫。誠不可同日而語也。

國人誠能了解固有醫學之真價值。從而研究之發揚之。則中國醫學。何患不能放射其光芒於世界乎。

編者按。邢君為本校學生。醫學頗有根底。平日亦極勤奮。去年暑假大考前數日。忽發舊疾。兼患新病。新病雖幸治愈。舊疾一時難痊。不幸回鄉之後。卒以無醫診治而逝。良深惋惜。爰錄其遺作。以誌哀悼。

生理

體工調和血液之自然良能

李克蕙

天下事理。貴得其平。偏盛偏衰。卽異乎常態而起變化焉。內經所謂揆度奇恆。道在于一。蓋亦示人就生理之常。以測病理之變。一本萬殊。交互錯綜。初非專指何者爲陰。何者爲陽。攢名指稱。以爲刻記於舟而尋墮劍者流說法耳。狂風怒號。空氣厚薄不勻也。滾水沸騰。上下冷熱不均也。（壺底水近火則熱而上衝）一失平衡。遂異常態。於物理有然。於人情何獨不然哉。嘗考體工自然良能之妙。器官配置之巧。益歎造化之奧竅。殆莫可思議。已足須豎立。則配以方趾。臀須踞坐。則墊以肥肌。使溺堪憎竅。則匿於隱處。腦髓寶貴。質則藏諸骨腔。以言自然良能之妙機。細菌之竄入血液也。白血輪必起而撲滅之。吞食之。或環甲執兵。或呼朋引類。必殲此有害生理之小醜而後已。其戰爭之現象。卽反乎生理常態的病理機轉者是。咳嗽、吶喊助威者也。耳鳴、鳴鑼告急者也。體工各部之官能。又各有其自衛之方法。抑非僅限於血液爲然也。爰草斯篇。以供同道商榷焉。

體工調和血液之現象。有全體與局部之分。全體與局部。又分生理的病理的。今就全體與局部類別述之如左。

（全體）

吾人於晨起睡醒時。每每伸手舉踵。擠眉揉眼。此蓋因長時間睡眠休息後。血液循環呆滯。故舒手伸足。令經脈興奮暢運血行以灌溉周身爾。

聽人談論。脈不欲聞。必頻作呵欠。昏昏思睡。呵欠者。體工吸收多量之空氣。欲促進血液之流行。以救濟腦神經之疲倦也。

呆坐過久。足必麻痺。有如針刺芒集。此因下肢血管被壓。循環阻滯。足部驟感貧血。神經乃興奮以營引導血液下行之工作也。

傷寒論。眞武湯條。「太陽病。發汗。汗出不解。其人仍發熱。心下悸。頭眩。身瞤動。振振欲擗地者。」按發汗過多。或誤汗。每傷津液。血虛液虧。遂起虛性興奮現象。故汗出而熱仍不解。心下悸者。心臟大張大弛以冀噴射多量之血液。以爲救濟也。頭眩。身瞤動。肌肉求血液之動作也。

傷寒論。承氣湯條。「上略。獨語如見鬼狀。若劇者。發則不識人。循衣摸床。惕而不安。」腸有燥屎。乃大承氣應用之一證。腸而至於燥。則腸部充血可知也。腸部既充血。則其他部份又必有貧血缺液之感。於是手足爲求血液而運動。筋肉爲求血液而戰惕矣。獨語如見鬼狀者。神經爲求血液而興奮之幻覺也。

傷寒論。桃核承氣湯條。「熱結膀胱。其人如狂。」血液結滯則鬱而化熱。血既結於膀胱。則其他部份亦必有貧血之感。影響遂波及神經系統矣。

傷寒霍亂篇四逆湯及通脈四逆湯條之「四肢厥冷。拘急。脈微欲絕。」按手足厥冷。脈微欲絕。乃亡陽重篤證候。此四肢拘急。乃求血自救之表現。

內經。「病甚則棄衣而走。登高而歌。或至不食數日。踰垣上屋。所上之處。皆非其素所能也。」按血虛而液不虧。少陰病。脈微細。但欲寐似之。設血虛液虧。而復陽盛者。則體工必起救濟作用。以調劑之。遂有不由意識命令與制止之動作表徵焉。棄衣而走。登高而歌。渾動神經爲求血液而興奮也。罵詈不避親疏。音帶爲求血液而興奮也。

（局部）

耳鳴　耳鳴有血虛與液虧兩種。而皆係神經興奮之見端。陽證充血而鳴。鳴在求液。陰證貧血而鳴。鳴在求血。

目眩　少陽液結胸脅。則眩而求血求液。陽明目赤。則痛而祛血求液也。

鼻塞　傷風鼻塞。噴嚏不已。爲併驅血液法。

音帶　秋燥咳嗽。爲求液而起。肺炎咳嗽。爲祛液而起。登高而歌。罵詈不避親疏。則併求血液而興奮也。

觀右列各條。則體工調和血液之法。在肌肉則瞤動。在筋脈則戰惕。在手則舞。在足則蹈。眼眩耳鳴。罵詈不避親疏。則全屬大腦與神經興奮之變也。現象雖各不同。而爲求血液調和。以躋於平之目的則一。

內經所言之天癸究爲何物試根據近世生理學詳細研究之

吳少九

天癸之名詞。人皆知之。然往往以天癸專屬於女子生理方面事。雖內經言天癸男女並舉。而後人乃有若是錯誤觀念者。此固由昔賢釋天癸爲月經。積習相傳。先入爲主之故。然亦可見後人讀書之不求甚解矣。註內經者。不下十餘家。如高士宗張隱菴而下。知月經之說不可通。或以精血爲解。或云元陰。或曰眞陰。或謂天一所生之癸水。於是羣言淆亂。莫衷一是。喻指爲月。既虛渺莫憑。指鹿爲馬。益謬妄之甚。凡此種種。咸與我輩頭腦絲毫不合。特此非本文所欲言。本文所欲言者。古人言必有物。欲一探索內經所言之天癸究爲何物耳。

經言女子「二七而天癸至。任脈通。太衝脈盛。月事以時下。故有子。……七七任脈虛。太衝脈衰少。天癸竭。地道不通。故形壞而無子也。」又言男子「二八腎氣盛。天癸至。精氣溢瀉。陰陽和。故能有子。……八八則齒髮去。腎者主水。受五藏六府之精而藏之。故五藏盛乃能瀉。今五藏皆衰。筋骨解墮。天癸盡矣。故髮鬢白。身體重。行步不正而無子耳」此爲內經論男女生殖生理之文。其言衝任。(子宮)言月事。(月經)言腎氣。(腎冠腺)言精氣。(精子)皆與近世生理合。獨天癸之謂何。與生殖有若何關係。吾嘗潛思冥索。乃知此事涉及內分泌學說之範圍。內分泌者。無管腺之分泌物。爲近世生理學最矜貴之發現。而內經實已於千百年前。心知其意也。內經所言之天癸。在內分泌中。屬於何種。則性腺是也。

按性腺有男女或雌雄之別。故經言天癸。男女並舉。男性腺在體腔外陽袋之內。共有兩枚。名曰睪丸。女性腺在腹腔內。腎藏下邊。亦有兩個。謂之卵巢。此二者之重要作用。在於產生精蟲與卵。以營生殖之用。然則生殖之在於精蟲與卵。精蟲之產生由於睪丸。——男性腺。卵之產生由於卵巢。——女性腺。而內經則謂人之有子。在於精氣與月事。精氣之溢瀉也。由於男子之天癸至。月事之時下也。由於女子之天癸至。是男子之天癸。睪丸是也。女子之天癸。卵巢是也。經文所言。乃與近世生理若合符節焉。而天癸之爲性腺。豈復有絲毫假借者。詳所以名爲天癸者。天者與生俱來。古人以癸屬之水。腺爲泌體故也。

人類發情期。亦謂發身期。與發情期關係最密者。厥爲性腺。此時性腺成熟。在男子則開始輸精。在女子則開始排卵。近世生理學。人類發情期爲由十三歲至十六歲之間。(熱帶較早、寒帶較遲)據此。則內經所謂天癸至。卽性腺成熟之謂也。其言女子以二七。男子以二八。爲天癸至之時期。與上述人類發情期亦合。註內經者。皆不詳天癸何以不生而卽至。既爲元陰或眞陰。又何必待乎二七、二八之年。宜其以虛玄之辭。愈說愈晦矣。斯亦時代限人之故也。

玆更有一事可以爲天癸卽性腺之佐證者。據生理學云男性腺內有一定之上皮類細胞。名爲間細胞。睾丸與男子之性狀發達有關。卽因此類細胞。其最顯著者。則爲面上生毛。……然則人之有鬚。爲有男性腺之故。此在內經。則可從反面推勘而得。其言曰「其有天宦者。未嘗被傷。不脫於血。然鬚不生者。此天之所不足也」天之所不足何。非天癸之不足耶。宦者之無鬚。因無天癸。天癸之爲性腺也益明矣。

內經爲醫籍中之最古者。亦醫藉中之最難讀者。然往往不可解處。證之今日新生理。多半可以渙然冰釋。內經之可貴者在此。惜予讀書不多。不能廣徵博引。然卽此淺淺者。若問古人何以知此。其價値又若何。此則最耐吾人之尋味。而中國二千年前有此醫學。亦誠足以自豪矣。

心理

一個醫生所應該知道的心理學（續）

潘菽

至於在診斷病原時、一個醫生須要心理學知識的幫助。醫生所用診斷的方法，總不外乎兩種。一種是客觀法，就是用種種器具去測驗病人的生理情形。譬如用聽筒聽肺的呼吸和心臟跳躍，用血壓器測量血壓。這都是客觀的診斷法。但在很多的時候，醫生所要得到的關於病人的情形的知識，必須從詢問病人自已得來，這就是問詢法。問詢法所要求於病人的，都是心理學上最困難的，所謂「自我觀察」說也奇怪，一個人對於自己的情形，並不一定能確定的知道。譬如身體上的痛覺，有時候我們很難指出牠程度上的差別，甚至於他的地位也模糊不淸。所以一個醫生當聽到他的病人說頭有些痛，或肚子有些痛的時候，須要很小心的接受他的報告。有許多神經質的病人，竟可以無中生有，並無痛而言有痛，又有的人把所有的痛說得過於厲害。總之，人在自我觀察中，是有很多地方陷于錯誤的。假如一個病人在神經上有些變態或容易受暗示，則他的報告的錯誤可能性也愈大。一個醫生必須知道病人的報告，有什麽許多可能的歪曲和不完全，然後不致陷入謬誤的診斷。假如把病人自述的話，當做句句正確，那是一定要誤事的。

又有許多生理上的疾病，同時引起種種反應上的變態。例如人當患軟脚病時，膝蓋反射，便變成滯鈍或甚至完全消失。這種反應上的變態，醫生當然很可作用診斷的根據。但所謂常態和變態，並沒有絕對的界限，極端的例子，自然是容易辨別的，除此以外，就不大容易。一個醫生要知道一種反射作用或感覺反應，是常態的還是變態的，必須知道常態的反應的範圍如何，——在常態範圍以外的，都可視爲變態的，但離範圍愈近，其變態確定性也愈低，因爲一個醫生所能接觸的有關於各種疾病的反應都是變態的，所以常態的反應的知識，必須由普通的心理學供給他。

有許多疾病的診斷，必須知道病人的日常生活，和過去的歷史，這非請病人自己陳述不可。但因爲種種原因，病人往往不肯袒白的陳述，而有所隱瞞；這，這時候醫生便須運用一些心理學的手腕，以克服病人的恐懼或羞慚或任何的衝突，其實醫生不但須運用手腕而已，并且須眞實的表同情於病人，使病人知道他不是要探發隱情，而是十分善意的替他解决困難的。如此醫生方能得到病人充分的信任和合作，以獲得診斷所必須要的事實。病人的陳述病情有所不盡，不能完全卸責於病人，因爲醫生的不善詢問和對於病人心理的不了解，也是一個主要的原因。

又有許多到醫生那裏去請敎的病人，並非眞的有病，不過總疑心他自己有病，這時候醫生便須有一些心理學的知識，趁早發見這種事實。否則假如醫生也跟了這種病人疑惑不決，而又實在找不出病的所在，那時候病人必更以爲他所患的不知是什麼一種疑難之症，而益加增其病態了！假如再壞一點，醫生不但不知「敬謝不敏」，竟要施用治療的手術，動起刀來，那就世界上最大的慘劇，不免要因此發生！

人生了疾病，在生理方面，亦許暫時有所喪失，但在心理方面，仍和平常人一樣有種種要求。有許多醫院簡直辦得和牢獄差不多，人去治病，雖然在身體方面，可以得到較好看護了，但在心理方面，則被剝奪得像一個犯罪的人，——許多病人，病還沒有好，便要逃出醫院，這是常見的事情。這種情形和病的治療是很有關係。在一種煩躁、冷寞的情境之下；疾病的恢復的進行，一定要受到不少的妨礙。在這裏尤其有關係的是看護。常有許多的看護的態度和面孔，令病人望而生畏。她們只知道做幾種一定的機械工作，而不知道病人仍舊是一個活活的人，所以辦理醫院的醫生和其中的看護，都應該有一點心理學的訓練。辦理醫院的醫生，應該使他的醫院能給與病人以最大可能的舒適和安慰，能容許病人心理上的要求，有最大可能的滿足；如在必須的限制以內，容許親人的陪伴和朋友的談話和自備食物之類。所最要注意的，是看護的訓練和選擇。僅有醫學上的知識，還不能成爲一個稱職的看護，同時必須看他們是否有心理學上的了解。中國有許多新式醫院的管理，只知一味抄襲外國醫院的辦法，而不知適合中國的社會環境，因此沒有病人不是在可以逃出來的時候，就要逃出來的。

病人對于醫生的信仰，也和疾病的恢復很有關係。因爲有了信仰，病人便得了安慰而安靜下來，社會上有許多純粹的迷信方法，居然也似乎能夠治病，這並非是因爲迷信方法眞的有治病的功效，乃是因爲迷信的病人由此得到了安慰，使身體能安靜的慢慢休養。一個醫生能否博得病人的信仰，要看他能否應用一點心理學的知識。

在上節中，我們講到有許多疾病同時引起種種反應上的變態，醫生可以依據這種變態去診斷疾病的有無和程度。同樣，醫生也可依據這種變態反應的有無，去推斷治療進行的狀況。假如變態的反應仍然存在，這是表明仍須繼續治療。

以上所舉，不過大略的幾點，我們說來不能詳盡。要而言之，醫生假如能把病人不僅看做生理的東西，而同時知道他是一個有感覺情緒，錯覺幻想等等的心理的東西，便「思過半矣」 (完)

心理療法在醫學上之重要

楊夢麒

夫致病之原因。雖繁且夥。然可大別之爲二。卽外感六氣。與內傷七情是也。當茲叔季之世。生計艱難。百憂感其心。萬事勞其形。骨肉之軀非金石。必致精神憔悴。氣血消磨。欲免二豎之相侵。六氣之乘襲。庸可得乎。苟能修性以養神。淸心而寡欲。自堪喜占勿藥。全厥天年。是則精神之治療。實較勝於藥石治療矣。所謂精神療法者何。蓋卽心理治療法也。第能察其由。究其原。洞燭其病情。無須藥石。不假刀圭。卽病入膏肓。亦可驟見霍然。宜乎東西邦君子。重心理病不亞於生理病也。然心理療法。約有多端。今試述之。

一　廟宇庵堂。求神問藥。請仙水。索仙方。覶其所謂仙水。僅普通熱水耳。所謂仙方。僅普通藥味耳。謂其能起死拯危。吾不之信。然病家服之。收效出意外。何則。此乃病者信仰力堅。神經興奮。抵抗力增大故也。

二　余友患瘧甚劇。投以藥不效。明日余約友弈。迨畢。瘧疾發作時已過。竟得痊。何則。此乃精神專注於弈。忘其習慣性恐怖之瘧病也。

三　有某者。翩翩年少。倜儻風流。交際場中。得識一王姓女郎。女固品學兼優。容貌昳麗。某傾心甚。投書乞婚。顧女殊落落。復戒勿以此相擾。否則當割席。某於失望之餘。神氣沮喪。終朝枯坐。哭笑靡常。諸醫束手。妹固洞悉阿兄之隱者。熟思得一策。乃摹王之手跡。僞草一纏綿悱惻之情書以投之。某得書大慰。病竟驟愈。此症即俗所謂想思病也。治療之道。至簡至易。惟使其達到目的而已矣。即心病還須心藥醫也。

四　如懷想伊人。聲音笑語。若聞其聲。思念神怪。猙獰面目。若覩其形。又如靜對白色牆壁。凝神幻想。亦能現出種種不同之事物。此即所謂幻覺也。如吾人觀舞臺佈景。覺有遠近凹凸。火車疾馳。覺窗外樹木田舍飛行而過。此即所謂錯覺也。故凡病之疑神疑鬼。屬於幻覺錯覺者。但能糾正其幻覺。破除其錯覺。使彼誤會心理消失。則病自瘳。

他如情志之病。屬於怒者。以悲勝之。屬於喜者。以恐勝之。屬於思者。以怒勝之。屬於憂者。以喜勝之。屬於恐者。以思勝之。種種變化。全在醫者之意會運用於心。對症而治。自可效如桴鼓矣。又古代之祝由科。及巫術治病。實與近世以催眠術治病者。咸屬精神療法也。此雖屬於迷信。然信之堅。效果頗佳。倘信之不堅。反抗過甚。則施術者之暗示。必致失却效力。卒歸失敗也。

治療

古方治療一得（續）

陸自量

桂枝龍骨牡蠣湯之治驗

中表某君有四歲女。患小溲頻數。日夜無度。雖無其他症狀。夜必遺尿數次。彼母深惡之。遂求治於余。以療此惡疾。余沉思之。竊念遺尿之病。世多此疾。而無此方。在小兒則爲司空見慣。在大人亦爲祕密暗疾。故世少特效之方。此亦破題兒之治證也。俄頃。悟得金匱桂枝加龍骨牡蠣湯。爲治男女失精夢交之良方。曾有人施治于膀胱欬症。且日人以此湯療久年遺尿。每得獲效。雖未親歷實驗。所載諒不我欺。乃處以整箇的桂枝加龍骨牡蠣湯。（桂枝、芍藥、甘草、各二錢。生薑二片。紅棗、四枚。龍、牡各五錢。）令試服之。竟二劑。遺尿已愈。溲數亦闕。於服藥時。彼母佯爲棗子湯與之。故該孩頗爲歡迎。蓋係純屬甘味。絕無苦口之藥。雖有生薑之辛。盡爲甘味所掩。服後亦無反射影響。故該孩屢索棗子湯不已也。攷遺尿病。係腎臟泌尿作用興奮膀胱尿道括約肌麻痺而弛緩。致患尿意頻數。投此湯。大棗、甘草、正能緩和腎臟泌尿之興奮。桂枝、生薑、含有揮發油。能直達生理變常所在地——病處——刺激括約肌之麻痺。使之興奮。同時以龍骨牡蠣、含有石灰質。芍藥、含有單甯酸。能爲之收斂。遺尿病遂由是而愈也。此湯之能愈失精者。亦從可知矣。

按。日人以此湯療久年遺尿。余亦曾療五六年者。服二劑。病少減而未愈。或係緣劑數之多寡歟。惟宜施于絕無他病者爲佳。否則易起反射影響。又宜待冷而後服。取其易向下趨。非畏其溫也。余亦嘗以桂枝湯（桂枝白芍各四錢）於無病時試服十數劑。服後絕無其他細微影響。此係以身作則。非子虛之談也。

桂枝去芍藥加蜀漆龍骨牡蠣湯之治驗

北莊周姓一婦人。年約卅餘。久患聞聲驚惕。心悸亢盛。惡見生人。甚則恐懼避諱。惕惕然夜無安寐。痰氣上升。病于數年前洪水爲災而起。彼家養魚爲業。見水勢浩蕩。漫溢無邊。池塘岸堤。盡爲所淹。自是飽受驚恐。病由生焉。從茲累發不已。愈發愈劇。雖投藥石。終鮮效績。邀余診治。雖得少瘥。遇勞則病仍如初。據云。稍遇煩惱。心胸覺熱。熱則面赤目紅。火氣上升。升則驚懼惡聲等證。在所畢現。舌苔白膩根厚。口乾而苦。胸下動氣。一如小鹿衝撞。大便不調。小溲頻數。總參病證。良係受驚之際。神經過于刺激。心與腦俱失聯絡之司命。同時痰濁不得宣化。抑于胃底。固結如膠。愈結愈稠。胃神經亦受影響。遂成如驚如恐之症。按此痼疾。絕非敷衍了事之方所能奏功。乃憶仲景桂枝去芍加蜀漆龍牡湯。據方機云。治驚狂起臥不安。胸腹動劇等症。又按柴胡加龍牡湯方函口訣云。爲鎭壓肝膽鬱熱之主藥。此病雖不完全類似。然胸腹動劇。驚狂不安之證。已經畢肖。夜臥不安者。起臥不安也。心胸覺熱面赤火升者。肝膽鬱熱之徵無疑矣。蜀漆一味。本草謂主治胸中痰結吐逆。乃書此二湯之合方（太子參、肉桂、大黃、甘草、茯苓、柴胡、半夏、龍骨、牡蠣、鉛丹、蜀漆）加黃連一味。又合黃解丸意。加黃連者。以其心胸覺熱。口乾而苦。所謂肝膽鬱熱。其實胃中發炎之餘波耳。因鑒煎劑之諸多周折。乃變湯作丸。薑汁和泛。命其常服。自服此丸後。體氣雖未充盛。病勢未聞再發。每見其已能稍稍操作矣。姑錄存之。以備研討。

治肺癆宜注重脾胃說

王桂林

本症西醫謂之肺結核。中醫謂爲虛癆病。歐洲人民因此而死者。占全歐死亡數七分之一。至於我國雖無確實統計。但據中國防癆協會之報告。我國人民患癆病而死者年約一百六十萬人。其數之多。實令人不寒而慄。嘗攷本病原因不外二端。卽難經所謂上損於肺。下損於腎是也。上損者。由於久咳不止。因肺部血管破裂。而痰紅吐血。下損者由於夢遺滑精。腎水虧竭。虛陽上擾而犯肺。若痰紅之後。欬嗽更甚。動血之後。遺洩依然。則精血兩傷。上損下竭。必有致命之虞也。至本病證狀。西醫嘗以程度之淺深分爲三期。大約以欬嗽、吐痰、身體疲倦。日晡潮熱。爲初期。痰紅吐血、自汗、盜汗、兩顴紅赤、潮熱不退、爲第二期。至第三期。則精神萎頓。形瘦骨立。熱度增高。吐血頻頻。勢難挽救矣。故治癆不嫌其早也。至其治療之方法。中西各有不同。西醫注重日光、空氣、營養療法。一見肺病患者。不問其病狀之如何。輒投以魚肝油、拍勒脫等滋補之劑。冀患者營養佳良。加强其自然抗毒之能力。使病菌不能蔓延猖獗。此等方法。用於消化機能强盛之病者。固不難戰勝病魔。漸達康健之境。顧本病之來也。旣非一朝一夕之間。而多數患者。大多脾虛胃弱。食慾減退。投以此等滋膩之物。往往有惹起泄瀉。使病人更陷虛弱之虞。所謂利未見而弊先至矣。至於國醫之治本病。雖同以加强人體之抵抗能力爲目標。但投藥則補偏救弊。以調理脾胃。助長消化機能。使其易於吸收滋養物質爲主。並不如西醫之但求滋養豐富之物質。不顧消化機能之强健也。雖然我國醫界。亦有未明國醫治療肺癆之眞理。而漫用熟地、麥冬、等滋膩之藥以治本病者。遺誤蒼生。良堪慨嘆。用特說明治肺癆首重脾胃之理由。以爲諸同志之參攷。根據生理而言。胃中有胃液之主要成分。——鹽酸及一種酵素。——能消化蛋白質成爲配布頓。以營養身體。至於脾臟則爲製造白血球之機關。白血球有穿過血管壁之能力。食噬外來病菌之作用。且中醫之所謂脾。實包括胰臟而言。胰臟爲人身重要之腺體。專爲分泌液汁。幫助十二指腸消化食物之用也。而肺癆病人。大都營養不良。體內消耗過甚。一旦強健其脾胃。則庶可虛者補之。損者益之。而各組織之養料來源不致缺乏。則體內之抵抗力充足。自不難達到自然治愈之目的矣。

內科

近世內科國藥處方集（摘錄）

葉橘泉

傳染病篇

猩紅熱

【病原】此為一種急性傳染病。致病之微生物。至今尚未查悉。或云係一種溶血鏈球菌。蓋患者血中及咽內常現有此菌。然迄今未能公認。病毒之傳染。人多以為含於鼻咽等呼吸道之液內。或以為含於表皮。因脫屑飛揚而傳佈。或又以為表皮之毒仍由鼻咽之液沾着而致。此毒非若痲疹之逾時即滅。病全愈後。病毒留於鼻咽歷久不去。他人受染。即由於此。此病與年齡很有關係。患者以二至十歲為最多。惟哺乳兒患之者少。本病多發生於學校。蓋小兒聚處校中。傳染極易。流行最盛之期在春季。

【病理】皮面之疹。除出血類外。愈後殆盡消滅無迹。身體無特別損害。內臟之改變。半由發熱。半由膿菌所染而致。咽或僅顯發炎之狀。腭扁桃發陷窩性炎。或假膜性炎。或生膿腫。或成壞疽。生膿之病竈及淋巴腺內含鏈球菌頗繁盛。而心內膜炎。心包炎。腎炎。亦或有之。

『症狀』本病潛伏期約二三日。初病寒戰者少。嘔吐或驚厥者爲常。熱速外。當第一日卽已外至一百〇四五度。皮極乾。舌有苔。咽乾。面疹大概在第二日發顯。亦有在二十四小時內發顯者。始現頸胸兩部。散佈甚速。其色異常鮮紅。此係表部血管充血之故。他病之疹。無如此之紅者。按之則色退。釋之則色復顯。其疹間有成凸形者。惟不若痲疹之以凸形爲常例。皮面初光滑。後變粗澀。疹發至極點。或生汗疱。疱中之液或變濁。又或發黃色微疱。是名粟粒疹形猩紅熱。或謂腭腋窩。腹股溝處等發疹點。係此病之實徵。面疹極盛。而口周圍皮色白。亦此病之特狀。皮膚脹發癢。腭扁桃等黏膜皆極紅。且顯紅點。舌中部有苔。苔中顯紅刺。特稱楊梅舌。呼出氣臭而口甜。腭弓及腭扁桃紅腫。重者發陷窩性炎。尤重者。黏膜發假膜性炎。該部之組織俱腫。頷下淋巴腺亦腫。最烈者。頸項之組織。亦腫且硬。

「惡性類」初狀甚重。熱外至一百〇七八度。輾轉不甯。頭痛譫妄。昏迷。呼吸困難。脈速且弱。二十四或三十六小時中卽死。有皮下發紫瘢。蔓延遍體。或血尿。及鼻衄者。名「出血類」。多在二三日內致命。有咽狀早顯。進行迅速。腭弓及扁桃腫。成膜性滲物。佈滿全咽。前至口。上至鼻後孔。與白喉相似。頸淋巴速腫。咽組織壞死。口惡臭。全身病狀沉重。名咽峽炎。倘不因中毒而速死。則頸生膿腫。壞死。腭扁桃近處之死組織脫離時。或致頸動脈破。而出血殞命。

「輕性類」則疹點速佈。至第二日晚卽已遍全身。閱二三日則漸消失。至第七八日卽消失殆盡。表皮脫屑。大概在病後十數日間。本病之最輕者。其疹不甚顯。如在流行時。某家小兒患之。另有一兒不爽。皮無疹。祇顯咽痛及楊梅舌。謂之「無疹性猩紅熱」。瘉後表皮亦或脫屑。

『治法』『處方一』麻杏石甘湯。麻黃三・○。杏仁一二・○。石膏三○・○。甘草五・○。右四味。剉作二百西西煎劑。去渣。一日分二次服。(適應症)猩紅熱初起發熱無汗。頭疼骨節酸痛。口渴煩悶。氣急喘促等。(方解)麻黃爲發汗解熱藥。有平喘利尿作用。於急性傳染病發熱無汗頭疼。骨節痛等症狀時。有排除毒素由汗液而出之功。尤其與石膏並用。能解熱平喘。杏仁爲鎮欬平喘藥。有祛痰作用。對於呼吸器病。喘息、咳嗽、頭痛、發熱、胸悶等症有效。石膏爲清涼解熱藥。用於時氣溫疫。(急性傳染病)發高熱。頭疼身痛。口渴煩躁等症有特效。與麻黃伴用。有發揮其利尿發汗作用。且能防止肺炎。甘草爲緩和藥。能緩解急迫性毒素刺激。潤咽喉。鎮咳祛痰。並能中和藥物。用於處方中。不僅矯味及調和他藥。且能助長各藥發揮之作用。

『處方二』六味湯。荆芥穗八・○。防風六・○。桔梗五・○。甘草四・○。殭蠶八・○。薄荷四・○。右六味。作三百西西煎劑。去渣。一日分三次服。(適應症)腥紅熱疹點雖現。咽喉及腭扁桃紅腫發炎劇烈。或顯假膜炎粘涎滲出物滿佈。高熱頭疼。畏寒無汗等。(方解)荆芥穗爲發汗解熱藥。有驅風排毒清血作用。賞用於頭痛發熱。瘖疹風毒。痙攣等症。尤其對於血液中毒素發熱。有驅除清解之功。防風爲解熱驅風藥。擅長於治頭疼。骨節疼痛。形寒。心胸煩悶等症。因其能疏通經絡。發散皮膚壅鬱之毒素。桔梗爲祛痰藥。能清利咽喉。賞用於喉頭炎性滲出物。粘膩不鬆等症。殭蠶爲驅風解毒藥。賞用於喉痺失音。丹毒風疹。咽腫瘖癖等症。薄荷爲清涼發汗藥。有健胃解熱作用。對於發熱頭疼。喉痺失音。痰涎粘膩。瘖疥風疹。口齒諸症有效。煎湯漱口。去白苔。令人口氣香潔。甘草見前。

『處方三』古今錄驗升麻湯。升麻六・○。石膏三○・○。牡丹皮八・○。甘草五・○。右四味。剉作二百西西煎劑。去渣。

一日分二次服。(適應症)猩紅熱惡性類熱高喉炎皮顯紫瘢煩渴、胸悶。輾轉不甯。(方解)升麻爲解熱解毒藥。有發汗清血治瘡作用。能消除咽痛。痲痧、痘瘡、及諸瘡之毒。善治咽喉炎腫。解急性傳染病之熱。舊稱辟瘟疫。疑其有清血殺菌作用。牡丹皮爲清涼性通經鎭痛藥。有涼血清血作用。賞用於頭痛腰痛。吐血衄血口瘡喉炎諸症。石膏、甘草、均見前。

『處方四』利膈湯。薄荷四•〇。桔梗六•〇。荊芥五•〇。防風五•〇。牛蒡子一〇•〇。生甘草三•〇。玄參一〇•〇。右七味。剉作三百西西煎劑。去渣。一日分三次服。(適應症)猩紅熱汗少。咽喉腫痛。發熱胸悶。頭疼欬嗽。痰涎粘膩不鬆等症。(方解)牛蒡子爲清涼解毒藥。善治咽喉諸炎腫。並消斑疹癰腫。頭面諸瘡毒。玄參爲清涼消炎藥。有利咽喉。解熱毒作用。並治心驚煩熱。虛腫瘡毒。虛勞骨蒸等。薄荷、桔梗、荊芥、防風、甘草、均見前。

『處方五』玄參解毒湯。玄參一二•〇。甘草五•〇。梔子一〇•〇。黃芩六•〇。桔梗六•〇。葛根七•〇。生地一四•〇。荊芥六•〇。淡竹葉六•〇。右九味。作三百西西煎劑。去渣。一日分三次服。(適應症)猩紅熱初起。發熱頭疼。喉痛咳嗽。口渴。顯楊梅色舌。咽腫呑嚥不利。小兒煩啼驚厥。(方解)黑山梔爲清涼觧熱解毒藥。對於內部充血性炎症。發熱、煩渴、嘔吐、胸悶、吐血、衄血、等症。有特效。黃芩爲清涼解熱藥。用治寒熱往來。頭痛煩渴。胸悶嘔吐。咳嗽氣逆等症。頗效。葛根爲清涼解熱藥。有發汗解毒作用。治頭痛項强。發熱無汗。煩悶。斑疹透達不暢等。有特效。生地爲清涼性滋養强壯藥。有清血涼血作用。用以吐血。牙齦出血。咽喉炎症出血等症。能解熱止血。生津除煩。淡竹葉爲清涼解熱利尿藥。能治煩熱口渴。小兒驚啼。有清血鎭靜作用。玄參、甘草、桔梗、荊芥、均見前。

『處方六』牛蒡子湯。濟生 牛蒡子一〇・〇。玄參一二・〇。犀角二・〇。黄芩六・〇。升麻六・〇。桔梗六・〇。木通五・〇。甘草四・〇。右八味剉作三百西西煎劑。去渣。一日分三次服。(適應症)猩紅熱初起熱高喉痛。神昏譫妄煩渴。胸悶、咳嗽、小便短赤等。(方解)犀角爲解熱解毒藥。有强心鎭靜作用。對於急性熱病。熱高神昏吐血發狂。發斑發疹。疔瘡癰腫等有特效。木通爲解熱利尿藥。有清涼消炎作用。能治煩熱喉痺。咽痛口瘡等。牛蒡子、玄參、黄芩、升麻、桔梗、甘草、均見前。

『處方七』犀角地黄湯。犀角 水磨冲 三・〇。牡丹皮一四・〇。生地黄二〇・〇。芍藥一二・〇。右三味剉作三百西西煎劑。去渣後冲入犀角。一日分三次服。臨服時須振蕩。(適應症)「惡性」「出血性」猩紅熱。熱高神昏。吐血鼻衄。皮下發紫癜或血尿等。(方解)芍藥爲鎭靜藥。有收斂作用。用治上部充血性頭痛。吐血、驚狂、目赤鼻衄等。犀角、丹皮、生地、均見前。

『處方八』利咽解毒湯。山豆根六・〇。玄參一二・〇。桔梗五・〇。甘草四・〇。牛蒡子一〇・〇。防風六・〇。麥門冬一二・〇。右七味剉作三百西西煎劑。去渣。一日分三次服。(適應症)咽喉腫痛。猩紅疹稠密。發熱口渴。咽喉及扁桃體發陷窩性炎。痛甚不能呑物者。(方解)山豆根爲解毒藥。有消炎殺菌殺蟲作用。對於咽頭喉頭發炎腫脹頭痛。有特效。麥門冬爲袪痰藥。有粘滑緩和滋潤作用。治胃熱燥渴。肺熱咳嗽。咽喉痛等有特效。玄參、桔梗、牛蒡子、甘草、防風、均見前。

『處方九』清胃湯。金鑑 石膏二五・〇。牡丹皮一二・〇。黄芩八・〇。生地黄一五・〇。黄連三・〇。升麻八・〇。右六味㕮作三百西西煎劑。去渣。一日分三次服。(適應症)猩紅熱疹瘢稠密。皮赤如錦。面紅目赤。齒衄。大熱煩渴。嘔吐。舌如楊梅。乾燥無津等症。(方解)黃連爲清凉性解熱消炎藥。有健胃作用。用於充血性炎症發熱嘔吐煩渴目赤頭疼等症有特效。石膏、牡丹皮、黃芩、升麻、生地黃、均見前。

『處方十』吹喉散。甘草(去外皮)一〇・〇。元明粉四・〇。右二味。各研極細末。再和研勻。磁瓶收貯。每用少許。吹喉頭患處。一日數次。適嚥吞亦不妨。(適應症)猩紅熱毒走咽喉。發炎腫痛。或陷窩性炎。或生假膜性炎。或生膿腫。粘液性滲出物特別增多。致水湯不能下嚥者。用此藥吹喉。有止痛消腫。祛痰防腐之功。(方解)甘草爲緩和黏滑藥。外用作黏膜包攝防護刺激之用。能潤滑止痛。元明粉即朴硝。經風化而成。化學上名爲「硫酸鈉」。性善溶解於水。爲鹽類瀉下藥。對於水腫性炎症。有誘導作用。內服能奏迅速瀉下稀薄便之功。外用吹喉。能治急性咽喉炎。黏膜水腫。或炎腫脹痛。氣息迫促等危篤重症。於緊急之間。吹入少許。或頻頻嚥下。有消腫消炎之效。

神經系病(續)

富晚香

中風(腦出血)(腦充血)(續)

風引湯　治除熱癱癇

大黃　乾薑　龍骨(各四兩)　桂枝　甘草　牡蠣　寒水石　滑石　赤石脂　白石脂　紫石英　石膏(各二兩)

右十二味。杵粗篩。以韋囊盛之。取三指撮。井花水三升。煮三沸。溫服一升。治大人風引。少小驚癇瘈瘲。日數發。醫所不療除熱方。巢氏云。脚氣宜風引湯。

按、徐靈胎曰。此乃藏府之熱。非草木之品所能散。故以金石重藥清其裏。是徐氏已知本方之主要成分在金石藥矣。時賢郭受天曰本方之奇效。全在石藥。近世西洋各國盛行加爾叟謨療法。謂其有鎭靜鎭痙鎭痛止瀉强心止血消炎制泌等作用。而本方之石藥。其主要成分。卽爲加爾叟謨。是加爾叟謨之醫治作用。卽本方之作用。況又加以有效之大黃。復佐用芳香之桂枝。尤合近世各國下劑配合之通例。石灰劑與下劑同用。尤能使其瀉而不滯。噫。古醫方之神妙。誠有不可思議者也。

大活絡丹聖濟　治一切中風癱瘓痿痺痰厥。拘攣疼痛。癰疽流注。跌仆損傷。小兒驚癇。婦人停經。

白花蛇　烏稍蛇　威靈仙　兩頭尖（俱酒浸）　草烏　天麻（煨）　全蝎（去毒）　首烏（黑豆水浸）　龜板（炙）　麻黃　貫仲　炙草　羌活　官桂　藿香　烏藥　黃連　地黃（熟）　大黃（蒸）　木香　沉香（以上各二兩）　細辛　赤芍　沒藥（去油另研）　丁香　乳香（去油另研）　殭蠶　南星（薑製）　青皮　骨碎補　白蔻　安息香（酒熬）　黑附子（製）　黃芩（蒸）　茯苓　香附（酒浸焙）　元參　白朮（以上各一兩）　防風（二兩五錢）　葛根　虎脛骨（炙）　當歸（各一兩五錢）　血竭（另研七錢）　地龍（炙）　犀角（另研）　麝香　松脂（各五錢）　牛黃（另研）　片腦（另研各一錢五分）　人參（三兩）

右共五十味爲末。蜜丸如桂圓大。金箔爲衣。陳酒送下。

徐靈胎曰。凡頑痰惡風。熱毒瘀血入於經絡。非此方不能透達。爲治肢體大證必備之藥也。方書亦有活絡丹。祇用地龍乳香等四五味。此乃治藜藿之人實邪之方。不堪用也。

按、本方之主要藥爲蟲類。嘗憶惲鐵樵言論（原句出在何書業已忘却。祇得記其大略）渠自身曾病心藏瓣膜病而引起之震顫症。後服蟲類藥全愈。因發明蟲類藥能弛緩神經。厥後臨床試於驚風中風。均獲偉效。於是信乃益堅。編者得此說後。曾親施於一風痹肢體痿廢症。不半月而手足曲伸自如。其奏效之神如此。是方於蟲類外。以行氣（刺激神經起反射）去瘀藥爲最多。故編者以此方於中風後之稽留症。須活血去瘀平腦者爲尤效。惟此方合寒熱補瀉於一方。惲氏以爲雖難以理解。然古方之神妙。正在此等間。若欲以完全科學上之解說。則須待今後化學進步時矣。

外貼方——即刺激皮膚引血下行。以改變充血重心。

芥子浴脚方　治中風卒倒。顛狂頭痛。小兒驚風等症。

白芥子細末（五錢）

右以雞蛋清。調爲濃漿。敷於足底心。

按、吾人脚底末稍神經分布最多。芥子有刺激引炎之效。惟用時過長。每致紅熱疼痛。甚則且起水泡。故用雞蛋清相調。減其酷烈。雖用于小兒（如肺炎驚風等）亦無妨矣。

結論——編者按、中風一症。自來皆以肝腎兩虛。外風引動內風爲說。故方劑中之如小續命湯。注重解表。地黃引子之專事膩補。二方雖亦有用。然與以上大法不合。故未採取。後世方雖合理者甚多。然多如過江之鯽。有錄不勝錄之概。且中風大法。已不外乎此。望學者舉一反三可也。他如中風之須用去瘀法者。雖于活絡丹條下已言之矣。惟言之不詳。茲再引時賢何劍華經驗方補充如下。

(上略)上面的外治法和內服方。都是在腦血充溢。人事不省的時候。同時施行的。若至醒來。但現半身不遂等的神經病的時候。則須用下面內服方。

黃耆(三錢)　川芎(二錢)　桃仁泥(二錢)　川紅花(二錢)　乾地黃(三錢)　白歸身(五錢)　杭赤芍(二錢)　飴糖(五錢)

說明　桃仁紅花以去病根——包覆神經表膜的變質血餅。用耆芎以刺激神經使牠起反射作用。赤芍歸身破瘀調血。地黃養血去瘀。(說見化學實驗新本草)飴糖補血。

我從前在東南醫科大學肄業。知道凡是西醫見了腦出血證。總以放血為前提。好使血壓驟然降落。但因患本病的人。大多是平素血虛。血壓增高不過是虛性興奮罷了。所以放血雖能得一時的見效。但結果好的很少。常因虛脫而致不救。就是上面乙字條下內服方之有人參。也無非是因一時血液下行太突然了。引起腦貧血而致虛脫不救。這也不過防患未然罷了。

按。何君之說。不但足以引證中風醒後。必須用去瘀劑。且知西醫無驅瘀劑。其治瘀之術。不如我國醫遠甚也。

按。腦充血為腦出血之過程。蓋出血必先充血也。他如神經衰弱。亦即所謂虛性興奮是也。茲錄時賢張錫純氏腦充血建瓴湯一方。建瓴之水下行。二字即取此義。　(未完)

淋病

周自強

A　緒論

淋之義，淋瀝不爽，屢澀不宣也。全匱消渴篇曰：淋之爲病，小便如粟狀，小腹弦急，痛引臍中；又視其證之狀態性質，區爲膏淋、血淋、石淋、氣淋、勞淋、等等。惟西醫以淋病爲花柳症三者之一，謂由淋濁雙球菌爲祟而傳染，中醫列入濕熱門中，不究病理若何，凡排尿點滴者，即稱曰淋，未聞有傳染之說。蓋泛指所及，固有無傳染能力之病攙入者。與濁症亦有別，細繹諸說，列之於下。

B 淋病之一般理論

素問六元正紀大論曰：「陽明司天之政，初之氣，小便黃赤，甚則淋。又曰：太陰作初氣，病中熱脹，脾受積濕之氣，小便黃赤，甚則淋。又曰少陽作二氣，風火鬱於上，膽熱甚病淋。」小便黃赤謂之曰熱，膽熱病淋亦小便熱甚，溲時作痛之類。故丹溪曰淋雖有五，總屬於熱。巢源曰：淋之爲病，腎虛膀胱熱。腎氣通於陰，陰爲水液下流之道，膀胱爲津液府，腎虛小便數，膀胱熱則水下澀，病爲淋。故龔氏回春曰五淋皆膀胱熱也。外台論病源似巢源曰：膀胱與腎爲表裏，俱主水，水入小腸，下爲胞行於陰爲溲便也。腎氣通於陰，陰津下流之道也。若飲食不節，喜怒不時，虛實不調，則臟府不和，腎虛膀胱熱，膀胱爲津液之府，熱則津液內溢，流於睪，水道不通，水不上不下，停積於胞。千金曰熱在小腸，不能司膀胱氣化，而小便頻數，小腸盡處旁通膀胱，膀胱滲濟，是必小腸有瑕。

綜上所言，可歸納其原因曰：（1）攝養不謹，腎水遂虛。（2）腎虛不上交心火，津液不化，小便遂數。（3）心火熾盛，移熱小腸。（4）小腸旁通膀胱，膀胱亦生熱而水液不行。一面復受水液之數下，互爲因果，淋病以成。故張氏醫通曰：諸淋之發，腎虛而膀胱生熱也。水火不交，心腎氣鬱，遂使陰陽乖舛，清濁相干，蓄在下焦，故膀胱裏結，從水道出焉。於是有淋瀝不斷之狀。甚者窒塞其間，令人悶絕，凡小腸有氣，則小便脹，小腸有血，則小便澀，小腸有熱則小便痛。所謂澀也熱也，無非言淋之成耳。新說所示：膀胱括約肌崩壞，尿出淋瀝，腎藏諸疾，由疼痛之放散，亦可病淋。膀胱尿道病尤然，則詳於後。書又曰：病淋者，慾盛而痛劇，故多實。濕與熱搏，小便不利，尋定其治法之綱曰：疏利水道，清解熱邪，而平調心火，以抽釜底之薪，和淪氣機，以速藥石之功。如五淋散以歸芍和血，桑苓梔草清熱，梔子赤苓利濕。（一方加生地、澤瀉、木通、滑石、車前、以利濕。另方滑石、赤苓、木通、甘草、竹葉、茵蔯、梔子、赤芍、）或八正散以大黃清熱，餘藥利尿，（余以為大黃宜用製軍為佳。）或用必效散（當歸、生地、赤苓、滑石、牛膝、山梔、麥冬、枳殼、黃柏、知母、萹蓄、木通、甘草、）治蓋不外乎此，而補劑汗劑，不得妄投，實症而補之，則氣愈脹，血愈澀，熱愈熾也。仲景曰：淋家不可發汗，汗之必便血，故汗劑亦忌。

C 淋症分類 （a）血淋

淋多屬熱，前已言之，惟熱之盛，則為血淋，前人曰：三焦熱搏於腎，流入胞而成淋，其狀小便出澀，亦有宿病淋得熱暴發者。或曰：勞熱甚者，血行散入失常徑，滲注入胞，病為血淋。西醫籍載血尿原因殊多，欲嚴格析之難矣！凡腎藏囊腫，化膿性膀胱炎、膀胱癌腫、膀胱結核、尿道腫瘍及外傷均有排尿疼痛，尿帶血液之證狀。除外傷者外腎臟出血，痛覺雖有放射，必顯著於腎位。溺出血液，始終與尿親和，血色赤褐。殆古所謂豆羹汁者耶？膀胱病多尿道障礙，血液每出於尿後；而不親和。尿道症劇於本部，尿前後出血數滴，血色俱鮮赤。書曰：血淋鮮紫，為小腸實熱，涼血為主，瘀淡為腎胞虛寒，溫補為主。清者如當歸、生熟地、黃芩、黃柏、黃連、知母，木通、桑皮、及小薊飲子之類。山梔、蘆根、藕節、茅根、均良。（千金有茅根湯治膀胱熱結及產後淋）溫補如八味丸、鹿茸丸、之類主之。

(b)膏淋

膏淋古又稱肉淋，言其與溲尿同下，如脂如膠，而少腹裏急也。或謂由腎虛不能制肥液，（意謂膏狀物）而與小便俱出。是以古來醫家，俱以收濇為主治。或曰：是症類乳糜尿，然乳糜尿為絲狀蟲之寄生，阻塞淋巴還流而然。排出尿液乳汁狀或含多量脂肪球。而尿時不淋瀝裏急。則不類膏淋，其惟淋濁菌致患之疾，俗稱白濁者乎？經曰：入房太甚，宗筋弛痿，發為筋痿，及為白淫。前人不明淋菌之賜，則曰敗精濕熱之留滯故也！主以海金砂、滑石、秋石、沉香、象牙屑、之類。海金沙散、六角霜丸、可用也。虛人聚精、六味、絲菟、等丸擇用之。

(c)石淋

石淋患者，痛苦甚於他淋，以小便雜尿沙結石，欲出不得。若腎石由輸尿管下輸膀胱，更卒發疝痛，或引起腎炎，膀胱炎，輸尿管炎，或成壞疽穿孔，或穿孔性腹膜炎而死。此項結石，以尿酸及尿酸鹽沉澱併結成者最夥。燐酸鹽、蓚酸鹽、及膀胱內竄入血塊、粘液、毛髮等。尿酸鹽從而包裹沉著亦見之。前人所謂尿之成石，猶湯瓶煎碱，海水煮鹽，意似是耳。治多以散結滌熱為主，如木通、冬葵、瞿麥、車前、琥珀、之類。成方如神效琥珀散、如聖散、千金石葦湯之類，皆可擇用。

(d)勞淋　氣淋

夙夜辛勤，操作勞倦，致過勞而病，病則小便不利，努責不出，少腹引痛，竟其源則營養障礙，或尿意過忍，膀胱擴張過度，或脊髓勞等使膀胱壓縮肌痳痹，感覺遲鈍而成。去膀胱痳痺症蓋邇。前人雖以脾虛腎虛分治，要亦隨何種營養之貧乏，投適當補劑已耳！虛偏於陽，則補中益氣健脾，與奮疲勞之肌肉。虛偏于陰，則以六味地黃填腎，充實營養之缺失也。脾腎之分，其虛則脅虛之所自，因於勞倦至此，我人曷反觀氣淋之記述？外台曰：腎虛膀胱熱，熱氣深入胞，熱則生實，令胞內氣脹，少腹滿腎氣不能致小便故令滿。或曰其狀膀胱小便皆滿尿澀常有餘瀝是也！亦曰：氣癃診其少陰脈數者，男子則氣淋。簡言之，小腹滿，氣脹，小便不利爲候耳。氣脹因小腹之滿，腹滿因小便不利，胞系轉戾。此非膀胱壓縮肌括約肌之痲痹乎？非膀胱痲痹之症乎？非勞淋之流乎？氣滯以沉香石葦瞿麥等散之，四磨等降之疏之。氣虛與八珍等補之，非類勞淋之治乎？惟勞淋屬虛宜補，氣淋有虛有實，氣虛證補氣，脾虛證補脾，腎虛證補腎，不皎然析耶？病狀既同，蓋不得於虛實之中多立病名！

D尾聲

國醫名病以證，投劑亦以證，初無確鑿目標，不搖之規矩在。故名病證之間，輒相淆亂，余草斯篇，以證候爲依歸，藥劑病名次之。倘有熱淋冷淋諸症，大抵以淋瀝爲主證，偏寒偏熱而別證立名，是可舉上述諸法反隅，不必更事縷列矣！自惟末學，謬訛孔多。課餘偷閒，又不暇爲長時間考慮，稿成繙閱，殊病簡略而不慊意。有賜敎言，榮幸何如!?

女科

女科醫籍考（續）

張又良

楊子建十產論一卷。不署撰時年代。大全良方產科備要曾引用之。蓋爲宋以前書也。其學說手術。皆精詳至當。雖遠在九百年前。而與現代科學不甚相背。實爲助產科學之鼻祖。

徐子才逐月養胎方一卷。計養胎保胎各十方。以東方屬木。爲萬物始。故妊娠一二月。肝膽配之以養胎。木能生火。三四月心胞小腸以配之。循次相生。迄膀胱而終月。本此妄搆虛渺之理。而求逐月養胎之方。欲其有功。烏乎可。宜後世之無賞音者。徐氏爲北齊人。精於醫。惜爲風尚所囿。致聰敏善悟之才。用於五行生尅之學。不亦惜哉。

坤元是保宋隆興薛仲昂撰。書凡三卷。總二百二十方。(今秩十二方)曩無刻本流傳。其論理雖無特出處。而製方輕靈。自成一派。較諸產論產寶等方之多剛燥者。迥然不同。蓋薛氏竭四十餘年之精力而成是書。以爲燕翼之謀者。故敍曰。「彼精金美玉。爲用易盡。此則用之不盡也。祕之足以爲恆產。」又曰。「雖翁壻甥舅師友之親且切者。亦不可借觀。」其珍祕鄭重如此。惜無嗣而授之壻。豈冥冥之中。與鄙夫以薄懲者乎。

周頲傳授濟急方論一卷。不詳撰人姓氏。乃民間流行之經效方。周頲得之。『自曾修合實有大功。』遂錄產寶卷末。以廣流傳。周氏不自署爲何代人。大全良方坐月門曾引之。大全爲宋書。則周氏必宋以前人也。

薛氏祕傳萬金方宋玉峯薛古愚著。原書不明撰時年代。產寶百問鄭氏受薛產原流始詳之書。以原始論、十二經氣血論、胎元論、保胎論、紫河車、上古天眞論、氣血論、胎前產後脈論、宿血腫脹歌、產科歌訣十論爲首。女科八十四證方繼之。共爲一卷。其立方之靈活輕巧。在坤元是保之上。而精切適當尤過之。實爲女科醫者之極妙參考書。

濟陰要語一卷。自署隆興三年菊月鄭春敷輯著。(首敍署鄭春敷。卷內署鄭三山。不知三山爲其號。抑其名。尚待查。)考隆興爲宋代年號。坤元是保撰時年月。亦與此本同。其內容亦然。而文次詞句。間有稍異者。爲其強加修飾。作掩人目計耳。如是盜竊成書。尙云『雖至親密友。如甥舅師弟之間。不可借覽。余已祝天設誓。後之子孫。不可輕犯』又曰。『家無恆產。此是金穴。』何其厚顏乃爾。

錢氏產科驗方三卷。明錢陞薇著。乃越中錢氏產科世醫之傳本也。其子孫祕之。外人欲一假觀弗可得。及民十三年。同邑老醫何廉臣與錢氏有世誼。一再索之。始由少楠氏允共同好。紹興醫藥月報。曾一度載之。書以證方爲主。每方分方名主治藥品用量。隨證加減。實驗發明四節。其除用藥輕巧注釋精詳外。而於胎前忌避。尤爲謹嚴。乃初學者之良好讀本也。

四明宋氏女科祕書一卷。明萬歷間宋林皋撰。分求嗣、妊娠、小產、產育、產後、乳病、乳岩、婦人諸病一十三門。又論賦四篇。諸家選方一百八十五道。經驗方四十一道。宋氏世爲儒者。故其立論精簡。用藥周嚴。與一輩淺俗者。不可同日語也。

邯鄲遺稿。爲明趙養葵所撰。囊抄流傳。至清嘉慶間始梓之。今亦無售者。書凡四卷。分經候、血崩、淋閉、妊娠、臨蓐、產後、六門。議論詳而不繁。處方亦頗中肯。其治妊諸方。多不忌薏滑通利者。蓋本有故無殞之旨耳。

婦人祕科三卷。明羅田萬密齋著。書分調經、種子、胎前、入月、產後五章。辨寒熱虛實之證。而定調經安產之方。條分縷晰。開卷瞭然。誠能綜諸家之所長。而折中於至當。此女科書中難得之善本也。

胎產祕本三卷。得自越中錢氏後裔。有清翁石洲知其良而梓之。書分胎前、臨產、產後、三門。辨證論治之詳到。不在錢氏產科驗方下。而驗方雖親出於錢氏滴派孫。然用藥多時代化。不若此本之有古味也。（未完待續）

停經

王景賢

（定義）所謂停經者，月經應來而不來之謂也；除妊娠授乳及老年經斷之生理停經外，皆謂之停經。故停經亦爲病理之現象也。

（原因）本症原因，有續發性及原發性二種；續發性多由于結核症、貧血症、萎黃病、肥胖病、糖尿病、及慢性嗎啡中毒，酒精中毒等而起；原發性則由于血崩、便血、吐血、失血、過多等，及驚恐悲哀等精神上之激動，或月經期中攝生不愼，誤以冷水洗浴，及偶罹感冒等而起。此外如女性內分泌之缺損，亦爲本症之一大原因。

（症狀）隨其原因而異，由于續發性者，除月經停閉外，其原有症狀依然存在；惟局部則無甚症狀，有之亦僅稍覺不舒而已。而原發性之停經，因失血過多而致者，雖局部亦不發生任何症狀，必見顏面蒼白眩暈耳鳴等症，其因精神上之激動而致者，則稍有自覺之局部症狀，——腹下部有痛感下墜等；但亦有不呈局部症者，未可一概視之也。其因經期不愼而致者，多見腹下部絞痛重墜，疲勞、頭痛、眩暈等症狀，甚至呈惡寒發熱，噁心嘔吐，脈搏頻數，四肢厥冷等症者有之。

（療法）本症療法，可分爲二類：

甲、除去其所以停經之原因，以恢復子宮之生理作用狀態。

乙、使內生殖器充血，以催進子宮及卵巢之機能。

此外如營養不良者，對于飲食起居，尤當特別注意，宜多攝取富含養料之食物，或常作戶外運動。

（處方）停經之原因既多，其處方自亦不能一律。茲根據前述治療之原則，亦約分爲二類：

甲、除去其原因之處方：

一、由于續發性——各隨其所患之症，施以適當之處方，治愈其所患之症，則其經自行矣。
二、由于失血過多——宜四物湯、養榮湯、衞生湯、十全大補湯、小營煎、調經湯、五補丸、柏子仁丸、澤蘭湯等。
三、由于精神激動——宜艾附丸、開鬱二陳湯、蒼莎丸，逍遙散等。
四、由于攝生不愼——宜破結丸、和血通經湯、紅花當歸散、牛膝散、溫經湯、桂枝桃奴飲子等。

乙、使內生殖器充血之處方：

抵當湯、玉燭散、通經活血湯、三稜丸、土牛膝散、當歸乾漆丸、通經丸、萬病丸、琥珀散、反經丸、紅花當歸散、千金桃仁煎、歸朮湯、神應丹、掌中金丸、大黃朴硝湯、一粒仙丹等，均有使內生殖器充血，以催進子宮及卵巢機能旺盛之作用也。

兒科

臍風預防法

潘國賢

嬰兒之臍風，多由感受母體之熱毒及斷臍時創口沾染汚物寒濕使然。歐西所謂臍部創傷感染破傷風菌，亦屬可信。吾國人民知識幼穉，衞生不講，每見嬰兒初生時，以汚銹不堪之刀剪，或汚穢之磁片安施割斷臍帶，故汚物寒濕細菌等得以乘機而入，以致病發莫救，死於非命，可慨也夫！如有每年之統計，則其死亡數何啻千萬，吾國人口之所以不能如各國之倍蓰於曩昔者，此亦一大原因耳！夫天之生人，本欲使之長成；試觀此罹臍風之嬰兒，少選卽逝，命若蜉蝣，實亦數見不鮮，愍焉憂之！因作是篇，以告世間之爲父母者，如法施行，得以安然長成，則幸甚矣！

小兒初生，惟臍風爲惡候，其症若臍出血、若丹毒、若壞疽、若靜脈炎、若破傷風等危險諸疾之發生，莫不由臍帶保護不密所致。預防之法，亦非一端。臍帶爲小兒在母體榮養之通路，內通五藏各部之血。斷時勿過短，勿着冷，浴時勿吹風，勿受濕，并摻以預防臍風散；裹束須用柔軟之布，便尿不可濕臍；此爲防臍風之第一要法。

預防臍風散　枯礬二錢五分　月石二錢五分　硃砂二分　冰片五厘　麝香五厘　斷臍帶時，以此藥摻上一次，以新棉花蓋之。

如小兒初生氣絕不能啼者，必因難產，或因冒寒所致；卽以棉絮包裹，抱入懷中，不可斷臍，以火油紙點着於臍帶上往來燎之，須臾熱氣入腹，便能啼哭，方可洗沐。

又初生時，兩乳必有硬核，在初次浴時，卽將二乳揉去乳汁，其核自消。否則，腫硬成毒，而有撮口之患。

又小兒墮地，視其臍帶軟者無病；如臍帶硬直者，卽爲臍風也。或浴後綳裹定當，卽噴嚏頻頻，吵嚷似傷風，或臍下發出青筋，或赤筋一道上行者，或大便熱者，一有見端，卽爲將發之候；急抱兒向明處，視其口中或上腭有泡，或齒齦有白點有黃筋，或舌上白屑堆聚，或舌下膜如榴子，急以挑口法刺之、刮之、拭之、塗之；再視兒臍下逆上之筋，必生兩岔，於岔行盡頭處，安艾灸三壯，以截上攻之路，更灸中脘三壯，中脘穴在臍上三寸，以兒左手中指屈曲節盡處爲度　再灸然谷穴三壯，穴在內踝前大骨下陷中　鍼入三分，不宜見血，或再於承漿穴，在下唇棱下陷中　頰車穴，在耳下頰骨端　各灸三壯，以洩其毒，此皆古人預防急救之良法也。

挑口法　嬰兒至要云：小兒出胎，氣血攻斂，則口內上腭齒齦喉舌皆淨；若氣血不斂，胎毒上攻，無不先見於口內者，或有泡生於上腭懸癰之前，初起色白，纔則赤色，最爲惡候，急當摘去其頭，或以鍼刺之，潰去惡血，速以綿拭淨，毋令下嚥，此爲第一要着。次看舌根上，有白泡如半粒米狀，急以銀鍼挑去，再看牙齦上，有黃筋二條，以葦刀輕輕劄斷，以洩惡血；或舌上白屑堆聚，以脫脂棉拭淨之，若舌根有膜裹舌，如蘆籜盛水狀者，以鍼破之，洩其氣，如舌下有膜如石榴子樣，或如蟲形，急以鍼向兩旁挑破；不可用正針深刺，傷其本路。以上各症，刮淨刺潰之後，以甘草湯絞淨，再用桑樹皮白汁，或陳京墨，或白殭蠶研末，頻頻塗之，可保無虞。倘父母姑息，爲兒護疼，不以刺刮，毒無洩路，速則變成臍風、噤口、撮口、等惡症，百無一生。遲則致成內釣盤腸驚搐之險，挽救莫及矣。或謂小兒口病，挑動則有病必挑，非此不可，最爲費事，殊不知挑口一法，能泄胎毒而不傷元氣，較服峻厲之藥，萬分穩妥，安可輕視！

痘症梗概

陳丹華

痘症之名。古藉不載。病始何時。不可稿考。昔人云。太古無痘。周末秦初始有此患。宋醫陳文中撰小兒痘疹方論一卷。而痘疹始有專集。至明聶久吾撰痘疹心法。精究斯症。更臻完備。是則痘症當發源於周秦。而彰明於宋明也。痘之成因。中西異說。尚無確論。今但將其證狀治法。以及順逆之候。分述於后。

證狀　痘發之初。微覺惡寒。或身熱。或咳嗽。耳鼻尻足冷者。爲痘症之候也。耳後有紅絲赤縷突出。脈洪大而弦數。則痘將見點矣。痘初放點。恆先見于胸窩面部。色紅成粒。兩顴之間。現出花紋。目倦含淚。或睛黃胞赤。睡易驚惕。溺赤便閉。此痘症之常證也。大凡痘症初起三四日或五六日報點。又二三日或三四日起脹。顆粒次第湧高。根脚腫脹。爲灌漿之預備。漿灌三日。毒化結靨而愈。此爲痘症之順序也。

治法　痘症初起一二日。宜解表疏散。使痘易出。藥如前胡、蘇葉、葛根、桔梗、葱白、荆芥、陳皮、豆豉、半夏、生薑、之類。三四五日宜清涼解毒。促痘起脹。藥如銀花、連翹、薄荷、牛蒡、桔梗、芥穗、黃芩、之類。六七八九日宜溫補氣血。使易灌漿。藥如人參、黃耆、當歸、川芎、桔梗、白芍之類。十至十一二日宜清理斂血。使易結靨。藥如地黃、白芍、桔梗、丹皮，白朮、山藥、雲茯苓、之類。此治痘之常法也。然有先期而速。後期而遲者。亦不可一概論之。先期則痘出甚速。宜輕解疏泄。不可重表。後期則灌漿遲緩。宜補氣透托。助其成膿。又痘點未全。不可清涼。熱毒未解。不可溫補。若身熱不揚。面白便溏。宜溫補發散。身熱如灼。面赤便閉。宜攻下清血。此治痘之大法也。

發熱順逆之候　熱不焚灼。或惡寒戰慄。二便調匀。飲食如常。氣息微粗而不喘。腰腹不痛。此順證也。若壯熱灼手。氣逆而喘。譫語悶亂。腹脹便閉。肌膚焦燥。口氣穢惡。面青頭脹。點來隱現。則爲逆證。

報點順逆之候　點根紅潤。頭面稀少、肢體明佈。身熱微涼。二便如常。此順證也。若點粒擁出。鮮紅繁密。或瘡色慘暗。肌膚乾燥。或點粒多見于眼胞、唇內、及舌、喉、胸、背者。或昏睡不食者。則爲逆證。

起脹順逆之候　身發潮熱。痘點齊出。胸背稀疏。根透囊綻。頭圓光澤。根窩紅活。此順證也。若身涼不熱。點隱難起。皮薄而白。光潤易破。根無紅色。或身熱甚壯。痘色紫黑。壅而不起。則爲逆證。

灌漿順逆之候　起脹之極。隨卽灌漿。中陷者盡起。頂平者盡峻。飽滿光澤。頂白根紅。先脹先灌。後脹後灌。循循有序。色如黃豆。此順證也。若頂陷不綻。根紅不潤。灌漿不滿。大便泄瀉。或稠密焦紫。或痰喘煩躁。則爲逆證。

結靨順逆之候　漿灌飽滿。色漸蒼老。唇面胸腹循次而結。痂潤光澤。身無寒熱。二便通調。飲食增加。此順證也。若身重發

中国近现代中医药期刊续编·第二辑

熱。停漿不醫。或潰爛難收。或寒慄痩瘁。則爲逆證。此辨痘症順逆之大概也。至於痘之變證。更甚於痧。偶有疏忽。變端卽起。醫者尤宜隨症變化。不可拘泥于成法也。

藥物

論中醫之補氣藥

吳明之

明於未論補氣藥之前。已爲之目瞪口呆。爲之徬徨回顧。蓋中醫之謂氣。且玄渺。且神祕。望之不能見其形。聽之不能聞其聲。雖今科學發達。用數千倍之顯微鏡。亦不能窺其究竟。中醫每重言之。如藏腑經絡之氣。六淫乖戾之氣。在生理上病理上佔一重大地位。就人最要之宗氣言之。素問平人氣象論曰。胃之大絡。名曰虛里。貫膈絡肺。出于左乳下。其動應衣。脈宗氣也。盛喘數絕者。則病在中。結而橫。有積矣。絕不至曰死。乳之下。其動應衣。宗氣泄也。此言脈之動由乎宗氣也。又靈樞邪客篇曰。宗氣積於胸中。出於喉嚨。以貫心脈。而行呼吸焉。此言宗氣之主呼吸也。又靈樞邪氣藏腑病形篇曰。宗氣上出於鼻而爲臭。此言宗氣之主臭覺也。綜上而述之。則宗氣之功用。有包括心肺腦三種之作用。蓋據近世生理學。謂脈之跳動。由于心房之漲縮。卽內經所謂心主脈也。呼吸由于肺。嗅覺由于腦之嗅覺中樞。營司靈樞決氣篇曰。上焦開發。宣五穀味。熏膚充身澤毛。若霧露之溉。是謂氣。此言氣化于水穀之精微。以營養四肢百骸。充澤肌膚皮毛也。古人每遇神經衰弱。身體羸痩之人。謂之氣血兩虧。遇大失血者。謂之氣不攝血。又有氣爲血帥。血爲氣配之語。繇此觀之。則氣之爲義大矣。洵屬神祕而難言也。而氣究屬何物歟。曰、凡有生命之物。必有勢力蘊藏其中。而人體之基本組織爲細胞。細胞乃屬有機生物之一。既名生物。無時無刻不在生長活動之中。當活動時所產生之勢力。氣之謂也。易言之。氣卽細胞之活動力也。如某部細胞之生活力衰減。機能隨之失職。中醫謂之氣虛亡陽。每用人參以補其氣。附子以回其陽。蓋人參之主要成分。爲巴那規倫。(Panaquilon $C_{24}H_{22}O_{18}$) 能興奮一切機能。强健細胞之活動故也。要而言之。中醫之所謂補氣藥者。卽有增進神經細胞之能力。强健藏腑器管之機能。助長新陳代謝之作用。使變衰弱而爲强壯者是也。觀夫機械之動。類乎汽也。汽者何。水與燃料而已矣。水得燃料。則化爲汽。以轉動機軸。人猶機械也。準是以觀。夫復何疑。

山藥能治肺癆之吾見

潘愷義

肺癆爲人類之大敵。無論古今中外之醫家。一見此病。莫不認爲束手無策者。然余以爲肺癆之危險。不在結核桿菌之存在。而在胃腸消化機能之衰憊。體內不得充分營養。苟吾人治療本病。能注意患者之消化機能。使能吸收豐富之營養成分。補償體素之耗損。增加自然抗毒之能力。則病竈自能逐漸縮小。細菌亦必漸次消滅也。攷肺癆患者之榮養療法。近世中西醫界。咸贊用魚肝油、雞蛋、鰻鱺、牡蠣、等物。然以余之經驗。此等食物。僅有滋養之成分。而無促進消化作用之能力。久服之。或且有妨害消化之可能。終非吾人理想中之肺癆病人食物也。余以爲藥物中之既富滋養成分。又有促進胃腸消化作用之能力。最適宜於肺癆患者之服用者。當首推山藥焉。攷山藥之成分。爲含有多量之澱粉「地阿斯太」(Diastase) 及名爲「畜生」(Mucin) 之黏質物。依榮養上之分析。鮮山藥則含有蛋白質二·四〇%。脂肪質〇·二六%。炭水化物一五·〇九%。纖維〇·九〇%。灰分〇·六四%。水分八〇·七四%。此種成分。恰合人體之需要。均能補助體內之消耗。又據日本藥學博士片山巖氏化驗之結果。謂除上列成分外。尚有一種名「卻斯他隨」之消化素。能于三小時內消化五倍份量之澱粉。近人華實孚君。則謂山藥有收濇之性。能遏止人體向外滲漏之糖質。夫糖質固亦爲人體重要之榮養分也。余則以爲山藥之有收濇性。亦有幫助腸胃吸收養分之作用。而蛋白質則有緩解之功。能除胃酸過多之消化不良症。欲得富有滋養成分。兼具强健胃腸機能之作用者。舍本品實莫屬焉。夫腸胃機能之健全與否。對於肺病之關係。既如上述。而肺病患者。又大都患大便溏泄。消化不良等症。如能於其他滋補藥中加入山藥。或用山藥煮粥常服。則消化機能既已健全。體內養分亦必日益充足。細胞得營其活潑之作用。當不難達到日漸康復之目的也。醫聖仲景治虛勞血痺。嘗以薯蕷丸爲主。則是山藥之治虛勞。先哲早已先我而實行矣。

筆記

驗方瑣記（六）

唐慎坊

吾校（蘇州國醫學校）二年級生吳明之。面部患疣目。俗名千日瘡。又名老鼠奶。如細肉釘。根根倒植面部。余授課時見之。輒爲之不怡。苦無驗方療治。一日忽見其面部濯濯。所謂千日瘡者。已一掃而光。異而詰之。則曰遍檢藥物之可治贅肉者。繼檢得本草綱目石部硇砂條。載集效方云。治面上疣目。硇砂、硼砂、鐵鏽、麝香等分研。搽三次自落等語。依方爲末。麻油調搽（夜間臨睡搽之）不數日。堅老者脫落。新嫩者蝕消。還我本來面目矣。余聞之。又爲之大快。由此觀之。國藥如此神效。信而有徵。未可輕視。爰錄之以告世之與吳生同病者。且以表彰國藥之奇驗焉。

履冰室醫學隨筆

夏伯和著　馮長楷錄

書云。冬日則飲湯。夏日則飲水。乃古聖教人隨時序以調和衛生之活法。而中寓養陰養陽。毋伐天和之義也。後人不察其理。竟謂夏日人身陽外陰內。（註者竟將陰字當作寒字解）一切寒涼之品。均列禁例。（偏見如此。誤人不淺）第中寒質弱之人。奉爲規則。庶幾有益。（中寒之人。若于夏日偶受暑邪。亦當隨用涼劑。不可拘謂寒體不服涼劑也。然祗可清到十分之六七。即要變法。過劑即不合度。學者最宜留心。不得忽視。）若平素火旺體強。處于夏日炎威之下。奔走長途。躬親隴畝。少飲涼水以解渴略啖瓜菓以除煩。未嘗不可。（但要使氣息平定。方可少少飲啖之）苟拘拘以生冷爲戒。似非古聖人之通論也。然古人行之。後人遵之。往往不達其用意。是以衛生之理。反作傷人之資。嘗見鄉間務農者流。每于烈日當空。用力田間。不肯稍暇。遂致大汗如浴。未免津液亦傷。舌燥口乾。其情可想而知。爾時即覺溫湯在前。亦不願飲。惟有新汲井水。是所急需。甚至碗猶不及。以瓢代之。不知此時身中之熱度正增。血輪之流行倍速。一旦驟飲冷水。遏其循環之機。煩渴雖除。血行頓緩。由緩而滯。（經云血得熱則行。得寒則泣而不流。）由滯而瘀。瘀積經中。隧道遂壅。若加外感。表汗最難。醫者不解其理。不悉其弊。就一表證。即能令其束手無策。嘔心無方。治之之法。但可活血（如當歸、赤芍、川芎、紅花、桃仁之類。）或加桂枝。）疏風。（如蘇葉、荊芥、防風、羌獨活之類。）庶汗得出而表可解。否則汗源已涸。縱廣集表劑。曷能冀其熱退身安哉。

長楷按。此法施于藜藿之體頗當。余於去夏治董姓子。約十七八歲。發熱一候不退。心煩不安。他醫當溼溫治。漸至昏譫。余診之。詢其因車水灌田。恣啖冷物。蓋暑熱內伏所致。初用銀翹散加減。病情略退。但仍覺心煩。次于前方加羌活、秦艽、益元散、麥冬、服一貼。得透汗出。而心亦暢矣。後調理而愈。然余所以敢用羌活者。亦因見夏師曾治一人。患暑溫內陷發痦心煩之重證。師用小陷胸加羌活秦艽而愈。故師其法也。

雜 俎

蓮藕瑣談

沈仲圭

藕乃雙子葉植物。離瓣花屬、睡蓮科、蓮 Nelumbo nucifera, gaertn 之地下莖。故名蓮根。亦曰蓮藕。亞細亞原產。多年生草本。生於池沼或水田。浙江西湖及塘棲所產者。尤爲著名。形肥大而長。表面有節。節上有纖維根。橫斷面有數個縱行之圓孔。表皮淡褐色。肉質潔白。味甘而濇。夏月水上抽梗。頂端開淡紅或白色之花。花托呈倒圓錐形。內藏橢圓形之種子二三十枚。曰蓮實。與地下莖并爲藥用食物。

藕之營養成分爲蛋白一・七〇。脂肪〇・〇八。澱粉一〇・八六。木質〇・八四。灰分一・一三。水分八五・三九。有效成分爲單甯酸。具收斂止血之作用。我國向用爲血症藥。方書載配伍本品之驗方。指不勝屈。茲甄錄其合理者如左。

(一)印光法師方——生梨一個去心。紅棗柿餅各二枚。荷葉一張。鮮藕一斤。打汁。前四味煎湯。冲藕汁服。(治吐血)

(二)梅氏驗方新編——雄豬肺一個。須不見水。入童便內浸一晝夜。取出再用藕汁、人乳、童便、梨汁、蘿蔔汁、杏仁汁、各一盌。不加水。入瓦罐。用炭火煮爛。忌鐵器。將炒糯米粉收乾爲丸。每朝服三四錢。(治吐血)

(三)仝上——藕節搗煎濃湯。調白芨末服。(治吐血)

(四)鮑氏驗方新編——蓮藕日日煎飲。不可間斷。輕則三月。重則半年斷根。無鮮藕時。用藕粉亦可。(治吐血)

圭按中醫對於吐血二字之界說極寬泛。胃出血固名吐血。即肺血之非夾於痰中者亦名吐血。詳觀以上四方。實皆肺病咯血之要藥。無論欬血痰血。殆皆可治。又童便含水分、尿素、尿酸、鈣及鎂之燐酸鹽、燐酸鈉、阿莫尼亞、游離酸、諸成分。不但具止血之效。且能振起食慾。包圍病竈。緩通大便。肺勞失血。用之彌佳。病者勿以穢濁而屏棄之。

藕粉為熱性病虎列拉愈後調養。及患白濁赤痢之佳良食餌。惜市上所售。贋鼎居多。茲述其製法。以便自製。

(一)取粗藕。洗淨截斷。浸三日夜。每日換水。至極淨。濾出搗如泥。以布絞淨汁。又將藕渣搗細絞汁盡。却輕濾去渾脚。以清水少許和攪之。然後澄去清水。下即為粉。曬乾收用。

(二)磨乾藕。入水中浸之。沉澱成粉。(照此二法製成之藕粉。沖以沸水。色如紅玉。)

藕之食法甚多。如(一)切絲炒食或拌食。可以下酒。(二)灌糯米於藕孔中。置糯米粥鍋中煑熟。切片加糖。可以代點。(三)將嫩藕在竹籮邊上擦成粗末。入芡粉為圓。另和配合料一二種。入油鍋煠之。可以佐膳。(四)冬日取老藕。和以紅棗、銀杏、地栗、菱角等。水煑和糖。可為游食。以上所舉。皆吾杭之普通食法也。

學醫導徑(續第三期)

周禹錫

外科一門。古分瘍科傷科。今則統稱外科。以其病在外也。余於此科。素少研究。雖然。竊嘗聞之矣。瘍之發也。必臟腑經絡有不通。故外現癰疽結核之阻滯。按其部位。則十二經經脈可稽也。分其形色。則紅腫屬陽。白陷屬陰。可辨也。如王洪緒全生集。御纂醫宗金鑑之外科。許半龍外科學大綱。顧鳴盛中西合纂外科大全。應味農疔瘡要訣。張山雷瘍科綱要。高錦庭瘍科心得集。梁希曾癧科全書。凌曉五外科方外奇方。羅世瑤行軍方便方等書。可供研究之資料。傷科則以手術爲先。而以藥物輔之。蘇州中醫傷科研究社季愛人主編傷科大全。爲傷科專校之講義。內分生理、解剖、病理、藥物、上骱、綁縛、接骨、診斷、方劑、纂述甚詳。可細讀也。余於此科。謹謝不敏。亦弗敢强不知以爲知。海內外 明哲。其亦有補此缺憾者乎。

至於女科。則推蘇州女科專家王愼軒女科講義爲最優。玆述其書目概要如下。

(一)女科病理學 女科病理非常複雜。是書博采中西女科病理之精華。詳其病源。明其病變。學者讀此。則婦女之病。可瞭如指掌矣。

(二)女科診斷學 古云甯治十男子。莫醫一女人。蓋言女科診斷之難明也。苟無專書。必難深造。惟此書專論婦女各病之診斷法。中西合參。章節分明。學者讀此。則治婦女之病。毫無難矣。

(三)女科治療學 此書係折衷古今女科之學說。參以多年臨診之經驗。采集最靈驗之療法。著成有系統之醫書。法無不精。方無不驗。較諸從前女科各書。誠有霄壤之別也。

(四)女科醫論 是書選輯古今女科之醫論。參以經驗之學說。議論正確。切合實用。

(五)女科醫案 此書純係王氏多年經驗之治案。每案後均有按語說明。開卷讀之。勝如臨證矣。

(六)胎產病理學 此書乃采集中西之精粹。參入臨證之經驗。精義妙理。無不備具。實爲難得之書。

(七)胎產診斷學 胎產疾病。診斷頗難。王氏此書詳論妊娠產育之診斷法。切於臨診實用。與人云亦云者不同。

(八)胎產治療學　此書采集古今胎產治法。臨證經驗良方。祕訣奥旨。完全公開。實爲胎產書中不可多得之書。

(九)胎產醫案　此書乃王氏經驗之醫案。幷附按語。使學者讀此苑如臨證實習。獲益不尠。

(十)新批女科歌訣　此書係集女科之精華。編成易讀之歌訣。乃蘇州邵步青所著。亦爲蘇州鄭氏家藏之祕本也。復經王君重行編輯。詳加批語。揭長補短。衷中參西。誠爲最合實用之女科書也。

以上十種。皆係王氏心得之作。學者欲研究此科。須將基礎學、內科學。逐一研究完畢。再進修此科。庶幾合法。而參考之書。當取張山雷女科輯要箋正。王愼軒女科醫學實驗錄。嚴凝孫女科精華。女科證治約旨、女科醫案選粹。陳自明婦人良方大全。周越銘通俗婦科學。汪樸齋產科心法。傅青主女科。葉天士女科。竹林寺女科。顧鳴盛中西合纂婦科大全。王節齋胎產心法。釋輪應女科祕旨。周岐隱婦科不謝方等書。爲高深之研究。

編者按余有家藏女科孤本十餘種：如鄭假山家傳女科祕本；鄭三山濟陰要語萬金方；薛古愚萬金方及產寶百問；薛仲昂坤元是寶；李小有胎產護生篇；包衡村婦科祕方；醫無閭子增訂胎產心法；戴武承女科指南；吳本立女科切要等，俱係女科之祕本，難得之醫書。已囑小兒南山，小女景賢，詳加校訂，編爲女科醫學叢書，行將刊印，以公於世，足爲研究女科之參考書也。

(待續)

文苑

藥名詩七絕四首

胡藹梧

半夏

照眼榴花色倍鮮　黃梅時節雨連縣　一年風景秋猶遠　再閱光陰卅五天

阿魏

三分鼎足啓紛爭　僻處東吳勢不成　劉滅曹興天下定　願依帝室立功名

蟬蛻

槐樹陰濃夏日長　聲聲唱處徹垂楊　淒涼往事何從說　輕薄衣如紙一張

麥芽

柔條欲透滿畦多　奠覙濤升先起波　四月南風時未到　初生嫩穗綠如何

國醫學校頌詞

醉梅楊夢麒稿

調寄（好事近）

絕學闡岐黃。力挽狂瀾將倒。費却許多心血。設蘇州醫校。　春風桃李滿門牆。濟世術何妙。從此英才蔚起。得昌明斯道。

調寄（畫堂春）

回春妙術授青囊。更傳肘後奇方。醫壇闢得好津梁。成績優良。學子莘莘滿室。羣彥濟濟盈堂。新編雜誌盡琳琅。錦繡文章。

參觀東吳大學科學展覽會記

黃獻市

吾國科學幼稚。文明落伍。此固無可諱言之事實。而際此國難嚴重之秋。無論生產國防諸問題。莫不亟待科學以解決。此又盡人皆知。故提倡普及科學之運動。引起民衆研究科學之興趣。以圖實現科學救國之理想。實當前唯一之要務也。吾邑東吳大學理學院有鑒於斯。特舉行科學展覽三天。吾校爲中醫革命之大本營。素重科學之研究。特於是日下午。由師長率領全體同學。前往參觀。入其門。凡科學之精英。莫不應有盡有。其規模之宏大。蒐羅之廣博。實爲吾輩所僅見。其陳列諸品。分物理、生理、化學、三大系。每系又分若干小組。每組有該校學生數人。作種種之實驗與講解。觀衆有所詢問。則更反復詳述。必待明瞭而始止。我輩首先參觀物理系。凡有線、無線電學。及各種光學、聲學、力學、熱學之試驗器。無不一一具備。而各種分光鏡之陳列。以及陰極線、愛克司線之放射。尤足引起我人研究之興味焉。生物系中分動物、植物、胚胎、遺傳、生理解剖、動植物製片諸組。每室陳列顯微鏡數十具。而脊椎動物室中兩旁櫥窗陳列數百餘種鳥類之剝製標本。類皆栩然如生。正中有馬之骨骼一具。對於各部名稱。皆一一示明。依次參觀各室。其最足使人注意者。厥爲狗之解剖。凡皮毛骨骼。及五臟六腑。無不一一分析。吾國中醫學校。苟於講授生理解剖時。均能施行動物之解剖。則學者所得印象。必更深刻而有系統也。由此前進。至無脊椎動物組。各種蟲類。多至二千餘種。其中更有同一動物。而按其生活遞進之程序。排列數種標本者。尤足使人明瞭蟲類生長之情形。登三層樓爲化學陳列室。內分生理化學、工業化學、分析化學及有機無機等組。分析化學如銀幣、石灰、肥料、及銅鐵成分之分析。工業化學如油漆、顏料、肥皂等之製造手續。莫不條分縷析。詳述無遺。而生理化學組。對於各種飲食物之分析。及營養價值之說明。則於醫學更有密切之關係也。參觀一週。一啓昔日井蛙之見。開始認識科學之偉大。吾民衆苟能繼東吳而起。競相研究。則中國前途。實利賴之。爰濡筆作記。期與同胞共勉焉。

講義

本校藥物講義（摘錄）（續）

王愼軒編

人尿（續前）

〔綱八〕祛瘀。〔目〕瘀血悶熱狂。撲損瘀血在內運絕。日華 治撲傷瘀血。產後敗血。雷公藥性 產後溫服一盃。壓下敗血惡物。本草衍義 產後血暈。溫飲一杯。壓下敗血惡血則蘇。本經逢原 消瘀血。綱目 去瘀。醫報國藥專號徐瀛芳 消瘀血之神品。中醫雜誌丘煜 凡血汚衣。以人尿漱之即去。可見祛瘀之功。非他藥所能及。中國藥學屈春霖

〔按〕古人以本品有祛瘀之功者。非眞能攻逐瘀血也。大抵本品內含食鹽。有低降血壓之功。凡遇產後或跌傷者頭部充血。驟致昏暈。投此則血壓低而昏暈愈矣。又因其內含尿酸燐酸。有收縮子宮之功。凡遇產後子宮不能收斂。以致惡露不下。服此則子宮收縮而惡露下矣。故婦科推此爲產後聖藥也。然究非直接攻逐瘀血之藥。若移治蓄血宿瘀之實症。必無效焉。

〔綱九〕消積。〔目〕治癥積腹滿。唐本草

〔按〕此藥之治癥積腹滿者。非確能消癥之謂也。乃指食積或瘀血停留。滿腹痞硬之症。因本品能促進腸胃之蠕動。增

進消化之機能。使其食積易於消除。大便易於通暢。又能收縮子宮。排除瘀血。故對於癥積腹滿之症。有相當之治效。

〔綱十〕治傷。〔目〕治蛇犬咬傷。（日華）治人咬火傷。（綱目求眞）

〔按〕本品內含食鹽。用於創傷有防腐之功效。因食鹽能奪取組織之水分。有使黴菌不能發育之作用也。且內含之燐酸鈣。對於創傷潰瘍。亦有偉大之功效。故可治咬傷火傷等症也。

〔綱十一〕潤膚。〔目〕潤肌膚。（本草拾遺）治皮膚皴裂。（日華）

〔按〕海水浴可以治療皮膚病。已爲近世科學家所公認矣。誠以內海之水。約含食鹽2%。外海之水。約含食鹽3—4%。少量之鹽水。對於皮膚皴裂等。能奏特殊之效。人尿內含鹽類甚富。故亦有治療皮膚之功效。

〔綱十二〕治痙。〔目〕治鬼氣痙病。（本草拾遺）

〔按〕本品內含鹽類鈣質。有減低骨骼與筋興奮性之作用。又有緩下大便。低降血壓之功效。故用於痙攣症、痙攣質神經緊張過度等病。均有效。此種神經系之痙病。每兼神昏見鬼等症。故陳藏器稱謂鬼氣痙病也。

〔綱十三〕止頭痛。〔目〕主治寒熱頭痛。若人初得頭痛。直飲人尿數升。亦多愈。合葱豉作湯服彌佳。（別錄）

〔按〕頭痛之原因。大半由於神經興奮。頭部充血所致。本品所以能止頭痛者。良由內含鹽類鈣質。有減低興奮。低降血壓。緩下大便等作用故也。余嘗以此治腦膜脊髓炎。頗有速效。蓋從別錄頭痛藏器治痙病而知也。但近世知者甚鮮。故特發表於此焉。

〔綱十四〕療目疾。〔目〕明目。（本草拾遺）目赤腫痛。用己尿乘熱抹洗。大退邪熱。（會約醫鏡）洗暴發赤眼。（中醫雜誌丘煜）凡虛火牙痛。及風熱眼

疾。以人尿潤之洗之。無不見效。（中國藥學 屈春霖）

〔按〕內服人尿。以治目疾。取其綏下大便。低降血壓等作用。固可有效也。若外洗人尿。以治目疾。恐尿中含有白濁細菌。誤入於目。必致失明。用者切宜慎之。

〔綱十五〕治難產。〔目〕治難產。（日華）

〔按〕難產因於子宮收縮無力者。服此有效。良由本品內含尿酸燐酸。有收縮子宮之作用焉。

〔綱十六〕下胞衣。〔目〕治胎衣不下。（日華）

〔按〕產後胞衣不下者。大半由於子宮不能收縮也。本品有收縮子宮之效。故能治之。

〔辨正〕溫氣。（別錄） 按童便性質重滯。服之如桐油入腹。其言氣味。鹹寒是矣。何以言能溫氣也。再每見吐血之症。浪服童便。以致瘀血停留腹中不去。致成癆瘵者不少。某年診一何鄉東臯地方某。其人吐血甚多。連服童便。始得血止。而體甚重。不能起坐。有時神昏妄言。予知其禍因服童便太驟太多。停瘀留血之故。遂用當歸、大黃、桃仁、參、耆、生地、朴硝等類。攻補兼施。一劑後下去瘀血如杯如盞者甚多。放水中浮動如球。破之純是壞血。而神清不復妄語。再劑復下去少許。漸能起立矣。可見不易用。而血症尤須慎服。必如葛氏十藥神書中用之。方無流弊也。（本草時義）

〔禁忌〕婦人用之過多。恐久遠血臟寒。令人發帶病。人亦不覺。若氣血虛無熱者。尤不宜多服。（本草衍義） 不可見火。見火則腥臊難服。（本經逢原） 脾胃虛寒。或溏泄及陽虛無火。食不消者。咸在所忌。（經疏輯要）

〔按〕前言本品有促進食慾。消化食積之功。何以經疏輯要謂食不消者。反忌用耶。蓋此所謂食不消者。乃指完穀不化之陽虛泄瀉也。與肺勞之食慾不振相較。則有陽虛與陰虛之異。與癥積之宿食停積相較。則有虛證與實證之差。二者固有不同也。且人尿又能緩下大便。則既患完穀不化之泄瀉者。豈可再與緩下之藥耶。經疏之言。誠不虛誣。吾儕當信從之。

(用量)一兩至五兩。

(用法)童男者尤良。（別錄）停久者服之佳。恐冷則和熱湯服。（本草拾遺）取十二歲以下童子。絕其烹炮鹹酸。多與米飲以助水道。每用一盞。入薑汁或韭汁二三點。徐徐服之。日進二三服。寒天則重湯溫服。（綱目）取十二歲以前童子。不食葷腥。去頭尾。取中間一段。清徹如水者。用當熱飲。熱則真氣尚存。其行自速。冷則惟有鹹寒之性。或入薑汁韭汁。冬月用湯溫之。（本草從新）

(按)拾遺以停久者佳。從新以熱飲則真氣尚存，二說不同。余謂當以後說為是。

(附錄)(甲)實例(一)肺勞骨蒸。（次公）吾嘗見鄉間治肺勞骨蒸單方。有用大棗或雞子浸童便中月餘。然後煮食甚效。(二)吐血血崩。（愼軒）余嘗治吐血血崩之劇者。一時不及煎藥救治。每令先飲童便一杯。頗有特效。(乙)驗方(一)吐血鼻洪。（日華）人溺薑汁和勻。服一升。(二)齒縫衄血。（聖惠）童便溫熱含之立止。(三)喉竅咳血。（褚澄遺方）喉有竅。則咳血殺人。喉不停物。毫髮必欬。血既滲入。愈滲愈欬。愈欬愈滲。惟飲溲溺。則百不一死。若服寒涼。則百不一生。(四)久嗽涕唾。（姚僧坦集驗）肺痿。時時寒熱。頰赤氣急。用童便去頭尾少許。五合。取大粉甘草一寸。四破浸之。露一夜。去甘草。平旦頓服。或入甘草末一錢同服亦可。一日一劑。童子忌食五辛熱物。(五)肺痿欬嗽。（集驗）停久臭溺。日日溫服之。(六)骨蒸發熱。（孟詵必效）三歲童便五升。煎取一升。以蜜三匙和之。分溫再服。日服兩次。此後常取自己小便服之。輕者二十日。重者五十日瘥。二十日後。當如蟲蛔蜒在身常出十步內聞病人小便臭者。瘥也。台州丹仙觀張道士病此。服之神驗。（七）治男婦怯證。聖惠男用童女便。女用童男便。斬頭去尾。日進二次。乾燒餅壓之。月餘全愈矣。（八）消渴重症。聖惠乘人溺坑中尿。取一盞服之。勿令病人知。三度瘥。（九）勞聾已久。聖惠童子小便乘熱少少頻滴之。（十）中土菌毒合口椒毒。附後人尿飲之。（十一）解諸菜毒。海上小兒尿和乳汁服二升。（十二）熱病咽痛。聖惠童便三合含之卽止。（十三）中暍昏悶。張仲景夏月人在途中熱死。急移陰處。就掬道上熱土擁臍上作窩。令人溺滿。暖氣透臍卽醒。乃服地漿蒜水等藥。（十四）中惡不醒。附後令人尿其面上卽甦。此扁鵲之法也。（十五）瘧疾渴甚。簡便童便和蜜煎沸頓服。（十六）瘴癘諸瘧。聖惠無論新久。童便一升入白蜜三匙。攪去白沫頓服取吐。碧綠痰出爲妙。若不然終不除也。（十七）下痢休息。聖惠杏仁皮麵炒研。以猪肝一具切片。水洗血淨。置淨鍋中。一重肝一重杏仁。鋪盡。以童便二升同煎乾。放冷。任意食之。（十八）產後血暈。本草述同澤蘭葉、荊芥、白芷、續斷、延胡索、牛膝、蘇木、黑豆。虛者加人參。凡產後溫飲一杯。可免血暈。至三日後止之。（十九）癥積滿腹。蘇恭本草諸藥不瘥者。人溺一服一升。下血片塊。二十日卽出也。（二十）絞腸痧氣。聖惠童子小便服之卽止。（廿一）卒然腹痛。附後令人騎其腹。溺臍中。（廿二）三十年痼一切氣塊宿冷惡病。聖惠苦參二升。童子小便一斗二升。煎取六升。和糯米及麵。如常法作酒服。但腹中諸疾皆治。酒放二三年不壞。多作救人神效。（廿三）金瘡中風。聖惠自己小便日洗二三次。不妨入水。（廿四）金瘡血出。千金不止。飲人尿五升。（廿五）打傷瘀血。蘇恭本草攻心者。人尿煎服一升。日一服。（廿六）折傷跌撲。外科發揮童便入少酒飲之。推陳致新。其功甚大。（廿七）杖瘡腫毒。千金服童便良。（廿八）火燒悶絕。千金不省人事者。新尿頓服二三升良。（廿九）刺在肉中。千金溫小便漬之。（卅）人咬手指。通變要法瓶盛熱尿。浸一夜卽愈。（卅一）蛇犬咬傷。日華以熱尿淋患處。（卅二）蝮蛇傷人。千金令婦人尿於瘡上。

最妙法。(卅三)蛇纏人足。肘後 就令尿之便解。(卅四)蜂蠆螫傷。肘後 人尿洗之。(卅五)蜘蛛咬毒。本草拾遺 久臭人尿。於大甕中坐浸。仍取烏雞屎炒浸酒服之。不爾恐毒殺人。(卅六)腋下狐臭。集簡 自己小便乘熱洗兩液下。日洗數次。久則自愈。(卅七)百蟲入耳。聖惠 小便少少滴入。(卅八)鬼氣瘁病。集驗 停久臭溺日日溫服之。(卅九)頭痛至極。聖濟總錄 童便一盞。豉心半合。同煎至五分。溫服。(四十)赤目腫痛。普濟 自己小便乘熱抹洗。卽閉目少頃。此以真氣退去邪熱也。(四十一)傷胎血結。楊氏產乳 心腹痛。取童子小便。日服二升良。(四十二)子死腹中。千金 以夫尿二升。煑沸飲之。(四十三)催生下胞。日華 人溺一升。入葱薑各一分。煎二三沸。熱飲便下。(四十四)痔瘡腫毒。救急法 用熱童尿。入礬三分洗。一日二三次效。

蘇州國醫學校啓事

本校總辦事處設在蘇州閶門吳趨坊一百三十七號王愼軒女科醫室如有本校函件及報名索章事項請逕投總辦事處可也

中央國醫館理事
本校名譽校長　謝利恆先生

▼中國醫學源流論……出版！

本書編制新穎，敍述詳明，上起炎黃，下至近世，莫不原原本本，若網在綱。可爲醫學史讀，亦可爲研究醫學之南針。(實價一元)

中央國醫館編審委員張忍庵先生

▼生理的燃燒……特價大洋二角五分

▲站在科學的立場，敍述生理作用。▼
▲根據經驗的結果，說明病理現象。▼

●代售處●　蘇州吳趨坊一百卅七號國醫書社

蘇州國醫書社新出醫書

中醫新論彙編	王慎軒編	實價五元
曾女士醫學全書	曾伯淵著	實價八角
漢譯診病奇侅	丹波元堅	實價一元
拯獲軒醫學糾正錄	周禹錫著	實價一元
本草再新	葉天士著	一元二角
傷寒直解辨證歌	薛公望著	實價四角
溫病指南	王馥原著	實價四角
診餘舉隅錄	陳紉生著	實價六角
曹穎甫醫案	王南山編	實價二角
女科醫學實驗錄	王慎軒著	實價一元
再版胎產病理學	王慎軒著	實價一元
女科指南	戴武承著	實價八角
新批女科歌訣	邵步青著	實價四角
婦女病經驗談	祝懷萱著	實價一角
幼科指南傳家祕方	萬密齋著	實價一元
食治祕方	尤生洲著	實價一角
家庭育嬰法	沈潛德著	實價一角
家庭實用良方	王景賢編	實價六角
家庭醫藥常識第一年彙編	王慎軒編	實價三角
婦女醫學雜誌彙編	王慎軒編	一元五角
蘇州國醫學社紀念刊	國醫學社	特價五角
女科祕訣	鄭厚甫著	實價二角
經方捷徑	楊夢麒編	實價一角
重訂孫眞人海上方	孫思邈著	實價二角
傷寒時方歌訣評註	周越銘編	一元二角
家庭醫藥常識	王寶燦編	每年三角

中華民國二十四年夏季出版

蘇州國醫雜誌第六期

編輯者 蘇州國醫學校 蘇州長春巷三九號 電話第二三六七號

發行者 蘇州國醫書社 蘇州吳趨坊一三七號 電話第五百六十三號

印刷者 蘇州文新印書館 蘇州景德路七十六號 電話第八百九十一號

蘇州國醫雜誌價目表

期數	價目	寄費
每季一期	另售一角五分	寄費一分
每年四期	預定大洋六角	寄費在內

介紹醫藥雜誌

國醫公報	全年連郵二元	南京長生祠中央國醫館
醫界春秋	全年二元一角	上海白克路西祥康里七七號
山西醫學雜誌	全年八角九分	山西省城中正街中醫改進會
光華醫藥雜誌	全年連郵二元	上海北山西路棣隆里九號
東西醫藥報	全年日金三元	臺灣臺北永樂町二丁目32番地
廣濟醫刊	全年二元四角	杭州缸兒巷四十六號
醫學衛生月刊	全年七角二分	蘇州臬趨坊國醫書社代售
家庭醫藥常識	全年連郵三角	蘇州吳趨坊國醫書社
診療醫報	全年連郵一元	上海霞飛路一○四號
永好醫報	全年連郵二元	河南博愛縣城內李煥卿
新中醫學報	全年連郵八角	廣東梅縣新中醫學社
現代醫藥月刊	全年連郵一元	福建福清城內官塘墘本刊社
神州國醫學報	全年連郵一元	上海廈門路尊德里神州醫會
上海國醫雜誌	全年二元四角	上海西門石皮弄國醫學會
社會醫藥	全年一元五角	上海大沽路新馬安里三七號
醫林一諤	全年連郵二元	廣州大德路蕪行街
東方醫學雜誌	全年連郵二元	奉天省城南市場福安里50號
如皋中醫月刊	全年連郵三角	如皋育德所中醫公會
衛生雜誌	全年連郵一元	上海薩坡賽路一九○號
大衆醫學月刊	全年連郵二元	上海白克路西祥康里本刊社
長壽週刊	全年連郵二元	上海三馬路雲南路本週刊社
常熟國醫雜誌	全年連郵六角	常熟小河下二十二號
正言醫報	全年連郵三元	天津文學東籲道國醫研究所
晨光國醫雜誌	全年一元二角	廈門中華路七十七號二樓
中國醫藥雜誌	全年連郵一元	山東沂水黃山鋪街
醫事公論	全年九角六分	鎮江中正路北六二號又二號
中醫新生命	全年一元四角	上海牯嶺路人安里十一號
中西醫藥月刊	全年二元四角	上海北四川路永豐坊六五號

介紹醫藥雜誌

現代中醫	全年連郵一元	上海西門石皮弄一號
江蘇國醫報	全年一元二角	揚州古旗亭三十六號
國醫新聞	全年連郵五角	杭州佑聖觀巷國醫公會
杏林醫學月報	全年連郵一元	廣州大德路蕪行街八十四號
中華醫藥報	全年連郵四角	上海醫光啓路中華國醫學會
國醫旬刊	全年連郵一元	福建廈門國醫專門學校
湖北醫學月刊	全年連郵二元	湖北新市場上側永福里一號
醫藥雜誌	每冊定價二角	漢口湖北國醫專科學校
醒亞醫報	全年連郵一元	廈門丁仔巷門牌一號
明日醫藥	全年一元五角	北平鼓樓法通寺甲十六號
鍼灸雜誌	全年一元八角	無錫中國鍼灸學研究社

介紹醫藥書籍

中國急性傳染病學	時逸人著	實價二元二角	山西省城中正街中醫改進會
鍼灸經穴圖攷	黃竹齋著	定價八元	西安南四府街三十號
漢和處方學津梁	沈石頑譯	實價一元	上海南陽橋安納金路昌明醫書局
醫方概要	李疇人編	特價二元四角	蘇州蒲林巷李疇人醫室
合理的民間單方	葉橘泉著	實價八角	浙江湖州雙林存濟醫廬
吐血肺癆指南	慈航居士	祗收寄費	杭州糧道山十號
海上名醫真案第一集	黎年社編	實價四角	上海山東路中醫書局代售
兒科常識	尤學周編	實價五角	上海南陽橋麋鹿路永華里二十五號

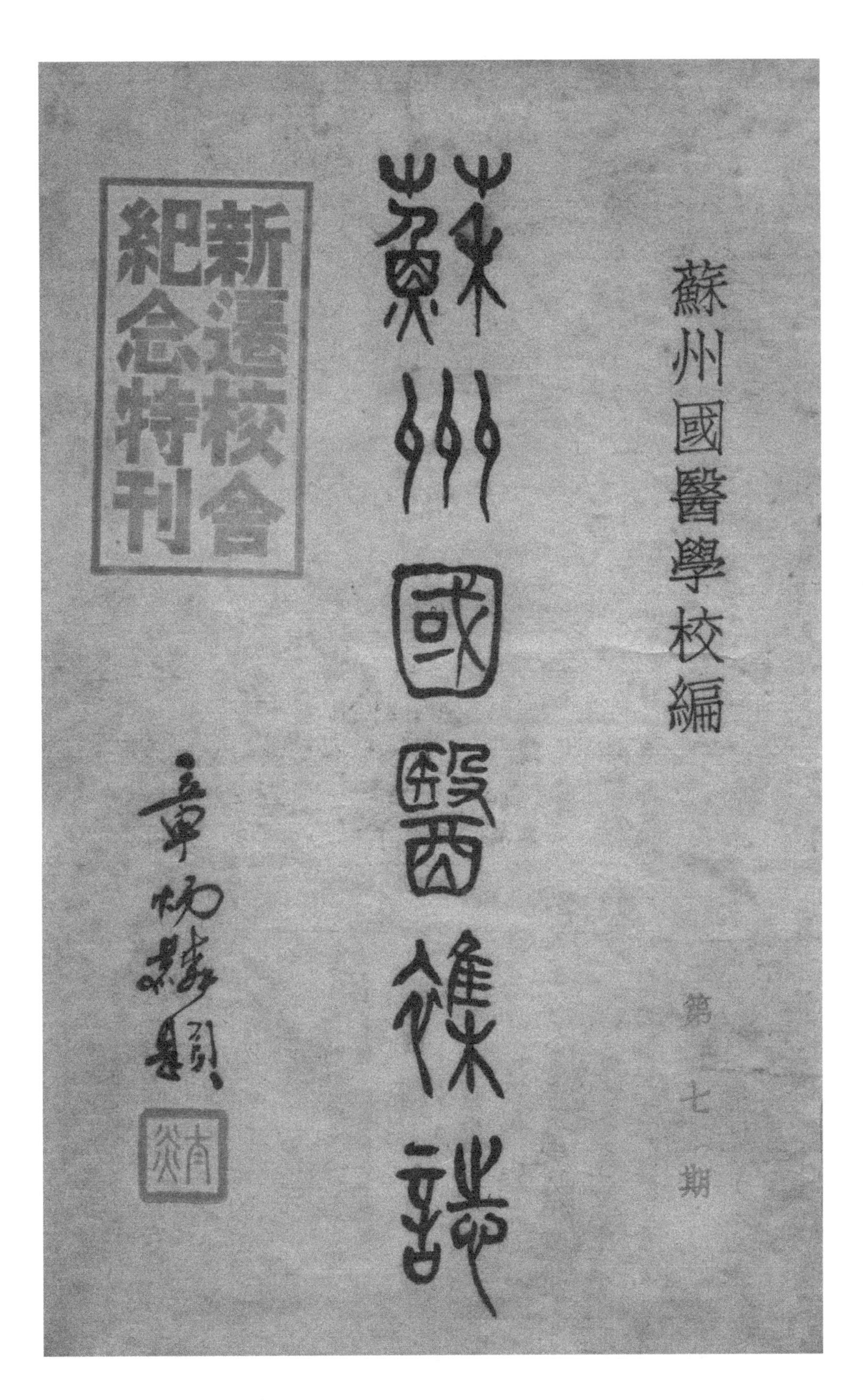
蘇州國醫學校編
蘇州國醫雜誌
第七期
新遷校舍紀念特刊

總理遺像

總理遺囑

余致力國民革命凡四十年其目的在求中國之自由平等積四十年之經驗深知欲達到此目的必須喚起民衆及聯合世界上以平等待我之民族共同奮鬥

現在革命尚未成功凡我同志務須依照余所著建國方略建國大綱三民主義及第一次全國代表大會宣言繼續努力以求貫澈最近主張開國民會議及廢除不平等條約尤須於最短期間促其實現是所至囑

蘇州國醫學校新遷校舍紀念

濟世保元

林森

林森之印

國民政府主席林子超先生題

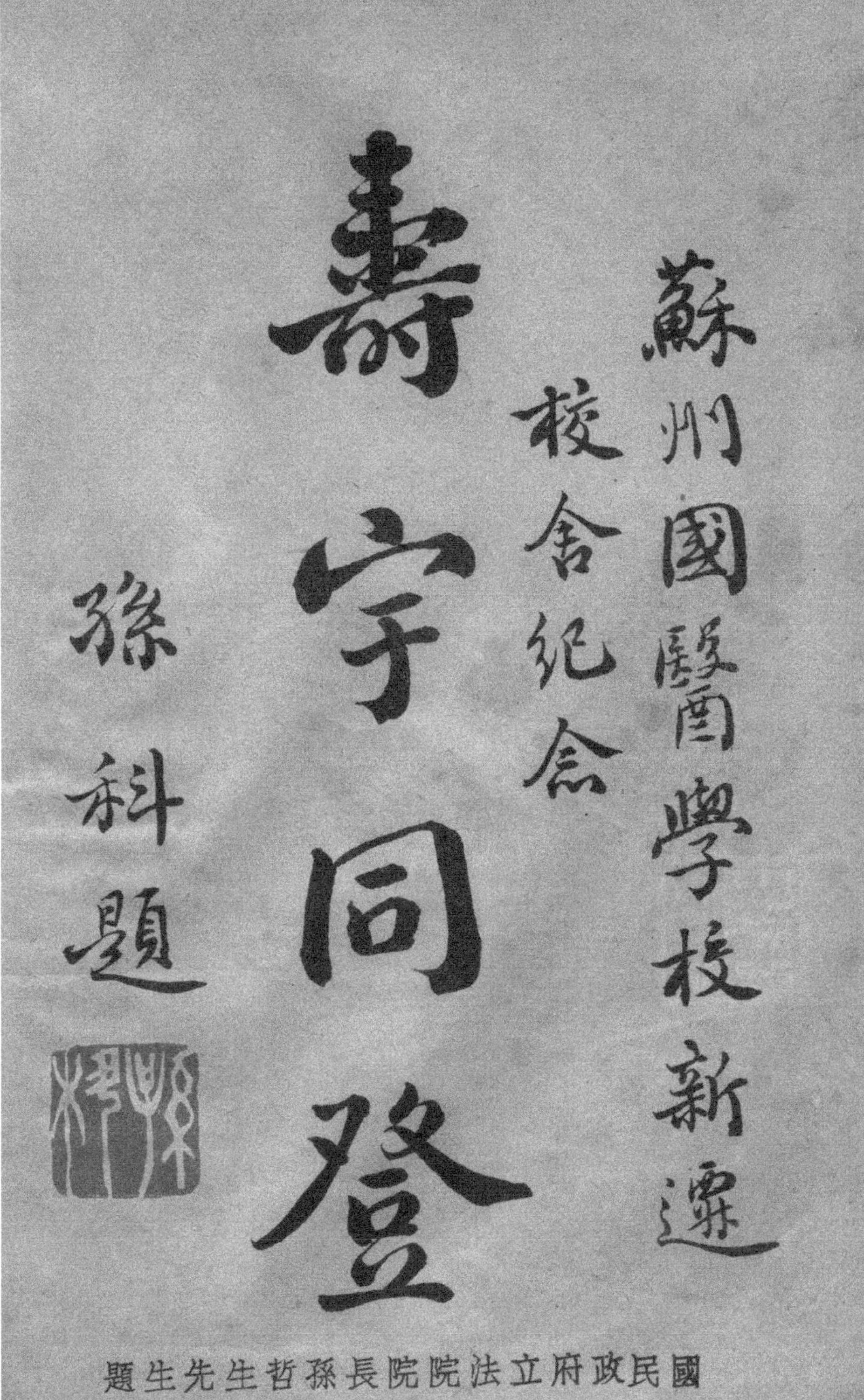

國民政府立法院院長孫哲生先生題

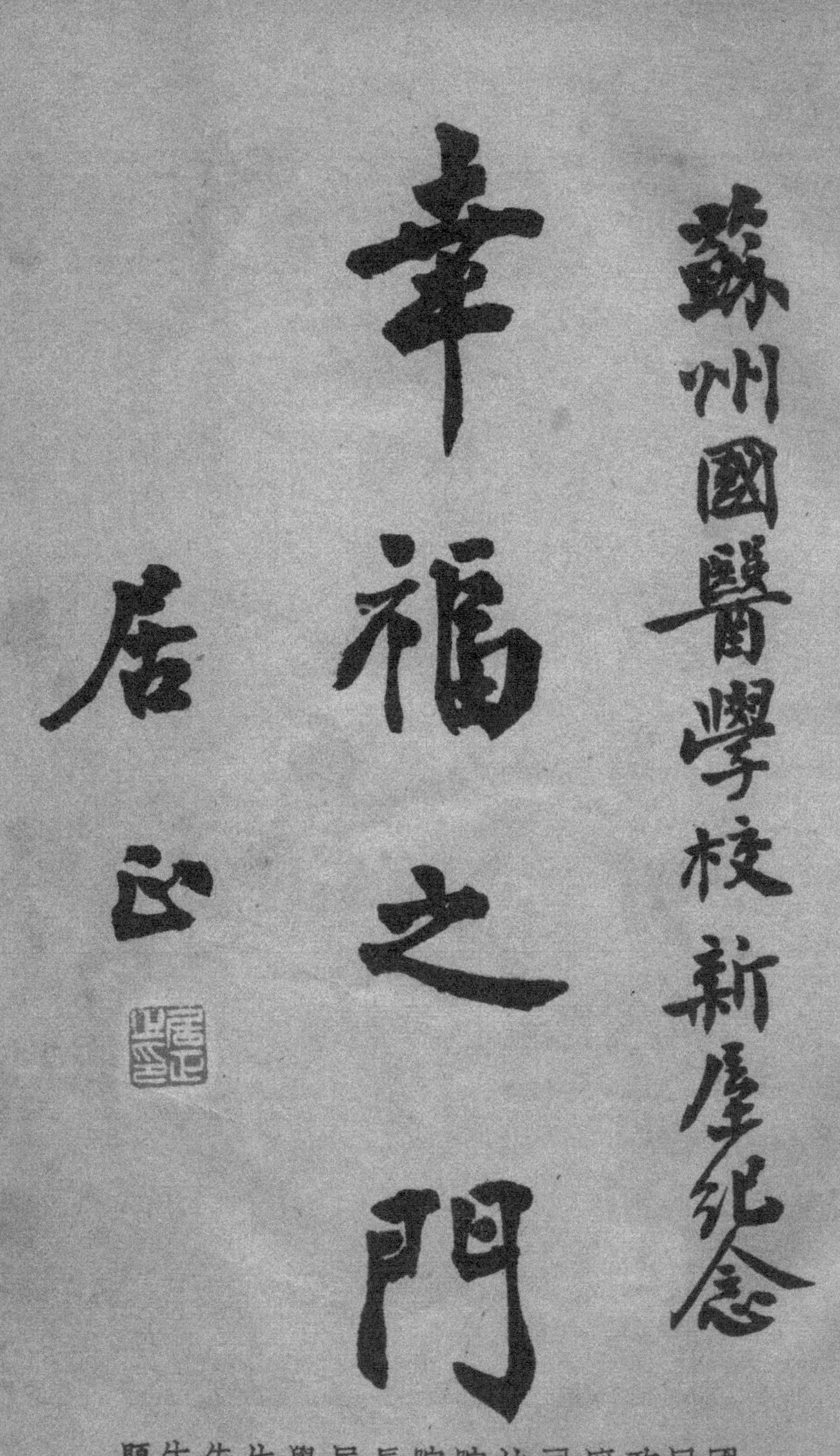
蘇州國醫學校新屋紀念
幸福之門
居正
國民政府司法院院長居覺生先生題

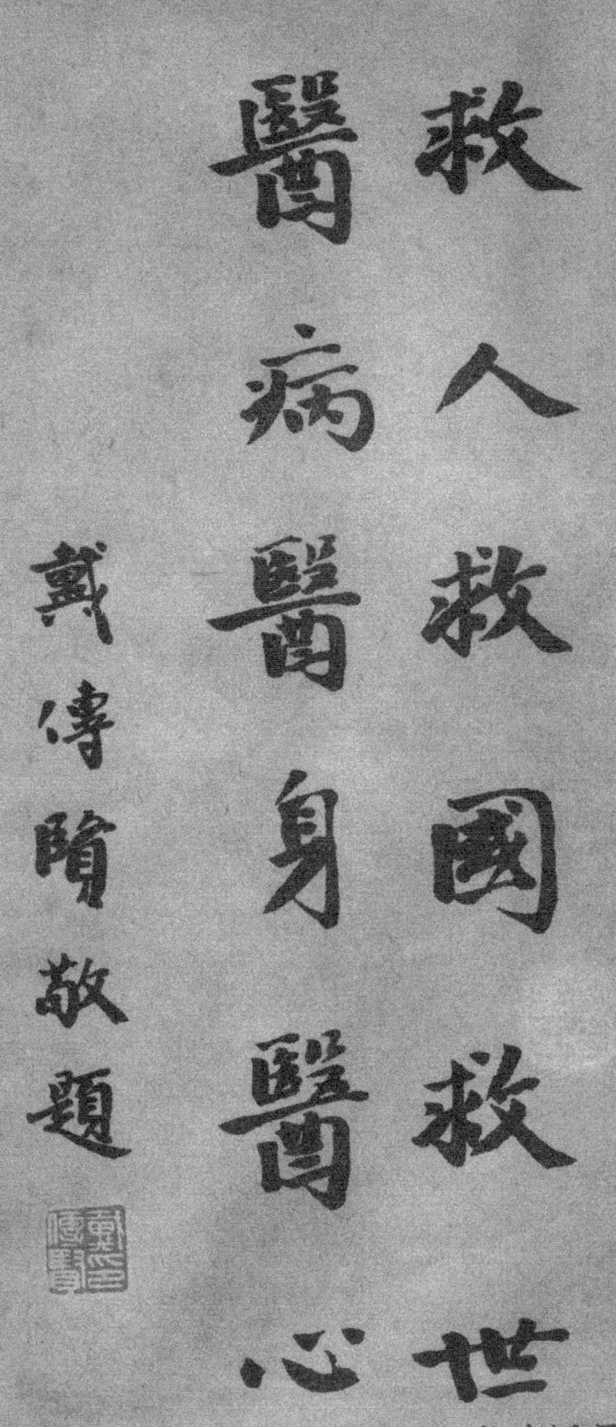

救人救國救世
醫病醫身醫心
戴傳賢敬題

國民政府考試院院長戴傳賢先生題

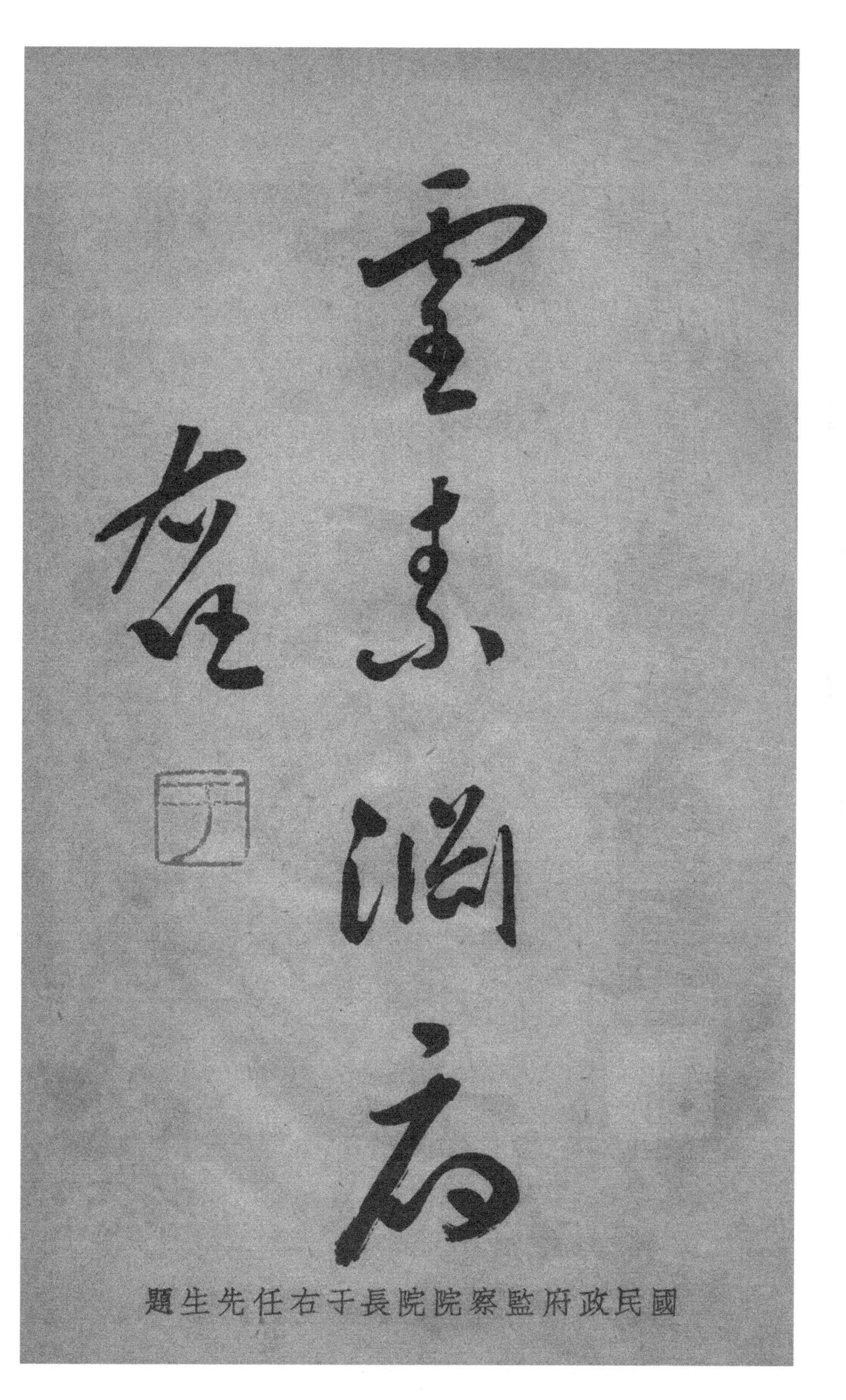

國民政府監察院院長于右任先生題

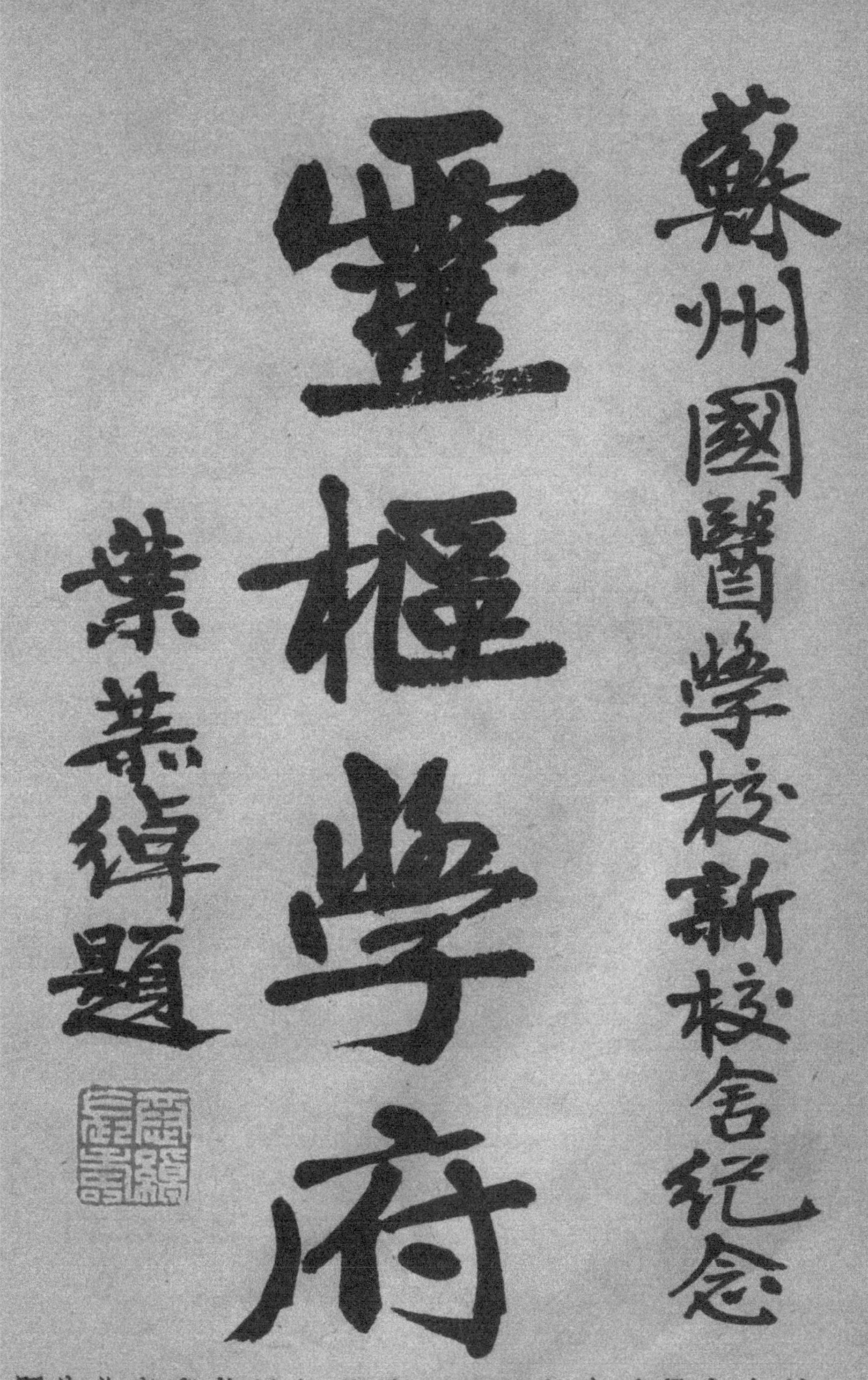
蘇州國醫學校新校舍紀念
靈樞學府
葉恭綽題
前大本營財政部長國府鐵道部長葉譽虎先生題

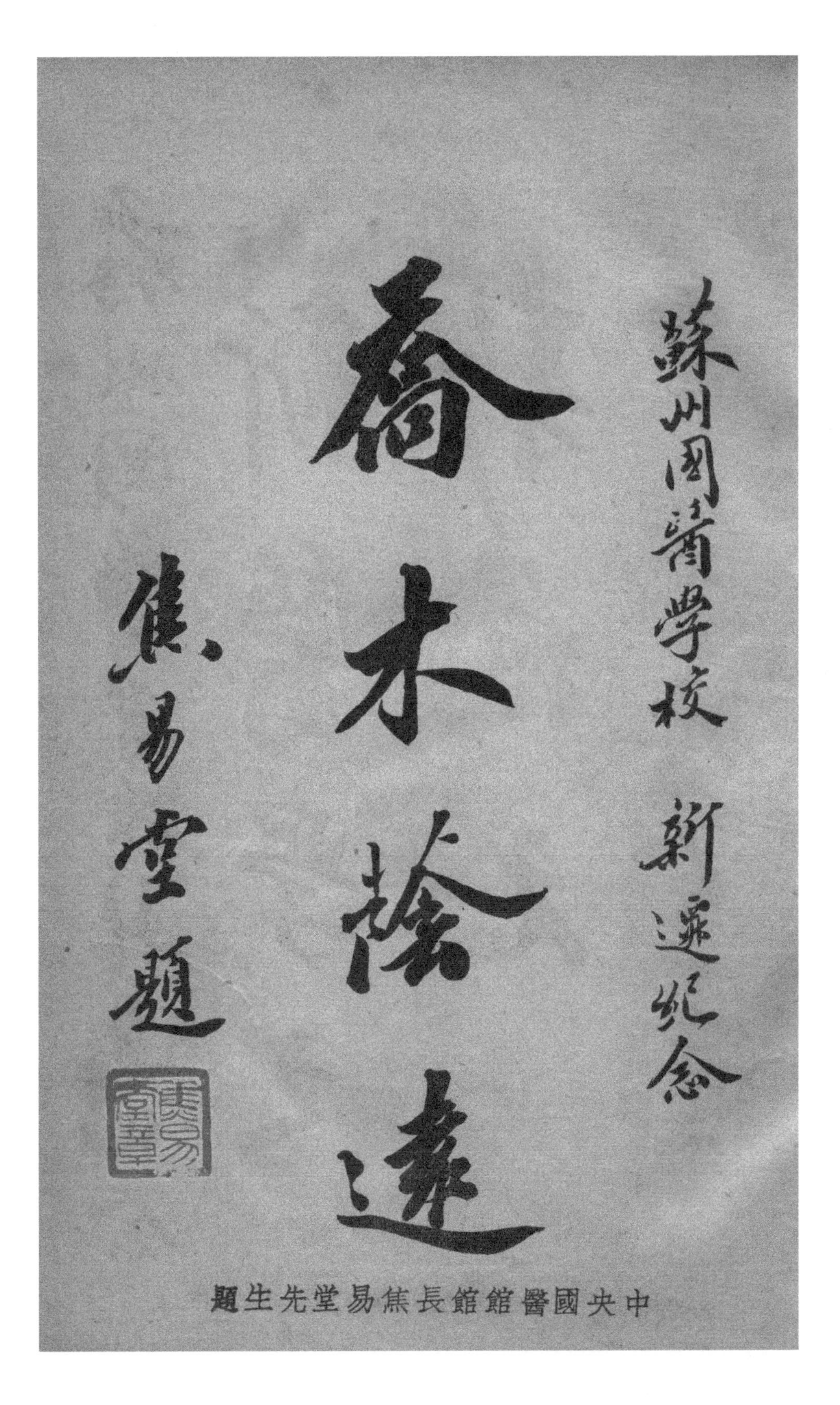

中央國醫館館長焦易堂先生題

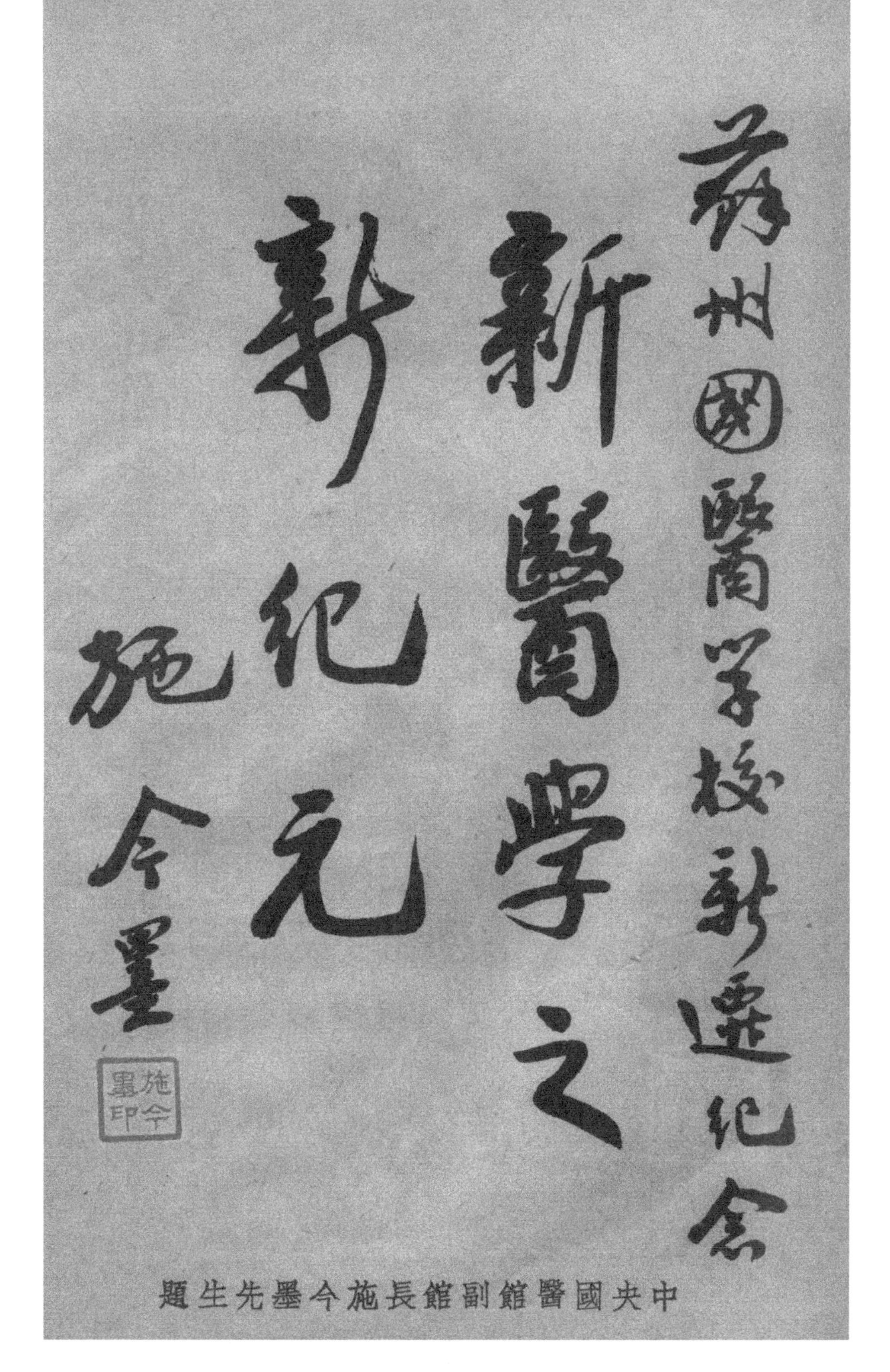

中央國醫館副館長施今墨先生題

蘇州國醫學校新遷校舍紀念

杏林春暖

馬超俊

南京特別市市長馬超俊先生題

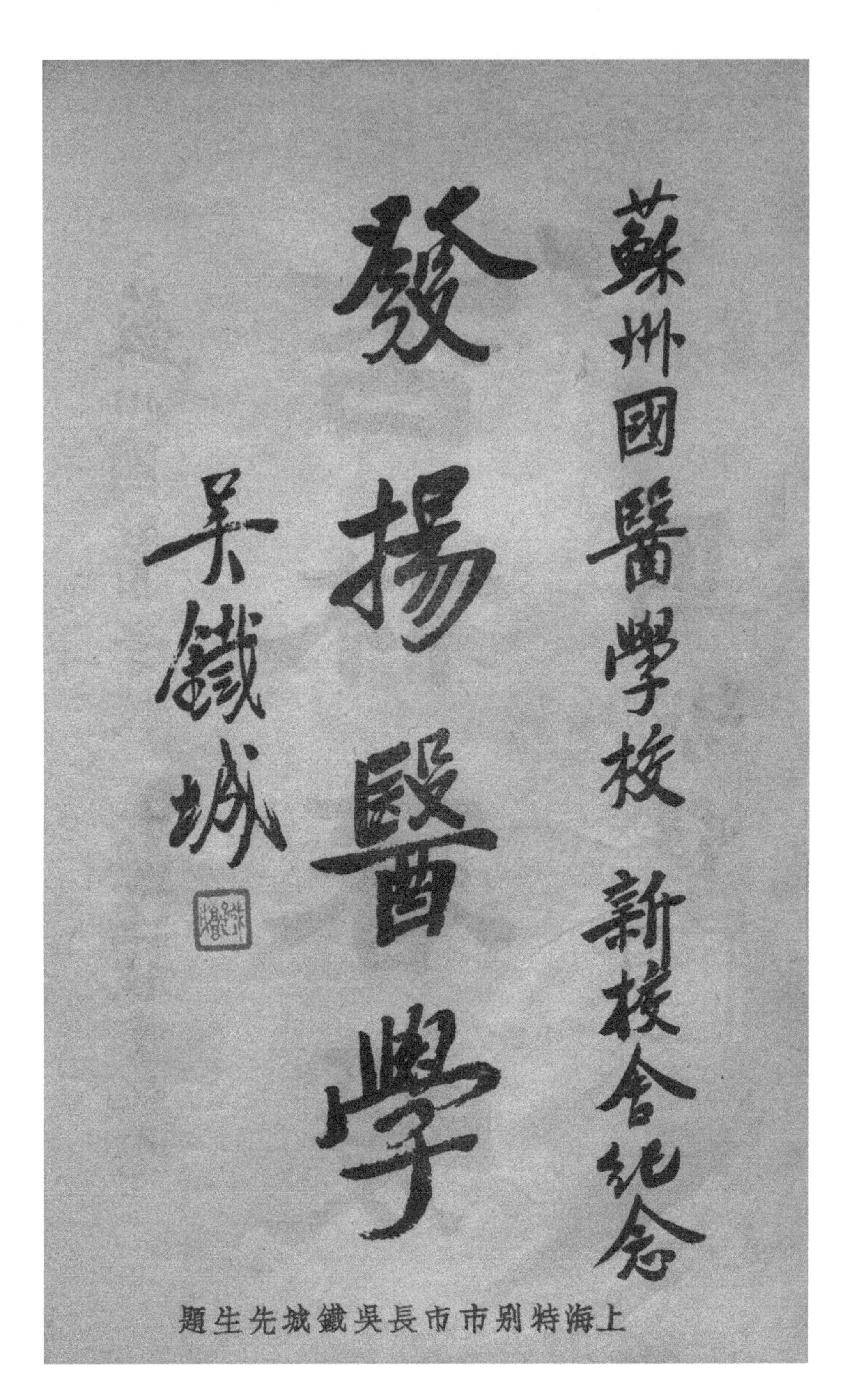

上海特別市市長吳鐵城先生題

發揚國粹

余井塘題

江蘇省民政廳廳長余井塘先生題

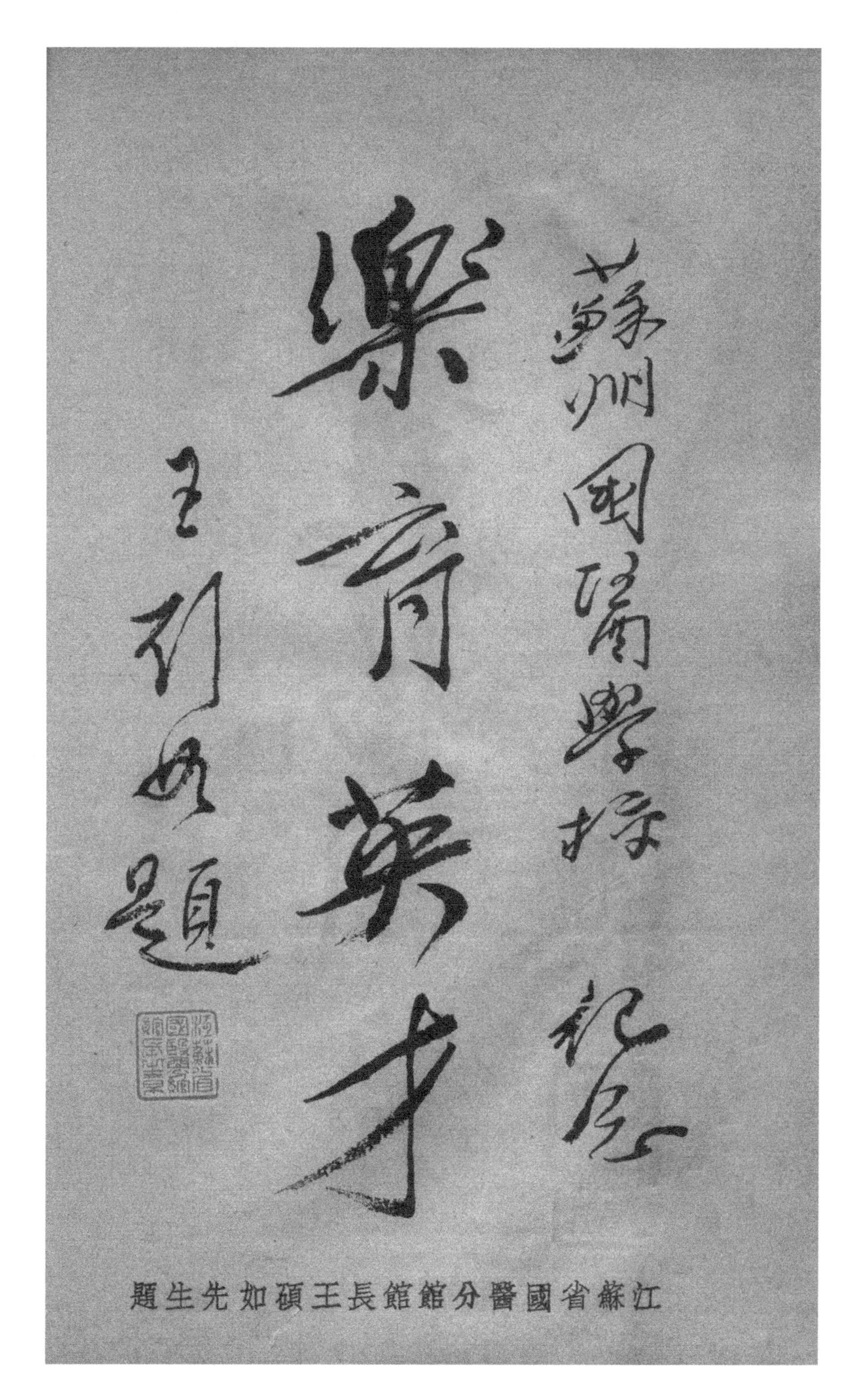

江蘇省國醫分館館長王碩如先生題

蘇州國醫學校新遷紀念

醫學之光

孫丹忱題

吳縣縣黨部特派員孫丹忱先生題

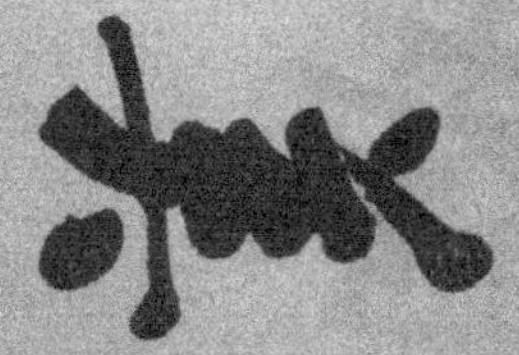

蘇州國醫學校 喬遷紀念

敷教長春

吳縣公安局長張漢威

學校培材廣廈萬千
研求醫術生民賴焉
湫隘近囂爽塏是遷
南陽教澤惟以永年

蘇州國醫學校　新遷誌盛

潁甫曹家達題

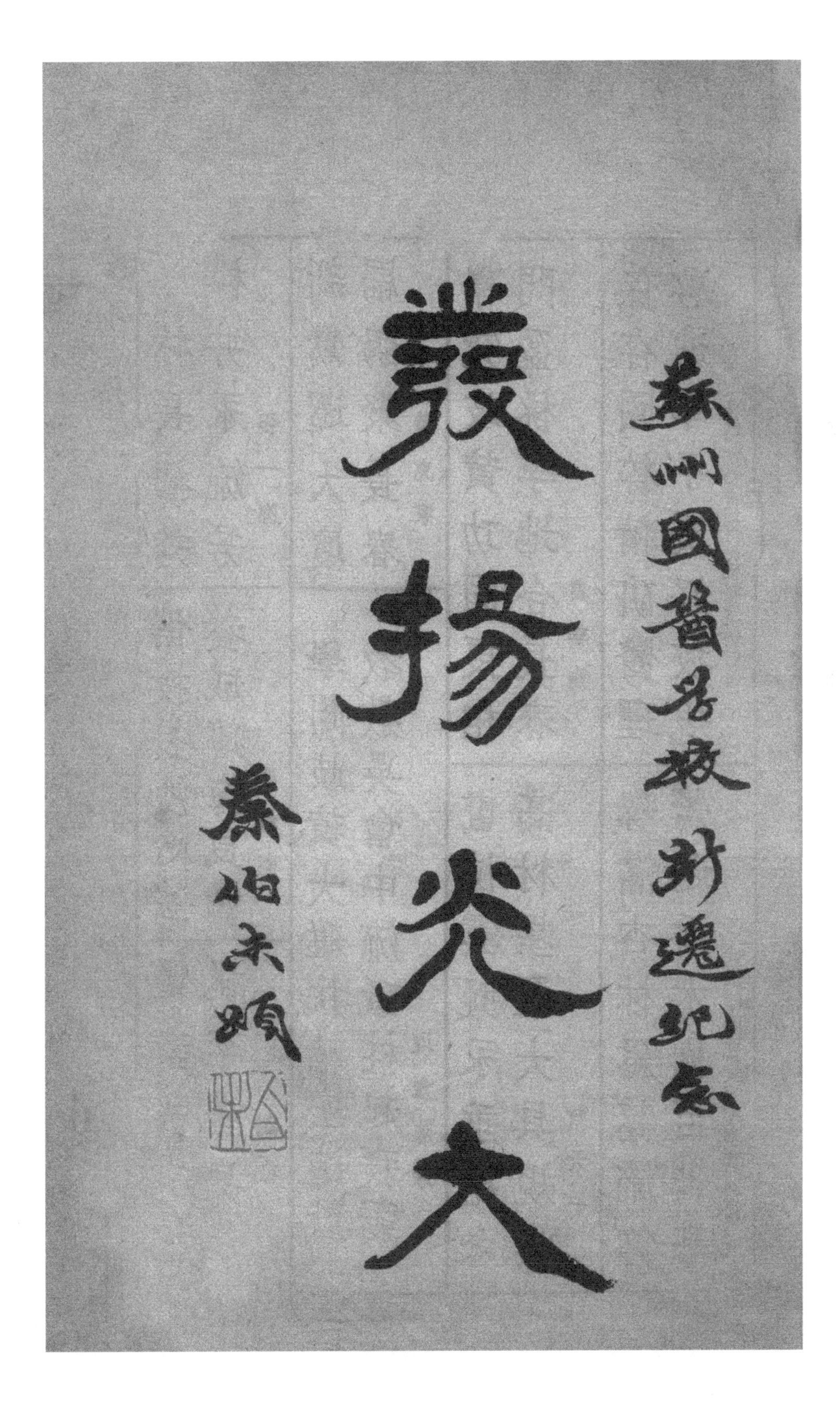
蘇州國醫學校新遷紀念
發揚光大
秦伯未頌

贈聯

杏林長擢秀
橘井永流芳
張一麐

傳授長沙心法
養成薄海良醫
李根源

靈素光華夏
桃李滿長春
劉敬禳

新鶯遷大廈
扁鵲聚長春
黃克家

學闡岐黃大雅扶輪宏造就
教敷吳會中流砥柱起衰弱
迦盦陳摩

學究岐黃功同良相
門盈桃李地合長春
袁季梅

畫棟雲凝永垂紀念
高材星聚大具規模
黃天一

保存國粹精研醫理
啓迪學子良好校規
吳縣沈楚青撰　杭縣趙勛肅書

譽滿杏林爲萬流仰
鶯遷喬木樹百世基
武進縣國醫支館館長錢同高

學術無分國界崇中參西演鑄洪鑪儲大器
壽康有賴醫賢活人濟世栽培元氣育真才

顧允若書　宋愛人撰

術體天心杏林望重
功牟相業橘井名高

蘇州通易信託公司朱巽元

讀濂溪書明心見性
傳軒岐術利物濟人

宓九異

贈文

虎邱劍池。故良醫挺生之地。乾嘉以還。葉薛樹一代盛名。徐靈胎尤在涇諸公。先後崛起。負天下重望。余每覽其遺文。輒懷想而無已。王先生慎軒。席前賢之遺澤。益以遠西之新說。精思敏悟。著作等身。久為海內醫林所共仰。復創立蘇州國醫學校。以陶冶後進。而儲育英材。古人之所謂自達達人。非耶。昔姚龍光先生謂中醫欲求改進。舍創立學校無他塗。然則斯校之設。其中醫學發皇之樞機乎。乙亥秋。從學者雲集。舊址不能容。乃遷居於長春巷之大廈。堂構修建。輪奐一新。凡圖書標本之屬。所以資學者之參考者。無不備。而園囿球場之屬。所以資課餘之游息者。又無不具也。設備之完美。蓋中醫學校之翹楚矣。今而後。校務之扶搖直上。蔚為中醫界之學府者。固不待燭照數計而後知。亦吾儕之所引領以望者也。值茲紀念刊付梓之文。謹掇蕪辭以為頌。

謝誦穆

贈詞

岐黃桃李　張一鵬

仁者擇里　江蘇高等法院院長朱樹聲

同飲上池　沈兆九

醫學薪傳　中央國醫館秘書主任周柳亭　編審委員郭受天

育成良相　吳縣地方法院院長盧益美

教衍岐黃　王謇

還地爲良　中央國醫館常務理事楊伯雅

發揚精理　朱材因

靈素曙光　鮑宇洪

道傳濟世　中央國醫館編審委員張忍庵

國醫之光　錢鼎

學參和緩　陳彝

羣英燕集

山西中醫改進研究會

樹之新猷

武進國醫學會

窮黎德星

吳縣中醫公會

活人心術　廣授後生
聞風歸者　翕從如雲
滿堂躋躋　盡是英俊
蔭深喬木　其業愈進

醫界春秋社主席張贊臣

選勝新遷列講筵　軒岐道統古今傳
光揚國粹希前哲　博濟仁心啟後賢
雉水連江迎赤東　虎邱孕玉付青氈
高才行見森然秀　遠爲癰疴祝萬年

如臯縣中醫公會常委　黄星樓　陳愛棠　鄒雲翔

見垣濟世

中央國醫館醫學改進會吳縣支會籌備處

國粹之光

蘇州國醫聯合診所

攸關醫學存亡

中國外科醫院

光我醫學
蘇州中華基督教青年會

春滿杏林
蘇州中國銀行

杏苑春風
蘇州國華銀行潘子芳

今世和緩
蘇州律師公會會長吳曾善

鶯谷春深
蘇州交通銀行

美輪美奐
蘇州信孚銀行林幼山

懋遷有慶
吳縣飲片藥業同業公會

仁心培植
蘇州農民銀行

樂育英才
張毓銤

發揚光大
蘇州覺社

美奐美輪
蘇州金城銀行

人才輩出
胡覺民

培國壽民
蘇州北區平安救火會

杏林春滿
蘇州大陸銀行葉慶瑛

著手成春
胡士楷

國醫之光　鄭燕山　連山

鶯遷喬木　顧福如　錢伯煊

成績斐然　張繩田

發揚國粹　經綬章

國醫之光　王聞喜　黃玉麐　徐衡伯

燕廈增光　金昭　紹文

昌明斯道　都耀章

功能壽世　王幼亭

英才輩出　陳健安　吉人

發揚國醫　張如先

軒岐堂奧　陸旭東

吳醫新猷　陳培之

抽演·啟發　嚴葆臣

國醫發揚　侯錫蕃　程之萬　張誦清

·聖賢濟世　王晶明

美輪美奐 方嘉謨 陳魯珍

興賢育才 艾南屏

醫學新傳 謝劍新

發揚國粹 張卜熊

神聖基礎 茅子明

上池惠澤 王逸儒

濟世之基 王幾道

喬還長春 李疇人

國醫薈萃 董柏生

杏林望重 吳光民

東中參西 沈紀常

闡揚國醫 李石坡

仁術濟世 周頌凡

醫界光榮 金愛承

國醫導師 王獻羣

軒岐堂奥 吳趣

却病強國 章南蓀

醫學正宗 房子驊

教敷吳會 王徵

春風化雨 朱伯衡

轟轟烈烈 陸鼎元

導源靈素 黃竺生

醫學淵深 李雲程

國光仁術 周震良

請更爽塏 徐覺伯

育才濟世 馬方英

醫道淵深 胡鑑初

國粹之光 顧月如

日升月恆 吳月譚濤

今之長桑 張鳳鳴 胡心瑗

學貫古今　陳立齋

濟世有方　張竹齋

發揚光大　程思白

救民不忘救國　項印石

保存國粹　方冠洲　吳志道

朝氣蓬勃　孫式厂

國醫之大本營　顧允士

弦誦勝地　王碩卿

超出人才　郁一琴

英才輩出　陳康侯

仁心濟世　蔡詠蘭

宣揚國粹　陳雪樓

華屋可欽　成績可敬　葛景川

神農遺教　陳秋聲

發揚光大　丁竺君

醫藥維新
天生恆藥行

大業光榮
樂壽堂國藥號

頌晉九如
天生德國藥號

漢醫之光
德昌懋參行周榮臣

乾坤共仰
同壽堂國藥號

醫學之光
壽春堂國藥號

英才輩出
王鴻壽堂國藥號

樹立文化
同仁壽國藥號

復興民族醫學
恆山堂國藥號

喬木蔥蘢
高益壽國藥號

國醫之光
鴻濟壽國藥號

醫宗仲景
同慶堂國藥號

發揚國粹
仁壽天元記國藥號

鶯遷之喜
徐延益國藥號

四海名揚
養生堂國藥號

化雨春風　柳劍南

雲蒸霞蔚　李松濤

強我華冑　王道濟

貫通中西文化　楊夢賦

國醫不振　屢縈愁腸　懿惟吾師　澍水之良
太原名閥　吳郡聲揚　昔年負笈　訓語周詳
膏沐濡染　吾道有光　重闢黌舍　兩易星霜
及門如雲　啓迪不遑　八十英豪　蹌蹡一堂
合爐陶冶　和緩名彰　車馬駢集　活人有方
著手成春　病體壽康　敬祝吾師　醫業大昌

慎軒夫子創辦蘇州國醫學校　新遷之喜

受業　夏義伍敬賀

瑞應長春　郜佩英　陶淑英

還地爲良　章賽珍

桃李春風　朱杏春

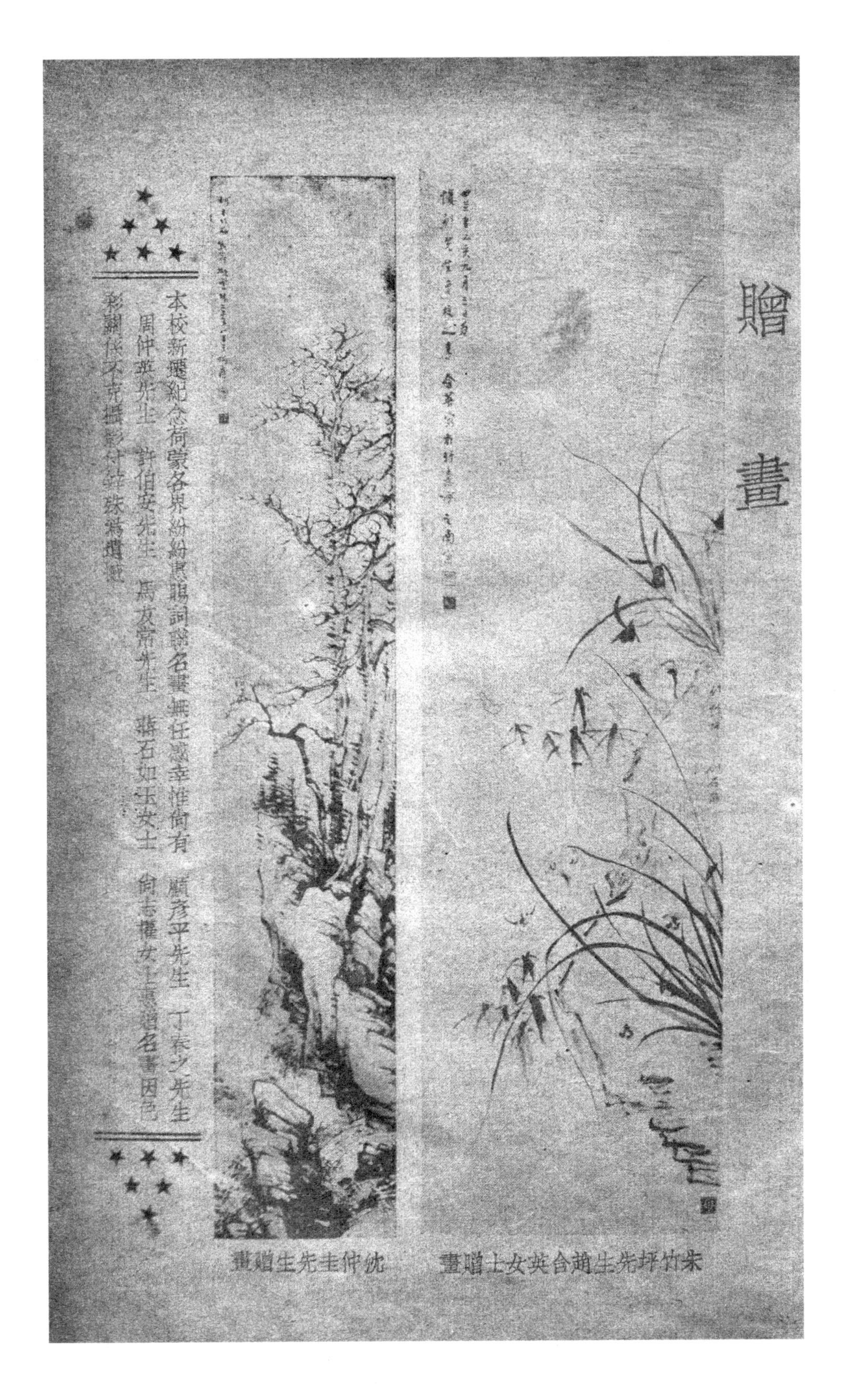

贈畫

本校新遷紀念荷蒙各界紛紛惠賜詞聯名畫無任感幸惟尚有 顧彥平先生 丁春之先生 周仲英先生 許伯安先生 馬友常先生 蔣石如玉女士 倪志權女士惠贈名畫因色彩關係不克攝影付鋅殊爲遺憾

朱竹坪先生趙合英女士贈畫

沈仲圭先生贈畫

醫聖張仲景像
漢太守張仲景先生

名譽校長謝利恆先生

名譽校長章太炎先生

副校長兼總務主任王慎軒先生

校長唐慎坊先生

事務主任張又良先生

教務主任王志耗先生

訓育主任潘國賢先生

圖書館館長胡蕭梧先生

診療所所長祝曜卿先生

內科實習指導主任顏星齋先生

體育主任馬文福先生

生理實習指導主任施毅軒先生

外科實習指導主任丁友竹先生

理化實習指導主任余顯亮先生

兒科主任葉伯良先生

內科主任孫永祚先生

女生部舍務主任朱彩霞先生

施藥室主任黃忠漢先生

外科主任劉滌新先生

譯述主任王南山先生

編輯主任徐名山先生

民國二十四年九月三日蘇州國醫學校遷新校舍紀念攝影

本校圖書館

本校教室

本校標本室

本校教室

本校園景

本校診療室

本校膳堂

本校乒乓球室

本校教室外景

本校自修室

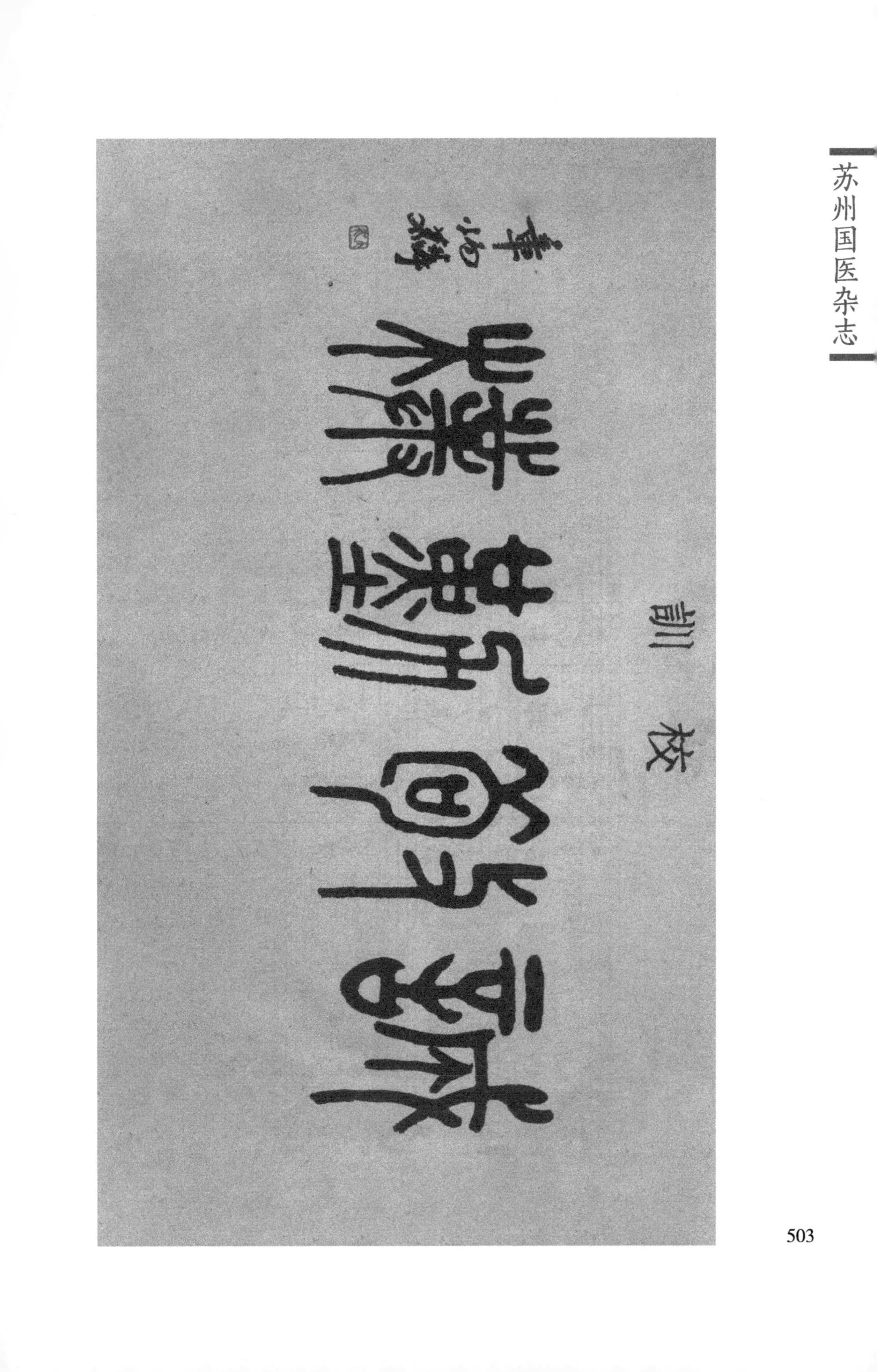

校訓

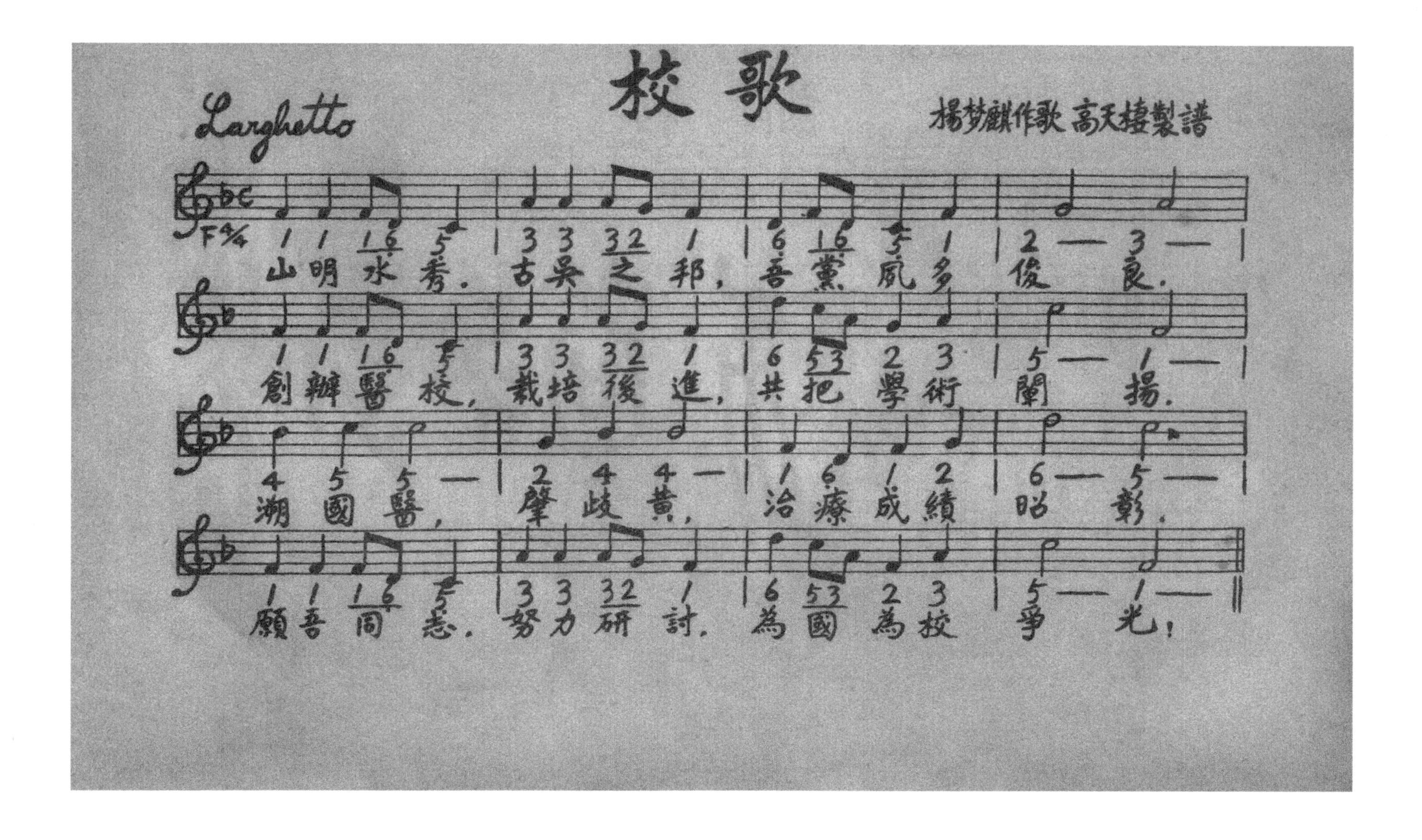

校歌
Larghetto
楊梦麒作歌 高天棲製譜
F 4/4
1 1 16 5 | 3 3 32 1 | 6 16 5 1 | 2 — 3 — |
山明水秀，古吳之邦，吾黨風多俊良.
1 1 16 5 | 3 3 32 1 | 6 53 2 3 | 5 — 1 — |
創辦醫校，栽培後進，共把學術闡揚.
4 5 5 — | 2 4 4 — | 1 6 1 2 | 6 — 5 — |
溯國醫，擘岐黃，治療成績昭彰.
1 1 16 5 | 3 3 32 1 | 6 53 2 3 | 5 — 1 — ||
願吾同志，努力研討，為國為校爭光！

蘇州國醫雜誌第七期——新遷校舍紀念特刊目錄

特載

本校遷移之經過……張又良

新遷校舍紀念典禮誌……編者

黨政機關長官訓詞

中央國醫館江蘇省分館代表訓詞……王景賢記

吳縣縣黨部特派員訓詞……陳丹華記

吳縣縣政府代表訓詞……王蘊玉記

來賓演說

張仲仁先生演說辭……衞勤賢記

本校答辭

校長唐慎坊先生答詞……楊夢麒記

概況

本校十年來之回顧

本校行政組織大綱

教務概況

訓育概況

事務概況

本校診療所擴充範圍之經過與現況

本校編譯館之成立經過與工作概況

本校圖書館概況

本校戰地救護訓練之動機與實現

學生課外活動之組織概況

講壇

章校長太炎先生醫學演講錄……周自强記

祝懷萱先生醫學演講錄……張鑑青記

論壇

國醫教育的現況與展望……徐名山

改進國醫之具體方案……楊夢麒

文獻研究

古方權量說……孫永祚

蘇州國醫雜誌特刊 目錄

陰陽毒考……周自强

醫學研究

濕溫治療法之研究……沈仲圭
溫病研討……王志純
脚氣病概說……張鑑青
糖尿病……吳明之
天痘概論……潘國賢
乳癰乳癌吹乳合論……祝曜卿
婦人不孕之原因與療法……王蘊玉
產後服生化湯之商討……陳丹華
產後血崩論……包增南
本校學生醫學研究會記錄……陳丹華記

藥學研究

麻黃和石膏之醫療作用……袁雲瑞
大黃之功用及其補性之研究……陶克文

醫事雜俎

二

中國國民黨五全大會『政府對中西醫應平等待遇以宏學術而利民生案』之原文……馮玉祥等
國醫治療煙癮法之我見……李冠雄
我的開業計劃……胡念瑜

本校講義

新編藥物講義……本校國醫編譯館 王愼軒主編
新編方劑講義……本校國醫編譯館 徐名山主編
新編醫案講義……本校國醫編譯館 潘國賢主編
新編傷寒講義……本校國醫編譯館 王愼軒主編
新編金匱講義……本校國醫編譯館 凌九雲主編
新編雜病講義……本校國醫編譯館 張又良主編
新編女科講義……本校國醫編譯館 王愼軒主編
新編兒科講義……本校國醫編譯館 徐觀濤主編
新編藥物讀本……本校國醫編譯館 楊夢麟主編
新編方劑讀本……本校國醫編譯館 唐愼坊重編

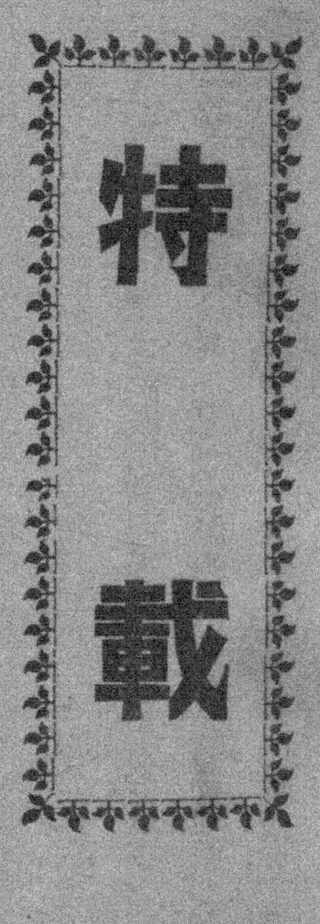

本校遷移之經過

張又良

一、動機

王師愼軒慨乎國醫學之衰落，特聯合同志，於民國二十二年之秋，將手創之蘇州女科醫社擴充範圍，改設本校於蘇州穿珠巷。王先生本其學驗，慘淡經營數年以來，成績斐然，從遊者日益衆。於是原有校舍，遂感簡陋：如無適當之運動場，不宜於體育之實施；三年級實習開始，原有診療所嫌其狹隘，且施藥室缺如，不能使診療所有充分之發展；學級加增，教室不敷分配；宿舍不多，遠道學生，負笈來校者，不能儘量容納；原有標本室僅具規模，原支藥物未能羅列；植藥圃太小，不克多所栽種，以供研究之用。凡此種種，皆爲本校進行之障礙，遂於本年第一次校務會議，決議遷移，以求充分之發展。

二、接洽之經過

自校務會議通過遷校後，又良忝爲事務處主任，自應遵議負責籌備。當卽遴員四處訪尋，凡蘇州城廂內外之巨廈大宅，可賃爲校舍之用者，無不前往察閱。然閱時三月，一無當意。校長唐愼坊先生，總務主任王愼軒先生，以暑期卽屆，籌備需時頗爲焦慮。唐校長祖耤江西，曾長江西會館，以該會館屋宇，尚稱寬暢，不妨借用，遂不辭勞瘁，奔走磋商，並得各方之贊助。允將全部租借，但以不能立時遷讓爲苦。正討論間，適全浙會館會長。顧月如先生涖止，顧先生與唐先生有世誼，亦總務王主任之夙好，相與談及，而顧先生卽以長春巷之全浙會館館址介紹，於是相偕往觀，見其閎偉莊嚴，固會館中之巨擘也。門前空曠，圍以高牆，頓覺別有洞天。正屋凡五進，皆極高敞；客廳在其左，花園在其右；有花廳四所，有側廂兩行，有長廊數帶，有精舍三楹，有修竹千竿，又有高峙之臺，翼然之亭，而叠石爲山，鑿地爲池，鳥語花香，幽趣天然。學生游息其中，當無有不心曠神怡，樂於勤讀者也。唐王二先生均認爲滿意，遂將江西會館之成議取銷，而與全浙會館成立租約焉。

三、校舍之佈置

租約既成，本處卽規劃佈置，以正屋第一進之左爲門房，右爲校役室，室外設櫃，爲掛號處。第二進大廳爲診療室，設內、外、婦、幼四科診療檯各一，臨證檯若干，以供學生實習之用；且陳列几、椅、長櫈，以便待診。廳右置藥櫥、鐵船、刀、臼之屬，爲施藥室，廳左爲會客室。第三進大廳爲標本室，裝置巨大玻璃箱櫥，凡盛藥錦盒，以及玻璃陶瓷各種瓶管，無不煥然一新。原有標本器械，盡因陳腐淘汰，另向各地搜採動植礦物之新鮮標本以代之。並將原支、片劑、粉劑、贋品及精製品，同列一盒爲一組，各貼說明標籤，詳載品名、產地、科別、學名等，以資識別。廳右爲事務處、訓育處，左爲教務處、校長室。東部大廳爲大禮堂，兩側廂樓上下三十餘間，添設門窗，爲男生之宿舍；樓下卽膳堂，堂之北有花廳一所，爲自修室，其間空地爲體育場。西部花園有三大花廳爲各級教室，船廳爲閱報室，精舍爲圖書館，館中圖書除原有外，復增加王慎軒先生家藏珍本數百種，重訂目錄，以便取閱。利用花園餘地爲植藥圃，移植山查、半夏、南星、山漆、天仙籐、龍眼、萱草等鮮藥百餘種，其他則須相其天時地利之宜，以待逐漸之擴充。惟女生宿舍，仍因校舍不敷，租用附近民房，另委專員管理之。所有土木電氣工程之設計，桌凳牀椅器具之安排，書畫圖表之分配，花木之點綴，至八月中旬，始告竣事。又良秉奉唐王二先生之決策，奔走其間，樂與成此百年樹人之大計，實有足以紀念之價值也。

四、籌備遷校紀念會

新校舍布置完竣，已及開學時期，乃於八月十一日舉行第一次入學考試，二十一日舉行第二次入學考試，應試者甚爲踴躍，惟本校以培養人材爲宗旨，錄取新生，素主嚴格，揭榜錄取，計男女生共四十餘名。考試結果之後，正待開學，而本校同人及全體學生等，以本校遷移新址，爲過去成績之結果，亦爲將來無量發展之前因，宜舉行盛大之儀式，以留記念，遂經校務會議議決，於九月三日舉行紀念會，並推定王愼軒先生爲大會籌備主任，派又良爲總幹事，王志純先生爲新劇指導，余顯亮先生爲滑稽劇及歌劇指導，馬文稲先生爲國術指導，尹逸夫先生爲國樂指導，即由全體師生分配工作，各別演習。又良則布置會場，印發請柬，置辦佈景服裝，及一切應用物品等，旬日之間，備置就緒，而全體同仁學生之努力，餘興表演之練習，亦已嫻熟。籌備告竣，乃於九月三日如期舉行，並推唐愼坊先生爲大會主席，王愼軒先生爲總務，胡藹梧先生與又良爲幹事，鄭馥棠、祝曜卿、夏羲伍、許墨林、王道濟、袁雲瑞諸君爲男賓招待，朱彩霞、陶淑英、金嫻素、朱杏春、章賽珍諸女士爲女賓招待，分派既妥，興高彩烈之盛會，于焉開幕。

五、紀念會之一瞥

九月三日，氣候新涼，校門之前，國旗彩紮，布置莊嚴。各界祝賀之幛聯軸對，懸徧四壁，莫不善頌善禱，美不勝收。濟濟嘉賓，魚貫而來，招待之員佩其綢徽，掬其笑容，眞個山陰道上，應接不暇。下午一時，舉行紀念典禮，賓朋入席。主席唐愼坊先生，報告開會宗旨並歡迎來賓；主辦人王愼軒先生，報告本校歷史，與此次遷校經過，及將來之展望。次由黨政代表，地方名人，相繼演說。至二時半攝影後，表演餘興：楊夢麟君之開篇彈唱，自然；周自强劉振新之『機器人』，滑稽發噱；馬文麟先生領導之國術，如生龍活虎；周自强、陳松齡、吳明之、包愼伯、陶淑英、等之『到民間去』；石蔚華、王桂林、等之『瘋道人』，表演逼眞；來賓項印石、程思白先生之三弦拉戲，與周一新、范仲和、顧謙麟、仲福坤、馬瑞洲、周景旦諸先生之國術表演，均極精彩。而本校女生王景賢、胡念瑜、包增甫等之歌劇，宛轉抑揚，直可繞樑三日。一幕告終，掌聲雷動，直至萬家燈火，始盡歡而散。

新遷校舍紀念典禮誌

編者

民國二十四年九月三日，爲本校舉行新遷校舍紀念會。下午一時，舉行紀念典禮，中央國醫館江蘇省分館代表郝春湖先生，吳縣縣黨部特派員孫丹忱先生，吳縣縣政府代表倉桂蟾先生，地方法院代表顧瑩先生，公安局二分局長黄天一先生，名人張仲仁先生等來賓四百餘人，均先後蒞至，齊集禮堂，遂振鈴開會，舉行儀式如下：（一）全體肅立（二）唱黨歌（三）向國旗黨旗及總理遺像行最敬禮（四）恭讀總理遺囑（五）靜默（六）校長報告開會宗旨（七）總務主任報告遷移經過（八）各機關長官致訓辭（九）來賓演說（十）校長致答辭（十一）攝影（十二）餘興（十三）分贈刊物（十四）振鈴散會

黨政機關長官訓詞

中央國醫館江蘇省國醫分館代表郝春湖先生訓詞

王景賢記

今天貴校舉行校舍遷移紀念典禮，本分館館長王碩如先生，因爲公務羈身，不能躬來出席，特派兄弟權充代表。在兄弟個人因爲得到了這樣一個好機會，能參與這隆重的典禮，覺得是非常的榮幸。不過兄弟雖然奉王分館長之命特地跑到貴校來，但事實上因爲兄弟是一個不善詞令的人，覺沒有什麼話可以貢獻給諸位，覺得非常抱歉。現在祇好和諸位隨便談談：

中國向來有二句格言：『獨學不如從師；從師不如訪友。』這二句話雖然是泛指一切學問的研究而言，但我覺得把它應用到研究醫學這方面來，更來得確切些。因爲中國醫學自神農黃帝肇始以來，已有數千年的歷史，在這長期的進程中，歷代先賢都有相當的發明，也都有各自的主張，學說既龐雜紛紜，書籍也不啻汗牛充棟，倘有志研究醫學的人，不經良醫之指導，而僅拚着自己的勇氣，毫無門徑地逢路便走，遇書就讀，結果或許會越讀越迷惘，甚至有盡畢生之力，終於不能登醫學之堂奧，也有中途知難而退者。其中雖不乏好學之士，苦心窮究，一旦豁然貫通，出而問世者，但因經驗不足，學無師承，以之治病，往往或效或否，功過參半，仍舊不免一知半解。反之，從學於學有淵源的師長，則不但可以免掉許多無謂的努力而得入門之正途，而且可以把師長的學識和經驗全盤地承受過來，將來出而問世，庶幾胸有成竹，心明如鏡，不致像前面孤陋寡聞，盲目獨學者那樣的遇病倉皇了。所以我說，我們研究醫學，獨學不如從師好。

不過從師雖然比獨學好，但因爲師一人的精力有限，一人的見識不廣，師也難免有個人的偏見和自身的缺點；我們從師如以一而終，則必師之偏者我亦偏之，師之所不能者我亦如之。仍不免流於庸俗之見。因此我主張效從前學者的樣，遍訪天下名師；但事實上我們的生命既有限，我們的經濟能力或許也不足，安得盡訪天下名師而受教之?! 所以我覺得僅僅從師這條路，還不是研究醫學者的康莊大道。

現在貴校當局諸先生，抱復興歧黃絕學之宏願，不惜犧牲巨大之金錢與寶貴之精神，來創辦國醫學校，既集醫學名家於一室，復聚青年學子於一堂；諸君朝於斯，夕於斯，既可以得到各有所長的諸先生之殷殷教誨，又可以與諸同學互相切磋琢磨，庶幾博見多聞，學無所偏，加之貴校有規模宏大之診療所設立，專供同學臨證之實習而治病的經驗也一定能得到的很豐富；將來畢業以後，出而問世，所謂駕輕就熟，何患不能達濟世救人之目的哉?!

今天兄弟看到貴校的種種設施和教授的課程，不禁深深地爲國醫藥的前途慶幸，可惜王分館長自己沒有來，我想假如王分館長來的話，他一定也表示非常地滿意的。現在兄弟代表王分館長敬向貴校供獻下列的幾點意見，作爲話語的結束：

(一)貴校是江蘇全省國醫教育的最高學府，負有培植人材，發揚醫學的重大使命，希望貴校當局諸先生，能夠永遠如今日之精神辦理教育，貫澈始終，務期這江蘇省唯一的國醫教育機關，能漸臻於更完美之境！

(二)青年學生，有了這樣的一個求學機會，實在是諸位前途的幸福，大家應該毋怠毋荒，朝夕黽勉於學問，以期將來成爲濟世的良醫，庶不負敎育者的一番苦心！

這次貴校給我非常良好的印像；下次如有機會，兄弟當再來和貴校賢師生相見。

吳縣黨部特派員孫丹忱先生訓詞

陳丹華記

諸位！今天國醫學校舉行新遷校舍紀念會，兄弟得以參加盛典，很是榮幸。講到吾國醫藥，創始於上古，大成於兩漢；厥後代有發明，時有進步。傳流至今，已有數千年攸久的歷史，積數十代寶貴的經驗，治病功績昭著，不待吾人之宣揚，凡我國人，已有深切而不可磨滅之印象。吾國四萬萬民衆的康健，咸賴國醫國藥的保障，故國人的死亡率，常在歐美各國之下。可是政府當局，對於國醫，向不顧問，任其風雨飄搖，自生自滅，以致保障民族康健的國醫藥，爲一般喪心病狂的副牌洋醫所任意攻訐，公然侮辱，政府反而妄自菲薄，不加保護。値此國醫界風雲日緊，國粹行將淪亡之際，最要之圖，莫如鞏固自身；望國醫學校諸位敎授，奮起大無畏的精神，出其所知，開誠布公，來敎導年青的學子，灌輸科學的醫藥知識，改革抽象的玄妙學理，脚蹈實地，埋頭苦幹，建立永固不拔之地位！更望諸位學生，靜心研討，互相砥礪，負起昌明國醫的責任，舉起革新國醫的旗幟，使國醫前途大放光芒，則不特國醫界之幸，亦我全國民衆之大幸也。

吳縣縣政府代表倉桂蟾先生訓詞

王蘊玉記

今天吳縣長適因公務冗繁，不克親臨貴校，特委兄弟代表前來參加；國醫學校創辦二年以來，成績斐然可觀，貴校當局，不惜精神和金錢，栽培國醫的人才；不畏難，不苟且，一本發揚國醫的初衷，實令人可欽可佩！我國人民雖有四萬萬强，然老弱多病的却佔其十之七八，故被世界視爲老弱之國。國人所以失却康健的原因，醫藥不健全，亦其一端。今日的國醫，已被西醫摧殘，復爲政府遺棄，丁此厄運，猛省自奮的，固屬不少，渾渾噩噩，各自爲政的，却亦大有其人。要知國醫藥爲保我民族生命之工具，倘一旦將國醫消滅，以人民生死之權，而付託於外人之手，實爲民族最大之危機，望國人深切思之，共謀促進國醫之發展！蓋健全國醫，即所以健全國民，國民健全，則整個之中國强盛，自可一洗『老弱國』之奇恥！環觀世界各國，其强盛者，醫藥必精良，其衰弱者，醫藥必腐劣；故欲强我國，則發揚國醫學術，自屬刻不容緩；願國醫學校師生共勉旃！

張仲仁先生演說辭

衞勤賢記

中國的醫藥，是中華民國的生命，更是中華民族的靈魂，我國民族四千年以來，中間經過許多天災人禍的淘汰，仍佔全世界人數最多的地位，國醫國藥之功，不可泯滅。自從歐風東漸，西醫侵入吾國之後，一部分國人的心目，受其所謂新的裝璜，新的器械，新的學說的眩迷，不深慮民族存亡利害的關係，被一時的戀新棄舊的情感所蒙蔽，遂存鄙夷蔑視之成見，棄國醫如敝屣，其自稱科學之醫，更受寵若狂，公然倡言廢止中醫，以冀遂其侵略之野心。不知國醫積有數千年之經驗，根深蒂固，適合民情，雖一部分國人受其鬼蜮之欺，决不能轉移全國人民之心目，消滅全國人民之信仰。彼輕視國醫者，殊不思西醫未入吾國之前，人民體魄之强健，年齡之高壽，遠勝於今日，何必賴自矜之新醫，保我國民的生命呢?!

試看現在鄉村僻野之處，尙無西醫的足跡，而鄉民仍是强健如昔，未聞喪亡無餘，此卽足以證明國醫藥之價値也。然平心而論，國醫之進步遲緩，因陋就簡，不思有以發揚之，光大之，固非學術前途之福音。望貴校師生，負起改進國醫藥的責任，再接再厲，不屈不撓，努力進行，則國醫之重視光明，指日可待。願共勉之！

本校答詞

校長唐愼坊先生答詞

楊夢麒記

今日爲敝校遷移校址舉行紀念之日，蒙中央國醫分館代表郝先生，吳縣縣黨部孫特派員，縣政府代表倉桂蟾先生，張仲老暨諸位來賓惠然蒞臨，賜以訓勗，大都對於吾國醫藥深加信任，咸有保持改進之盛意，毫無鄙夷藐視之微詞。吾長官吾來賓之心理如是，吾知吾國民之心理亦如是；吾更知吾全國國民之心理，亦莫不如是。書曰：天視自我民視，天聽自我民聽，此言國民之視聽，卽天之視聽也。又曰：順天者存，逆天者亡。此言民之所存亡，卽天之所存亡也。民欲存之，卽天欲存之；天欲存之，而竟欲亡之，所謂違天者不祥也。惟願吾長官吾來賓，深諒我同人創辦敝校之苦心，提挈之，督責之，使我同人於感激萬分之餘，兢兢焉不敢自弛；積極進展，發揮而光大之，則不獨敝校今日一日之榮幸，實吾國醫藥永永無窮之榮幸！謹拜吾長官吾來賓之賜！

概况

本校十年來之回顧

本校創立於民國十五年，初名蘇州女科醫社，分設實習函授兩部，由主任王慎軒先生編輯醫學講義——內經衞生學，內經生理學，難經脈法精義，中國藥物學，中醫調劑學，中西病理學大綱，內科診斷學，古方新論，胎產病理學，女科治療學，產科治療學，女科醫案指南，內科醫案指南，女科診斷學，女科醫論，傷寒講義，溫病綱要，雜病講義等二十餘種，作爲函授及實習部之課本，並出版婦女醫學雜誌，以爲兩部學生交換智識發表心得之園地。前後七閱寒暑，曾辦畢業四屆，學生之行道於社會者，計凡七百餘，全國各省及日本南洋諸島，無不徧有本社學生之蹤跡，今日之本校，蓋濫觴於斯焉。

民國二十二年夏，遵　國民政府行政院令，改稱蘇州國醫學社，並擴大範圍，添設內外小兒諸科目，聘唐慎坊先生爲社長，王志純先生爲教務主任，而以前女科醫社創辦人王慎軒先生擔任總主任之職，同時更呈奉中央國醫館及江蘇省國醫分館吳縣縣政府吳縣教育局等各機關核准備案。此時函授部已停止招生，諸先生得專致全力於社務，規模既已具備，而科目亦頗完全，與向之範圍狹小，偏於女科者，較不可同日語矣。

民國二十三年度第一學期改學社名稱爲學校，復遵照部頒私立學校規程，組織校董會，舉李根源先生爲主席董事，聘唐慎坊先生爲校長，王愼軒先生爲副校長兼總務主任；當由王總務主任攜呈文親赴首都，向中央主管機關請求准予改稱蘇州國醫學校，當蒙核准並予備案。此外如江蘇省國醫分館及吳縣各主管機關，亦均經呈請備案，而學校之根基，遂由是固立矣。

自經改組爲學校後，學生驟然增多，原有校舍，不敷應用，乃覓蘇州長春巷巨廈一所，加以修建；於二十四年夏全部遷入新址，同時又因外埠女生，向學者紛至沓來，原附設吳趨坊王愼軒女科醫室內之女生宿舍，亦已不敷容納，於是復闢新校舍附近之廳屋一所爲女生宿舍，並聘朱彩霞先生爲女生部舍務主任。秋九月舉行遷移紀念典禮時，　國民政府林主席，立法院孫院長，考試院戴院長，司法院居院長，監察院于院長，中央國醫館焦館長等，莫不親賜題詞，而國醫館江蘇省分館代表及吳縣黨政各機關長官，均躬親蒞校致訓辭，此乃本校創立以來空前之盛舉，亦本校同人無上之榮幸也。

同人等，負有發揚光大中華民族醫學之使命，當茲受寵若驚，自當益加奮勉，以副　先總理「保存固有文化」之至意。爰於遷移紀念刊出版時，謹述本校十年來之回顧，藉資自勉。至於本校此後之發展，則仍有待乎醫界同志及教育先進之指導焉。

本校行政組織大綱

第一條　本校定名爲蘇州國醫學校。

第二條　本校遵照中華民國教育宗旨，根據中央國醫館『採用科學方式整理國醫藥學術』之方針，以闡明中國醫學之眞理，融化世界醫學之新知，造就適合現時代之國醫新人材，促成中國本位醫學之實現，以達到充實人民生活，扶植社會生存，發展國民生計，延長民族生命之目的。

第三條　本校由創辦人聘請校董，組織校董會，爲行政上最高機關。

第四條　本校設校長一人，副校長一人，名譽校長二人，由校董會聘任之。

第五條　本校設總務主任一人，商承校長統轄教務處、訓育處、事務處、國醫編譯館、國醫圖書館、國醫診療所、施藥室、及各種委員會等，處理全校一切事宜。

第六條　本校爲謀辦事便利起見，分設下列各部：

第七條　教務處設教務主任一人，教務員若干人，處理課程支配，教員請假及補課，學生缺席出席，升級降級，以及成績統計等一切事宜。

第八條　訓育處設訓育主任一人，訓育員若干人，處理學生請假，曠課事宜，及考查學生品性行爲，施以適當之訓練，並指導學生之課外生活。

第九條　事務處設事務主任一人，事務員若干人，處理全校關于會計、文牘、庶務、衛生及管理校工等事宜。

第十條　國醫編譯館設正副館長各一人，編輯部主任一人，譯述部主任一人，編譯員若干人，專門編譯本校各科講義，及其他國醫書籍。

第十一條　國醫圖書館設館長一人，管理員若干人，管理關于圖書購置，保管及借覽等事宜。

第十二條　國醫診療所設所長一人，醫員若干人，擔任內、外、婦、幼、諸科病人之診療，及學生臨證實習之指導，並注重經方之實驗。

第十三條　施藥室設主任一人，藥劑員若干人，專事藥物之泡製，丸、散、膏、丹之修合，及照方配藥並登記施藥劑數等事宜。

第十四條　經濟委員會設委員長一人，委員若干人，審核預算、決算，及學校經濟出入等事宜。

第十五條　建設委員會設委員長一人，委員若干人，計畫及處理校舍修建增添設備，改善環境等事宜。

第十六條　招生委員會設委員長一人，委員若干人，辦理招生及入學試驗等事宜。

第十七條　本校爲決定教育具體方針，並討論學校行政上一切實施，及改進起見，由左列人員組織校務會議，以校長爲當然主席。

(一)校長(二)總務主任(三)教務主任(四)訓育主任(五)事務主任(六)體育主任(七)圖書館館長(八)編譯館館長(九)診療所所長(十)施藥室主任(十一)各委員會委員長(十二)各科實習指導主任(十三)各級指導主任(十四)各科專任教員(十五)男生部指導主任(十六)女生部指導主任

第十八條　本校教務會議之職權，爲支配課程，品評學生成績，研究各科教學方法，及討論關于教務上之一切問題，其會議由下列人員組織之，以教務主任爲主席。

（一）校長（二）總務主任（三）教務主任（四）教務員（五）訓育主任（六）事務主任（七）體育主任（八）診療所所長（九）各科實習指導主任（十）各級指導主任（十一）各科專任教員（十二）其他關於所議事項之各部主要職員

第十九條　本校訓育會議之職權，爲訂定各種獎懲辦法，審查學生操行成績，訂定學生課外生活指導方案，及討論關于訓育上之一切問題。其會議由下列人員組織之，以訓育主任爲主席。

（一）校長（二）總務主任（三）訓育主任（四）訓育員（五）教務主任（六）事務主任（七）體育主任（八）各級指導主任（九）男生部指導主任（十）女生部指導主任（十一）其他關於所議事項之各部主要職員

第二十條　本校事務會議之職權，爲支配預算，規劃衞生設施，學生膳宿設備，及校工之進退；並討論關于事務上之一切問題。其會議由下列人員組織之，以事務主任爲主席。

（一）校長（二）總務主任（三）事務主任（四）事務員（五）教務主任（六）訓育主任（七）體育主任（八）男生部指導主任（九）女生部指導主任（十）其他關於所議事項之各部主要職員

第二十一條　各種會議，均按照規定日期開會，如遇特別事故，得召集臨時會議。

第二十二條　本校各部，爲謀辦事便利起見，均另訂辦事細則；但須經校務會議通過後，方可施行。

第二十三條　本組織大綱經校務會議通過後施行。

第二十四條　本組織大綱，如有未盡善處，得提交校務會議修正之。

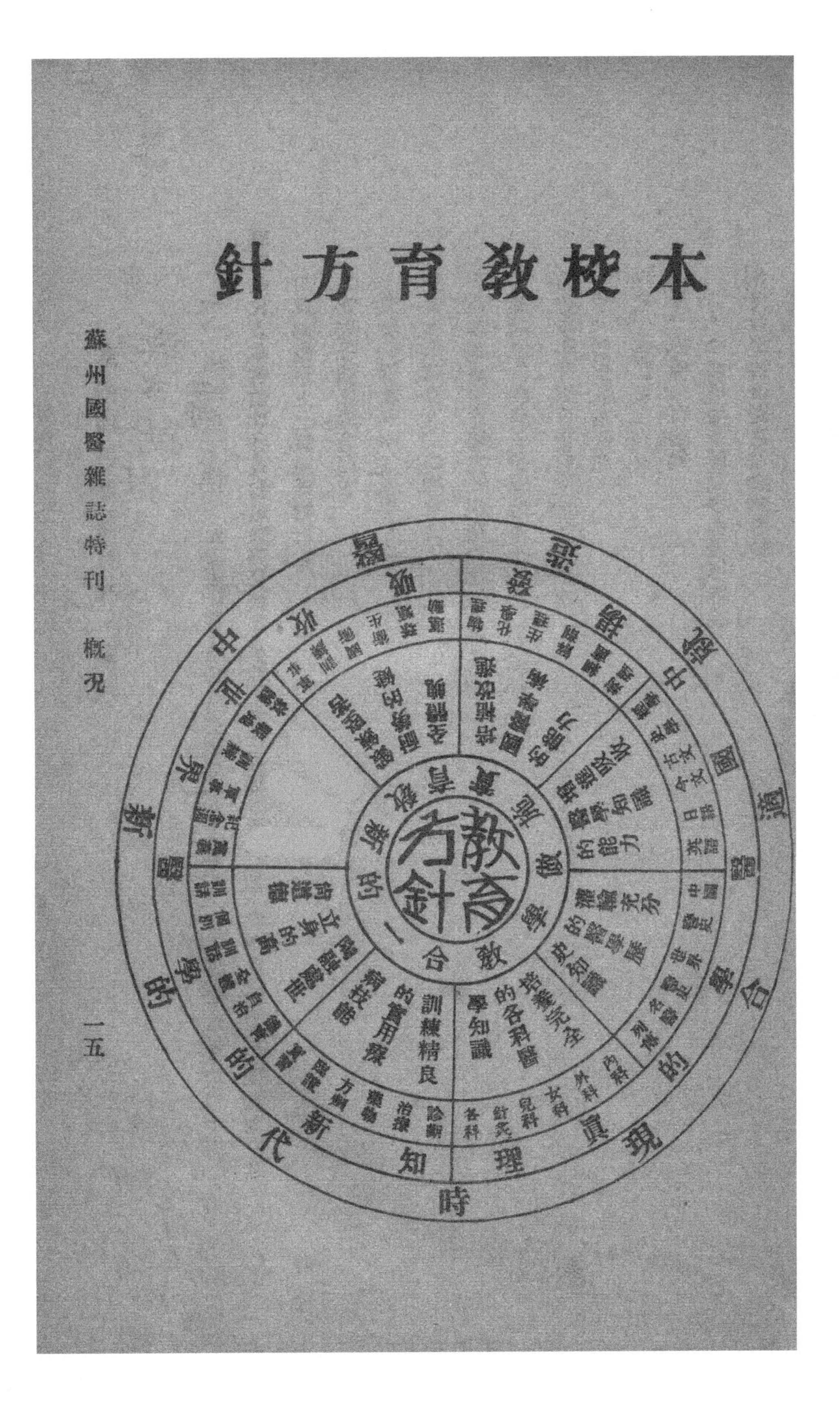
本校教育方針
蘇州國醫雜誌特刊 概況
教育方針
一五

教務概況

一、組織與工作　本處由教務主任及教務員組織之。教務主任商承校長及總務主任統理教務上一切事宜，並代表本處出席各種會議。教務員則秉承教務主任處理本處一切事宜；本處之工作範圍，約如下述：

1 規劃教務上之設施而執行之。
2 支配各級課程時間表。
3 支配各級教室，排定學生坐次。
4 掌理開課、停課、調課等事宜。
5 掌理教員請假、補課及學生出席、缺席等事項。
6 辦理關於教務上各種通告，及外來詢問事件。
7 會同事務、訓育兩處，辦理下列事項：
甲、督察教室衞生
乙、供給教室用具
丙、招待來賓參觀
丁、籌備學生參觀及學術演講事宜
8 與教師接洽教課及考試事宜。

9 擬具學業成績考查辦法。

10 編製教務上各種統計及圖表。

11 辦理學生升級、降級、退學事宜。

12 調製學業成績及學期報告。

13 保管本處各種表冊，學生成績試卷，及議決案等。

14 主持教務會議。

二、課程組織　本校課程，係根據本校宗旨及教育方針而規定：以培養科學知識及培植改進國醫學術的能力爲目標者，有化學、生理、解剖、細菌、病理等科目；以增進吸收醫學知識的能力爲目標者，有經學、史學、古文、今文、日語、英語等科目；以灌輸充分的醫學歷史知識爲目標者，有中國醫史、世界醫史、名醫列傳等科目；以培養完全的各科醫學知識爲目標者，有內科學、外科學、女科學、兒科學、針灸學等科目；以訓練精良的實用療病技能爲目標者，有診斷學、治療學、藥物學、方劑學、臨證實習等科目；以鍛鍊健全之體魄爲目標者，有衛生學、國術、軍事訓練等科目，餘如黨義、德育、戰地救護訓練等，亦均爲必修之科目。茲將現行課程組織立表於後：

蘇州國醫學校現行課程表

科目＼學年	第一學年每週時數	第二學年每週時數	第三學年每週時數	第四學年每週時數	備註
黨義	一小時	一小時			

科目					
德育	一小時	一小時			
體育	二小時	二小時	二小時		國術　軍事訓練
國文	六小時	三小時			
作文	三小時	三小時			
外國文	一小時	一小時			
生理學	二小時				附胎生學　組織學
解剖學		二小時			附細胞學
理化學	二小時				
細菌學	一小時				
衛生學	一小時				
醫學常識	五小時				
醫經學	三小時	三小時			
醫史學	一小時				
病理學	二小時				
診斷學		二小時			
藥物學	四小時	四小時	三小時		
方劑學	一小時	三小時	二小時		

科目					
治療學		二小時			
醫案學			二小時		
內科學		九小時	三小時		包括傷寒金匱溫病雜病等
女科學			二小時		
兒科學			二小時		
外科學			二小時		附喉科學　戰地救護術
臨證實習			一十八小時	三十六小時	
總計	三十六小時	三十六小時	三十六小時	三十六小時	

三、教學之研究

合理之課程組織與良好之國醫教本固爲全部教育之核心，但如無優良之教學法，則亦不能充分發揮課程與教本之價值。本校諸教師爲適應時代潮流革新國醫教育起見，對于教學方法無日不在研究改進之途中；其具體之辦法，爲組織教學研究會，每月集會一次，討論教學方法、報告實施心得，並解決關于教學上理論及事實上各種問題。

四、教學設備

本校關于教學上應用教具及場所，計有診療所、製藥室、植藥圃、標本室、教室及儀器、圖書、藥物標本、掛圖、實驗用具、……等，均有負責各處單獨之報告，茲不贅述。

五、成績考查

本校對于學生學業成績之考查，向主嚴格，以爲非嚴格不足以督促學生之奮勉與進步。考查方法如下：

1 平日考查——規定左列五項由各科教員隨時酌量採用：

A 口頭問答

B 實驗考查

C 臨診實習考查

D 讀書報告

E 研究心得報告

F 其他工作報告

2 學月考試——各科每隔一月，舉行考試一次。

3 學期考試——各科於每學期終了時，舉行總考試一次。

4 學年考試——各科於每學年終了時，舉行總考試一次。

以上四種考查方法施行以來，學生頗有進步；茲將上年度第二學期因成績優良而得獎勵之學生姓名，列表於後：

年級	姓名	獎勵
三年級	陳丹華	免本學期學費全部
三年級	周自强	免本學期學費之一半
三年級	王蘊玉	免本學期學費四分之一

年級	姓名	獎勵
三年級	張鑑青	發給獎狀
三年級	勇本義	發給獎狀

年級	姓名	獎勵
二年級	胡念瑜	免本學期學費全部
二年級	包增南	免本學期學費之一半
二年級	胡敏揚	免本學期學費四分之一
二年級	吳明之	發給獎狀

年級	姓名	獎勵
二年級	倪君安	發給獎狀
二年級	吳永鏘	發給獎狀
二年級	傅方珍	發給獎狀
二年級	朱杏村	發給獎狀

訓育概況

一 引言

教學可增進知識，爲將來學問事業之基礎，訓育係訓練做人，爲事業成功之要道。訓育與教學相較，其重要可謂有過之無不及。故本校對於訓育方面素抱嚴格主義；除訓育主任、訓育員、男女生舍務主任、應負訓育全責外，如各級指導主任、各科實習主任及各教師，對於學生之行動，均負隨時指導監察之責。同時深恐現代偏愛自由之青年，不能了解本校訓育之主張，故特於招生章程中作如下之聲明：

『本校同人犧牲精神，耗費金錢，必期達到改進國醫，造成良醫之目的；故教學務求認眞，訓練必從嚴格。凡學生規則中所定之懲獎辦法，必須嚴厲執行，若自問不能遵守本校規則者，萬勿來學，以免跋涉。特此附告。』

茲略述本校訓育之實施概況於左：

二　訓育目標

本校訓育以　總理『忠孝仁愛信義和平』之遺敎爲主旨外，復適應靑年期的生理心理及社會環境與醫學業務之需要，規定下列標準：

(一)誠以處世，力戒虛僞陰險的習性。
(二)敬以事人，力戒傲慢自大的習性。
(三)勤以治事，力戒倚賴怠惰的習性。
(四)樸以立己，力戒奢侈浪漫的習性。
(五)愼以服務，力戒輕躁疏忽的習性。
(六)鍛鍊康健的體格，期能刻苦耐勞。
(七)增進博愛的觀念，期能濟世活人。
(八)陶冶向上的志趣，期能發揚蹈厲。
(九)訓練嚴肅的精神，期能和平奮鬥。
(十)養成衞生的習慣，期能益己化人。

三　實施方法

我人之理想，以爲學生之品性習慣，與一切行爲，均應隨年級或年齡而進步。年級愈高或年齒較長，當愈合於訓育理想之標準。但實際上往往中學生之紀律較小學生差，大學生之紀律較中學生更差。國聯教育考察團之批評：『在中國之大學以至中學，學生之行動，太無紀律，學生與教員之間，時常成不自然的緊張狀態…………』的是眞知灼見之論，故本校對於訓育方法，常加深切之研究，茲將最近實施概況，略述於后：

（一）新生入學指導　新入校之學生，對於本校種種設施及訓育方針，完全隔膜，難免發生軌外行動。且新來學生，因各人過去所受之教育不同，思想行動常差異甚遠，本校爲使其能遵守校訓、校規起見，特別注意新生訓練，務期均能明瞭本校訓育方針，以爲導入正軌之初步。

（二）訓話　根據訓育標準而行實踐指導，訓話方式如下：

1全體訓話——每星期一紀念週時，除報告外，其餘時間，即由校長或訓育主任根據學生普遍之缺點，逐一糾正之。

2各級訓話——由各級指導主任，根據該級學生之行爲或品性上之缺點，施以適當之指示及糾正。

3個別訓話——每日指定學生四人赴訓育處作個別談話，藉以考察其性情旨趣行爲，並施以適當之勉勵或訓誡。

（三）體育與軍訓　鍛鍊康健之體魄，養成嚴守紀律之精神，實爲復興民族之基始。過去國醫界體格之孱弱，精神之散漫，實爲國醫被人輕視之一大原因。本校負有造就新中醫之使命，故對於體育及紀律訓練特別注意；除聘請國術專家担任國術訓練外，復實施軍事訓練，以養成學生鐵的意志與嚴守紀律之精神。

（四）勞動服務團之組織　本校勞動服務團係奉吳縣新生活運動促進會命令，由全校師生共同組織成立，以本校校長爲團長，總務主任爲副團長，各教員爲指導員，計分三大隊，每隊設隊長一人、隊副一人；首先實行清潔運動，由校內而推及校外。每日課餘，由團長或指導員率領各隊分頭服務，實行以來，成績頗爲顯著。

（五）課外活動　學生課外活動，以研究學術爲主旨，計已成立且有實際工作之表現者，有下列三種組織：

1文藝與醫學社——分研究與出版兩部；研究部每月開會二次，由訓育處派員參加指導。出版部每週出版文藝與醫學週刊一次。

2演講會——每週開會一次，由學生預定講題，輪流練習演說；開會時由教師出席指導並擔任批評。

3醫學研究會——每月開會一次，事前由教師預先公佈研究題目，令學生各自預先準備，屆時各抒研究心得，公開辯論，並將研究情形詳細紀錄。如研究有未澈底處，由出席教師詳細補充其意義並發揮之。

（六）獎勵　獎勵之意義在鼓勵學生品性行爲之向上，凡能恪守本校校訓校規及指導者，均有獎勵；其方法如下：

1凡學生有左列各款之一者，予以口頭獎勵：

（1）鋪位案頭整潔者（2）守時間者（3）守秩序者（4）其他嘉行與右列各款相當者

2凡學生有左列各款之一者，當視情節之輕重，分別記功或發給獎狀：

（1）品行列入甲等者（2）不缺課者（3）努力于學校內之公益事務著有勞績者（4）其他嘉行與右列各款相當者

3凡一學期中操行學業成績均列甲等者，減免其學費以作獎金：

（1）第一名免下學期之學費（2）第二名免下學期學費之半（3）第三名免下學期學費四分之一

（七）懲戒　凡品性不良，不守校規或不聽師長訓導者，皆予以相當之懲戒，以促其悔過自新。懲戒之方法如下：

1凡學生有犯左列各款之一者，予以訓誡：

（1）無故曠課一次者（2）上課時任意遲到或早退者（3）欺侮同學情節較輕者（4）不注意清潔者（5）儀容不正行爲不檢者（6）不遵守秩序者（7）吸煙飲酒者（8）性行素懶者（9）託辭請假者（10）請假逾期者（11）其他過失與右列各款相當者

2凡學生犯左列各款之一者，記小過一次：

（1）無故曠課二次或避考一次者（2）故意汚損校具摧折花木或建築物者（除賠償外）（3）妨礙公衆秩序者（4）不遵請假規程者（5）不遵規定之時間熄燈就寢妨礙公衆安甯者（6）受訓誡而不能改過遷善者（7）其他過失與右列各款相當者

3凡學生犯左列各款之一者，記大過一次：

（1）無故曠課三次或避考二次者（2）一再不遵請假規程者（3）不服訓誡者（4）一再不遵守規定之時間熄燈就寢者（5）不守紀律故意違背規則者（6）侮慢師長者（7）侮辱同學或毆擊工役者（8）考試作弊者（9）有類似賭博行爲者（10）其他過失與右列各款相當者

4凡學生犯左列各款之一者，應卽除名：
(1)操行列入丁等者(卽不及格者)(2)記大過三次或小過九次者(3)參加危害社會之團體者(4)暴戾恣睢行爲悖謬者(5)對師長有重大之不敬行爲者(6)敗壞風紀累及本校名譽者(7)繼續留級二次者(8)犯偷竊行爲查有實據者(9)不遵校章繳納各項費用者(10)一學期無故曠課至三分之一者(11)謀破壞學校者(12)其他重大過失與右列各款相當者

(八)聯絡家庭　遇學生有功有過經本校奬勵或懲戒者，一律隨時報告該生家長，藉謀學校敎育與家庭敎育之溝通，以收訓育之成效。

事務概況

本校成立以來，校務方面無日不在進展之中，所以各部工作均甚緊張，而本處工作更爲瑣屑紛繁，往往一事未竣，他事又來，故本處工作人員較其他各處更爲辛勞，尤當校舍新遷之始，本處同人孜孜終日，猶感窮於應付；關於本處在校舍遷移時之工作，已由張又良先生於「本校遷移之經過」一文中詳細報告，茲僅擧普通事項之犖犖大者，略述如次：

(一)校舍之修建　本校校舍，係租用旅蘇全浙會館，佔地十餘畝之廣，庭園花木，風景清幽，且建築宏麗，屋宇高敞，遜清時代曾爲臬台衙門，民國以來，旅蘇軍政要人，恆有駐節於此。惜房屋經多次駐軍，不無破損，而且房間之大小，亦未盡適合本校之應用。由本處秉承總務主任之計劃，除商請該館董事將房屋部分大加修建外，復由本校加以局部之裝修，今則輪奐一新，大非曩日可比矣。

（二）佈置校景　本校校園修竹成林，佳樹葱蘢，假山池沼，點綴其間，莘莘學子，遊憩修學於其間，足以暢胸襟而陶冶品性，前因久不整理，蔓草沒徑，頗呈荒蕪之象，經本處督率校工大加整治後，風景更覺優美矣！

（三）添置校具　本校因學生日漸增多，原有校具早感不敷應用，本學期新遷校址後，學生更形增多，教室桌椅，自修室桌椅，學生寢具等，在在均須大批添置，同時因診療所及施藥室擴充範圍之關係，又新添診療檯，藥房用具及外科手術器具材料等，均由本處負責辦理。

（四）整理標本儀器　標本儀器掛圖，爲學生研究實驗之工具，本校歷年添置，爲數頗豐，近因範圍擴充，猶感不敷應用，除添置大批掛圖教具等外，至于藥物標本，則因種類繁多，僅向本省各大藥棧徵求，頗不完全，乃復函請各省同仁代爲採辦道地藥物標本，惟因途遠需時，迄今半載，猶未搜集齊全，同時復將原有蟲蝕霉腐者，一律換之以新鮮，且根據科學名稱分類陳列，每品均附以說明之標籤；茲將本校現有標本表，列統計如下，以見一斑：

植物類

甲、顯花植物部

（一）裸子植物門

科別	件數	科別	件數	科別	件數	科別	件數	科別	件數
公孫樹科	一	松杉科	五	麻黃科	三				

(二)被子植物門

科別	件數	科別	件數	科別	件數	科別	件數	科別	件數	科別	件數
百合科	一八	燈心草科	一	石蒜科	二	鳶尾科	二	薯蕷科	一	穀精草科	二
天南星科	八	浮萍科	二	香蒲科	一	椶櫚科	三	莎草科	三	禾本科	一四
薑科	一五	蘭科	九	澤瀉科	一	百部科	一	胡桃科	三	胡椒科	五
桑科	六	榆科	一	蓼科	八	藜科	一	莧科	七	茉莉科	一
商陸科	一	石竹科	三	毛茛科	一五	木蘭科	五	木通科	一	防己科	三
小蘗科	二	樟科	六	荳蔻科	一	睡蓮科	一〇	延胡索科	一	十字花科	六
椅科	二	山茶科	一	藤黃科	一	龍腦香科	一	錦葵科	四	楊柳科	一
亞麻科	一	鳳仙花科	二	芸香科	一五	蒺藜科	二	楝科	四	橄欖科	二
漆樹科	三	無患樹科	四	遠志科	二	葡萄科	二	鼠李科	四	大戟科	七
繖形科	一六	山茱萸科	一	五加科	一一	虎耳草科	一	使君子科	三	柘榴科	三
瑞香科	四	薔薇科	一六	荳科	二四	馬兜鈴科	四	檀香科	二	石南科	二
柿樹科	二	安息香科	一	旋花科	二	菟絲子科	二	茄科	七	唇形科	一四

科別	件數	科別	件數	科別	件數	科別	件數	科別	件數	科別	件數
玄參科	四	苦苣苔科	四	列當科	二	紫葳科	一	胡麻科	一	馬鞭艸科	二
車前科	二	木犀科	四	龍膽科	一	番木鱉科	一	夾竹桃科	一	白前科	二
桔梗科	五	瓜科	八	茜草科	四	忍冬科	三	敗醬科	三	菊科	二九

乙、隱花植物部

(一)無莖植物門

科別	件數	科別	件數	科別	件數	科別	件數	科別	件數	科別	件數
褐色藻類	二	紅色藻類	八								

(二)脈管隱花植物門

科別	件數	科別	件數	科別	件數	科別	件數	科別	件數	科別	件數
羊齒類	二	木賊類	一	地衣類	一						

礦物類

(一)元素類

類別	件數	類別	件數	類別	件數	類別	件數	類別	件數	類別	件數
非金石類	二	金屬類	八								

(二)硫化物類

類別	件數
元素化合物類	六

(三)鹽類

類別	件數
鹽化物類	四
酸素鹽類	五
硅酸鹽類	一〇
硼酸鹽類	一
硫酸鹽類	九
硝酸鹽類	一
醋酸鹽類	一

(四)酸類

類別	件數
酸素水素化合物類	二
酸化物類	六

(五)雜類

類別	件數
炭化水素類	一
不分類	六

動物類

(一)脊椎動物門

類別	件數	類別	件數	類別	件數	類別	件數	類別	件數	類別	件數
哺乳類	四一	鳥類	五	爬蟲類	八	兩棲類	三	魚類	五		

(二)節足動物門

類別	件數	類別	件數	類別	件數	類別	件數	類別	件數	類別	件數
昆蟲類	一四	多足類	一	蜘蛛類	二	甲殼類	一				

(三)軟體動物門

類別	件數	類別	件數	類別	件數	類別	件數	類別	件數	類別	件數
頭足類	二	腹足類	九								

(四)蠕形動物門

類別	件數	類別	件數	類別	件數	類別	件數	類別	件數	類別	件數
毛足類	一	環蟲類	一								

（五）添設運動用具　本校因學生增多，原有運動設備不敷應用，本學期除添闢雨操場外，復添置球台一座。

（六）校工訓練　本校校工或來自鄉間，或智識程度較差，或對於本校情形未能十分明瞭，對於服務方面殊多阻礙，本處爲加强校工工作能力起見，特訂定校工訓練辦法，每月由庶務股召集全體校工舉行談話會一次，並於每學期開始時，開校工訓練班，演講材料由本處隨時規定之。此外復訂定校工服務規約，以便遵守，規約如下：

1校工平日須按照派定之職務工作，不得推諉。

2校工須一律住宿校內，並不得有不良嗜好。

3校工外出除公事外，均須向事務處請假，並須預先託人代理。

4校工除派定之職務外，本校教員得隨時派遣，不得推諉。

5校工須衣服整潔，並嚴守本校新生活規約。

6校工如有行爲不端或不守職務不服從正當差遣者，隨時撤換之。

7本規約由事務會議通過施行。

（七）經濟概況　本校除負學校經濟全責之總務主任王慎軒先生不支分文薪金外，其餘教師亦不乏僅支伕馬費而半盡義務者，且重要職員又多數由教員兼任，經費似當不甚鉅大，但實際上因校務逐漸發展之關係，經費預算，反歷年均有增加，本年度更額外增加遷移經費一項，總計已達一萬六千餘元之數，茲將二十四年度全部經費之預算列表如下：

蘇州國醫學校

民國二十四年度預算表

項	目	預算數	備註
薪水	敎職員薪水	$3894	
	校役工食	$0300	
校舍費	校舍租費	$0794	女生宿舍租費在內
	裝修費	$0120	遷移裝修費不在內
辦公費	文具費	$0120	
	郵票費	$0180	寄發雜誌郵費在內
	電話費	$0072	
	電燈費	$0180	
	雜費	$0180	零星開支不屬於規定各項者
	廣告費	$0400	
設備費	校具費	$0300	遷移時添置校具不在內
	圖書費	$0120	
	標本費	$0060	
診療所費	施藥費	$5000	外科藥棉紗布繃帶及各種西藥亦在內
	紙筆費	$0098	
印刷費	油印費	$0450	
	雜誌費	$0760	特刊費在內
	雜件印刷費	$0120	施診施藥券在內
特別費	新生活運動促進會經費	$0120	
	消耗費	$0180	煤炭茶水燈泡及損壞物件之修理費等
	其他	$0120	臨時開支未列入規定各項者
遷移費	搬運費	$0020	
	裝修費	$0360	裝電燈電話在內
	添置校具費	$2500	診療所及各附屬機關之擴充費在內
	消耗費	$0020	因遷移而損壞物件之修理及賠償等費
總計		$壹萬陸仟肆佰陸拾捌元	

本校診療所擴充範圍之經過與現況

一　動機

本校附設診療所之意義有二：一爲供給學生以實習之機會，一因鑒於社會太不景氣，貧苦民衆之患病者，往往因無力求醫坐以待斃，擬思有以救濟之。惟曩因學校創立伊始，雖施診頻繁，而送藥則爲預算所限，未能普遍施送，故多數眞正貧苦之病人，雖爲之處方，而仍難免有無力服藥者。本校總務主任王慎軒先生對此問題，再四考慮之結果，認爲非大規模之施藥，不能使平民得實惠，與學生之獲得豐富之臨證經驗。遂於造二十四年度學校經費預算表時，慨然將診療所施藥費由一千元增加至五千元，同時且斥資一千元作爲本所之擴充費，於是大宗藥材之採備，外科手術器材之添配，專門藥師之聘請，製藥用具及新式診察檯之設備，均得於暑假遷校之前着手進行矣。

二　經過

當本校遷移長春巷新址時，適値溽暑逼人，時疫流行，王總務主任以此正學生臨證實習最佳之機會，未可輕易放過，乃與事務主任張又良先生，本所所長祝曜卿先生共同積極籌劃，以本校最前之大廳爲診療室，以診療室旁之邊廳爲製藥室，準備內科、兒科、女科、外科，同時開診，故除聘請藥師採辦大宗藥材以備應用外，更添聘醫員，以唐愼坊、胡蕭梧、顏星齋、孫永祚先生爲內科醫員，丁友竹、劉滌新、尹逸夫先生爲外科醫員，王慎軒、王志純、張又良先生爲女科醫員，葉伯良、祝曜卿、潘國賢先生爲兒科醫員，遂于七月二十一日開幕，是日統計各科就診病人約有百二十餘人，大都爲貧病無

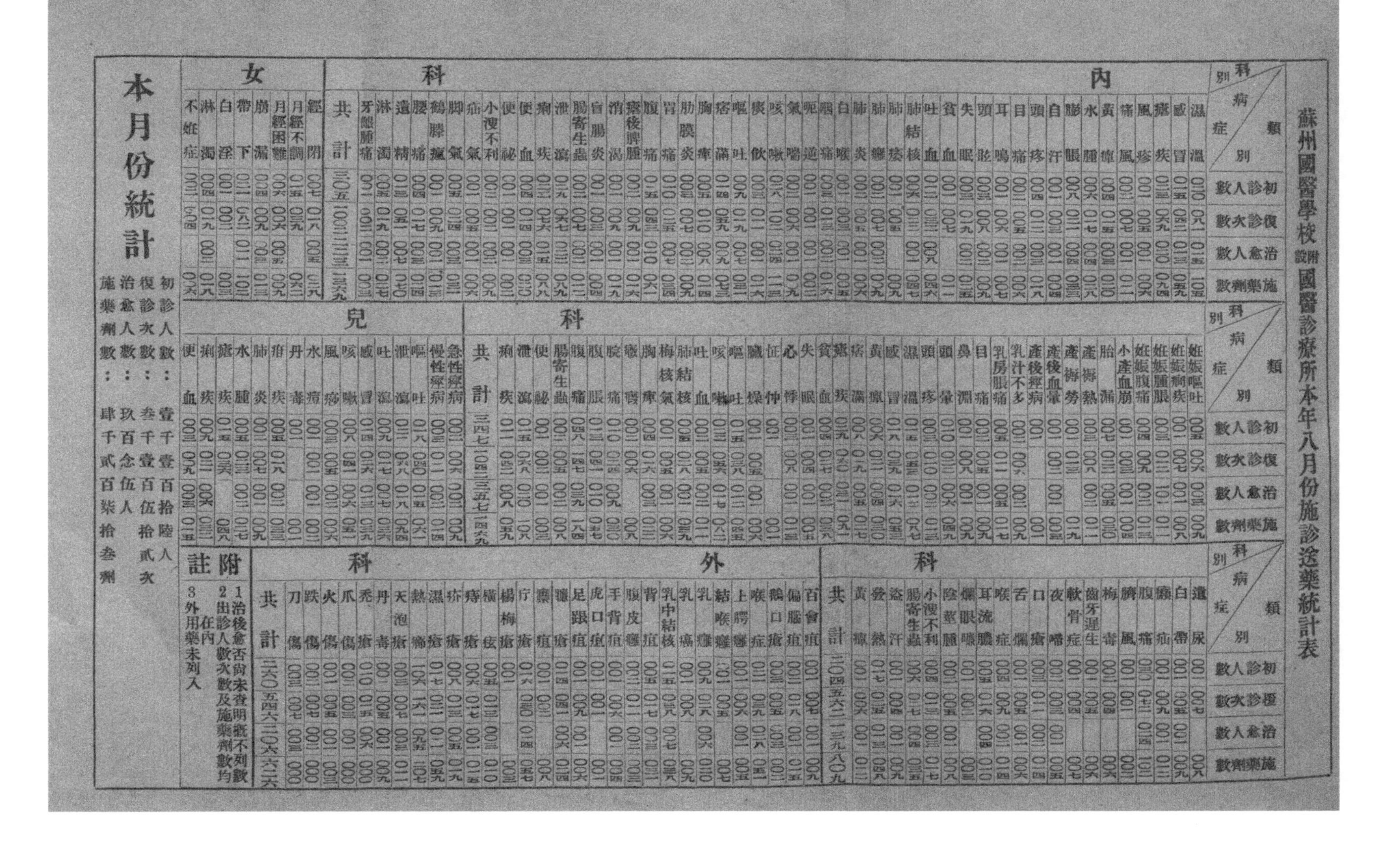

蘇州國醫學校附設國醫診療所本年八月份施診送藥統計表

內科

病類	初診人數	復診次數	治愈人數	施藥劑數
溼溫	〇三〇	〇八一	〇二五	一〇五
感冒	〇二五	〇四二	〇一三	〇五九
瘧疾	〇二三	〇六九	〇一〇	〇九四
風疹	〇〇一	〇〇五	〇〇一	〇〇六
痛風	〇〇三	〇〇七	〇〇一	〇二一
黃疸	〇〇四	〇一五	〇〇三	〇一〇
水腫	〇〇六	〇一七	〇〇四	〇一八
膨脹	〇〇八	〇二一	〇〇四	〇三三
自汗	〇〇一	〇〇三	〇〇一	〇〇四
頭疼	〇〇四	〇一二	〇〇三	〇一八
目痛	〇〇二	〇〇五	〇〇二	〇〇六
耳鳴	〇〇一	〇〇六	〇〇一	〇〇七
頭眩	〇〇三	〇〇八	〇〇三	〇〇九
失眠	〇〇三	〇一九	〇〇二	〇二五
貧血	〇〇一	〇〇七		〇一一
吐血	〇一二	〇三三	〇〇八	〇四六
肺結核	〇〇六	〇二二	〇〇一	〇四七
肺痿	〇〇一	〇〇五		〇〇九
肺癰	〇〇二	〇〇七	〇〇三	〇〇九
肺炎	〇〇二	〇〇五	〇〇一	〇〇六
白喉	〇〇一	〇〇三	〇〇一	〇〇五
咽痛	〇〇三	〇一三	〇〇三	〇一六
呃逆	〇〇一	〇〇一	〇〇一	〇〇二
氣喘	〇〇二	〇〇六	〇〇一	〇〇九
咳嗽	〇二八	一〇二	〇二四	一一三
痰飲	〇〇三	〇一一	〇〇一	〇一六
嘔吐	〇〇九	〇一九	〇〇七	〇二一
痞滿	〇二四	〇五九	〇〇九	〇七三
胸痺	〇〇五	〇一〇	〇〇八	〇一四
肋膜炎	〇〇三	〇〇七	〇〇二	〇〇九
胃痛	〇一〇	〇二五	〇〇七	〇三四
腹痛	〇一五	〇四三	〇一〇	〇六一
瘧後脾腫	〇〇二	〇〇九	〇〇一	〇一六
消渴	〇〇一	〇〇九	〇〇一	〇一九
盲腸炎	〇〇一	〇〇三	〇〇一	〇〇四
腸寄生蟲	〇〇二	〇〇七	〇〇二	〇一二
泄瀉	〇二九	〇六七	〇二三	〇八九
痢疾	〇二三	〇七六	〇一五	〇八八
便血	〇〇四	〇一四	〇〇三	〇一〇
便祕	〇〇一	〇〇一	〇〇一	〇〇二
小溲不利	〇〇二	〇〇二	〇〇二	〇〇九
疝氣	〇〇一	〇〇五	〇〇一	〇〇六
脚氣	〇〇五	〇二四	〇〇三	〇二一
鶴膝瘋	〇〇一	〇〇九	〇〇一	〇一三
腰痛	〇〇四	〇一七	〇〇三	〇二四
遺精	〇一三	〇五一	〇〇七	〇七〇
淋濁	〇〇五	〇一九	〇〇二	〇三七
牙齦腫痛	〇〇一	〇〇三	〇〇一	〇〇三
共計	三〇五	一〇〇三	二三三	一三六九

女科

病類	初診人數	復診次數	治愈人數	施藥劑數
經閉	〇〇七	〇一八	〇〇五	〇二九
月經不調	〇一五	〇三九		〇六二
月經困難	〇〇六	〇〇六	〇〇五	〇〇九
崩漏	〇〇四	〇〇九	〇〇三	〇一三
帶下	〇二一	〇八二	〇一一	一〇二
白淫	〇〇一	〇〇三		〇〇三
淋濁	〇〇四	〇一九	〇〇三	〇一八
不姙症	〇〇三	〇〇四		〇〇六
妊娠嘔吐	〇〇五	〇〇六	〇〇三	〇〇九
妊娠痢疾	〇〇一	〇〇七	〇〇一	〇〇八
妊娠腫脹	〇〇三	〇〇二	一〇一	〇一一
妊娠腹痛	〇〇四	〇〇九	〇〇二	〇一三
小產血崩	〇〇一	〇〇三	〇〇一	〇〇四
胎漏	〇〇七	〇〇三	〇〇五	〇二〇
產褥熱	〇〇三	〇〇八	〇〇二	〇一一
產褥勞	〇〇一	〇〇三		〇一九
產後血暈	〇〇一	〇〇二	〇〇一	〇〇三
產後痙病	〇〇一			〇〇一
乳汁不多	〇〇二	〇〇六	〇〇二	〇〇九
乳房脹痛	〇〇五	〇一一	〇〇五	〇一七
目痛	〇〇二	〇〇五	〇〇一	〇〇九
鼻淵	〇〇一	〇〇八	〇〇一	〇〇九
頭暈	〇一〇	〇〇二	〇〇六	〇四九
頭疼	〇〇三	〇一〇	〇〇二	〇一三
溼溫	〇一五	〇五二	〇一二	〇八七
感冒	〇一八	〇三九	〇一六	〇五三
黃疸	〇〇六	〇〇二	〇〇四	〇二〇
痞滿	〇〇八	〇一九	〇〇五	〇二七
瘧疾	〇二九	〇六〇	〇三一	〇九一
貧血	〇〇四	〇二七	〇〇三	〇三八
失眠	〇〇一	〇〇四	〇〇一	〇〇五
心悸	〇〇二	〇〇八	〇〇一	〇一二
怔忡	〇〇一			〇〇一
臟燥	〇〇一	〇〇五	〇〇一	〇〇六
嘔吐	〇一五	〇二八	〇一三	〇四五
咳嗽	〇二三	〇五六	〇一七	〇八二
吐血	〇〇二	〇〇五	〇〇二	〇一一
肺結核	〇〇五	〇二八	〇〇一	〇三九
梅核氣	〇〇一	〇〇五	〇〇一	〇〇六
胸痺	〇〇四	〇一六	〇〇三	〇二三
癥瘕	〇〇二	〇〇六		〇〇八
脘痛	〇一〇	〇二四	〇〇九	〇三〇
腹脹	〇一三	〇四一	〇一〇	〇五七
腹痛	〇四八	一四七	〇三九	一八四
腸寄生蟲	〇〇二	〇〇五	〇〇二	〇〇八
便祕	〇〇一	〇〇二	〇〇一	〇〇三
泄瀉	〇一五	〇六八	〇一〇	一〇八
痢疾	〇一一	〇四三	〇〇八	〇五九
共計	三四七	一〇四三	三五七	一四六九

兒科

病類	初診人數	復診次數	治愈人數	施藥劑數
急性痙病	〇〇三	〇〇六	〇〇三	〇〇九
慢性痙病	〇〇三	〇一一	〇〇三	〇一四
嘔吐	〇一八	〇四〇	〇一五	〇六一
泄瀉	〇二二	〇六八	〇一八	〇九四
吐瀉	〇〇九	〇一七	〇〇七	〇二六
感冒	〇一四	〇二六	〇一三	〇三九
咳嗽	〇〇八	〇四一	〇〇六	〇五一
風痧	〇〇三	〇〇五	〇〇三	〇〇六
水痘	〇〇一	〇〇一	〇〇一	〇〇二
丹毒	〇〇一			〇〇一
疳疾	〇〇五	〇一八	〇〇三	〇二三
肺炎	〇〇二	〇〇七	〇〇一	〇〇九
水腫	〇〇五	〇二三	〇〇二	〇二七
瘧疾	〇一五	〇三六		〇四八
痢疾	〇〇九	〇二二	〇〇六	〇三一
便血	〇〇三	〇〇九	〇〇三	〇一五
遺尿	〇〇一	〇〇七		〇〇八
白帶	〇〇一	〇〇五	〇〇一	〇〇九
癲疝	〇〇一	〇〇九	〇〇一	〇一二
腹痛	〇三〇	〇七二	〇一四	一〇二
臍風	〇〇一	〇〇一		〇〇二
梅毒	〇〇二	〇〇四		〇〇六
齒牙遲生	〇〇一	〇〇五		〇〇六
軟骨症	〇〇一	〇〇四		〇〇七
夜啼	〇〇二	〇〇三	〇〇一	〇〇五
口瘡	〇〇三	〇一一	〇〇二	〇一四
舌爛	〇〇一	〇〇五	〇〇一	〇〇六
喉症	〇〇四	〇〇九	〇〇二	〇一四
耳流膿	〇〇五	〇一六	〇〇四	〇一〇
爛眼瞼	〇〇一	〇〇二		〇〇三
陰莖腫	〇〇二	〇〇五	〇〇一	〇〇八
小溲不利	〇〇四	〇一三	〇〇三	〇一七
腸寄生蟲	〇〇六	〇一七	〇〇四	〇二五
盜汗	〇〇一	〇〇四	〇〇一	〇〇九
發熱	〇一七	〇二五	〇一三	〇四八
黃疸	〇〇一	〇〇六	〇〇一	〇一二
共計	二〇四	五六二	一三九	八〇九

外科

病類	初診人數	復診次數	治愈人數	施藥劑數
百會疽	〇〇一	〇〇七	〇〇一	〇〇九
偏腦疽	〇〇二	〇一八	〇〇一	〇一五
鵝口瘡	〇〇三	〇〇五	〇〇三	〇〇二
喉症	〇一二	〇三九	〇〇八	〇五一
上腭癰	〇〇一	〇〇六	〇〇一	〇〇五
結喉癰	〇〇一	〇〇五		〇〇七
乳癰	〇〇九	〇二八	〇〇六	〇三〇
乳癌	〇〇一	〇〇八		〇〇九
乳中結核	〇二五	〇三八	〇〇七	〇三八
背疽	〇〇五	〇一七	〇〇三	〇二一
腹皮癰	〇〇二	〇一一	〇〇二	〇〇三
手背疽	〇〇一	〇〇六	〇〇一	〇〇四
虎口疽	〇〇一	〇〇一		〇〇一
足跟疽	〇〇一	〇〇九	〇〇一	〇〇六
癰瘡	〇一四	〇四一	〇〇六	〇二四
瘭疽	〇〇一	〇〇二		〇〇八
疔瘡	〇一六	〇二〇	〇一四	〇五七
楊梅瘡	〇〇一			〇〇三
橫痃	〇〇五	〇一三	〇〇三	〇一〇
痔瘡	〇〇六	〇一七	〇〇一	〇一五
疥瘡	〇〇八	〇一三	〇〇五	〇一九
濕瘡	〇一七	〇三一	〇一一	〇五九
熱癤	一〇六	一六一	〇九五	二〇七
天泡瘡	〇〇三	〇〇七	〇〇三	〇一一
丹毒	〇〇一	〇〇五	〇〇一	〇〇九
禿瘡	〇一〇	〇一五	〇〇六	〇〇〇
爪傷	〇〇二	〇〇三	〇〇一	〇〇〇
火傷	〇〇一	〇〇五	〇〇一	〇〇三
跌傷	〇〇二	〇〇七	〇〇二	〇〇〇
刀傷	〇〇三	〇〇七	〇〇三	〇〇〇
共計	二六〇	五四六	二〇六	六二六

附註

1 治後愈否尚未查明概不列數

2 出診人數次數及施藥劑數均在內

3 外用藥未列入

本月份統計

初診人數：壹千壹百拾陸人

復診次數：叁千壹百伍拾貳次

治愈人數：玖百念伍人

施藥劑數：肆千貳百柒拾叁劑

告之民衆也。惟籌辦時期尙有數事足述者：一爲印發送診劵十萬張，除由本校直接發送外，復請軍政紳商各界人士及各機關各團體代爲分送，務使蘇州勞苦羣衆，咸得享受本校送診給藥之實惠；二爲深得政府當局之同情與贊助，緣本所開辦之初，恐因人數過多，難免不肖之徒擾亂秩序，曾事前呈報吳縣縣政府及公安局備案，並請出示保護。旋奉吳縣政府第一三八一號批示略開：「開辦診療所，送診給藥，救濟貧病，事關善舉，所請給示備案，併予照准，佈告一紙隨發，仰卽査收張貼可也！」又奉公安局第四九號批示略開：「候令該管第二分局派警隨時照察可也！」以上均爲本所擴充經過之大概情形也。

三 現況

訓練精良的實用療病技能，爲本校教育方針之一；故本校規定三四年級學生，每日上午概須在本所臨證實習，分全級學生爲四組，各組均按星期交互輪流各科臨證實習，同時每一學生於每月中，必須受個別臨證實習之考驗一次，其辦法卽令學生親自診察病人立案處方，並由實習指導敎師，將處方經過詳細記載於實習評判表中，復以方案及評判表提交敎務會議，評定分數，卽作爲該生每月之實習成績，試行以來，各生對於臨證興趣，頗爲濃厚。此外，本所爲實驗經方之效用究竟是否確實；冀對於醫界有所貢獻起見，復成立經方實驗組，凡至該組求診之病人，特別注重經方之應用，同時並作詳細之記錄，以確覘經方之效用如何，及最針對之適應症爲何種病症等……。該組之工作，將另作詳細報告，茲僅略及之而已。至來本所就診病人，因本校全係施診送藥，當此社會經濟恐慌之時，人數增多，乃必然之事實；茲將八月份之就診人數，另附統計表，藉以窺見一斑焉。

本校編譯館之成立經過與工作概况

（一）緣起

學校之有講義，固嘗聞之矣。學校而有編譯館之附設，則不特國醫學校爲僅見，即求之全國大學中學或亦無此先例也。然則本校之有編譯館。其意義果安在乎？：曰中國醫學，以史而言，自周秦漢唐以迄宋元明清，代有遞嬗。以人而論，則葉桂倡溫病以與仲景相對立，劉李朱張各持其門戶之私見，且仲景傷寒論有數百家不同之注解，天士溫病說有擁護反對之派別，學說既龐雜而分歧，書籍更衆多而無系統，吾儕欲完成「以科學方式整理國醫學術」之使命；則非招致人材，搜羅典籍，專事此種整理之工作不爲功，此本校附設國醫編譯館之第一意義也。夫中國醫學之龐雜凌亂既如此，能眞正以科學方法研究之整理之者。則又求諸國內不可得，曠觀東鄰日本，西醫之研究皇漢醫學者不乏其人，心得之作，時有出版，如能迻譯之以供學者之參攷與借鏡，則「他山之石，可以攻玉，」自古云然。此其二也。敎育有一定之方針與系統，則學者之思想不致模糊而凌亂，國民政府敎育部前既有課程標準之頒布，今又從事各級敎本之編纂，蓋所以求有一貫之系統與一定之方針也。攷各地國醫學校對於敎本之選擇與講義之編撰，大都隨敎員之進退而變更其旨趣。徒令敎者忙於編撰，學者無所適從，此實最不合理。本校認爲欲貫澈敎育之主張，敎員實無自撰講義之必要，應另有專門人材編纂宗旨一貫之敎材，此其三也。本館之意義與使命既如上述，玆當本校印行紀念刊，規定各部須有報告時，爰略述成立之經過與夫工作之概况，爲留心醫學敎育者告。

(二)成立

民國二十三年冬，本校總務主任王愼軒先生根據上述之理由，向校務會議提出本校應附設國醫編譯館之主張，當經一致贊同，遂推王愼軒先生爲館長，徐觀濤先生爲編輯部主任，王南山先生爲譯述部主任，然以工作艱繁，加之開學期邇，急待供給各科講義，如僅向認識各方羅致人材，勢必緩不應急。乃登啓事於新申兩報，公開徵聘國內醫藥專家，擔任本館編譯，並招收練習生多人，專司謄寫稿件。一時來函應聘者，甚爲踴躍，人材濟濟，遂於二十四年一月十五日，開第一次館務會議，決定如下之組織，並同時開始工作焉。

蘇州國醫學校附設國醫編譯館館長

編輯部　譯述部　謄寫部　出版部

館務會議

(三)工作

本館負有「以科學方式整理中國醫學」之使命，故工作之範圍，不僅限於醫校之教本，凡實用醫書爲臨床醫家所不可不備者，本館均將次第編輯，以應需要。惟中國醫籍浩如烟海，僅仲景傷寒論一書而論，合中日兩國之各家註解，竟達四百二十餘種之多，他如黃帝內經與扁鵲難經，註者亦數百餘家。設非廣事搜集，博考典籍，則仍偏執之論，難免井蛙之誚，整理云乎哉?! 是以本館初步計劃，即爲從事古今醫籍之搜羅，其方法約如下述：

1普通書類　除儘量利用本校圖書館藏書外，如有圖書館未備之重要書籍或新出版者，則由本館通知圖書館設法購置之。

2孤本善本類　關於孤本善本醫書，本校總務主任王慎軒先生，歷年以來，出價購藏，爲數頗多，除請其全數撥借本館外，復於國醫雜誌及家庭醫藥常識登載啓事，公開收買，其肯借供本館抄錄，而不願攜書出室者，則派人逕往其家抄錄之。如道途遙遠，或因他種關係，不能親赴其家抄錄，則奉以掛號郵資，請其郵寄本館，一待抄錄完畢，即行掛號寄還之。

3叢書　叢書數量繁多，價額巨大，非本校購置力所能及者，則委託各地同志就近向各公立圖書館抄錄，或逕派人前往，長駐抄錄，往返川資不計及也。

4日本醫籍　凡較古之吉益東洞，吉益南涯，丹波元堅，淺田宗伯，和田啓十郎，以及最近之南拜山翁，湯本求眞，渡邊熙，中山忠直，大塚敬節，矢數道明，小泉榮次郎……等各家著述，本館莫不設法羅致之。

5雜誌報紙　搜羅國內及日本之醫藥雜誌與週報日報等，並分類編成論文索引，以便參考時一索即得，不致東翻西找，徒耗光陰。

至於編譯工作，可得而述者：

1爲學校教本如　中國醫學大綱　中國醫學史　新纂內經生理學　新纂內經衛生學　中西病理學　國醫治療學　國醫診斷學　最新中國藥物學　國醫方劑學　各科醫案學　國醫內科全書　國醫女科全書

國醫產科全書 國醫兒科全書 國醫外科全書 傷寒論講義 金匱講義……等皆隨教隨編，取慢性進行方式，但求搜羅豐富，立論正確，不貪速成也。

2 為日文書籍之翻譯 已譯述完竣且已出版者，有土佐道壽原著漢方要訣，及大塚敬節原著漢醫要訣。正在譯述者，有和漢藥物學及漢方醫學新研究等。

3 為雜誌之出版 蘇州國醫雜誌每年按春、夏、秋、冬出版四期，業已出版至第七期。

4 編輯普通最切實用之參考書 亦為本館原定工作計劃之一，惟過去本館同人大都忙於編纂各科教本，以致未暇顧及，目下則臨床實用國醫證治學已在着手編輯矣。

本校圖書館概況

沿革——組織——管理

設備——藏書——分類

（一） 沿革

圖書為智識之源泉，學問之寶庫，凡屬研究學術之機關，莫不重視而廣為搜羅寶藏之。中國醫學書籍，自軒岐以迄近代，真是汗牛充棟，其間各家學說，意見紛歧；如不廣為搜集，則學者不能博覽羣書，容易養成偏見。本校成立伊始，即着手籌備國醫圖書館，總務主任王慎軒先生首先將其家藏醫學書籍之一半——計中醫書一千二百餘冊，西醫書八十餘冊，各種醫學雜誌一千餘冊，掃數捐入本校，而國醫圖書館遂濫觴於此焉。厥後本校之聲名漸著，國內同仁紛紛以其著作見贈，而各種中西醫學雜誌，則以本校新出之蘇州國醫雜誌向各方互相交換，每月郵寄本館者，不下數十餘種。然本校當局並不因此自滿，復向全國各大書局索取醫書目錄，並注意報紙雜誌之新書出版廣告，一見有價值之新出醫藥書籍，莫不儘量購置，雖巨額之金錢，非所計也。雖然學術之進步無止境；圖書之出版無巳時，本校圖書館之發展與充實，亦將隨時代而俱進矣。

（二）組織及工作

本館隸屬於本校總務主任之下，團內設館長一人，稟承總務主任職掌全館事宜；管理員二人，則受館長之命，辦理圖書之登記編目及收發保存等事。至於本館範圍雖小，人員亦少，而辦事手續之完備，則與彼範圍廣大，人員衆多之圖書館，幾無任何差別也。試分述之如下：

（A）購訂股　掌管購訂書籍及雜誌等事宜。負此項職務者，平時注意中外出版書目及報紙新書廣告，以爲購訂時檢查選擇之準備。購定之書，除由學校當局選定外，凡各科教師及學生如有名著介紹，爲本館經濟力量所及者，亦無不儘量設法購置。

（B）編目股　新書到館後，即由編目股負責編目，其手續約如下述：

（1）登記　館中備有圖書登記簿，每有新書到館，即將各書名稱冊數，分別登記，以便考查書籍之確數。登記簿之格式如下：

蘇州國醫學校圖書館圖書登記簿

項目／書名	著者姓名	出版處	册數	價值	出版年月	購入年月

（2）分類　見後分類法

（3）蓋印　本館所有圖書，除封面一律蓋印外；其較有價值者，則在該書內頁之第×頁上亦蓋小印。

（4）標簽　先在標簽上書明某書之類別號碼，然後黏貼於書背，以便豎立架上之圖書陳列有序，一索即得。標簽之格式略舉如下：

（甲）總類標簽

總A 1

蘇州國醫學校圖書館

（乙）基本醫學類標簽

基D 3
1

蘇州國醫學校圖書館

（丙）雜誌類標簽

雜A 1
1

蘇州國醫學校圖書館

（5）製目錄卡片或塡寫目錄簿　本館目下暫不採用目錄卡片，即將圖書按類塡入目錄簿中，借者欲找何種類之圖書，但閱目錄簿即可索得矣。

（C）裝訂股　新書或雜誌之册頁過薄不便保存者，則合訂之；舊書之破損者，則修補之。

（D）出納股　無論教師學生來向本館借閱圖書者，均須向出納員填寫借書單，然後由出納員付與圖書。期滿送還者，出納員於收到圖書後，即行取銷借書單。借書單之格式如圖所示：

蘇州國醫學校附設國醫圖書館借書單

類號	書名	冊數
中華民國　年　月　日　具		

（三）設備

本館分閱覽室與藏書室二部：閱覽室在梭花園中之荷花池畔，地處幽靜，風景甚佳；室之四週，均裝透明之玻璃窗，空氣陽光，均頗適宜。藏書室以乾燥清潔為最要，本館藏書室，特舖地棱板，所有書籍均置於玻璃櫥中，以免潮濕、蟲鼠之損害。

（四）藏書

本館藏書九百餘種，二千一百餘冊，尚有雜誌二千餘冊，共計四千餘冊，如分別統計之，則為內科類（一九四種）七百六十八冊；醫經類（六四種）一百五十冊；外科類（三二種）六十三冊；溫病類（四三種）七二冊；女科類（九七種）一百三十六册;幼科類(五二種)九十一册;喉科類(一八種)二十二册;眼科類(六種)八册;鍼灸科類(十種)十八册;方劑類(一〇五種)二百三十一册;診斷類(一九種)四十二册;醫案類(七二種)一百六十八册;衞生類(一三種)十八册;本草類(一二四種)二百九十七册。雜書類(五三種)六十一册;(此係根據新分類法未實行前之統計)

(五) 分類

普通圖書館對於圖書之分類,大抵採用杜威之十進分類法,或杜定友世界圖書分類法,惟本館因所藏者,幾乎全爲醫藥書籍,對於普通分類法,頗不適用。經本館同人再四研討,並參考世界各國對於專門書之各種分類法,始定出如下之暫行分類法:

總　類　總A叢書　總B辭典　總C醫學論文　總D醫藥史　總E書目

基本醫學類　基A醫經學　基B解剖學　基C生理學　基D衞生學　基E細菌學　基F病理學　基G診斷學　基H治療學　基I藥物學　基J方劑學　基K處方學(醫案學)　基L臨床報告

應用醫學類　應A內科學　應B傳染病學　應C婦科學　應D產科學　應E兒科學　應F外科學　應G傷科學　應H眼科學　應I喉科學　應J花柳病學　應K針灸學　應L推拿學　應M急救法　應N其他療法　應O祝由科

其　他　類　其A哲學　其B心理學　其C化學　其D法醫學　其E戒煙法　其F飲食學　其G消毒法　其H催眠學　其I病名藥名　其J開業術　其K長壽要訣

本校戰地救護術之動機與實現

幾年來世界經濟的恐慌，已把資本帝國主義趕上了窮蹙的末路。在萬分困蹶的境遇中，大家都想打開一條出路；他們唯一的自救方法，就是利用戰爭的手段爭取弱小民族的國家來做他們的殖民地，以便同時取得廣大的市場，可以推銷他們過剩的商品，土地廣大，人口衆多，而生產落後的中國，自然是各帝國主義者所垂涎的一塊肥肉，於是蘊釀已久的第二次世界大戰在遠東爆發的時候，或許就是我國不幸的同胞，遭受戰爭慘難的一天；在大戰的前夜，我們應當注意軍事的準備，那是誰也知道的事，不過立體戰爭的今日，傷害的人數，並不限於前方，我們意想到將來血肉模糊死傷枕藉的情境，不禁深自戰慄。竊思國家興亡，匹夫有責，吾負有維護民族健康使命之國醫界，豈容袖手旁觀?!本校爲造就青年國醫之機關，自覺責任所在，義不容辭，於是特設戰地救護訓練一科，以爲青年他日服務國家之準備。

萬事貴在實行，計劃既經決定，我們便開始徵求戰地救護訓練的人材，但本校的教師都是文質彬彬的書生，對於戰地救護的經驗和學識，大都是沒有的。總務主任王愼軒先生，對於學術，素來不抱人我之見，覺得此科教授之職，非請富有學識經驗之西醫擔任不可，於是經過數度磋商，就聘請蘇州名西醫施毅軒先生爲戰地救護術教授。施先生畢業於北平協和醫科大學，內外各科，無所不精，且歷任政府軍隊之正式軍醫官，對於軍事救護具有豐富之學識與經驗，本校有此教師，亦可謂得人矣。

施先生既允擔任教授之職後，使決定於每星期中特定時間，集中各級學生實施訓練。茲將本校戰地救護訓練之實施綱要，摘錄如下，以見一斑：

【甲】戰地救護事業之組織使能明瞭軍隊救護機關，如陸軍醫院，野戰醫院，兵站醫院，後方醫院，及義務救護機關，如紅十字會，紅卍字會…………的組織方法。

【乙】戰地救護工作之準備：凡救護人才之標準，救護隊之組織，器材與藥品之預備…………等。莫不詳細講解，期能澈底明瞭。

【丙】救急訓練：人體生理解剖，細菌學與消毒法等，本為戰地救護應有之基本知識，本校課程之中已有上述各科；惟創傷療法，出血救治急症救法，人工呼吸法…………等，為戰地救護之要術，自當特予訓練。

【丁】救護術之訓練：如飛機之識別，毒瓦斯之防禦及中毒療法，麻醉術，綳帶之使用法…………等，均為訓練之要項。

【戊】救護人員應有的一般知識：如溺死及死後之處置，軍隊流行性傳染病，軍隊衛生機關，軍隊衛生機關之環境衛生，陸軍傳染病預防注射暫行規則…………等，皆使學者有相當之明瞭。

學生課外活動之組織概况

文藝與醫學社組織章程

第一章 總則

第一條　定名　本社定名爲大地文藝醫學社。
第二條　宗旨　增進文藝與醫學研究之興趣。
第三條　社址　蘇州長春巷三十九號蘇州國醫學校。

第二章　社員

第四條　入社　凡本校同學有志互相研究文藝醫學，且同情本社宗旨者，皆可爲本社正式社員。
第五條　義務　社員應盡下列義務：（A）遵守本社章程輔助本社一切事務之進行　（B）介紹社員　（C）按期繳納社費　（D）對於本社刊物襄助投稿。
第六條　權利　社員得享下列權利：（A）對本社有選舉提議及表決權　（B）投稿錄取優先權　（C）免費享受本社之定期刊物。
第七條　退社　社員有下列情形之一者，經社員大會之通過，得取消其社員資格。（A）不盡社員義務者　（B）故意破壞本社組織者　（C）有反革命行爲者　（D）經學校除名者。

第三章　組織

第八條　組織　本社組織系統如下：

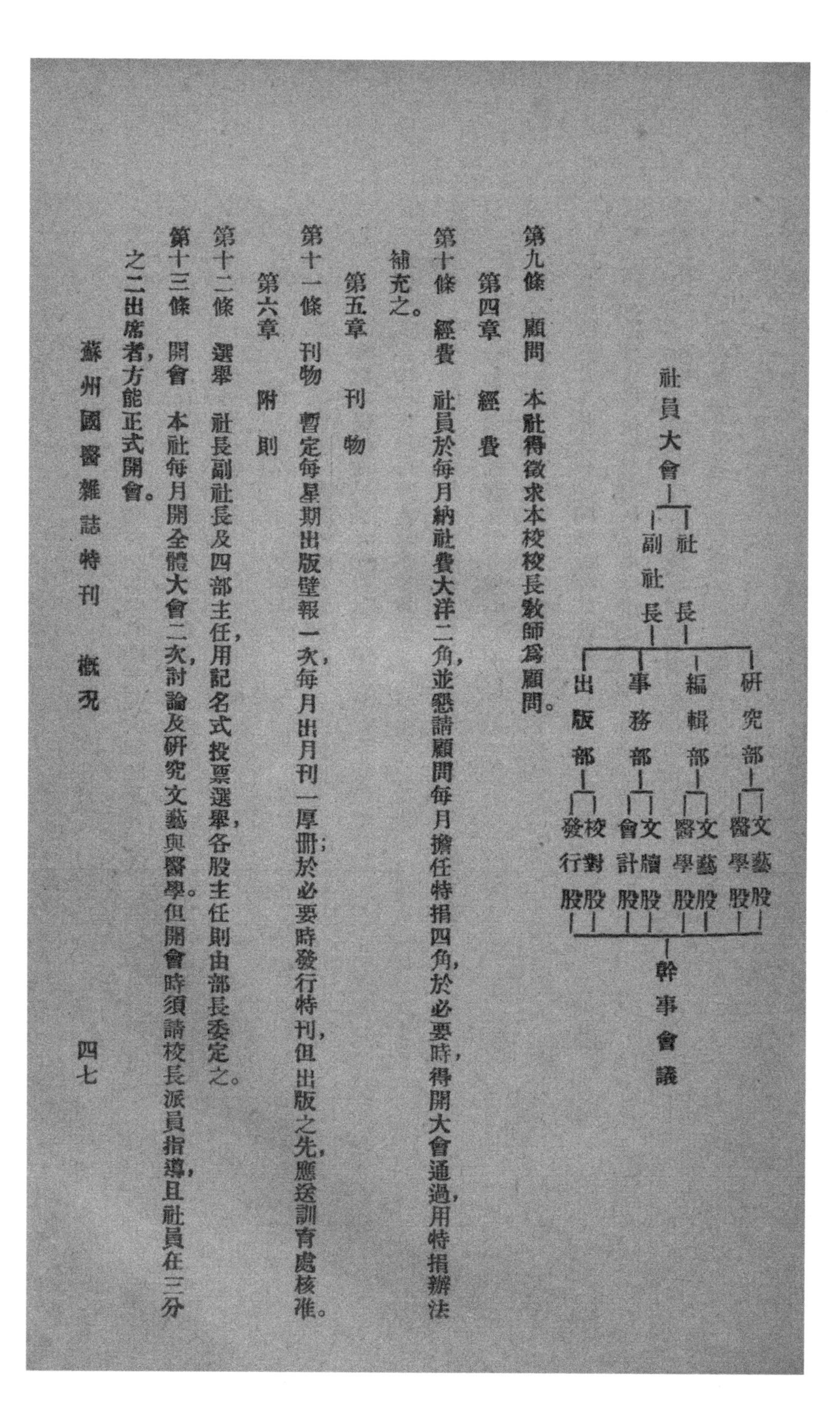

第九條　顧問　本社得徵求本校校長教師爲顧問。

第四章　經費

第十條　經費　社員於每月納社費大洋二角，並懇請顧問每月擔任特捐四角，於必要時，得開大會通過，用特捐辦法補充之。

第五章　刊物

第十一條　刊物　暫定每星期出版壁報一次，每月出月刊一厚册；於必要時發行特刊，但出版之先，應送訓育處核准。

第六章　附則

第十二條　選舉　社長副社長及四部主任，用記名式投票選舉，各股主任則由部長委定之。

第十三條　開會　本社每月開全體大會二次，討論及研究文藝與醫學。但開會時須請校長派員指導，且社員在三分之二出席者，方能正式開會。

第十四條　修正　本章程如有未盡善處，得由社員大會議決修正之。

第十五條　本章程經社員大會通過後，呈請訓育處核准施行。

第十六條　本社各部細則另訂之。

講演會組織規程

第一條　本會定名爲蘇州國醫學校學生講演會。

第二條　本會以培養演說藝術及交換知識爲宗旨。

第三條　凡本校學生皆得加入爲本會會員。

第四條　本會設幹事五人，組織幹事會，由會員大會時選舉之，其職務如左：

1 常務一人　掌理本會日常事務。

2 文書一人　掌理文牘事務，及保管文件。

3 編輯三人　整理會員演講稿件，以便發表。

第五條　幹事任期爲一學期，但連舉得連任之。

第六條　本會設指導員若干人，輪流指導演說，由本會向各教師中聘請之。

第七條　本會批評員由全體會員輪流爲之；於會員講演時，擔任批評之責。

第八條　本會每星期開常會一次。

第九條　開會時輪值講演之會員，必須按照預定題目，出席演講。
第十條　開會時得請指導員及名人演講。
第十一條　本規程由會員大會通過，經本校訓育處核准後施行。
第十二條　本規程如有未盡事宜，得於會員大會中提出修正之。

醫學問題研究會組織規程

第一條　本會定名爲蘇州國醫學校學生醫學問題研究會。
第二條　本會以交換學識，互相研究醫學疑難問題爲宗旨。
第三條　凡本校全體同學，皆爲本會會員。
第四條　本會由全體同學選舉幹事五人，組織幹事會，辦理本會一切事宜，其任務如下：
1 常務一人　處理本會日常事務。開會時爲本會主席。　2 編輯四人　掌理本會紀錄，及編輯本會稿件。
第五條　幹事之任期爲一學期，連舉得連任之。
第六條　本會每月開研究會一次；每次研究問題之結果，均須由編輯幹事將記錄負責整理及公佈之。
第七條　本會研究之題目，須於十日前預先公佈，以便會員得有充分之準備。
第八條　本會聘本校各科教師爲指導員。
第九條　本規程如有未盡事宜，得由全體大會修正之。
第十條　本規程由訓育處、教務處核准後施行。

講壇

章校長太炎先生醫學演講錄

周自强記錄

余於醫學，荒疏已久，今惟將記憶所及者，與諸生略述一二；吾人閱金匱要略，殊嫌其簡，不足以應付萬病，千金外臺二書，雖能補金匱之不足，而其弊在列方宂雜，且多未經實驗者。至宋代有蘇沈良方及本事方，都是經驗之方，惜其法偏執，不易應用耳。降及金元，有四大家之學說，更屬各偏一端矣。其有見於熱病流行，溫藥無效，投以寒涼，多得痊愈，遂偏主以寒涼治病者，劉河間是也，其有見於民罹飢寒，脾胃多病，投以溫補，多獲救治，遂偏主以溫補治病者，李東垣是也。實則寒涼溫補，豈可一概而施?!其有見於燕冀關外之人，體格壯實，堪任峻劑，蒙人常服多量大黃而無妨害，遂主以攻下治病者，張子和是也。故子和之攻，東垣之補，河間之涼，皆屬偏也。惟朱丹溪立方平穩，無關痛癢，後世宗之，遂成時方之祖。有明一代，良醫極少，大抵均拾四大家之唾餘，其能網羅諸家之學說而自成一家者，惟薛立齋而已。其後喻嘉言崛起於江西，所著寓意草，持論嚴正，尚堪師法，惟渠好為奇論，若盡遵彼之醫門法律，則醫亦不可為矣。清代醫學，鮮有特出，如張路玉，王孟英等，其醫名雖盛，亦僅偏執一端耳。蓋路玉偏於溫補，孟英偏於清涼，皆有流弊也。惟柯韻柏註解傷寒，為世推重，然按之實際，柯氏之說，亦有可商者，如傷寒傳足不傳手之說，在仲景書中實未明言手經足經之分別。例如陽明宜下之證，雖云胃家實，但胃居於中，腸居於下，大便燥結，究在於腸。承氣攻下，亦必由胃而腸。腸屬手陽明，胃屬足陽明，胃病必及於腸，治腸必及於胃，安能强分手足耶。柯氏又稱太陽與膀胱無關，與肺相密切，雖似有理，究屬牽强。至於傷寒六經，每日相傳，一日一經等語，更不足以取信於今人矣。余謂研究傷寒論，先須明其大意，不必逐條强解，死於句下也。即如六經所屬，亦未盡然，如少陰病脈微細，但欲寐，明係心臟衰弱之病，實與腎臟無關，何必拘拘於心腎屬少陰之說耶。

傷寒論之太陽病，應分別論之，病初起時之麻黃湯證，桂枝湯證，僅爲太陽病之前驅症，猶非太陽正病也。惟水蓄膀胱之五苓散證，及熱結膀胱之桃仁承氣湯證，斯爲太陽正病。然所謂熱結膀胱者，病實不在膀胱，而在小腸，西醫謂之腸窒扶斯是也。但腸窒扶斯初起之時，多由小柴胡證變成，實不起於麻桂二證也。人謂小柴胡證屬少陽，從太陽病傳變而來，然原文曰，傷寒五六日中風，往來寒熱，既無太陽傳來之明文，而又列於太陽篇中，安得硬指其爲少陽病乎。嘗見腸窒扶斯初起之證候，有寒熱往來，胸脅苦滿，俗醫謂之濕溫，或云類瘧，實即小柴胡湯證也。此時投以小柴胡湯，必有效。如失治不愈，變爲痞滿嘔吐等症，則當用半夏瀉心湯，如再失治，則必變成桃仁承氣及抵當湯證，此乃屢驗不爽者也。至少陽篇與太陽篇之分，大概特發之柴胡證，屬於太陽篇，由太陽病轉變之柴胡證，則屬少陽篇。然病由太陽病傳變而爲少陽病者，實不多覯，故少陽篇之原文無多，少陽病口苦咽乾目眩耳聾，前人皆謂屬膽，余則以爲屬三焦，蓋三焦爲津液之府，即後人所謂淋巴系統，口苦咽乾目眩耳聾者，上焦之津液不布也；胸脅苦滿者，中焦之津液凝聚也。若病在下焦，則爲腸窒扶斯矣，此即由小柴胡湯證變爲桃仁承氣及抵當湯之路徑，至若太陰病，則當與陽明病相對而言，陽明病之胃家實，大便難，乃腸胃之實證，太陰病之腹滿而吐，自利益甚，卽腸胃之虛症；固不必强分陽明屬胃，太陰屬脾也。太陰篇中有桂枝加芍藥湯證，與桂枝加大黃湯證，一爲胃實證，一爲脾虛證，二者互見於此，可知脾胃相連，實不能截然劃分也。少陰之病，純屬心病，脈微細者，心動弱也；但欲寐者，心神衰也。心之搏動既衰，血之流行必懈，以致體溫不能外達，故爲四肢厥冷，此皆心病之明徵，實與腎臟無關。至於厥陰之病，實與少陽病相對，少陽病寒熱往來，其病尚淺，厥陰病厥幾日，熱亦幾日，卽較少陽病爲深矣。惟近世坊間流行之傷寒論，誤將厥利嘔噦，列入厥陰篇中，殊失仲景立論之本旨。其實厥陰篇中，僅首條提綱，及各條上著有厥陰病三字者，乃爲厥陰之本病，其餘厥利嘔噦諸條，當照金匱玉函經，與霍亂勞復陰陽易等，另列一篇，庶幾無誤。蓋凡讀傷寒論之方法，貴乎得其大體，固不必拘泥於文句也。

至於傷寒與溫病，究竟如何分別，余謂前人論傷寒溫病，混淆太甚，後人論傷寒溫病，分別太繁；惟陸九芝陽明爲溫病之藪一語，最爲切當。蓋病至陽明，則傷寒與溫病無異，如服桂枝湯後，大煩渴者，用白虎加人參湯。服麻黃湯後，蒸蒸發熱者，用調胃承氣湯，此猶傷寒爲其皮，溫病爲其骨，其實傷寒與溫病，不能截然分別。凡病至發熱不惡寒，口渴心煩者，既可以稱爲陽明病，亦可以稱爲溫病，不必强爲劃分也。不然，豈有一日服麻黃桂枝之時，則爲傷寒；次日服白虎承氣之時，卽變爲溫病乎?!考傷寒溫病之分，始於喩嘉言，至葉天士吳鞠通，則更將溫病分列許多名目，實已越出難經傷寒有五之範圍矣。近來西學東漸，又有腸窒扶斯之名，或謂腸窒扶斯者，卽濕溫也；然今人所稱之濕溫，已非古人所謂之濕溫矣。古人以暑病夾溼，名濕溫，朱肱活人書中之蒼朮白虎湯，卽其治也。今人則以寒熱往來，胸脅苦滿者，爲濕溫。此非蒼朮白虎湯所能治，祗能用小柴胡湯半夏瀉心湯抵當湯等循序施治，庶幾可愈。惟自外人有腸窒扶斯防腸穿孔之說，人皆不敢攻下；但余之經驗，凡攻下而得黑糞者，必不致腸穿孔，雖攻下而出血者，亦當分別，如下膿血者，卽傷寒論所謂下血則愈之症，亦非腸穿孔，惟下鮮血者方爲腸穿孔也。人皆以腸穿孔爲不可救治之病，然以犀角地黃湯治之，亦有可救者也。現中醫攻下之方有輕重緩急之分，祗須審察病之輕重分別攻下，決不致變成腸穿孔。大概大承氣湯最峻，小承氣湯次之，以其皆有厚朴枳實也。他如調胃承氣桃核承氣抵當湯，則皆僅有大黃而無枳朴，有瀉熱袪瘀之功，而無峻攻傷腸之力；若更欲平穩，則有抵當丸，蓋其方後註云，服後晬時始下，不下更服，可見此方之和緩矣。今人誤於西醫腸窒扶斯防腸穿孔之說，每遇濕溫應下之症，竟至如此平穩之方棄而不用，豈足以愈病耶?!

仲景傷寒論一書，包含甚廣，惟太陽篇太無系統，使人讀之有望洋之嘆。余意若將本篇分爲三章，以桂枝麻黃梔豉白虎調胃承氣證爲一章，小柴胡瀉心湯抵當湯桃核承氣證爲一章，其餘又爲一章；如是分章較易明瞭。要之讀傷寒論之法，貴乎明其大體，若陳修園之隨句敷衍，强爲解釋，甚至誤認傷寒自太陽病起至厥陰病止，只是一種病之傳變，如是死於句下，何能運用仲景之法，以治變化無窮之病乎。

祝懷萱先生醫學演講錄

張鑑青記錄

兄弟今天到貴校來參觀，順便得和諸位談談醫學，非常欣快。惟自揣學識譾陋，經驗淺薄，並且時間匆促，覺想不出有統系的題目來討論，祗有將近數年在上海所自己經歷的，及得之於師友之間的記憶所及，來拉雜講講，似乎比較有些意味。現在余第一項想到就是經方問題，余前在蘇州時，對於經方的識驗簡直一些沒有，後來買得一部皇漢醫學，見他內容都是日本漢醫的經方驗案，始漸漸瞭解經方的可貴，有研究的必要。但那時雖心知其妙，仍未敢試用；自到了滬上，聞見同道中以經方治病的甚多，自己不知不覺的也能膽大起來，遇着該用經方的病證，毅然決然的據證立方，成績極好。至於同道中專用經方者，要推曹穎甫先生了，聞他老人家曾治一小孩出痧子，病僅二日，痧子未透忽隱，氣急鼻煽，泄瀉肢冷，症勢危殆，羣醫束手；曹老先生擬附子理中合葛根湯，扶正達邪，兼籌並顧，果然一劑知，二劑已。其次如陸淵雷先生，亦是用經方的高手，前年告訴我治一陽明經病，壯熱汗出，煩躁渴飲，服過時方數劑無效，爲用人參白虎湯，覆杯即愈。又余之內子志道，在章次公先生案頭聆教多時，對於經方，頗有相當認識，記得去歲五月間，她自己忽然害病，怕冷發熱，胸悶面黃，一身盡疼，尤以兩足爲劇，初投荊、防、蘇葉、秦艽、蒼朮、等發表化濕之藥不應，後議用麻黃加朮湯、外加薏苡，計麻黃錢半，桂枝二錢，蒼朮三錢，米仁五錢，藥舖在寓所附近，余親自持方赴店發藥，店夥見方詫曰：藥品分兩俱重，閣下開耶？何人服耶？余笑應之曰：自己開的，家人喫的，照配無妨！既歸煎服，翌晨微微汗出，諸證若失。以上數則，不過聊舉其例，可知有是病必須用是方，應當用經方的，代以時方，決不能勝任愉快；而藥店夥少見多怪，妄加評論，往往有之，最屬非是。經方之效，既如上所述，爲何時師多不用？此有三種原因：其一是經方藥力峻，若方不對證，危險即隨之發生；其二是他們所從的師傅，所讀的書籍，多是葉派；其三是病家見了麻黃、桂枝、石膏、大黃、一類藥方，輒疑懼不敢服。諸位試想，經方的環境如此惡劣，吾們究竟用何種方法去戰勝呢？鄙意要各地多設立國醫學校，充分灌輸經方智識。醫校既多，從私人學習的自少，假使社會上開業醫生，多半是學校畢業，多能用經方治病，病家和藥舖都司空見慣，自然而然的不嚇怕了。諸位以爲對嗎？（未完）

國醫教育的現况與展望

徐名山觀濤

1 復興民族與提倡國醫
2 國醫深合科學原理之憑證
3 國醫學校之創設與改善
4 全國國醫教育之現况
5 國醫教育今後之展望
6 作者的聲明與希望

(一)復興民族與提倡國醫

當此民族危殆，邦家多難之際，凡屬中國國民，咸應恪守　總理遺教，沉奮自勵，以求達到『中國自由平等』之目的，而欲求此目的之實現，首當從事軍事之準備，與夫政治之整飭，固無論已，然僅此猶非根本圖存之道，必也崇道德以振人心，興實學以奠國本，張教育以培民力，裕經濟以厚民生，方足以勵精圖治，伸冤雪恥，樹民族不拔之基，延千萬年民族之生命；此次五全大會所昭示我人民之宣言，雖包舉甚廣，要亦不外上列之原則，其中最能促使我國醫界之深切猛省，急起直追，並能喚起有志研究中國固有醫學，而又為西醫偏激之言論所惑，不敢毅然進國醫之宮門，而終徘徊於歧途之青年猛然覺醒者，厥有數點，頗值我人深切之注意；其第二項曰：『自來盛衰興廢，靡不由於學術，而學術之克呈其偉大之功用，以貢獻於文化之發揚者，則必與時地人事之實際相適應，亦必符合於國家社會整個生存發展之眞切要求；』又曰『中央研究院及一切學術研究機關，與各公私立大學之研究工作，必須與國家社會成密切聯絡，俾國家得實用之學，社會獲學術之益』又謂『促進中國科學之獨立與發展，以自然科學與人文科學並重，俾學術一方面能盡物之情，一方面能盡人之性，以期增進人力發展物力，造成堅實之國力，推進永久之文明。』吾人如欲據此以估量中國固有醫學之價值，則吾可得而言曰中國醫學，肇自岐黃，爲四千餘年民族經驗之結晶，亦佔中國固有文化中之重要地位；論其功用，則凡我黃族足跡所至之處，無論窮鄉僻壤，通都大邑，以及東之日本，西之歐美，南之南洋羣島，莫不具有積古相傳之特效技能，以療疾病，以維民生。不特此也，中醫利用中藥以治病，非如西醫之拋棄國產藥材而不用，專以推銷西藥爲能事，致促成中國經濟之破產；對於全會宣言『與時地人事之實際相適應，符合於國家社會整個生存之眞切要求』惟中國醫學足以當之而無愧焉。吾人猶憶民國二十三年立法院通過國立中醫研究院組織條例時，曾有少數偏見之徒，陰謀阻撓；但以今日之社會情況觀之，四萬萬同胞之中華民國，僅寥寥四千餘人之西醫，不足以適應社會之需求，固甚顯然，加之西醫之不能利用中國天產之藥材，徒使經濟外溢，不利於人民之生計，亦爲無可諱言之事實，惟我利用國產藥物以治國人萬病之中國醫學，方足以當「國家得實用之學，社會獲學術之益」而無愧。

(二)國醫深合科學原理之憑證

或謂國醫學說荒誕，不能存在於科學昌明之今日，更不容存在於正在提倡科學救國之中國；余曰：是乃不明國醫眞理者之言也。夫五運六氣之說，本與醫學無密切之關係，乃江湖走方之徒，以及無聊文人之學醫者，故玆其技，以爲漁利圖名之計耳。試觀仲聖「傷寒論」「金匱要略」惟有示人以某證主用某方之法，而絕無玄哲之說混雜其間，漢唐以來，遵而用之；對證處方，藥到病除，安得謂爲不合科學原理耶?!不特此也，國醫學療病之功能，實較自詡爲科學之西醫有過之無不及；茲請舉例以明之：頭痛之症，在西醫除用鎮靜止痛等麻醉神經之藥物外，更無其他適宜之療法，而我國醫則不然，如頭痛而兼有發熱汗出惡風等症狀者，則投以桂枝湯而頭痛自愈；頭痛而兼有發熱無汗惡寒等症狀者，投以麻黃湯而頭痛頓瘥；頭痛而兼有便閉、目痛、鼻乾等症狀者，投以承氣湯而頭痛亦愈；頭痛而兼有口苦咽乾等症狀者，又非用小柴胡湯不能愈其痛。嘗見患淋菌性結膜炎者，頭痛如劈，呼號慘厲，幾無片刻之安甯，西醫屢爲之注射麻醉三叉神經之劑，雖得暫時之緩解，未幾而劇痛復作；後邀國醫診視，先後投以紫圓一錢，大青龍湯一劑，而頭痛立止。吁！此豈非中醫學術超過西醫之明證乎。

(三)國醫學校之創設與改善

由上所言，中醫學術匪特合於較高之科學理想與原則，且『與時地人事之實際相應，』亦『符合於國家社會整個生存之真切要求。』當此復興民族工作緊張之際，吾人正宜奮起而研究之。整理之、改進之、發揚之不暇，更何遑鄙視之、唾棄之、誹嘲之，甚或摧殘之耶?!然國醫之改進與復興，既非昏庸老朽者，藉報章雜誌徒談其五運六氣之玄說所能成，亦非私家傳授，淺見寡聞之流能擔負其使命。必也由政府設立國醫專科學校，廣收已具科學基礎知識之青年學生，授以國醫固有之技術，導以科學研究之方法，使數千年相傳之中國醫學逐漸卸脫其不肖之徒所加諸其身之玄學衣裳，重放其真理之光芒於科學之國境，則吾人所迫切要求之『中國本位的醫學』庶乎有建立之希望矣。吾願與袞袞執政之諸公及愛護我民族國家之青年共勉之！

雖然，百端待舉國庫空虛之今日中國，欲以政府之全力廣設國醫之專校，豈易言哉?!為今之計莫如將全國固有之國醫專校，列入教育之系統，由政府加以嚴密之管理與切實之整頓；使每一國醫專校，咸成為健全之醫學教育機關；當更事半而功倍焉。茲為使國人明瞭中國醫學教育之現況，及指示有志國醫學之青年學子以入學途徑起見，敬將全國國醫學校之狀況概述之如下：（待續）

改進國醫之具體方案

楊夢麒

（一）擴大中央國醫館之範圍

（理由）自民國十八年三月十七日全國中醫團結一致，力爭保存中醫之後，翌年有中央國醫館之成立，提倡用科學方式，澈底整理國醫，使國醫漸臻於完善之地位，稱雄於世界之醫壇；其主張之偉大，誠令人欣忭莫名。但國醫處此風雨飄搖，惡劣環境支配之下，在在皆有阻礙進行之可能；外受西醫之侵略與攻擊，以致國醫館無行政之實權，僅為學術機關之變相；內則同道中步伐不齊，思想渙散，毫無奮勇前進之決心，以致國醫館成立六載，尚鮮成績之可言。所以擴大中央國醫館之範圍，並予以行政上之權力，實為吾國醫界圖存救亡唯一之要道。

（辦法）1 請求國府予中央國醫館管理全國國醫之權。

（說明）現在國醫之登記與檢定，因中央未有中醫法規之頒行，皆受各省市衞生局或民政廳之暫行規則之管理；其辦法雖皆井井有條，然都各自爲政，全國未能統一；且其權多操縱於西醫之手，以西醫管理中醫，難免有枘鑿不合之處。爲國醫發展計，則管理之權自宜授之於中央國醫館，並由各省市分館各縣支館分別執行之。

2 請求國府予中央國醫館總司國醫教育行政之權。

（說明）現在之國醫教育，因中央未列入教育系統，以致全國之國醫教育機關，雖有四十餘處之多，但因課程不一，學制參差，又無公費之補助，故國醫教育之效力，尚鮮充分之發揮。爲改進國醫計，國醫教育之行政權，在中央未列入教育系統前，宜授權於中央國醫館，使全國各處國醫教育機關之課程學制，及一切進行辦法，均有統一之標準，而獲改進之實效，則國醫前途，庶有燦爛光明之一日矣。

（二）促成國立中醫研究院之實現及修正其組織條例

（理由）國醫之行政權，應屬之於中央國醫館，既如上述，則國醫學術之整理及改進，當屬於中醫研究院；查國立中醫研究院組織條例，雖早經立法院通過，但迄今尚未現諸事實，夫中國醫學，積四千餘年之治療經驗，自有其顛撲不破之真價值，惜有五運六氣，相生相剋之玄說，羼雜其間，不免貽人以「不合科學」之口實。欲謀改進國醫，則中醫研究院之成立，及修正其組織條例，實爲刻不容緩之事也。

（辦法）1 請求國府從速成立國立中醫研究院。

（說明）查立法院通過之國立中醫研究院組織條例，爲改進國醫學之具體辦法；吾國爲法治之國，既經立法院通過，自當迅予公佈成立。

2 請求國府修正國立中醫研究院組織條例。

(說明)查國立中醫研究院組織條例第一條「國立中醫研究院，隸屬於內政部。」按中醫研究院，爲研究中醫學術之最高機關，以行政系統而論，當屬之於行政院，爲集中國醫之管理權計，當屬之於中央國醫館，此宜修改者一也。第二條：「國立中醫研究院之職掌：(一)以科學方法整理及改善中醫中藥。(二)指導獎勵中醫中藥學術之研究。」按既稱研究院，當實行國醫藥之研究，僅云指導獎勵，尙屬空泛之詞，似應分科切實研究，並編輯國醫教本，以符研究之實，此宜修改者二也。第五條「國立中醫研究院設理事二十五人至四十九人，爲無給職」按理事者理事也，今無薪給，安能枵腹從公？是則中醫研究院不啻爲一虛設之機關，研究云乎哉?!當將理事改爲研究員，且此項人才，宜徵求全國國醫界之矯矯者，經過考試院之嚴格考試，行政院之鄭重委任，予以豐給，使其安心努力研究，庶合中央設立中醫研究院之本旨，此宜修改者三也。

(二)普及國醫教育

(理由)吾國醫界向抱故步自封，嚴守祕傳之陋習，致釀成今日衰頹之局勢，今欲培養國醫人才，發揚國醫學術，則首當打破私人傳授之習慣，普徧設立國醫學校。

(辦法)1請求國府設立國醫大學，並明令各省市設立國醫專門學校。

(說明)除國醫大學爲國醫之最高學府，須由國府設立外，其餘各省市不妨先就原有私人設立之國醫教育機關，加以改善，或撥發相當補助費使能漸趨於完善之境，然後再擇其成績較優者，改歸省市公立。其尙未設有國醫學校之各省市，則由各該主管機關儘速撥款設立，務使國醫學校普遍全國各地，俾能建設「中國本位的醫學」，而爲復興民族之基始。

古方權量說

孫永祚

校古今權量者，宋林億龐安常皆以古三兩爲今一兩，古三升爲今一升。沈存中謂古六斗當今一斗七升九合；古三斤，當今十三兩。陳無擇謂古以二十四銖爲兩，今以開通元寶一枚爲一錢，十之爲兩。以開通元寶十枚五銖錢十六枚平之適均。則今一兩爲古八十銖。明李時珍謂古之一兩今之一錢，古之一升今之二合半。清徐靈胎謂三代至漢升合權衡不過今十分之二。孔潁谷謂今一兩當古九十五銖，又十三黍，約古一兩爲今二錢五分。王樸莊謂古一兩當今七分六釐；古一升當今六勺七抄。衆說紛紜，且以質之實驗，漢律歷志云：一龠容千二百黍，重十二銖，兩之爲兩。明鄭世子選羊頭山秬黍中者，以時制等子秤之，千二百粒重三錢。清程易疇用山西靈石縣之黑黍大者中者各千二百粒，以天平法馬較之，大者重二錢六分八釐弱，中者重二錢四分五釐强。是皆古半兩之重，則古一兩居今等子五錢六錢之間。然陶隱居孫眞人所言神農之秤，以十黍爲一銖，六銖爲一分，四分成一兩。是一兩爲二百四十黍。於漢兩法什取其一，居今等子五六分耳。夫謂古秤於今秤三之一者，自唐以來，十口相傳，宜若可信。今驗之龠黍而不合者。程易疇云：權百黍爲銖，又取百黍更權之，必不能齊一。聖人垂法，於不齊之中求其齊而已。是驗黍亦不足爲準也。雖然，神農秤法與漢律歷志不同。既有明文，固不可比而同之。蘇恭云：古秤皆複，晉秤始後漢末已來，分一斤爲二斤，一兩爲二兩，金銀絲棉並與藥同，無輕重矣。古方唯有仲景，而已涉今秤；若用古秤作湯，則爲水殊少。明秤藥，故與常權有異，常秤大，藥秤小，斷可知矣。至其輕重不爲什一之比者。隱居述神農秤法云：雖有子穀秬黍之制，從來均之已久，正爾依此用之，明其所謂十黍爲一銖者，不過相傳有此名號，非眞十粒黍子也。是故藥秤銖兩之法，雖爲常秤十之一，而其輕重蓋得常秤十之四五。千金方云：吳人以二兩爲一兩，隋人以三兩爲一兩，是常秤二三倍於藥秤也。攷今權衡中釐毫絲忽之數，爲宋景德中劉承珪所定。元豐後乃有等子。明世乃有天平法馬。若古常秤之一銖，居今等子二分以下，則神農秤之一銖，不過今等子數釐之重。是在宋以前不可持衡而得之。乃以銖起權衡者，蓋由常秤之法貤被其名耳。是故史稱華陀心識分劑，不復稱量，其實爲時無等子，少物不可量取故爾。若古今升斗之法，據漢律歷志千二百黍爲一龠，合龠爲合，十之爲升，百之爲斗；一斗之積，一百六十二立方寸。孔東塘校漢建初銅尺，當清量地官尺六寸六分六釐不盡，卽三與二之比。是漢斗積當今四十八立方寸。清斗積三百十六立方寸，是漢一斗當清一升五合二勺弱。然陶隱居孫眞人並云藥升方作上徑一寸，下徑六分，深八分，此其積爲五百二十二立方分，與漢法一升積十六立方寸，又二百分者大相懸絕，可知藥升與常升居然二物也。然隱居云：凡散藥有云刀圭者，十分方寸匕之一。方寸匕者，作匕正方一寸，鈔散取不落爲度。一撮者，四刀圭也。十撮爲一勺，十勺爲一合，是一合當四十方寸匕。方寸匕鈔藥作塹堵形。雖不必得立方之半，要之四十方寸匕，必大於一立方寸，是一升反小於一合，何也？千金方云：兩勺爲一合。兩勺爲八方寸匕，猶非藥升十分之一。此皆不可通者也。觀陶孫述藥升云：今人分藥不復用此，疑藥升但以鈔取散藥，與方寸匕之用正同。古者二物並用，其後但用方寸匕耳。要之權量有須攷證完物。則古今不異。就完物以推算權量，必能得其大致。隱居云：巴豆一分，（六銖為一分）准十六枚；附子烏頭去皮畢。以半兩准一枚；枳實去穰畢，以一分准二枚；橘皮一分，准三枚。棗有大小，三枚准一兩。由此驗之可以得古權衡。隱居又云：桂一尺，削去皮畢，重半兩為正。甘草一尺，重二兩為正。由此驗之更可得古尺度。隱居又云：半夏一升，洗畢，秤五兩為正；蜀椒一升，三兩為正；吳茱萸一升，五兩為正；菟絲子一升，九兩為正；菴䕡子一升，四兩為正；蛇牀子一升，三兩為正；地膚子一升，四兩為正；蜜一斤有七合；豬膏一斤，有一升二合。由此驗之，更可得古量。如此權衡度量交互推求，得其事實，則於古方過誤，可以校覈而知。諸家歧說，亦將刊落無餘矣。

陰陽毒考

周自强

金匱百合狐惑陰陽毒病證治篇，論證曖昧，索考為難，而陰陽毒之證治，雖僅二條，但其豫後則如鐵案之不可易。原文云：『五日可治，七日不可治，』究屬何故？又如陽毒用雄黃蜀椒，陰毒不用雄黃蜀椒，斯者重重疑案，不可輕解者也。夫撫今人書範古傳識者識焉。若夫探討析疑，雖粗陋又奚傷？

金匱原文曰：『陽毒之為病，面赤斑斑如錦紋，咽喉痛，吐膿血，五日可治，七日不可治，升麻鱉甲湯主之。』漢文質樸，我人當知上述諸證，僅為本病之主要者也。首曰面赤，則斑斑錦紋，必起於面，或始於面而後及各處。咽痛吐膿血，更在斑出之後。稱之曰陽毒，其病勢甚急，則又非慢性病或遺後轉變者可知。外臺以百合狐惑入傷寒門，置發斑入天行門，蓋可知也。即有併陽毒傷寒為一言者，指急性熱病之廣義的傷寒耳。遍考中外方書，以升麻治斑疹者甚夥，而斑疹之病相類似者又數覯，試以敗血膿毒症證之，戰慄卒發，皮膚亦發斑疹出血，或發猩紅樣之疹，內臟循環器多病變，呼吸器多炎症，頻發欬嗽，咯出黏液性膿痰，或混血液，時帶鏽色之痰，迨全身蔓延乃斃，此頗與陽毒相似，然本症可治之期，未必祇限七日之內，死期未必在七日以外，此可疑者一也。欬嗽雖有，未必咽痛，不似者二也，次以丹毒症證之，本症始發於皮膚者，鼻梁或鼻傍頰部皮膚，初呈鮮紅腫脹光澤，觸之則灼熱疼痛，界限明晰，首面多，而軀體延及者少，亦有侵及咽頭或併發氣管枝炎氣管枝肺炎者，此雖與陽毒相似，然不吐膿血，亦少危險，死亡之數，僅有百之四五，與敗血膿毒症合併者亦不多覯，甚不類陽毒之劇暴也。次以猩紅熱比觀，本病咽痛有之，發疹亦有之，流傳迅速，尤符陽毒之名，斑紋性腥紅熱之證，與陽毒錦紋為相當、然本症斑疹起自頸項，延及四肢，頭面較肢體稀少，尚不能與原文獨舉面赤之意相吻合。最終以發疹窒扶斯比擬，本病突然惡寒戰慄，面部腫脹潮紅，結膜、咽頭、鼻腔、氣管支等處，均發炎症。五日而發疹，疹起腹部，延及手足，第二星期，病勢劇甚，再逾一旬，熱甫漸退，此症與陽毒之面赤斑斑如錦紋，及「七日不治」均尚未合，亦不能釋然無疑也。雖七日不治之言，非七日而死，要亦非熱退身涼之謂也。升麻屢見於斑疹方中，似有特效可採，即尋方中藥物以考之：

升麻　唐甄權藥性本草論曰：「療癰膿。」宋日華諸家本草曰：「治遊風腫毒，療肺痿，咳吐膿血。」明本草綱目曰：「消斑疹，行瘀血。」潔古曰：「解百毒，療瘟疫瘴氣。」清黃宮繡本草求真曰：「一切風熱斑疹瘡毒，靡不隨手輒愈。」

鱉甲　甄權曰：「下瘀血。」日華曰：「去血氣，消瘡腫，并撲損瘀血。」明繆希雍曰：「益陰除熱，消散。」黃宮繡曰：「去厥陰血分積熱。」

當歸　含多量蔗糖，合血液中氣化迅速，細胞新陳代謝作用隨之增進。日華諸家本草曰：「破惡血，養新血。」本草綱目曰：

「治心腹諸痛，潤腸胃、皮膚、筋骨，治癰疽，排膿止痛，和血補血。」鄒潤安本草經疏曰：「血溢出膜外或在腸胃曰客血，得當歸之辛溫，客血自散。」清張隱菴本草崇原曰：「治諸瘡瘍者，養血解毒也。」癰疽潰後宜之。

甘草　清熱解毒，專治瘡癰毒及貧血之藥，使大便緩下，促進全身細胞之新陳代謝作用，易使痰沫附着而咳出。本經曰：「治五藏六腑寒熱邪氣。」元東垣用藥法象曰：「生用瀉火熱，熟用散表寒，去咽痛，養陰血。」丹溪本草補遺曰：「生用行足厥陰陽明二經之血，消腫導毒。」繆希雍曰：「安臟腑，除百邪。」本草經疏曰：「生用解毒。」

雄黃　燥濕殺蟲，治惡瘡。本經曰：「殺惡瘡。」本草綱目曰：「化腹中瘀血。」繆希雍曰：「燥濕殺蟲，治濕熱留滯肌肉所生諸瘡毒。」黃宮繡曰：「濕熱侵於肌肉而成之瘡，服此辛以散結，溫以行氣，能搜剔百節中風寒積聚也。」

蜀椒　解毒殺蟲，梁弘景別錄曰：「通血脈。」甄權曰：「破血。」宋日華諸家本草曰：「治天行時氣，產後宿血。」清王士雄飲食譜曰：「川椒辛熱，溫中下氣，煖腎祛寒，開胃殺蟲，除濕，滌穢，舒鬱。」

綜上所論，功效雖互有出入，其破血解毒，療腫去膿之功皆具也。觀醫通時行門有曰：「瓜瓤瘟證，醫者皆以畜血傷寒目之……疙瘩瘟之闔門暴發暴死……」竊以爲有類陰陽毒。瓜瓤疙瘩諸名，始見揭於瘟疫論，此斑疹之類，烏知其非瘀血毒血所致耶？張氏非之，惡其名之濫耳！再證以「敗血膿毒症之類似猩紅熱發疹」與陽毒實合；惟其夾猩紅熱，故斑疹多見於面而咽痛。惟其血敗，易起肺炎、吐膿血、速死，故用解毒破血之藥。

至於陰毒一症，與肺炎性鼠疫最合，如面目青、身痛、咽痛等，即千金所謂惡核病是也。鼠疫菌以侵淋體爲先驅，結核爲重要之證，而金匱不言，豈以其隱微而忽之耶？治法以清熱解毒爲歸，故去雄黃蜀椒之辛溫，學者若執舊註之因循，或拘陰毒之名，妄投溫熱，斯危矣！

二症之在當時，必偶一發現而不數見。故仲景僅以短文兩則記之，觀其辨別陰陽，似憑面色青赤，他無所驗。治法亦未美備，巢氏病源論曰：「欲辨陰陽毒病，看手足指冷者是陰，不冷是陽。」可補仲景之不及，但敍述未明，斯皆限于時代，不足爲前人之病也！

藥名詩（五言四首）

胡蕭梧

南星

北極堪相對　當天色耀金　東方華月起　西陸彩光沉

槐花

黃色濃如許　繁陰滿謐庭　屯雲長鬱鬱　離日自亭亭

犀角

穎脫尖形出　靈心一點通　燃來堪照水　辟處不知風

浮石

奇物生南海　濤中險象呈　負山疑是鼈　帶水有如鯨

醫學研究

溼溫治療法之研究

沈仲圭

傳染病中感染最廣治療最難而預後多不良者，莫濕溫與肺癆若也。西人對此二症，以乏特效藥，轉而謀衛生之療養；蓋利用人身固有之抵抗力，以撲滅此戕賊人類生命最酷之桿菌耳。中醫雖以經驗勝，但治外感之濕溫與內傷之肺癆，亦難得心應手，此事實俱在，不必深諱。故仲圭不避譾陋，草此一文，欲以千慮之得，求教同道，并引起此病之研究焉！

一　可否施用下劑

中醫治溫病，有「下不嫌早」之訓，濕溫為溫病之一，當然不禁攻下，西人則認此病係傷寒桿菌侵襲小腸，致腸壁炎腫腐爛；若至出血，往往凶多吉少，故下劑在所非宜。斯二說也，背道而馳，吾人臨症處方，將守中醫之古訓乎？抑從西人之新說乎？曰：當據證論治，如病人舌苔黃褐而乾燥，腹部脹滿而微痛者，投以調胃承氣湯；液涸者，前方合增液湯；燥結不甚者，用大麻仁、郁李仁、栝蔞仁、杏仁泥等，輒有熱隨便通而降，脈隨便通而和者，固不必拘泥西說，鰓鰓焉惟恐腸出血及腸穿孔也。惟病經二候，雖有下症，亦宜審慎！

二　注意心力衰弱

患濕溫者之心臟，極易爲傷寒菌所侵害，且因經過久長，心力更易衰弱，每有在病之經過中，突發心臟衰弱而死者，是不可不愼也。爲預防計，可與病者以適量之酒。（能飲酒者用白蘭地，不能飲者用葡萄酒。）酒之爲物，不但容易吸收，鼓舞心力，且能節制蛋白之分解，臂助熱度之低降，對於本病，可謂有利無弊。若論藥物，則附子用於轉變陰症，（脈沉微、冷汗出、昏沉嗜臥。）人參用於正氣衰弱，牛黃犀角用於熱高神昏，皆可隨症取效焉。

三　溼溫用藥南針

王潤民曰：「治濕溫有四戒五宜。四戒者，不可用柴桂發表，不可用溫藥，不可早用滋陰藥，不可妄用大小承氣攻下也。五宜者，初起宜辛涼解表，宜通大便，宜用血液藥及解毒藥，宜利小便，宜內服白蘭地葡萄酒等興奮藥也。」章太炎曰：「治濕溫者，其藥必寒溫相間，是以梔子必參厚朴，黃連必佐半夏。」又曰：「吳又可溫疫論以爲邪氣舍於募原，故首用達原飲導之，觀其以檳榔、厚朴、草果治濕，以知母、黃芩治熱，知其所謂溫疫者，實亦濕溫而已。」又以黃連、苦參二味，爲濕溫特效藥，且謂黃連厚腸胃，用之無腸出血之患。章王二氏，於濕溫研究極精，其所言各節，可爲吾人用藥之指南也。

四　溼溫要方選註

1 小柴胡湯　治濕溫初起，胸悶作噁，苔白，身熱起落。

北柴胡　黃芩　太子參　生半夏　炙甘草　生薑　大棗　陸淵雷原註，宜酌加米仁、茅朮、赤苓、川朴、川連等。若胸悶甚而惡寒者，宜柴胡桂枝湯。（卽小柴胡加桂芍）若口渴甚者，宜柴白湯。（卽小柴胡合白虎湯）若熱不高、無噁心，有口渴者，宜小柴胡去半夏加蔞根。

主按：以柴胡劑治濕溫，爲葉派醫所反對，但據陸氏之經驗，則云用柴胡劑治濕溫，其收效實超出葉法之上。吾人以客觀之目光，細核小柴胡湯之組織，及陸氏所增之藥，覺於濕溫初起，似無不宜：芩、連、朴、夏、苓、朮、固屬對症，卽太子參之去滿，柴胡之除熱，亦無不合。又濕溫之胸悶不食，嘔噦耳聾，悉爲小柴胡之主證，故斯病而用斯方，誠可謂對症之劑矣。

2 黃連解毒湯　治濕溫一二候之間，身熱灼手，煩悶乾嘔，呻吟譫語，臥不安席，舌質絳者。

黃連　黃芩　黃柏　山梔

主按：以苦寒直折邪火，實爲治濕溫壯熱之妙法。

3 乾地黃湯　治病勢漸退。熱未盡撤。

生地　大黃　黃連　黃芩　柴胡　杭芍　炙草

主按：栗園曰『治傷寒遺熱，參胡芍藥湯（柴胡、芍藥、黃芩、枳實、人參、地黃、麥冬、知母、甘草、生薑）其治緩。本方則爲效較速也。』此方用芩連以除熱，佐生地以養陰，殆卽時師「清熱存陰」之意，大黃功專瀉下，與此症不合，宜刪去。

濕溫良方，更僕難數，若欲一一選註，非成專書不可。右列三方，爲時師所罕用，爰先采入，以新耳目。

右論濕溫四條，係摭拾時賢論此病之菁華，參以己意，隨筆寫成。既不足云研究，亦無當於供獻，倘蒙不棄，惠書指正，無任欣感！至於肺病治方，鄙人曾集得成方十五，單方七，業已編入「仲圭醫論彙選」，由蘇州國醫書社刊行，現已出版矣。

溫病研討

王志純

傷寒溫熱之爭，由來久矣；門戶各執，聚訟不已，使後之學者，莫知所從，而徒興望洋之感。然而考之內經，早有明言曰：『人之傷於寒也，則為病熱。』又曰『凡熱病者，傷寒之類。』由此觀之，則溫病猶不能出傷寒之範圍也。奈溫熱家竟以邪說亂真，魚目混珠，使仲景之學反晦而不明；黃鐘毀棄，瓦釜雷鳴，不亦大可慨乎！雖然吾人試一周覽溫熱之學說，披砂檢金，亦未嘗不能補仲景之不足也；爰將管見所及，舉而研討之：

夫溫熱家之侈談伏氣，固屬荒誕不稽，蓋人為動物，有自然抵抗之能力，安能使風寒之邪，滯留體內，伏數月之久，而後病乎。況風寒也者，乃無形之感覺，而非有形之物質，其所以能致人於病者，蓋刺激之作用，使體功起反射而已；根本無透入肌膚，而入伏體內之可能也。由是以言，則伏氣之說，當不攻而自破矣。夫溫病既不出傷寒之範圍，則傷寒之病理，當即溫病之病理，特受患者體質之各異，故病變亦隨之以不同耳。如素體強實，腠理緊密者，則成為無汗惡寒之傷寒；素體虛弱，腠理鬆疏者，則成為汗出惡風之中風；素體多熱，而神經易於興奮者，則成為但熱無寒之溫病；素體多濕，而胃腸聚有濕濁者，則成為胸悶嘔噁之濕溫。是病本一源，特證狀之不同，而各異其名稱。難經曰：『傷寒有五，曰中風、曰傷寒、曰濕溫、曰熱病、曰溫病。』考之實際，溫即是熱，熱即是溫，溫病即是熱病，熱病即是溫病；分與不分無異，不必多立名稱。然則雖曰有五，其實不過四種，與我說恰相吻合焉。傷寒中風，不在溫熱範圍，姑置勿論，今所當言者，乃溫病濕溫耳；夫中醫治病，全以證候為依歸，考溫病之證候，如但發熱，不惡寒，口渴脈數等等，與傷寒陽明病無異，證候既同，治法自通，故凡陽明諸方，均能統治溫病，惟是病之輕者，芩連白虎猶嫌太過，桑菊銀翹亦當採用。方雖輕而用靈，殊堪補仲景之不足。至若攻下之法，雖仲景三承氣湯亦可借用，然而增液之通便，亦法之至良，津枯液涸，而宿垢不得下達者，非此不效，又未始不能補經方之缺點也。他如滋陰各法，用之於熱實火爍之際，固不免揚湯止沸，然病去陰傷，而津液不繼之候，借作調治之劑，亦正復至當。而其處理濕溫，又更多精到，所設芳香化濁，淡滲利濕各法，皆輕巧靈活，慧心別具。而三仁湯一方，尤有獨到之妙，可謂無往不宜；隨證加減，效若桴鼓，有裨醫學，又豈淺鮮哉？考濕溫之證狀，除胸悶嘔噁而外，兼有寒熱弛張之象，與傷寒少陽病相若，然以小柴胡湯治之，則病必反致增劇，疑似之間，最易混淆。茲將經驗所得，略爲伸述，敢希海內名宿，與以指敎焉！蓋濕溫與少陽，雖同爲寒熱弛張，胸悶嘔噁，然濕溫之寒熱弛張，殊不若少陽之爲甚；少陽之胸悶，偏重於兩脅，濕溫之胸悶，偏重於胃脘，且濕溫恆兩足不溫，而少陽則熱勢張時，其足必煖。又濕溫之舌苔，無論黃白，必厚而且膩；少陽之舌苔，則雖膩不厚也。毫釐之差，而治法分歧，可不詳加診察乎？夫仲景之於濕溫，固未嘗論及方治，而後人有謂痙濕暍篇之濕病，卽今人所言之濕溫，殊不知痙濕暍篇所論之濕病，乃肌膝之表濕，今人所言之濕溫，是胃腸之裏濕，表裏不同，治法異趣，又烏得而能相混耶！奈何彼執言者，竟不思之甚也！要之，讀書之目的，在乎醫病，能醫病，則非聖學何傷！不能醫病，則雖聖學亦何求？傷寒、金匱、未必盡然，經緯、條辨、不必悉僞，當取客觀之態度，莫爲門戶之奴隸，去糟粕，存精華，全在人之自爲焉耳。

脚氣病概說

張鑑青

導言——脚氣一症，流行頗廣，而尤以東半球沿海食米區爲最甚，其病初起，雖祇在足之一部，若因循疏忽，不加以合法的治療，輕則纏綿歲月，難於就痊，重則衝心致命，不可救藥，其病之危險不亞於急性傳染病，故余不揣譾陋，將此病之原因症狀療法等分述如下：

原因——腳氣病之眞正病原，雖經中西醫家長時間之研究，至今尙未發明，就余研究所得，其較爲可靠之學說，約有二種。

1 缺乏乙種維他命(Vitamin B)說　此種學說，將腳氣病原，歸之於久食機碾白米，以致缺乏穀類糠粃中所含之特種榮養素(卽乙種維他命)而成，主此說者謂將缺乏乙種維他命之食物，飼雞或白鴿，能使其起腳氣樣之疾患，再以乙種維他命混於食物而飼之，或行注射，數日後其恙全失，恢復其健康時狀態，但反對此說者，謂鄉僻人民素食糙米等乙種維他命成分較多之食物，較其他人類爲多，而此種人患腳氣者，亦不在少數，中古時代，科學未曾發達，食米不用機碾，而生腳氣者亦甚多，是則缺乏乙種維他命說，祇可認作腳氣病原因之一種，不能認爲腳氣之眞正病原也。

2 濕氣說　此種學說，將腳氣病原，歸之於久處海濱，或久居濕地，以致濕毒襲人而成，與內經「傷於濕者下先受之」「淸濕襲虛則病起於下」之說相合，主此說者，謂日本四面環海，地勢最低，空氣中濕度最濃，而腳氣之流行亦最盛，每年統計罹此症者，達二百萬以上，其死亡額數，頗足驚人，我國東南諸省，地勢較西北諸省爲低濕，腳氣之流行，亦較西北諸省爲盛，且凡腳氣患者，如能遷居高燥之地，亦能漸愈，然高燥之地，有時亦有腳氣之流行，篙工舵師，漚麻洴澼，病腳氣者反不多見，是則濕氣之說，亦祇可認作腳氣病原因之一種，不能認爲腳氣之眞正病原也。

以上二因，如祇有其一種，雖或亦可成爲腳氣病，然以余意度之，若二因交攻，卽常食機碾白米，復感濕氣，或既受濕氣，再食缺乏乙種維他命之食物，則其人之病脚氣，必可計日而待也。

症狀——此症有乾性脚氣，濕性脚氣，與衝心性脚氣之別，大約乾性者最輕，濕性者次之，衝心者最重，其有一發卽爲衝心者，亦有由乾濕二性而轉成者，今分述如下：

1 乾性脚氣　足及下腿，初患知覺麻痺，次及上腿下腹，漸及口唇等，膝蓋腱反射消失，腓腸部緊張壓痛，故步行困難，甚則心悸亢進，脈搏頻數。

2 濕性脚氣　於乾性脚氣之外，兼發軟弱光亮之浮腫，按之凹下，腫勢亦由下漸上，面色黯晦，身重口淡。

3 衝心性脚氣　除以上二症兼發外，更有心悸亢進，脈搏頻數，煩渴異常，呼吸促迫，胸悶噁心，嘔吐，二便祕結，或反裏急下痢，面色蒼白，四肢厥冷，精神恍惚，鼻煽，終患心臟麻痺而死。

治法——此病治法，首宜從其原因着想，如係素食機碾白米者，則急宜改食糙米，多進富含乙種維他命食物，如動物內臟、乳汁、豆類、果食及麥食之類，如係住居海濱濕地者，則急宜遷居高燥之地，卽西醫之易地療法也，其次再分其乾性濕性衝心性以及各種兼證而施以藥物治療。

1 乾性脚氣　此症既屬脚氣中最輕者，故祇須投以理濕舒筋之輕劑。如白朮　澤瀉　赤苓　陳皮　苡仁　赤豆　木瓜　五茄皮　當歸　花生　生薑等品加減取用可也。

2 濕性脚氣　此症比前症爲重，而用藥亦宜較重，再當視其兼證而加減施治，茲將普通應用方劑，略述列下：

鷄鳴散　主治脚氣疼痛及風濕流注，足痛筋脈浮腫者。

檳榔　橘皮　木瓜　吳萸　蘇葉　桔梗　生薑

濟生腎氣丸　主治寒濕脚氣，少腹不仁，腰重，小便不利，二足腫軟不能行。

地黃　山萸　山藥　澤瀉　茯苓　丹皮　桂枝　附子　牛膝　車前子

加減九味檳榔湯　主治脚氣腫滿短氣。

檳榔　吳萸　蘇葉　橘皮　茯苓　枳實　厚朴　桂枝　甘草　生薑

桑白皮湯　主治脚氣腫甚，心悸亢進。

桑白皮　防己　木通　茯苓　檳榔　郁李仁　沉香　生薑　厚朴　蘇葉　犀角

檳榔散　主治春夏之交，脚氣二足微腫，或為疼痛，步履不便，微熱，短氣者，功能疏風調氣。

檳榔　枳實　大黃　獨活　茯苓　羚羊　沉香　川芎　甘草

礬石湯　主治脚氣二足腫甚。

礬石　煎湯浸洗二足

附效驗單方　1赤豆　苡仁，不拘多少，同煮盡量食之。　2麥芽一味，煎湯飲之，能奏利水消腫之效。　3衝心性脚氣　此症大抵由於毒素侵襲血液心臟所致，故治宜清血解毒，强健心臟為主，清血毒如犀角之類，强心如附子之類，皆宜隨症用之，不可稍忽，否則危亡立至矣。茲將應用諸方列下：

豁胸湯　主治脚氣之水氣上盛，欲作衝逆，氣急迫促，昏悶欲死，嘔吐，或合沉香降氣湯仝用。

桑白皮　吳茱萸　犀角　茯苓

沉香降氣湯　主治脚氣衝心，胸膈痞塞，喘促，嘔吐，嗜眠。

沉香　縮砂　莎草　甘草

犀角旋覆花湯　主治脚氣之水氣上盛胸腹，欲作衝逆，嘔逆甚劇，兼喘息小便祕澀者。

犀角　旋覆花　橘皮　茯苓　生薑　蘇葉　香豉　大棗

治脚氣冷毒心下堅背膊痛而上氣欲死方　主治如方名，或兼嘔吐者。

吳萸　檳榔　木香　犀角　半夏　生薑

小檳榔湯　主治脚氣欲衝心，心胸煩悶，氣急不安，嘔吐。

檳榔　半夏　茯苓　桂枝　甘草　生薑

唐侍中一方　主治脚氣胸滿氣急，其氣欲上衝者，功專消腫。

檳榔　吳萸　蘇葉　木瓜　生薑　橘皮

加減法：甚者加大黃。身腫甚者，合越婢湯同用。

糖尿病

吳明之

引言

糖尿病一證古名消渴，蓋患者尿中含糖也。我國醫籍，對於是證，早已言之甚詳，如本事云，消渴者，腎虛所致，每發則小便必甜。此與西醫之所謂糖尿病者，實合符也，顧國人不加研究，致歷史悠久之消渴病，竟無人知，而糖尿病之名，反流傳全國，誠憾事也。明自入蘇州國醫學校，荏苒年餘，爰將師長所授，與夫研究所得，約略一述。自知學術譾陋，瑕疵在所不免，世有明哲，願呈教焉。

病原

本證之病原，由於飲食不節，醇酒厚味，漫無限制，或因房室過度，精液虧耗而成，又常食富有含水炭素質之食物，而少運動，亦為斯病之誘因。總之，先時之原因雖殊，而其病之發，由於膵臟內之蘭氏島內分泌素減少或缺乏所致者，則一也。

病狀

本證之病狀，其最重要者，厥為小便頻數，尿量增加，如脂如膏，嘗之味甘，因內含多量之糖質故耳。又患者常覺飢餓口渴，因之飲食增加，逾過常量，甚者雖飲食加多，而人體日見消瘦，更甚者皮膚乾燥，癢不堪言，目䀮䀮無所見，耳無所聞，膝蓋腱反射消失，往往不能步履者有之。

病理

本證之病理，良由膵臟萎縮，內泌停止所致。夫膵臟橫居胃下，有普通與特別兩種分泌細胞，普通細胞能分泌胰澱粉酵素、胰蛋白酵素、及胰脂肪酵素三種液體，功能消化蛋白、脂肪、澱粉諸質。特別細胞者，即蘭氏島內分泌細胞也。其分泌液之作用，能調節血中糖分之代謝，設或膵臟有病，島素分泌中止，不能照常工作，則血中糖分，溢於常量，而肝臟又不能變化糖爲動物澱粉，以儲蓄之，於是過剩之糖質，不得不由腎臟排泄而出，此尿液之所以味甘也，尿液既含糖質，乃欲引水以稀釋之，此病者之所以尿數苦渴也，且病消渴者，糖出必多，先則化用肝糖，繼則分裂蛋白脂肪，暫濟燃眉，此病人之所以多食而瘦也，病者營養缺乏，神經關節，俱失濡潤，此病者之所以耳目不明，而步履艱難也。

治法

本證之治法，古人謂上消（渴欲飲水）以人參白虎湯爲主，中消（消穀善飢）以調胃承氣湯爲主，下消（飲一溲二）以腎氣丸爲主，金玉之訓，確可奉爲圭臬，惟內以承氣湯治中消，昧者不察，謬謂下多傷正，視之如鴆毒，洵可歎也，殊不知中消初起，原非虛證，乃膏粱有餘之疾，下之正以補之，何傷正之有，設非實症，補之猶恐不及，何暇下乎，依予之經驗，見有單服山藥，以治消渴而愈者，攷其藥理，良由本品內含澱粉，功能補脾固腎，以止小便頻數，然西醫則否，有禁食糖質粉質之說，誠如因噎廢食者也，古人有治消渴驗方，用猪胰切碎，搓成肉圓，生吞食之，連服數次，即可漸愈，此與今人之臟器療法，相暗合也。

處方

人參白虎湯

藥品　人參　生石膏　知母　甘草　粳米

主治　治消渴證，飲不解渴者。

文蛤散

藥品　文蛤一味，杵爲散，以沸湯五合，和服方寸匕，

主治　治消渴證，津液不足，而渴飲不止者。

調胃承氣湯

藥品　大黃　芒硝　生甘草

主治　治消渴證，消穀善飢，渴欲引飲，小便頻數者。

脾約麻仁丸

藥品　麻子仁　芍藥　枳實　大黃　厚朴　杏仁

主治　治消渴日久，大便堅結不能下達者。

腎氣丸

藥品　地黃　山茱萸　丹皮　澤瀉　山藥　茯苓　肉桂　附子　車前子　牛膝

主治　治消渴證，陽氣衰微者。

結論

嘗讀仲師傷寒金匱二書，均載有消渴之病，然傷寒之消渴，熱病過程中往往見之，今所論者，當係金匱之消渴，即西醫之所謂糖尿病也，吾於上述之原因證狀及治法，備則備矣。而猶未能詳其所詳，蓋患者體質之强弱，時令之遲早，與夫

處境之勞逸，俱有出入也，要在醫者之臨診活法耳。

天痘概論

潘國賢

天痘一症，考之舊籍，多言先天之慾火，父精母血陰陽鼓鑄而成胎，當兒在胎時，食母穢血而致者。西醫則言麻疹、痧疹、天花、水痘、猩紅熱、及發疹傷寒等，均定爲感染黴菌或原蟲而起之急性傳染病，是中西兩說絕不相侔，學者果何所適從乎，余以爲中西兩說雖有偏執，如能參合加以思考，其中實有至理存焉。蓋中說爲內因，西說爲外因，二因兼併，則發爲天花，譬之一家，門垣不修而後盜賊至，是門垣不修爲內因，而盜賊爲外因也。

就天花之症狀而言，概可分爲六期，一爲發熱期，二爲發斑期，三爲發蕾期，四爲水泡期，五爲化膿期，六爲結痂期，分述如次：

一、發熱期：其過程約爲三天，初起發熱咳嗽，眼眶潤濕，呵欠噴嚏，頗與痧子相似，若在天花流行之時，卽是確實之預兆，當發熱之初，形氣充實，便閉溺赤，是爲實熱，急當攻瀉火毒，如熱不甚壯，肢冷脈伏，精神困頓，二便清利，是爲虛熱，急當扶正托裏。

二、發斑期：三天之後，見點先頭面，次軀體，先上半身，次下半身，自初見點以致全偏周身，亦爲三天。

三、發蕾期：六天以後，斑點逐漸擴大，形圓高起，色漸紅紫，有裏熱者，急當溫補。

四、爲水泡期：圓蕾漸變透明，形同水泡，發蕾水泡二期，共是三天。

五、爲化膿期九天後水泡變黃漸化爲膿，病勢轉劇，熱度增高，往往喉舌均見痘點。

六、結痂期嗣後熱度下降，膿色漸乾而結痂蓋，繼則蓋脫病愈，始無危險，欲免天花之患，惟施種牛痘可以避免之。

吾國家庭衞生知識缺乏，對於兒童之種痘猶未能普及鄉間，以致一旦天花盛行，死亡接踵，可慨也夫。種痘最適當時期，爲春秋二季，但隨時施行亦無妨，種痘前，沐浴清潔身體，初次種痘，而無感染者，因痘苗之不良，或其人有一時不感受性而致，可於數星期後，精選痘苗，再行接種。小兒種痘之後，不可使受風寒，亦不必特別服藥，種痘之後，其善感受者至第五六日，卽生水泡，其中充滿稀薄透明之液，至第九日則化膿變爲帶黃白色之膿液，漸漸乾燥，十二三日，則結暗褐色之痂，通常於八九日內則剝脫矣。

種痘原能免疫，其免疫性以接種後五年內爲有効，若至十年，殆卽全失，故每隔三年一種，爲最妥善，可免天花之患矣。

乳癰乳巖吹乳合論

祝曜卿

兩乳爲人身之要部也。乳頭屬於肝，乳房屬於胃，不可以病人苟不知調攝，或忿怒所逆，或鬱悶所加，或厚味所奉，皆能使厥陰之血不行，乳竅閉塞而不通，陽明之血壅沸，受熱蒸騰而化膿，則乳瘍成矣。惟此症之患者，女子多於男子，因女子常損肝胃故也。考乳瘍之最重者，厥惟乳癰乳巖吹乳三大端而已。當分別其證狀與治法，夫乳癰初起結毒如核，紅腫堅硬脹痛，或發熱，或不發熱，此時若能忍痛力揉令其柔軟，自可消散於無形，失此不治，而癰成必矣。古人治乳癰之法，必用青皮以疎肝滯，石膏以淸胃熱，甘草節以行瘀濁之血。瓜蔞實以消腫導毒，再加沒藥、皂角刺、穿山甲、橘葉、當歸、金銀花、蒲公英等味，少以酒佐之。此治乳癰之屬於實者。若氣虛壅滯而成，不宜專任尅伐，酌用補劑，若憂思傷脾而成，必扶脾理氣，若肝火鬱結而成，必淸肝解鬱，方爲正治，若有表邪，當發散，若胃氣虛，當健胃，毋使熱毒內陷。繆仲淳云：男子亦有患乳癰者，乃因房慾過度，肝虛血燥，腎虛精怯，不得上行所致，宜瓜蔞散，或用十六味流氣飮以治之。若夫乳巖者，乳根成隱核，大如碁子，不癢不痛，肉色不變，其人內熱夜熱，五心煩熱，皆由憂思鬱怒，日夕累積，肝氣橫逆，脾氣消乏而成，延至數年，方成瘡瘍，以其凹陷，似巖穴之狀，故名乳巖。雖飮食如常，舉動依舊，久而久之，必潰裂洞見五臟而後死，誠惡症也。須於初起之時，多服疎氣行血之劑，以攻散之，方爲良法，朱丹溪治此症，用靑皮四錢，水三杯，煎一杯，徐徐飮之，日一服，余亦用此方加貝母、橘葉、連翹、銀花、赤芍、羌活、蒲公英等味。治乳巖初起，有特殊效驗，若吹乳者，每於產後發生之，初起乳房結核，日漸腫大，堅硬作痛，若不早治，或治不得法，便成瘡瘍，潰出膿血，是症皆由於肝胃二經，鬱熱滯血所致，或因所乳之子，胎毒重，多痰滯，口中氣熱，含乳睡臥，熱氣吹入乳孔，而成結核，亦當於初起之時，忍痛力揉，或以油木梳篦之，毋稍間斷，使其柔軟，或持乳罩覆於乳頭上吮之，令乳汁流通，自能消散，按吹乳之症，生於產後者，名曰外吹乳，生於胎前者，名曰內吹乳，而治法則同，宜以芷貝散，橘皮散，立效散，神效瓜蔞散，蒲公英酒等劑選用之。

婦人不孕之原因與療法

王蘊玉

民族之强弱，基於孕育之盛衰。宗族之衍慶，賴乎子孫之繁殖，故聖人謂不孝有三，無後爲大，甚言子嗣之當重也。良以子女不育，則宗族有絕滅之虞，民族有衰滅之危，其關係之大，莫與比倫！故婦人於結婚之後，必求有所生育者，亦正當之要務也。考內經上古天眞論云：女子二七而天癸至，任脈通，太衝脈盛，月事以時下，故有子；所謂天癸者，即靑春腺之內分泌也。任脈者乃內臟之交感神經也。衝脈者，大動脈管及大靜脈管也。蓋女子至十四五歲時，靑春腺始告成熟，而產生一種內分泌物，能催促卵子之成熟，開始生殖之工作，即所謂女子二七而天癸至也。斯時子宮之交感神經，加緊工作，卵巢之卵珠，逐漸成熟，遂使子宮之毛細管充血，血管破裂，血液下流，即月事按時而下矣。但月經開始之時，即生育發端之日。斯時男女媾精，即能孕育。其有結褵多年而不孕育者，皆爲有病之徵也。茲將不孕之原因與療法，略述于左：

（一）原因　本病之原因有先天性與後天性之別，屬于先天者多由于生殖器之構造異常，遂致不能孕育，即古人所謂，螺、紋、鼓、角、脈之五症也。螺者，牝竅內旋，陰肉如螺，殆即胎盤畸形而如漏斗者是也。紋者竅小，名曰實女，殆即膣腔痙攣之症也。鼓者，戶內膈膜如鼓，陽勢不能達子宮，即西醫所謂之處女膜閉鎖症也。角者，陰內肉角與起如錐，不能交接，名曰陰挺。因其陰核過大，慾性一至，亦能自舉，俗稱雌雄人者是也。脈者，一生經水不行，甚至倒行逆流，因其子宮經脈不通。故名脈症，又名暗經，由於子宮血脈管之構造特異，不能容留迴血，或卵巢輸卵管之構造畸形，不能產生卵珠，故致月經不行，亦爲不孕原因之一也。他如子宮全缺，陰道欠缺，卵巢缺損，生殖腺發育不全，皆爲先天性之不孕症。至於後天性之不孕症，則有因子宮神經衰弱，性慾不易感動，血行不能暢利，以致孕育艱難者；有因內分泌液衰少，卵珠不易成熟，經水不能時下，以致孕育艱難者；有因血液缺乏，以致月經減少而難孕者；有因神經鬱結，以致月經困難而不育者；有因子宮有腫瘍而不孕者；有因脂肪太充盛而無子者；或因平日嗜慾過多，以致身體羸瘦而難孕者；或因經期疾病恆多，以致經期失調而不育者，皆當詳細審察也。

（二）療法　先天性之不孕症，因係生理上之構造異常，殊非藥石所能治療。惟後天性之不孕症，皆可按證施治，而獲功效。大抵子宮神經衰弱者，少腹清冷，性慾缺乏，宜千金秦桂丸主之。內分泌液衰少者，乳房萎縮，皮膚乾枯，宜丹溪濟坤大造丸主之。血液缺少者，面唇㿠白，經水減少，宜汪樸齋益母勝金丹主之。神經鬱結者，胸悶腹脹，經行困難。宜丹溪煮附丸主之。子宮有腫瘍者，少腹硬痛，經亂帶多，宜南嶽魏夫人濟陰丹主之。脂肪太充盛者，形體豐肥，精神疲倦，宜丹溪植芝丸主之。至于平日嗜慾太多而致不孕者，切宜戒除嗜慾。經期疾病恆多者，先宜治其疾病，各隨其證而治之，自無不孕之患也。

產後服生化湯之商討

陳丹華

書曰：『不偏不黨，王道蕩蕩；不黨不偏，王道便便。』吾人當奉為金科玉律之言也。夫不偏之為中，萬事皆然，醫學亦然；產後用藥，豈獨不然哉？第溯觀古今醫者，各具一偏之見，殊少持中之論，如朱丹溪曰：『產後宜大補氣血為主，雖有雜證，以末治之。』張子和曰：『產後慎不可作諸虛不足治之。』一以補正為主，一以祛瘀為先，各偏一端，實皆非也。後人或宗張而非朱，或宗朱而非張，聚訟紛紜，不能折衷，無怪後來學者，徒興望洋之嘆也。至論達生篇之生化湯，亦僅為產後用藥之一法，非概治產後諸症之方也。傅青主謂生化湯能治產後百病，此不經之法，固不足師。然近人廢而棄之，亦非卓絕之見也。丹甯讀近賢之論生化湯，或云、產後可服；或云、產後不可服，各具至理，各有卓見，本毋庸丹之喋喋也。然不端譾陋，而作此文者，良以產後服藥，不可偏補偏攻，而逆病理之機轉，造成不可救藥之症也。今欲明產後服生化湯之宜忌，請先論其功；考方中當歸川芎，能促進血液之氧化作用，則血行仍得週流，又能誘起子宮之壁膜充血，則瘀血易於排除；瘀血既祛，血行正軌，則血管壁可以漸漸凝固，子宮可以漸漸收縮也。且用桃仁能流通子宮之血管，使凝結之敗血，不致停留，又用黑薑以興奮子宮之神經，使弛緩之子宮，自然縮復，更佐甘草以緩病勢之急迫，佐黃酒以助藥力之進行，佐童便以防元陽之飛越，揆其藥理，皆順乎瘀露病理之機轉，洵為產後之良方也。蓋胎兒在子宮之中，賴母血之營養，逐漸發育；及乎臨產，則養胎之血，既不能復入血管而循故道，勢必下行而載兒外出。因胎盤之血管，本與子宮之血管，互相連接，交叉叢雜，恰如網狀，故胎盤與子宮剝離之時，血管必致斷裂，血液遂從此而出、然則以人身可貴之血，而攻之破之，固非近理，然已出血管之血，其因子宮收縮乏力，不能與胎盤及卵膜完全排除者，必凝結於血管破裂之處；瘀積既多，則子宮收縮不堅；不堅則出血愈多，而瘀積愈甚。循循相繫，成為瘀塊，積於子宮，以致少腹硬痛，痛而拒按，甚至痛極而厥，或致蘊釀腐臭，黴菌滋生，而成三衝，或變生諸症。當此時也，生死存亡，千鈞一髮，惟有急投以生化湯隨證加減，使其促進子宮收縮，排除已有之瘀血，防遏未來之出血，誠能挽救累卵之危也。其有主張產後不可服生化湯者，觀吾言，以為然否？若云：『產後氣血兩虧，絡脈損傷，亟宜進滋養之劑以補陰，酸斂之品以止血。若疑有瘀滯，而恣用攻逐，得毋血愈出而愈弱，其元陡敗，厥逆隨之乎?!矧子宮與陰道，相距密邇，水性又屬就下，即有未盡之血，亦必流溢體外矣。』據此言，則產婦無瘀露停積為患之疾矣，然世之產婦，偏多瘀露留滯，少腹硬痛，隨變他症者，抑又何耶?!且金匱婦人產後篇云：『產後腹痛，煩滿、不得臥，枳實芍藥散主之。』又云：『師曰：產婦腹痛，法當以枳實芍藥散，假令不愈者，此為腹中有瘀血，著臍下，宜下瘀血湯主之。』

又云：「產後七八日，無太陽證，少腹堅痛，此惡露不盡。」請將何以解之?!豈仲景不畏『真元陡敗，厥逆隨之』耶?吾觀蘇人於產後，必煎益母草飲之，亦未聞有『血愈出而愈弱，元敗厥逆』之禍也。反之，不察瘀血之有無，以及六淫之侵，七情之鬱，而亟進滋養酸斂之劑，則有瘀血內停者，得之必使瘀血留戀，以向上逆，三衝之病，由斯而起矣。有六淫之邪者，用之必使外邪固閉，傳變六經，壞逆之症，從此而作矣。有七情之鬱者，進之必使神經鬱結，運化阻滯，內藏諸恙，相繼蠭起矣。偏補之弊如此，可不慎哉！其有主張產後可服生化湯者，謂其功能升清降濁，補血祛瘀，益氣和中，溫養脾胃，未免過譽其功。不然，請施之於產後瘀下已盡，少腹不痛者，或瘀露不下，內熱甚熾者，或氣血虧損者，或大便溏泄者，自見功過。是以遇產後諸病，而概施生化湯，亦斷乎不可，惟在辨證之明，用得其當，自能收桴鼓應響之效，亦起死囘生之良方也。設不知運用，偏是偏非，則烏乎可?!

產後血崩論

包增南

血者，人身之至寶也。手得之而能握，足得之而能步，目得之而能視，口得之而能言，諸凡五臟六腑，七竅百骸，莫不賴血以養之。者一旦驟然暴崩而下，頓現貧血證象，頗有昏暈痙厥之變也。現在產後百脈空虛之際，安能再任此症乎?!奈何昧者不察，謂男子血貴，女子血賤，又謂產後瘀血正應去之，遂誤認產後血崩爲輕症者。噫！是何言歟?余見產後患血崩而死者，已有數人，殊爲惋惜！故作斯論，以警告世人焉。

產後血崩之病因，多由于元氣不足，統攝無權，或因操勞太早，或因房勞不愼，或因生產之時，手術不精，以致子宮之血管破裂，斯皆足以成爲血崩也。輕則精神疲倦，面色枯槁，重則氣喘、汗出、四肢厥冷，卽瀕於危矣！治療之法，當以補澀爲主，補則如人參、黃耆、熟地、當歸、阿膠、炮薑炭、炙甘草之屬；澀則如龍骨、牡蠣、側柏炭、陳棕炭、藕節炭之屬，務使其血崩早止，庶無虛脫之禍也。但補澀一法，雖爲產後血崩之救急良法，猶宜於臨證之時細加審察，如有內熱者，須酌加山梔、黃芩等藥，有內寒者，須酌加肉桂、鹿角等品；如兼見胸悶、腹脹、腹痛等氣滯之證，則補澀之藥切宜愼用。或兼見惡寒、發熱、咳嗽等外感之證，則補澀之藥尤當禁忌。是在臨證之際，隨機應變，豈可膠柱鼓瑟哉?!

本校學生醫學研究會記錄

陳丹華記錄

地點：蘇州國醫學校二年級教室

日期：二十四年十月二十日

出席：全體同學

導師：王愼軒先生

【題目】

傷寒腸出血之研討

【討論】

甲曰：在討論尚未開始之前，請先試言何謂腸出血，考腸出血者，西醫之所謂傷寒也，舊譯名爲腸熱症，日本譯爲腸窒扶斯，此病之起因，由於一種分裂桿菌得飲食呼吸之媒介，寄宿腸內，滋生繁殖，腸內黏膜受其影響而發炎，炎症過劇，則黏膜上皮組織開始腐爛，同時腸壁之微細血管勢必破裂，血液乃由肛門而出，此卽所謂腸出血之症也。

乙曰：腸有大腸與小腸二部，腸出血之病竈，究在大腸乎？抑在小腸乎？

丙曰：按消化系統之生理而言，凡食物至於大腸，已變成穢濁之渣滓，是以腸垢較多，頗適合細菌之潛伏繁殖；由此推想，腸出血之病竈在大腸之內，可無疑矣。

此時，導師王愼軒先生起而解曰：甲生謂腸出血之證，由於腸黏膜發炎而起，自是不差；第其經過，則爲腸部淋巴濾胞，與周圍組織，先起炎症，滲潤後成壞疽，漸結痂皮；此痂皮脫落，遂成潰瘍而致腸出血。至論其潰瘍之部位，據輓近解剖上之發現，凡傷寒（遵難經傷寒有五之說）出血皆在小腸而不在大腸；如診知其病爲大腸潰瘍，則便可決其爲赤痢；不能一見便血，遽謂此乃傷寒之腸出血也。且傷寒小腸出血之量，恆較赤痢之大腸出血爲多；血出之後，頓見虛脫之象，病勢甚爲危重。諸君他日於臨床之際，如見其他證狀均相類似之下血症，可從出血量之多少，以確定傷寒之出血與赤痢之出血。至本症病竈，何以必在小腸而不在大腸之原因，大概因爲傷寒桿菌之毒素，對於小腸組織有特殊親和力之故；除此以外，殊無更滿意之答覆也。如諸生對此問題已得了解，則可繼續研討其餘問題矣。

丁曰：腸出血症所出之血液，係來自他部？！抑爲小腸局部耶？！

戊曰：血液隨血循環運行全身，週流不息，各組織互相交通，故腸出血之創口雖在小腸，而其出血之源則在全身；否則腸內局部之出血，豈有若是之多耶？！

己曰：小腸出血之傷寒症，與大腸出血之血痢症，同爲腸內黏膜發炎而起；然則小腸出血之量，恆較大腸爲多，其原因果安在耶?!

庚曰：小腸黏膜之微細血管密佈如網，不若大腸之稀少，且其地位距離心藏較近；是以小腸之血管一旦破裂，其血卽湧下如注也。

愼師又起而解曰：小腸出血較多之原因，庚生之說，雖已近似，尙欠圓通，當補充之：蓋小腸與大動脈管互相毗連，且其腸壁之組織薄於大腸，故小腸之出血量所以獨多也。諸生對此問題，既已明瞭，則可繼續研討其治法矣。

甲曰：腸出血之治法，余以爲傷寒論少陰篇之桃花湯，堪稱的對之劑。

乙曰：傷寒論桃花湯乃治少陰病下利便膿血者，一屬虛寒之血痢，一屬濕溫之腸出血，其症顯然不同，豈可以桃花湯治之乎?

甲曰：腸出血亦非實熱之症，腸窒扶斯至第三期，心臟已呈衰弱，熱度低降，脈搏增數，可見此症確屬傷寒論之少陰病也。

【討論結果】

腸出血之證候，爲熱度低降，脈搏增速，四肢逆冷。夫熱度低降，脈搏增快，爲心臟衰弱正氣快將虛脫之象，治宜强心。西醫治療斯證，往往注射强心針與止血針；中醫桃花湯中之乾薑能强心止血，粳米有滋養之功，又能和緩乾薑之作用，使無過峻之弊，赤石脂本爲外科聖藥，有排膿生肌止血之效，腸出血爲小腸潰瘍之證，赤石脂爲末調服，與療外瘍具同一之意義，實爲本證之對證藥也。今之醫者，對於腸出血證，或主用犀角地黃湯，或主用抵當湯，是皆誤也；蓋犀角地黃湯之適應證，爲陽明熱症下血，身熱一百度以外者。至抵當湯則仲師明言血下自愈。故僅用爲輔助病理機轉之劑，豈可以藥不對證之劑，一概施諸本證耶?!西醫治療腸窒扶斯，於一星期中主攻下，使腸中之垢物排去，謂可免出血之虞。二星期後，則忌攻下，因腸黏膜已呈腐爛之象，下之必致出血也。

中醫治傷寒，先主解表，若病至二候，寒熱不退，大便不通，陽明下症具備，則下之立愈。然西醫在此期反禁攻下者何也，蓋中西醫之治療立場，迥然不同，中醫初治主表，腸部不受刺激，故至二星期後如見下症者，則可攻之以取效。西醫初治卽用攻下。腸部先受刺激，至二星期後設再攻下，則小腸勢必出血矣。故西醫初步治療，卽已錯誤，故歐美之患腸出血者，恆較吾國爲多也。總之腸出血症，實爲傷寒早下之壞病，若腹痛，小便不利，下利不止，便膿血者，乃腸出血不愈，致黏膜穿孔，延及腹膜發炎之證也；病勢至此，已入危途，桃花湯雖可治，亦恐僅十生一二而已。

龜尿

又良

北夢瑣言取龜尿法曰。『龜性妬而與蛇交。惟取龜置瓦盆中。以鑑照之。龜見其影。則淫發失尿。急以物收取之。』一日見鄉童弄龜。戲試之。不驗。又試以時珍『以猪鬃或松葉刺其鼻』之法。亦不驗。今年春。同事祝君偶談龜。余以是告之。不信。適華生志誠持龜來。遂於衆目下試之。果弗驗。衆皆不約而言曰。『盡信書不如無書』之爲愈也。

藥學研究

麻黃和石膏之醫療作用

袁雲瑞

國醫治病，重經驗而輕於理論，若仲景之傷寒論記載某證爲某病，某證主某方，神農本草經記載某藥治某病，某病宜某藥，至其所以然之理，無有論及者，然學者因是而用之，其收效往往捷如桴鼓，蓋此皆由古人之經驗得來，亦實爲我國醫之精粹也。晚近科學昌明，凡事理論與實驗並重，而我國醫之經驗記載，亦應有理論之闡明，否則徒知其然而不知其所以然，猶膠柱鼓瑟，何能使國醫之眞理，發揚光明於世乎?!故爲今之計，首當發明藥物之成分，試驗藥理之作用，研究其治病之變化，收效之原因，復參合古人經驗之記載，而解釋之，溝通之，使讀之者洞悉其眞相，用之者明瞭其底細，於是經驗者乃有事理之證明，而古人之學說遂顯矣，尙望我國醫界共起而爲之，爰引麻黃與石膏對於古人治療之功用，及近代發明之學理，參合互證，略述如次，願作同道之參考耳。

1 麻黃　麻黃爲發汗定喘利尿之要藥，仲景傷寒論用作發汗者，有麻黃湯、靑龍湯，用作定喘者，有麻杏石甘湯，用作利尿者，有甘草麻黃湯及越婢加朮湯，皆功效確實，成績顯著，然究其原理，頗難瞭解，近有日本長井義博士發明其有效成分愛泛特林，謂有亢進血壓，刺激交感神經，促進腎臟機能之作用，然則古人用作發汗定喘利尿者，乃其應有之功效也，茲釋之於下。

甲、發汗作用　汗者人體之排泄物也，恆藉體溫之蒸發，得由汗腺以外泄，而體溫者，亦每假汗液之排泄，可從皮膚以放散，設人體外受風寒之刺激，則汗腺閉固，汗液不得排泄，體溫隨之增高，致無汗發熱身疼惡寒等症作矣，麻黃能使血壓增高，心跳加速，收縮內臟之血管，而外部之微血管反被激擴大，血液挾水分及高溫外迫，汗腺之分泌，因此亢盛，夫汗液既得以排泄，體溫自可以放散，汗出熱退，則病勢霍然，此仲景治太陽病無汗發熱身疼惡寒等證而主以麻黃者，良有以也。

乙、定喘作用　麻黃治氣管枝喘息，確有特效，蓋氣管枝喘息之原因，雖有多端，要其主證，總不外乎氣管枝痙攣，腔徑狹窄，致呼吸急迫，甚則張口抬肩，難于寢臥，以肺臟之動作，咸受植物性神經之支配，交感神經與副交感神經，分佈於肺臟各部，交感神經者，能弛緩氣管枝平滑肌之緊張，有制止黏性液體之分泌，副交感神經則反是，能促進氣管枝平滑肌之緊張，且增進黏液痰汁之分泌，氣管枝之所以痙攣者，乃副交感神經一受刺激，易于興奮故也。考麻黃含愛泛特林之成分，有刺激交感神經之作用，故能弛緩氣管枝之痙攣，消退黏膜之腫脹，使腔徑開大，呼吸暢利，則喘息自止也。然亦有因肺部循環鬱血，肺氣泡之毛細管充血，鬱滯擴張，占據氣管枝之面積，因之呼吸困難而作喘者，麻黃有亢進血壓之作用，流通肺循環鬱血之功能，宜其收定喘之實效也。

丙、利尿作用　人體內之水分，從汗腺而外泄者爲汗，自腎臟以下輸者爲尿，尿之與汗，皆人體內新陳代謝之廢物也。若腎臟之分泌失職，則小便不利，小便不利，則淋巴管之水分充斥，血行爲之緩慢，甚者發爲浮腫，仲景治一身面目黃腫小便不利，而主以甘草麻黃湯及越婢加朮湯者，因麻黃能利尿而消腫耳，日本三浦博士，以麻黃之煎劑，投于慢性腎臟炎患者，服後尿量頻增，浮腫漸退，此尤可證明者也。茲究其原理，蓋不外乎麻黃之藥理作用能亢進血壓，刺激腎臟血管，促進腎臟之分泌故耳。（未完）

大黃之功用及其補性之研究

陶克文

名稱 本品色黃，故名大黃，功能推陳致新，極其峻快，如戡定禍亂，至於太平，故又有將軍之號。

形態 按大黃為多年宿生根草，莖直立圓形，高四五尺，有微細溝線，葉大而互生，作掌狀分裂，兩面有軟毛，具有長葉柄，花小而作黃白色，多數作穗狀排列，後結褐色長實，地下莖即大黃，其佳者外面為黃色，作球形或不正圓形，大二三寸，質頗堅硬，稍有芳香苦味；截斷之，實質呈白色，有褐赤色並帶光澤之髓線；咀嚼之，作砂鳴，黏著齒牙，涎液成為黃色。

產地 川、山、陝、甘、滇各省均有出，以質紋顏色分別好醜。如有紅筋起，鮮黃者為錦黃，最上等。

成分 本品所含者為 Chrysophan emoidin 及二種樹脂質 aporetin 與 erythraretin 此外含有苦味質、單甯酸、沒食子酸、及微量之揮發油、澱粉、草酸、石炭等。

炮製 雷斅曰：凡使大黃，須細切，以文如水旋斑緊重者，剉片蒸之，從巳至未，晒乾，又洒臘水蒸之，從未至亥；如此凡七次。晒乾，却灑淡蜜水再蒸一伏時，其大黃必如烏膏樣，乃晒乾用。

用量 作健胃劑者，每次服一分至一分五釐；作瀉下劑者，每次服五分至一錢。

禁忌 凡血分無熱，氣分鬱結者，禁用。

功用 瀉諸實熱不通，小兒寒熱，利水腫，時疾煩熱。

主治 下瘀血，治血閉寒熱，破癥瘕積聚，留飲宿食，蕩滌腸胃，推陳致新，通利水穀，調中化食，安和五臟。

按： 大黃本爲瀉下劑，謂其有補性者，蓋消化不良者，飲食積滯於胃，不能化生精液，營養全體，且食物腐敗醱酵，放出硫化氫及酒精之氣體，爲血液吸收而中毒。本品既能激腸之蠕動，使積糞瀉下，然在胃中略能助胃液之不足，以促進其消化，又因其含鞣酸，故更能防制腐敗之食物在腸中起作用，如西藥中之燕醫生補丸，觀其說明書，謂其有瀉下作用，查其主要成分，係大黃末，由表面觀之，滋補之藥，決不能瀉，有瀉之藥，決不能補；大黃雖列爲瀉劑之一，然中西醫之均認爲有補性者，因其有排除積糞，促進消化之功能也。人體細胞之新陳代謝，全賴血液輸送營養料，以補充之，若血液輸送營養料缺乏，則細胞之新者少，而陳者多，勢成新陳代謝不均之態。人之衰老而死者，亦由於細胞新陳代謝不均所致。而發育時期之肌壯力强者，亦由於細胞新陳代謝不均所致。不過前者新者少而陳者多；後者新者多而陳者少之分耳。如新者多而陳者少之新陳代謝不均者，則肌壯力强，且得延年永壽。若新者少而陳者多之新陳代謝不均者，則肌薄力弱，且易衰老損壽。然欲細胞之新者多，而陳者少者，必需得血液輸送多量之營養料。然血液所輸送之營養料，取自消化器之腸內乳糜管，而乳糜管所得營養料，來自食品，若多量食物堆積胃腸中，而使胃腸不易消化，則腸中乳糜管即不易攝取養料，血液亦無物可輸送，而細胞亦因不獲營養，而無新者產生。而陳者不絕，老廢新者無以補充，則身體日益羸瘦，漸至於老死矣。故大黃雖名列瀉劑，而能以瀉致補。如吾輩恆見一般四肢羸瘦，腹堅硬碩大如石鼓者，皆由於胃腸積食過多，而致胃腸不能行消化，以攝取其營養料故也。夫考由瀉而致補也之藥多矣，豈獨大黃然耶。今特持大黃而論之者，以其由瀉而致補之功較勝耳。

燈夜隨筆

徐名山

慎軒夫子因日間診務冗繁，執筆撰述，每在深夜；先生嘗謂靜夜構思，可以事半而功倍。余當國醫編譯館工作緊張時，每與先生對坐燈前，颼颼走筆至午夜。久之，先生仍精神矍鑠如故，余以身體素弱，漸成失眠、頭暈、神經過敏等象。一日閱先生最近編印之「仲圭醫論彙選」，見其說猪肉一文中曰：『西林某巨公，意氣豪縱，家居常張筵演劇，夜以繼日，從者苦之，然每至天明之時，某輒自進猪肉粥一甌，從者亦皆得食，以此雖日夜辛勞，而虛火不致上炎。』余因憶前賢王孟英亦言：『猪肉補腎液，充胃汁，滋肝陰，起尪羸。』遂亦每夜進精肉粥一碗，果精神日漸恢復矣。余欣喜之餘，爰濡筆誌之。

政府對中西醫應平等待遇以宏學術而利民生案

中國國民黨第五次全國代表大會提議

理由

岐黃行中國上下數千年，治效昭著，自西醫東漸，政府銳意維持，舉凡衛生行政一畀西醫，而國醫不與焉。似不免失之偏執，西醫對生理之解剖，藥物之提煉，有獨得之妙，固不可厚非，而國醫經數千年聰明賢哲之研究經驗，亦豈無精到處，即在西醫發達進步之今日，其所認爲不治之症，經中醫診治，往往應手奏效，例不勝舉，且世界西醫最進步之國，除德國外，厥維日本，日本近年對於漢醫特別注意研究，而美國檀香山一帶業中醫者至五百餘人，咸爲美國人士所信仰，誠以漢醫之經驗良方，實較優於西醫，而同一病症，西醫統以一方治之，漢醫可以多方治之，其治法之精細靈活，尤非西醫所能比擬，此爲中西醫共認之事實，不容否認者，倘舉數千年無數先賢先哲體驗研究所結晶之國醫，一旦委之溝壑，不惟數典忘祖，即於民生上、實業上、學術上，亦均蒙不良影響，爲拯救斯弊，謹擬辦法如左：

辦法

一、前經立法院議決通過之「國醫條例」，迅予公佈實施。

二、政府於醫藥衛生等機關應添設中醫。

三、應准國醫設立學校。

所請是否有當，敬請

公決

提出者（中央委員）馮玉祥　何成濬　張發奎　石瑛　鹿鍾麟　趙丕廉　吳敬恒　楊杰　柏文蔚　馬超俊　劉蘆隱　楊虎　羅桑堅贊　李煜瀛　周啓剛　紀亮　張定璠　覃振　潘雲超　陳策　茅祖權　梁寒操　白雲梯　傅汝霖　劉守中

（各省市代表）南京市黨部代表　周伯敏　四川省代表　曹叔實　向傳義　河北省代表　李嗣璁　詹朝陽　王南復　杜松延　河南省代表　張善與　陳泮嶺　陝西省代表　張明經　福建省代表　林學淵　山西省代表　鄧鴻業　新疆省代表　彭昭賢　廣州市代表　黃河澧　天津市黨部代表　錢家棟　津浦路代表　陳文彬　張學恭　膠濟路代表　宋從頤　遼甯代表　王秉謙　青海代表　燕化棠

黑龍江代表 吳煥章 王秉鈞 吉林代表 張 冲 熱河代表 王致雲 外蒙古代表 樂景濤 巴爻峻 尼瑪鄂 特索爾 內蒙古代表 吳鶴齡 李永新 西藏代表 朱福南 西康代表 劉家駒 航空軍校代表 毛邦初 步兵學校代表 王 俊

（海外代表）

駐美國美總支部代表 黃社經 梁植生 駐美國檀香山總支部代表 林 疊 駐墨西哥支部代表 甄香泉 霹靂直屬支部代表 鄧川山 駐古巴支部代表 黃魂醒 陳盛瑜 駐坎拿大總支部代表 譚冠三 胡英三 駐斐列濱支部代表 王泉笙 林書晏 駐南洋荷屬總支部代表 潘炳融 駐南洋北婆羅洲直屬支部代表 伍朝海 駐南洋雪蘭莪直屬支部代表 朱普元 駐星洲支部代表 李振殿 駐緬甸總支部代表 陳偉義 許鏡瑩 李炳燊 覃煥徵 駐海防直屬支部代表 林天予 駐河內直屬支部代表 胡子昭 駐安南總支部代表 李子瀛 駐朝鮮直屬支部代表 鄭維芬

國醫治療煙癮法之我見

李冠雄

當此禁烟嚴厲之際，夙有烟癮者，咸欲急謀戒除，然皆就治於西醫，鮮有下問於國醫者，殊不知國醫治療烟癮，頗多有效之法，惜乎研究者少，不能將古人成法，運用於實際，而引起社會人士之信仰。爰將國醫治療烟癮之穩妥方法，略述於後：

夫治療烟癮，必須注意下列四點（一）免除痛苦。（二）治愈其吸煙之病原。（三）縮短其解除之時期。（四）永久斷癮。此四項者，爲治療煙癮之首決問題，惟市上所售戒烟諸藥，大半皆有嗎啡、海洛英等毒物之成分，以致初服之時，雖覺舒適而有速效，一旦停服其藥，則等於未服，且有更甚于前者，斯謂代替則可，而謂治療則不可。惟國醫治療烟癮之法，既可免除痛苦，又能永久斷癮，就余研究所得者，有下列二法：

（1）生白礬三錢，石鹼三錢，食鹽三錢，紅沙糖一兩，和勻同搗，以陳糯米酒三斤浸之，固封頻搖，至完全溶化爲止，取出燉溫飲之。每服一二酒盅，日三四服，服時逐漸將所吸之烟減少，服至半月後，即不吸烟，僅服此酒，月餘後，即可斷癮矣。但飲時必須燉溫，飲後必須靜臥五分鐘，臥後須行適宜之運動！

（2）生白芍三兩，川樸二兩，枳殼二兩，升麻一兩，甘草一兩，陳皮二兩，製半夏三兩，象貝母三兩，沉香六錢，茯苓三兩，杜仲三兩，蓯蓉三兩，參三七三錢，各研細末，和勻再研，另取十大功勞葉十兩，煎濃汁，濾去渣，再加赤沙糖十四兩，熬成膏，和入藥末，煉製爲丸，如菉豆大，晒乾收貯。如每日吸雅片烟三錢者，則先減少一錢，在吸烟之後，用開水送服丸藥一錢，日三服；七日後，再減少雅片烟一錢，每次多服丸藥一錢；（即每次服二錢）又七日後，再減少雅片烟五分，（即每日僅吸五分）每次多服丸藥五分，（即每次服二錢五分）又七日後，即不吸烟，每日但服丸藥三次，每次服三錢，服一月後，即可永久斷癮矣。

以上二法，第一法之用意：因礬能解毒，鹼能化積，且二者相遇，則一酸一澀，起中和作用，最能中和烟毒，雅片遇鹼，則不能煉膏，蓋鹽有剋制雅片之性，沙糖爲緩和滋養之品，尤能消除烟積，藉酒以流通經絡，宣行藥力，實爲治療烟癮之無上妙法也。第二法之用意：注重在治愈其吸烟之病原；大抵吸烟之起因，多由於精力疲乏，或脘腹脹痛，或欬嗽多痰，故用白芍、茯苓、杜仲、功勞葉、等强壯藥，及半夏、陳皮、象貝等祛痰藥，厚朴、枳殼、沉香、等健胃止痛藥，務使其烟癮戒除，宿恙亦愈。乃爲烟癮之根本療法也。雖然吸烟之人，所患宿恙，容有不同，隨症加減，尤在臨證處方之化裁耳。况吸雅片者，多係羸弱之人，培本補血，尤不可闕，如近日所發明之戒烟蛋黄素，亦屬强壯滋養之劑；蓋身體强健，精神煥發，則烟癮自易戒除矣。

我底開業計畫

胡念瑜

時間的飛輪，不住地向前進行，我底求學時代，在不知不覺之間，快將隨這無情的飛輪消逝了。可怕的『開業問題，』已緊迫在我底眼前，我將如何打破種種的難關，走上開業的康莊大道，做一個濟世的良醫呢？看一班滑頭醫生的樣去拜老頭子，或者是專門吹牛拍馬，以發展自己的營業嗎？這斷斷不是我們青年醫生應有的行爲，我覺得我們要想將來發展自己的業務，必先要具備下列的要素：

第一、豐富的學識與經驗——如果醫生沒有豐富的學識與經驗，即使你底宣傳手段很高妙，而且也有許多朋友替你鼓吹，但因爲治不好病人，雖當時或許有不少的病人來求診，到日久，却大家不信仰你了。

第二、高尙的道德——醫生的地位，在衆人之上，其品性行爲，常爲世人所環視，稍不自尊自重，業務即受重大之影響。故醫生首當有崇高之人格，如不欺騙病人，不輕視貧病，不諛媚富貴之人，不酗酒吸烟，不放浪形骸：都是很重要的。

第三、健康的體魄——醫生以救人爲天職，凡有病家求診，不論是烈日炎威的盛夏；寒風砭骨的嚴冬，或者是昏黑的深夜，或是惡劣的氣候中，均不能不前往應診；倘遇危險疑難之病症，又要苦心焦慮，寢食不安，如身體不强健，則便難保自身不生病了。

具備了上述的要素之後，方可以正式談到開業問題，現在把我個人的意見，略述如左：

(一)適當的開業時期——疾病與氣候很有關係，嚴寒肅殺的秋冬，不適細菌之生長，罹病人數較少，這時候懸牌開業，必門前冷落，無人請教；如能於萬象回春生氣蓬勃之際開業，則疾病最多的夏季，不久即來，業務的發展是一定可以預卜的。

(二)良好的開業地點——城市都會之中，醫生太多，初開業的醫生，比較不容易發展，而且空氣惡劣，對於身體健康亦不相宜；而人口稀少之鄉間僻壤，則又病人寥寥，業務更難發展。我以爲最好的地點莫如人口較多而醫生較少的農村，因爲農民敦厚誠樸，對於醫生不抱輕視的態度，且不像都會中那樣的有同道互相傾軋，故醫生之精神比較愉快，同時又因爲空氣佳良的關係，身體亦能常保康健。

(三)清潔幽雅的診療室——一間中等大小的房間，裝着玻璃門窗，有新鮮的空氣，有充足的陽光；壁間懸掛着名人的書畫，室之一角陳列着簡單的玻璃藥櫥，另一角則玻璃櫥內陳列着我底醫學書籍，室內非常地清潔，案頭的花瓶內插着幾枝美麗的花，使病人心曠神怡，絕無不快之感，這就是我理想中的診療室。

以上是我對於將來開業的計劃，不過我覺得醫生的開業，除了爲解決自己的生計問題外，還不應忘記救人濟世的天職；所以我將來預備對於貧病的人，不但不收他們的診金，同時還要無條件地把藥也送給他們咧！

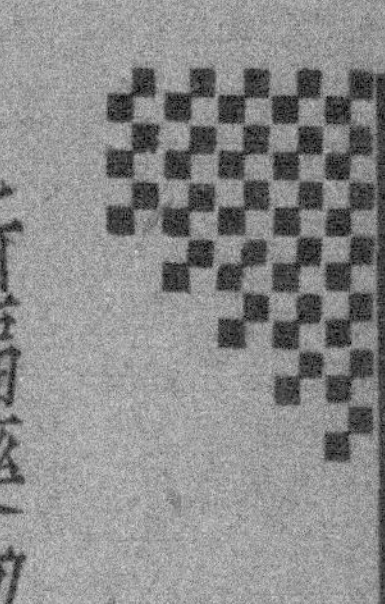

本校講義

本校國醫編譯館 王愼軒主編

新編藥物講義（摘錄）

第三編 發散劑

第一類 辛溫發散藥

麻黃 本經中品 夏蒼霖曰麻黃之名其意爲有麻醉性之味而色呈黃綠也

異名 龍沙。本經 卑相。別錄 卑鹽。別錄 中央節土。 中黃節土。和漢藥考

產地 麻黃生晉地及河東，立秋采莖，陰乾令青。別錄 今出青州、彭城、滎陽、中牟者爲勝，色青而多沫。蜀中亦有，不好。弘景 今近汴京多有之，以滎陽中牟者爲勝。圖經 山西大同府代州邊城出者肥大，外青而內赤者道地。藥物道地錄 產於我國之福建。新中藥 產於歐洲地中海沿岸，及支那等處。大衆療法 麻黃之生產自喜馬拉亞山脈，經西藏北支那之奧地至高原之乾燥地，均有野生。爲多年生草本，其主產地爲我國山西省，及河北省，尤以長城接近之地域爲多。東三省熱河等地之岩石上，多有野生。中西醫藥 夏蒼霖 產自歐洲印度，及中國特多野生於蒙古地方。民國醫學雜誌 雲淑範

形態 段成式酉陽雜俎云，麻黃莖頭開花，花小而黃，叢生子如覆盆子，可食。嘉祐本草 春生苗，至夏五月，則長及一尺外，稍上有黃花，結實如百合瓣而小，又似皂莢子，味甜，微有麻黃氣，外皮紅，裏仁子黑，根紫赤色，俗說有雌雄二種，雌者於三月四月內開花，六月內結子，雄者無花不結子，至立秋後，收莖陰乾。圖經 其根皮色黃赤，長者近尺，綱目 體輕中空色綠，辨藥指南 春生苗纖細勁直，外赤內黃，中空，有節如竹形。增訂偽藥條辨 麻黃科，麻黃屬，小灌木，高二三尺，其形狀與木賊相類似，莖有節節上生葉，葉小如鱗狀，由葉腋而分枝，夏日開單性花，雌雄異株。植物辭典 為多年生草本，其形狀酷似木賊，莖呈綠色，具明瞭數節，肥大者內部空虛，細小者充實，根為木質狀而呈黃赤色。中藥淺說 黃色有節之莖。新中藥 漢藥麻黃根徑五——一〇粍內外呈赤褐色，多數叢生，上生徑一粍內外呈黃綠色線狀草本莖，往往分歧多數縱線，而於三——五糎內外有結節間隔，結節上有長四粍左右之膜質，呈褐色之鱗狀葉，節間於基部之間隔較短，其破折面稍稍呈纖維性，其味收斂而略帶麻痺性，莖硬色淡綠，嚙之味澀而苦，舌上覺麻痺者，是為上品，藥店市販之品，普通多切成一——二糎之長條。中西醫藥夏蒼霖 本品形狀，因植物之不同而異，茲分述如下：(一) Ephedra Sinica Stapf 本植物為市場上最多見之品，係草本，全長約三分之一米達，綠莖自根發生，原在一mm.以上，微扁表面粗糙，分叉頗稀，節間之長約三至五cm.，節上鱗片狀之葉長約四mm.。(二) Ephedra efuisetina Bunge 本植物全長為一至二m.係大木，綠莖自木化莖上發生，圓而平滑，分叉甚多，直徑較前者略小，各節間之長為一至三cm.，鱗片狀葉，亦較前者為小，尖端現白色。(三) Ephedra Distarhya Linn'e 本植物全長一m.係一種微近木本之植物，綠莖自木質之莖上發生，圓而粗糙，有分叉，直徑較第一種者大，節間之長，為二至五cm.，鱗葉較第一種者小，現淡綠色。醫事公論周步白

性味 苦溫無毒。本經 微溫。別錄 神農雷公苦，無毒。扁鵲酸。李當之平。吳氏本草 甘平。藥性本草 性溫味苦而甘辛，氣味俱薄，輕清而浮。潔古珍珠囊 麻黃微苦而辛，性熱而輕揚，僧繼洪云，中牟有麻黃之地，冬不積雪，爲泄內陽也；故過用則洩眞氣，觀此則性熱可知也。凡用須佐以黃芩，則無赤眼之患。綱目 厚朴，白微爲之使，惡辛夷、石葦。藥對 氣微腥。辨藥指南 味微麻，有收斂性。章次公 呈弱性反應，味苦。新中藥 本品有微臭，味收斂而微帶麻痺性。醫事公論周夢白 有收斂性之味，與一種麻醉性之香氣。民國醫學雜誌袁淑範

成分 日本長井博士由麻黃發見一種之類鹽基名愛勿特林（エフエドリン）Ephedrin。漢藥實驗談 愛勿特林，化學的記號爲 $C_{10}H_{15}NO$。化學實驗新本草 長井長義博士化驗本品發現一種植物鹽基名曰エフエドリン，（愛勿特林）（Ephedrin $C_{10}H_{15}NO$）。和漢藥物學 含一種植物鹽基，名曰愛泛特林，更自此成分中得一新藥名曰米特利安欽 Midelíatine 化學的構造爲 $C_6H_5CH_2(OH)CH(NH_2)CH_3$。最新實驗藥物學 麻黃素所含 $C_6H_5CH\,OH.\,CH.\,CH_3\,NH.\,CH.\,CH_3$，應在97%以上。中華藥典 主要素爲 Ephedrine $C_{10}H_{15}NO$，餘爲 Tannicacid（太你克阿西特）$C_{14}H_{10}C_{9\cdot2}H_{20}$ Cellulose（克洛斯）$O_{12}H_{20}O_{10}$。新中藥 本品中約含有〇·三——〇·五%之 Ephedrin。民國醫學雜誌袁淑範

功效 〔綱一〕發汗〔目〕治中風傷寒頭痛溫瘧，發表出汗，去邪熱氣，除寒熱。本經 治五藏邪氣，通腠理，解肌，洩邪惡氣。別錄 開毛孔皮膚。日華 治傷寒初起，皮毛腠理，寒邪壅遏，榮衞不得宣行，惡寒拘急，身熱躁盛。及頭腦巔頂，頸項脊中，腰背遍體，無不疼痛，開通腠理，爲發表散邪之主藥。辨藥指南 善達肌表，走經絡，除風邪寒毒，治表實無汗，憎寒壯熱，頭痛身疼。會約醫鏡 解寒。古方藥品考 旁治惡風，惡寒無汗，身疼，骨節痛。藥徵 麻黃質輕而空疏，氣味俱薄，雖曰性溫，然淡泊殊甚，故輕浮上升，專走氣分，凡風寒溫熱之邪，自外感而來，初在氣分者，無不治之。本草正義 傷寒症爲感冒之重者，麻黃能刺激中樞神經，收縮末梢血

管，使血壓上升，迫汗外出，使寒從汗解。（方與𩔖論彙編）於急性傳染病發熱、無汗、頭疼、骨節疼痛等症狀時，有排除毒素，由汗液而出之功。（廣濟醫刊葉橘泉）入血中能致血壓增高，心跳加速，內臟之血管均被激而收縮，而外部皮下之微血管，因强心增其鼓出之力，使血液自然輕運於外，故外部皮下之微血管反被激而放大，而汗腺之分泌，遂此增多。（新中藥）有擴張血管放汗之作用。（醫界春秋鍾去惡）麻黄古來我漢方醫家，常用做發汗劑，而近年日本西尾重氏研究麻黄醇之發汗作用，似有所得，今試介紹於下，在就寢前用麻黄之一定量後，將全身稍温覆之，則初覺全身温暖，次則發汗，其發汗所要之時間，與服其他之發汗劑，無甚大差，當服麻黄醇感全身温暖之時，有心悸亢進，脈搏增加等症候，至發汗終時，則復舊態，其副作用似少有侵害眼之調節機能，此在發汗後二十四小時之間，閱看細字書籍時，每多疲勞之感覺，然此時不認有瞳孔散大作用，由此西尾氏嘗用麻黄醇于急性鼻炎，急性咽喉炎，急性氣管枝炎，僂麻質斯，急性腎臟炎等，認有確實之發汗作用，藉此可證數千年來經驗古醫方之不謬矣。（民國醫學雜誌袁淑範）

編者按　麻黄爲發汗之主要藥，雖不知醫者亦知之，毋庸余贅言矣。然麻黄究竟能否發汗，尚有兩個疑問，仲景曰：發汗後不可更行桂枝湯，汗出而喘無大熱者，可與麻黄杏仁甘草石膏湯，是則汗出者亦可用麻黄，與諸家發汗之說相左矣，此可疑者一也。又據日本早川氏在南滿醫學會雜誌第十一卷第七號上之麻黄報告，謂用動物試驗，注射麻黄素〇・〇五以下于靜脈內，全不起發汗作用，用〇・〇七以上時，雖能發汗，然依詳細之實驗觀察，則此亦是大量之麻黄素，刺戟中樞神經之一徵候，而麻黄與麻黄素似無有分汗腺神經起發汗作用，是則麻黄發汗之說，似已不能確定矣，此可疑者二也。然余謂早川氏所試驗之麻黄素，乃麻黄內一部分之成分，或其發汗之作用，尚在麻黄素之外，不得以麻黃素無發汗作用，便謂麻黃亦無發汗之功效也。至於仲景用麻黃，用途甚廣，或發汗，或定喘，或消腫，或利尿，咨隨其證而與他藥配合，初非專賴麻黃發汗也。大抵用麻黃發汗，必須覆被取汗，又必須佐使得宜，如麻黃湯之佐桂枝，覆被取汗，能令汗出，麻黃石甘湯之佐石膏，不覆被取汗，反治汗出，是在處方之隨機應變，配合相宜耳。

新編方劑講義（摘錄）

本校國醫編譯館　徐名山主編

梔子豉湯

適應證（1）傷寒發汗吐下後，虛煩不得眠，若劇者反覆顛倒，心中懊憹。（傷寒論）

【前人註釋】懊憹者，俗謂鶻突是也。（傷寒論註解）

懊憹者，煩心熱躁，悶亂不寧也，甚者如中巴豆草烏頭之類毒藥之狀也。（傷寒直格）

懊即惱字，古通用。（傷寒準繩）

虛煩不得眠，反覆顛倒，心中懊憹，皆屬三法後遺熱鬱遏在上，客於心胸，是以擾亂不寧也。並非汗不出之煩躁，大青龍無所用，諸法亦無所用，惟宜梔子豉湯主之。（傷寒後條辨）

虛煩證，虛者正氣之虛，煩者邪氣之實，不可作眞虛看，當作汗吐下後暴虛看。（傷寒辨註）

未經汗吐下之煩，多屬熱，謂之熱煩，已經汗吐下之煩，多屬虛，謂之虛煩。不得眠者，煩不能臥也，若劇者，較煩尤甚，必反覆顛倒，心中懊憹也。煩，心煩也，躁，身躁也，身之反覆顛倒，則為躁無寧時，三陰死證也。心之反覆顛倒，則為懊憹，三

陽熱證也。懊憹者，即心中欲吐不吐，煩擾不寧之象也。醫宗金鑑

【日人註釋】懊憹如後世所謂嘈雜，醫學統旨曰，嘈者似飢而甚，似躁而輕，有懊憹不自寧之況，皆因心下有痰火而動，或食鬱而有熱，故作是也。傷寒論輯義

虛煩不得眠者，因發汗吐下後諸毒悉被驅逐，惟熱毒殘留，刺激大腦皮質之故；又因既經汗吐下，則腹內空虛，而無病毒阻滯之故，且欲示不眠煩悶而有虛狀，故加虛煩之二字也。又反覆顛倒也者，為轉輾反側之意，因不眠之甚，所以致之。心中懊憹也者，據成無已曰：懊憹俗稱胃突，蓋心中懊悶不可名狀之義。劉完素曰：懊憹也者，煩心熱躁，悶亂不寧也。是則，照現代的解釋之，懊憹即因炎性充血而為腦刺戟證狀中之劇烈者是也，不眠與反覆顛倒，亦皆坐此。皇漢醫學

【近人註釋】反覆顛倒者，俗言床上爬到床下，床下爬到床上之意也。心中懊憹，心煩至于極處也，俗言心裏難過，說不出的苦也。包氏醫宗傷寒講義

心中懊憹，即虛煩之劇者，反覆顛倒，即不得眠之劇者，無論劇易，皆梔子豉湯主之。夫既經發汗吐下，則病毒之在表者已從汗解，在上者已從吐解，在下者已從下解，其虛煩不得眠，非因病毒，乃由腦部心臟部之充血，陽證機能亢盛之餘波也。何以知是充血，以其用梔豉知之，梔豉皆稱苦寒藥，夫藥之寒溫，非可以溫度計測而知也。能平充血症狀，抑制機能之亢盛者，斯謂之寒。能救貧血症狀，振起機能之衰減者，斯謂之熱。本草於梔豉皆云味苦寒，故知其病為充血也。何以知充血在腦與心臟？因不得眠是腦充血症狀，虛煩懊憹，是心臟部充血症狀也。既是充血，則其病為實，

今云虛煩，何也？因吐下之後，胃腸空虛，無痰飲食積相挾為患，異於胃實結胸之鞕滿，故謂之虛耳。若陰證之虛，豈得用梔豉之苦寒哉！（傷寒今釋）

【編者按】發汗吐下後句，宜活看，不宜死讀；蓋謂或汗或吐或下之後，或汗吐之後，或汗下之後，或吐下之後，非必三法盡施而後始病此證也。何以知之？有二理焉：一則三法並施，誰堪任受？二則虛煩懊憹，時有所見，未必在三法並施之後也。古今註家未將此點提明，余特表而出之。

近世時醫，有以此方濫用於一切發熱之病者，害人匪淺，殆因未明此方之適應證也。若未經或汗或吐或下之初，病毒方盛，誤投此方，雖不致驟起病變，亦必因寒性藥而鬱遏病機，以致病勢奄纏，漸入危境。又若誤投于神經衰弱心臟虛竭之人，則必因寒性藥而機能益衰，以致驟變虛脫，可不慎哉！（本節未完）

新編醫案講義（摘錄）

本校國醫編譯館　潘國賢主編

第一編　傳染病

第五類　霍亂

夏月陽外陰內，偏嗜生冷，腠理開發，外邪易襲，驟然疫癘不正之氣，由口鼻而直入中道，以致寒暑溼滯，互阻中焦，清濁混淆，亂於腸胃，胃失降和，脾乏升運，而大吐大瀉，揮霍撩亂，陰氣錮閉於內，中陽不伸，不能鼓動於脈道，故脈伏，不能通達於四肢，故肢冷兩足轉筋。一因寒則收引，一因土虛木賊也。汗多煩躁，欲坐井中之狀，口渴不欲飲，是陰盛於下，格陽於上，此陰躁也。形肉陡然削瘦，脾土大傷，穀氣不入，生化欲絕，陰陽無退散之期，陽氣有脫離之險，脈證參合，危在旦夕間矣。擬白通四逆加人尿猪膽汁，意急回欲散之陽，驅內勝之陰，背城借一，以冀獲效。丁甘仁醫案

生熟附子　淡乾薑　炙草　薑半夏　吳萸　川連　赤苓　陳皮　陳木瓜　童便　猪膽汁

吐瀉驟作無度，形肉轉瞬盡脫，脈伏筋攣，體冷汗漬，伏邪深入三陰，遍體之陽氣頓消，脈道不通，真氣脫離，乃時行霍亂轉筋入腹之險證。其行迅速，非泛常方藥可恃，急進斬關直入之法，冀圖一挽奏功。張愛廬醫案

淡附子（三錢）　肉果（一錢煨）　淡吳萸（三分）　雲茯苓（三錢）　細辛（三分）　淡乾薑（三錢）　巴豆炭（三分）

復診　吐瀉已止，肢體轉溫，脈見微細，筋絡較舒，惟是神倦嗜臥，音低畏煩，陽回正虛已著，急進溫補。

高麗參（三錢）　淡附子（二錢）　炒白朮（二錢）　炮黑薑（一錢）　炙甘草（一錢）　陳廣皮（一錢）

按：此霍亂重證也。際茲危險萬狀之秋，倘醫者歧途彷徨，不能見機立斷，一味以無關痛癢之品施之，必致厥脫而後已。是以醫者必具膽識。考附子中醫向用之回陽，回陽即所以强心，當肢冷脈伏之候，其心臟衰弱可知。人身中心、肺、腦三者，鼎甲而峙，一有傾敗，生命立殆。是强心之要，不言而喻。第世人縱有能用，而用量僅以數分為已足，致使病重藥輕，無濟于事，悲夫！

新編傷寒講義

本校國醫編譯館　王慎軒主編

第一篇　太陽病

(一)太陽正病　太陽之爲病，脈浮，頭項强痛而惡寒。

【總註】此以脈浮頭項强痛而惡寒之證狀，假定其名爲『太陽病』也。

【細註】太陽病（此係假定之代名詞，仲景以傷寒各種證狀之不同，大別爲『太陽』『陽明』『少陽』『太陰』『少陰』『厥陰』等六種病證，太陽病者，卽人體細胞，初受細菌毒素及外感寒冷之刺激，發生反應之作用，欲驅病毒於體外，而發生之肌表病理現象也。）脈浮（人體反應之作用，聚集于表，而現表部充血故也。）頭項强痛（頭項爲人體最高最表之部分，因其反應之作用聚集於表，則頭項充血，故强痛也。）惡寒（表部末梢神經，受外感寒冷之刺激而驟起攣瘵也。）

1中風證　太陽病，發熱，汗出，惡風，脈緩者，名爲中風。

【總註】人體初受細菌及寒冷之刺激，各因其體質不同而變病，如素體汗腺鬆者，則變爲發熱、汗出、惡風、脈緩等症，假定其名曰中風。

【細註】發熱（因造溫中樞受菌毒及寒冷之刺激而興奮，故致體溫增高而爲發熱也。）汗出（汗腺素鬆之人，本易汗出，故一經發熱，更易汗出矣。）惡風（汗出則汗腺洞開，而外界之冷空氣易於感觸，故有惡風之自覺症也。）脈緩（汗出則腠理鬆緩，而脈管壁之神經亦隨之而弛緩，故脈搏緩也。）中風（此證根據臨床上之經驗，治愈尙易，變病亦速；仲景謂傷寒病有十三日不解，而中風則至多不過七八日，蓋非虛語也。惟因其變病之速，如箭矢之中人，故曰中其所以名爲中風者，蓋根據內經『風者善行而數變』也。

A 初起重證　太陽病頭痛發熱，汗出惡風者，桂枝湯主之。

【總註】此言患太陽病之中風證者，宜以桂枝湯治之也。

【細註】頭痛、發熱、汗出、惡風。（義均詳前。）

【辯正】原文又曰：『太陽中風，陽浮而陰弱，陽浮者，熱自發，陰弱者，汗自出，嗇嗇惡寒，淅淅惡風，翕翕發熱，鼻鳴乾嘔者，桂枝湯主之。』余細究之，必非仲景原文，當係叔和所摻雜者也。一因『陽浮而陰弱，陽浮者，熱自發，陰弱者，汗自出』等語頗類叔和之脈訣。二因大論既曰『太陽病頭痛發熱汗出惡風者桂枝湯主之。』則桂枝證已極明白，何必疊床架屋再立本條耶。三因鼻鳴爲流行性感冒之特有證，常見患流行性感冒者，未必發熱，而患發熱頭痛汗出惡風者，未必鼻鳴，吾讀仲景書深知仲景爲富有臨床經驗之醫家，當不致有此謬誤之文。四因鼻鳴之流行性感冒，不必服桂枝湯，且余曾試之而無效。五因嘔家忌甘，桂枝湯爲辛甘之劑，既有乾嘔症，何可再服桂枝湯耶。六因大論曰『頗欲吐……爲傳也』，欲吐與乾嘔相類，若有乾嘔，便是已傳陽明少陽之徵，當非太陽中風證矣。綜上六點，可知此條不但非仲景原文，且荒謬絕倫，不可爲訓。何以古今之註傷寒論者，除日本山田氏一人對本文略抱懷疑外，竟無人爲之辨明。噫！如此盲目遵古，隨文敷衍，何莫非今日國醫衰落之最大原因耶？！

新編金匱講義（摘錄）

本校國醫編譯館　凌九雲主編

痰飲篇

痰飲者，過量之體液，停瀦於局部之病也，然其致病之因，實難明瞭。從來註釋金匱者，有謂痰飲之水從內而生。如喻嘉言氏之論飲曰：人身所貴者水，天一之水，乃至充周流灌，無處不到，一有瘀蓄，卽如江河迴薄之處，瘀穢積聚，水道日益橫流旁溢。必順其性而利導之，庶得免乎泛濫。然駁之者，則曰：若以痰飲之水，指爲天一之水，則大謬不然。天一之水，精也，血也，津液也。乃人身之至寶，惟患其少，不患其多，安有變爲痰飲之理？卽有津液不化，釀而成痰者，亦在少數，不在痰飲例內。且其病極重日以增劇，至痰飲所吐之痰，動輒盈盆盈盞，連年不休；天一之水，豈能若是之賤乎津液所化之痰豈能若是之多乎？又豈能連年舉發，而不殞其生乎？凡此種種，均屬可疑之點。照此而斷，則此水也，斷非內生；既非內生，當是外來無疑矣。因曰：飲病之成，由於渴多飲水，水入則停，二語括之。此二派聚訟紛紛之論，各執一詞，粗觀似通，細味均非。今爲之說曰：痰飲之成，大多由於淋巴液還流障礙或淋巴管起病變所致；於此須申說者，何謂淋巴液？淋巴液還流障礙，何以卽成痰飲？血漿中之滋養液，從毛細血管滲出，以浸潤組織，而供其吸收；組織吸收之賸餘，及組織中排出老廢之液體，由淋巴管吸收，而或從汗孔排泄，或迴入靜脈，是謂淋巴液。若一部分淋巴管有栓塞，則淋巴液流行起障礙；水液停積，而或成溢飲，或成痰飲。若一部分淋巴管有破裂，則淋巴液逐漸滲漏，而成懸飲支飲之類。前人見金匱有飲後水流入脅下，及飲水流行歸於四肢之文，以爲由於飲水過多所致，則疎陋可笑矣。夫人體中水分之來源，固由於飲水，然吸收循環排洩諸機能，苟無障礙，則飲水縱多，不病痰飲。病痰飲者，雖斷絕飲水，亦不能自愈。況病痰飲之前，亦未必定見大渴引飲，而痰飲病之發作，至冬始劇，每每起於外感咳嗽。正因冬令空氣較冷，肺氣管易受寒冷之刺激而痙攣，攣則咳，咳則淋巴管中停留之水份，皆不依規則之趨向，而竄入於肺管，於是咳吐盈盆，連續不已。故痰飲之發，初起必兼表症。卽無發熱頭痛，必然背脊凜寒，所謂飲伏於內，寒束於外，宿飲非新邪引動，則不發也。惟金匱痰飲門中，共分四種：曰痰飲，曰懸飲，曰溢飲，曰支飲。今先言痰飲：夫痰飲爲四飲之一，而通常以爲四飲之總名，猶傷寒爲諸熱病之一，而亦爲諸熱病之總名。前咳嗽上氣門中之肺脹諸條，亦指痰飲而言，故并而論之。痰飲之證，氣急咳嗆，夜不平臥，稠痰盈盆，舌苔白膩，惟有寒熱之分；熱者口渴煩躁，脈象滑數。舌則中厚白膩，邊尖紅絳，此熱飲也。熱宜清，飲宜溫，一方之中，須兼溫清兩法，小青龍加石膏湯爲之主。青龍溫散水邪，石膏清化裏熱；越婢加半夏厚朴麻黃湯，亦同此意。惟越婢石膏用至半觔，而無桂辛薑味，是清熱重於化飲也。小青龍加石膏，分量固相等，而主方皆係溫化藥品，惟石膏一味清熱，是化飲重於清熱也。一則加半夏以治飲，一則加石膏以清熱，方意本同，惟既云加者，是於本方之中，加味以資兼顧，自然本方爲主，加味爲佐，君臣之間，大有差等。其加半夏以治飲者，可知治熱爲主；加石膏以清熱者，可知治飲爲君。故凡飲多於熱者，用小青龍加石膏，熱多於飲者，用越婢加半夏，體虛症輕者，清熱化飲之中，須顧其虛，宜木防已湯。體實症重者，清熱化飲之中，兼治其實，宜厚朴麻黃湯。蓋熱因雖同，而熱之多寡不同，體之虛實又不同也。仲景之書，義理謹嚴，細微處均有至理，玩味無窮。所以能爲後世法也。（未完）

新編雜病講義

本校國醫編譯館　張又良主編

第一章　中風

【原因】本症之發作，其故雖多，但不外神經系病變之所致。如動脈脈變性，血壓亢進，及外傷跌撲而起之腦脊髓出血，或末梢神經受隣接臟器之壓迫，或遠隔組織之壞片，由血液傳達，而栓塞於腦動脈，使該部之腦質，失血液之營養而壞死，或由炎症組織傳染病等所產生之炎性物質，傳入於腦而起之腦炎，或因感冒、過勞、傳染病等而致之末梢神經麻痹症，其他如腦脊髓之硬化、膿瘍、麻痹、腫瘍等，亦爲本病發生之原因。

【證狀】 輕則肌膚不仁，口眼喎斜，或瘓癱不用，舌强言蹇，重則痰壅神昏，牙關緊閉，或便溺阻隔，攣痓喘汗等。

【診斷】 昔人別本症爲四中，以作用藥之標準，如顏面神經麻痹而致之口眼喎斜，感覺神經麻痹而致之肌膚不仁爲中絡，全側或一肢之運動神經麻痹，不能步履舉動者爲中經，意識中樞障礙，內臟神經麻痺，大腸膀胱之運動停止者爲中府，卒然昏倒，唇緩涎流者爲中藏，以中絡者病輕，中經者病較進，中府中藏者爲病重，若髮直吐沫，搖頭上竄，魚口氣粗，直視失溲，痰聲如鋸，面赤如妝，汗出若油，神昏不語，頭面手足爪甲青黑，脈緊急躁疾者，皆不治。

【預後】 因末梢神經障礙而致不仁不用者，去其原因，泰半可治愈，即不恢復，於生命無危險，因腦脊中樞出血而致卒倒偏癱者，能即醒寤，漸次恢復者，亦有治愈之望，若反復發作，頭痛目眩，耳鳴失眠，及因腦脊髓之膿瘍、栓塞、硬化等所致者，其豫後皆不良。

【治法】 卒然昏倒，不省人事，昔人皆用通關散搐鼻，天通散等開之，然於腦出血之症，用此取嚏，似有危險，不如聽其靜臥，用牛黃清心丸、至寶丹等灌之爲妙，若牙關緊閉，湯藥不得入者，宜開關散，痰涎壅盛，宜稀涎散、全蠍散、巴礬丸、五元散，便溺阻隔，宜三化湯、奪命散，四肢厥冷，宜星附湯、三生飲，舌强不語，宜解語湯、雞舌散、滌痰湯，口眼喎斜，宜牽正散、不換金散、三蛇散，肌膚不仁，宜上清白附子丸、烏藥順氣散，癱瘓不用，宜側子散、家寶丹、御風丹、大秦艽湯、腦麝祛風丸、換骨丹、如聖散、風引湯等消息用之，若虛者，補中益氣湯、人參養榮湯，亦可酌用，風痱身無痛處，宜地黃飲子、竹瀝飲子，頭痛目眩，驚悸失眠，宜用眞珠母丸、二丹丸，筋骨攣痙，宜舒筋保安散、虎脛骨酒。

【附方】通關散　治卒中風邪昏悶不醒牙關緊閉湯水不下　細辛洗去土葉　猪牙皂角去子各一錢　研爲末，每用少許，搐入鼻內，候噴嚏服藥　一方加半夏一錢

搐鼻天通散　治卒中風倒地牙關緊閉人事昏沉　川芎　細辛　藜蘆　白芷　防風　薄荷各一錢　猪牙皂角刮去皮三個　研爲細末，每用少許，吹入鼻中。

牛黃清心丸　局方　治初中痰涎壅盛昏憒不省，語言蹇澁，瘈瘲不遂，一切痰氣閉塞證。

牛黃　羚羊角勿經火鎊爲末　茯苓　白朮生用　桂心　當歸　甘草各三錢　麝香　雄黃水飛淨各二錢　龍腦錢半　人參　犀角各五錢　右十二味，各取淨末，配勻，蜜和成劑，分作五十丸，金箔爲衣，待乾蠟護，臨用化開，沸湯薑湯任下。（本章未完）

本校女科講義（摘錄）

本校國醫編譯館　王愼軒主編

第一編　調經門

總論

論調經必先理氣

婦人之經水不調者，皆由憂思忿怒傷於內，風寒客邪侵於外，氣血流行不暢，月事因而失調，然氣爲血之帥，血爲氣之守，氣行則血亦行，氣滯則血亦滯，氣虛則血亦虛，氣實則血亦實，氣熱則血亦熱，氣寒則血亦寒，故調經者，必以理氣爲先，惟所謂理氣者，非僅用香燥以耗氣也，必當求其所因而調之耳，如由鬱結而不調者，則宜行氣而調經，如由血瘀而不調者，則宜行氣而去瘀，氣虛則益其氣，氣實則耗其氣，氣熱則清其氣，氣寒則溫其氣，豈宜純用香燥而已哉，無如昧者不察，以前人有調經必先理氣之說，不問虛實寒熱，概投香燥耗氣之品，殊不知人身之氣，卽是津液所化，津液耗傷，氣愈不行，血愈不足，非惟無益，而反害之，欲其經調，烏可得乎，吾故曰，調經必先理氣，而理氣不可妄用香燥也。汪錫珍

〔按〕本篇所論之氣，係指交感神經之作用而言，攷交感神經之障礙，與月經不調有密切之關係，何以故，蓋月經之按期循行，雖由於黃體內分泌素之作用，但此內分泌腺之本身，非單純能使子宮起正調之周期變化，必須與分佈於內生殖器之神經，行相互作用，而后益顯其功能，是以內分泌素之又名刺戟素者，以其能刺戟某神經某組織而呈種種之現象也，且黃體內分泌腺，又受交感神經之分佈，故其分泌機能，亦爲交感神經所支配，是以交感神經一有病變，非特不能感受黃體內分泌素之作用，而失正規之行經現象，又能使黃體內分泌腺，起機能之異常，而致月經不調，由是論之，則古人所謂調經必先理氣者，非妄言也。

論調經莫先於去病

婦人月水循環，纖痾不作而有子，若兼潮熱腹痛，重則咳嗽自汗，或有嘔瀉，或有潮熱，則血愈消耗，有汗咳嘔，則氣往

上行，瀉則津偏於後，痛則積結於中，是以必先去病而後可以滋血調經，就中潮熱疼痛，尤爲婦人常病，蓋血滯積入骨髓，便爲骨蒸，血滯積瘀於中，與日生新血相搏，則爲疼痛，血枯不能滋養百骸，則蒸熱於外，血枯胞絡火盛，或挾痰氣食積寒冷，則爲疼痛，凡此諸病，皆使經候不調，必先去其病，而後可以調經也。李氏

〔按〕攷月經之不調，類爲結核、貧血、淋病、帶下、抑鬱等疾病所續發，由於卵巢機能病變而致者，殊不多覯，故能去其疾病，則其經不調而自調，此卽西醫所謂原因療法是也，不然而斤斤於四物八珍之輩，則舍本逐末矣。（未完）

新編兒科講義（摘錄）

本校國醫編譯館　徐名山主編

第三章　傳染病篇

第二證　痲疹

病名　本病名稱，不但世界各國未盡相同——英名 Measles；德名 Masern；法名 Rongeole；日本名ハシカ；即國內各省，亦因風俗習慣之不同，而各異其稱呼；浙江謂之「瘄子」，河北通稱「溫疹」，山西、陝西稱爲「糠瘄」，亦謂「膚瘄」，又名「赤瘄」；河南呼爲「粰瘄」，江蘇謂之「痧子」，福建、兩廣、四川、雲南、貴州俱呼爲「疹子」，江西、湘、鄂，則稱爲「痲子」。雖各地之命名不同，而其病實相同也。今人爲統一名稱起見，因定名爲痲疹。

病原　中醫自古以痲疹爲胎毒，如馬氏痲疹通論曰：「蓋痲疹亦屬胎毒，乃係六腑蘊蓄積熱，發自脾肺二經，或受風

寒或傷飲食時氣感觸，煽動心火，熇爍肺金，肺主皮毛，故其邪發於皮膚之上，出爲細疹」即其代表也。至西洋學說，疇昔達而氏（Daehle）謂一種原蟲爲本病之原因；加諾氏（Canon）批里庫（Pielike）氏則以爲桿菌，聚訟紛紜，莫衷一是。但經Hekloen(1924) Degkwitg(1927)諸氏之人體實驗而痲疹病原體存在於患者血液中的事實，已經被確定了；殆一九三四年日本谷口腆二原等動物試驗之結果，則謂：痲疹病原爲一種和牛痘水痘匐行疹等病相似的微小體，其大小在0,25 Nikron上下，其排列的狀態，爲單球菌樣。彼等並且檢查痲疹恢復患者的血清發現有上述的病毒；復將此等病毒接種於家兔亦能誘發接種痲疹，是則痲疹病原之探索，已從此發現一線曙光矣。但近年來，吾國新進中醫對於疾病原因之論調，往往抱折衷態度，如章巨膺先生謂：「本病以胎毒是內因，傳染爲外因，必先有內因，然後外因得以引誘爲病。」友人某君則絕對否認以胎毒爲本病原因之論調；余之見解頗與相同。

症狀　本病症候，每有一定之經過，醫家嘗把症狀分爲三期：

1 潛伏期：從感受病毒起至發病時止，平均須十天左右。在這期間除輕度的發熱，或睡眠欠安，胃納略減等似有而似無的症狀外，大概不現何等症狀。雖也有早期發熱，但係因感冒風寒而誘發，非可認爲定型也。

2 前驅期：從發熱咳嗽等起至發疹時止，約三四日。其間症狀經過亦爲漸進式的。茲分述本期症狀之經過如下：

第一日——發熱在三十八九度之間，鼻流清涕（鼻黏膜炎），噴嚏，呵欠，眼結膜潮紅腫脹，並流出多量淚液，咽喉扁桃腺炎腫，咳嗽，咯痰，或聲音嘶啞，呼吸困難等狀。

第二日——頰內黏膜及口唇內面發現一種白色或黃色的考拍立克氏（Korlik）斑點，斑之周圍，圍有紅色環狀的圓暈。

第三日——熱度稍下降，在軟腭和懸壅垂小舌之附近發生小如粟粒或大如扁豆之前發疹（此時皮膚疹尚未發現）

3 發疹期：從皮膚疹起初發現，到疹子佈滿全身時止；約須五日。其間證狀可略述如下：

（一）熱度復昇騰至三十九度，或四十度，各種黏膜炎證狀，較前更覺加重。

（二）痲疹最先發生于顏面各部，次及頸項部、胸背部、臂部、臀部，漸次佈滿全身及四肢。

（三）病人顏面，因為發疹強盛，變做浮腫模樣；眼瞼腫脹，怕光流淚，膿狀眼脂之分泌，較前增多。口圍各部，或生濕瘡。

（四）聲音嘶啞，咳聲粗厲，咳嗆頻頻發作，咳時胸部作痛。

（五）舌苔乾燥，膩白或灰褐色。同時脈搏迅速，呼吸也非常促迫。

（六）胃口停滯，食機全廢，口中煩渴，頭痛或昏睡譫語等證，次第發現。

病理　痲疹病毒由呼吸機關侵入血液，初無若何之現象，待其潛伏期已過，遂開始分泌其毒素，營其有害之作用；同時人體自然療能亦被喚起，而同與病毒相抵抗，遂起發熱的現象；蓋發熱為人體自然的抗毒作用，人當發熱時，其血運呼吸皆速，易使體內毒素外達於皮膚毛細血管，由皮脂汗腺而排洩。在前驅期中，則因毒素之分泌，未至引起熱度增高（排毒作用尚未旺盛）之程度，故僅發生眼瞼赤腫，眼淚汪汪，（結膜炎）氣急咳嗆，（氣管枝加答兒）作吐作瀉，（消化器炎）鼻塞，鼻流清涕，噴嚏，（鼻膜炎）等之炎性現象。殆疫勢猖獗，熱度亦因以增高（排毒作用亢盛至極度）皮脂汗腺，不及放泄源源外達之毒素，遂致毒素羈留於肌膚之間，發爲紅色疹點，當此之時，神經中樞一因受高温之薰灼，一因傳染病之中毒症狀，或不免有手足抽搐，譫語昏狂，及煩躁不安等狀。如能使病人保持微微汗出之狀態，則疹毒自能源源外達，漸漸外泄，殆毒素泄盡，就能自然向愈，若在發疹期間偶受風寒之侵襲，或誤投寒凉之藥，或誤食生冷之物，則皮膚汗腺及皮膚毛細管突然收縮，毒勢因不得從皮膚放散而內陷，則肺炎、牙疳、瀉痢、鼻衄、角膜潰瘍等合併症，次第發生，勢必不救矣。

診斷

本病在流行時，或皮膚疹及前述症狀均已發現時，固不難診斷；但欲早期覺察，及類症鑑別，則非有經驗之醫生，殊難下確切之診斷。茲將早期覺察及類症鑑別應注意各點，略述之如下：

1 早期察覺之注意點有二：

A 流行與季節之關係——本症之罹病率，與自然氣候頗有關；大抵患者的數目以四五日爲最多，在炎暑或嚴多的時候，則較少。日本高木義敬氏曾將一百九十七名就診的小孩，記載他們罹病時期，作統計表如下：

時期	患者數
一月	4
二月	15
三月	20
四月	34
五月	49
六月	41
七月	16
八月	5
九月	3
十月	3
十一月	2
十二月	5
合計	197

B 年齡與既往症——經驗告訴我們，二歲至五歲的小孩爲最容易感染本症，如在流行季節發生上述最初期症狀時，而病孩的年齡又在二歲至五歲，則多少有使吾人承認是痲疹的可能。可是一般粗心的父母往往把小孩過去所患無定型的猩紅熱或風疹等誤認爲痲疹；當醫生告訴他們「令郎似乎是痲疹」時，他們偏會無意識地謊騙醫生：「我家的孩子，已經患過痲疹了。」這樣的情形之下，醫生的觀念容易被移動，診斷更覺困難，必須要仔細地詢問病孩的既往症證狀，方能打破診斷之難關。

2 類證鑑別：

症別＼證狀或其他	痲疹	猩紅熱	風疹	天花初期
潛伏期	十天或十二天（從感受病毒起到發病時爲止）	二十四時或三天（從感受病毒起到發病時爲止）	二星期至三星期或二十三天（從感受病毒起到發病時爲止）	十日至十四日
前驅期	（從發病至發疹）四天	（從發病至發疹）二天	（從發病至發疹）二天	（從發病至發疹）三日
前驅期之證狀	發三十八度之熱咳嗽淚多呵欠	惡寒發熱（39°—40°）煩躁口渴	無熱度倦怠胃口不開輕度黏膜炎或咳嗽頸部後頭部淋巴腫脹	惡寒戰慄而發三十九度之熱呼吸脈搏均速
考拍立克（Koplik）斑點	前驅期第二日口腔內面發現白色或黃色之斑點	無	無	無
咽喉腫痛	有	有	微痛	在前驅期中咽喉及氣管枝發炎
咽喉腐爛	無	有	無	無
舌苔	舌苔乾燥膩白或灰褐色	舌全紅而無苔中部有紅刺是名楊梅舌		舌苔白厚（前驅期）
紅疹	初發圓形於面部大如粟粒旋新舊疹合併而成紅塊狀但各疹間仍有健康皮膚可見	初爲鮮紅色斑圍繞毛囊而增大融合成片中無空隙	形如芝蔴大色較痲疹淡無集合的傾向不隆起皮面	初期疹狀如痲疹但不久即消滅

疹子先發之部位	顏面由頸頸胸背	頸及肩胛(面部獨無)	鼻和上唇部最先發疹	
發疹期之熱度	攝氏四十度至四十二度	攝氏四十一度	攝氏三十八度	
發疹期的持續	通常約四五天	三日至五日	三天至四天就消褪了	
自覺症	發疹常作癢	發疹之時或痛或癢		
脫屑	糖屑	足部爲片狀其他爲糠屑	疹退後不留斑亦不落屑	
罹病時期	四月五月	四季都有秋冬更甚	春夏(一月至五月)	
免疫性	永久	無	永久	
小便檢查第阿查反應	陽性		陰性	尿混蛋白

新編藥物讀本

本校國醫編譯館　楊夢麒主編

第一類　强壯藥

人參味甘。大補元氣生津止渴。强心健胃。(用法)去蘆用(用量)三分至三錢極量一兩二錢

黃耆甘溫。補虛固表强健組織。潰瘍莫少。(用法)瘡瘍生用補虛蜜炙(用量)一錢八分至三錢五分極量一兩八錢

生地甘寒。涼血清熱。補血增液。又能止血。(用法)宜酒洗竹刀切(用量)三錢五分至一兩二錢

熟地甘溫。滋補腎腺。養血生精烏髮澤面。(用法)酒拌蒸至黑色竹刀切片或用薑汁炒(用量)三錢五分至一兩二錢

首烏溫濇。善療貧血。補腦截瘧。緩下燥結。(用法)赤白兼用米泔水浸一宿生用或蒸用(用量)三錢五分至六錢

山茱萸溫。收斂汗腺。鎮靜神經。截瘧尤善。(用法)酒蒸去核(核能滑精)(用量)一錢八分至五錢極量一兩二錢

杜仲辛平强壯腰膝補腎安胎腰痛如失。(用法)去粗皮剉鹽水炒(用量)一錢八分至五錢

續斷苦溫。强健筋骨促進循環折傷莫闕。(用法)酒浸焙用(用量)一錢二分至三錢五分

狗脊苦平。强健腰脊。虛性痹痛。堪稱巨擘。(用法)蒸熟用(用量)一錢八分至五錢

枸杞甘平。興奮生殖生精明目强壯體力。(用法)取鮮明者洗淨酒潤一夜搗爛入藥(用量)一錢八分至三錢五分

補骨脂溫。善治腰疼。强壯神經。晨泄功勝。(用法)鹽水炒或酒洗(用量)一錢二分至三錢五分

骨碎補溫。主治折傷。旁治牙痛。補腎亦良。(用法)用刀刮去黃赤毛細切蜜拌蒸(用量)一錢二分至三錢五分

女貞苦平。緩和滋補。虛勞羸瘦。久服自愈。(用法)蒸用(用量)一錢二分至三錢五分

旱蓮甘酸。補腎烏髮。涼血止血。消炎清熱。(用法)蒸用或生用(用量)一錢八分至五錢

石斛甘平。增添胃液。低降體溫。治療痿躄。(用法)生切用(用量)一錢二分至五錢

玉竹甘平。滋養神經。潤澤皮膚。乾欬亦靈。(用法)竹刀括去節皮潤燥生用補虛蜜水蒸用(用量)二錢四分至一兩二錢

沙參甘苦。補肺生津。肺勞結核。功效無倫。(用法)去蘆用(用量)一錢二分至五錢

元參苦寒。補肺退炎。清咽消癧。癆菌盡殲。(用法)生用或鹽水炒用(用量)一錢二分至三錢半

天冬甘平。治療肺癆。潤燥祛痰。鎮咳功高。(用法)水浸去心用(用量)一錢二分至三錢五分

麥冬甘平。養肺增液。滑痰鎮咳。補心復脈。(用法)水浸去心皮(用量)一錢二分至五錢

黄精甘平。滋養緩和。生津潤肺。虛勞自瘥。〔用法〕洗淨九蒸九晒〔用量〕三錢五分至五錢

蓯蓉甘溫。補腎興陽。添精種子。又可滑腸。〔用法〕酒洗去鱗除內筋膜〔用量〕一錢二分至三錢五分

羥羊藿辛。能助陽興。堅筋益骨。志强力增。〔用法〕去枝羊脂拌炒〔用量〕一錢二分至三錢半

菟絲甘辛。壯筋添髓。夢遺滑精。腰痛可止。〔用法〕酒炒或鹽水炒〔用量〕一錢八分至五錢

仙茅辛溫。腰足攣痹。虛損勞傷。陽道興起。〔用法〕竹刀去皮切糯米浸一宿去汁忌鐵〔用量〕九分至一錢八分

巴戟辛甘。大補虛損。精滑夢遺。强筋固本。〔用法〕酒浸過宿去心焙用〔用量〕九分至三錢五分

新編方劑讀本

本校國醫編譯館　唐慎坊重編

第一編　金匱方

痙病類　栝蔞桂枝湯　葛根湯　大承氣湯

栝蔞桂枝湯主痙。栝桂芍棗草生薑。加麻去栝葛根劑。大承氣枳朴硝黃。

濕病類　麻黃加朮湯　麻黃杏仁苡仁甘草湯　防己黃耆湯　桂枝附子湯　桂枝附子去桂枝加白朮湯　甘草附子湯

寒濕麻黃加朮湯。桂枝杏朮草麻黃。身疼發熱晡時劇。麻杏苡甘風濕嘗。

防己黃耆湯草朮。桂枝附子棗甘薑。去桂加朮逐水氣。甘草附子桂朮襄。

暍病類　人參白虎湯　一物瓜蒂散

太陽中暍法當淸。身熱而渴白虎參。身熱疼重脈微弱。一物瓜蒂效非輕。

百合病類　百合知母湯　百合滑石代赭石湯　百合鷄子黃湯　百合地黃湯　百合洗方　栝蔞牡蠣散　百合滑石散

百合湯治百合病。汗後百合知母湯。下後百合滑代赭。吐後百合鷄子黃。不汗吐下百合地。渴百合外洗方。渴不差時栝牡蠣。發熱百合滑石良。

狐蜮病類　甘草瀉心湯　苦參湯　雄黃熏法　赤小豆當歸散

蝕喉爲蜮草瀉心。苓連棗夏及薑參。蝕陰爲狐苦參洗。蝕肛雄黃散可熏。若已成膿目皆黑。赤豆當歸漿水呑。

陰陽毒類　升麻鱉甲湯　升麻鱉甲湯去雄黃蜀椒

陽毒升麻鱉甲湯。當歸甘草椒雄黃。椒雄減去療陰毒。症別陰陽切莫忘。

編後餘瀋

(一)本校校長唐愼坊先生所譯之『漢醫要訣』向係按期刊載於本雜誌茲應多數讀者之要求另刊單行本俾可早窺全豹故已由本校編譯館另印出版如欲購閱者請注意本雜誌之底頁封面廣告可也

(二)本期特刊來稿甚多祇以限于篇幅不及儘量刊入但鴻著佳作決不遺棄尙祈投稿諸君諒之

本雜誌以前各期之要目

譯著
- 漢醫要訣……唐慎坊譯
- 和漢藥物學……王博平譯
- 神經衰弱的灸治療法……徐觀濤譯
- 漢方醫學的新研究……徐觀濤譯
- 漢醫與民間治療法……徐觀濤譯

講壇
- 顧福如先生演講錄……周自強記
- 黃星樓先生演講錄……周自強記
- 余澤霓先生演講錄……王博平記
- 孫永祚先生演講錄……周自強記
- 張贊臣先生演講錄……陳丹華記
- 朱振聲先生演講錄……周自強記
- 董志仁先生演講錄……王雲芳錄
- 柯與參先生演講錄……石蔚華錄
- 楊志一先生演講錄……王景賢錄

言論
- 提倡解剖說……洪貫之
- 中醫西醫解……陳丹華
- 敬告初學醫者……邵求眞
- 醫學之空間性及其新舊觀……張恕庵
- 新生活運動與衛生之意義……范行準
- 醫學與民族之關係……徐觀濤
- 論傷寒金匱之異點……潘國賢
- 研究國醫學的意義和方法……王東英
- 論中國醫學之真價值……邢萬成

經義
- 讀傷寒論太陽篇之心得……陳丹華
- 傷寒論傷寒中風之眞諦……楊夢麒
- 傷寒論五瀉心證之研究……周自強

生理
- 國醫之內分泌學……王南山

心理
- 試述月經之生理……殷襄平
- 國醫所謂之腎……王景賢
- 內經生理之科學觀……徐觀濤
- 體工調和血液之自然良能……李克蕙
- 內經所言之天癸……吳少九
- 催眠術之研究……陳丹華
- 醫生應知的心理學……潘啟哉
- 夢話……周自強
- 心理療法在醫學上之重要……楊夢麒

病理
- 江南無傷寒耶……范濟春
- 傷風不愈便成癆之原因……邢萬英
- 產後血暈辨……郁森源
- 尿之病理……鄭景賢
- 狂犬病之研究……王景量
- 抑鬱傷肝之現代觀察……陸自量
- 肥胖病之研究……楊夢麒

治療
- 中西治血證之比較……沈潛德
- 霍亂中西治療法之比觀……陸自量
- 婦人重身用藥之研究……沈潛德
- 古方治療一得……陸自量
- 治肺病宜注重脾胃說……王桂林

內科
- 近世內科國醫處方集……葉橘泉
- 神經系病之研究……宮晚香
- 百日咳之研究……楊夢麒
- 淋病……周自強
- 夢遺之原因……陸自量
- 疫痧之研究……柳劍南
- 論瘧疾之病源與治法……吳明之

女科
- 痛經……張又良
- 白帶之病理……殷襄平
- 女科醫籍考……張又良
- 痛經治療談……顧志道
- 停經……王景賢

兒科
- 關于痧子……潘國賢
- 急慢驚風與太陽病之研討……陸自量
- 天花……章巨膺
- 說小兒疳積……胡瀟梧
- 痘症梗概……陳丹華

藥物
- 烏梅治口甜之研究……王志[illegible]
- 瀉藥與各臟器之關係……周自強
- 試述藿藥之配劑法……朱克明
- 大黃能延年益壽之管見……曹愈之
- 何首烏治婦人帶下之研究……王博平
- 藥物實驗錄……周禹錫
- 鳳尾草之功用……李雄候
- 失血應用三七之標準……張鑑青
- 葛根非發汗藥……楊夢麒
- 接骨仙桃草對於血症之功效……蘇善資
- 論中醫之補氣藥……吳明之
- 山藥能治肺癆之管見……潘愷義

方劑
- 新發明之秘方報告……張又良
- 梔子豉湯之眞理……周自強
- 白虎湯之科學觀……朱彩霞
- 大小陷胸湯合論……華志誠
- 論國醫治黑熱病驗方……葉古紅

醫案
- 馮培之先生內科醫案……王慎軒編
- 丁甘仁先生內科醫案……王慎軒編
- 曹穎甫先生內科醫案……王南山編
- 黃體仁先生女科醫案……王慎軒編
- 王慎軒先生女科醫案……王南山編

筆記
- 驗方珍記……唐慎坊
- 治驗筆記……顏星齋
- 嬰兒小便不通之中西治法……王蘊玉
- 求己齋隨筆……余梓生
- 綠豆可治骨槽風重症記……羅睿曾
- 女科奇病治驗錄……王慎軒
- 履冰室醫學隨筆……夏伯和

雜組
- 國立中醫研究院組織條例……
- 修正江蘇省管理中醫暫行規則……
- 學醫導徑……周禹錫
- 本校課餘研究會記錄……陳丹華記

文苑
- 藥名詩……胡瀟梧
- 東吳大學參觀記……黃獻南

講義
- 金匱講義……[illegible]九霄
- 藥物講義……王慎軒
- 內經生理學講義……王慎軒
- 舌苔講義……王志純
- 雜病講義……張又良
- 雜病講義……王志純
- 方劑講義……余澤霓

尚有其餘要目　不及詳細載明　每期一角五分　六期連郵九角　（發行所）蘇州吳趨坊蘇州國醫書社

介紹醫藥雜誌

國醫公報	全年連郵二元	南京長生祠中央國醫館
醫界春秋	全年二元一角	上海白克路西祥康里七七號
山西醫學雜誌	全年八角九分	山西省城中正街中醫改進會
光華醫藥雜誌	全年連郵二元	上海北山西路棣隆里九號
東西醫藥報	全年日金三元	臺灣臺北永樂町二丁94番地
廣濟醫刊	全年二元四角	杭州缸兒巷四十六號
醫學衛生月刊	全年七角二分	蘇州吳趨坊國醫書社代售
家庭醫藥常識	全年連郵三角	蘇州吳趨坊國醫書社
診療醫報	全年連郵一元	上海霞飛路一〇四號
永好醫報	全年連郵二元	河南博愛縣城內李煥卿醫室
新中醫學報	全年連郵八角	廣東梅縣新中醫學社
現代醫藥月刊	全年連郵一元	福建福清城內官塘墩本刊社
神州國醫學報	全年連郵一元	上海廈門路尊德里神州醫會
上海國醫雜誌	全年二元四角	上海西門石皮弄國醫學會
社會醫藥	全年一元五角	上海大沽路新馬安里三七號
醫林一諤	全年連郵二元	廣州大德路蘇行街
東方醫學雜誌	全年連郵二元	奉天省城南市場福安里50號
如皋中醫月刊	全年連郵三角	如皋育德所中醫公會
衛生雜誌	全年連郵一元	上海薩坡賽路一九〇號
大衆醫學月刊	全年連郵二元	上海白克路西祥康里本刊社
長壽週刊	全年連郵二元	上海三馬路雲南路本週刊社
常熟國醫雜誌	全年連郵六角	常熟小河下二十二號
正言醫報	全年連郵三元	天津文學東箭道國醫研究所
晨光國醫雜誌	全年一元二角	廈門中華路七十七號二樓
中國醫藥雜誌	全年連郵一元	山東沂水黃山鋪街
醫事公論	全年九角六分	鎮江中正路北六二號又二號
中醫新生命	全年一元四角	上海牯嶺路人安里十一號
中西醫藥月刊	全年二元四角	上海北四川路永豐坊六五號
新醫藥	全年連郵二元	上海南市外馬路一四六九號

現代國醫	全年連郵二元	上海老靶子路二四三號
現代中醫	全年連郵一元	上海西門石皮弄一號
同濟醫藥季刊	全年一元一角	上海靜安寺路同濟醫學院
壽世醫報	全年連郵五角	蘇州閶邱坊巷一〇九號
醫醒雜誌	創刊號未定價	蘇州吳縣中醫公會
江蘇國醫報	全年一元二角	揚州古旗亭三十六號
國醫新聞	全年連郵五角	杭州佑聖觀巷國醫公會
杏林醫學月報	全年連郵一元	廣州大德路蘇行街八十四號
中華醫藥報	全年連郵四角	上海光啓路中華國醫學會
國醫旬刊	全年連郵一元	福建廈門國醫專門學校
湖北醫學月刊	全年連郵二元	湖北新市場上側永福里一號
醫藥雜誌	每冊定價二角	漢口湖北國醫專科學校
醒亞醫報	全年連郵一元	廈門丁仔巷門牌一號
明日醫藥	全年一元五角	北平鼓樓法通寺甲十六號
鍼灸雜誌	全年一元八角	無錫中國鍼灸學研究社

介紹醫藥書籍

中國急性傳染病學	時逸人著	實價一元二角	山西省城中正街中醫改進會
鍼灸經穴圖攷	黃竹齋著	定價八元	西安南四府街三十號
醫方概要	李曉人編	特價一元四角	蘇州蒲林巷李曉人醫室
合理的民間單方	葉橘泉著	實價八角	浙江湖州雙林存濟醫廬
吐血肺癆指南	慈航居士	祇收寄費	杭州糧道山十號
魏氏驗案類編	魏文耀著	實價一元	蘇州吳趨坊國醫書社代售
兒科常識	尤學周編	實價五角	上海南陽橋麋鹿路永華里二十五號

蘇州國醫書社新出醫書

中醫新論彙編	王慎軒編	實價五元
曾女士醫學全書	曾伯淵著	實價八角
漢譯診病奇侅	丹波元堅	實價一元
拯摸軒醫學就正錄	周禹錫著	實價一元
本草再新	葉天士著	一元二角
傷寒直解辨證歌	薛公望著	實價四角
溫病指南	王馥原著	實價四角
診餘舉隅錄	陳匊生著	實價六角
曹穎甫醫案	王南山編	實價二角
女科醫學實驗錄	王慎軒著	實價一元
再版胎產病理學	王慎軒著	實價一元
女科指南	戴武承著	實價八角
新批女科歌訣	王慎軒批	實價四角
婦女病經歷談	祝懷萱著	實價一角
幼科指南祕傳家方	萬密齋著	實價一元
食治祕方	尤生洲著	實價一角
家庭育嬰法	沈潛德著	實價一角
家庭實用良方	王景賢編	實價六角
家庭醫藥常識第一年彙編	王慎軒編	實價三角
婦女醫學雜誌彙編	王慎軒編	一元五角
蘇州國醫學社紀念刊	國醫學社	特價五角
女科祕訣	鄭厚甫著	實價二角
經方捷徑	楊夢麒著	實價一角
重訂孫眞人海上方	孫思邈著	實價二角
傷寒時方歌訣評註	周越銘編	一元二角
家庭醫藥常識	王寶燦編	每年三角

中華民國二十四年秋季出版

蘇州國醫雜誌第七期 新遷校舍紀念特刊

編輯者 蘇州國醫學校 蘇州長春巷三九號 電話第二三六七號

發行者 蘇州國醫書社 蘇州吳趨坊一三七號 電話第五百六十三號

印刷者 蘇州文新印書館 蘇州景德路七十六號 電話第八百九十一號

蘇州國醫雜誌價目表

期數	價目	寄費
每季一期	另售一角五分 本期另售三角	寄費一分
每年四期	預定大洋六角	寄費在內

蘇州國醫學校編譯館出版

日本有名皇漢醫之——

兩大巨著

醫學革命之指南針

唐慎坊先生譯

類證鑑別 漢醫要訣

全書一厚册 實價銀二元

原著者之介紹

本書原著者大塚敬節氏為日本有名之皇漢醫界曾畢業熊本醫科學校本係西醫出身後感西洋醫學缺點甚多乃本其科學之素養苦心研究皇漢醫學此書即氏用科學方法研究漢醫學之結晶品也

內容總目

第一編 病證學

第二編 診候學

第三編 治療學

第四編 藥物學

第五編 處方學

臨床醫家最切實用

王南山先生譯

新增 東洋漢方要訣

全書三厚册 實價二元四角

▲著作者＝日本長澤道壽

▲新增者＝日本中山三栁

▲評按者＝日本北山友松子

本書四大特點

1 內容豐富…凡中日名醫之效方皆被採入無遺

2 說理精詳…每方必詳述主治用法加減禁忌等

3 引證廣博…古今名醫辨釋方義之說莫不列入

4 [illegible]

地址 蘇州吳趨坊

蘇州國醫書社發行

電話五百六十三號

·白页·

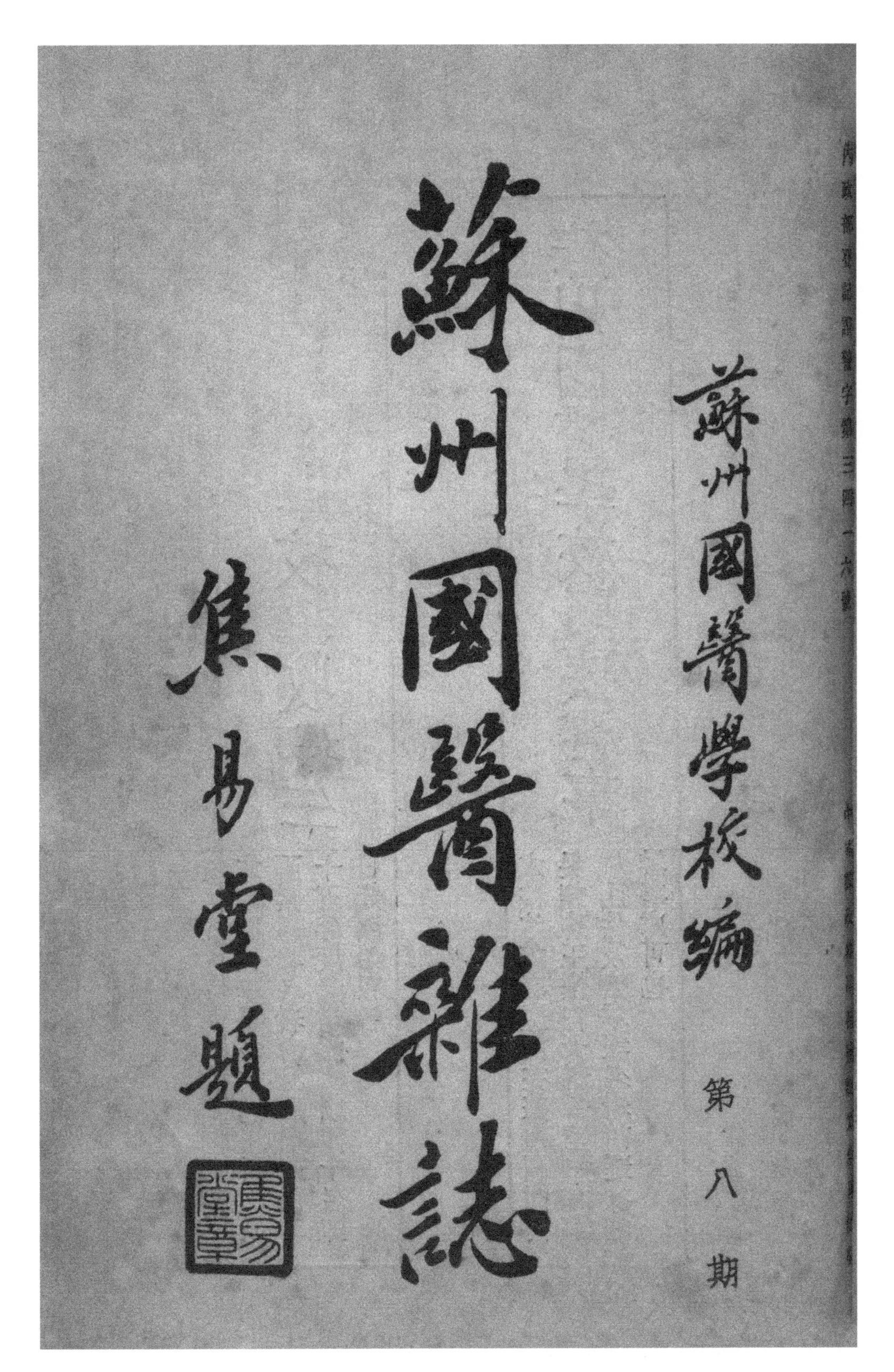
蘇州國醫學校编
第八期
蘇州國醫雜誌
焦易堂題

蘇州國醫學校招收男女生

本校因來學日多業已滿額而來函索章報名者尚極踴躍茲定二十五年度起增添學額四十名即日起開始報名

蘇州國醫學校緊要啓事

本校總辦事處設在蘇州閶門内吴趨坊王慎軒女科醫室如有本校函件及索章報名者請逕投總辦事處可也

蘇州國醫學校內科主任兼教授
前浙江省永嘉縣中醫公會主席
前浙江省永嘉縣鑑定中醫委員會鑑定委員
前溫州宗景國醫專修社社長

南宗景著

中醫內科全書

衷中參西

▣中醫界空前之巨著▣

▣十年來心血之結晶▣

特價預約

廿五年八月底止十月出書

全書二百五十餘萬言，一百餘門，五千餘方，（附有單方），精裝兩巨冊，定價法幣八元，預約祗收四元，過期照原價發售。

樣本函索附郵五分

即寄空函恕不答覆

▲預約處▼蘇州道堂巷第三十六號南宗景醫藥事務所

本書分爲急性傳染病，新陳代謝病，呼吸器病，消化器病，循環器病，血液及脾病，神經系統病，泌尿生殖器病，運動器病等十大部，上自內經傷寒金匱千金外臺，下迄宋元明清近代諸書，旁及東邦漢醫名家之說，搜羅殆盡，洋洋數百萬言，大有可觀也。

本書之四大優點

（1）發皇古義參合經驗而成穩妥有效之方法頗切醫界之實用
（2）引證科學融會中西而成新穎精闢之評語頗合現代之需要
（3）注重辨證選擇驗方而成中醫內科之大全頗啓習醫之門徑
（4）闡明病理搜集單方而成治療雜症之秘典頗供臨症之一助

可以下一斷語

初學備此有無師自通之樂
開業備此有著手回春之妙
西醫備此有中西貫通之益
家庭備此有對證自療之便

如能熟讀此書非特善治傷寒溫病必能善治婦女老幼一切雜症矣

附啓

（一）凡欲得傷寒金匱二書之眞理者，必先熟讀白文，精思冥悟，然後瀏覽各家註釋，則各人之心思，始不爲註家所束縛，鄙人寢饋於斯，十有餘載，老馬識途，深知此中訣竅，特印成張長沙原文讀本（附有長沙方歌括）五百部（每部定價法幣一元實售八折外埠另加寄費一角）以便初學誦讀而免抄錄之勞，國歷五月底以前預約中醫內科全書者，各先贈該書一部，五月以後，恕不奉贈。

（二）中醫內科全書限印五百部，欲約從速，定書諸君之姓名，依先後次序，列入本書，以留紀念。

注意

古本十四經發揮 已出版了

原著者 滑伯仁 用中國白連史紙精印精裝一厚冊

校刊者 承澹盦 字體清晰無倫經穴悉照古本製版

△定價捌角 不折不扣 郵費加二 掛號寄奉▽

十四經發揮。乃中國古代鍼灸經穴學之奇書也。原著者滑壽。字伯仁。號攖甯生。元代之襄城人。隨其祖父官江南。徙儀眞。又徙餘姚。幼警敏。好學工詩。學醫于京口名醫王居中。學鍼法於東平高洞陽。盡得其術。馳名吳楚間。其治效多見醫學入門中。嘗言人身六脈。雖皆有系屬。惟督任二經。則包乎腹背而有專穴。諸經滿而溢者則此受之。宜與十二經並論。乃取內經骨空論及靈樞所述經脈。著十四經發揮。計三卷。通考隧穴六百四十有七。于鍼石診脈。頗有發明之功。非獨學鍼灸者宜熟玩之。即學中醫者。亦不可不寢饋此書也。第此書中國幾已失傳。欲求古本。更不易得。本社前屢欲搜羅之以資研究。乃書肆坊間。百不一覯。去歲。本社社長承澹盦氏。因赴日考察之便。見日人譯有十四經發揮之書。購而讀之。不禁拍案叫絕。中國學術之被日人羅致者。即此一端。已可概見矣。繼思既有譯本。亦必有碩果僅存之古本在焉。因不憚煩勞。舉凡東京之醫學書店。每日涉足其間。細心流覽。廢食忘餐。流連忘返。精誠所至。竟於某舊書店獲得一古本十四經發揮焉。當時欣忻之狀。不可言喻。故不惜重價購而隨之歸。該書雖已破舊。字迹尚屬清楚。且曾經日本名鍼家批註者。茲爲提倡古代學術。公開研究起見。故不敢祕而藏之。爰校其魚魯。正其訛誤。付梓以廣流傳。內容悉照古本。不更一字。全書字體。清晰無倫。銅人經穴。悉照原本製版。用中國白連史紙仿古式精印精裝一厚冊。定價八角不折不扣。郵費加二成。掛號寄奉。國外邊境按加。郵票代洋。九折計算。

▲發售處 無錫西水關堰橋下中國鍼灸學研究社

蘇州國醫雜誌第八期目錄

譯著

漢藥治療新解……鵜飼禮堂著 唐愼坊譯

叩『漢方醫學』之門……吉田玄壺著 徐名山譯

講壇

祝懷萱先生醫學演講錄……張鑑青記

論壇

國醫教育的現況與展望……徐名山

擁護科學的醫學……麗生

文獻研究

女科醫籍考……張又良

周禮醫師篇闡註……陳丹華

醫學研究

神經系病（續）……傅晚香

濕病原理……陸自量

六淫與細菌……張世柏

治痰飲之五大法……郁佩英

治肺癆宜注重脾胃說……吳明之

消渴淺說……韓慕康

藥學研究

藥物實驗錄（續）……周禹錫

麻黃和石膏之醫療作用（續）……袁雲瑞

實驗報告

經方實驗錄……曹穎甫撰 姜佐景編

小兒肺炎治驗記……楊志一

醫藥雜俎

合理的大補藥……沈仲圭

肝之服食價值……袁坤儀

本校講義

新編藥物講義（續）……王愼軒主編

新編金匱講義（續）……凌九雲主編

介紹醫藥雜誌

國醫公報	全年連郵二元	南京長生祠中央國醫館
醫界春秋	全年二元一角	上海白克路西祥康里七七號
山西醫學雜誌	全年八角九分	山西省城中正街中醫改進會
光華醫藥雜誌	全年連郵二元	上海北山西路棣隆里九號
東西醫藥報	全年日金三元	臺灣臺北永樂町二丁94番地
廣濟醫刊	全年二元四角	杭州缸兒巷四十六號
醫學衛生月刊	全年七角二分	蘇州吳趨坊國醫書社代售
家庭醫藥常識	全年連郵三角	蘇州吳趨坊國醫書社
診療醫報	全年連郵一元	上海霞飛路一〇四號
永好醫報	全年連郵二元	河南博愛縣城內李煥卿醫室
新中醫學報	全年連郵八角	廣東梅縣新中醫學社
現代醫藥月刊	全年連郵一元	福建福清城內官塘墩本刊社
神州國醫學報	全年連郵一元	上海廈門路尊德里神州醫會
上海國醫雜誌	全年二元四角	上海西門石皮弄國醫學會
社會醫藥	全年一元五角	上海大沽路新馬安里三七號
醫林一諤	全年連郵二元	廣州大德路蘇行街
東方醫學雜誌	全年連郵二元	奉天省城南市場福安里50號
如皋中醫月刊	全年連郵三角	如皋育德所中醫公會
衛生雜誌	全年連郵一元	上海薩坡賽路一九〇號
大衆醫學月刊	全年連郵二元	上海白克路西祥康里本刊社
長壽週刊	全年連郵二元	上海三馬路雲南路本週刊社
常熟國醫雜誌	全年連郵六角	常熟小河下二十二號
正言醫報	全年連郵三元	天津文學東箭道國醫研究所
晨光國醫雜誌	全年一元二角	廈門中華路七十七號二樓
中國醫藥雜誌	全年連郵一元	山東沂水黃山鋪街
醫事公論	全年九角六分	鎮江中正路北六二號又二號
中醫新生命	全年一元四角	上海牯嶺路人安里十一號
中西醫藥月刊	全年二元四角	上海北四川路永豐坊六五號
新醫藥	全年連郵二元	上海南市外馬路一四六九號

現代國醫	全年連郵二元	上海老靶子路二四三號
現代中醫	全年連郵一元	上海西門石皮弄一號
同濟醫藥季刊	全年一元一角	上海靜安寺路同濟醫學院
壽世醫報	全年連郵五角	蘇州閶邱坊巷一〇九號
醫醒雜誌	創刊號未定價	蘇州吳縣中醫公會
江蘇國醫報	全年一元二角	揚州古旗亭三十六號
國醫新聞	全年連郵五角	杭州佑聖觀巷國醫公會
杏林醫學月報	全年連郵一元	廣州大德路蘇行街八十四號
中華醫藥報	全年連郵四角	上海光啓路中華國醫學會
國醫旬刊	全年連郵一元	福建廈門國醫專門學校
湖北醫學月刊	全年連郵二元	湖北新市場上側永福里一號
醫藥雜誌	每冊定價二角	漢口湖北國醫專科學校
醒亞醫報	全年連郵一元	廈門丁仔巷門牌一號
明日醫藥	全年一元五角	北平鼓樓法通寺甲十六號
鍼灸雜誌	全年一元八角	無錫中國鍼灸學研究社

介紹醫藥書籍

中國急性傳染病學	時逸人著	實價二元二角	蘇州吳趨坊國醫書社代售
健康之道	沈仲圭著	定價八角	蘇州吳趨坊國醫書社代售
醫方概要	李疇人編	特價二元四角	蘇州蒲林巷李疇人醫室
合理的民間單方	葉橘泉著	實價八角	浙江湖州雙林存濟醫廬
吐血肺癆指南	慈航居士著	祇收寄費	杭州糧道山十號
魏氏驗案類編	魏文耀著	實價一元	蘇州吳趨坊國醫書社代售
張長沙原文讀本	南宗景校	實價八角	蘇州吳趨坊國醫書社代售

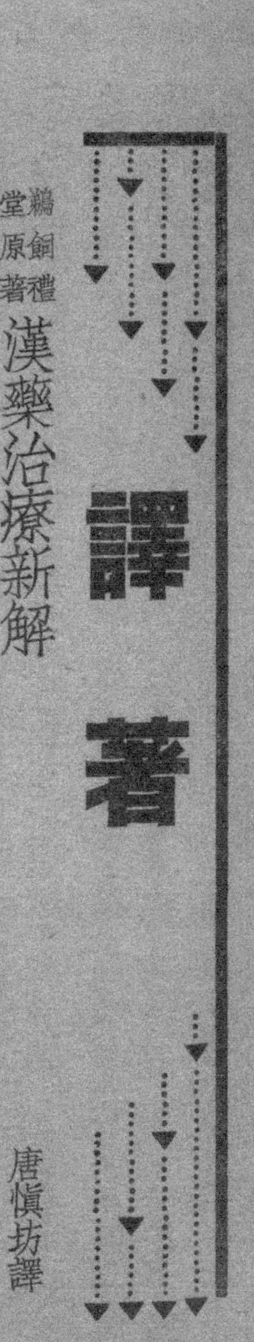

譯著

漢藥治療新解

鶴飼禮堂原著　唐慎坊譯

胃加答兒

胃加答兒者。在漢醫法。分虛性與實性。即寒與熱。蓋西醫所謂貧血性與充血性也。在西醫法。則別爲急性、慢性、神經性三種。自解剖而言胃之狀況。固有貧血與充血之分。然治療上殊無此區別。即藥品亦莫辨其孰能治貧血性。孰能治充血性。此胃加答兒在西醫或爲不治。在漢藥或有意外之功效也。夫漢醫既不分胃之機械上的疾病(加答兒)或胃之職務上疾病。(消化不良)又不置意於胃擴張、胃潰瘍等。惟藥品有寒性、有熱性、分別用之以取效而已。西醫雖區別胃加答兒與消化不良。然以其互爲原因。互爲結果。實際臨床上之區別。亦殊困難。蓋不消化之食物。堆積胃中而起異常醱酵。遂由此異常醱酵物而發生加答兒。故病理上有區別。而治療上實無區別也。

漢醫治胃加答兒實性之方。與西醫同。西醫用重炭酸曹達、炭酸麻涅失亞、苦味藥、制酸藥等之健胃劑。如有疼痛或嘔吐。則用次硝酸蒼鉛。燐酸苦的因。鹽酸苦加伊內培卜與希亞司太瑞等。漢醫用苦味藥、黃連、黃芩、大黃、牡蠣。如嘔吐用半夏茯苓。大抵處方如左。

半夏瀉心湯（一次之分量。一日三劑。以下準此。）

甘草〇・五　半夏三・〇　黃芩一・五　乾薑一・五　黃連一・〇　竹節人參一・〇　大棗二・〇

右七味。以水二〇〇・〇煎至一五〇・〇溫服。此方中加茯苓一、五。名茯苓瀉心湯。便祕者加大黃。此方與西醫用重曹苦味丁幾、或龍膽丁幾等者相類。又噯心嘔吐甚者。先用小半夏加茯苓湯。再加黃土。（即伏龍肝）則鎮嘔之作用尤勝。現今各病院均用之。而為人所共知者也。

小半夏加茯苓湯

半夏五・〇　茯苓二・〇　生薑一・五

胃加答兒虛性者。即所謂胃寒胃冷。不若實性之單純。有易饑症。即食慾亢進。有胃痛。有與胃痙同樣之症狀。可注射嗎啡等以止痛。又起噯心嘔吐。雖用苦的因、或哥加因、亦無效。此時作為寒性。投以溫藥。每多奏効。宜用附子粳米湯。

附子粳米湯

附子〇・八　半夏五・〇　甘草〇・八　粳米五・〇　大棗一・五

右五味。再加蜀椒、乾薑。名解急蜀椒湯。加蜀椒〇・八。乾薑一・〇。

此藥以水二五〇。煎至一五〇。用文火煎。又胃不甚痛而為易饑症者。或異嗜症。即喜食壁土木炭者。或食慾不振者。宜用左方。

平胃散

陳皮一·五　厚樸一·五　甘草〇·五　蒼朮二·〇

右四味中加香附子一、〇。縮砂仁〇、三。名香砂平胃散。對於小兒消化不良等症。有意外之効果。又余伯父用左方。

藿香安胃湯

藿香二·〇　半夏一·〇　橘皮一·〇　白朮〇·五　甘草〇·五　茯苓一·五　乾薑二·〇

右方嘔吐不止者。用之輒效。嘔吐甚。不受藥者。滴下生薑汁使服。嘔吐尚不止者。加丁香、附子。此皆作爲胃寒而治療之者也。與西醫用稀鹽酸、苦味丁幾、或次硝酸蒼鉛、鹽酸莫兒比涅、含糖普興、或番木鼈丁幾、鹽酸哥加因等相類。老人小兒之寒性者。用左方。

理中湯

人參一·五　白朮一·五　乾薑一·〇　甘草〇·七

此方中或加香附子〇·七。縮砂仁〇·五。或加桂枝、茯苓、附子。

胃痙攣

胃痙攣者。在漢醫法。名胃脘痛、心痛、胸痺。凡胃潰瘍、絞心症、胃痙、急性胃加答兒、肝臟疾患等。均括其內者。以寒熱言。視爲胃之寒冷者。與胃痙相當。

注射嗎啡、燐酸苦的因、或內服之。以鎮制一時之劇痛。現代病家往往樂此。蓋以煎藥爲迂緩而迫不及待也。但注射之後。疼痛雖解。嘔吐仍劇。且注射嗎啡。尤易起副作用而發嘔吐。若在嘔吐甚時。必更增劇。此時雖用哥加因。亦不能止嘔吐而滴水不入也。漢醫於此。則處左方。

解急蜀椒湯　（見胃加答兒附子粳米湯條）

一命婦年二十六。隆冬時節。一日忽覺渴甚。飲冰雪水而渴不止。晚餐後。胃部劇痛。嘔吐甚劇。醫以嗎啡注射無效。痛益甚。嘔吐數次。投以苦的因尼託路苦利色靈。忽又吐逆。敷芥子泥。施溫罨法。而劇痛嘔吐不止。脈微。每分鐘六十搏。更延一醫。與半夏液。即吐。惟倚褥而坐。壓按胃部。使看護人徹夜撫摩。翌晨招余。余以前醫已竭其力。無從着手。一滴水入口。輒噁心嘔吐。當然拒絕服藥。強與赤酒。果又吐逆。此何病耶。物極則變。窮則通。嗎啡等無鎮痛之効。鹽酸哥加因無鎮嘔之功。則何處更求鎮制藥耶。況服藥而胃又不納耶。搔首躊躇之際。忽憶及飲冰雪水事。覺胃寒之想像。倏起胸中。胃寒為何。余固未知其胃之黏膜狀態。然因其飲冰雪。難保胃之內容物及黏膜。不起變化。倘此揣想不誤。則溫藥可鎮制此胃痛嘔吐矣。解急蜀椒湯、其可服矣。立煎此藥與服。無如病人一滴不能下咽。余與病人父母無不憂形於色。於是三分其湯藥。余手藥令病人服之。約十五分鐘。幸無吐逆之意。余精神愈奮。更令服三分之一。看護人之按摩背部者曰。此處似有物凝結。余即按其背。則胸椎中部之左側。覺有小塊觸指。重按之。恰如空氣球。移於上下左右。指壓不定。逐而壓之。忽如逸走。在此一瞬息間。病人大聲一噯其氣。昨夕以來。呻吟無一語者。至此始發言。而胸中開豁。乃喜而促令盡餘藥。終無吐逆。頻頻噫氣。胃痛大減。時午前十一時也。熟睡至午後三時。更索藥。復與二劑。其夜睡臥。又盡一劑而安睡。次朝食米飲如常。第三日起床無異狀。一月以後。始知為妊娠云。

本方中附子為有力之溫藥。蓋附子振揚心之機能。高其血壓。促進胃黏膜血液之灌溉。然附子又為毒藥。其使用加減之聞。務宜審愼。余每次用〇·三至〇·五。乾薑辛溫。炮則辛苦大熱。除胃冷。定嘔消痰。刺戟胃黏膜之貧血誘導血液之灌漑。又能促進消化。蜀椒暖胃消食治心腹冷痛吐瀉促進消化機能。半夏有鎭嘔之効人所共知。不待贅言。本方中右四味爲最有效之藥品。至大棗甘草粳米乃緩和四藥之力而使其對於胃黏膜之刺戟。不致過度也。（待續）

叩『漢方醫學』之門

吉田玄壺著　徐名山譯

方今研究漢方醫藥和復興漢方醫藥的聲浪漸漸地普及於洋之東西；至眞正能了解漢方醫藥之本體者，實仍未多覯。

被泰西文明所孕育出來的現代人的目光，以爲漢醫方是非科學的，更以爲研究漢方醫學，就是趨向于退化的途徑；還原因是在從前的漢方醫家的著述，不免使吾們陷于迷路。因爲：

一、文字及文體，近代人不能懂得。

二、

三、各家對于方劑，偏重格式，而且固守祕密主義。

如斯松籟的香物淒淒，閉門使不容易接近；但「飲水思源」在還玄妙的祕庫裏，也自有他的芳香在。巡閱先代殘存的文籍，如大部書的經史典籍，所給予我們的完全是大陸思想的影像。如輕身昇天的「白髮三千丈」式的言辭，大都使人不知底止。

從前天文學，地文學，周易學等盛行。被稱爲東洋哲學底根幹的「陰陽五行」「五運六氣」「十干十二支」等學說，亦被混入於醫學。印度古代宗教，尤其是在波羅門教及佛教的黃金時代的『五明』。其分科的位置爲：

一、聲明（文法　文學）

二、因明（倫理學）

三、醫方（醫術）

四、工巧明（工藝　技術　數學　天文學）

五、內明　（哲學　教義學）

而印度及中國所流行的醫術，從來也沒有脫離醫巫混淆的時代過，方術或方技帶有豐富的神仙意味，而且抱有極度地偏見；即使在現代中華民國，尙有稱醫生爲神仙的風氣。

原來陰陽之說是究明大自然界森羅萬象的相對法，任何人也不可否認的，但因習地拘泥「五運六氣」並且繼續不斷地揑造此等迂說，則究竟有多少的眞理存在，頗足使人懷疑。如不把此問題加以研究和解決，恐將永遠地使人徬徨於迷宮，空費日月與筆舌而已。

東萊氏的名著「東萊博議」說：

「陰陽風雨晦明，天之六氣也。陰淫寒疾，陽淫熱疾，風淫末疾，雨淫腹疾，晦淫惑疾，明淫心疾。」余思疾病果爲六氣所致，則以醫師語之，必使無六氣而病始得除。天下寗有是理耶？守身在我，疾不在六氣；守國在我，患不在四隣；如能愼寒暖，振精神，節飲食，審藥石，則雖空氣不和，汝身亦不病。

閱中國歷史，悉中國幾度焚書坑儒，泯滅其偉大之寶典，而佛教之普遍，更促成漢醫趨向玄虛（非科學）之主因。蓋佛教愛護動物，嚴禁解體，故生理解剖等學理，殆皆案頭之空論也。雖尚有與之相反的一派，如魏之名醫華陀，亦嘗精究臟府之構造，惜其學無傳耳！不特此也，漢方醫家之祕密主義，尤為漢方醫藥研究上最大之進步阻力，如彼之「心心傳授」「一子相傳」等，即其顯著之例證，不但足以阻礙學術之進步，且亦阻止醫道發展之重要原因也。

欲探聖賢之道，不求真理於其遺著中，徒事禮讚仙術，疏忽實驗，著書立論，唯文辭之美麗是尚，甚或以自己之著述，假借先哲之名義；或僅將古書註釋改訂，或加臆說於其間，又或故意誤傳自家之祕方，此漢醫所以永不進步也。

際此東洋民族力圖振興之秋，有真能奉仲景學說之古方派，出而傳「漢醫方」之命脈，大開其祕密之門，誘掖後學以啓發斯道者，余特擱筆以待之！

敬題王師胎產病理學 步顏星齋先生原韻

馮長楷

學究軒岐才思新。良醫豈是等閑人。精心治帶名垂久。奏效全憑著手春。
活人妙術有奇方。抉採精華說理詳。胎產一篇為婦寶。是書一出奉津梁。

講壇

祝懷萱先生醫學演講錄（續）

張鑑青記

不過話又要說回來了，用經方要認證的確，善於化裁，如甯波范文甫先生，以附子理中湯治吐血，以四逆散治腸胃病發熱，這纔算得已入化境，不愧爲仲景的功臣。有等自命爲經方家，診得應該用時方的輕淺證候，仍舊呆用經方，小題大做，連栽觔斗，不知悔悟，這種頑固不化之徒，自誤誤人，實不敢恭維。余講到這裏，又聯想着濕溫病的心臟衰弱原因及其治法，此項問題亦頗重要，王潤民君嘗說：「內科醫生第一種本領，就是醫濕溫病」，此話極對的！故心臟衰弱，是西醫病理學中名詞，中醫就叫虛脫，包括格陽等證在內。上海有個傷寒名家治濕溫病，桑葉、菊花、香豉、豆卷、佩蘭、佛手，千方一律，經他一手醫治的病，到了兩三候，往往突然虛脫，此無他，就是不早强心的緣故；雖也有醫好的，當是患者正氣素强，自然療能足夠抵抗病毒，不需要藥物來幫助，此類治驗，眞所謂貪天之功。西醫治濕溫病，雖知維持心臟，增加營養，然其弊在早用下劑，故轉歸多腸穿孔出血證；且西醫方無燥濕之藥，殊屬缺點！余近在上海紅卍字會醫院觀章次公先生診病，來院就診者濕溫病甚多，章先生初起用解表，化濕，繼則芳香，苦寒，淡滲三法並施，又進一步，則投半夏瀉心湯，其意以芩連淸熱，薑夏燥濕，參、草、大棗補正氣，若見脈數，舌光，則附子、生地同用，獲效比比。嘗見其治一濕溫症：患者男性，年約二十許，由某中醫院轉來，病經兩候，測其體溫，攝氏計卅八度五，舌無苔，口乾便溏，神識尚清，惟胸悶甚，脈搏則飄搖無序，西醫所謂複脈也，合之胸脘苦滿之證，心臟衰弱無疑，方擬馮氏全眞一氣湯以扶正，葛根黃連以清熱，同時經西醫抽血檢驗，確定是眞性傷寒，服藥二劑，脈象稍轉平正。三四劑後，舌漸生苔，胸悶不除，原方加入蒼朮、薤白，計連服十餘劑而熱退，調理半月出院。按該病者，苟始終服某醫院之葉派方藥，其陷於虛脫之境，可斷言者！然則此案的係可法可傳。又有友人馮懷原君，治濕溫症方法別出心裁，而奏功神速，殊值得介紹給諸位研究：其法是早用補藥，凡病至一候外，汗多或發白痦，熱仍不解者。卽於宣化劑中入生黃耆三錢；便泄者，入於朮二三錢，脈形虛弱者，入太子參三四錢。其妙處尤在他藥配伍得宜；例如病者胸悶苔膩，重用厚樸半夏等品，濕熱交結，則重用甘露消毒丹等。余初聞其言，未能深信，後目擊其驗，疑團頓釋。總之章馮二君之方法，不外維持正氣，驅逐邪氣，採西法之長，補中法之短，新中醫之頭銜，當之允無愧色。格陽之證，臨牀上不常見，若無實驗，雖遇見亦不易認識。余憶曩歲初到滬時，有一婦人，病濕溫半月，熱退復發，便祕不行，醫投麻子仁丸方，煎服少許，大便溏泄一次，旋卽嘔吐煩躁，指冷面紅，背部惡寒，胸際斑疹隱隱。余爾時治熱病識驗甚少，雖想到或是眞寒假熱，終不敢用乾薑、附子，後探聽病家延某醫進梔豉湯不應而斃。余於是對此症潛心研討，偶閱葉香巖外感溫病篇第二十七節，益證實爲格陽之症，毫無疑義。平時讀書了了，臨證竟感茫然，坐失可治之機，爲之疚心者累日。去年在紅卍字會治一類似之症，因印象已深，竟放膽投大劑溫藥而愈。失之東隅，收之桑榆，失敗爲成功之母，痛悔之餘，聊以自慰。上面濕溫病話已講得太多了，不妨告一段落，來談談中醫當兼習西醫的理由：中醫之長處在對證療法，短處在不能識病；西醫之好處在診斷精確而能識病，不能識病，不能決預後良否，不能知病之眞實情狀，故中醫論病理，盡屬模糊影響之談。今姑引一例爲證：此爲西醫陳君告余者，據陳君云「某夜有人家來電話邀診，至該處，見病人爲二十許之少婦，臍腹劇痛，微有嘔吐，脈搏體溫如常，二便俱通，初不知其病竈所在，繼詢知經汛逾期不潮，察其唇口周圍微呈白色，乃斷定爲子宮外姙娠之輸卵管破裂內出血，囑病家當夜送醫院開刀，剖腹後檢得血已出盈碗矣。」按此症倘延挨至次日，則血漏盡而斃；若請治於中醫，將謂感寒停食歟？抑氣滯血阻歟？恐待覆診已不及矣！是故中醫更兼習西醫之診斷病理學識，非但能識病，且對於治療上亦有不少補助。陸淵雷先生最近在他的中醫新生命上說：「凡是西醫診斷過的病人，余據西醫的病理學說用中藥療治，結果較有把握，且得殊效。」此誠閱歷甘苦之言！所以依余之鄙見，現今國醫學校，當參用西醫的生理、細菌、病理、診斷等學課，在一二年級，祇須參習生理細菌學，三四年級，已有臨證實習程度，乃參習病理診斷學，自然胸有主宰，釐然不惑矣。末了，余再有幾句話奉告，倘諸位已讀到三年級，醫學有了相當根柢，從事臨證實習，最好是多看幾位教師診病；因各人有特長與經驗之處，兼收並蓄，纔能集大成，此所謂活醫學，勝於讀死書多多，請諸位注意。以上講了一大堆話，兄弟自己覺得很累贅，其中定有差誤之點，希望諸位不吝指教！

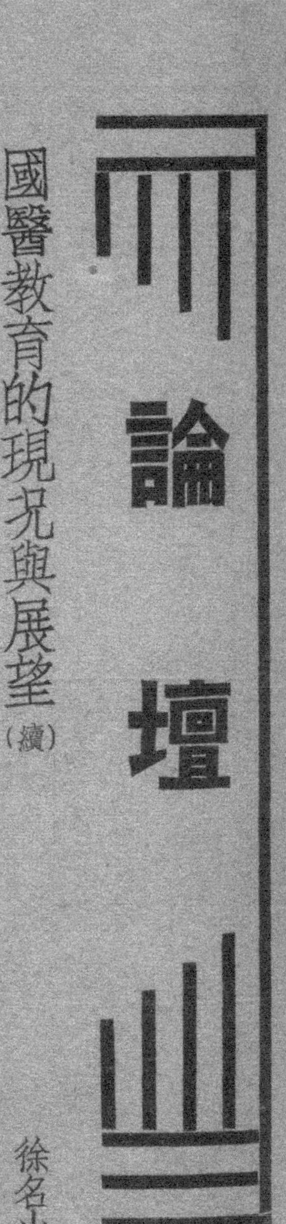

國醫教育的現況與展望（續）

徐名山

（四）全國國醫教育之現況

吾國醫學，向以師弟授受，未嘗設校以教之。雖宋代曾設太醫局，分方脈，針灸，瘍醫三科教授學生三百人；元代設醫學提舉司，掌教醫生課義，訓誨太醫子弟；明代襲元朝舊制，分十三科以造就專科之醫官；清代設太醫院以教授太監醫官之子弟，然皆僅供皇室貴冑之使喚，與民間如風馬牛之不相關，故不足以言醫學教育也。迨夫民國成立，國人鑒於外邦醫學之昌明，由於醫學教育發達所造成。反觀中國醫學因無學校之教育人材，依然滯留於中古時代之階段，不能隨時代以俱進，於是提倡設立中醫學校，以圖發揚光大華夏醫學之舉，漸由提倡而現諸事實。考國內中醫學校之最初創辦者，厥爲上海中醫專門學校，該校係成立於民國六年間，由海上名醫丁甘仁等斥資所創辦；當時所聘教員，咸係一時知名之士，且附設廣益中醫院，爲學生實習之所，頗具學校之規模。迨民國二十年，該校爲適應時代環境起見，又將內部課程略加整頓，改名上海中醫學院，而規模乃益具備矣。其次則爲杭州之中醫專門學校，創始於民國九年間，由浙江藥業公會所創辦，其經費之充足，爲各中醫學校冠，惟因教育偏於守舊，不能造就特出之人材，不無使人遺憾焉！繼此而起者，則有浙江蘭溪中醫專門學校，在該校故校長張山雷先生經營擘劃之下，雖學生未見發達，而公門桃李，咸能學成應世。殆至近十年來，吾國國醫學校之成立，幾如雨後之春筍，茲據管見所知，將各學校之名稱，地點，列表如下：

全國國醫學校一覽表

學校名稱	主辦人姓名	成立年代	設立地點	備註
上海中醫學院	丁濟萬	民國六年	上海老西門石皮弄	原名上海中醫專門學校
中國醫學院	薛文元	民國十六年	上海虹口靶子路	上海市國醫公會主辦
新中國醫學院	朱鶴皐	民國二十四年十一月	上海愛文義路王家沙花園路	
蘇州國醫學校	唐慎坊 王慎軒	民國十五年一月	江蘇蘇州長春巷	附設診療所編譯館
淮陰國醫速成學社	馬星孚 戴拱北	民國廿四年二月	江蘇淮陰城內都天廟東進	
中國針灸學研究社講習所	承澹盦	民國二十四年	江蘇無錫西甕水關橋下	
浙江中醫專門學校	范儆雯	民國九年	浙江杭州柴木巷	
浙江蘭谿中醫專門學校	王蔭堂	民國八年三月	浙江蘭谿城內瀫西藥業公所	藥業捐辦
南京國醫傳習所	陳遜齋	民國二十四年	江蘇南京市長生祠	
武進國醫傳習所	萬仲衡	民國二十三年	江蘇武進	
廣東中醫藥學校	陳任枚	民國十五年	廣東廣州大德路麻行街	

梅縣中醫學校	張蓉文 蕭龍初	民國十七年	廣東汕頭梅縣城隍廟直街鍾氏祖祠	附設醫院
梅縣新中醫養成所	張蓉文	民國十九年二月	廣東梅縣上市老廟前四十六號	
梅縣新中醫學社	蕭梓材	民國十九年	廣東梅縣	
廣東軍官學校中醫訓練班	軍校主任	民國廿三年	廣東	直屬省政府
廣東省立國醫學校	黃焯南	民國廿四年八月	廣東廣州市一德路305號	直屬省政府
廣西省立梧州區醫學研究所	廖壽鑾	民國廿三年十月	廣西梧州市平粁鎭北平路三號	直屬省政府
龍岡國醫學校	張萱	民國十七年二月	福建龍岩縣西門內江東脚樂書樓	附設貧民醫院
福州私立中醫專科學校	蔡人奇	民國廿二年	福建福州	
廈門國醫專門學校	吳黼堂	民國廿三年三月	福建廈門廈禾路	
仙遊縣國醫學校	溫敬修	民國廿二年二月	福建仙遊城內大井巷	
思明國醫研究所	林德星	民國廿三年	福建思明	每星期日上課
福建國醫專科學校	陳天尺		福建	福建國醫分館主辦
福建建甌國醫傳習所	黃煥琮	民國廿四年八月	福建建甌縣鼓樓中醫公會	
華北國醫學院	施今墨	民國二十年秋	河北北平西城大麻線胡同八號	附設診療所
北平藥學講習所	雷震遠	民國廿四年	河北北平	
中華國醫專門學社	香港國醫會	民國廿二年	香港	
湖北國醫專科學校	李東明 鄢平垓	民國廿二年九月	湖北武昌北城角三號	

武昌國醫講習所	黃稷丞	民國廿三年二月	湖北武昌三道街廿一號	
湖南國醫專科學校	劉嶽崙 吳漢仙	民國廿三年二月	湖南長沙市戥子橋口茲蘆園	
保康國醫學院	張右長		湖南常德	
四川高等國醫學校	何龍舉		四川成都甯夏街	四川省醫學總會主辦
重慶國醫傳習所		民國廿四年	四川重慶	
山東國醫專科學校	郝芸衫	民國廿四年十月	山東濟南城內舜廟街二號	醫藥兩界合辦
濟南國醫傳習所	施今墨	籌備中	山東濟南	
濟南國醫學校	何英 胡沛然	民國廿四年	山東濟南	附設於濟南國醫院
鄉村醫藥研究所	趙恕風	民國廿四年	山東沂水	
張垣國醫講習學校	瀧濟生 張耀東	民國廿四年	張垣	附設張垣中國醫院
江西國醫專修院	劉文江	民國廿二年九月	江西南昌市羅家塘	醫藥兩界合辦

試據上表而加以統計，則知中國現有之國醫學校爲三十九所，而其分佈區域則爲：

區域	校數	區域	校數	區域	校數	區域	校數	區域	校數	區域	校數	區域	校數
上海	三	河北	二	山東	四	江蘇	五	香港	一	張垣	一	浙江	二
湖北	二	江西	一	廣東	六	湖南	二	福建	七	廣西	一	四川	二

以今日社會經濟之如此困難，與中醫環境之如此惡劣，國醫教育機關，似當寥若晨星矣。但實際上，國醫學校叢佈

滿華中南北，以及英屬香港。近年以來，非惟不因西醫之攻擊破壞而稍衰滅；反駸駸焉有蒸蒸日上之勢，設非其治病効能超過西醫，更安能有如此發展之現況乎?!我國當局苟能將如許原有之國醫教育機關，加以監督和指導，則國醫學之發展和進步，當更非今日所能夢想也。

(五)國醫教育今後之展望

或曰：「子對國醫既抱如此之樂觀，則彼之倡言改進，主張國醫科學化者，豈非多事乎?!」曰：「子何不思乃爾?」世界凡百學術，莫不隨時代而進步，以適應人類生存之需要；醫學爲保持人類生命之學，更應力求進步，以圖將人類痛苦減輕至最低限度!中國醫學自仲景以下，爲不肖之徒高唱玄學，而國醫之眞理反被淹沒。且歷代醫家之思想，咸爲五運六氣之說所籠罩，鮮有超越之見解，以致醫學永久停留於中古時期之階段，不能隨時代以俱進，良可痛恨也!今欲使世界人士認識中國醫學之眞相，承認中國醫學之價值，首當以科學方法研究而整理之。然欲求此理想之實現，必先改善現有之國醫教育機關，以造成能擔負此種工作之人材；至於改善之途徑，不外下列數點：

(一)統一課程標準——統觀全國國醫學校，因無統一之課程標準，皆各自爲政，守舊者以內經難經爲課程之基本，維新者雖兼授近代生理學、病理學、解剖學諸科，然亦新舊厖雜，而不注意新舊之融化。且中國醫學除仲景派與葉吳派之二大分歧之外，又有所謂劉李朱張各家之分。一校之中，今日注重傷寒金匱，明日注重溫病條辨，時病論，常隨教員之進退而改變其教學之方針。徒令學者目光撩亂，無所適從；對於學術之進展，實爲重大之阻礙。爲今之計，宜由政府集合全國醫學專家，釐定國醫學校課程標準草案，責成各校認眞試驗，詳細具報。然後根據各校試驗之結果，確定最適當之課程標準，頒佈全國醫校一律遵行。

(二)統一學制——綜觀各地國醫學校，畢業年限至不一致，有長至五年四年，有三年二年；最短者甚至半年或三個月，而其學校之名稱亦至不統一：或稱學院，或稱學校，或稱學社，或稱傳習所，或稱研究所，光怪陸離，無奇不有，此實大非國醫前途之好現象。查西醫學校之畢業年限，教部已予規定：凡大學醫學院或獨立醫學院，造就培養人材為宗旨者，為六年畢業；醫藥專科學校，以造就實用人材為目的者，其修業期間為四年，同時教育部且定有大學醫學院及醫科學校暫行課目表，通令各校一律試行。吾以為國醫學校似亦應由國醫中樞當局統一學制，規定課目，明令全國醫校實行，方足以免去上列之怪現象，予人以『有關國家體面』等口實。在當局未有明令規定之今日，試將本校之暫行課目表介紹如下，以供全國醫校同仁之參攷：

蘇州國醫學校暫行課目表

(壹) 說明

1. 本校因切望中樞當局之明令頒佈課程標準，故於本課目表上加「暫行」二字。
2. 基本學科如生理學病理學解剖學等，完全採用西醫用書，兼聘請醫科大學畢業之西醫擔任教課。
3. 藥物學係以中醫之經驗記載為經，西醫之研究報告為緯，再加以實地試驗之混合教學。
4. 國文教學在第一二年，以培養學生讀古醫書之能力為目標，第二年起則注重發表思想技能之養成。
5. 當此國家多難，民族垂危之際，本校為應付當前之需要起見，特添設戰地救護學一科；以非臨時，故不列入課目表內。

6. 體育科係包括國術訓練與軍事訓練二種。

（貳） 各學年課目時數分配表

第一學年

課目	時數
黨義	36小時
德育	36小時
體育	72小時
國文	324小時
外國文	36小時
生理學	72小時
化學	72小時
細菌學	36小時
衛生學	36小時
醫學常識	180小時
醫經學	108小時
醫史學	36小時
病理學	72小時
藥物學	144小時
方劑學	36小時
共計	1296小時

第二學年

課目	時數
黨義	36小時
德育	36小時
體育	72小時
國文	216小時
外國文	36小時
解剖學	72小時
醫經學	108小時
診斷學	72小時
藥物學	144小時
方劑學	108小時
治療學	72小時
內科學	324小時
共計	1296小時

第三學年

課目	時數
體育（軍事訓練）	12小時
藥物學	108小時
方劑學	72小時
醫案學	72小時
內科學	108小時
內科臨證實習	162小時
女科學	72小時
女科臨證實習	162小時
兒科學	72小時
兒科臨證實習	162小時
外科學	72小時
外科臨證實習	162小時
共計	1296小時

第四學年

課目	時數
內科臨診實習（門診、出診）	270小時
女科臨證實習	270小時
兒科臨證實習	270小時
外科臨證實習	270小時
參觀	216小時
共計	1296小時

附註：

1. 本表係依據修正學校學年學期及休假日期規程，除紀念假外，每學期以十八星期，每星期36小時計算。四年共爲5184小時。
2. 本表各課目之時間，係包括考試時間在內。
3. 本校暑期作業，另有課目表規定，於放假之前一日發給學生。

（三）編輯教本——教育以適應時代潮流合乎社會需要爲原則，以今日中國情形言：國民科學思想與技能之養成，實較任何要求更爲迫切。以攸關人類生命之醫學，至二十世紀之今日，猶高談玄學，滿紙陰陽五行，無怪教育當局見之而趨避，青年學生對之而唾棄也。故爲發揚或改進國醫計，必先使各地國醫學校所用之教本，徹底科學化；使已有基本科學知識之青年，由能認識國醫之眞價值，進而研究國醫學，則中國國醫教育之發展，當更十倍百倍於今日也。惟編輯教本本非易事，今欲脫離數千年習慣已深之陰陽五行學說而著書立論，則工作之艱苦，自在意中，決非少數之經濟與平庸之人材所能竣事也。本校校長王慎軒先生嘗謂：『當仿前清科舉考試之辦法，逐級遴選眞才，使其供職國立中醫研究院，會合學識高超之西醫共同對於中國醫學加以澈底之研究與整理，並主編是項國醫教本，由政府通令全國國醫學校一律採用。』此種主張果能實現，則國醫之改進庶有可靠之希望矣。

(四)造就師資——抱閉關主義故步自封之國醫份子，不知何爲科學？雖當今日中西醫互爭消長之際，國醫之高談科學者亦大有人在，然皆一知半解之流耳！所以目前之國醫學校，欲求有科學素養之教師已屬甚難；如欲求科學知識醫學學識均稱上乘而兼懂教學法者，則可謂絕無僅有也。爲今之計，宜倣最近創辦之江蘇省立醫政學院衛生訓練班辦法，設一師資訓練班，考取學識經驗俱頗豐富之青年中醫，授以生理、解剖、病理、化學、診斷……等基礎學術；同時授以教學法，養成一完全之師資，俾畢業以後，派赴各校服務，則庶幾與上述新纂之教本相得益彰矣。

(五)發展藥學教育——全國三十九所中醫學校中，僅一所爲藥學教育機關，可見國人不重視藥學之一斑。實則中國醫學之精華，還在中國藥物之有効，外國醫藥專家，早知中國藥物之可貴，正在加以研究，而我國高唱「保存國粹」之中醫，反不注意本國藥物，豈非可笑？故今後藥學專校之設立，似亦應與醫學專校並重也。

(六)作者的聲明與希望

上述中國國醫學校現況與改進計劃，前者因事前無暇作確實之調查，錯誤與遺漏，自所難免；後者則僅言犖犖大者，且語多略而不詳，作者甚望同道中有人能更起而討論國醫教育之問題！

擁護科學的醫學

——不是爲腐敗的西醫保鑣——

麗生

本篇係編者偶然發現於業已停刊之王陵平先生所主編之讀書顧問雜誌中，作者麗生君究屬如何樣人？編者完全莫明其妙。但王陵平先生爲一精通社會科學的文學家，而王先生所主編之讀書顧問，又爲當時權威的刊物，足以左右青年人之思想！麗生君這篇「快人說快話」的文章，沒有一句話，不是根據事實而說的，足爲今日擁護西醫反對國醫者之當頭棒喝！王先生把它發表在讀書顧問上的原因，大概也是爲了這一點。編者覺得讀書顧問雖已明日黃花，而本篇却依舊沒有失去時間性，所以把它轉載於本誌。

在天津大公報八月五日的「星期論文」欄，有傅孟真先生的一篇拚命毀滅國醫擁護西醫的大文，大概讀着這篇大文的人，都不免發生一點感想。

傅先生是站在科學的立場說話的：西醫是科學的，國醫是反科學的，這是傅先生所根據着批評國醫和西醫的標準。

但，事實上中國人還是信仰國醫的多，因此就不免引起傅先生一肚子的牢騷，痛罵自己的同胞，是劣等民族，不開化的人種。

老實！我也是被傅先生列入於不開化的劣等人種之一，因爲事實逼着我，我萬一生了病，仍不免乞憐于被傅先生所深惡痛絕的中醫那種玄之又玄的中醫當然是沒有寒暑表測量人體的溫度，不會打六〇六，也沒有包醫百病的金鷄納霜。的確是不容易使深受科學洗禮的傅先生能夠表示絲厘毫忽的信仰，但別人我不知道，即以小區區而論，未嘗不和傅先生一樣，一有了感冒，就先去求救於西醫的門庭，結果除丟了些號金醫藥費等以外，從來就沒有治好我的感冒；仍舊是爲傅先生所痛罵的國醫救了我，國醫就算是萬惡，可是我不能抹殺了他們救我的恩典。

去年南京中央黨部一位職員的小孩子，誤吞了一粒花生米，求救於一家著名的醫院，那位受過科學洗禮的西醫，就把小孩倒懸着，提着兩條小腿，像鞦韆似的盪了十幾下；不算，對準着柔軟的小腹用力捶了四五下，把孩子活活地打死了！而一粒花生米還塞在喉管裏。最近劉半農先生因水土不服的緣故，發生了一點皮膚病。像這種病是很普通很平常，決不至於失掉了寶貴的生命的，可是劉先生（劉半農先生爲國立北平大學教授，亦爲熱心提倡中國文化運動之先進者，於去年患皮膚病（？）就醫於某西醫而逝世，與最近新聞學家戈公振先生之死同爲中國學術界之一大損失，全國人士莫不深爲惋惜焉！）是死了。我的朋友曹麗明先生在美國偶爾傷了一點風，那位賢明的外國醫生就用天然冰裹着曹先生的全身。曹先生忍受不住，毫無理由地犧牲了。一粒花生米、皮膚病、傷風，在傅先生所痛罵的國醫的眼光裏，將是多麼一件無足輕重的事；可是，都在傅先生所謳功頌德的西醫刀斧下被損壞了生命！

要舉出這樣的例，眞是舉不盡許多，恐怕大多數的中國人，誰都可以在他們的經驗裏回憶出同樣的事實的。在此刻較有頭腦的中國人，雖不會是同傅先生那樣自命爲受科學洗禮的，但我可斷言，決沒有這樣的糊塗蟲，公然反對科學的。不過，在中國有些受過科學洗禮的西醫是不是懂得科學？眞是疑問。我們決不能承認那些開醫院的商人，以及招牌上標明是西醫的人，就當他們都是懂得科學的。一個愚妄的西醫，決不比一個愚妄的中醫更好一些。現在，中國有的是西醫他們不能在自己的學業上經驗上和國醫爭勝，博取民衆的信仰，徒由傅先生出來替他們保鑣，是毫無用的。在一切疑難病症西醫往往束手無策而中醫著手成春的環境下，試問將有什麼法子轉移民衆的信仰？又有什麼權力禁止國醫的存在？傅先生想來不至於得西醫的賄罷？不然，何以他的一對貴眼，祇覷見中醫的沒落，而不會發覺西醫的腐敗呢！

現在，配稱爲中國的青年，總得要把「提倡科學」掛在嘴邊，作爲自炫其新的商標的。至於怎樣提倡科學？是絕對不問的。可憐，有些人就因爲自炫其新以及要掛着新的商標的緣故，甚至上了殺身的大當，而不自知，自知而不好意思言明，像傅先生那樣，不過是其中的一種罷了！

傅先生在他那篇大文的最後結語說：「如果我害了病，決不求救中醫。」這是傅先生要表明他擁護西醫的決心。至於小區區很老實，在此刻，決不願意爲着要維持一塊「提倡科學」的假商標，　這就是說，我萬一再有了感冒之類，至少就在此刻，我決不求救於中國人所謂西醫的。

不過，我是多麼熱忱地期待着科學的醫學發揚光大呵！

文獻研究

女科醫籍攷（續）

張又良

婦人雜證一卷，明周愼齋撰，全書寥寥數十條，賅括經水、胎產等七門；其簡陋闕略，女科書無過於是者！論『四物湯治血之有餘，不治血之不足。』尤屬不經！惟於方論之末，附以驗案，頗足以啓悟後學也。

女科輯要二卷，清沈堯封輯，素無刊本，錢塘王孟英得之，於乃岳徐虹橋家，因加評按，刻入於潛齋醫學叢書中；其論證簡而明，其采方約而精，較之泛集古人空論使讀者無下眼處者，不可以道里計也。

女科折衷纂要一卷，清吳興凌嘉六輯，論病以陳自明大全良方爲主，治法則十九采自薛立齋，蓋取婦人良方諸論，選錄而類次之，所以便初學者之遵循也。

女科要旨四卷，清長樂陳修園著，陳氏性好古，務深遠，謂『仲景後無書可讀。』故說理立法，皆不離經旨；首卷據本草經之文，以闢女科肆用丹參、益母、首烏、鬱金之謬，頗足以匡救時弊。假金匱麥門冬湯治逆經，尤非學佪心細者，不克悟此。惟全書所錄，多出金匱婦人篇。近世常用之輕靈方，概不采用，則未免有泥古之弊矣。

產科心法二卷，清乾隆汪樸齋著，向鮮刻本流傳。光緒間，有無錫周吉人者，始得之於其戚王承烈處；至民十三，復增入周氏經驗方百餘通而梓之，於是流傳遂廣。上卷胎前門諸治法，浮泛雜亂，頗多可議之處。種子法引古人『落花滿地是佳期』之句，而創經未淨時，合之有子之論，尤屬荒謬。惟下卷產後篇采方頗多穩切，又刻刻以顧慮爲主，堪爲學者之準繩。辨大全良方，治產後中風，用小續命湯之誤，裨益坤元，亦非淺鮮。

女科切要八卷，清海虞吳道源輯，書分調經、胎前、產後三大類。產後一篇，條理尚清，治法亦妥切；惟調經諸論，重複雜出，選擇似欠斟酌；妊娠一門，闕略不備，尤爲可惜。

女科經綸八卷，爲清初蕭賡六所纂，上自素靈，下迄喻武，凡各家女科名論，多彙集於斯。雖不錄方附治，然學者一卷在手，可免翻閱搜索之苦，亦女科參考書中之善本也。

婦科玉尺六卷，清無錫沈金鰲撰，分求嗣、胎前、臨產、產後、崩漏、帶下、雜病九門。每門之首，先列證治大法，次選各家名論附於後，以補所述之不足，言簡意賅，條理井然。較之王肯堂之準繩，武之望之綱目，專務其博，不究其精者，實過之無不及也。

婦人雜症一卷，萍鄉文叔來輯。文氏爲何代人不可攷。?惟書中多引清人語，又出於陳氏醫學叢書中，則文氏必清人也。全書所錄十九出陳遠公辨證錄。又謂：『經非血也，乃天一之水，出自腎中』，尤屬膚淺之談，不足爲訓。

產孕集二卷，清陽湖張曜孫著，採摭古今方論，參以己見，集爲十三篇，合孫子兵法之數。第一曰辨孕，明陰陽之生長，別胎孕之疑似，語多空泛，不落邊際。第二曰養孕，其文出徐之才逐月養胎方；第三曰孕宜，謂『人有清、濁、厚、薄之異。智、愚、壽、惡、之殊，揆其所始，皆由祖氣。』『故妊子之時，必慎所感。』蓋胎教也；第四曰孕忌，述妊娠攝生之道，千金食忌亦錄之；第五曰孕疾，論胎前病之治法；第六曰辨產，以斷分娩之眞假；第七曰產戒，指示臨產之措置；第八曰用藥，辨產時用藥之宜忌；第九曰應變，論橫逆礙產之原因及救治法；第十曰調攝，列舉新產去瘀補血之法，尙稱完善；第十一曰懷嬰，論胎兒之保攝及兒病之調護法。第十二曰去疾，凡產後雜病皆屬之。（待續）

周禮醫師篇闡注

漢 鄭 元注
古吳 陳丹華闡注

醫師，上士二人，下士四人，府二人，史二人，徒二十人。

〔注〕醫師衆醫之長，醫意其反。

〔闡注〕周公作周禮，天官冢宰其屬醫師，有上士下士府史各若干人，爲之分其職，制其食，稽其事，其重醫官何如也。由周以來，後漢百官志太醫令一人，六百石。五代有翰林醫官使，宋制翰林醫官使副各二人；明仿儒學之制，置醫官，謂之醫學府，正科一人，州典科一人，縣訓科一人；清代尙沿其例。是則中醫在歷史上早有地位。民國廢其制，另設衛生科掌理醫政。當時歐風東漸，西醫矜炫科學之奇異，倡行神州，幾使數千年先賢從心血經驗所造成之醫學文化，成廣陵散。政府卽以衛生行政一切事宜，均畀之於西醫；而中醫竟抱向隅之憾，歷代所獲地位，盡傾覆於斯時。然中醫之所以被擯棄，非政府之厚彼而獨我薄也。由於學理之晦暗，病名之不一，有以致之。卽如傷寒與溫病之爭，亙數百載而不能闡明其眞理，同道醫師掌醫之政令，聚毒藥以供醫事。

〔注〕毒藥，藥之辛苦者。藥之物恆多毒，孟子曰：「若藥不瞑眩，厥疾不瘳。」

〔闡注〕醫師，醫官也，故掌醫之政令。毒藥者，藥入動物體中，以其固有之化學性質，能使動物之機能，驟起急劇之變化，足以消滅病理之變態，恢復生理之常態者也。注言毒藥，藥之辛苦者，未盡然也。蓋若生薑，苦參，雖辛苦而無毒。但有毒者，味多辛苦耳。夫治病用毒藥，則病毒受藥力之攻擊，而外遁，人體生活機能，回復常態，而病愈。若恐其毒之刺激，而畏用，則病毒留戀不去，病候經過延長，必致誘起餘症，重則毒深而亡。陳修園云：「凡攻邪以袪病，多取毒藥……素問謂：以毒藥攻邪，是回生妙手。後人立補養等法，是模稜巧術，究竟攻其邪而正氣復，是攻之卽所以補之也。」其說亦有卓見。然毒藥力猛性烈，常易釀成副中毒之害，故醫者用之，務必研究其配劑法，與斟酌其用量也。近世畏其難，俱宗雷斅之謬說，關於有毒藥物，必須浸去精素，專服糟粕，以爲炮製道地。與彼西藥之提出精素，棄去糟粕，適成反比例，其功效之懸殊，不可以道里計矣。夫吾國藥物，周代已由國家管理，故言聚毒藥以供醫事，及秦代醫藥事業，已操於方士之手，其眞僞炮製，配合方法，國家絕不過問，醫家由是隔膜，往往方良藥劣，難求療病之功，因此僨事者，不知凡幾。但社會人士，不責藥物之劣，反譏藥物出產之豐富，果能詳細研究，定有裨於治療也。

凡邦之有疾病者，疕瘍者，造焉，則使醫分而治之。

〔注〕疕，頭瘍，亦謂禿也。身傷曰瘍，分之者，醫各有能。

〔簡注〕疕音匕，說文同。博雅，疕，痂也。瘍，集韻，一曰創瘍，左傳襄公十九年，荀偃癉疽生瘍於頭，疏頭創也。曲禮，身有瘍，則浴。注言身傷曰瘍，此疕專在頭，瘍兼在身也。造焉者，云民之有疾病者，及患疕瘍者，皆來求治於醫師也。周分醫學為疾醫，食醫，瘍醫，獸醫四科。故醫師各使專科之醫分而治之，疾醫，瘍醫，猶今之內科外科也。（未完）

補白

春深矣！園中百卉競榮，紅紫相映，繽紛五色，而亭亭素潔，如好女淡抹者；非梅非李，是為白桃。周南稱：「灼灼其華，」濔雅乃爾！和漢名銷恨客者；游春人當為之低徊。蘇恭謂：「白桃花消腫下氣。」綱目謂：「利宿水，痰飲，積滯，治風狂，瘡瘍。」皇漢醫學載：桃花大黃湯註：「須新鮮白桃花，」則紅者僅供賞玩，白者始入藥籠也。夫白桃花豁痰，祛積，功在峻下，而仲景治少陰下利之桃花湯，功在補澀。以桃花名湯者；赤石脂又名桃花石故耳！和濟治冷痢用桃花丸可覩也。有云：「仲景桃花湯中應有桃花，」殊不可從！

周白强

醫學研究

神經系病（續）

傅晚香

（一）中風（腦出血）（腦充血）（續）

建瓴湯　治腦充血並預防腦出血。

生懷山藥一兩　生懷牛膝一兩　生赭石八錢軋細　生龍骨六錢搗細　生牡蠣六錢搗細　生地黃六錢

生杭芍四錢　柏子仁四錢

磨取鐵鏽濃水，以之煎藥。

方中赭石必一面點點有凸，一面點點有凹，生軋細用之方效。若大便不實者，去赭石，加建蓮子（去心）三錢，若畏涼者，以熟地易生地。

在天津治河北王姓叟，年過五旬，因頭疼口眼歪斜，求治於西人醫院，西人以表測其脈，言脈搏之力已達百六十度，斷為腦充血證。服其藥多日無效，繼求治於愚。其脈象結硬而大，知其果係腦部充血，治以建瓴湯，將赭石改用一兩，連服十餘劑，覺頭部清爽，口眼之歪斜亦愈，惟脈象仍未復常，復至西人醫院以表測脈，謂已較前低二十餘度矣。後囑其須服至脈象和平而後已。

編者按此方以治腦充血之血壓甚高者固已盡善盡美，以之預防腦出血，尤慮不足，拙見尚須加入含碘之品一二味，如海藻昆布之類使血管不至硬化，斯可矣！

（二）急慢驚風（單性腦膜炎）（結核性腦膜炎）

釋名——丁仲祜曰：「單性腦膜炎，卽急驚；結核性腦膜炎，卽慢驚。」王肯堂曰：「小兒急慢驚風，古稱陰陽癎。」張元素曰：「急驚者陽症也，俱腑受病；慢驚者陰症也，俱臟受病。」閻孝忠曰：「天吊亦驚風症也。」李士材曰：「小兒瘈瘲不定，翻眼戴睛，狀若神祟，頭目仰視，手足抽掣，如魚上吊，故曰天吊。」

述古——孫思邈曰：「乳養失調，氣血不和，風邪所中，病先身熱，掣瘲驚啼叫喚，而後發癎，脈浮者爲陽癎，病在六腑，外在肌膚，猶易治也，病先身冷，不驚掣，不啼呼，而病發時脈沈者，爲陰癎，病在五藏，內在骨髓，極難治也。」

急驚原因——錢仲陽曰：「小兒急驚，因聞大聲或大驚而發搐，搐止如故，此熱生於心。」金鑑以心主驚，肝主風，凡小兒心熱肝盛，一觸驚受風，則風火相搏，必作急驚之症也。西醫籍謂此症發於一歲乃至六七歲，常併發於諸急性熱病，又於新生齒期，或墜落打撲等之震盪腦髓，或近傍炎症之波及，或於腦有充血之傾向時，輒發此病。

急驚症候——錢仲陽曰「急驚者本因熱生于心，身熱而赤，口渴引飲，口中氣熱，大小便黃赤，熱甚則生風，劇則搐也。」

編者按後世有驚風八候：一曰搐，謂肘臂伸縮。二曰搦，謂十指開合。三曰掣，謂肩頭相撲。四曰顫，謂手足動搖。五曰反，謂身仰向後。六曰引，謂手若開弓。七曰竄，謂目直而似怒。八曰視，謂睛露而不活。編者以八症中第五症之身仰向後，卽所謂角弓反張：角弓反張，乃痙病（腦脊髓膜炎）之主症，似不應列入驚風條下。考錢氏直訣，並無此症，足見非是。惟第八症露睛，乃屬虛候，爲慢驚所獨有。以第七症已有目直似怒之實症，餘則皆急慢同見，虛實無所異也。

西醫籍謂：「此病常卒然而發，與結核性異，前驅僅啼哭，身體違和，嘔氣嘔吐。繼則稍呈痙攣，而頻頻驚愕，發熱三十九度至四十度。凡罹此病之小兒，頭骨顋門，有闕大腫起之傾向。」

急驚治法

——錢氏曰：「熱甚則生風，風屬肝，此陽盛陰虛也。故利驚丸主之，以除其痰熱，不可與巴豆及溫藥大下之，恐搐，虛熱不消也。」

金鑑曰：「觸異致驚者，清熱鎮驚湯，安神鎮驚丸主之。火鬱生風者，至寶丹主之。痰盛生驚者，牛黃丸攻下之。熱極生風者，涼膈散清解之。」

日醫渡邊熙嘗治一急性腦膜炎，以百分之一可溶性水銀一西西，爲筋肉注射，得甦生恢復之奇蹟。厥後研究和漢醫學，見皆以辰砂爲主劑，用之臨床，不亞於注射，始大嘆服漢醫。謂用漢法治此病：『現代醫學之視爲九死一生者，治之皆得非常之成績。』又曰：『和漢醫學之對於腦膜炎所起頭蓋內之內壓高者，有除去之法，西洋醫學則尙未能夢見此事實也。』頭蓋內之內壓高者，當前頭顋門之膨隆，法宜減退腦脊髓液，及除去頭蓋內壓，此於本病爲最緊要之方法也。時賢惲鐵樵曰：「患此病者，多兼肝腸，參用川連、膽草，苦以降之，收效極良，可於二十四小時內完全除去其病。」

編者按：歸納以上各法，得分爲三步治之：一曰除去頭蓋內壓，及減退腦脊髓液。二曰鎮靜、消炎、除痰。三曰弛緩腦神經。

一　除去頭蓋內壓方

紫圓 金千　治小兒變蒸發熱不解，幷挾傷寒，溫熱，汗後熱不歇，及腹有痰癖，哺乳不進，乳則吐哯，食癇，先寒後熱方。

赤石脂　代赭石各一兩　巴豆三十枚　杏仁五十枚

右四味為末，巴豆別研為膏，相和，更擣二千杵，當自相得。若硬，入少蜜同擣之，入密器中；一月兒服如麻子一丸，少與乳汁，令下食頃後，少與乳，勿令多，至日中當小下，熱除，若未全除，明旦更與一丸。百日兒服如小豆一丸，以此準量增減。夏月多熱，善令發疹，二三十日輒一服佳。紫圓無所不療，雖下不至虛人。

編者按：小兒百病，已經世界醫家公認皆由腸胃失序而起。此方能減退腦內壓之外，各種胃腸病，無不治之，實為小兒萬病藥。且胃腸失序，亦易發生類似驚風狀態，仲景陽明病有「神昏譫語，撮空摸床」之證，已可想見矣。

走馬湯 外臺（渡邊熙改定分量）

巴豆 焙褐色〇·一　杏仁 碎一·〇　水煎服（一歲量）

渡邊熙曰：「余於大正十二年有未滿一歲之兒罹急性腦膜炎，前頭顖門膨隆，頻於危篤，有腦之壓迫症狀，際此始遭試驗走馬湯之機會，得實驗內壓；即依所注意之分量，作走馬湯與之，無特別之峻下利，只得數回之軟便，翌日則認出顖門之膨隆減退，內壓之症狀亦去，幷無何等之危險，而達到腦內壓減退之目的，誠可喜也！」

大黃湯 金千　治少小風癇，積聚腹痛，二十五癇方。

大黃　人參　細辛　乾薑　當歸　甘皮各三銖

右六味，㕮咀，以水一升，煮取四合，分溫三服。

張石頑曰：「方下所治少小風癎，明是木邪內盛，乘尅中土，殊非外風襲入之謂。故於理中湯中除去白朮之滯，甘草之緩，但取參薑，參入細辛，以散內盛之風，當歸，以調紊亂之血，甘皮，以豁壅遏之痰，大黃，以滌固結之積，方中必藉人參大力，以鼓蕩練之威。此以孩提血氣未實，不勝病氣留連，雖宜大黃迅掃，必兼參薑溫散，可無傷中之虞。然此僅堪爲智者道，難使庸俗知也。」

編者按以上三方，現代學者，以能除去頭蓋內壓。考其理，亦不過調劑全身水分，或瀉去一部分水，使全身起水分救濟之作用，因之脊髓之水，易於吸收，腦部之症狀，得以輕快，然三方而外，合於以上原理者，何止十百，特以上三方，已爲前人所發現耳！作者嘗治一急驚症，與以小承氣湯，得効。曩時作者，尙未悟此理，以爲不可理解，當今思之，亦不過此理而已！（待續）

濕病原理

陸自量

內經以脾爲濕，脾者本指內臟具吸收作用之小腸而言。以其終年竟日，營浸潤吸收液體之工作，故亦曰：「脾主濕。」又曰：「諸濕腫滿，皆屬于脾。」意謂一切濕病，一切腫脹，皆屬脾病也。以其所患之病處，不限于腸之部份，而軀殼四肢皆有之，何以言之？因凡患諸腫脹滿，其必先緣小腸及淋巴管之吸收障礙，水份不得吸入腎臟爲尿，而適成爲腫滿病之因果。故所云諸濕腫滿者，以包括屬于水液性之諸腫滿，皆得屬脾，甚至以任何部份之吸收障礙，亦爲脾病也。又曰：「脾惡濕，」脾旣屬濕，與主濕而復曰惡濕，驟視之，似覺荒誕無稽，然而非也，脾之主濕，已如上述，顧脾一旦吸收障礙，則水液停滯而不去，其所現證候，則爲前之腫滿病，水液，國醫每謂之濕，今濕由脾病而起，得謂之脾惡濕。簡言之，因脾之工作，屬于濕的工作，故曰脾主濕。脾旣主濕，宜其吸收健全，設有時變壞其吸收能，致一切之腫滿病，故曰脾惡濕。江南土地肥沃，河道密布，氣候溫和，河水受日光之照射，蒸發于空中之水分亦較多，此江南多濕氣也。我人處于空氣中，本有相當之水液吸入，所以調濟體工之生理，名之曰飽和度；設飽和度有餘，反爲有害。如夏天熱甚，空氣中之水蒸汽充斥，飽和度過盛，呼吸困難，感覺滯重，食量減退，同時體工之一切吸收，致起障礙，時而大便溏薄，此卽所謂脾爲濕困，亦卽脾惡濕之原理也。明乎此，則宜其江南多濕病，長夏多濕證矣。

六淫與細菌

張世柏

比年以來，國人崇拜西洋物質文明之心理，牢不可破，凡百事物，以爲來自西洋者，必較中國固有者爲高尙，彼爲業務競爭之商人，亦利用國人心理之弱點，莫不以洋貨相號召，彼機器店之主人曰：「本號全是德國貨，價廉物精。」開設衣舖之主人曰：「本號所辦之衣料，選擇歐美優等之出品，衣服之形式，皆效紐約巴黎之時髦。」如此而宣傳者，以恕道批評之，實爲可笑，而又可悲！然商人智識淺薄，惟利是圖，情或可原！今乃自稱有高等智識之西醫，亦竟專以推銷西洋藥物爲能事，對固有之國醫國藥，不惜鼓其如簧之舌，大施攻擊，冀達消滅中醫之目的，不亦可恥而又可笑乎！夫西醫之所自詡者，爲彼能據細菌學以治病也，其所藉口以攻擊中醫者，以中醫之六淫氣化，渺茫無據也。實則中醫之以六氣爲病因，乃由經驗而產生之心得之言，決非對於中醫毫無研究之西醫所能明其奧蘊。余固非專持氣化之說，以否認細菌者流。然亦確認六淫爲細菌之母，而細菌非絕對之病原。茲請說明其理焉；夫六淫者，風，寒，暑，濕，燥，火是也，細菌者，極細微而非目所視之各類病菌是也，六淫與細菌，於病理上有相因之勢，無相離之理，六淫由空氣變化而產生，或隨天時而轉移，細菌得六氣而繁殖，隨空氣而飛揚，寄居於飲食，附着於器皿，人若起居不謹愼，飲食不留意，則細菌乘機而入，潛伏人體，一旦感受風，寒，暑，濕等氣，則身體驟然衰弱，體內之抗毒素亦因之減退，不但容易感受外來之細菌，即體內所潛伏之細菌，亦必乘機繁殖，大肆猖獗，而使人體起病理之變化焉。儻人體不受六氣之侵襲，無不適之感覺，則細胞活潑，抗毒之能力旺盛，雖或有細菌之存在，亦必能溶解其毒勢，阻止其蔓延，漸至撲滅其活力，決不能發揮其作用，而致吾人于死命也。是故治病之道，首重六氣，驅其風，寒，淸其濕，熱，或降其火，或潤其燥，使人體復生理之常態，細胞具抗毒之作用，則細菌豈足爲害哉！若徒以細菌爲絕對之病原，認殺菌爲治病之要訣，不據六氣以治病，則千萬種類之細菌，安得如許之特效藥，一一而撲滅之乎？吾知其必不可能也。歐醫沛氏之三因鼎立說：一，爲細菌襲入人之身體，二，爲氣候不適于人類之生活，而適于病菌之發育，三，爲人體不能抵禦疾病，凡此三者，成爲鼎立，缺一不能成病也。沛氏之言，與中醫之專據六氣以治療疾病之主張，可謂不謀而合也。吾國專以攻擊中國醫學爲能事之西醫，曷不三復斯言？

治痰飲之五大法

郁佩英

國醫所謂痰飲，乃人身非生理之液體也，無論五臟，六腑，四肢，百骸各處，凡有水液停留而爲患者，皆可謂之痰飲。如金匱曰：「身體疼重，謂之溢飲。」又曰：「病溢飲者，當發其汗。」是即可知古人之所謂痰飲者，實非專指口中咯出之痰而言也。故治痰飲之法，在外者可汗之，在內者可攻之，虛少實多者消之，虛多實少者補之，虛實夾雜者和之，依此五法，分別施治，則痰飲自可愈矣。茲特分述于左，以與同志商榷焉：

1汗法　仲師云：「病溢飲者，當發其汗，大青龍湯主之，小青龍湯亦主之。」又曰：「飲水流行，歸于四肢，當汗出而不汗出，身體疼重，謂之溢飲。」此緣外受風寒之刺激，以致汗腺閉塞，淋巴瘀滯，水液停留于四肢肌表之間，欲從汗腺外出而不得外出，反使壓迫末稍神經而爲體疼，阻礙運動神經而覺體重；當此之時，必用發汗之法，使其汗腺開發，水飲從汗而外出，則病自愈矣。若其人素有寒飲，而兼心下有水氣者，宜于發汗劑中加細辛、乾薑等溫化寒飲之品，當以小青龍湯主之。若其人素有內熱，而兼心煩之症者，宜發汗劑中加石膏等清解內熱之藥，當以大青龍湯主之。此以汗法治痰飲者也。

附方

一、小青龍湯　麻黃（去節）　桂枝　芍藥　甘草　五味　乾薑　細辛　半夏

二、大青龍湯　麻黃　桂枝　杏仁　甘草　生薑　大棗　石膏

2下法　痰飲停積于胸膈，肺胃之間而爲咳喘，痞滿脅下滿痛，大便閉結者，急宜下之。仲景以「咳而脅下痛，脈沉弦者，謂之懸飲，宜十棗湯下之。欬逆倚息不得臥，其形如腫，謂之支飲，如胸滿甚者，宜厚樸大黃湯下之。喘息甚者，宜葶藶大棗瀉肺湯下之。」此猶溝渠淤塞，久則倒流逆上，汚濁臭穢，無所不有，必須決去之，故當下也。後世之控涎丹，亦即從十

棗湯脫胎而出，改湯爲丸，取其丸以緩攻，攻痰而不傷正氣也。然痰有寒痰、熱痰之分，十棗、控涎俱用甘遂、大戟等辛熱之藥，宜于攻治寒飲，厚朴大黃葶藶大棗，兼用大黃、葶藶等苦寒之品，宜于攻治熱痰，後世之礞石滾痰丸亦爲攻治熱痰之劑，臨證者，宜分別投之。

附方

一、十棗湯　芫花　甘遂　大戟　大棗

二、厚樸大黃湯　厚樸　大黃　枳實

三、葶藶大棗瀉肺湯　葶藶　大棗

四、控涎丹　甘遂　大戟　白芥子

五、礞石滾痰丸　青礞石（焰硝煅）　沉香　大黃（酒蒸）　黃芩

3 消法　痰飲停留于胸腹腸胃之間，雖有而未多，雖多而未固者，不可遽用攻下之藥，但宜消導而已。惟消導之法，有溫化，清化之異；寒痰宜用二陳湯青州白丸子等溫化之，熱痰宜用潔古小黃丸聖濟千金散清化之。蓋因此類之藥，功能稀薄其稠黏之痰飲，減少其分泌之液體，而治熱痰者尤兼消炎退熱之功，皆能使其痰飲消化于無形者也。

附方

一、二陳湯　半夏（薑製）　橘紅　茯苓　甘草（炙）

二、青州白丸子　半夏　南星　白附子　川烏

三、潔古小黃丸　南星　半夏　黃芩

四、聖濟千金散　半夏（薑汁製）　蛤粉　甘草　凝水石（煅）

4 和法　仲師曰「病痰飲者，當以溫藥和之。」又曰「心下有痰飲，胸脅支滿，目眩，苓桂朮甘湯主之。」此先聖治痰飲之用和法者也。尤在涇曰「始因虛而生痰，繼因痰而成實，補之則痰益固，攻之則正不支，惟寓攻于補，庶正復而痰不滋。或寓補于攻，斯痰去而正無損，如六君子湯，以四君益氣，二陳化痰，是寓攻于補也。橘皮湯，以二陳為主，佐入諸藥開泄氣分，止一味人參補氣，所謂寓補于攻也。」是謂和法，此後賢治痰飲之用和法者也。大抵和法者，一方面用溫性健胃之藥，強健其消化吸收之力，使其痰不自生也。一方面用辛化淡滲之藥，滲化其病理分泌之物，使其痰能自化也。

附方

一、苓桂朮甘湯　茯苓　桂枝　白朮　甘草

二、六君子湯　人參　白朮　茯苓　甘草　陳皮　半夏

三、橘皮湯　半夏（製）　茯苓　陳皮　細辛　青皮　桔梗　枳殼　甘草　人參　旋覆花（包）

5 補法　古有補脾補腎以治痰飲之法，謂痰即水也，其本在腎，痰即液也，其本在脾，補脾宜四君子湯，補腎宜腎氣丸，蓋以四君子湯，強健其腸胃之吸收作用，以腎氣丸增進其腎臟之濾尿機能，則水液不致停留而為痰飲，確為治療痰飲之根本辦法也。惟必須恙延已久，證見虛象，或已經峻藥攻下，而病根未除者，方可酌投補脾、補腎之劑。大抵兼患食少、便溏之消化器衰弱症者，宜補脾。兼患腰痠、溲少之泌尿器虛弱症者，宜補腎。兩者當分別投之，不可混也。

附方

一、四君子湯　人參　白朮　茯苓　甘草

二、腎氣丸　乾地黃　山藥　山茱萸　澤瀉　丹皮　茯苓　桂枝　附子

治肺癆宜注重脾胃說

吳明之

癆之爲義不一，五臟皆有，惟肺癆一症，患之者衆，善治者鮮，其毒極狠，其禍極酷，乘人於不備，刼人于非命，誠人類之憾事也。肺癆之原因，或由於思想過甚，或由於縱慾無度，漸至精力憔悴，體工無由抵敵，授癆菌以侵襲之機所致，此固詳載於方書，毋庸予之繁贅矣。惟尙有不能已於言者：肺癆本非絕對不治之症，而多數患者之不能得救者，實半由自己調養方法之失當，半由醫者危詞之駭人，及藥不對症所致也。明每覩時醫處方，於癆病未成，僅見咳嗆痰血等症，其方未必書損怯之症，治頗棘手。若稍涉喘汗煩熱等虛象，則必疾首蹙額曰「病入膏肓，治療已晚，勉擬一方，以盡人事」。嗚呼！病者見之，其不因憂懼終日，而增劇其病勢者幾希矣！且若輩所處之方，類皆頭痛醫頭，脚痛醫脚，舍本逐末之法，非用前胡、半夏、祛風化痰，即用沙參、阿膠，補肺滋陰。殊不知用滋膩之藥，足以礙其胃，用化痰之藥，適以竭其津，因之而胃口不佳，營養缺乏，體漸羸弱，而陷于不救者，比比皆是也。至於西醫之治癆，亦專用魚肝油、帕勒托等滋膩腥臭之品，或偏重鈣劑（石灰質）療法。以謂肝油滋補體素，能增加抗毒力，鈣在肺中，能包圍細菌，不致蔓延。但肝油不宜於脾胃虛弱之患者，鈣質久服，易致咳嗆不爽，新陳代謝遲鈍，與中醫之專用宣化滋養之法，有同樣之弊也。即彼之打針，及照太陽燈，及氣胸術等在治療

上亦無極大功效，不過聊爲塞責而已。然則合理之治療，果何如乎？余可一言以蔽之曰：「治肺癆首當注重脾胃爲要也。」蓋脾胃爲後天之本，脾胃健全則胃液中之鹽酸及酵素充足，能消化蛋白質爲配布頓（Peptones）復入小腸，經腸液之分解而爲亞明酸（Aminoacid）以浸潤組織，營養百骸。而脾臟則爲製造白血球（White Corpuscle）之機關，白血球能別離血管，巡遊各組織，如某部感受創傷，病菌因此侵入，白血球感受刺激，即別離血管，逕至病竈，吞食細菌，使其不足爲患。又赤血球（Red Corpuscle）缺乏時，白血球有生赤血球之能力，故先培補脾胃，強健其消化機能，然後再投以滋補之劑，則人體營養佳良，血液中之白血球增多，身體之抗毒力强，自能戰勝一切細菌，以恢復其健康。先哲云：「土爲萬物之母，土强則生氣勃勃矣。」殆此之謂歟！若夫病久之人，癆菌蔓延，致成便溏、食減之腸結核症（即肺病傳脾）則調理脾胃，尤爲重要。蓋脾胃一損，則營養之來源斷絕，細胞對於細菌之抵抗力日漸減退，患者之生命，鮮有不爲細菌所吞滅者。故曰：「土旺則金生，勿拘拘於保肺。」內經謂：「陰陽形氣俱不足者，調以甘藥。」學者苟能融貫此意，不難撥雲霧而重見天日也。至於具體之方法，明嘗檢閱方書，以補肺而不礙胃，祛痰而不傷津者，莫如山藥、苡仁、白朮、茯苓、甘草之類也。而金匱中之薯蕷丸、小建中湯，尤屬可法。蓋一則以薯蕷爲君，一則以甘藥建中。薯蕷味甘性平，內含多量之蛋白質及澱粉，讃新（Mucin）等成分，補而不膩，不礙消化，有助腸胃四週吸收管之作用。而建中則以飴糖爲君，飴糖甘溫，有增加血中之糖質，補充血液，誠爲健脾補血之良方也。夫脾胃既能營其消化作用，則體內養分不致缺乏，細胞能發揮抗毒之力量，雖頑固之肺癆症，亦不患無治癒之希望矣！管窺之見，未識高明以爲然否？

消渴淺說

韓慕康

聖濟總錄有云：「渴而多飲，小便數，有脂似麩而甜，爲消渴，」內經奇病論云：「肥者令人內熱，甘者令人中滿，故其氣上溢，轉爲消渴，」然此病不外嗜慾不節，喜怒不愼，或耗神過度，或病後血衰，或膏粱炮炙，酒酪湩乳，致腸胃乾涸，氣不宣平，溼熱之氣，浸淫燔灼，鬱成燥熱結聚所致。其中又有上中下三消之殊：在上消，口渴消水，胃間津液，不能上榮舌本。在中消，消穀易，因所食之物，隨火而化，善飢善渴，每能食多瘦，小便頻數。在下消，口渴，小便如膏，乃燥熱並于腸胃，故口渴而飲水，腿消瘦而溺有脂液。其飲一溲一者，乃上消症，病輕，尚可治。飲一溲二者，乃下消症，病重，難治。華陀曰：「消渴者，乃冒風衝熱，飢飽失節，飲酒過度，嗜欲傷神，久而積成，使之然也」及觀近代新學說；謂消渴即糖尿病，係因遺傳胖病，飲麥酒過度，坐食粉類及甘物，吸煙，精神過勞，梅毒，頭部外傷，腦疾患，胰疾患；蓋胰臟中之郎罕氏本能分泌特種刺戟素，名曰島素，與身體中炭水化合物之代謝作用，甚有關係，今該部機能喪失，故生糖尿病矣。其症狀爲咽頭乾燥，飢渴，排尿過多，夜間特甚，尿色澄清如水，含多量之糖分，比重爲一〇二五至一〇四五或以上，有菓物香氣。其他倦怠，頭痛，不眠，皮膚乾燥，搔痒，易生癤癰，色慾消失，白內障，網膜炎，視神經消耗，膝蓋反射，往往消失，有時唾液呈酸性而生齲齒，便祕，男子生陰萎，及淋疾樣疼痛，婦人則流產，及陰門瘙痒症，有與肺結核併發者，呼氣間有蘋菓香。由此觀之，消渴一症，（糖尿病）概可審旃！

藥學研究

藥物實驗錄（續）

周禹錫

金豆子

異名　朝天子　金蟲豆　夜合豆　金花豹子

產地　隨地皆產，在清明時間佈種，以土質肥沃之地爲適宜。

形態　苗高二尺許，葉如槐而稍大入暮而合故名夜合。花如梅而黃，嗅之微馨，秋時結莢，密起橫稜，形如蟲微黃故名金蟲。莢均上指，故名朝天子色黃綠，似綠豆而扁小，故名金豆。

性質　甘淡平無毒。

功效　利咽喉，治疔癰，消腫，開痰，退毒。　按本草綱目拾遺趙學敏云「金豆子治疔腫如神，葉治腫毒」其能治咽喉腫痛腐爛諸症者，乃後人試驗得來；昔會稽喉科專家，祖傳方藥，歷效不爽，祕不告人，有虞人嘗隔窗窺見其研此豆於鐵軋中，時正此草結莢成熟之時，幷適逢此草植於該醫庭中，爰密採其莢回里，試之頗效，因此播種，徧贈親友，皆屢驗。余臨症以來，凡遇喉痧、喉風、白喉、外感、內傷、傳染各種喉症，無論初起、未潰、已潰，均用之，與其他對症藥合劑入煎，皆應手奏效，眞喉症之特效藥也！

成分　未詳，俟化學專家化驗證明之。

用量　三錢至六錢，入煎劑須軋爲粗末，因此物極堅硬而不易擣碎也。

禁忌　忌久煎，宜輕煎數沸，入煎劑須後下。

附錄　傅濟菴草花訣云：「金豆子開黃花，子如綠豆，入滾茶，味淸香，既可作飲，則爲服食之品可知，宜乎各種喉症，無論寒熱，皆可選用也。且單用能除痰，止渴，令人不睡，其能淸醒神經、宣氣、充津、可知也。其能利咽喉、治疔癰者，殆輕揚化毒之功，以輕淡勝之乎？」博雅君子，倘祈賜教，推闡而發揮之，則幸甚矣！

注意　同道中欲求此種子者，須附郵票一角，寄交四川隆昌東街拯瘼軒，鄙人收函到，即寄空函恕不作復。禹錫附啓。

麻黃和石膏之醫療作用（續）

袁雲瑞

2 石膏　化學實驗新本草謂「石膏無功用，西國皆不入藥品」。而我國醫則自古已用爲解熱、止渴之聖藥。觀乎仲景治陽明熱症有白虎湯之方，余師愚治表裏俱熱口渴，心煩等證，有淸瘟敗毒散之劑，皆重用石膏，而於治療上亦爲要藥也。近經藥學家之發明，謂石膏主要成分爲含水硫酸鈣，西醫因而試用，始確信有消炎等功效。然孰知我國醫之應用，已有數千年之歷史矣。今考石膏成分之藥理作用，與國醫之能解熱、止渴等說，誠屬針鋒相對，無不合理者，乃由是而益信我國醫之固有學說，確有不可磨滅之價值在也。玆述之如下：

甲、解熱作用

石膏爲治陽明熱症之主藥也。欲知石膏所以解熱之藥理作用，須先明陽明症致熱之病理機轉，欲明陽明症致熱之病理機轉，首當瞭解體溫之生理常態；健康人之體溫，以攝氏表三十七度爲標準，過高者爲熱，不足者爲寒。溫度之產生，由于新陳代謝之作用，與血液淋巴之流行；肌肉筋骨之運動，此之謂造溫機能，體溫之去路，乃從汗液之排泄，與呼吸之更換，小便之通利，此之謂放溫機能。造溫機能與放溫機能互相調節，則體溫可以保持其生理之常態。苟二者不能互相調節，則體溫遂有高下之變，疾病由是而生矣。陽明病之熱者，因造溫機能亢盛之極，放溫機能雖竭盡其職，而猶不克敵體溫之來源，致有大熱大渴汗出譫語等現狀，即傷寒論所謂陽明白虎證也。然造溫機能所以亢盛者，良由司造溫之中樞神經，受新陳代謝賸餘酸性物質之刺激，而起興奮故耳！仲景主以白虎湯者，因白虎湯之主藥爲石膏；石膏之成分爲硫酸鈣含水結晶體，具中和酸性反應之作用，能排除造溫中樞興奮之刺激物，而獲制止造溫機能亢盛之功效也。夫造溫機能之亢盛既衰，則陽明熱病之根原已除，雖體溫之高達百度，身熱之勢若燔蒸，安有不自歸于消滅者乎？石膏之解熱作用，信不誣也。

乙、止渴作用

陽明熱症之有渴者，多因體內之津液缺乏，唾腺之分泌失常也。蓋陽明白虎湯之主證爲大熱，汗出，惟其大熱，則津液之消耗太多，惟其汗出，則津液之外泄亦甚，況腸胃受高熱之影響，反致消化不良，則津液之來源自少。石膏能恢復造溫機能之生理常態，而有解熱之功也。熱退，則放溫機能有調節之作用，腸胃可營其消化之職務，不特津液之消耗外泄者可止，卽資生之來源亦盛矣。津液既生，唾腺之分泌復常。渴何由作？藥徵謂石膏主治煩渴，洵屬經驗之言也。

丙、消炎作用　凡急性熱病之肺炎，肋膜炎等症，皆可以石膏治之；急性肺炎之證狀，爲體溫上昇，呼吸急迫，咳嗆苦悶，痰涎稠黏而帶銹色，且食思消失，胸肋側部刺痛，其原因爲肺炎重球菌侵入肺臟而發炎所致。肋膜炎之證狀：爲偏側之胸部擴張，痰涎特多，呼吸減弱，且胸脊疼痛，其原因往往由肺炎及肺出血之栓塞所致，二者均有病竈可見，與炎性滲出物之產生。石膏之硫酸鈣含水結晶體，其治效與西藥之鈣鹽相類似，入胃遇胃酸後易于溶解而呈鈣質之吸收作用，能減少血管之透過性，而有消退炎腫，制止炎性滲出物之效能，故應用于肺炎，及肋膜炎等症，宜其收確切之效也。

補白

立夏日，鄉俗必食石首鯧鯿之屬。旅居在外，庖人每進石首佐膳，紅烹白煮，豐腴勝常魚，石首別名白鯗，遂念金匱滑石白魚散之白魚。考藥物辭典，載白魚爲鱗屬魚類之一，長三四尺，色青白，頭尾向上，腹扁鱗細，肉有細刺，能開胃下氣去水氣。湯本書以鯉魚代白魚，謂有效。而丹波元簡疑非魚中白魚，謂即衣魚。（衣魚即蠹魚，亦別名白魚。）未知然否？沈明宗嘗云：白魚即白鯗魚，則又可與石首混矣！

周自强

實驗報告

經方實驗錄

曹穎甫著　門人姜佐景編按

小引

吾師曹穎甫先生，號拙巢老人。行年七十矣。用仲景方救世人疾苦者，垂四十餘載，其間大案疊出，閭里奉若神明，顧先生不喜筆而記之，以爲不屑爲也。偶爲之，則又爲諸弟子秉以去，於是存稿乃闕如。愚不敏，侍診之餘，輒喜集諸案而珍藏之，其有缺者，復乞師講授，隨時筆錄而補之，更加揣按以伸其義，凡得二百餘則，編爲上下二卷，乃秉師命，顏曰經方實驗錄，蓋所以符其眞也。本篇所刊，特其一斑耳！世有同好，相與鑽研而教益之，幸甚！先生著有傷寒發微行世，其金匱發微一書，方在計劃印刷中。又工詩詞，善畫梅，刊有梅花詩集，門人遍國中，若王一仁，王愼軒，秦伯未，許半龍，章次公，沈石頑諸氏，悉在其列云：

編按者謹誌

附言　如有關於本稿之賜教，請惠寄上海城內，果育堂街，一四四號，姜佐景收爲荷。

懸飲

張任夫先生上海電報局職員

初診二十四年四月四日

水氣淩心則悸，積于脅下則脅下痛，冒於上膈則胸中脹，脈來雙弦，證屬飲家，兼之乾嘔，短氣，其爲十棗湯證無疑。

炙芫花五分　製甘遂五分　大戟五分

右研細末，分作兩服。

先用黑棗十枚，煎爛，去渣，入藥末，略煎，和服。

佐景按　張君任夫，余至友也，先患左頰部漫腫而痛，痛牽耳際，牙內外縫出膿甚多，余曰，此骨槽風也。余嘗以陽和湯治愈骨槽風病多人，惟張君之狀稍異，大便閉而舌尖起刺，當先投以生石膏、涼膈散各五錢，後與提托而愈。越日，張君又來告曰：「請恕煩擾，我尚有宿恙乞診。」曰，「請詳陳之。」曰：「恙起於半載之前，平日喜運動蹴球，已而汗出浹背，率不換衣。嗣覺兩脅作脹，按之痛，有時心悸而善畏，入夜，室中無燈炬，則惴惴勿敢入，頭亦暈，乘車時尤甚，噯氣則胸膈稍舒，夜間不能平臥，平臥則氣促，輾轉不甯，當夜深人靜之時，每覺兩脅之裏，有水聲漉漉然，振盪於其間，……」余曰：「請止辭，我知之矣」是證非十棗湯不治，藥值甚廉，而藥力則甚劇，君欲服者，尚須商諸我師也。君曰：「然則先試以輕劑可乎？」曰：「諾！」當疏厚樸、柴胡、藿佩、半夏、廣皮、車前子、茯苓、清水豆卷、白朮等燥濕行氣之藥與之，計藥一劑，值銀八角餘，服之，杳無效驗。張君曰：「然則只能遵命，偕謁尊師矣。」

翌日，余逕叩師門，師甫診畢張君，並在立案矣，走筆疾書，方至「脈來雙弦」之句。余問曰：「先生，是何證也？」曰：「小柴胡也。」予曰：「不然，柴胡之力不勝，恐非十棗不效」先生擱筆沉思，急檢傷寒論十湯棗條曰：「太陽中風，下利嘔逆，表解者，乃可攻之，其人漐漐汗出，發作有時，頭痛，心下痞鞕滿，引脅下痛，乾嘔短氣，汗出，不惡寒者，此表解裏未和也，十棗湯主之。」因向張君曰：「君氣短而乾嘔乎？」曰：「良然。」師乃顧謂予曰：「君識證確，所言良是也。」師遂續其案，而書其方，即如上載者是。

又案金匱曰：「脈沉而弦者，懸飲內痛。」又曰：「病懸飲者，十棗湯主之。」予嘗細按張君之脈，覺其滑之成份較多，弦則次之，沉則又次之，以三部言，則寸脈爲尤顯，與寸脈主上焦之說適合，以左右言，則左脈爲較顯，蓋張君自言左脅之積水，較右脅爲劇也。

今當報告張君服湯後之情形，張君先購藥，價僅八分，驚其值廉，乃煮大棗十枚，得湯去滓，分之爲二，入藥末一半，略煎，成漿狀物，其夜七時許，未進夜飯，先服藥漿，隨覺喉中辛辣，甚于胡椒，張君素能食椒，猶尙畏之，則藥性之劇可知，並覺口乾，心中煩，若發熱然。九時起，喉啞不能作聲，急欲大便，不能頃刻停留，所下非便，直水耳，其臭頗甚，於是略停，稍進夜飯，竟得安眠，非復平日轉側之不甯矣。夜二時起，又欲大便，所下臭水更多，又安眠。六時，又大便，所下臭水益多，又睡至十時，起床，昨夜之喉啞者，今適愈矣，且不料乾嘔噯氣，心悸頭暈諸恙悉減，精神倍佳。張君自知肋膜炎爲難愈之疾，今竟得速效如此，乃不禁嘆古方之神奇！

次日中午，喉間完全復原。下午七時，夜膳如常，九時半，進藥，棗湯即前日所留下者，藥後，胃脘甚覺難堪，胃壁似有翻轉之狀，頗欲吐，一面心煩，覺熱，喉啞，悉如昨日，但略差可。至深夜一時，即泄水，較第一夜尤多，翌晨，嘔出飯食少許，並帶痰水，又泄臭水，但不多矣。至午，喉又復原，能進中膳如常，噯氣大除，兩脅之脹大減，惟兩脅之上（乳偏下）反覺較平時爲脹。張君自曰：「此脅上之脹，必平日已有，祇因脅下劇脹，故反勿覺，今脅下之脹除，故脅上因此彰明耳。」而膽量仍小，眼目模糊，反有增無減，但絕無痛苦而已。

吾人既知服後經驗，試更細閱十棗湯之煎服法，兩相參研，乃知煎服法雖僅寥寥二三行，而其中所蘊蓄之精義甚多。煎服法曰：「右三味，搗篩，以水一升五合，先煮肥大棗十枚，取八合，去滓，內藥末，强人服一錢匕，羸人服半錢，平旦溫服之，不下者，明日更加半錢，得快下後，糜粥自養。」觀張君之第一日先藥後飯，而不嘔，第二日之先飯後藥而嘔，可知先藥後飯，較先飯後藥爲愈。亦安知平旦服之云者，不飯而服之也，較先藥後飯爲更愈乎？又云：「快下後，糜粥自養」，則其未下以前，不能進食可知，實則下後糜粥自養，較先後俱不飯者爲尤佳。此其第一義也。

曰：「不下者，明日更加半錢」，而不言「不下，更作服」，可知「明日」二字，大有深義，卽明日平旦之省文。蓋平旦之時，胃府在一夜休養之後，機能較爲旺盛，故借其天時之利，以與此劇藥周旋乎？且一日一服，不似其他湯藥之可以多服，蓋一以見藥有大毒，不宜累進，一以爲胃府休養地步，此其第二義也。

强人一錢匕，羸人則改半錢，斤斤較其藥量，倍顯愼重之意，何者？其義與上述者正同，此其第三義也。

十棗湯以十棗爲君，亦知十棗之功用爲何如乎？東人曰：「大棗、甘草、芍藥，功用大同而小異，要爲治攣急而已」，說殊混統不可從。吾友吳君凝軒，嘗歷攷經方大棗之功用，稱其能保胃中之津液，今觀十棗湯之下咽，卽起燥痛，則甘遂、大戟、芫花三者，吸收水分之力巨可知。入胃之後，雖能逐水驅邪，然劫液傷津，在所不免，故投十棗以衛之，方可正邪兼顧。又吳君謂「十棗湯之服法，應每服用十棗煎湯，不可十棗分作兩服，以弱保正之功」，其說頗有見地。況舊說以棗爲健脾之品，又曰「脾爲胃行其津液」，由此可知棗與胃液實有密切之關係，惟其語隱約，在可解不可解之間，今得吾友之說，乃益彰耳。此其第四義也。

甘遂，芫花，大戟，爲何作藥末以加入而不與大棗同煎，蓋有深意。以愚研究所得，凡藥之欲其直接入腸胃起作用者，大都用散。薏苡附子敗醬散，世人用之而不效，不知其所用者非散，乃藥之湯耳。五苓散世人用之又不效，謂其功不及車前子，通草遠甚，不知其所用者非散，亦藥之湯耳。至於承氣亦直接在腸中起作用，所以不用散而用湯者，蓋腸胃不能吸收硝黃，用湯無異散也。其他諸方用散效用湯而不效者甚夥，容當作「經方散藥之研究」一文，細推論之。雖然，甘遂等三藥爲末入胃逐水，有此說在，又何能逐兩脅間之積水乎？曰：水飲先既有道以入脅間，今自可循其道迫之使出。事實如此，理論當循事實也，此其第五義也。

嗚呼！仲聖之一方，寥寥二三行字，而其所蘊蓄之精義，竟至不可思議。凡此吾人所殫精竭慮思攷而後得之者，尚不知其是耶，非耶，安得起仲聖而問之耶！

二診 四月六日

兩進十棗湯，脅下水氣減去大半，惟胸中尚覺脹懣，背痠，行步則兩脅尚痛，脈沈弦，水象也。下後不宜再下，當從溫化。

薑半夏五錢　北細辛二錢　乾薑三錢　熟附塊三錢　炙甘草五錢　菟絲子四錢　杜仲五錢　椒目三錢　防已四錢

佐景按　師謂十棗湯每用一劑已足，未可多進。所謂大毒治病，十去其四五是也。又謂甘遂，大戟皆性寒之品，故二診當以溫藥和之。此方係從諸成方加減而得，不外從溫化二字着想，惟據張君自言服此方後，不甚適意，覺脅上反脹，背亦不舒，目中若受刺，大便亦閉結，按此或因張君本屬熱體，而藥之溫性太過歟？

三診 四月八日

前因腰痠脅痛，用溫化法。會天時陽氣張發，腰痠雖停，而胸中脹懣，左脅微覺不舒，但脈之沉弦者漸轉浮弦，病根漸除，惟大便頗難，兼之熱犯腦部，目脈爲赤，當於胸脅着想，用大柴胡湯加厚樸芒硝。

軟柴胡三錢　淡黃芩三錢　製半夏三錢　生川軍三錢後下　枳實三錢　厚樸二錢　芒硝錢半冲

佐景按　張君言服藥後，夜間暢下四五次，次日覺脅背均鬆，胸中轉適，精神爽利，諸恙霍然。觀此方，知師轉筆之處，銳利無比！前後不過三劑，藥費不過三元，而竟能治愈半載宿恙之肋膜炎病。噫！其亦神矣！

曹穎甫曰：「凡胸脅之病，多係柴胡證。傷寒太陽篇中，層見叠出，蓋胸中屬上焦，脅下則由中焦而達下焦，爲下焦水道所從出，故脅下水道瘀塞，卽病懸飲內痛，而爲十棗湯證；胸中水痰阻滯，上濕與下燥不和，則爲大陷胸湯證；若胸中但有微薄水氣，則宜小柴胡湯以汗之。脅下水氣既除，是生燥熱，則宜大柴胡湯以下之，可以觀其變通矣。」

小兒肺炎治驗記

楊志一

張姓孩，三歲，體質素弱，今春氣候嚴寒，突發寒熱，咳嗆作吐，狀似感冒，前醫投薄荷、牛蒡、前胡、杏仁、等品，不效。乃延余治之，其症爲身熱晚甚（達攝氏三十九度零五）未曾出汗，咳嗽痰鳴，氣急鼻煽，嗆聲不揚，涕淚俱無，渴不多飲，舌苔潤白，脈象濡數。余以閱歷之所得，症情之合參，深知此與普通感冒不同，乃寒風襲肺，肺氣閉塞所致，舍溫開外，別無治法，遂擬方如下：

生麻黃（六分）　薤白頭（錢半）　仙半夏（三錢）　生薑（二片）　白杏仁（三錢）　黃鬱金（三錢）

橘紅(一錢)　天將壳(四只包)　白芥子八分(炒)　製南星(錢半)　紫苑(八分)

右方服一劑，微有汗出，熱勢未衰，再於原方中加細辛四分，麻黃增至八分，服後汗出熱減，咳嗆亦較鬆，病勢已見轉機。乃去麻黃、細辛、薤白頭、紫苑、生薑，加川桂枝一錢，白附子八分，遠志七分，炙百部錢半，連服三劑，肺氣已宣，咳暢氣平，漸有涕淚，身熱亦退而愈。

按：此症西名急性肺炎，冬春之交，最為流行，傳變極速，治與風溫症迥異。(惲氏雜病講義中論之綦詳。)如見脈微肢冷，痰喘咳逆，乃真陽衰微之象，宜加黃厚附片、桂枝、乾薑、五味子、黑錫丹等味。如見神蒙驚惕，脈象弦滑，為動風之兆，宜加活磁石、鈎勾、乾菖蒲等味。(滬上兒科如徐小圃先生，及已故朱少坡先生，均治此症能手。)苟辨症不清，誤投麻杏石甘湯等劑，十不一救，慎之慎之！

藥名新考(一)

楊夢麒

辛夷一名新雉。揚雄甘泉賦曰。列新雉於林薄。服虔註。即辛夷。又名留夷。見風賦。又名侯桃。見格物總論。

芍藥一名攣夷。見廣雅。又名將離。見古今註。唐人謂之婪尾春。見清異錄。

玫瑰花一名徘徊。見羣芳譜。俗呼為離娘草。見農圃書。或謂之枚櫰。誤呼為梅槐。按江陵記。洪亭村下。有梅槐樹。嘗因梅槐合生得名。

萱即蘐。一名丹棘。見埤雅。又名宜男。見風土記。又名忘憂。見說文。

醫藥雜俎

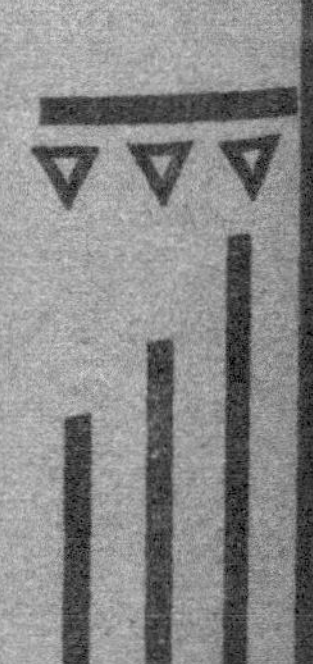

合理的大補藥

沈仲圭

回憶先母在世時，嘗於冬令托人購得紹興流行之大補藥一料，用紹酒浸於大瓷器中。於時余年尚少，不解藥性，不知此大補藥以何藥配成？服之有何功用？惟當華燈初上，阿母注此大補藥所浸之酒於小盅，淺斟低酌時，常分嘗些許，覺其味尚可口耳。迄今時近廿載，不卜此項大補藥，猶通行於越地否？（編者按此項大補藥，爲紹興藥鋪銷路最大之藥劑，凡農工商人自覺體虛者，均向藥鋪購此項大補藥以煎服之，其方卽八珍湯加黃耆，杜仲，玉竹，山藥，自加桂圓，黑棗也。）

冬令進補，當視各人之體質，年齡，性情，習慣，及所呈病狀，請正式醫生診察處方，按法熬膏，每日冲服，方克收滋補之效。若輕信廣告宣傳，隨意購食，往往藥不對症，徒費金錢，甚或藥症兩歧，效未顯而弊先至，豈不寃哉？

古方大補藥，其配製得宜，有補氣養血之效者，當推十全大補膏，爰爲介紹於下，仍望購服者，察其功用，核其主治，或請熟識之醫師代爲決定也可。

【十全大補膏】人蔘二兩，白朮二兩，茯苓二兩，炙甘艸一兩，熟地三兩，白芍二兩，當歸三兩，川芎一兩，黃耆炙二兩，肉桂一兩，慢火熬膏，每服一羹匙，開水冲服。此膏係局方四君子湯合局方四物湯加黃耆，肉桂而成，以補養氣血爲主。凡氣血

衰弱，續發性貧血、腦神經衰弱、及久遺、老濁、症屬虛弱者，皆相宜焉。（上列主治係參考漢和處方學津梁）

肝之服食價值

袁坤儀

近年來，發見哺乳動物之肝臟，有治療血液疾患，改良營養之特殊價值，此事在歐西各國一般人士，皆能津津樂道！但在我國則除少數醫學家外、尙鮮能普遍明瞭其價值，故願爲作一簡單之申述，冀以喚起國人之注意焉！

動物肝臟內，究含有何種成分？足以控制血液，恢復常態，此點吾人現尙未能十分明瞭。或以爲含有一種特殊的維他命質，或以爲肝臟內具有一種造血或解毒之物質，但亦不過一種理想耳。實際上肝臟內確含有多量之維他命A B C，蛋黃素，脂肪及蛋白質等，若應用於惡性貧血治療，根據多數醫家報告，每日用二百格蘭姆生肝製汁飲服，如此數月，血液中紅血輪之數，可以增加一倍至數倍，血色素亦顯明的增多。故雖學理上解釋互殊，事實上，其治療價值，毫無可疑。

肝臟不獨爲惡性貧血症之特效治療劑，且對於其他各種血液疾患（如結核性，梅毒性等之貧血）肝之疾患，及夜盲症等，皆有相當之功效，但惜未能如惡性貧血症之顯著耳！

肝對於神經衰弱而兼有貧血及瘦弱症狀者，實爲一種最優美之食物。因食肝不僅有改造血液之功，且亦爲一種肥胖療法，故對於神經衰弱症有甚大之裨益，其效果往往出人意料之外！吾人每於服肝後之數月，常見面色轉紅，食慾增進，體重驟增，神經衰弱症狀消退之事實。作者曾於自身加以試驗，每日用生肝六兩，製生肝汁二大盌飲服，如此繼續四個月，體重增加達八磅之多。又以榨汁後之肝飼猫，該猫竟於短期間內，頓爲十分肥胖可愛。此種成績，殊堪驚人，惟服肝方法，大有關係，所服之肝，愈生愈佳，若烹調熟食，其功效喪失頗巨。且服肝期中，食物方面，須多進青菜鮮果鹹臘食品，在可能的範圍內，摒除不食。若能同時服用魚肝油每日三次，其效驗尤爲顯著。

吾人對於服肝之技術，於此應加以說明：

（一）肝臟之選擇　所用之肝，以牛肝爲最佳，至於猪肝，雖覺太肥，但普通非患重大衰弱症或食慾不亢進者，服之亦無大礙。良以牛肝之取得非易，猪肝則隨處可得也。購買肝臟時，應察其是否新鮮及健全者，若有硬質腫脹等現象，便不可用。又肝臟購得後，不應長時間浸入水內，或加以醃臘，否則其中有效成分易遭損害，服之鮮效。

（二）肝汁之預備　服肝以生爲主，前已說明，除顯病狀之肝外，即不經烹調，亦不致有傳染疾病之慮。法國某小學校，曾經加以試驗，結果甚佳，其中學生數人有發生傷寒病者，但此亦不能證實由肝傳染而得，或由製作時消毒不完全，亦未可知。故預備生肝，最後以沸水反復冲洗外體，最爲緊要。生肝既洗淨後，取出切爛，然後拌以適當之溫開水勻和之，經過紗布絞濾之，如斯所得之汁，加以薄荷油或檸檬汁數滴，及甘草流膏少許，以調其味，如此即可一飲而盡。

（三）肝之服量　以治療爲目的之食肝，每日至少投以二百格蘭姆（約合六市兩餘）開始數日，每日宜投以大量（四百至五百格蘭姆）如是數日，再減至常量，繼續數月，肝之服量雖甚大，但一經製汁以後，消化極易，大約三小時即可全部消化，不但無礙食慾，反有促進及改善胃臟機能之益。

（四）肝臟服法之種種　上述之肝臟服法，完全爲從口攝取鮮肝汁之法，但常人每以服生肝爲難事，不獨氣味不佳，且亦難以下咽，故藥廠方面，乃製成一種脫味的濃縮物，或注射劑出售。前者如美國出品「肝膏三四三」（Liver Ex trartNo 343)「賴克屈隆」(Lextrou)德國出品「海普拉克頓」(Hepracton)「海派屈拉脫」(Hapatrat)，法國出品「愛擺脫老」(Hepatrol)等，或為液質，或為粉劑，每一小管或每一格蘭姆約含鮮肝五〇——三〇〇格蘭姆不等。注射劑最佳者當推德國天德藥廠出品「肝補儂」(Campolon)每一立方公撮(1,CC)可抵鮮肝五格蘭姆，國貨如星牌「利凡命」亦為肝臟製劑。惟此種精製品雖有其相當之價値，但售價頗昂，且肝臟中之蛋白脂肪等質，均已提出，故除用於重症惡性貧血外，若作為一種滋養的食料，則其效驗反不確切。

（五）服肝之禁忌　凡為蛋白尿，腎疾患之患者，均禁用鮮肝；又服肝至相當時期，或發生尿酸過多及渾濁沉澱質等現象，均宜停服。

以肝臟作為食料，我國東南各省，亦有此習慣，但多經煮熟，且服食亦為小量，故營養功效一時難顯，南部數省，間有棄肝不食者，殊為可惜。查牛肝猪肝一項，在我國售價極廉，吾人實宜多多服用，凡學校軍隊中，亦不妨以肝臟作為膳菜。其製作固不必一定以取汁為法，凡稍經烹調，用以佐餐，亦甚相宜，其於學生軍士之健康，實大有裨益也！

藥名新考（二）

楊夢麟

合歡一名青棠。古今注。欲蠲人之忿。則贈以青棠。又名夜合葉。形如皂角。細密互相交結。風來輒解。越人謂之烏頭樹。金光明經謂之尸利灑樹。

罌粟一名象穀。又名米囊。花曰滿園春。

本校講義

新編藥物講義（摘錄）

王愼軒主編

第三編　發散劑

第一類　辛溫發散藥

麻黃（續）

【功效】〔綱二〕定喘。〔目〕止欬逆上氣。本經 治咳嗽，痰哮，氣喘。會約醫鏡 若四時暴感風寒，閉塞肺氣，爲咳嗽聲啞，或鼻塞胸滿，或喘急痰多，用入三拗湯發散肺邪，奏功甚捷。藥品化義 主治喘咳水氣也。藥徵 皮膚，肺臟，皆爲瓦斯毒，水毒之排泄器官，不論何種疾患，若皮膚之排泄機能有障礙或停止時，肺臟即起代償作用，獨任排泄之職，此時瓦斯及水毒，悉趨於肺，而肺之代償，並非無限度者，竭其力而不足以排泄，則肺中毒質蓄積，遂發呼吸困難，喘欬等症候，用麻黃峻發其表，使瓦斯及水毒從汗腺中一掃而空，毒汁既除，皮膚機能亦已復舊，肺臟之代償任務解除，喘欬水氣，不治自愈矣。藥攷論類方綱丁仲英 此藥有化痰之作用，爲平氣促之主要藥，有特效于急性氣管炎而有寒熱無汗者。若爲肺結核病之氣促，不能用。本經新註氣管支喘息之原因，雖有種種，然不論其原因如何，主症候總不外乎氣管支之痙攣。麻黃之愛非特林，能使痙攣之氣管支弛緩；氣管支弛緩之後，則腔徑開大，而氣喘自平。（章次公）近來用於喘息特效藥。（中藥淺說）近時的西醫，又把它作爲麻醉性的鎮咳祛痰藥。（新日用本草）入血中能使血壓升高，心跳加速，內臟之血管均被激而收縮，而外部皮下之微血管，因强心增其鼓出之力，使血液自然轉逆於外，故外部皮下之微血管，反被激而放大，氣枝管之抽搐，亦被激而鬆弛，故能平喘治效。（新中藥）麻黃素之主要應用；爲治氣喘，每日服二三次，亦可收預防之效。（醫事公論周夢白）與石膏並用，能解熱平喘。（廣濟醫刊裴樵泉）

編者按麻黃功能定喘，已爲中西醫界所公認矣，然僅可施用於實性之氣喘，如急性氣管支炎之類，不可妄用於虛性之氣喘，如心臟衰弱症之呼吸迫促，及肺結核症之呼吸短促，若妄用之，必促命期，學者不可不知焉。且麻黃非根治喘息之藥；據袁淑範曰：「麻黃之主要成分，Ephedrin（愛非特林）與 Adrenalin（副腎素）相同。對喘息恐屬對症的作用，溯 Adrenalin 有治氣管支喘息之效，初依卡氏及汲氏等之提倡，此後東西多數之學者及臨床家，多確認其作用，雖屬一過性，然有著效，而關於其藥理，雖有多數之實驗，要之皆由 Adrenalin 作用于氣管枝筋，使之弛緩，故其腔徑亦開大，在氣管支筋痙攣時，微量之 Adrenalin 亦容易奏效，此顯然之理也。又 Adrenalin 能對抗肺循環之鬱血，即左心房內壓之增加，又氣管支粘膜中血管收縮等，亦屬不可爭之事實也。而麻黃中含有構造及作用，皆爲與 Adrenalin 相類似之 Ephedrin，故麻黃即 Ephedrin 應如 Adrenalin 對於氣管喘息有效力，此極顯著之理也，曩依大津及久保田氏之動物實驗，得有特富興味之成績，即先將家兔用賓雪斯氏法，測定其呼吸量，再注痙攣毒於家兔，使起氣管支痙攣，後再注麻黃之主成分，Ephedrin 於家兔時，雖在注射痙攣毒途中，亦能除去痙攣，使呼吸漸次恢復，又檢 Ephedrin 對血行之作用，雖不如 Adrenalin 之强，然其血壓上昇作用，富于持久性，故其效力能少持久，亦不難推想之理也。喘息原因，雖有種種，然不問其原因如何，主症候終不外乎氣管支之痙攣，故能作用於其末梢使之弛緩之物質，即使其作用屬一時的，對治療上亦應有若干之效果，喘息症如因肺循環鬱血氣管支黏膜充血等之血行障礙時，則 Ephedrin 不但能使氣管支節弛緩，即因其血壓作用，亦能除去其血行障礙，此是我國數千年經驗之麻黃爲喘息症要藥之實驗根據，亦屬實驗藥物學上有興味之事實也。」

〔綱三〕利尿。〔目〕逐濕。(古方藥品考)古時用此劑爲利尿之用。(靈驗本草)可作爲利尿藥。(引用新本草)有增進血液循環之力，故能利尿。(方藥效論類編盧生)麻黃利尿之功，實有不可沒者，蓋有刺激腎臟血管之作用，增加尿量之排泄故耳。(皇漢醫界趙公尙)

編者按：仲景曰：「一身面目黃腫，其脈沉，小便不利者，甘草麻黃湯主之。」是方用麻黃四兩，甘草二兩，即以麻黃爲君，蓋已早知麻黃爲利尿之藥矣。近據日本西尾氏謂服用麻黃，確能增加尿之分泌，且能排泄麻黃臭之尿，又據佐藤勤野之報告，謂以麻黃之煎劑一〇——一〇〇，用於慢性腎臟炎時，有著明之利尿作用。則中醫之舊說，已與近世之新說相合矣。然其利尿作用之藥理如何，迄今尙無實驗之報告，或謂麻黃有增進血壓之作用，能使腎臟血管內之血量暫時增加，故有利尿之效也；然依大津及久保田氏之實驗，麻黃有效成分 Ephedrin 血壓上昇作用，由收縮末梢血管而起，又在犬之腎臟血管灌流試驗時，Ephedrin 反收縮腎臟血管，由此觀之，則前說不足信矣。但服麻黃確有利尿之功，或因麻黃中含有之 Ephedrin 及其餘之物質中，有能刺激腎臟血管之物質歟？然麻黃應用於小便不利，惟水腫無汗而小便不利，屬於皮膚及泌尿器之排泄機能障礙者，用此以排除水毒，最爲相宜；若單純小便不利，屬於泌尿機能衰弱者，慎勿妄用。

〔綱四〕消腫。〔目〕治水腫、風腫。(綱目)散腫脹。(本草圖解)療寒濕之脚腫。(醫學摘粹)主治一身黃腫。(藥徵)水腫由腎循環失職，小便不利，麻黃能促進血液流行，排泄力強，則小便通而腫自愈矣。(方藥考論類編盧生)常以皮膚排泄障礙水毒停滯之目標下，廣為應用。(中西醫藥夏蒼霖)

編者按本品消腫之理由，卽根據上述發汗、利尿、兩大綱而來，蓋皮膚與泌尿器俱為排泄水毒之道路，汗腺開發，小溲暢利，則腫自消矣。然腫之原因，不止一端，若排泄障礙，水毒停蓄而為腫者，固可用麻黃治之，其餘各證，則不可用麻黃矣。考仲景治一身面目黃腫，其脈沉、小便不利者，用越婢加朮湯及甘草麻黃湯，一身悉腫，脈浮不渴，續自汗出，無大熱者，用越脾湯，腫而脈沉者，用麻黃附子湯，此乃腫病之宜用麻黃者也。又治腫而脈浮，身重汗出，惡風者，用防己黃耆湯；四肢皮膚腫而聶聶動者，用防己茯苓湯；四肢皮膚腫而厥者，用蒲灰散；黃汗身體腫，用芍桂酒湯，此乃腫病之不宜麻黃者也。學者於此宜細究焉。

〔綱五〕消癥積。〔目〕破癥堅積聚。(本經)調血脈。(大明)治產後血滯。(綱目)謂其能破癥瘕積聚者，以其能透出皮膚毛孔之外，又能探入積痰凝血之中，而消堅化瘀之藥能借之以奏效也。(衷中參西錄)此藥之作用，有平氣等之發散性，故能破癥堅積聚。(本草經新註)

編者按阮其煜謂有平氣等之發散性，故能破癥堅積聚，不知何謂平氣等之發散性，實屬含糊敷衍之辭也。此藥破癥堅積聚之理，由極易解釋，蓋因其內含之愛非特林，有增高血壓促進血行之效力，能使其癥堅積聚，自然消除耳。惟古今醫家多不知此，試觀古今方劑，有用麻黃消癥乎？有之，惟仲景治心下堅大如盤，邊如旋盤之桂甘薑棗麻辛附子湯而已。

〔綱六〕止痛。〔目〕緩急風脊痛。別錄 治痺、皮肉不仁。藥性本草 除疼。古方藥品考 治痺痛、痺痙、心痛、胃脘痛、脊痛、行痺、着痺。本草述 治月經困難。〔卽經期腹痛〕中西醫藥陳克恢

編者按本品內含之愛非特林，能刺激交感神經系與肌肉之聯絡處，使其血壓增高，心力增進，故能止痛也。但古人僅用於筋骨痺痛等症，尙不知應用于經期之腹痛；至一九二四年，我國陳克恢氏，從副腎素與麻黃素頗相類似之點着眼，將副腎素所有之應適症，一一試於麻黃素，始得決定此藥又能治月經痛也。

〔綱七〕辟疫。〔目〕主壯熱、溫疫、山嵐、瘴氣。藥性本草 兼寒藥以助陰，可解炎熱之疫邪。會約醫鏡

編者按本品有散熱排毒之作用，可用於一切急性傳染病之有表證者。

〔綱八〕止痢。〔目〕又可把他作爲收斂藥，治療下痢，日用新本草 又爲收斂劑，治下痢有效。大衆療法

編者按本品內含之愛非特林，又能刺戟腸肌，收縮腸膜，使其大腸之炎腫消退，則痢自止矣。嘗觀醫事公論、周夢白論麻黃素之功用，謂敷于鼻腔，可使腫脹之黏液膜立時收縮，故傷風時用之，可免病者鼻塞之苦，夫傷風者，鼻內黏液膜發炎也；痢疾者腸內粘液膜發炎也；以此推想之，則其止痢之理可以明矣。

〔綱九〕發斑疹。〔目〕治赤黑斑毒。別錄 治身上毒風疹。藥性本草 若小兒疹子，當解散熱邪，以此同杏仁發表清肺、大有神效。辨藥指南 治濕疹，尋麻疹，血清發疹。中西醫藥陳克恢

編者按斑與疹皆熱毒鬱于肌肉皮膚之間，欲排出于體外，而未能排出者也，本品有散熱排毒之作用，故凡斑疹欲出未出者，以此藥加入於應用劑中，恆有特效，不可輕視。

〔綱十〕療目疾。〔目〕散赤目腫痛。綱目　能刺激眼交感神經而使瞳孔散大。中藥大辭典　治目之張力減衰症。中西醫藥陳克恢

編者按本品內含之愛非特林，能刺激眼交感神經之末梢，而使瞳神散大，且於最短期間內，即能恢復，又無侵犯眼調節筋之害，故用於檢查眼底之時，絕無痛苦羞明之害，最爲相宜也。至綱目以此治目赤腫痛者，則與散大瞳神之意不同，乃取其消散炎腫耳。

〔辨正〕（一）本經主中風，是主緩風癱瘓而言也。云溫瘧，係濕瘧，乃傳寫之誤也。本經逢原　（二）甚矣世醫之怖麻黃也，其言曰：「吾聞之麻黃能發汗，多服之則灑灑汗出不止，是以不敢用焉。」噫，是何言也。譬怯者之於妖怪，足未嘗踏其境，而言某地眞出妖怪也。余嘗試麻黃之效，可用之證而用之，汗則出焉，雖當夏月而無灑灑不止之患。仲景氏言服麻黃後覆取微似汗，宜哉。學者勿以耳食而餒矣。藥徵　（三）麻黃性質最輕，氣味又淡，本草雖曰苦溫，亦因其功用而懸擬之，不過言其溫和升發之義耳。乃流俗畏之，幾以爲大溫大熱藥，則李瀕湖綱目熱性一言誤之也。且謂其出產之地，冬不積雪，而繆氏經疏更爲過甚之詞，竟有味大辛、氣大熱之說，又謂自春深以至初秋，法所同禁，今試取麻黃而細嚼之，辛味何在？考古今各家本草，別錄謂微溫，則輕浮體質，必稟春升溫和之氣，最爲有據。惟張潔古稱其性溫，味苦甘辛，然亦謂其氣味俱薄。不知繆氏何忽一變而爲大辛，且加以大熱二字？似此危詞聳聽，最足駭人，實屬荒謬已極！而俗人聞聲卻步，大率爲此謬說所累。不知麻黃發汗，必熱服溫覆，乃始得汗，不加溫覆，並不作汗，此則治驗以來，鑿鑿可據者。且亦惟寒邪在表，乃宜少少取汗，以解表邪寒熱，若用以泄肺開喑，亦且無取乎得汗，而奏效甚捷。何況輕揚之性，一過無餘，亦必不能大汗頻仍，留戀藥力，釀爲巨患。景岳已謂今人畏毒藥而不敢用。又有謂夏月不宜用麻黃者，皆可哂也。瀕湖又謂凡

服麻黃藥，須避風一日，不則病恐復作；亦是臆說，皆不足徵。但性質甚輕，不可重用耳。（本草正義）

【禁忌】不可多服，令人虛。（別錄）若過發汗，則多亡陽，或飲食勞倦及雜病自汗表虛之證，用之則脫人元氣，不可不禁。（用藥法彙）若表虛自汗，肺虛有熱，多痰咳嗽，以致鼻塞，痘瘡倒靨，不因風寒所鬱，而因熱甚，虛人傷風，氣虛發喘，陰虛火炎，以致眩暈頭痛，南方中風癱瘓，及平日陽虛腠理不密之人，皆禁用。汗多亡陽，能損人壽，戒之戒之。（經疏輯要）若不當汗而汗，與可汗而過汗，或血溢，或亡陽，爲害不小，可不慎哉。（會約醫鏡）過用泄真氣，有汗不入劑。（嵩崖尊生）若傷風證，雖發熱惡寒，不頭疼，身疼而拘急，六脈不浮緊者，皆不可用。（本草從新）汗多者，發熱而不惡寒者，均忌用。（本草經新註）表陽虛者，禁服。（章次公）腦充血，腦膜炎，忌用。（新中藥）因其有擴張血管放汗之作用，故對於易于出血及逆上之患者，慎用之。（醫界春秋錢去惡）

【用量】每服三分至四分；（實用藥物學）三分至八分；（應用藥物詞典）三分至一錢五分；（本草經新註）小量八分，中量錢半，大量三錢；（章次公藥物學）大人一日用三·〇到八·〇克；（日用新本草）每日用三公分乃至八公分；（靈驗本草）每次1.5gm至5.9gm；（新中藥）一次量余曾用至二錢，尋常量一日二錢，極重三錢，斷無危險；（醫界春秋錢去惡）麻黃之用量，尚未有確切之考定也。仲景大青龍湯麻黃之藥用量，多至六兩，近世醫家之用麻黃，其量自三分至錢半而止，未聞有用至三四錢者，然以余近日所受之經驗考之，則麻黃之用量，固不止錢半而已，當可用至四錢也。（醫界春秋梦燁）

【用法】用之折去節根，水煮十餘沸，以竹片掠去沫，沫令人煩，根節能止汗故也。（弘景）用銅刀剪去節并頭，槐砧上用銅刀細剉，煎三四十沸，竹片掠去上沫，盡漉出熬乾用。（雷公）剪去節半兩，以蜜一匙同炒，良久，以水半升煎，俟沸，去上沫，再煎去三分之一，不用滓，病瘡疱倒靨黑者，乘熱盡服之，避風，伺其瘡復出。一法用無灰酒煎；但小兒不能飲酒者，難服，然其效更速。（本草衍義）銅刀刮去根節，入銅鍋中，加水煮沸，則生泡沫，以竹篦刮去，取出晒乾，剉焙收用。（新本草綱目）立秋後，採收其莖，陰乾，生用或以蜜水炒用，煎藥時宜後入。古人所云，麻黃宜先煎去沫，乃懼其發泄太甚；今之麻黃，嫩時即採，其力甚薄，煎之亦無沫，故當後下。（中藥大辭典）把乾燥的麻黃剉碎，加入甘草少許，依着方劑第一法煎汁，每食前三十分服用。（日用新本草）

【附錄】（甲）【辨僞】九月十月出新。山西大同府代川邊城出者，肥大，外青黃而內赤色，爲道地；太原陵坵縣及五台山出者次之；陝西出者較細，四川滑州出者黃嫩，皆略次；山東河南出者亦次；惟關東出者，細硬蘆多，不入藥；若蘆草僞充，更爲害人矣。（增訂僞藥條辨）

（乙）【辨異】1 麻黃與桂枝之異　麻黃治衛實之藥，桂枝治衛虛之藥，二物雖爲太陽證藥，其實營衛藥也，心主營爲血，肺主衛爲氣，故麻黃爲手太陰肺之劑，桂枝爲手少陰心之劑，傷寒、傷風而咳嗽，用麻黃、桂枝，即湯液之源也。（湯液本草）麻黃乃肺經專藥，故治肺病多用之，張仲景治傷寒無汗用麻黃，有汗用桂枝，歷代名醫解釋，皆隨文附會，未有究其精微者，時珍常細思之，似有一得，與昔人所解不同，云津液爲汗，汗即血也，在營則爲血，在衛則爲汗，夫寒傷營，營血內濇，不能外通於衛，衛氣閉固，津液不行，故無汗發熱；風傷衛，衛氣外泄，不能內護於營，營氣虛弱，津液不固，故有發熱惡風。然風寒之邪，皆由皮毛而入，皮毛者，肺之合也，肺主衛氣，包羅一身，天之象也，是證雖屬乎太陽，而肺實受邪氣，其證時兼面赤怫鬱，咳嗽有痰，喘而胸滿諸證者，非肺病乎？蓋皮毛外閉，則邪熱內攻，而肺氣膹鬱，故用麻黃、甘草同桂枝引出營分之邪，達於肌表，佐以杏仁泄肺而利氣，汗後無大熱而喘者，加以石膏，朱肱活人書夏至後加石膏、知母，皆是泄肺火之藥，是則麻黃湯雖太陽發汗重劑，實爲發散肺經火鬱之藥也。腠理不密，則津液外泄，而肺氣自虛，虛則補其母，故用桂枝同甘草，外散風邪以救表，內伐肝木以防脾，佐以芍藥泄水而固脾，泄東所以補西也，使以薑棗行脾之津液而和營衛也。下後微喘者，加厚朴杏仁以利肺氣也，汗後脈沉遲者，加人參以益肺氣也。朱肱加黃芩為陽旦湯，以瀉肺熱也，皆是脾肺之藥，是則桂枝雖太陽解肌輕劑，實為理脾救肺之藥也，此千金未發之祕旨，愚因表而出之。（綱目）

2麻黃與羌活之異　世醫輕用羌活，而不敢用麻黃，此誠大謬，其實羌活氣雄烈而味惡劣，遠非麻黃可比，吳鞠通曾有此論，徐洄溪亦稱麻黃為氣味輕清之品，余平生歷驗，珍為靈藥，雖溫熱證中遇皮毛洒淅之症，但與清涼藥同用，尚能奏功，惟強體寒濕在表，則羌活差勝耳。（醫報國藥專號徐瀛）

（丙）【救逆】服麻黃自汗不止者，以冷水浸頭髮，仍用撲法即止。（綱目）

（丁）【製劑】1麻黃越幾斯　（上略）西尾重氏云「據長井氏之報告，謂麻黃中發見一種類鹽基，其成分為「エフエドリン」（愛非特林）（中略）故余發一思想，自麻黃製出麻黃越幾斯，以供藥用，即于麻黃二三〇・〇加水，凡三時許，用強火煮沸之，至其水量之半，而濾過之，又于其殘渣加水煮沸，而濾過之，混和此濾液于前液，在文火上使之蒸發至得適宜之稠度而止，則可得有第二稠度之越幾斯，凡五〇・〇。此越幾斯極富于黏稠性，其色為黑褐色，味苦，有顯著之麻黃香味，其性為弱酸性，服用時，為丸用之尤便，凡疾病要發汗者，如因感冒而發之急性鼻加答兒，急性咽喉加答兒，急性氣管支加答兒，僂麻質斯，急性腎臟炎等，最宜用之，服用此藥之一定量，就褥蓋被稍溫，則始覺全身溫煖，顏面及耳之邊緣，尤覺溫煖，次即發汗，其發汗所須之時間，與服他種發汗劑時，無大差異，同時唾液之分泌，亦若稍過於平時，但不甚顯著。又尿之分泌，亦大增加，尿有麻黃臭，此尿至少至二十四時許，尚有特別之臭氣，又汗中亦有麻黃之臭氣，發汗之多少，關係服用麻黃越幾斯之多少，固已然有極確實之結果者，服之覺全身溫暖，此時心臟之機能亢進，脈搏之數增加，至發汗既終，則復如故。其副作用之可記者，如高橋三浦兩氏所研究者稍侵害眼之調節作用，發汗後凡二十四時許，閱覽細字書籍，覺眼之疲勞殊甚，然檢眼之瞳孔，不見特別散瞳，此外別無副作用。試執些少麻黃越幾斯插入眼結膜內，自眼瞼上按摸之，經過數十分時，則顯見瞳孔散大，此當為麻黃越幾斯中之「エフエドリン」（愛非特林）作用于瞳孔者。而麻黃越幾斯發汗之效，與別稱發汗劑，如水楊酸曹達「ピロカルピン」（披羅加路亭）「ヤボランジ」（亞潑蘭基）葉互相比較，其發汗之多量，確與「ピロカルピン」（披羅加路亭）及「ヤボランジ」（亞潑蘭基）葉相髣髴，然「ピロカルピン」（披羅加路亭）及「ヤボランジ」（亞潑蘭基）葉之副作用，能令人嘔吐及唾液之分泌過多，尿道痙攣等，致覺不快，又水楊酸曹達，其發汗不及「ピロカルピン」（披羅加路亭）之確實，且發汗後，致耳鳴，故對于副作用，以麻黃越幾斯為佳。然其作用于心臟機能者，用大量則比「ピロカルピン」（披羅加路亭）危險之度為幾何，非更研究與實驗，不易判明。用通常量，不致有他危險，而發汗之效甚確實，古方之用麻黃已數千年，良有以也。故余勸人自麻黃製出麻黃越幾斯，而廣供藥用，並望日本藥局方中後來宜將此藥加入之。余製出麻黃越幾斯，通常量一回一•〇至二•〇，比麻黃原品為五•〇至一〇•〇相當者，與更大量，則發汗過多，非體格強壯偉大者，不可使用也。（化學實驗新本草）

2愛非特林　長井博士之製愛非特林也，先以麻黃製成酒精越幾斯，再加過剩之亞兒加里，以伊打浸過蒸溜，乃將其渣滓精製為結晶性之鹽酸。此愛非特林為白色結晶狀之塊，大約須二百四十五度，始分解而沸騰，遇酒精、伊打俱溶解，遇水則構成水化物，亦易溶解，鹽酸愛非特林因刺激瞳孔散大之末端，或瞳孔散大筋，而呈散瞳作用，嘗取動物投愛非特林少許以試驗之，則見該動物瞳孔散大，此外無特異作用，然投以大量，則全身即發痙攣，其時血壓陡高。按愛非特林與亞篤羅必涅相反，毒性極少，故用以點眼，絕無中毒之弊，又其散瞳作用，不能持久，因之用以檢查眼底，最爲適宜，普通以二至四％之鹽酸愛非特林爲點眼料。惟其與分泌汗液之關係，猶未詳云。和漢藥考

3 米特利安欽 長井博士又自愛非特林中，更得一新藥，定名曰「米特利安欽」Midaliatiue 此新藥爲合成愛非特林之中間物，化學構造爲 $C_6H_5CH_2(OH)CH(NH_2)CH_3$ 其散大瞳孔之效力，一如愛非特林。據三浦博士研究報告，稱米特利安欽之散瞳力，視愛非特林爲强，嘗取其一〇％之溶液點眼，經二十分後，瞳孔便已散大，五十分時，散至極大，五時而次第復舊，至遲不過二十時至三十時後，無不如常矣。現今盛行之散瞳藥，首推霍莫亞篤羅必涅，然經二十四時之久，大者仍不能復舊也。且使調節筋麻痹，致點眼後常覺不適，兼患羞明，米特利安欽無此類之弊，此其較優也。又據水尾醫學博士，在大阪醫學會演述，米特利安欽爲理想的新藥，非若霍莫亞篤必涅之昂貴，不論眼科、內科醫生，以此用於病人，絕無痛苦與羞明之流弊。和漢藥攷

（戊）【驗案】1 水泄不止 一錦衣夏月飲酒達旦，病水泄數日不止，水穀直出，服分利消導升提諸藥，則反劇。時珍診之，脈浮而緩，大腸下弩，復發痔血，此因肉食生冷茶水過雜，抑遏陽氣在下，水盛土衰，素問所謂久風成飧泄也，法當升之揚之，遂以小續命湯投之，一服而愈。昔仲景治傷寒六七日，大下後，脈沉遲，手足厥逆，咽喉不利，唾膿血、泄利不止者，用麻黃升麻湯，平其肝肺，兼升發之，即斯理也，神而明之，此類是也。綱目 2 小溲不通 糧道患內閉，溺不得下，勢甚急，諸醫束手，盧晉公以人參、麻黃各一兩定劑，不踰時溺下，王琦跋偶仙常類辨 3 喘腫重症 王毓麟年三十歲，業農，住本鎮（

姜堰）天目鄉。素稟不足，身軀羸弱，本年五月間，遠赴其親祝壽，歸途驟遇大雨，全身淋漓，衣衫盡濕，乃急行返家，換去溼衣，脫時覺稍有不適，旋即發熱。翌日熱雖稍退，而肢面浮腫，小便點滴不利。延某老醫診，處方用利水通便藥，不應，更請湖北人某甲，用大量黑丑、甘遂等一派峻劑，詎服後小溲愈形窒塞，病者又添氣喘，身益腫，口呼腹脹不已，舉家驚恐，不知所措。（中略）有李姓者，病人之舅也，曩曾患此經余治瘳，覩乃甥恙篤，力介余診，于是僱輿來迓。余詢病重，乃即赴診。按脈浮緊，小便已三日不解，病者氣喘痛苦萬狀，因謂此症因于冒雨受寒，溼衣蔽體，致汗孔閉塞，水分無由排泄，炭氣增加，肺部亦被障礙，故呼吸不調而喘，毛竅既閉，則不能行小呼吸也。然水分不由汗外泄，當應下行，何得小便反不利，此理惟氣化庶能知。夫肺者五藏之華蓋，肺病則治節不行，因之膀胱氣化不利，所以溲閉，上通則下利也。醫者若進開肺透汗藥，使汗腺弛張，肺之機能恢復，治節乃行，何喘息溲癃之有哉。徒用峻利無益，而反增劇，殊可哂也。爲擬麻黃湯加減處方，用生麻黃一錢（先煎去沫）苦杏仁三錢（去皮尖研）紫蘇葉錢半，紫菀茸二錢，雲茯苓四錢，甘草五分，鮮薑皮引，服後四小時，喘稍平，俄而小便微利，翌日再進一劑，小便已通如常，乃去麻黃，加桂枝一錢二分，身腫盡消，調理數日而痊。（醫界春秋　張澤霖）

4 慢性腎炎

近三浦博士以麻黃爲煎劑，用于慢性腎炎患者，謂利尿作用甚著，譯述如下：余治數名慢性腎炎患者，當施適宜治療，而尿量減少，將起尿毒症時，直投麻黃煎，其中一人，忽奏利尿之效，不數日，大輕快，今述其醫案如左：酒井某男，年十九歲，强壯無病，本年（明治四十一年）正月，稍受重感冒，至三月底，下肢浮腫，經兩三日，遂及全身，尿減便祕，腹漸滿，動作時心悸亢進，呼吸促迫，胸內苦悶，至四月十三日入院受醫，此時現症，體格鼓大，全身浮腫，眼瞼尤甚，幾不能開，腹膨甚，有中等量之腹水，包皮陰囊腫脹，亦達高度，呼吸器無異常，心悸稍亢進。檢其尿，比重一〇三〇，顯含蛋白，定其量得一・四%，但以顯微鏡檢之，不見有形成分，體溫如常，脈九十至，因診定爲急性腎炎，投醋剝、海葱醋蜜、酒石英等，且使飲牛乳五合至七合，諸症漸輕。尿量初三百瓦至五百瓦，漸增至一千五百瓦至二千瓦，蛋白量亦減至〇・〇五%。至四月二十七日，因事退院，其時尿量一千八百瓦，比重一〇一一，蛋白量〇・〇四%。至五月七日又入院，因二三日前尿量頓減，又來全身浮腫也。診之則全身浮腫之態，比前增高，時發頭痛，食慾不振，尿甚少，呼吸促迫，不能步行。依前例投各種尿量劑，達一週日，尿量在五百瓦七百瓦之間，全身浮腫，毫不減退，蛋白含量一・五%，以顯微鏡檢尿渣，見含許多扁平上皮、小數細管上皮、膿球、白血球、顆粒圓柱等。自五月十九日起，使服麻黃煎（以麻黃十瓦煎成水一百瓦），則尿量漸增，表如左：

	尿量	蛋白量		尿量	蛋白量
十九日	六百瓦	一・〇%	二十三日	四千六百瓦	
二十日	七百五十瓦		二十四日	四千七百瓦	
二十一日	九百瓦		二十五日	四千三百瓦	
二十二日	二千二百瓦	〇・五%	二十六日	三千一百瓦	〇・〇五%

浮腫全退，腹水亦減，食慾亢進，身神不感異常。患者急請退院，告以尚須靜養，不聽，至二十七日退院，後聞至六月四日，又因尿量減少，全身浮腫，諸藥無效，至七月十二日遂死。此患者始終用酒石英及投麻黃煎時亦然，但自用麻黃煎以後，尿量漸增，至第六日最多量達四千七百瓦，故余以利尿之效，必在麻黃。化學實驗新本草

(己)【驗方】1麻黃湯仲景 治傷寒、太陽病，頭痛發熱，身疼腰痛，骨節疼痛、惡風無汗而喘，及太陽陽明合病，喘而胸滿等。麻黃三兩，(去節)桂枝二兩，甘草一兩，(炙)杏仁七十枚，(泡去皮尖碎一作六十枚)清水九升。先煎麻黃，去上沫，納諸藥，煑取二升五合，去渣，溫服八合，溫覆取汗，不須啜粥，一服汗出，停後服。汗出多者，溫粉撲之，若脈浮而弱，汗自出，或尺中脈微與遲者，俱禁用之。 2大青龍湯仲景 治太陽中風，脈浮緊，發熱惡寒，身疼痛，不汗出而煩躁者，及傷寒脈浮緩，身不疼，但重乍有輕時等症。麻黃六兩，(去節)桂枝二兩，杏仁四十枚，(去皮尖炒一作十四枚)甘草二兩，(炙)生薑三兩，(切作三片)大棗十二枚，(擘一作二枚)石膏如鷄子大，(碎錦裹)清水九升。先煑麻黃，減二升，去上沫，內諸藥，煑取三升，去滓，溫服一升，取微汗。汗出多者，溫粉撲之。一服汗者，停後服。若脈微弱，自汗出者，服之必亡陽。 3小青龍湯仲景 治傷寒表不解，心下有水氣，欬嗽喘急，肺脹胸滿，鼻塞流涕，或欬逆倚息，不得臥，及一切肺氣不宣；痰飲停積，膚脹水腫之宜發汗者。麻黃、(去節，一作七錢五分，一作七錢，一作三錢。)芍藥、(酒洗，一作七錢五分，一作七錢。)細辛、(一作二兩，一作七錢五分，一作三錢，一作五分。)乾薑、(泡，一作二兩，一作七錢五分，一作三錢，一作五分。)甘草、(炙，一作二兩，一作七錢五分，一作三錢。)桂枝、(一作三錢，一作肉桂，去粗皮，七錢五分。)各三兩，半夏五合，(湯洗，一作薑製，一作二兩五錢，一作七錢五分，一作七錢，一作二錢。)五味子五合，(一作蜜拌炒二兩，一作五錢，一作五分，)清水一斗。先煑麻黃減二升，去上沫，納諸藥，煑取三升，去滓，溫服一升。若微利者，去麻黃加蕘花；(此味不常用，以茯苓代之，一作芫花，如鷄子大，熬令赤色。)渴者去半夏加栝蔞根三兩；噎者、去麻黃、加茯苓四兩；若喘者，去麻黃加杏仁五合。(去皮尖，) 4葛根湯仲景 治太陽與陽明合病，或利或嘔，或小便少，或發熱無汗，或喘滿不食，或口噤不得語，欲作剛痓者。葛根四兩，麻黃三兩，（去節一作二兩）桂枝，（去皮）芍藥，甘草（炙）各二兩，生薑三兩，（切一作二兩）大棗十二枚，（擘）㕮咀，清水一斗。先煮麻黃、葛根，減二升，去上沫，納諸藥，煮取三升，去渣，溫服一升，覆取微似汗，不須啜粥，餘如桂枝法將息及禁忌。

5 麻黃杏仁甘草石膏湯（仲景）治傷寒無汗而喘，下後而喘，及風溫，表裏俱熱，無汗自汗，頭痛身疼，身重多眠，鼻鼾，難語，煩渴，惡熱，脈浮者。麻黃四兩，（去節湯泡去黃汁焙乾）杏仁五枚，（去皮尖）甘草二兩，（炙一說宜生用）石膏八兩（碎錦裹）清水七升，先煮麻黃，減二升，去上沫，納諸藥，煮取二升，去滓，溫服一升。若脈浮弱沉緊細，惡寒自汗而不渴者，禁用。

6 榮陽湯（化學實驗新本草）治腫滿水腫，膨脹，發汗利尿，用葛根八分，麻黃、桂枝、芍藥、生薑各六分，附子、杏仁、甘草各四分，以水二合煎爲一合，一回服之。

7 傷寒雪煎（千金）麻黃十斤，去節，杏仁四升，去皮熬，大黃一斤十二兩，先以雪水五石四斗，漬麻黃於東白灶釜中，三宿後，納大黃攪勻，桑薪煮至二石，去滓，納杏仁同煮至六七斗，絞去滓，置銅器中，更以雪水三斗合煎，令得二斗四升，藥成丸，如彈子大。有病者以沸白湯五合研一丸服之，立汗出；不愈，爲服二丸，封藥勿令洩氣。

8 中風諸病（宣明）麻黃一秤，去根，以王相日，乙卯日，取東流水三石三斗，以淨鐺盛五斗，先煮五沸，掠去沫，逐旋添水，盡至三五斗，漉去麻黃，澄定，濾去滓，取清再熬至一斗，再澄再濾，取汁再熬，至升半爲度，蜜封收之，一二年不妨，每服一二匙，熱湯化下，取汗；熬時要勸攪，勿令着底，恐焦壞；仍忌雞犬陰人見之，此劉守眞祕方也。

9 傷寒黃癉（千金）表熱者，麻黃醇酒湯主之，麻黃一把，去節，綿裹，美酒五升，煮取半升，頓服，取小汗，春月用水煮。

10 裏水黃腫（仲景）一身面目黃腫，其脈沉，小便不利，甘草麻黃湯主之，麻黃四兩，水五升，煮去沫，入甘草二兩，煮取三升，每服一升，重覆汗出，不汗再服，愼風寒。千金云：「有患氣急，久不瘥，變成水病，從腰以上腫者，宜以此發汗。」

11 水腫脈沉（金匱）麻黃附子湯汗之。麻黃三兩，水七升煑去沫入甘草二兩，附子炮一枚，煑取二升半，再服八分，日三服，取汗。12產後腹痛子母秘錄及血下不盡，麻黃去節爲末，酒服方寸匕，日二三服，血下盡卽止。13風痹冷痛聖惠麻黃去根五兩，桂心二兩爲末，酒二升，慢火熬如餳，每服一匙，熱酒調下，至汗出爲度，避風。14小兒慢脾風聖惠因吐泄後成，麻黃長五寸，十箇，去節，白朮指面大二塊，全蠍二箇，生薄荷叶包煨爲末。二歲以下一字，三歲以上半錢，薄荷湯下。15語聲不出聖惠麻黃以青布裹，燒烟筒中熏之。16天行熱病孟詵必用方初起一二日者，麻黃一大兩去節，以水四升煑，去沫，取二升，去滓，着米一匙及豉，爲稀粥。先以湯浴後，乃食粥，厚覆取汗，卽愈。17痘瘡倒黶衍義鄭州麻黃去節半兩，以蜜一匙同炒，良久，以水半升煎數沸，去沫再煎，取三分之一，去滓，乘熱服之，避風，其瘡復出也。一法用無灰酒煎，其效更速。仙源縣筆工李用之子，病斑瘡風寒倒黶已困，用此一服便出，如神。18心下悸病金匱半夏麻黃丸，用半夏麻黃等分末之，煉蜜丸小豆大，每飮服三丸，日三服。

(庚)【根節】1(功效)　麻黃根節，性甘平無毒。本經止汗，夏月雜粉撲之。別錄麻黃發汗之氣，駛不能禦，而根節止汗，效如影響，物理之妙，不可測度。如此自汗，有風濕、傷風、風溫、氣虛、血虛、脾虛、陰虛、胃熱、痰飮、中暑、亡陽、柔痓諸證，皆可隨證加而用之。當歸六黃湯加麻黃根，治盜汗尤捷，蓋其性能行周身肌表，故能引諸藥外至衞分，而固腠理也。本草但知撲之之法，而不知服餌之功尤良也。綱目麻黃之根，對盜汗及其他止汗目的而煎服，實爲良好之止汗劑。盛夏苦多汗者，用其根爲粉末，共牡蠣粉混和，納入絹袋，散布皮膚，可奏佳效。中西醫藥夏蒼霖本草有麻黃根，氣味甘平無毒，止汗，夏用雜粉撲之。又曰：麻黃根節甘平，能止汗，效如影響，莖發汗之氣，駛不能禦，物理之妙，不可測度。蓋麻黃根應用於盜汗等，其作用正與麻黃相反，麻黃自根而生，其作用相反，亦屬有興味之事也。關於麻黃根，尙未有詳細之藥物學的研究報告，今試製麻黄根之浸液，注於動物血管內時，能使血壓下降，其作用正與麻黄相反。再依麻黄根浸液，行試驗成績判斷時，麻黄根除對於血壓作用之外，大多數與麻黄相等，而此根中含有血壓下降物質，比較的依簡單之化學的操作，即可變爲血壓上升性物質，故其有効成分亦屬與 Ephedrin 相近似之 Alkaloid 歟。暫記於此，以待後之研究。（民國醫學雜誌 袁淑範）

2（驗方）1 盜汗陰汗，（藥性本草）麻黄根、牡蠣粉爲末撲之。 2 盜汗不止，（奇效良方）麻黄根，椒目等分爲末，每服一錢，無灰酒下，外以麻黄根、故蒲扇爲末撲之。 3 小兒盜汗，（古今錄驗）麻黄根三分，故蒲扇灰一分爲末，以乳服三分，日服三，仍以乾薑三分，同爲末三分撲之。 4 諸虛自汗，（和濟局方）夜臥即甚，久則枯瘦，黄耆麻黄根各一兩，牡蠣米泔浸洗，煅過爲散，再服五錢，水二盞，小麥百粒煎服。 5 虛汗無度，（談埜翁試驗方）麻黄根、黄耆等分爲末，飛麵糊作丸，梧子大，每用浮麥湯下百丸，以止爲度。 6 產後虛汗，（千金）黄耆、當歸各一兩，麻黄根一兩，每服一兩，煎湯下。 7 陰囊溼瘡，（千金）腎有勞熱，麻黄根石硫黄各一兩，米粉一合，爲末傅之。 8 內外障翳，（普濟）麻黄根一兩，當歸身一錢，同炒黑色，入麝香少許，爲末嗃鼻，頻用，此南京相國寺東黑孩兒方也。

新編金匱講義（摘錄）

凌九雲主編

痰飲篇（續）

其均用麻黄或桂枝者，以痰飲每兼表邪，治飲必兼散表。以上所言，均是痰飲挾熱者，若純屬寒飲上衝，欬吐頻作，不渴不煩，苔白質淡，體實者，小青龍、射干麻黄、小半夏、小半夏加茯苓、苓甘五味薑辛半夏湯。體虛者，苓桂朮甘，腎氣丸法。小青龍方中、麻黃桂枝、辛開表邪，乾薑細辛、溫化水氣，半夏五味降逆。內有寒飲，外束新邪者，用之極效。射干麻黃湯，亦爲逐飲散邪之劑，與小青龍相彷，而略有分別，以方中射干爲君，射干豁痰逐水。爲肺經專藥，更有欵冬紫菀之溫肺化痰，其用亦專於肺，故金匱以之列於肺脹條下。原文「欬而上氣，喉中水鷄聲，射干麻黃湯主之。」水鷄聲，即後世所謂哮喘，形容氣急痰鳴之甚也。於此可知射干麻黃湯之所至，其飲側重於肺，更可知肺脹之異於痰飲者，亦在斯耳。小青龍無射干款冬紫菀等肺藥，而用桂枝之溫經通脈，細辛乾薑之辛散化飲，功專通陽逐水，能治淋巴液之障礙，惟是小青龍之所主，其飲在胸部淋巴，至於苓、桂、朮、甘，則又有分等，方中苓甘化濕利水，桂朮通陽健脾，是間接治飲，乃吸收不盡其職，水液停積成飲者宜之，惟化飲之力略嫌不足，不能治一切大症、重症，後人誤以此方和平易用，又屬出於仲景，遂至無論虛實輕重，概以此方加減投之，不效，則以爲用經方猶不驗，諉之天命，其實未能細心體會仲景立方之意，須知其意、本非治飲，實治飲停之原因，所謂反本窮源之治耳，至腎氣丸一方，昔人有謂用治痰飲，有名無實，不如不用，雖爲有激之言，實乃經驗之語，惟年尊體弱，腎氣之損者，飲發之際，每見欬則遺溺，則逐飲豁痰之劑，必兼腎氣同用，腎氣丸溫腎、補虛，與逐飲之品同用，則攻補兩得也。寒飲之治，不出於此，而痰飲之大法，亦駸駸乎大備矣，今當轉言溢飲。原文「飲水流行，歸於四肢，當汗出而不汗出，身體疼重，謂之溢飲。」一 溢飲之異於痰飲者，在四肢浮腫，身體疼重，而無欬逆症也。普通以水液之停滯於藏器者，爲痰飲，浸潤於肌肉組織者，爲水氣，惟溢飲與水氣，殊難區別，學者祇須依見證用藥可耳。原文又曰：「病溢飲者，當發其汗，大青龍湯主之，小青龍湯亦主之。」按大青龍合麻桂，而去芍藥，其發汗之峻猛可知，水溢於肌表者，可一汗而解，大青龍有石膏，則其所主之溢飲，乃熱飲也，原文云小青龍亦主之，小青龍不加石膏，則其所主者，必屬寒飲，原文雖未明言，而可以意會也，然小青龍麻黃去杏仁，桂枝去生薑，而加五味乾薑半夏細辛，雖表散而實欲其寒飲之內化，溢飲症，水溢肌表，自宜從汗而解，則當易小青龍，而爲麻黃附子細辛，附子溫陽，其功遍於全身，與麻黃細辛爲伍，則發汗逐飲之力，可與大青龍寒熱相峙矣，懸飲者，其證欬唾引脅痛，其飲停於肋膜，狀如氣囊，卽西醫所謂肋膜炎是也，水停肋膜，非乾薑細辛輩所能排擊，惟有用十棗控涎甘遂半夏之類，更有支飲一症，咳逆倚息，短氣不得臥，支飲之異於懸飲者，其水在胸膜，而不在肋膜，其證不脅痛，而胸痛，此語非創，我於二條經文得之，如「支飲不得息，葶藶大棗瀉肺湯主之。」葶藶逐胸部之水，可證諸傷寒論結胸條大陷胸丸，結胸乃太陽表症，誤下所致，因肌表受寒邪之刺激而汗孔以縮，汗液不得排泄，體溫無從放散，體功起救濟而血液挾高溫以達表，於是發熱乃作，當此之時，理當順其勢而助之以藥力，則惟有汗之一法，汗出熱退，今下之，則逆其生理機轉。而反使入裏，血行同入，本無關係，然當汗而未汗之淋巴液，亦因下勢而向裏，壅塞於淋巴系之胸腺內，以成結胸，故用葶藶甘遂杏仁之逐水，大黃芒硝導之，使從大便而出，支飲乃胸膜積液，影響肺之呼吸，而致咳逆不得息，故亦用葶藶之瀉肺逐水也，原文又曰：『夫有支飲家，欬煩胸中痛者，不卒死，至一百日或一歲，宜十棗湯。』觀此欬煩胸中痛句，則支飲之屬於胸水，更可明瞭，此條無喘急之症，故不用葶藶，而用十棗，十棗湯中，甘遂芫花大戟爲逐水至猛之劑，而功遍於全身，以是懸飲可治，而支飲亦治也，除此之外，更有腹膜積液，如原文所云：『腹滿，口舌乾燥，此腸間有水氣，己椒葶黃圓主之。』丸中防己椒目葶藶俱逐裏水，椒目尤專主腹中之水，大黃則引以下行，金匱謂其水在腸中，按腸胃爲流通之腑，無積水之處，可見讀古書當自意會，不可拘執成說也。

人人宜閱||家家必備之

家庭醫藥常識

……從十三期起……特別大擴充

主編者——楊夢麒　著作者——全國名醫

特色
篇幅擴充　選輯精嚴　學說新穎　裝訂美觀
內容豐富　文字淺顯　祕方公開　定價低廉

總目
言論　醫藥研究　衛生常識
實用驗方　壺中天地　讀者信箱

家庭中備此……可作醫藥顧問
學醫者讀此……如得師友指導

定購章程
一、每年四期定購全年大洋三角寄費在內郵票代洋九五折算
二、寄款定購者務須寄封掛號如囘件需掛號者另附郵票八分
三、本常識之發行所在「蘇州吳趨坊一三七號蘇州國醫書社」

蘇州國醫書社醫書要目

中醫新論彙編	王慎軒編	每部實價五元
東洋漢方要訣	王南山譯	每部二元四角
女科醫學實驗錄	王慎軒著	每部實價一元
新批女科歌訣	王慎軒批	每部實價四角
本草再新	葉天士著	實價一元二角
曾女士醫學全書	曾伯淵著	每部實價八角
傷寒時方歌訣評註	俞根初著	實價一元二角
曹穎甫先生醫案	王南山編	每部實價二角
漢譯診病奇核	丹波元簡	每部實價一元
拯瘼軒醫學就正錄	周禹錫著	每部實價一元
溫病指南	王複原著	每部實價四角
診餘舉隅錄	陳匊生著	每部實價六角
胎產病理學	王慎軒著	每部實價一元
女科指南	戴武承著	每部實價八角
婦女病經歷談	祝懷萱著	每部實價一角
幼科指南家傳秘方	萬密齋著	每部實價一元
食治秘方	尤生洲著	每部實價一角
家庭育嬰法	沈潛德著	每部實價一角
家庭實用良方	王景賢編	每部實價六角
女科秘訣	鄭厚甫著	每部實價二角
經方捷徑	楊夢麒著	每部實價一角
重訂孫眞人海上方	孫思邈著	每部實價二角
家庭醫藥常識第一二三年彙編		每年實價三角
重訂傷寒百證歌	王慎軒訂	每部實價一元
蘇州國醫學社紀念刊	唐慎坊編	每部特價五角
傷寒直解辨證歌	薛公望著	每部實價四角
婦女醫學雜誌彙編	王慎軒編	實價一元五角
仲圭醫論彙選	王慎軒編	每部實價一元

中華民國二十四年冬季出版

蘇州國醫雜誌第八期

編輯者 蘇州國醫學校 蘇州長春巷三十九號 電話第二三六七號

發行者 蘇州國醫書社 蘇州吳趨坊一三七號 電話第五百六十三號

印刷者 蘇州文新印書館 蘇州景德路七十六號 電話第八百九十一號

蘇州國醫雜誌價目表

期數	價目	寄費
每季一期	另售一角五分	寄費一分
每年四期	預定實價六角	寄費在內

蘇州國醫學校校長唐慎坊譯

類證鑑別 漢方要訣

洋裝一冊 實價二元
外埠函購 寄費加一

本書特點：本書爲日本熊本醫科大學畢業醫師大塚敬節之原著以科學方法研究漢醫學之結晶品也

內容總目：第一編 病證學　第二編 診候學　第三編 治療學　第四編 藥物學　第五編 處方學

（發行所）（一）蘇州吳趨坊一三七號蘇州國醫書社（二）蘇州幽蘭巷唐慎坊醫室

蘇州國醫學校總務主任王慎軒著

女科醫學實驗錄

宣佈臨床實驗之醫學。普救婦女之疾苦。
公開歷代傳授之良法。打倒守祕之陋習。

本書全部四集　每部實價一元
外埠寄費加一　外國寄費加三

（發行所）蘇州吳趨坊王慎軒女科醫室

杭州名醫沈仲圭先生著

仲圭醫論彙選

洋裝一冊實價一元
外埠函購寄費一角

選編者……王慎軒　參校者……徐觀濤

本書特點：本書係選輯沈仲圭先生最近三年內之醫學作品沈君學貫中西識超羣巔而近年著作尤勝于昔誠爲醫界必讀之良書

內容總目：論文 藥物　證治 方劑　衛生 雜俎

（發行所）（一）蘇州吳趨坊一三七號蘇州國醫書社（二）杭州糧道山沈仲圭醫室

蘇州國醫學校譯述主任王南山譯

新增 東洋漢方要訣

日本長澤道壽原著　日本中山三柳新增　日本北山友松子按

全書三冊 二元四角
外埠函購 寄費二角

本書特點：
1 內容豐富……凡中日名醫之效方皆被採入無遺
2 說理精詳……每方必詳述各證用法加減禁忌等
3 引證廣博……古今名醫發揮方義之說莫不列入
4 最切實用……按語均係經驗心得絕無空泛之弊

（發行所）蘇州吳趨坊一三七號國醫書社

蘇州國醫學校編

第九期

蘇州國醫雜誌

章炳麟題

蘇州國醫學校前校長

章太炎先生醫學遺著特輯……出版預告

本校前校長章太炎先生，道德文章，久爲吾人所欽仰，寰海以內，無不認爲當代儒宗，樸學大師也。大師精研史子集外，對於醫學亦有深湛之研究，自黃帝內經以迄漢唐宋元明清，歷代醫學著作。莫不瀏覽殆遍；其博聞强記，過目不忘之處，尤爲常人所不及。大師嘗謂本校同人曰：『讀書應使古人爲我用，不可我爲古人役也。』是以大師對於醫學，獨具超人之見解，與一般食古不化者，不可同日而語。自大師長校二載以還，本校同人沐大師之感化，無論處事治學，莫不競競業業，黽勉自勵，詎不幸於本期雜誌付刊時，大師遽歸道山，同人等頓失導師，哀痛之餘，爰搜集其歷年醫學著作，準備發表於本誌第十期，顏曰「章太炎先生醫學遺著特輯」，以誌紀念。且爲宣傳太炎先生醫學思想起見，凡預定蘇州國醫雜誌一年者，本期特輯，槪不加價，至另售價目因篇幅關係，目下尙難確定；容當再告也。

蘇州國醫學校
蘇州國醫編譯館啓

蘇州國醫雜誌第九期目錄

譯著

漢醫全書……粟原廣三著　唐愼坊譯（一）
痲疹的早期覺察與家庭療法……徐名山譯（六）

講壇

唐仁縉醫學博士演講錄……陳頑人記（一三）
余無言先生醫學演講錄……周自強記（一七）

醫學研究

神經系病（續）……傅晚香（二〇）
國醫外療法對於內科疾患之功効舉例……王南山（二四）
痢疾證治概述……衛勤賢（二八）
攻下療法與腸胃病……呂孟祥（三〇）
論腹診在臨床上之重要……陳丹華（三一）
大承氣湯與白虎湯合論……倪　強（三二）
中醫術語「腎水」與「肝火」之研討……陸自量（三三）

藥學研究

芎藭之生理作用……經利彬　石原皋（三五）
藥名新考……楊夢麒（四三）
日本人口頭的松葉功效談……徐名山譯（四五）

文獻研究

十藥神書考……謝誦穆（四七）

實驗報告

記友人陳道隆君之驗案並釋其方義……沈仲圭（五二）
王師愼軒大建中湯治愈多年腹痛記……馮長楷（五四）

醫學雜俎

學醫導徑……周禹錫（五五）
論醫術之偏倚……周靜齋（五八）

醫案

馬培之先生內科醫案（續）……王愼軒編（五九）
丁甘仁先生內科醫案（續）……王愼軒編（六〇）
王愼軒先生最近女科驗案……胡洪鈞錄（六一）

專載

中央國醫館對本校訓令……（六三）
縣自治衛生設施方案……（六四）
衛生設施推行簡易指物表……（六五）

本校講義

新編兒科講義（續）……徐名山編（七二）

自然科學研究 本草學……樣本待索

黃勞逸君，研究化學與藥物學有年，曾任上海國醫學院有機化學醫化學及南京國醫傳習所藥物學等教職，六年前，編新中藥一書交上海醫學書局出版，又與沈仲圭君等合著生理與衛生診斷與治療及藥物與驗方三書，由上海校經山房出版，平時以研究所獲，常發表其國藥之文字，于民國醫學雜誌，醫藥學，同濟醫學季刊，廣濟醫刊，新醫藥刊，社會醫報及民生醫藥等刊，今復收集中西專家以自然科學研究國藥之文字，或個人實驗之所獲，輯成自然科學研究本草學一書，每一藥物，分有效成分之化學分析藥理之動物試驗正確之藥效用量及畏反等五節，全書分上下二冊，共二十萬言，茲已發售預約，在預約期內，僅收對折價法幣二元，函索樣本，附郵五分，空郵不覆。

索樣處 代預約處 浙江省杭市祖廟巷二十八號黃宅 蘇州吳趨坊蘇州國醫書社

溫病論衡 謝誦穆先生著 平裝一冊 實價六角

本書曾登載中醫新生命經著者重加刪訂益臻精善後附濕溫論治一卷分引言證狀診斷治療方選藥選處方示例醫案八門爲著者臨床經驗之結晶與醫學平論同時出書平裝一冊實價六角兩書合購減收一元郵費國內二角兩書均由上海四馬路二八三號國醫印書館發行

出版處 上海知行醫學研究社 代售處 蘇州國醫書社

國醫的科學 李克蕙醫士著 實價二角

本書以淺顯文字，就國醫歷來之經驗結論，利用現代科學智識說明之，祛除空洞玄談，印證原有科學，一以國醫科學化，世界醫學國醫化爲主旨，凡欲研究國醫學，或懷疑國醫學，於此書均有相當的答案與解釋。

南京洪武路七四號李克蕙診所出版 蘇州吳趨坊蘇州國醫書社代售

漢藥新覺上集預約 明日醫學雜誌社出版 郭若定先生著 實價二元四角預約七折 本書九月十五日出書

本著內容：總論篇—(一)藥理總論，(二)製劑要義，(三)漢藥漢方概說，(四)配合禁忌詳表。各論篇—(一)興奮藥類，(二)發汗藥類，(三)解熱藥類，(四)清涼藥類，(五)強壯藥類，(六)健胃整腸藥類，(七)催吐藥類，(八)通下藥類，(九)利尿及泌尿器消毒藥類。全書凡三十餘萬言。

明日醫藥雜誌

本誌宗旨純爲學術努力，凡以科學法則整理中國醫藥之文稿，以及醫史資料，醫藥風俗，藥材產銷狀況，並國內外醫林新發明之譯著，無不盡量刊載。

每期二角五分 全年一元四角

發行處 北平什剎後井胡同七號 明日醫藥社

本校研究院內科主任 陸淵雷先生名著 金匱要略今釋

本書比傷寒論爲難讀，故今注解極少，近出者以新理者尤渺不可得，論精粗淵雷此著後於傷寒今釋三年，自謂發明新義極多，比傷寒今釋更善，連史紙精裝八厚冊，定價十二元，實售七折，郵費四角，國外酌加

發行處 上海牯嶺路人安里陸淵雷醫室 代售處 蘇州吳趨坊蘇州國醫書社

注意 古本十四經發揮……出版

十四經發揮，爲元朝滑伯仁所著，乃中國古代鍼灸經穴學之奇書，滑伯仁學醫京口名醫王居中，學鍼法於東平高洞陽，盡得其術，馳名吳楚間，于鍼石診脈，頗有發明之功，是書爲學鍼灸者宜熟玩之，亦爲學中醫者所必讀也，第此書古本久已流傳海外，中國罕有，已無從購買，去歲，本社社長承淡盦，赴日考察醫學，見日人譯有十四經發揮之書購讀之，不禁拍案叫絕，繼思既有譯本，亦必有碩果僅存之古本在焉，因不憚煩勞，舉凡東京市之醫學書店，莫不細心流覽，一日竟於某舊書店獲得古本十四經發揮焉，欣忻之餘，不惜重價購而藏之，第該書雖已破舊，字迹尚屬清楚，且經日本名鍼灸家批註，茲爲提倡古代學術，公開研究起見，故不敢秘而藏之，付梓以廣流傳，內容悉照古本，不更一字，全書字體，清晰無論，人經穴，悉照原本製版，精裝一厚冊，定價八角，郵費加二，掛號寄奉，郵票代價，九折計算。

中國鍼灸學研究社出版 蘇州國醫書社代售

譯著

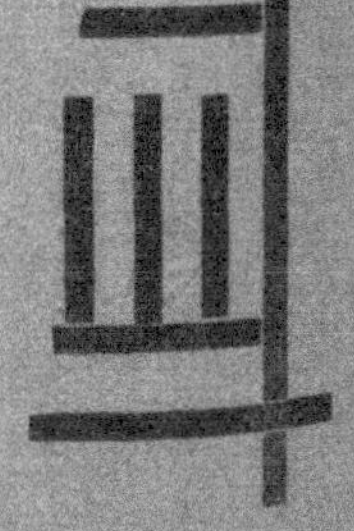

漢醫全書

粟原廣三著

唐愼譯坊

總說

(一)漢藥之研究

今之研究漢藥者。莫不口稱其神奇。但如何使用之方法。或因何理由而致效。則不能了然於胸中。故雖欲加以研究。而莫得其基礎之標準。所謂如墜五里霧中。殊有暗中摸索之苦。彼有志之研究家。非不蒐集古書，讀破萬卷。惟以時代不同。思想變遷。往往不能了解其意之所在。因而視爲畏途。然對於此種有數千年歷史之治療醫學。者竟棄置不顧。豈非因噎而廢食。此著者所以抱解明斯道之志願也。

例如當歸爲溫補之補血藥。而以其成分詢之現代學者。則答爲含有一種揮發油與糖分。但此兩種成分。並不能起補血之作用。何爲補血之劑。然事實究爲事實。其補血之效。終不可掩。在漢醫書闡其藥理。則謂血之脈本於心。屬於心者。謂之血病。血病治法。在通其脈云云。

由是言之。當歸之生理作用。可解爲興奮血管神經。促進血液循環。不過在漢醫學稱此種血行促進藥爲溫補之補血劑耳。蓋現今之用語。與昔日之用語。比較而研究其意義。亦闡揚漢藥範圍內事也。又如冬瓜能治消渴糖尿病。杜仲能堅强筋骨。治勞嗽（肺病欬）以地骨皮鱉甲五味子爲主劑。以牛轉草治胃癌。以鬼燈籠皮治小兒百日咳。又混和桃仁杏仁桑白皮格桔草名破棺湯。爲胃癌之特効藥。似此藥物效如桴鼓。洵爲救世濟民之良藥。然其所應用之疾病。果如吾人今日所指稱者耶。究竟何者爲胃癌。何者爲百日咳。果名同而不實異耶。殆亦一問題也。故若不明病理則藥理及配合之規則等。終不能應用而悉當也。茲先就對於疾病之觀念言之。

（二）疾病之概念

吾人之生活狀態。忽與普通生理狀態有異。如足痛小便渾濁身熱等。凡體感不適者。皆謂之疾病。此古今不易之說。惟其疾病發生之原因。則大有差異。彼稱六淫之邪者。乃由於天地自然之氣候風土四時之變化。影響於吾人身體。而爲疾病之原因。此名外感病。若由於其人不善攝生。飲食思慾之太過不及。因而誘發之疾病。名內傷病。所謂外感內傷者。是爲病因要之。逆天地之自然。而欲滿其一身之嗜慾，斯爲病耳。

（三）漢醫學及藥治法之根本

所謂外感。即受氣候風土之影響而發之疾病。所謂內傷。即因飲食起居不適宜而發之疾病。此種疾病發生之狀態。有急激者。如突然發熱或頭痛等。謂之急性。又有徐發者。如病邪侵襲。須經時而身體漸起異狀。謂之慢性。此病邪僅犯其身體外表之部位耶。抑已深入內攻而妨害其內部耶。可別爲急逆虛實四症候焉。

「急」者、與急性之意義稍異。蓋病邪趨於急激。其平常之生理狀態。驟然一變。如突然發熱惡寒。而其病勢侵入體內。元氣益耗。毫無發揚是也。

「逆」者、病勢上升絕不下降之謂。蓋人身之元氣。升騰發散。各有常度。病邪來則使其不升。或使其升而不循行於全體。致有異常不快之狀態是也。

「虛」者、病邪充實於身體。其元氣遂虛而衰弱也。

「實」者、邪氣旺盛。縱橫襲擊身體各部之狀態是也。

疾病之四狀態如此。換言之。疾病之症狀分爲四個形態。實爲漢醫之根本。故病勢之觀察。乃重要之診斷法也。

（四）疾病無定型

現代醫學。對於胃腸病腦病氣管枝加答兒等。附以病名。著有定型。據此爲基本而施治法。然在古人。對於疾病却以爲無一定之型。如胃有病。則非但消化器發生障害。而同時且波及於全身也。

風邪客於身體。所謂感冒之症。其疾病殊不一定。或惡熱而皮膚赤熱。或惡寒而皮膚蒼白。凡病有發於陰者。有發於陽者。察其病勢之强弱。實爲重要之務。

（五）主症副症

漢醫學固僅論症狀而無病名。但謂漢醫爲對症療法者。則又昧於事實矣。夫對症療法。如追影蹤。絕不知有本體。今察漢醫治法。其於病邪之變化。病勢之强弱。莫不詳爲觀察。故能常知其現實之活躍狀態。而施適宜之治法。正如戰爭之時。知敵人之作戰行動而應敵也。

若風邪陽性侵犯膚表。則投陰藥及沈降冷性之劑。若侵內部之陰性症狀。則與以陽性興奮之劑。如疾病爲頭痛。爲嘔吐。此時以頭痛爲主症耶。以嘔吐爲副症耶。是當先辨其容態之主客。以察其形態之變化。現象之消長而知其本體也。若現代醫學。則專致力於病因探究而不留意於症候之變化。例如肺炎腸加答兒。祇決定其病名。即已畢其能事而完全之治療法。則略而不詳。夫主症者。病之本體也。客症者。病之附從也。故身體不適而生病變時。綜其各種容態。辨其孰爲主症。孰爲客症。如是確立治病之方策而謀驅除之方法。斯易易已。總之病無定型。千變萬化。執其症狀而辨其主副。又鑑別其孰爲主要原因。孰爲波及原因。以現實爲依歸。視人類爲生息之活體。不視爲靜止之物體。此漢醫學之特長也。

(六)腹診

腹診者、以腹爲生人之本。百病之原。此種思想亦爲漢醫學之特長。墨其尼哥夫曾著「腸內異醱酵」說。謂人體之主要中樞。營養之根源。在腹部。良好之血液在臍下之丹田。人身之元氣與生命之本源。亦在腹部。若無腹部之機能。則生命不能繼續而存在。自來講長生術者。無不胃腸健全。故察病因之道。必診察其腹部焉。病勢爲影。由影而審知其形態。由形態而察知其本體。腹部者、安置本體之處也。故知腹部之狀態外形。考慮起於全身之病勢。綜合病因與病勢之趨向。即可豫知未來之病變。此漢醫學之特長。凡欲察知豫見之進行性病變。則腹診誠不可不講之術也。

(七)漢藥研究之難點

由以上所述之治病方針觀之。則使用之藥物。亦略可知已。漢醫藥往往選取對於主症副症有調和作用者。適當配合。以製成合劑。故其處方用單味藥者甚鮮。

以歷史之悠久。漢醫學者輩出。各樹一幟。本其學說。創製藥方。極爲復雜，稱後世派者。自宋迄明。醫學家或本於所謂風寒暑濕之天理哲學。或本於當時流行之理氣說。議論百出。莫衷一是。要之。劉河間張元素李東垣之徒。創運氣論以論藥理。誠索解人而不得也。

（八）藥物之觀察法

凡生物無不爲運命所支配。天命者、天所賦與。卽天性。所謂天命之謂性也。藥物何莫不然。既爲人類。必有氣質。既爲藥物。必有性與氣味。此等性與氣味之說。在觀察漢藥時。極不可能。遂至有廢棄之今日。夫根據運命觀而述藥之効能。固屬缺點。然自一方面觀之。則又若有妙趣。夫人類之性本善。其天性雖圓滿如珠。然應對萬物。斯有感應作用。或濁或清。雖道心堅固者。亦隨境遇而變遷。人心如浮雲。因所謂慾情與理性之合和而變化其動作也。

漢藥亦然。因配合藥物之如何。而異其生理作用。醫治効用。自來漢醫學研究家。蔑視後世派。推崇古方派。其實後世派藥物處方。亦大有卓越之効力。依古方所言萬世一毒說。或一氣留滯說。主張用猛烈之下劑吐劑汗劑以攻病毒。不顧身體之衰弱。此不可謂爲完全之治法。故運命觀亦適當斟酌。因其病勢之如何。配合藥物之補營滋養性。圖體力之進步。間接以驅除病邪。如此者可一概抹煞耶。對於藥物之觀察及批評。觀其記載何藥氣寒。可療溫熱。何藥有滋陰沈降之作用。而載有去熱降火清陽升陽等字樣。似此後世派之處方。亦頗妥善。今日吾人所讀之漢醫書。大都唐宋以後之著作。當時學者加以註釋。以著述文獻之眼光。研究漢藥。勢必偏於陰陽五行五運六氣之說。以解釋藥理矣。故宜注意藥物之主効。不必拘泥其性寒味酸也。彼主張病無定型。症有主副。隨其病勢病位。而考慮其藥方之古方藥物使用法。以及後世派梧配劑之妙義。皆須註重於藥物應用於如何之症狀。觀察藥物之主要醫治効力。此研究斯學者最宜留意者也。

(九)漢方藥衰退之原因

吾人並非有意崇拜漢醫。亦非過於推獎。不過寫實而已。虛心觀察。擇其善者而從之。應用於現實之生活。至少可使吾人生活豐富。如此而已。無他念也。惟漢藥現今衰微之原因。由於漢醫學之廢滅。而漢醫學廢滅之原因。由於應急之方法頗劣。尤由於不知麻醉之技。外科手術。非常幼稚。此第一之理由也。

在明治時代。漢藥被人擯棄。歲月如逝。迄於今日。外科醫術漸進展。再注重於內科療法。甚至執刀切開之方法。將易為膏藥時代。或將推移於自然治愈。血清療法。理化學療法。漢醫學雖至廢滅。而當時使用之藥物。再加以切實研究。以為進步醫學之治療品。誠當務之急也。

我國(日人自稱)多數民族。浸淫於漢醫慣習。尚留遺跡。從事藥業及以濟生治療為任務之士。誠能忍耐持久。切實研究。其結果必能活用藥劑。以安民生。豈不遂其初願。若發見奇疾沉痾如胃癌或肺病之醫藥。豈非大幸。又豈獨我國之幸哉。有志研究斯學者。慎毋蹈從前僅用理化的操作之惡習。必檢察風俗習慣歷史。以啓其活用之道。斯為得矣。(待續)

麻疹的早期覺察與家庭療法

徐名山譯

麻疹的早期覺察

在小兒發疹症中，佔最多數的，恐怕要算痲疹了。此病是每一個小孩必須要經過一次的，就是你把大門關起來，也不能避免它的傳染。同時因爲痲疹與他病類似的症候很多，而且在前驅期中，也沒有痲疹所特有的前驅症狀；使醫者在早期診斷的時候，感到非常的困難。祇要稍不謹愼，就容易因鑑別錯誤，而墜失自己的信用。無怪從前日本人加痲疹以『醫見哭』的別名哩。茲將對於本症早期診斷時應注意各點，述之如下：

▲流行與季節的關係——本症雖然是很難避免的流行病，惟因一次罹病之後，可以終身免疫，故在流行過了的第二年，患者就比較減少，等到第三年，又突然地增加起來了。而且本症的罹病率與自然氣候極有關係；大抵患者的數目，以四月至五月爲最多，在炎暑或嚴冬的時候則較少。作者曾將一百九十七名就診的小孩，記載他們罹病的時期，作統計表如下：

時期	患者數
一月	4
二月	15
三月	20
四月	34
五月	49
六月	41
七月	16
八月	5
九月	3
十月	3
十一月	2
十二月	5
共計	197

右表對於痲疹之早期覺察，固不無相當的便利，不過在痲疹流行的時候，父母們常常被提醒似地警戒着；對於自己的孩子一有病態，誰也能夠下意識地確定是痲疹，那末便用不到本表了。而在非流行季節，又因有許多證狀類似痲

疹的其他疾病易與痲疹相混視而這裏又是沒有鑑別上的幫助，未免使人抱憾也。

▲年齡與既往症——普通以二歲至五歲的小孩爲最容易感染痲毒，這是醫者所共有之常識，可是一般粗心的父母，往往把小孩過去所患無定型的猩紅熱或風疹等誤認爲痲疹，而且常常會非故意地謊騙醫生說：『我家的孩子已經患過痲疹了。』這樣的情形下，醫生的觀念容易被移動，診斷更覺困難，必須要胸有成竹地仔細詢問病孩的年齡和既往症之證狀，方不僨事。

痲疹的診斷

痲疹在流行時，容易覺察，前面已經講得很明白了；但在流行的起初，或本病發生的情形很散漫的時候，則非僅前述的常識，所能確定了，必須對於本病的證狀有相當的明瞭，方能胸有成竹，臨事不亂。茲述其證狀如下：

▲前驅症狀——痲疹的症候通常有一定的經過，大約爲『潛伏期』十日，『前驅期』三——四日，『發疹期』三——五日，『恢復期』三日至六日；潛伏期沒有顯著的症狀，等到發熱的時候，便可決定他是前驅期了。茲將初期症狀與經過，表示如左：

痲疹初	
	(1)潛伏期　約十日——無顯明證狀，惟在仔細觀察之下，也或有胃氣不振，輕度發熱，倦怠，不愉快等身體違和的現象。
	(2)前驅期　約四日

期症狀及經過一覽表

第一日　發熱，（三十八度——三十九度的前驅發熱）鼻粘膜發炎（鼻流清涕）眼結膜炎（眼瞼內的皮膜和白睛面前的皮膜腫脹發紅並分泌多量淚液。）喉炎咽（扁桃腺腫脹）氣管黏膜炎，（咳嗽，咯痰，或聲音嘶啞呼吸困難。）

第二日　考拍立克氏斑點發現，（發生在頰內的精膜或口唇內面是一種白色或黃色的小斑點，各個斑的周圍通常圍着紅色環狀的圓暈斑點的數目多少不定。）

第三日　熱度稍下降，內疹之前發疹出現——此疹較皮膚疹先發為前驅期特有的症狀，形狀或小如粟粒，或大如扁豆，或作線條模樣常常發生在軟腭和懸雍垂（小舌）的附近。

（3）發疹期　約五日

第一日　從感染到此時，已有十四天了；熱度復昇騰至卅九度或四十度，各種黏膜炎的證狀，較前更覺加重，麻疹性的皮膚疹就在此時開始發現。

▲麻疹的熱型——在前驅的第一日，熱度突然昇卅八度至卅九度，未幾又漸漸的低下，這樣的發熱在醫學上稱為二峯型熱候；我們只要注意病人的熱型，對於本病的診斷，亦有相當的幫助。

▲麻疹的類似症——第一為『猩紅熱』其次如『痘瘡的前驅症』『黴毒薔薇疹』『風疹』『傳染性紅斑』『中毒性

紅斑』『突發性發疹症』『小葉性肺炎』『血淸症』『日光疹』『紅色汗疹』及由種痘後的消化不良症——胸炎而起的『急性發疹』等。都易使醫者誤認爲麻疹，宜仔細考量之。（譯者按：對於麻疹的類證鑑別法，原文未加說明，未免使人失望，譯者現正研究本病的類證鑑別法，如蒙讀者諸君賜以參攷資料，不論經驗報告或學理論文，均所歡迎！如認爲有價値者，並當發表於本刊。來件請寄蘇州國醫學校國醫編譯館轉鄙人收可也。）

麻疹的看護與家庭療法

麻疹患者全身各臟器均感染麻毒，人體的細胞亦大受其害，因之體力非常衰弱，容易惹起種種危險的合併症。所以在病中應當一面設法減輕患者的苦痛，一面極力防止其他病菌之侵襲，茲將看護上應注意之要點及最通俗的對症治療法，略述如下：

▲嚴密的消毒——病兒的口腔，如不淸潔，最容易引起鵝口瘡，甚至兩腮、上腭、下腭及齒齦等處有發生『壞疽性潰瘍』或齒牙全盤脫落之虞，最爲危險；預防之法，首當淸潔口腔。宜用百分之三過氧化氫水或硼酸水頻頻漱口，或以脫脂綿拭口腔。至衣服、寢被等應時常洗滌，或用熱開水消毒，那是當然的事，不必再說了。

▲合宜的病室——麻疹病人最易發生合併症，故應絕對使與患有其他傳染病的人隔離，最好之法莫如特闢病室，不使病孩外出。同時因爲麻疹一遇風寒，就要不能透發，轉變爲非常危險的內陷症，故病室內宜有防風裝置。空氣的溫度須常保持在華氏七十度以上，不使急劇變化；又室內空氣如過於缺乏水分，則易使病者呼吸不利，眼鼻有乾燥之覺，應該放置熱水盆等於室中，以便蒸發水氣，調劑室中濕度。

▲適當的榮養——適宜的榮養，能使病兒的身體不致過分的衰弱，亦佔治療上重要的地位，如看護者漫不經心，容易使醫者的治療失去效力；故在發疹後廿四小時之內，雖食慾尚未全盛，就可頻頻予以砂糖湯或甜的紅茶，以免因身體缺乏水分而減少對於其他疾病的抵抗力。（據醫學家實驗，人體缺乏水分亦能減少疾病的抵抗力。）

又在發疹期間，胃腸裏面亦密佈紅疹，勢必消化機能極度衰弱，宜禁止一切粗劣或固體的食物；即對於滋養豐富，最易消化的牛乳，亦應用適當的開水稀釋後，方可飲之。

▲高熱的處置——普通的狂熱病，固可施以冰囊或冰枕，至於痲疹如用冷掩法，則反使熱度增高，昏狂譫語，或更有引起肺炎之虞。故西洋各國，對於高熱度的本病患者，常施行溫水浴，或芥子浴及芥子泥濕布掩法，以期達到透發疹子之目的。如不幸而在發疹期中感受寒涼，則疹子陷沒，顏色蒼白，呼吸加速，發生毛細氣管炎的證候，危殆立見。此時宜一面與以强心劑，一面用芥子泥濕布包於胸部，或裹纏全身，使疹重新透發，或可得救，

【註】芥子泥的做法，就是用適量之芥子粉（中國藥店有售）加入微溫湯中，充分攪和，使成稀糊狀；敷於紙上，外襯溫濕之布，即可應用。包掩的時間，大概以十五分鐘，皮膚潮紅爲最適當，過久則有使皮膚起疱之弊。宜注意也。

▲下痢之處置——患兒下痢，大都因腸胃感染病毒，不能營消化作用所致，祗須減少其食量，即可，切勿濫投止瀉之劑。但如痢中帶有黏血，則應按照治赤痢的方法處置之。

▲結膜炎之處置——在痲疹前驅期中，往往眼瞼結膜，發赤腫脹，眼球結膜，也水汪汪的發紅，同時從眼中流出黏液和膿性的分泌液。漸乃乾燥成眵，封結眼瞼，不能掙開，宜用新鮮的硼酸水拭除眼眵，然後點以黃色降汞軟膏，則次日

不致封閉矣。

▲麻疹的合併症——麻疹的經過，如沒有意外的變化，他的預後大概佳良，若不幸而發生合併症，則便難以逆料了。最易與麻症併發的病，約有『肺炎』、『肺結核』、『百日咳』、『中耳炎』、『腦膜炎』等數種，都是極有危險性的。如發現其一，即宜速用對症療法。

▲麻疹善後療養——患者在發疹時間，即使幸而不發生合併症，但病後身體衰弱，對于外來病毒的感染性比平時特强。故在病愈後的九日以內，應絕對禁止起床；二週之後，始可在房內略事運動，惟每日午前午後，仍應各有一二小時的靜臥，直待體力徐徐恢復，抵抗力日漸强大而後止。至飲食方面，如胃腸機能沒有障礙，可略進富於滋養的食物，以速其恢復。否則仍應用牛乳等流動性食品也。

麻疹的豫防

絕對的豫防麻疹，在事實上固然是不可能的事，但身體過於衰弱，或罹結核重症的小孩，如一旦加罹麻疹，勢必引起危險，似非設法使他們安然地避免這麻疹流行期不可者，則不妨試用血清注射法，就是從麻疹恢復期的病孩底身體上採取少量的血液，注射到欲施預防法的小孩身上。不過社會上沒有出賣愛兒血液的父母，要想實施却很困難，那麼只有以父母的血液權且代用，其法可用二〇CC的血液，加入4%的枸橼酸曹達液作筋肉注射。據內田醫學博士之報告：三歲以上的幼兒，約有半數以上可以達到豫防的目的——縱使不能避免，其症狀亦很輕微云。

（譯者按吾國民間習慣，常於麻疹流行時用阿魏懸掛胸前以豫防，不知是否有效也。）

講壇

唐仁緡博士醫學演講錄

陳碩人記

唐仁緡博士係本校校長唐慎坊先生之哲嗣，早年留學德國，對於醫學造詣頗深；返國後懸壺海上，聲譽隆然。右稿係唐博士對本校學生之演講紀錄，對於白喉症之病理及療法，源源本本詳述無遺，爲有志中醫科學化者，所不可不讀。聞王愼軒夫子謂：本校下學期設立國醫研究院時，將聘唐博士擔任講師；業已預得博士之首肯云。

編者謹誌

——實扶的里（白喉症）的病理及治療——

實扶的里是從原名 Diphtherie 譯音而來的一個病名，普通一般俗間稱爲白喉、喉風、喉痧、咽頭喉風等等，也都是指着實扶的里而言。其實這種名稱，似乎不大妥當，因爲實扶的里，並不單猶發生在喉部，他也可以發生在咽頭和鼻腔的兩處，而且從臨診經驗上看起來，反以發於咽頭的時候較多，所以决不可用白喉或喉風二字，即可代表實扶的里！祇可將發於咽頭的實扶的里，稱爲咽頭實扶的里，發於喉頭的實扶的里，稱爲喉頭實扶的里，發於鼻腔的實扶的里，稱爲鼻腔實扶的里，這樣才覺確當。實扶的里的病原菌，是一千八百八十三年 Loeffler 氏發見的，稱爲 Loeffer 氏桿菌，因爲這種桿菌只可發生實扶的里，所以就稱他是實扶的里桿菌。它常常存在實扶的里病人患部的僞膜當中，對於乾燥的抵抗力很强，不容易死滅，在秋末春初天氣乾燥的時候，很容易流行實扶的里，也許因爲他的對於乾燥抵抗力强固的緣故啊。他雖存在患部的僞膜當中，然而他的毒素，則常侵入病人的全身，所以本病病人的全身症狀，反比局部症狀來得嚴重。他的傳染經路，最多的是扁桃腺，其次是鼻腔和喉頭，還有眼結膜中耳外陰部黏膜皮膚小創等等，亦可侵入，但是很少。又本病往往和連鎖狀球菌葡萄狀球菌或其他病原菌混合傳染，此時局部的症狀，大都劇烈。本病最易感染的年齡，要算從二歲至七歲的兒童最多，素有口蓋扁桃腺肥大症的兒童，更易發生，十四歲以後，感染的則漸次減少，所以在成人的年齡，感染本病的，比較很少。患過一次實扶的里，將來未必即得免疫性，因爲他的免疫性極短的緣故，有時反而增加本病再發的傾向。實扶的里的傳染，多半是接觸傳染；像(一)病人的咳嗽；(二)病人的衣服被褥書籍食物痰唾，和小兒的玩具；(三)近距離的空氣等等，均可感染本病。在一個多兒童的家庭當中，若有患着本病的小兒的時候，常可傳染到他的姊妹兄弟，所以像幼稚園和小學校的兒童，如果傳染起來，那就很多傳染的機會。最危險的事實，就是在最初發病，而患兒尚未感覺有病的時候，他的口腔裏面已經含有本病的病原菌，或者患兒方才痊愈，而照常到校的時候，他的口腔裏面尚含有本病的病原菌，有這兩種的機會，他的傳染當然更易。說到這裏，我要奉勸患兒的家長的；就是在患兒痊愈的時候，須要經過醫師的證明許可，方可令他到校；我要希望學校當局的，就是在實扶的里流行的時候，必須時時刻刻注意兒童的口腔衛生，遇有可疑的兒童，應當立刻囑托校醫施行診察，或者立即送回家屬延醫診視，方爲妥當，千萬不可輕視啊！

現在姑且先把三種實扶的里的症候，各各順次講一講：

（一）咽頭實扶的里：（Rachendiphtherie）普通一般人稱作白喉的時候，大半都是指着這種咽頭實扶的里而言，因爲他的局部病竈，只在扁桃腺和咽頭的兩處，所以病家自己或醫者比較的容易發見，不過常常誤將扁桃腺炎當作本病，或者誤將本病當作扁桃腺炎，這是因爲患着扁桃腺炎的時候，也有白點或被膜的緣故。其實遇著可疑的時候，儘可用顯微鏡來檢查一下，究竟有無實扶的里桿菌的存在，這是很容易解決的一件事體，也就是新醫診病確實的一點。我曾診得很多的病家，大都已經受過一二次的治療，有的是將扁桃腺炎當作實扶的里來醫治，雖然已經注射實扶的里血清，但是還不能立刻見效，反而失却病家對於血清的信仰心。有的是將實扶的里當作扁桃腺炎來醫治，一再遷延時日，錯過血清治療的良機，卒至無法挽回生命而亡，這才眞是冤哉枉也。造成這種不幸的結果，雖是醫者直接的錯誤，但是間接也因病家缺乏醫學常識的緣故。本病的潛伏期，大概爲二日至七日，也有只須數小時，他的咽頭症候，是因疾病的輕重而各有不同。在輕症的時候，又可別爲義膜性和腺窩性的兩種：

（甲）義膜性咽頭實扶的里：（Membranceae Rachendiphtherie） 咽頭發赤腫脹，兩側扁桃腺腫大發赤，在一側或兩側扁桃腺的全面，被覆灰白色的義膜，義膜有時可以蔓延波及咽頭後壁軟口蓋和懸雍垂。此種義膜的固着力甚強，狠不容易剝離，剝離的時候極易出血，這也是診斷實扶的里很緊要的一點。鼻腔常發炎症現象，此時鼻腔的黏膜，大都腫脹，鼻汁的分泌，亦因此而增多，行嚥下作用的時候，非常疼痛而感困難。對於發音，亦被障礙，有時變爲嘶嗄，在小兒則屢呈呼吸困難，啼泣不安，頸部的淋巴腺，亦常腫脹而有壓痛，體溫大概在三十八度至三十九度的左右。

（乙）腺窩性咽頭實扶的里（Laknnaere Rachendiphtherie）咽頭後壓軟口蓋懸雍垂，和扁桃腺，均潮紅腫脹，在一側或兩側扁桃腺的全面被覆一個或幾個白色的點狀物，此點酷似扁桃腺炎所發的白點。但是本病的體溫，並不像扁桃腺炎那樣高（四十度左右）普通總在三十九度以下，這也是診斷這種實扶的里很重要的一點。其餘的症候，大略和義膜性的相同。在重症的時候，他的全身症狀較爲重篤；亦可別爲壞疽性和進行蔓延性的兩種：

（甲）壞疽性咽頭實扶的里：（Gangraenoese Rachendiphtherie）在咽頭形成著明的義膜中央，發生暗黑色的斑紋，義膜周圍的黏膜，爲暗赤色腫脹，多帶乾燥，往往蔓延及軟口蓋或懸雍垂。有時限局發生在咽頭後壁和扁桃腺的兩處被義膜被覆的組織常陷壞死，病人的一般全身症狀，亦陷於重篤的狀態，體溫上昇，常達三十九度之上，頸部的淋巴腺，有時腫脹疼痛，有時竟可化膿，言語常帶鼻聲，口內放惡臭，嚥下作用，亦告困難。

（乙）進行蔓延性咽頭實扶的里：（Progrediente Rachendiphtherie）這是一種最嚴重最可怕的咽頭實扶的里。他的危險就是向附近各處進行蔓延，一面從扁桃腺蔓延到軟口蓋和懸雍垂，一面又可由上方蔓延到鼻腔，由下方蔓延到喉頭和氣管。普通要算蔓延到喉頭的時候最多，此時常發喉頭狹窄的症狀，病人陷入窒息的危險。蔓延的進行很早，大概在發病的第二天，卽已發現。體溫上昇，可達三十九度或四十度，病人漸次感覺體力的衰脫，陷於無慾的狀態，脈搏轉爲緩徵弱慢不正。這個時候，往往可以突然發生心臟麻痺而死。

論到咽頭實扶的里的併發症，可以區別爲傳播性和轉移性炎症的兩種，現在大略講一講如左：

（甲）傳播性炎症主要的炎症有三，如左：

（1）鼻腔實扶的里：大都先來鼻腔的充塞和旺盛的分泌物；初爲漿液性，後爲血樣膿性。（診斷鼻腔實扶的里最重要的一點）上唇的皮膚因鼻腔流出分泌物的刺戟，以致潮紅腫脹，時常有一種壞疽性的斷片，從發炎的鼻粘膜脫離而排出於外，方若用鼻鏡來檢查鼻腔，則見灰白綠色的壞疽性組織，患鼻腔實扶的里的時候千萬不可輕視，因爲很多的小兒，常可由全身敗血症或衰脫而死亡。

（2）喉頭實扶的里：是從咽頭實扶的里傳播於喉頭所發的一種重篤的併發症，小兒最多；他的危險，就是在發生急性喉頭狹窄的症候，如果治療不當，或治療過遲，則多因窒息而死亡。

（3）中耳炎：炎症波及中耳的時候，那就患者耳內感覺劇痛，終至化膿，變成鼓膜穿孔，甚至誘起種種的症候或危險。

（乙）轉移性炎症：屬於這一類的炎症，都是因爲實扶的里毒素的作用，他主要的炎症有五，如左。

（1）急性腎臟炎最多。

（2）心臟亦常發障礙，有時且來突然的心臟死。

（3）肺往往發生肺炎的症候。

（4）多發性關節炎，在關節誘起疼痛性的腫脹。

（5）皮膚的變化，如薔薇疹樣或紅斑樣的發疹，或來皮膚出血。（待續）

余無言先生醫學演講錄

周自强記

余無言先生係精通中西醫學之外科專家，曾任前陸軍第二師師令部軍醫官，及上海中國醫學院外科教授等職。氏於早年嘗從德醫維都富爾氏專攻外科，後感西洋醫學之缺點甚多，復回首研究中國外科學；故其對於醫學，頗具獨特之見解，非一般偏狹主義者，所可同日而語。當余先生之大著：混合外科學總論，混合外科學各論，大自然醫學論諸書出版後，王愼軒夫子，即心儀其人，故於此次設立蘇州國醫研究院，特聘余氏爲外科研究系主任，將於秋季開學時正式就職。右係前次余氏因事來蘇，應王師之請蒞校講演時之演說紀錄也。　名山附誌

此次鄙人自上海來。訪問王愼軒先生，並參觀貴校，非常榮幸，在上海時候，蒙愼軒先生邀鄙人到貴校任課；鄙人自維少於學問，不敢貿然答允，而愼軒先生不棄菲材，必欲獻醜；復思中醫學術實多可寶之處，得與諸位共學於一堂，切磋研究，亦良爲快事；是以未敢固辭。昔韓文公有言：『弟子不必不如師，師不必賢於弟子。』鄙人之來，即本斯旨；原說不上教授二字。

說到中國醫學方面，唯一的長處，就是以實驗爲基礎，一部神農本草經，純然從經驗上進取得來。至陰陽五行六氣之盛行，遠在唐宋以後，金元以下，風行尤甚，反把原有實驗的長處，掩沒不彰，走到清談的路上去。譬如吃飯，眞正實驗的醫學，有如大菜，陰陽五行，不過如醬油糖醋罷了。今用醬油糖醋來調和五味，未爲不可，無如後世學者侈談陰陽五行，輕重倒置，簡直不是吃大菜，是吃醬油糖醋；反把主要食品遺忘了。這種調味和羹之品，把胃口都吃倒了，還有什麽味道?!中醫之沒有進步，大半基因於此。現在國家提倡中醫，盼望諸位好自努力，獲得中醫的眞髓!

我不知道諸位同學對中醫的觀感如何，有一班人說中醫完全不對，一無可取；另一班人卻說中醫很有道理，大可

研究。在此思想動盪不一的時候，我所盼望於同學的，要放大頭腦，放遠目光，無論中西，兼收並蓄，毋爲自己主觀所狹小，而信崇去取之間，須在自己。何以說要兼收並蓄？譬如中醫講外感病是因六氣，西醫說都因病原菌。但人在氣交之中，對氣候之變動，固然有相當關係。不過何以同在一起，同是人類，同一時令，而有病有不病，並不老少强弱都病呢？這是不能自圓其說之處。使六氣能致人病，就該人人都病，若謂體有强弱，乃有病有不病，那麼病因就不純在六氣。西醫雖說細菌能致人病，但議論也不一致，有的說：先有細菌侵入，而後生病。有的說：先有病，而後生菌，事實昭示；如梅毒之有螺旋菌，淋病之有重球菌，爲其病源體。梅毒菌現有世界學者所公認的聖藥六〇六能撲滅之。但是有的患者注射一二針後就痊愈；有的注射四五針十餘針甚至三四十針依舊不能清根。有的甚至因注射過多，起砒中毒之患，全身浮腫、潮紅、脫皮的，也是數見。又如淋病注射黃色素是特效藥，但有些患者一二針後就告痊，有的數十針而仍如故。其間治績的差異，固堪研究，而一味就認細菌學說是對的。爲甚麽殺菌藥的黃色素，不能根治淋病；殺菌藥的六〇六，不能根治梅毒呢？所以細菌學說，也難盡信。總之在這個中醫既多訛誤，西醫又未臻完全可信的時候；我們非兼收並蓄不可。但如收容之後，不用準確的目光來去取選擇，也不免要陷於錯誤之道了！所以放寬腦海，是現在我們所必具的態度。前人說腦爲海，我們能不儘量放寬嗎？

關於國藥方面，希望能夠研究提煉，從科學方法作出發點；以杜塞漏卮，提倡固有之寶藏。

愼軒先生設立學校，在中醫飄搖之中，建立中堅，教導後學，希望諸同學加緊努力，推進中國醫藥學至最高峯，這不但是鄙人所盼禱，想諸位同學一定也很贊同的！

醫學研究

神經系病（續）

（二）急慢驚風（單性腦膜炎）（結核性腦膜炎）（續）

傅晚香

二　鎮靜消炎除痰方

渡邊熙經驗方

辰砂　牛黃等分（依小兒之年齡分大中小之量用之）

右煎服。並得依症兼用　柴胡　茯苓　人參　半夏　甘草　杏仁　川芎　獨活　防風　青皮　陳皮　生薑。有熱驚風症狀，而夜啼者，當投以牛黃清心圓。

牛黃清心丸萬氏　治傷寒邪入心包中風痰火祕結，痰癡眩暈，語蹇神昏，小兒驚風痰涎，手足牽掣，痧痘煩躁。

牛黃二分五厘　川連五錢　黃芩二錢五分　生梔子三錢　鬱金一錢　辰砂一錢五分

上共研細末，臘雪水調，神麴糊丸，每丸潮重四分五厘，每服一丸，燈心湯送下。

硃砂安神丸　治神昏亂、驚悸、怔忡、寤不安。

硃砂另研　黄連各八錢　生地黄三錢　當歸　甘草各二錢

右爲細末，酒泡蒸餅，丸如麻子大。硃砂爲衣。每服三十丸，臥時津液下。

利驚丸錢氏　治急驚

天竺黄二錢　輕粉　青黛各一錢　黑牽牛炒五錢

右爲末，蜜丸豌豆大。每歲服一丸，薄荷湯化下。

編者按　驚風之水銀療法，已經日醫渡邊熙氏實驗，前已言之矣。揆度其理，不外消炎、解毒。試觀西醫於敗血症及梅毒往往注射水銀，其收效之速無出其右。惟渡氏經驗，此症之有高熱而心藏衰弱者，於辰砂中必加入牛黄强心，奏效方能確實也。此爲一法。考千金名此症曰陰陽癇，曰少小中風。茲更列方如下，以備參考。

治少小中風狀如欲絕方千金

大黄　牡蠣　龍骨　括蔞　甘草　桂心各二十銖　赤石脂　寒水石各六銖

右八味㕮咀，以水一升，內藥重半兩煮，再沸絞去滓。半歲兒服如雞子大一枚，大兒盡服。入口中卽愈。

按　張石頑曰：『此卽風引湯之變方。金匱本治大人風引，小兒驚癇。立方命名專在引風內洩，故用大黄、甘草、寒水石。杜風復入，故用龍骨、牡蠣、赤石脂』云云。意見甚善，殆卽中風案中之加爾曳謨療法乎?!

三　弛緩神經方

小兒至寶丹金鑑　治小兒急驚，火鬱生風。

麻黃　防風　荆芥　薄荷　當歸　赤芍　大黃　芒硝　川芎　黃芩　桔梗　連翹去心　白朮土炒　山梔　生石膏　生甘草　滑石　全蠍去毒　細辛　天麻　白附子　羌活　殭蠶炒　川連　獨活　黃柏

右爲細末，煉蜜爲丸，每丸五分，量兒大小與之，薑湯化下。

按　此方以麻、防、荆、薄、翹爲解熱藥，以減輕高熱，用大黃、芒硝，以清裏，使減退腦內壓。用羌、獨、辛、附、芎、歸、芍以刺激神經，使起反射作用。芎、歸、芍並能調其血行，使不致有留瘀之患。更以全蠍、天蟲、天麻以弛緩神經（熄內風），芩、連、梔、柏、桔、朮、羔、草以消炎制泌，作根本之解決。立方之周密，可稱盡善。惟此方開首數味，以減輕現在之熱候爲目的，編者以爲用於初起之熱度高時爲有效。

腦膜炎特效方　惲鐵樵　治此症之兼肝陽者

龍胆草五分　滁菊三分　鮮生地五錢　歸身三錢　川連三分　犀角三分（磨冲）　回天丸

右七味，爲必用要藥，其餘可以隨症加減。胆草不得過七分，否則反化火。歸、地、滁菊即爲胆草而設，若單獨用胆草，則嫌尅伐，且不能收效。犀角所以弛緩神經，且與胆草湯調，則升清降濁。回天丸所以開閉，亦能弛緩神經。他種香藥，如紫雪丹、回春丹，祇能洞開門戶，則邪深入，無弛緩神經之作用，不適用也。一劑不足，則繼進一劑，以有知爲度。若遇大腦炎，則須用羚羊，亦不過三分。且羚羊只用一次即得，凡犀羚回天丸，必須見抽搐之後，方可用。若僅僅發熱，後腦痠、頭痛，於尋常疎解藥中加胆草三分即得，不得遽用丸藥及犀羚也。

按　惲鐵樵先生於驚風及一切腦病，見其神經緊張者，用蟲類藥每獲奇效。因創蟲類藥能弛緩神經一說。（見保赤新書原書不在手頭無從錄其原文）此方回天丸之主藥，卽蟲類之蛇，並配以香藥。此方特惲先生發現此症於弛緩神經之外，尚須平肝（鎭靜消炎）一法耳。

編者於臨床時見神經緊張不甚者，每以全蠍、天蟲。稍甚則加蜈蚣，往往應手奏效。惟蜈蚣有燥血作用，用之不當，每易出血或拘孿，不可不愼也。後於驗方中得一效方，乃一味蚤休散，每於小兒手足抽搐，卽此一味爲散，冷開水送下，輕症無不愈者。實較用金石蟲類藥妥善多矣。

定風丹張錫純　治初生小兒綿風，其狀逐日抽掣，綿綿不已，亦不甚劇。

生明乳香一二錢　生明沒藥一二錢　硃砂一錢　全蜈蚣大者一條　全蝎一錢

右共爲細末，每小兒哺乳時用藥分許，置其口中，乳汁送下。一日約服藥五次。

一小兒生後數日，卽抽綿風，一日數次，兩月不愈，爲擬此方服藥數日而愈，所餘之藥又治愈小兒三人。　按此方以治小兒綿風或驚風，大抵皆效。而能因證制宜，再煎湯劑，以送服此丹，則尤效。

鎭風湯張錫純　治小兒急驚風，其風猝然而得，四肢搐搦，身挺，頸痙，神昏，面熱，或目睛上竄，或痰涎上壅，或牙關緊閉，或熱汗淋漓。

鈎籐鈎三錢　羚羊角一錢另燉送服　龍胆草二錢　青黛二錢　法半夏二錢　生赭石軋碎二錢　茯神二錢　僵蠶二錢

薄荷葉一錢　硃砂二分研細送服

上藥磨取生鐵銹濃水以之煎藥。

小兒得此證者。不必皆由驚恐。有因外感之熱傳入陽明而得者，方中宜加生石羔五錢。有因熱瘧而得者，方中宜加生石膏五錢，柴胡八分。

——未完——

國醫外用藥對於內科疾患之功效舉例

王南山

在內科領域內之疾病，而用內服藥不能奏效，則必借用外用藥焉。蓋外用藥能直接起作用：或外惹而內效，或起代償興奮諸作用，或與內服藥互起協力拮抗等作用。皆爲內服藥所不能單獨奏效也。且外用藥無胃腸受刺激之弊，誠良法焉。

今所欲述者，祇內科領域之外用藥而已，至於其他各科、如咽喉、眼、耳、鼻、齒諸科，以及外科生殖器病科之外用藥，皆不列入。

皮膚外用藥

敷——以藥敷皮膚也。

例一　以鴉片敷臍上，能止久利。

例二　治水腫滿甘遂爲末敷臍上，內服甘草湯，以瀉爲度。蓋與內服藥互起拮抗作用也。

例三　卒倒或厥死，以白芥子爲末，敷於心臟部、上膊內面、足蹠等處，能回復其知覺精神。如覺有疼痛或紅腫，卽離去之，不可久敷，此乃强力之興奮作用也。

貼——以藥切片或爲膏貼患處。

例一　治瘧疾，用硃砂一錢，斑蝥十四隻，雄黃二錢，生麻黃二錢，共爲細末：每用少許，放入膏藥，貼項後第三骨節，於發作前三四時貼用。蓋第三骨節乃交感神經節之所在，今以斑蝥等刺激藥外貼，使起全身之興奮，得以抵抗瘧菌，而達痊癒之目的。

例二　山藥切片，或大蒜搗爛，貼太陽穴，可止頭痛。

例三　白芥子或斑蝥研末，貼喉旁吊泡，可治喉痛。

例四　腹痛甚劇，用白芥子外貼。（以上三則皆爲代償作用，惟貼後須以溫水洗貼處，或塗油類，以防紅腫潰瘍也。）

例五　生大附子一枚，烘熱，貼臍上，冷則再換，可治噤口痢。

洗——以藥汁浸洗患處，起藥之特殊效用。

例一　脚氣初起，木瓜煎湯浸洗。

例二　治手足汗，以白礬乾葛各等分，每用五錢，煎湯薰洗。

熨——以藥加溫於患處熨之。

例一　寒性腹痛，先以白紙一張，鋪於腹上；紙上鋪熟艾六兩，令勻後，以葱白數枚，批作數片，鋪於艾上，再用白紙一張覆之，用慢火熨斗徐熨，腹中即覺溫熱。迨腹皮熱不能禁，即去熨斗，以帛束之，待冷解去，或用炒鹽布裹熨痛處亦效。

例二　小兒瀉痢，用香白芷乾薑一錢，共研細末，以蜜調爲膏，先用酒洗臍，洗後貼此膏，以布束住，再將鞋底烘熱，在膏上熨之氣通則愈。

例三　生香附子炒熱，熨腹部或脘部，治神經性之疼痛甚效。

例四　千金熨背散治胸痹、心背疼痛、氣悶，其法即以烏頭、細辛、附子、羗活、蜀椒、桂心各一兩，川芎一兩二錢五分，搗篩綿裹，微火烘令煖，以熨背上，取差乃止。忌生冷如常法。

灸——於患處襯以薑片或鹽末，而以艾絨小團灼於其上，多作爲興奮神經之用。灸法頗煩，而其用頗廣，且皆有腧穴之規定，非略舉一二例所能明瞭。欲知其詳，自有專門書籍可參考，茲不贅載。

擦——以藥擦皮膚也。

例一　治霍亂危殆時，急用生薑蘸高粱酒擦四肢。

例二　金匱頭風摩散，治頭痛。其法用大附子一枚，食鹽等分，研爲末。每用方寸匕，摩於頭上，令藥力行即愈。

例三　四肢拘急或痲痺，可用燒酒擦四肢。

薰——以藥之氣體吸入鼻腔。

例一　治婦人產後昏厥，以鉄燒紅，入醋中焠之，令婦嗅之以醒爲度。

例二　傷風寒熱，用防風五錢，紫蘇五錢，荊芥五錢，薄荷三錢，煎湯蒙首薰之，待背上汗出即愈。

鼻腔外用藥

吹——以有刺激性之藥末，吹於鼻腔，使鼻黏膜起一種强有力之興奮作用。

例一　治卒中風，口噤氣塞，不省人事，用細辛、皂角、薄荷、雄黃各一錢，研爲末，每用少許，吹入鼻中，得嚏則醒。

例二　鼻塞用川芎、細辛、藜蘆、白芷、防風、皂角、薄荷各等分，研爲末。每用少許，吹入鼻中卽通。

例三　夢魘猝死偃臥，叫呼不應者，皂角一錢，半夏一錢五分，爲末，吹入鼻中，得嚏卽甦。

塞——以藥塞入鼻腔，以達治愈之目的。

例一　鼻塞常流清涕，細辛、川椒、川芎、黑附子、乾薑、吳茱萸各二錢五分，桂心三錢三分，皂角屑一錢六分五厘，以猪脂二兩煎油，先一宿以米醋浸藥，納入豬油內同煎，至附子色黃爲度，以綿蘸藥塞入鼻中。

例二　參三七末，或鮮生地塞鼻腔，能止鼻衄，或以陳京墨磨濃汁，綿浸塞入鼻腔，亦能止鼻衄。

例三　治頭風，用鮮鵝兒不食草塞鼻中。

肛門外用藥

灌腸——以藥灌入直腸，以大便通利爲目的。

例一　蜜煎導法，治大便不通，用蜜煎如飴，捻作錠子，乘熱納肛門中，以手急抵住，欲大便則去之。

例二　治陽明病熱結於下，大便不通，猪膽一枚，瀉汁和醋少許，以灌肛門中，如一食頃，當大便，出宿食惡物甚效。虛人忌用。

國醫治內科病，用外用藥之例甚多，本篇所列，祇其大概而已；尙希同道繼起加以搜集研究也。

痢疾證治概述

衛勤賢

導言

痢疾一症，古名滯下，即內經所云之腸澼也。其名曰腸澼者，指其病竈所在而言也；曰滯下者，形容裏急後重之證狀而言也。痢疾乃其俗名耳。是症於夏末秋初之間，最爲盛行，尤以溫暖卑濕之地更甚。且具有傳染之可能性。其所下者，大概分爲赤白二種，間或亦有赤白相兼者。患者頗感困苦。今將其原因證狀及治法，略述於後，尚希醫界同志有以教正之！

原因

是症病原，國醫則謂濕熱食滯，蓋因飲食不節，致傷脾胃，太陰失其健運，少陽失其疏達，於是濕熱食滯蘊積於腸中，腸壁內膜因刺激發炎，以致傳導之機能失常，是以欲便而不得暢下也。其腸內既有積滯，腸欲營其自然作用以排除其有害物，乃極力蠕動與分泌黏液亢盛，是以生發腹痛之自覺症也。惟其結果積不能去，但得分泌物以便下，故所便者常爲黏膩之品也。而此分泌物，黏而難行，且無抵觸之能力，故腸部雖盡量蠕動，而肛門之括約肌毫不弛緩；且此時大腸既已發炎，肛門亦必紅腫，於是肛門更形狹小，腸雖推送而不得遽出，遂成肛門墜脹，臨圊窘迫不暢，古人所謂裏急後重者，殆此之理歟?!其黏液與消化不良之食物混合，是以下利色白，甚則腸膜潰爛，血管破裂，遂致下利赤色。舊云白者屬氣分損傷，赤者屬血分損傷，赤白相兼者，爲氣血兩傷。實則皆非確論也。至西醫則謂是症係流行性之傳染病，在一千八百九十七年，日本志賀氏，始於東京發見一種桿狀短菌，名曰赤痢菌，Dysenteriebacillen；其後 Kruse 及 Flexner 兩氏，職在菲律賓及德國亦發見此菌兩端鈍圓，或孤立，或兩個連結，無運動性，不生芽胞。其傳染途徑，則由於蠅之搬傳，或因坑廁之構造不良，致汚物易混入井河中，吾人對於此等不潔飲食物未加注意，漫然應用，可怕之痢疾菌遂與飲食物同被送入腸內矣。

證狀

是症潛伏期爲二日至八日，而無前驅期。其證裏急後重，大便日數行至數十行，或臨圊腹痛，胃納不旺，嘔噁頻作；於初起時或有發熱惡寒，遍身痠痛等症。其所下者，皆爲黏膩之物；或爲血液，或爲膿汁，或赤白相兼，或如敗醬，或如魚腦，或挾脂肪及消化不良之物，以俱下。其肛門重墜，甚則灼熱下脫，其下物無糞臭，放腥液氣。如爲壞疽性赤痢，Brandige Dysenterie 則有惡臭，呈鹽基性或中性反應，中含多量蛋白質，於顯微鏡下常見圓形細胞，赤血球，及變性之上皮細胞等等。

治法

痢症初起者爲實，病久者爲虛；治痢之大法，不外消導、止澀、清熱、解表、活血、去濕、補氣、溫中而已。然必細察其病之虛實寒熱，以治之，切不可見其下痢，即用止澀或消導之品，致生變端，此治痢者不可不知者也。若下痢赤色，治之之法，當分其色之鮮晦而定。若其色鮮赤者，爲熱重也，治宜清熱涼營爲主，如黃連解毒湯、白頭翁湯（秦皮有澀斂性，痢疾以不用爲宜。）之類。若其色晦赤者，一爲痢久傷陽，治宜溫陽爲主，如眞人養臟湯加炮姜，或桃花湯之類。二爲瘀積，治宜去瘀爲主，如桃仁承氣湯加歸尾、赤芍、查炭、枳實炭之類。此乃赤痢之大概治法也。至白痢之治，亦分寒熱二種：若證見腹痛口苦，苦黃溲赤而短，肛門烙熱，爲熱症也，熱輕者治宜溫苦寒合化，如枳實導滯丸加半夏、陳皮之類，若熱重者，宜重用苦寒，如小陷胸湯、瀉心湯、香連丸之類。若證見舌白口淡，小溲淸長，肛門時出冷氣，形寒脈遲者，爲寒也，治宜溫中，如藿香正氣散、香砂六君子丸，理中湯之類。此白痢之大概治法也。再有經云腸澼身熱者死，此語深入人之腦海，醫者每見痢症發熱，即加危語，此實最誤，蓋發熱之證，爲痢症初起常有之現象，不足爲憂，惟久痢而忽發熱者，爲可危耳，若痢下與發熱頭痛之表證同見者，宜治痢與疏表幷用。若表重者，則竟可全用解表之法。若寒熱一日不退，則解表之藥一日不除，必先解表而後圖裏，此傷寒論治病之大法，亦爲治痢之正道也。

攻下療法與腸胃病

呂孟祥

我人欲明治療方法，必須先識生理和病理；此篇所述，係爲腸胃病而立之標準，玆姑先言腸胃官能之功用：

腸胃位居人身中央，係屬消化之重要機關，試觀內經之論胃曰：『脾胃者倉廩之官，化物出焉。』又曰：『胃者五谷之府也。』又曰：『營氣之道，納谷爲寶，水谷入胃乃傳之肺，流溢於中，佈散於胃？』又曰：『胃者水谷氣血之海也。』其論大腸則曰：『大腸者爲傳道之官，化物出焉。』又曰：『六府者傳化物而不藏，故實而不能滿也。』統觀以上論理，腸胃雖爲消化機關，而肺之呼吸，血之運行，細胞之生長，神經之活動，靡不在其中，此足徵腸胃官能之功用，實匪淺鮮。

腸胃官能之功用既如是顯著，腸胃之爲病，亦較其他藏府爲尤甚，凡六氣傷人，初雖由肌表侵入，或口鼻吸入之不同，而其終未有不傳之腸胃，腸胃有病，消化障礙，即現喘滿腹脹，頭疼嘔吐，壯熱煩躁，或神經昏亂而譫語，或脈絡受傷而出血，凡此各症，均足以致生命於危亡。故仲景先師所著之傷寒論，評論用大小承氣調胃承氣可下之症，共計貳拾餘條。他如用抵當湯丸、脾約麻仁丸、蜜煎導法等，皆所以明下法，而權其輕重也。今之醫者，對於下法，似不敢用，病之未傳腸胃無論矣；即或傳入腸胃，畢現可下症狀，本可借承氣等湯一攻，無如醫者畏不敢用，一味以輕淡味薄之品，姑息養奸者，屢見不鮮。坐令邪勢囂張，莫可挽救，此實醫者之咎也。須知仲景先師，爲醫中之聖，所著之傷寒論，雖處今日科學昌明之世，東西各國，莫不認爲有價値之著作。其所立汗吐下和四大要法中，以下法爲最關病者生死，吾儕既涉身醫界，對於此等處，自當留意焉！

論腹診在診斷上之重要

陳丹華

病必診之而能識，識之而能斷，善診善斷，則洞見一垣，用藥處方，自能一擊而中病也。夫上聖之治病，明陰陽之變遷，達藏府之輸瀉，或望色而知之，或聞聲而知之，羣工不逮，則細按動脈，詳問外候，是以審察病情，如燭照數計，無所隔閡也。望聞問切之外，又有腹診一法，雖六氣之症，七情之鬱，亦以是考驗虛實，爲攻補之準則，後世醫者，惟癥結異疾，間或診之，於婦科則泥於禮教而鮮採用也。且舊籍散佚，書缺有間，致令古先聖法，其詳而不得聞，良可惜也。今考腹診之法，內難二經，尙有流露、內經刺禁論曰：『藏有要害，不可不察，刺中心，一日死，其動爲噫，……』又病機論曰『如腸覃者，其始生也，大如鷄卵，稍以益大，至其成，如懷子之狀。久者離歲，按之則堅，推之則移，月事以時下。』難經八難曰：『諸十二經脈者，皆係於生氣之原，所謂生氣之原者，謂十二經之根本也，謂腎間動氣也，此五藏六府之本。』十八難曰：『假令得肝脈，其內證，臍左有動氣，按之牢若痛，……（原文共有三百十三字，故不錄，可參看。）其餘各篇中，亦時有一鱗半爪可循，雖略而不詳，要亦有精義在焉。蓋胸腹者，五藏六府之宮城，一身資養之根本，陰陽氣血之發源，內傷外感之所位，外感病雖望聞問切可知，而內傷症則非診腹不能洞悉其癥結也。以內傷之病，外證雖未見，而腹中既有滯礙也。觀夫仲聖傷寒金匱，無論內傷外感之症，亦藉腹診一法，以爲攻補之方針。降及後世，習醫之士，咸以望聞問切爲臨床審症之要訣，而腹診一法，則漠然視之。斯道所以漸佚沒而不彰焉。今之醫者，凡遇藏府病症，四診所不及者，則憑病人之自述，癥結未明，攻補倒施，其不僨事者幾希，且腹診之於小兒科，尤爲重要，蓋嬰孩患病，哭而不能言，問診一法，頓失其效，欲洞見幽微，則非腹診不爲功。其於診斷上之重要如此，何習醫者，漫不注意耶?!今欲工其術者，盍揣摩腹診一法、第必先明病人之腹象，然後推考之，朝夕用功磨琢，則必得其精微，不可忽略而模棱也！

大承氣湯與白虎湯合論

倪强

西醫根據病名而治病，故必先檢驗菌類，方能以法滅之，中醫則根據證狀以治病，但能辨其陰陽，分其寒熱，按證施治，病無不瘳，仲師最重辨證用藥，傷寒論中百十三方，所以能得心應手，效如桴鼓者，要亦辨證精確，對于虛實寒熱，洞徹無遺，有以致之耳。然最要者既莫如辨證，而最難者亦莫如辨證，試觀陽明篇中，同一汗出，同一腹滿，同一譫語，在常人遇之，必將施以同一之治法矣。而仲師則有承氣湯證與白虎湯證之分。吾嘗細究其理，知白虎證之汗出、腹滿、譫語，實由於內熱過甚。蓋內熱薰蒸，則汗自出；汗出不已，則津耗而煩渴；津既耗，則胃自失其職，腹亦因此而滿矣。然此時腹雖滿，而裏猶未實,(以其腹滿而不硬)仲師所以不用大承氣湯以再耗其津,而以石膏、知母清其內熱,以粳米甘草,復其津液也。至大承氣證之汗出譫語,則為腸中有宿糞留滯久而不下,漸化熱毒所致。蓋邪熱內結則汗被蒸迫而自出;神經受高熱之燒灼,或體內毒素之刺激,則循衣摸牀直視譫語因之發。且其證必腹滿而硬,脈數而滑,舌苔糙黃而厚膩,潮熱晡發而無寒,較白虎湯證為更甚也。失此不下,則陰竭而脈濇,雖盧扁亦無可如何矣。此仲師所以有急下存陰之訓,諄諄以『……急宜大承氣湯』等語昭示後人也。考承氣湯中大黃能通利結毒,有滌胃蕩腸之力,芒硝軟堅潤燥,能滌三焦實熱,枳朴除脹消滯,能佐硝黃以奏功。一劑既投,宿糞便下,從此腸胃清潔,熱毒無從發生,而譫語直視,循衣摸牀,日晡潮熱,濈然汗出等證,當亦隨之而愈矣。此無異釜底抽薪,用適其宜,莫不效如桴鼓也。然仲景用此二方必以腹證脈證為根據,察其脈滑而浮按之洪;腹滿而軟按之不拒者,投以白虎湯。察其脈數而滑按之實;腹滿而堅按之而痛者,則投以大承氣湯。何證宜清何證須攻,傷寒論中固言之綦詳,絲毫不苟。奈何今人之用仲景方者,往往不問腹證之如何,徒按三指略問寒熱,便率爾處方;嘗見若輩遇汗出、譫語、潮熱之病人,明為白虎證反投承氣以攻伐無過,明為承氣證反與白虎湯以養癰貽患;一旦險象環生,危狀畢現,則反怪仲景立方之過峻,或慊病家調理之不愼,絕不歸咎自己醫術不精也。嗚呼!哀哀病家,拋妻別子,含藥而亡,其誰之過歟?豈仲景傷寒論之罪哉?

中醫術語『腎水』與『肝火』之研討

陸自量

腎屬水臟,腎虧者,即水之虧。內經盛衰論曰:『腎氣虛,則使人夢見舟船溺沉,得其時,則夢伏水中若有畏恐。』此以腎屬水之古訓，爲不可非議之術語。有腎虧者告予曰：夜必多夢，夢必涉水。或乘兵艦，或棹片舟，有時傾覆沉溺，宛如眞在水中，驚恐萬狀，醒來却歷歷可憶。此腎虧夢水之左證也。有中表某妹，平素體氣畏熱，雖深冬嚴寒，夾袍一襲足矣。少有細故，動輒勃怒，據謂寐後多夢紛紜，每夢必與人爭吵，怒無可遏。是係所謂肝火有餘，亦即肝氣盛則夢怒之又一確徵也。所謂腎虧者，實則其人元陽之虧；元陽虧，亦得謂之元氣虧。凡元氣虧乏之人，其體工內之燐質、炭素、脂肪、糖分、電流、等必不充盛。換言之，卽缺乏可以發生熱力之可燃性物質。我人身之陽氣本指此等物質而言，若然則其機體之溫度當然減退，休止時之感覺自然消極。凡物理之積極性者謂之屬陽，屬熱，消極性者謂之屬陰，屬寒。雖入黑鄉，腦與元神亦演消沉之感覺。如此，元氣虧，則驟覺膚冷，腎陰虛，則夢多涉水之有由來也。至於陽氣之盛，與上述陰虛者適成反比例。惟肝氣之謂，乃係指神經之作用而言，如肝氣盛，卽屬神經之興奮，第神經之興奮與消極，或與諸營養物質之盛衰不無密切之關係。審乎此，亦可知體氣熱者——陽氣盛——肝氣盛——之多夢忿怒矣。內經之言，語意雖涉玄虛，要亦與事實相切吻，古人著書，確有精奧之處，誰謂可一概抹煞哉？此係經歷之談，奚敢作齊東野語；特未識其他諸盛虛者，所夢爲何物耶?!

董志仁先生著 **肺癆病營養療法** 出版

本書著者董志仁先生係杭州有名之肺癆專家，董先生因臨證之際，病人對於飲食宜忌，恆欲詳細詢問，一一答覆殊苦瑣煩，爰擬此書，俾便病家有所遵循。病者讀此則飲食有則，可以早復健康。醫家如以此書介紹病家，則可免一一答覆之瑣煩。

出版處 蘇州吳趨坊 **蘇州國醫書社**

每部實價一角

芎藭之生理作用

經利彬　石原皋

芎藭、繖形科植物也。氣味芳烈，自古則極有名。本草經列爲上品。左氏傳山鞠窮即此。陝西，四川，江西，廣西，江蘇，浙江等省皆產之。因其產地之不同，而有京芎、川芎、撫芎、藭茶、坎茶之異。至若是否同物異名，尚有待於植物家之考證。據諸家本草所載，其入藥者有二種：一種苗葉似芹，而葉微窄，却有花紋，似白芷葉亦細。又如園荽葉微壯。此種似爲大葉川芎。Angelica refracta Fr. Schm. 一種葉似蛇牀子葉而亦粗壯。此種似爲細葉川芹 Angelica decursiva Miq. 今吾人所採用者爲樂均士先生贈送之川芎。惜無原植物可以考證，故不能斷其屬於上述之何種。

芎藭之宿根，可作藥用。今將李時珍本草綱目所列之效用，錄之於下：

中風入腦頭痛，寒痹筋攣緩急，金瘡，婦人血閉無子（本經）除腦中冷動，面上遊風去來，目淚出，多涕唾，忽忽如醉，諸寒冷氣，心腹堅痛，中惡卒急，脅痛，脅風痛，溫中內寒。（別錄）腰脚軟弱，半身不遂，胞衣不下，（甄權）一切風，一切氣，一切勞損，補五勞，强筋骨，調衆脈，破癥結宿血，養新血，吐血，鼻血，溺血，腦癰發背，瘰癧，癭贅，痔瘻，瘡疥，長肉排膿，消瘀血（大明）搜肝氣，補肝血，潤肝燥，補肝虛（好古）燥濕，止瀉痢，行氣開鬱（時珍）蜜和大丸，夜服，治風痰特效（蘇頌）齒根出血，含之多痿，(宏景)據其所述效用甚多，本草綱目雖集諸家之大成，然收羅蕪雜，錯誤難免。吾人難憑此而信之。是以乃取漢張仲景金匱要略，唐孫思邈千金要方，翼方，王燾外臺祕要，宋沈存中蘇沈內翰良方，李師聖產育寶慶集，嚴用和濟生方，元李東垣蘭室祕藏，王好古湯液本草，朱震亨丹溪心法，明張時徹急救良方，張介賓景岳全書，以及其他等醫籍，詳加覽閱，將其中之與川芎有關各項，全行摘出，然後將其材料分爲首要，次要，末要三類。(一)凡症確而用藥簡者，列爲首要，例如集簡方，簡便方之治頭痛，僅用川芎，千金之治崩中下血，則獨用之，外台祕要之治子死腹中，則與當歸合用。靈苑之驗胎方，則與艾煎服，以驗胎之有無。急救良方治腹瀉，則與罌粟同用。(二)凡症確而與多數之藥同用，且數見者，列爲次要。例如千金之治月水不通，共有三十方，其中十一方有之。治產後心腹痛，共有二十六方，其中十方有之，治赤白帶下，崩中漏下，共有六十五方，其中十七方有之。治泄注不已，共有五方，其中四方有之。又如潔古，東垣，海藏諸家，衣缽相傳，咸認其爲治頭痛之聖藥，而於治頭痛各方中，皆用之。(三)凡症狀雖明，且與多數之藥同用，雖屢見者，列爲末要。例如千金所論諸風等症，難以確定其病症，故雖於一百一十方中有三十四方，加入川芎，且皆與麻黃，防己等共用。至若獨用川芎，則百不得其一。故吾人捨之而勿取焉。經如此之分析而歸納之，得其假定，則川芎有鎮痛，安胎，催生，止子宮出血，調經，治腹瀉等效用。

據日人白井光太郎譯註之國譯本草綱目所注，言川芎之主要成分，有使中樞神經麻痺中毒之作用。然則諸籍所載之鎮痛作用，由於其麻醉神經所致，亦屬可能。但舊醫所認爲催生等之作用，究竟如何？非試驗無以證明，所以吾人乃行以下之實驗而討論之。

第一章

川芎對於妊娠動物之子宮之作用

妊娠胎動，常有小產之虞，吾國人常服藥以安之。千金安胎方有六，其中三方用川芎，外臺秘要安胎方有十九，其中八方用之。至若產育寶慶集方之三聖散，產寶諸方之甘芎散，皆用之而爲安胎劑。如此，則川芎有安胎之作用，必能抑制子宮之收縮。但靈苑之經閉驗胎方，生川芎爲末，煎艾湯服一匙，腹內微動者是有胎，不動者非也。千金之催生丹參膏方，蒸大黃方，產寶諸方之催生槐豆散，景岳全書之催生加味芎歸湯皆用之。據此，則川芎似有促進子宮收縮之作用。此二種作用完全相反。故歷代諸醫書目之神妙；究竟是否有相反之作用，以及其相反之原因安在？實有研究之價值。今將試驗之結果述之如下：

（甲）川芎對於摘出子宮之作用

1 試驗材料

本試驗所用之川芎，蒙北平同仁堂樂均士先生惠贈。將川芎搗碎，研成細末，用70%酒精浸漬，濾過。取其濾液蒸溜，可得油質及膠體之兩種物質。計一公升乾川芎，可提出油質約二十二克，膠質約七十克。濾過之殘渣再用蒸溜水煮之。再濾過，將其濾液蒸乾，計一公斤乾川芎，可得一百克之糙黃色粉末。吾人依照三者之比例，將其混合，配成百分之十之溶液。

吾人用行試驗之動物爲各期之妊娠家兔。

2 試驗方法

取妊娠家兔，不用麻醉，活取其子宮角之一段或一片，懸於盛 200c.c. 之 Locke-Ringer 溶液中，保持 37°c 之恆溫，不斷吹入以空氣，而後描寫之。

3 試驗成績

家兔 No.75體重 2750gm. 妊娠七日。取其子宮角之一段加 5c.c. 之 10%川芎精液於其營養液中，則子宮之收縮，劇然變化。促進子宮收縮之作用，非常明顯。

家兔 No.76體重 2500gm. 妊娠十四日，取其子宮角之一段，加5c.c.之10%川芎精液於其營養液中。則其促進子宮收縮之作用，亦甚明顯。

家兔 No.77體重 2850gm. 妊娠廿日，取其子宮角之一片初加 5c.c. 之 10%川芎精液，於其營養液中，則收縮增大。待後再加 10c.c. 則其收縮漸漸制止。

家兔 No.78體重 2580gm. 妊娠廿八日，取其子宮角之一片，加 5c.c. 之 10%川芎精液，於其營養液中其收縮增大而持久，甚屬明顯。待二十餘分鐘後，即收縮緊張而攣縮。

家兔 No.79 體重 2250gm 妊娠十日，取其子宮角之一段，加 20c.c.之10%川芎精液，於其營養液中，則子宮收縮制止。此或由於麻痺其交感神經所致也。

家兔 No.80體重 2480gm 妊娠廿五日，取其子宮角之一片，加 15c.c. 之10%川芎精液，於其營養液中，初加入時，子宮之交感神經，或尚未受其麻痺，故有突起之高峯，終乃制止。

家兔 No.81 體重2785gm妊娠七日，取其子宮角之一段加15c.c之10%川芎精液於其營養液中，結果如上相同。

根據以上之試驗，吾人得知川芎對於子宮之作用，與其妊娠之長久無關。但川芎分量之多寡不同，而其作用各殊。量微，則促進子宮之收縮，量重，則制止子宮之收縮，細審千金（見養胎方）外臺祕要等方中用藥之分量，於安胎方中，則用重量，於催生方中，則用輕量。此固由於經驗所得，其中實亦有至理，惜昔人未知之耳。

（乙）川芎能否有墮胎之作用

歷代醫籍，於墮胎方中，不載川芎。然據上述之試驗，微量川芎，促進子宮收縮之能力甚大，而實有使胎兒墜落之可能。所以吾人另取妊娠之大白鼠（Mus nolvegicus albinus）及家兔，每日注射以川芎精液，觀其胎兒，是否墮落。

第一組

大白鼠 No.1 體重237gm.

一月九日交配。

一月十二日皮下注射20%川芎精液，其注射量為100gm.體重注射4c.c.

一月十三日早膣腔口微有血，晚間死去。

大白鼠 No.2 體重127gm.

一月二日交配。

一月十二日開始注射，其注射量爲依上述之比例。逐日行之。

一月十三日早，窒腟口微大。

一月廿四日早死去，解剖視之，內有胎兒。

大白鼠 No.3 體重275 gm.

一月三日交配。

一月十二日開始注射，一切與上述同。

一月十三日腟腔口微大，

一月十六日，腟腔口有血。

一月廿一日夜間死去，解剖視之，內有胎兒。

大白鼠 No.4 體重247 gm.

一月四日交配。

一月十二日開始注射。

一月十三日早腟腔口微大，下午三時死去。

大白鼠 No.5 體重195 gm.

一月八日交配。

一月十二日開始注射。

一月十三日早膣腔口微大，下午三時死去。

大白鼠 No.6 體重 120gm.

一月七日交配。

一月十二日注射，晚間死去。

第二組

家兔 No.287 體重 2922gm.

廿二年十二月十七日交配。

廿三年一月十五日開始注射，其注射量為 1000gm. 體重注射 4c.c. 之10% 川芎精液，逐日行之。

一月十八日膣腔口稍大。

二月二日，將其擊死解剖視之，見其子宮內，有壞死胎兒之遺跡。

家兔 No.988 體重 1874gm.

一月四日交配。

一月十五日開始注射，逐日行之。

芎藭之生理作用

一月十七日，膣腔口擴大，膣腔口有血。

二月二日將其擊死，解剖視之，內有死壞之胎兒七個。

家兔 No.289 重體 2162gm.

一月六日交配。

一月十五日開始注射，逐日行之。

一月十七日膣腔口擴大，膣腔口有血。

二月二日將其擊死，解剖視之，內有死壞胎兒六個。

第一組，內中四個大白鼠死去之日太早，無從斷定其是否有墮胎之作用。但內中第二第三兩號。則經過甚久之時日，而不見胎兒墮下。待其死後解剖視之，胎兒早已壞死在子宮中。此因注射多量之川芎，有以致之也。

第二組中之胎兒亦未墮下，而先行壞死在子宮中。

由此觀之，多量川芎，逐日注射在大白鼠與家兔二種動物上，其結果不但不能墮胎，而且有使胎兒壞死在腹中之可能性。據沈括筆談所載，單服川芎久之，令人暴死。故第一組注射量重而母子皆死。第二組注射量輕，僅胎兒壞死，此或由於子宮之受川芎作用之攣縮而影響於胎兒之營養所致。（參照家兔七十八號之記載。）

吾人依據以上諸試驗而結論之曰：

1 微量川芎精液，能使妊娠動物之子宮之張力增大，收縮亢進。

2 重量川芎精液，能抑制妊娠動物之子宮收縮。

3 每日注射以川芎精液在大白鼠，家兔二種動物之胎兒，不能墮下。

——未完——

藥名新考（三）

楊夢麒

梔子　一名越桃。見升庵外集。又名鮮支。見司馬相如上林賦。又名花彤史。見牡丹榮辱志。謝靈運目爲林蘭。佛經謂之薝蔔。凡花五出。此花獨六出。

瞿麥　名大蘭。狼牙曰支蘭。石斛曰林蘭。石葦曰石蘭。白茅曰蘭根。麥冬曰珍珠蘭。見通雅。

凌霄花　一名紫葳。又名陵苕。見爾雅。詩小雅苕之華。即此。

菊花　一名周盈。見抱朴子。又名禽華。見古今苑。本作蘜。與薏苡花相似。以甘苦別之。菊甘而薏苦。范成大菊譜有藤菊。可編作屏障甚異。

山茶花　一名月丹。見郝經集註。

竹葉　曰升斤。見本草子。竹瀝曰火泉。見輟耕錄。

人參　別名海腴。一曰地精。見廣雅。凡初夏得者曰芽參。花時得者曰朵子參。霜後得者曰黃草參。高麗人參贊曰。三椏五葉。背陽向陰。所來求我。椵樹相尋。頗得其形似。

菖蒲　一名堯薤。見呂氏春秋。又名昌歜。見說文。有泥蒲、水蒲、石菖蒲、數種。楚辭所咏香草曰蓀。即石菖蒲也。其類有龍鬚、虎鬚、香茁、劍脊、皆品之佳者。清異錄謂之綠劍眞人。

蒺藜　一名休羽。見藥譜。

艾　一名冰臺。見爾雅。漢武內傳神仙次藥有靈叢艾。

夏枯草　一名乃東。見金壺字考。

屠蘇　闊葉草也。通雅云。紫者曰紫蘇。荏曰白蘇。水蘇曰雞蘇。荊曰假蘇。積雪草曰海蘇。石香葇曰石蘇。

薄荷　仝蘗蔄。見參同契注。

鹿茸　之上者。名紅瑪瑙茸。

波律　卽今冰片。或作婆律。見通雅。酉陽雜俎云。龍腦香出波律國。乾脂曰龍腦香。淸脂曰波律膏。

阿魏　涅槃經曰央匱。蒙古曰哈昔泥。

顚棘　天門冬也。抱朴子曰。在東岳曰淫羊藿。西岳曰菅松。北岳曰無不愈。南岳曰百部。

牛脣　陸機曰。今澤瀉。蟾蜍蘭、卽鶴虱。

水香稜　根名香附子。一曰雀頭香。

檳榔　一名椶然。見仙藥錄。司馬相如賦仁頻卽檳榔也。李當之云。稍長者曰賓門。小者曰蒳子。見羅浮山疏。

骨碎補　一名石菴閭。又曰猴薑。見通雅。

瓜蔞　一名黃團。韓愈城南聯句。紅皺曬檐瓦。黃團繫門衡。

中国近现代中医药期刊续编·第二辑

丁香　江南人謂爲百結花。見山堂肆考。

瑞香　一名紫風流。見清異錄。楚辭曰露甲。東坡別集曰錦薰籠。

木蘭　一名木蓮又名廣心樹。見白氏長慶集。述異記曰。木蘭洲在潯陽江中多木蘭樹。昔吳王闔閭植木蘭於此。

山礬　一名鄭花。亦號七里香。以香氣濃郁得名。

日本人口頭的『松葉功效』談

徐名山譯

——譯自日文健康之友雜誌——

中國藥學寶典——本草綱目云『常服生松葉，能退惡病、安五臟、益精氣、生毛髮、治皮膚癢症。』從前的所謂仙家和名僧，也常有因食松葉，壽至百歲而精神尚矍鑠的事實。

在大正十三年第五十次帝國會議，松葉食的先覺實行家——前文部政務次官田中善立氏，曾提出『普及松葉食』的請願書，並且在議事席上竭力宣傳牠的功效。最後請求政府制定法律，强制全部日本人都服食松葉的人，則有犬養毅、清浦奎吾、八代六郎、西久保弘道等熱心的實行家。

近來有名的食養療法的研究家石塚先生，且發明從生松葉裏提出一種粉末狀的松葉素，以之治病，功效顯著，茲錄二三驗案於左

1腰脚部終年畏寒——東京本鄉區一婦人，年五十四歲，因患了二十年的月經病，而致下部虛冷，雖在炎夏也要

用毛織物裹足，服用松葉素六個月，其病頓失，恢復康健。

2動脈硬化症——上原菊次郎年六十五歲曾供職郵務局，現已年老退休，渠於六年前患此症，服用松葉素二個月，身體壯健，病狀悉退。

3久年痔瘡——吉田和郎，年四十五歲患了痔疾之後，坐臥不安，深以爲苦；服此二月。病勢頓減，五個月後，完全治癒。

4婦人便祕——渡邊幹子，年二十八歲，平日慣居室內，且少運動，患頑固性便祕症，服此五個月，完全治癒。

惲鐵樵先生遺著

保赤新書	一册	實價一元二角	脈學發微	一册	實價一元二角
生理新語	一册	實價八角	溫病明理	一册	實價八角
傷寒論研究	二册	實價二元	臨證演講錄	一册	實價八角

保赤新書脈學發微生理新語溫病明理四書久已風行海內膾炙人口絕版已久茲特同時再版發行脈學續著一卷論內經眞藏脈極爲明顯大有益於診斷溫病亦續著一卷爲原著八年後作品據惲先生自言檢查原書覺所說有未瑩澈處因續成一卷對於傷寒溫病手經足經之辨加以徹底說明

代售處（蘇州吳趨坊）蘇州國醫書社　發行處（上海牯嶺路人安里十四號）章巨膺醫寓

十藥神書考

謝誦穆

十藥神書一卷。丹波氏醫籍考作十藥新書。舊題葛可久撰。可久諱乾孫。事跡雜見諸書。明外史本傳云。

葛乾孫。字可久。長洲人。父應雷以醫名。時北方劉守眞張潔古之學。未行於南。有李姓者。中州名醫。官吳下。（註一）與應雷談論。大駭歎。因出張劉書。與相討究。自是二家之學。盛行於南。應雷著醫家會同二卷。官浙江醫學提舉。乾孫體貌魁碩。膂力絕人。好擊刺戰陣之法。後折節讀書。兼通陰陽律歷星命。爲文章有名。屢試不偶。乃傳父業。然不肯爲人治疾。或施之。輒著奇效。名與金華朱丹溪埒。（中略）至正時。天下大亂。乾孫推己祿命不利。慨然謂其友曰。聞中原豪傑並起。而我不得與。命也。今六氣淫厲。吾犯咸池。殆將死矣。一日見武士引弓。取挽之。及彀歸。即下血。命子煮大黃四兩飲之。子密減其半。血不下。詰知其故。語之曰。無傷。我命盡來年。今則未也。再服二兩而愈。明年果卒。

徐顯葛乾孫傳云。

葛乾孫。字可久。平江人也。生而負奇氣。儀狀偉特。膂力絕倫。未冠好爲擊刺之術。戰陣之數。百家衆技。靡不精究。及長遂更。折節讀書。應進士舉。所業出語驚人。主司方按圖索駿。不能識跅弛士。把玩不忍捨。置君亞撰。君曰。此不足爲也。

吾寧齷齪從諛。離析經旨以媚有司意乎。遂不復應試。猶時時指授弟子。皆有可觀。金華黃公溍。尤奇其文。勸之仕。不應。世傳藥書方論。而君之工巧。獨自天得。治疾多奇驗。自丞相以下諸貴人。得奇疾他醫所不能治者。咸以謁君。無不隨愈。（中略）當是時可久之名。重於南北。吳人有之四方者。必以可久爲問。四方士大夫過吳中。亦必造可久之居而請焉。其爲人倜儻而溫雅。慈愛而好施。故人無賢不肖。皆愛敬之。至正壬辰。徽寇轉掠江浙。吳人震恐。浙西廉訪簽事李公仲善。請君與圖。君勸城之。因守以討賊。仍請身任其事。李公壯其言。然其計。卒城之。而民賴以安。明年癸巳春正月。與予遊開元佛舍。私與予言。吾聞中原豪傑方興。而吾不及賓。命也夫。公茲六氣淫厲。吾犯司地。殆將死矣。如斯必於秋。予曰。何至是。踰月果疾。予往視之。則猶談笑無他苦。秋七月。沐浴竟。遂偃然而逝。年四十有九。其詩文未及詮次。藏于家。其行于世者有醫學啓蒙。又經絡十二論。君既沒而朝廷聘君之命適至。已無及矣。（稗史集傳）

又異林云

葛可久。吳人也。性豪爽。好博。少遇異人。授以醫術。不事方書。中輒神異。

又鐳績霏雪錄云。

葛可久。姑蘇人。治方脈術。與丹溪朱彥修齊名。嘗炒大黃過焦。悉棄去不用。其謹如此。人來迎致。不問貧富。皆往。貧人以楮鏹來貿藥。準病輕重。注善藥。緘以畀之。而歸其直。或楮鏹有不佳者。易佳者。依供饘粥。蓋仁人之用心也。

又古今醫統云。

葛可久。名乾孫。震父之子。醫實跨竈。性甚仁厚。求療不分貴賤。輒盡心藥之。無有不效者。著有醫學啓蒙論十二經絡十藥神書行世。

據徐顯之記載。則可久年四十九卒於元順帝至正十四年甲午。由此上推。當生於元成宗太極十年丙午。葛氏遺著。據徐顯所記。僅醫學啓蒙論及經絡十二論。皆不傳。古今醫統始稱十藥神書。十藥神書之刻本。寡陋如余。所見僅程永培六醴齋陳念祖南雅堂二種。六醴齋通行刻本。前有可久自序。與醫籍考所載之序不同。醫籍考所載之序云。

前十藥如神之妙。如仙之靈。雖盧醫扁鵲在世。亦不過如此。吁。時之方脈用藥。不過藥木金石。碌碌之常用耳。何以得通神至仙奇異決效之藥也。予蒙先師傳授此書。在於中吳治勞證。起死回生者。何止千餘人。止用得十灰散花蕊石散獨參湯保和湯保眞湯太平元消化元。病決愈。未嘗用後之三食料之藥。間或用之。則猶遲愈。予平生得此妙用。受其金銀禮物。曷可計也。未嘗與一人。予今漸老。恐此書泯失重錄。次序一新。名之曰勞證十藥神書。留遺吾家子孫用之。不許亂授外人。如違父訓。以不孝論也。時至正乙酉一陽日可久書於姑蘇養道丹房。

又醫籍考有寧獻王十藥神書序。通行本亦不載。序云。

藥有奇方。醫有妙理。非天錫神授。世俗而能是乎。古之醫方。非不多。世之名醫。非不衆。治療證者。皆載於方冊矣。然能知是證。而不能治其疾。染其疾者。而無更生之說。則曰醫所不療之疾也。果方之不驗歟。醫之不然歟。孰不知犯大難者。非神力不能免。苟非神聖之功。曷能救其死亡耶。是書也。非世醫之常方。實神授之祕書也。胡氏子瞻傳子雲翔。雲翔傳子光霽。八十年間。活數百人矣。未有藥到而不愈者。誓曰。不許輕泄妄傳。違者同不孝論。光霽爲吾王門佳賓。得之。予曰。仁人之心。天下共之。豈特私於家哉。乃取崔氏灸法付之。以倡其言。仍命刊印。博施化域。誠不刊之祕書也。得之者實希世之奇遇焉。可謂生死出于指掌。有是理矣。

又程永培跋云。

吾吳葉天士先生。凡治吐血症。皆祖葛可久十藥神書(註二)更參以人之情性。病之淺深。隨宜應變。無過不及。治無不愈。然亦治之於初病之時。與夫病之未經深入者。若至五臟徧傳。雖盧扁亦莫可如何矣。家藏此書有年。幾獲脈望。故亟付梓。然書中僅列十方。世皆以方少忽之。不知十方中。錯綜變化。有幾十百方。故復採周氏之說。使人粗曉。業是者更察虛損二字。分自上而下。自下而上。自不致概以六味開手矣。

程氏於此書推挹甚至。然明劉桂及東邦丹波元堅。皆疑爲僞託。

劉桂云。葛可久十藥神書。其方治勞損吐血。頗有功效。但疑太平丸後跋語云。此方利人甚衆。所得不可勝紀。未嘗妄傳非人。余漸老。恐致泯失。由是篇次與子孫。濟人無窮之利云(註三)觀此等語。知其非葛氏之書矣。可久豪傑士也。雖醫術亦所不屑爲之。豈區區言利者哉。姑蘇志有可久傳。稱其著書有醫學啓蒙經絡十二論。而不載十藥神書。非其所著也明矣。——續醫說引

元堅云。余嘗疑續醫說。稱葛可久十藥神書。觀其跋語。知非葛氏之書。而今本則云胡子瞻得之於異人(註四)傳于子孫。一語不及可久矣。頃閱修月魯般經後錄。具載十藥。又有可久跋。正與其言符。且據李濂醫史及湖海搜奇。可久之學。特受其父。而是書有先師字樣。益可疑也。然魯般經爲元季明初之書。與可久眉睫相接。則贋書之成。殆在可久在世之日。豈以其盛名而然乎。——醫籍考方論三十一

又據陳念祖十藥神書註解序云。『此葉天士家藏祕書也。(註五)前此流傳者爲贋本。』則現在通行之十藥神書。既有僞託之疑。前此復多贋本。古書固難盡信也。然此書用藥次第井然有法度。試之亦驗。則亦就書論書而已。不必問其眞僞也。

(註一)蘇州府志云。『浙西提刑李判官中州名醫也。』李姓即指此。

(註二)臨證指南治勞。用血肉有情之品。似出於此。

(註三)六醴齋刻本太平丸後無此跋語。惟可久自序。有自私語。

(註四)異林亦謂可久少遇異人。然不甚可恃。

(註五)修園謂此書係天士藏本。語近武斷。觀南雅堂刻本前有程永培跋，知不過翻刻程本而已。陳氏所著醫學實在易。少時曾托名天士。暮年收回。則稱此書爲天士藏本。乃其僞託之故智。

王愼軒介紹 金匱發微 啓事

此書爲江陰曹穎甫先生最得意之著作。先生爲海內名儒，詩文書畫，無所不工，醫術則宗法張長沙，其對於仲景書之研究，數十年如一日，環顧國內，能專以經方治病者，舍曹先生外，實不多覯。愼軒嘗屬小兒南山編「曹穎甫先生醫案」一書，出版之後，風行全國。今先生本其數十年研究心得，及歷來治病經驗，著金匱發微一書，對於經文精義。闡發無餘；學者讀此，則研究參證，不難洞然於胸中矣。

本書西式精裝布面金字都十萬餘言合訂一大冊每部實價三元

爲優待讀者起見特售二元外埠函購另加寄費每部一角三分

代售處 蘇州吳趨坊 蘇州國醫書社

實驗報告

記友人陳道隆君之驗案並釋其方義

沈仲圭

——讀蘇州國醫學校學生吳明之君文後而作——

頃閱蘇州國醫雜誌第八期治肺勞宜注重脾胃說，略云。『若夫久病之人。勞菌蔓延。致成便溏食減之腸結核症。則調理脾胃。尤爲重要。至於具體方法。明嘗檢閱方書。以補肺而不礙胃。祛痰而不傷津者。莫如山藥、苡仁、白朮、茯苓、甘草之類是也。而金匱中之薯蕷丸、小建中湯、尤屬可法。』余讀此文。因憶數年陳君道隆治上海朱某案。堪爲吳君斯論作一有力之佐證。爰錄其方案如下。

朱左　年三十七歲　上海人　住南成都路

欬嗽三載。交秋更甚。咯血屢作。血來色紫。下體怯冷。入暮顴紅。心煩少寐。咽乾口燥。頭暈目眩。嘔噁上泛。胸脘尚舒，夢遺精薄自汗頻出。大便溏泄。舌中剝蝕脫液。兩邊苔白濁膩。脈象細輭無力。以症參脈。明係久欬傷肺。脾陽虛餒。寖寖有損及中下之兆，經所謂精不足者。補之以味。是非甘以補之。不足以斡旋上下。宗仲景「建中」法。

生黃耆三錢　杭白芍二錢　生打淮山藥四錢　潞黨參三錢　土炒於朮二錢　五味子五分拌搗乾薑八分

桂枝一錢　清炙甘艸一錢　五花龍骨四錢　紅棗五個

右方服八劑後。耆參各加貳錢。再加芡實三錢。蒸萸肉錢半。又服十五劑。其病痊愈。

〔仲圭按〕此病上有欬血。下有夢泄。中有便溏嘔噁。直是三焦俱病。厚味壅精。清養肺陰之品。礙於脾虛。俱不能投。揆情度勢。蓋非「建中」不可矣。惟據案中所敍病狀觀之。（如欬嗽、咯血、咽乾、口燥、顴紅、頭暈、目眩、夢泄、舌中脫液、）確是肺病。肺病治法。通常以「甘寒養陰」爲旨。參耆者尚不敢用。遑論薑桂。今陳君鑑於脈之「細輭無力」。毅然采用古方。不爲「顴紅舌光」所惑。其胆大心細有足多矣。

陳君之方。係黃耆建中湯去飴糖。加黨參、於朮、山藥、以培脾。龍骨以固精。五味以止欬。較原方之僅治虛勞不足者。（漢和處方學津梁云本方治衰弱、腸胃虛弱、盜汗、羸瘦、骨立。與本病亦合，）更進一步矣。

建中湯異於桂枝湯之處。爲芍藥加半。並增飴糖。故主虛勞裏急。裏急者。腹裏拘急也。宜投安撫作用之芍藥。今病人既不拘急。又不腹痛。自無重用之必要矣。飴糖爲麥芽糖，具滋養强壯之效。而消化亦易。且爲小建中及黃耆建中之主要藥。蓋減芍藥去飴糖。即非建中湯矣。此藥似不可減。甘草含葡萄糖及甘草糖。有緩下之作用。大便虛滑者似不相宜。陳方以科學眼光觀察。亦頗合理。如生黃耆含葡萄糖及黃耆酸。具補血開胃之力，龍骨含炭酸鈣、氧化鈣。有增加白血球及止血之功。黨參能增加血色素。甘草含甘草糖。紅棗含葡萄糖。皆有滋養作用。山藥桂枝。僉堪助胃消化。細核全方用意。蓋爲補養健胃之複方。施於胃腸機能不健全之肺病。洵無不合也。

余年來所治肺病甚多。深覺「甘寒養陰法」收効太緩。常采用古方。對症施治。如葛可久之保眞湯將「甘溫」「甘寒」「苦寒」諸藥。採成一團。尤爲可法。同道諸君。盍一試之。陳君在杭州醫界。聲譽頗隆。堪稱後起之秀。偶錄其案。以示讀者。可見名醫非盡無學。而中醫非無可取也。

丙子夏初記於杭州吳山

王師愼軒治愈多年腹痛記

門人馮長楷記

舍弟長增于童年時，因誤食生冷，致患腹痛疾，旋愈旋發，至冠年結婚後，其痛漸甚，近臍左旁筋脈跳躍，按之有形，約長二寸許，每痛則異常難堪，不能飲食，且必覆睡，平日腹不痛時，飲食雖進，但肌肉不充。每遇勞力其痛卽發，針之灸之皆無效也。余曾用小建中湯一二劑，亦止能止痛於暫時，不能達治愈之目的。如是已延十載有餘，頗慮其根深蒂固，而爲終身之害也。去歲秋間適余在蘇州國醫學校研習醫學，乃遵母命偕來蘇州，訪求名醫療治，經臺王師診得脈象沉小，斷曰腹痛綿綿，爲陰寒凝聚于脾腎二經，須投大建中湯之重劑；遂用乾姜三錢，炒蜀椒一錢五分，太子參九分，飴糖一兩，囑兩帖合煎，分爲四服。又謂此症如以烏藥香附治之，雖能止痛，終非治本，且香竄之品，最能耗氣，久用必受其害，茲用金匱大建中宜守方多服，定能獲效。其后余弟照原方服至四十八帖，果然痛愈不發，食慾漸增，肌肉充裕，身體亦健旺矣，又蒙吾師于本方加味，製爲丸方，囑再多服數料，以除病根。現丸方已服至三料，而臍傍之形跡大減，筋脈之跳躍亦緩，吾意丸方若服數料，定收全效，因感師大德，謹濡筆記之。

蘇州國醫學校　國醫圖書館　謝誌

茲收到趙起超先生惠贈中國醫學叢談一冊；繆俊德先生惠贈痘科學一冊；余無言先生惠贈大自然醫學論，混合外科學總論各一冊；李克蕙先生惠贈國醫的科學一冊，特此誌謝。

醫學雜俎

醫學導徑（續第六期）

周禹錫

末爲兒科自六歲以下，黃帝不詳其說；始自顱顖經，以占壽夭生死之候。厥後著書雖多，其精要可靠者，不過十數種。而合科學整理者確屬罕見，僅就聞見所及，擇尤宣露，以備學者之研究。

（甲）小兒衞生總微論　是書凡二十卷，不署撰者姓氏，凡論一百條，自初生以至成童，無不悉備，論後各附以方，詳載各證，爲近世醫書所未備，誠保嬰之要書也。

（乙）樹蕙不癈兒科　是書袖珍本凡六卷五冊，爲清嘉慶間伴梅主人梅沿輯。分別嬰兒孩兒小兒齠齔童子稚子各治法甚詳，篇內多係祕方，爲十三科彙刻之一，洵不可多得之祕笈也。

（丙）兒科診斷學　病之難醫，難於識證，識證之難，難於診斷，小兒骨氣未成，形聲未正，悲啼喜笑，變態無常，尤爲醫學中之最難者。此書爲紹興何廉臣氏所著，參合中西診斷，理至詳備，標以四言韻語，初學尤易誦讀，兒科專家，亦不能越此書之範圍。

（丁）幼科要略　是書爲葉天士所著，原載臨證指南中，經周學海摘出加以評註，刊入周氏醫學叢書，凡二卷。葉氏精於幼科，天資絕人，徐靈胎攻擊臨證指南，不遺餘力，於此門亦推崇備至，價值可以想見。

(戊)慈幼筏　是書爲程鳳雛著，幼科諸書，無出其右，惜坊間絕少傳本，故醫多罕見也。

(己)幼科大全　是書爲顧鳴盛著，集中西學說方劑，蔚成大觀，學者讀此，對於幼科之訣竅，庶幾明瞭，而論證施治之法，亦可左右逢源，不虞枯窘者矣。

(庚)錢氏小兒藥證直訣箋正　是書失傳已久，武昌蕭北丞掌湖北史學館時，手校黃帝內經太素，小兒衛生總微論及此書。夫錢氏爲小兒聖手，已見宋史，四庫提要謂其書闕略不全，未曾著錄。蕭氏得於柯中丞家藏孤本，校正印行，又經張山雷箋正，較之舊本，益臻完善，彌足珍也。

(辛)錢氏兒科案疏　自北宋錢仲陽著小兒藥證直訣，兒科始有專書，末記嘗所治病二十三證，兒科始有驗案，每案皆各有要論，闡明審證用藥之所以然。較之各家醫案，但泛言某病用某藥愈者不同，極有發明，足資開悟，張山雷氏案後加以箋疏，何筱廉氏特撰前哲驗案二十餘則，以補其闕，各加參證，以闡其幽，學者得之，如闇室之有燈，迷津之有筏也。

(壬)痘疹救劫篇　痘爲先天之陰毒，由受孕時母精中之慾火，與天癸化合，蘊藏於骨髓深處，產生後遇熱毒流行之歲，以氣相感，觸發而爲天花。引種預防，法固妥善，而毒重伏深者，非數種不能盡出。是書爲李春輝著，上編論痘，分宣發清透，內託三大法；下編專述治痘經驗，殿以痘科藥選，俾學者一望而知其何者可用，何者宜忌，眞痘科之正宗，保赤之靈符也。

(癸)治瘄全書　瘄爲痲疹之俗名，乃先天之陽毒，由受胎時父精中之慾火，與天癸化合，蘊伏於三焦膜原間，遇天地陽邪火旺之氣相感觸，從肺經而出為小兒之危證，醫書最少研究。是書為錢塘董西園著，分痞前痞後二大編，陰陽標本，證候方治，縷析條分，理明辭達，實為治痞之金科玉律。

至於夏禹鑄幼科鐵鏡，陳飛霞幼幼集成，秦景明幼科金鍼，鄭卜年保赤金丹，張通源痳證闡註，淩嘉六痳瘄初編，綠槐堂痳瘄良方，呂新吾瘄科，董及之小兒斑疹備急方，袁旬天花精言，卜惠一中國痘科學等書，俱為幼科必讀之善本。

慎按：萬密齋幼科指南家傳祕方，聶久吾活幼心法，簡明切當，惲鐵樵保赤新書，嶄穎精良，亦係兒科書中之佳本也。

以上所論，僅就管見所及而言。他如鍼灸推拿等等，則非所學，未敢妄置一辭，留待專家發表。學者循序而漸進焉，時而信焉，進一境矣。時而疑焉，又進一境矣。始而茫然，繼而渙然，終而瞭然，瑩然洞然，無所凝滯，矢歸正鵠，學成正宗，則庶乎其不差矣。有暇更取醫學叢書而瀏覽之，以收博採旁搜，取精用宏之益。就余所知者，則有周學海周氏醫學叢書三十二種，丹波氏聿修堂醫學叢書十三種，王孟英潛齋醫學叢書十四種，陸九芝世補齋醫學叢書十四種，程永培六醴齋醫學叢書十種，徐洄溪醫學叢書三十二種，丁丙當歸草堂醫學叢書十二種，唐容川中西匯通五種，裘吉生醫藥叢書四集十一種，又三三醫書三集九十九種，廬子繇芷園醫學叢書十八種，王肯堂古今醫統正脈四十四種，沈金鰲沈氏尊生書七種，暨御纂醫宗金鑑等書，皆為中國四千餘年所遺留精粹不磨之正統醫書。凡學醫者，皆可一一瀏覽，以資印證，學到精純處，幾不知我即古人，古人亦我也。

慎按：針灸一科，實為國醫最精之學術，渡邊熙經絡經穴學，以科學思想，解釋針灸經穴。承淡安中國鍼灸治療學，以科學方法，整理針灸治療法，皆為研究針灸必讀之良書也。

——完——

論醫術之偏倚

周靜齋

醫術偏倚原因甚多，各省之區域既異，各人之體質亦殊，（治病不能一例。）當其讀書之初，先入者主之，後入者奴之，其各人認定之療法，因而不無偏倚。動曰河間偏涼，東垣偏補，殊不知前賢著書，非限於地，卽限於時，或矯一時之偏重，或補前賢之未備。讀其人之書，卽須知其人之藉貫，（南方偏熱，北方偏寒，其稟賦用藥必異。）時代（承平之時多正病，離亂之後多疫病。）性情（醫師體虛，必偏於滋補，醫師體實，必偏於涼瀉。以己度人，勢所必然。）見聞（囿於見聞，多半習為成見。）各有不同，宜量病擇用各書之議論，不可囿於各書之成見而混施，按症下藥，神明在人，置醫術於活潑地位。略擬數言，願與諸同志一商榷之，是否有當，還期海內有道之士，有以教我也。（完）

上學期考試結束

獎勵成績優良學生

△完全免費者三名△免二分之一者三名

△免四分之一者三名△得名譽獎狀者三名

本校為鼓勵學生精進學業起見，特規定獎勵辦法。上學期攷試結束，因成績優良而得免費及發給獎狀者計有：一年級生李華絨，二年級生胡念瑜，三年級生陳丹華，各免本學期學費全部。一年級生曹重榮，二年級生包增南，三年級生周自强，各免本學期學費之一半。一年級生樊惠方，二年級生吳明之，三年級生王蘊玉，各免本學期學費四分之一。一年級生趙賜維，三年級生勇本義，各發給獎狀，以資勉勵。

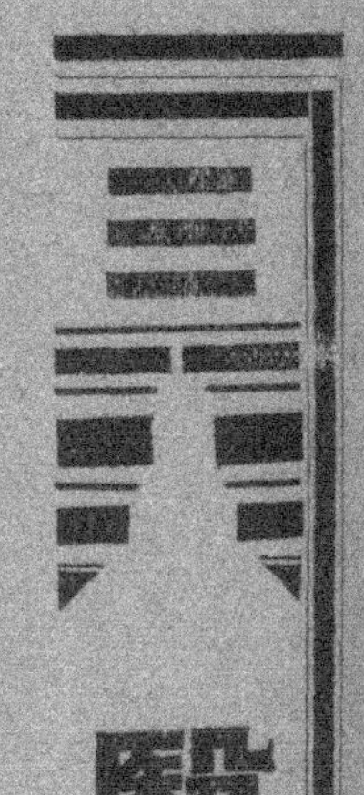

醫案

馬培之先生內科醫案（續五期）

再門人 王慎軒 編
再小門人 蔣長楷 錄

精氣神爲人身三寶。咯血咳嗽。遺精神羸。脈細弱見濇。肺脾腎三藏皆傷。幸胃納尚佳。猶可撐持。姑擬益氣養陰。以固腎藏。

台鬚　於朮　淮山藥　沙參　沙苑　金櫻子　百合　半夏　茯神　甜杏　牡蠣　毛燕　炙草　蓮子

（復診）脈細數兼濇。爲血少精傷之候。數爲陰中有熱。陰火上升。津液蒸變爲痰。淸晨咳嗆。痰稠而膩。精神疲乏。幸胃氣尚強。擬金水同源之治。

熟地　淮藥　百合　台鬚　甜杏　金櫻子　雲茯苓　於朮　麥冬　牡蠣　沙苑　毛燕　肥玉竹　冰糖

正產後肝腎內虧。加之憤鬱。木不條達。氣逆於中。衝陽又復上僭。臍有動氣。跳躍如梭。上撐心胸。君主不安。寤而少寐。有時胸脅作痛。氣攻脈絡。遍體肉瞤。上激泥丸。則頭眩目暈。夫肝爲心母。脾爲心子。血少脾虛。心脾亦虧。心主血而藏神。心虛則神不歸舍。脾氣化源乏運。穀食無味。臥病經年。不能起坐。血脈無以榮養。則汗出不休。陰不內守。氣不衞外。虛損之候。脈象虛弦小滑。舌苔白滑。微帶灰色。氣血俱虛。虛中夾痰。未便膩補。先與調養心脾。以斂散逆之氣。體陰平氣和。再調肝腎。

歸身　白芍　合歡皮　橘白　茯神　半夏　秫米　牡蠣　丹參　煅龍齒　淮山藥　參鬚　佩蘭

先天不足。心肺之陽亦虛。小溲勤短。每於誦讀之時。則小溲如固，游息靜坐則否，此乃勞則氣提於上。靜則氣陷於下。當以補肺育陰。

黃耆　玉竹　麥冬　益智　淮山藥　沙苑　料豆　炙草　廣皮　紅棗　（未完）

丁甘仁先生內科醫案（續五期）

門人王慎軒編　王景賢錄

（范童）初起間瘧。寒短熱長。繼因飲食不節。轉成濕溫。身熱早輕暮重。熱盛之時。神識模糊。譫語妄言，胸痞悶泛噁。腑行不實。舌苔灰膩滿佈。脈象滑數。良由伏溫夾溫夾滯。蘊蒸生痰。痰濁蔽蒙清竅。清陽之氣失曠。與陽明內熱者。不可同日而語也。頗慮傳經增變。擬清溫化濕。滌痰消滯。去其有形。則無形之邪自易解散。

淡豆豉（三錢）　嫩前胡（錢半）　佩蘭（錢半）　炒枳實（錢半）　薑竹茹（錢半）　神麯（三錢）

菖蒲（八分）　荷葉（一角）

（二診）服前方以來。諸恙漸輕。不過夜則夢語如譫之象。某醫以爲暑熱薰蒸心胞，投芩連益元散竹葉茅根等。轉爲臍腹脹滿。泄瀉無度。食不知飽。渴喜熱飲。身熱依然。舌灰淡黃。脈象濡數。此藜藿之體。中氣本虛。寒涼太過。一變而邪陷三陰。太陰清氣不升。濁陰凝聚。虛氣散逆。中虛求食。有似除中之象。陰盛格陽。眞寒假熱。勢已入於險境，姑仿子理中合小柴胡意。冀其應手則吉。

熟附塊（錢半）　炒潞黨（二錢）　炮薑炭（六分）　炒冬朮（二錢）　炙甘草（四分）　雲茯苓（三錢）

煨葛根(錢半)　軟柴胡(七分)　仙半夏(二錢)　陳廣皮(一錢)　炒苡仁(三錢)　炒穀芽(三錢)
紅　棗(二枚)　荷　葉(一角)

(三診)　溫運太陰和解樞機。連服三劑。身熱洩瀉漸減。脹滿亦鬆。脘中雖飢。已不多食。均屬佳境。惟神疲力倦。渴喜熱飲。舌淡黃脈濡數無力中虛脾弱。飲水自救。效方出入。毋庸更章。

炒潞黨(二錢)　熟附片(一錢)　炮薑炭(五分)　雲茯苓(三錢)　炙甘草(五分)　大砂仁(八分)
陳廣皮(一錢)　炒白朮(二錢)　炒苡仁(三錢)　炒穀芽(三錢)　荷　葉(一角)

服三劑諸恙均減。原方加炒淮山藥(三錢)　(未完)

王慎軒夫子最近驗案

胡洪鈞錄

▲產後肺癆驗案

王右(常熟)　營血下虧氣火上炎，火刑於金，血枯於脈，上則肺痿咳嗽而吐白沫。下則血枯經閉，而下白物。陰虛則生熱，是以夜間潮熱；肺虛則生外寒，是以午後怯冷。舌質光剝，脈象虛數，病起於胎前便血三月，產後血崩兩旬，營血大虧，無以濡週身之脈絡。陰液大傷，無以涵海中之雷火。火愈旺則陰愈虛，陰愈虛則陽愈亢。還慮風消息賁，接踵而至，虛邪賊風，乘隙而來，病勢既重，變端尤繁，草木之功，恐難速效，恬憺之養，切宜注重！勉擬金匱麥門冬湯治其上；內經四烏鰂一蘆茹湯治其下：

麥門冬(二錢去心)　仙半夏(二錢)　川貝母(二錢)　抱茯神(三錢)　懷山藥(三錢整支生杵)

北沙參(三錢元米炒)　阿膠珠(二錢蛤粉炒)　烏鰂骨(四錢煆杵)　茜草根(一錢生切)

冬蟲夏草(一錢半)

王(二診)　前進金匱麥門冬湯合內經四烏鰂一藘茹湯，上吐白沫較輕，乃麥門冬湯之效也；下流白物亦減，乃四烏鰂一藘茹湯之功也。惟肺虛未復，欬嗽尚甚，榮血未充，經閉不通。陰虛生熱，則夜間潮熱；肺虛畏寒，則午後怯冷，舌苔光剝，陰液仍虛，脈象虛數，虛火尚熾，良由胎前便血，血去已多，產後血崩，血竭更甚，全身之血液之榮養，形肉有消脫之趨勢，雖幸見效，尚不足恃，再守前法，以覘後效。

麥門冬(二錢去心)　廣橘紅(一錢密炙)　甜杏仁(三錢去皮尖)　川貝母(二錢去心)　抱茯神(三錢)

北秫米(三錢絹包)　左牡蠣(一兩煆)　海蛤殼(一兩煆)　烏鰂骨(五錢煆)　茜草根(二錢生切)

鷄血藤(三錢)　清阿膠(二錢陳酒化)

洪鈞按：肺癆本非不治之症，所以不救者，都因藥不對證，或調攝失宜所致。如此症患者，經多數醫家認爲不治，始來慎軒夫子處乞診。但服前方五劑，後方十劑，諸恙竟告痊愈。類此事實，鈞已屢見不鮮，故謂肺癆爲不治之症，吾未敢信也。

本校立設**蘇州國醫研究院**　消息

向本校董事會議提出設立蘇州國醫研究院，當經通過，即日着手籌備，並進行向中央備案手續，刻已邀准云。

專載

中央國醫館訓令 第四四一零號

令蘇州國醫學校

爲令行事：案查中央地方自治計劃委員會，前開自治衛生會議，經本館提出自治衛生設施方案，以備該會各委員之研究。茲將前項方案令發該學校，仰即簽註意見，呈復備核。如無意見，即由該學校抄稿轉送當地自治團體酌量採用。除由館提案第二屆第十六次常務理事會議決通過，並分令外，合行令仰遵照。此令。

計抄發方案及表一份

館長焦易堂

縣自治衛生設施方案

按中華民族，根據『自生之文化』因此民間「生活習慣」遂與西方民族有「起居，飲食」種種之不同。但人類生活，不能離開環境，而中國各省，又因山川土壤之殊異，其習慣相承，頗不一致，自周禮大司徒「土會之法」失傳，對於「山林，原隰，墳衍，川澤，丘陵。」十二地辨物之教不講，致民智日倦，民族日衰，民力日弱，馴致農村破產，現

中央奉行

總理遺教，發皇中華民族本位之文化，恢復中國先民特殊之技能。以縣自治爲單位，使全國民衆了然於醫食同源之原理原則，正合孔子「民可使由之，不可使知之」之訓，以回復民智，培植國力，玆提出實施方案如左。

（一）預防工作　中國民間，因時令之移易，爲采物之不同，如以蒲公英滲飯，能淸腸胃，夏枯草泡茶，能逭暑熱，以土木香磨香，而防霍亂，他如霍亂發生，知服鹽水湯，樟木湯等，皆與西醫暗合，至於端午節用菖蒲根，雄黃塊，浸入水缸，以殺細菌，尤爲普遍，但皆「知其然，而不知其所以然，」此種合理化的風俗，有益衛生習慣，宜竭力提倡，盡量宣傳。不祇疾病可以減少，而衛生智識，且藉是灌輸民衆，誠事半而功倍蓰也，此應推行者一。

（二）治療工作　中國民間，對於衛生，既有一種無形預防工作，但因天時之變遷，氣候之寒燠，信風之傳引，有非人力所能測止者。如上海地方，每隔四年，當發生時疫一次，所以各大都會，每值夏令，必有時疫醫院之設，以資救濟，惟對於內地，則無此分配能力，今地方自治，以縣爲單位，縣劃爲若干區，區又分爲若干鄉，宜就一縣能力所及，每區指定中西醫

生二人至四人，負公衆治療責任。在鄉村本有定期市集，卽「一四七，二五八，三六九」等日，由公衆醫生巡迴治療。亦屬費省而易舉，此應推行者二。

（三）衛生管理　自清季施行警政以來，凡省會地方交通商埠公安當局都設有衛生警。指導住戶「掃除汚穢，撲滅蒼蠅」等尋常衛生工作。此類工作看似尋常而效用甚著。倘各縣公安局，能分鄉調來保甲優秀份子，訓練衛生隊若干，分配區鄉，除指導居戶外，協同公衆醫生服務，其效力既宏，而且普及。尤爲輕而易舉，此應推行者三。

以上所陳，不過舉例。並就民衆「不知亦能行者，」使之「易知易行。」凡本館所屬，設有支館或國醫公會各縣當由本館飭令與各地公安局合作。其未設支館公會各縣，則請

中央通知各省政府，飭縣舉行。蓋預防消毒各項工作，吾國先民，早已隨時隨地，灌輸民間，特日久忽略，因而埋沒。一經提倡，則民族意識發皇，而自力更生，油然蓬勃，有非文字語言所能形容，有非專門學者所得歸納，所謂「終身由之而不知其道者衆也。」管子有云：「爲政之道，在順民心，民惡勞苦，我佚樂之，民懼改作，我順導之。」一切方案，理不外是。茲附推行指物表一紙，聊舉范型，是否有當？謹請

採擇施行

提議者中央國醫館

附表一

衛生設施推行簡易指物表

衛生設施推行簡易指物表

甲、關於外用預防者

一、石灰　臭藥水

右二物和水洒地，可以除穢殺虫。

二、雄黃　膽礬

右二物研末洒地，可以避除蛇蠍。

三、春樹葉　冬青葉　絲瓜籐及葉

右三物合用，四季薰燒堂陰，可以避鼠。

四、除蟲菊　鱉甲　鱔魚骨　鰻魚乾　黃荊子

右五物和研末，或加艾葉，可以殺蚊蠅臭虫。

五、菖蒲根　貫仲　雄黃　明礬

右四物任用一種，放入水甕內，可以殺水中之菌毒。

六、乳香　蒼朮　細辛　甘松　川芎　降香

右六味各等分爲末，用火焚燒，可免得傳染一切時疫。

乙、關於內服預防者

一、赤小荳　鬼箭羽　雄黃

右三味各等分爲末，蜜丸如豆大，每服一丸，可免傳染時疫。

二、紫草根　廣木香　白朮

右三味爲末，用水煎服，可以預防痳症。

三、白蘿蔔　橄欖

右二味同羮服，可以預防喉症及瘟病。

四、連翹　丹皮　杏仁　桑葉

右四味同煎服，可以預防白喉。

五、紅茶葉　綠茶葉　陳皮　香櫞

右四物任取一種，清晨滾水泡飲，可免霍亂。

六、土木香　南木香

右二味研末，熱茶調服，可免霍亂。

丙、關於急救者

（一）霍亂各方

一、食鹽（炒）樟木片（各等分）沸湯冲飲，數次卽愈，白礬研末二錢，溫水冲服卽愈，孕婦不忌。

二、白扁豆爲末，陳醋和服方寸匕，可治轉筋。

三、大蒜搗之如泥，塗足心，可治轉筋。

四、食鹽觔許炒熱，分爲兩包，輪熨腹臍，數次卽愈。

五、食鹽一大匙，炒令色黃，和童便一盞，溫服，少頃卽吐，可治乾霍亂。

(二)中暑各方

一、夏日出外歸家，取烏梅一個或二個搥爛，和白沙糖一匙，滾水冲服。

二、蒜頭兩個研爛，再取街心熱土一團，以新汲水調勻，服一碗卽愈。

(三)瘟疫各方

一、黃沙糖一兩，生薑汁一大匙，滾水冲服，汗出卽愈。

二、松葉焙乾研末，酒服一匙，日三服，並可預防。

三、大豆一升，布袋盛之，納井中一宿，每次吞服七粒，並可預防。

四、生蘿蔔切碎，食鹽拌，加蔴油少許，食之可治鼠疫，並可預防。

(四)痧症各方

旱烟筒中油膩，取如豆大一丸，放入舌下，掬水灌之，垂死可救。生芋頭兩個，食之卽愈。

(五)痢疾各方

一、生蘿蔔搗汁，紅痢加紅糖，白痢加白糖，紅白具有者，加紅糖白糖各若干，溫服卽愈，並治噤口痢。

二、黃瓜葉焙乾研末，陳酒冲服。

三、扁豆花煎湯，加沙糖一匙，調服。紅痢用紅扁豆花，白痢用白扁豆花，紅白均有，二花並用。

四、黃花菜冰糖煎湯，服之卽愈。

（六）瘧疾各方。

一、花檳榔　煨草菓　常山　柴胡　共煎服，治一切瘧疾。

二、馬齒莧搗爛，繫手脈門上，男左女右卽愈。

三、杏仁七粒，蒜頭一枚，共搗，調硃砂少許，貼臍眼卽愈。

四、胡椒末撒淡膏藥，於瘧疾發作前貼脊椎第三節，可以遏制，不使發作。

（七）治瘋狗咬方

生軍（三錢）　桃仁（去皮尖）七粒　地鱉虫（去足炒）七隻　以上三味研末，加白蜜三錢，用酒一碗，煎至七分，連渣服之，如不能飲酒者，用水對酒和亦可，小人減半，孕婦不忌。

一、空心服此藥後，別設糞桶一只，以驗大小便，必有惡物，如魚腸猪肝之類，小便如蘇木汁，數次後，藥力盡，大小便如常，再服則惡物又下，不拘帖數，總要大小便無絲毫惡物爲度，不可中止，留餘毒於腹內，以至復發。

二、此症既發，切不可吃斑蝥等毒藥，蓋此時腹中惡塊已積大如斗，不化其瘀血，而反以毒攻毒，必至悶亂而死。

又方

被咬後，急就無風處以清水洗淨傷處之犬齒垢，以杏仁泥敷蓋於上，卽服韮菜汁一碗，隔七日再服一碗，四十九日之內，共服七碗，可保無虞，忌鹽醋百日，一年內忌食豬肉魚腥，終身忌狗肉蠶蛹。

又方

取萬年青葉之最老厚高大者，連根葉搗汁，服一二碗，其毒卽從大便出，卽腹內已成狗形者，亦能化血塊而下，一切不忌，眞良方也。

（八）治破傷風方

黃芩　川芎　白朮　羌活　大黃　用水煎服。

（九）治白喉方

淡附子　細辛　薑半夏　甘草　生大黃　共煎濃湯，去渣，冲元明粉服。

（十）治黑熱病方

松香　阿魏　皮硝　蓖蔴子　獨頭大蒜　穿山甲研末，加醋攤成膏藥，用時撒入麝香少許，貼痞塊上，可以使之消散。

（十一）治耳下腺炎方

赤小荳研極細末，調敷患處。

（十二）治癩頭瘡方

大鯽魚一尾，剖腹去腸雜，不洗，納硫磺放新瓦上焙乾，研極細末，麻油調塗患處。

（十三）時症現成備急方

一、諸葛行軍散；

二、人馬平安散；

三、藿香正氣丸；

四、萬應痧藥；

五、避瘟丹；

六、如意丹。 右藥皆有現成發售，服法載在各該稱仿單。

丁、關於衞生管理者

一、常開窗戶，以受日光。

二、掃除街道，禁傾垃圾。

三、清潔溝廁，多洒石灰。

四、販賣食物，須加紗罩。

五、河井食水，禁止洗汚。

以上指物，不過舉例。其他應由公衆醫生衞生警察隨時指導，因各處地方生活不同，習慣多異，設施之初，不易齊一。如設立診所，隔離病人等，皆須斟酌材力而行，方能推行盡利，無從預定，合併聲明。

——完——

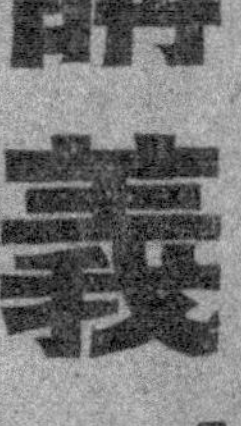

本校講義

新編兒科講義（摘錄）

本校國醫編譯館　徐名山主編

第三章　傳染病編

第二證　麻疹（續）

預後　麻疹能按著前述的定型逐步經過，不生意外之變化，則預後大概佳良；若不幸而併發別種症候，則須根據病人的素體、年齡、環境及變證狀況，去推斷他的安危，茲分述如下：

（一）**就年齡而論**　年齡和本證死亡率相關的原理如何，尚不得而知；但據事實之記載，在半歲以內的小兒，不但罹病數極少，就是感受本症病勢也不劇烈；在半歲以上三歲以下的小兒，則最容易併發重症而死亡。西醫孛雷耶 Breyer 曾經把麻疹小孩的年齡和死亡率作一相關的統計：

年齡	死亡率	年齡	死亡率
生後六個月	一四・〇%	第二年至五年	三三・〇%

六個月至十二個月	八六・〇%	第六年至二十年	七・八%
第二年	三五・三%		

由右表可以看出六個月至十二月的嬰孩罹本症者，他們的預後比較不良，不過外國人的統計，因自然環境的差異，未必能據以爲標準；我們再看國民政府主計處統計局統計期訊——衞生第八號所載『民國二十三年十月份威海衞小兒患麻疹而死亡者，一歲之內，佔49%，一歲以上四歲以下，佔13.49%，五歲以上無』也可知道一歲以下的小兒死亡率較低，（就是說預後比較佳良）不過這統計還不能使人滿意，我很希望同道中有起而從事此項統計工作者！因爲研究或改進中國醫學，並不是空言所能成事的啊！

（二）以居室環境而論　地處高燥，房屋寬廠而且構造合理，能使空氣流通，陽光得充分射入者，病兒的預後比較良好；若多人住在一處，塵煙飛颺，而且空氣汚濁，室內幽暗者，則各種病菌容易繁殖棲息於其間——併發或續發其他傳染病的可能性較大，所以預後就比較不大樂觀了。

（三）以病孩素體而論　病孩體質，向來强健，他對於疾病的抵抗能力也一定强大，不難因自然療能之引起把病毒逼向外洩，漸趨自然治愈之傾向；但如素體衰弱——有營養不良症，貧血症，潛伏性結核症，腺病質的病孩，在麻疹的經過中，往往併發或續發各種變症，很快地死亡；卽使幸而保留得一線生機，也很難順利地恢復康健；很少得到佳良的預後。

(四)以病孩症狀而論　上述的條件，雖可以作爲預後的根據，但如調護失宜——飲食不慎，風寒不避，或爲庸醫亂投藥石所誤，則雖年齡環境素體，俱合預後佳良之條件，亦不能作爲根據；全須看當時的症狀，而確定病孩的安危了。茲把中國醫家根據症狀而下之預後，分順、逆、凶、死四項，列表示明如下

預後＼症狀類別	疹子	熱度	脈搏
順症	1 或熱或退五六日而後出者輕。 2 發透三日而漸沒者輕。 3 一日三潮，三日九潮，不失潮者輕。 4 淡紅滋潤頭面勻淨而多者輕。 5 紅點愈多，病勢愈輕。 6 疹形尖聳。	漸漸低下。(毒盡之象)	洪大有力者佳。(驅毒作用亢盛之象。)
逆症	1 疹子因冒風而早沒者。(有內陷之傾向) 2 發疹突然中止—失潮者。(毒不能外洩) 3 紅紫暗燥，(皮膚疏洩作用停止) 4 頭面不出者，毒不升發，而有內陷之虞。 5 隱現不能發出者。 6 雖出而頭不尖聳者。	退後重發或稽留者。(有變證之虞)	細軟無力—由於伏邪者。
凶症	1 一出即沒(俗謂正氣衰微不能驅病外出)者。 2 疹色黑暗乾枯者。(毒素征服自然療能之象) 3 誤食酸收生冷之物，疹子忽沒，發之不起者。 4 徧身青紫熱腫喘脹氣急，(毒滯血凝)者。 5 疹未出，遍身如火痔通紅者。	忽昇到四十二度以上，或不及常度者。	細軟無力—由於正氣衰微，毒素侵及心肌者。
死症	1 一出即沒(俗謂正氣衰微不能驅病外出)者。 2 疹色黑暗乾枯服藥不應者。 3 誤食酸收生冷之物，疹子忽沒，發之不起者。 4 痲疹忽然褪色，皮膚顏面忽然蒼白者。(是內藏出血的主徵)	忽然下降者。(正氣衰沉，或暴絕之象)。	

舌證	1舌紅或裂。（發疹期見之者佳。） 2舌有白苔。（前驅期見之）。 3黑色漸退者。	1或黃或黑。（內熱熾盛。） 2疹沒後，舌苔紅而裂者逆。	1舌色純黑者危。 2黑而濕者危。 3黑而燥者危。	1舌捲昏亂者。 2紫黑枯燥而且不活潤者死。
口齒	1滿口唇舌黃赤白爛，獨牙齦無恙者。爲口瘡。非牙疳也。	1咬牙。（手足熱不厥，喜飲冷者。） 2口角附近之頰黏膜內面，發生水泡或潰爛，潰爛處有臭味者。（走馬牙疳之前兆）。	1口氣穢濁。（胃熱） 2穿顋落牙，下腭骨陷于壞死之境者。 3牙齦潰瘍無膿者。 4牙疳自外入內者。	1口臭不可聞。（胃敗） 2咬牙齘齒。（手足不熱反厥，喜飲熱者。） 3齒落口臭喘促痰鳴者。 4齒如枯骨者。
顏面	1發疹期顏面潮紅者。（自然療能驅毒外達之象。）	1面白不紅。	1疹退後，兩頰紅暈，大熱不退。 2額上水泡，肌熱者。	1面色蒼白，起於疹子忽沒者死。 2臉上灰色，似蒙塵者。
精神	疹未出而煩躁者。（將透之兆。）	1麻疹正出，精神困倦，沈睡不醒者逆。（正氣虧損之象。） 2疹既透，而煩躁者。（疹未透盡也。）	1四肢微厥，而昏睡者。（慢驚風之徵。） 2昏迷喘急，痰聲如拽鋸者。（肺竅痰升。）	1譫語昏亂而舌捲者。（神經受高熱燒灼，不得津液濡養故也。）
出汗	常有微汗。（皮膚通暢。腠理開豁，麻毒容易外達。）	1始終無汗。（恐毒不能泄越。） 2壯熱無汗，而皮膚乾燥者。（風寒壅滯，毒不得出。）	1遍身汗出如水，同時心腹絞痛者。（俗謂亡陽。） 2高熱無汗，面部，鼻旁，口脣發青者。	遍身無汗，惟天庭一片，汗出淋漓者。（陽絕矣。）

呼吸	1疹前咳嗽。（肺藏之驅毒作用。） 2打嚏多涕。（濁壅得泄。） 3疹收後，微咳嗽。（餘邪未盡，肺氣未平，不須服藥）	1氣喘而大便燥結者。（由邪毒壅塞肺藏所致。） 2無嚏而鼻壅塞。（風邪留滯。） 3久咳不止。（易成肺炎。）	1鼻煽氣喘。（已罹肺炎重症。） 2氣喘而大便溏泄。小便清利者，爲虛喘。 3鼻膜腐爛臭穢者。	1鼻孔流血者死。 2肩聳氣喘，胸高如龜，搖手擺頭。 3鼻生煤烟者。 4口鼻氣冷者。
大小便	1大小便沒有變化，（俗稱邪未內陷。） 2疹後尿質純清者。（爲全愈之兆。） 3微有泄瀉，不足爲逆。（消化系黏膜炎所致。） 4小便亦濇。（在前驅期爲正候。）	1下利。（舌紅糞臭而老黃者，爲熱毒移於消化系統。） 2疹後尿質紅色者。（尙須靜臥。） 3疹後久瀉不已。（易變慢驚風—太陰症。）	1泄瀉。（邪毒內陷） 2腹痛不瀉，用藥疏通不應者不治。 3久瀉不已，面色口脣發青者，慢驚已成。（正氣不能勝病毒也。） 4糞黑者。	1病久小便不禁者。 2病久泄瀉不止，口鼻氣冷，四肢抽縮者。（陽氣將絕矣。） 3大小便下血者。（內臟出血之徵。）
併發續發症的預後	「肺炎」者多死；「腎臟炎」（頭面四肢腫）者病重；眼邊爛者，易成失明；「角膜潰爛」者多危；「中耳炎」者易成耳聾，或續發「腦膜炎」而死；「齒齦炎」者多危；「腸炎」（泄瀉）者病重；「腦膜炎」者預後多不良；「重症鼻膜炎」（衄血）者亦危。			

（待續）

中国近现代中医药期刊续编·第二辑

國醫讀本八種

（內容為第一種中醫系統學，第二種內經新註本，第三種難經新註本，第四種傷寒新註本，第五種金匱新註本，第六種飲片新參，第七種本草經新註，第八種分類方劑，）自（一）（六）（七）出版後，閱者皆以謂能

開中國醫藥劃時代之進步，

可見此書之眞價值，楷印布面燙金，售價十二元，預約截止後，要求展期者甚多，茲定一分期付款辦法，卽初次交三元，發（一）（六）（七）（二）四種，七月底交兩元，發（三）（八）兩種，八月底交兩元，發（四）（五）兩種，一次交款者六元，出齊另售，皆照實價函索凡例，附郵二分，發行處杭州東坡路七弄三號王仁醫寓

分售處 蘇州吳趨坊 蘇州國醫書社

葉橘泉先生著

近世內科國藥處方集

本書為中醫科學化之最新著作，以新醫科學之理論，採取國藥之處方，病名則以新醫譯名為主，而附以中醫之舊名，旨在溝通中西醫界之隔膜，俾中醫不守舊，西醫不盲從，以期創造中國本位新醫學。

全書兩厚冊 售國幣一元

總發行 浙江吳興 雙林存醫濟廬

代售處 蘇州國醫書社

沈仲圭先生新著……

健康之道

全書一冊 實價八角

本集分論文衛生證治方藥飲食五類，選輯精當切用之文字數十篇，如飲食類之「食肉須知」，說明猪肉在醫療上之價值，及如何食法，方合衛生，又如方藥類之「養腦固精丸」，則為由遺精而成神經衰弱之效方，立方之妥善周到，製法之別創一格，洵為古今醫書所未逮，蓋本書立說一本科學原理，行文又極清新流利，且特注意於常人忽略之問題，無論醫家病家，皆有一讀之必要，又本集對于肺腎胃病之治療衛生頗多經驗之談，允稱特點。

發行處 杭州粮道山十號沈仲圭醫室

代售處 蘇州吳趨坊蘇州國醫書社

時逸人先生著

中國婦科病學

本書為中西合參之著，內容共分三編，第一篇經月病，第二篇胎產病，第三篇產後病，舉凡婦科各病，逐層剖析，備極精詳，證候診斷治法處方，皆有精深之經驗，醫家病家手此一編，足供按圖索驥之需，要定價一元，特價八角，郵力外加。

發行處 山西太原 中醫改進研究會

代售處 蘇州吳趨坊 蘇州國醫書社

施今墨先生主編

文醫半月刊

專家撰述，內容豐富；招登廣告，省費效大；歡迎投稿，歡迎定閱；定價低廉，從未脫期；每期二分，全年七角。

訂閱處 北平西城華北國醫學院

中國醫藥雜誌……

中國醫藥雜誌，現已出至三卷五期，數年以來，從未脫期與停頓，每期用十六開大本，精印一冊，內容豐富，切合實用，為全國名醫數十人所編輯，原價預定全年一元，茲為普及起見，特價三個月，「六月卅日起九月卅日止」預定全年只收六角，如有出版號外，或增刊，隨雜誌贈送，不取分文，如願訂閱，請速匯款至山東沂水中國醫藥雜誌社，如索樣本兩郵票六分卽寄。

張崇熙醫師編

醫學各科全書

▲將一切新醫學識：完全宣佈

▲將各科治療經驗：切實貢獻

本書共分二十四冊，計有解剖學，生理學，細菌學，病理學，診斷學，藥物學，傳染病學，內科學，外科學，皮膚病學，花柳病學，婦科學，產科學，小兒科學，眼科學，耳鼻咽喉齒科學，調劑學，急救學，衛生學，看護學，各種注射療法，顯微鏡用法及檢查細菌法，臨牀經驗處方，診療實用指南。均以淺顯文字，敘述明晰，為中醫科學化者，所必讀之書。

全書二十四冊 定價十二元

優待醫校學生 特價七折

總發行所 上海梹榔路B二八六號 東亞醫學書局

介紹醫藥雜誌

國醫公報	全年連郵二元	南京長生祠中央國醫館
醫界春秋	全年二元一角	上海白克路西祥康里七七號
山西醫學雜誌	全年八角九分	山西省城中正街中醫改進會
光華醫藥雜誌	全年連郵二元	上海北山西路棣隆里九號
東西醫藥報	全年日金三元	臺灣臺北永樂町二丁94番地
廣濟醫刊	全年二元四角	杭州衖兒巷四十六號
醫學衞生月刊	全年七角二分	蘇州吳趨坊國醫書社代售
家庭醫藥常識	全年連郵三角	蘇州吳趨坊國醫書社
診療醫報	全年連郵一元	上海霞飛路一○四號
醫鐸	全年一元二角	福州南台中醫專門學校
現代醫藥月刊	全年連郵一元	福建福清城內官塘墩本刊社
神州國醫學報	全年連郵一元	上海廈門路尊德里神州醫會
社會醫藥	全年一元五角	上海大沽路新馬安里三七號
醫林一諤	全年連郵二元	廣州大德路蕭行街
如皋中醫月刊	全年連郵三角	如皋育德所中醫公會
衞生雜誌	全年連郵一元	上海薩坡賽路一九○號
大衆醫學月刊	全年連郵二元	上海白克路西祥康里本刊社
長壽週刊	全年連郵二元	上海三馬路雲南路本週刊社
常熟國醫雜誌	全年連郵六角	常熟小河下二十二號
正言醫報	全年連郵三元	天津文學東箭道國醫研究所
晨光國醫雜誌	全年一元二角	廈門中華路七十七號二樓
中國醫藥雜誌	全年連郵一元	山東沂水黃山鋪街
醫事公論	全年九角六分	鎮江中正路北六二號叉二號
中醫新生命	全年一元四角	上海牯嶺路人安里十一號
中西醫藥月刊	全年二元四角	上海北四川路永豐坊六五號
新醫藥	全年連郵二元	上海南市外馬路一四六九號
現代國醫	全年連郵二元	上海老靶子路二四三號
現代中醫	全年連郵一元	上海西門石皮弄一號
同濟醫藥季刊	全年一元一角	上海靜安寺路同濟醫學院
壽世醫報	全年連郵五角	蘇州閭邸坊巷一○九號
醫醒雜誌	創刊號未定價	蘇州吳縣中醫公會
江都國醫報	全年一元二角	揚州古旗亭三十六號
杏林醫學月報	全年連郵一元	廣州大德路蘇行街八十四號
中華醫藥報	全年連郵四角	上海光啓路中華國醫學會
國醫旬刊	全年連郵一元	福建廈門國醫專門學校
湖北醫學月刊	全年連郵三元	湖北新市場上側永福里一號
醫藥雜誌	每冊定價二角	漢口湖北國醫專科學校
醒亞醫報	全年連郵一元	廈門丁仔巷門牌一號
明日醫藥	全年一元五角	北平什刹海後井胡同七號
鍼灸雜誌	全年一元八角	無錫中國鍼灸學研究社
文醫半月刊	全年七角二分	北平西城華北國醫學院
痲瘋季刊	全年一元二角	上海博物院一三一號
國醫文獻	全年四期一元	上海中國醫學院
中醫世界	全年一元五角	上海山東路中醫書局
幸福雜誌	全年連郵二元	上海三馬路幸福書局
民生醫藥	全年連郵一元	杭州同春坊民生醫藥月刊社

介紹醫藥書籍

中國急性傳染病學	時逸人著	實價二元二角	蘇州吳趨坊國醫書社代售
健康之道	沈仲圭著	定價八角	蘇州吳趨坊國醫書社代售
醫方概要	李疇人編	特價一元四角	蘇州蒲林巷李疇人醫室
合理的民間單方	葉橘泉著	實價八角	浙江湖州雙林存濟醫廬
吐血肺癆指南	慈航居士著	祇收寄費	杭州糧道山十號
魏氏驗案類編	魏文耀著	實價一元	蘇州吳趨坊國醫書社代售
張長沙原文讀本	南宗景校	實價八角	蘇州吳趨坊國醫書社代售

蘇州國醫學校

附設國醫診療所

聘請各科醫師送診給藥

◉宗旨

普濟貧民之疾苦

供給學生之實習

◉科目

內科 外科 女科 兒科

◉時間

門診 上午十時以前

出診 下午三時以後

◉號金

門診銅元十枚 出診車金十角

地址：蘇州長春巷三十九號

電話：第二千三百六十七號

本校學生實習概況

本校對於學生之臨證實習。頗爲注重。向設有診療所。送診施藥。由各教師擔任診務。王愼軒先生担任經費。每年施藥數萬劑。藉以救濟貧病。供給實習。近復遣派學生。分往本校董事鄭燕山，經綬章，曹黼侯，顧允若，顧福如，程文卿，許鶴丹，王愼軒等醫室，輪流實習，以增進學生之臨證經驗。

中華民國二十五年春季出版

蘇州國醫雜誌第九期

編輯者 蘇州國醫學校 蘇州長春巷三十九號 電話第二三六七號

發行者 蘇州國醫書社 蘇州吳趨坊一三七號 電話第五百六十三號

印刷者 蘇州文新印書館 蘇州景德路七十六號 電話第八百九十一號

蘇州國醫雜誌價目表

期數	價目	寄費
每季一期	另售一角五分	寄費一分
每年四期	預定實價六角	寄費在內

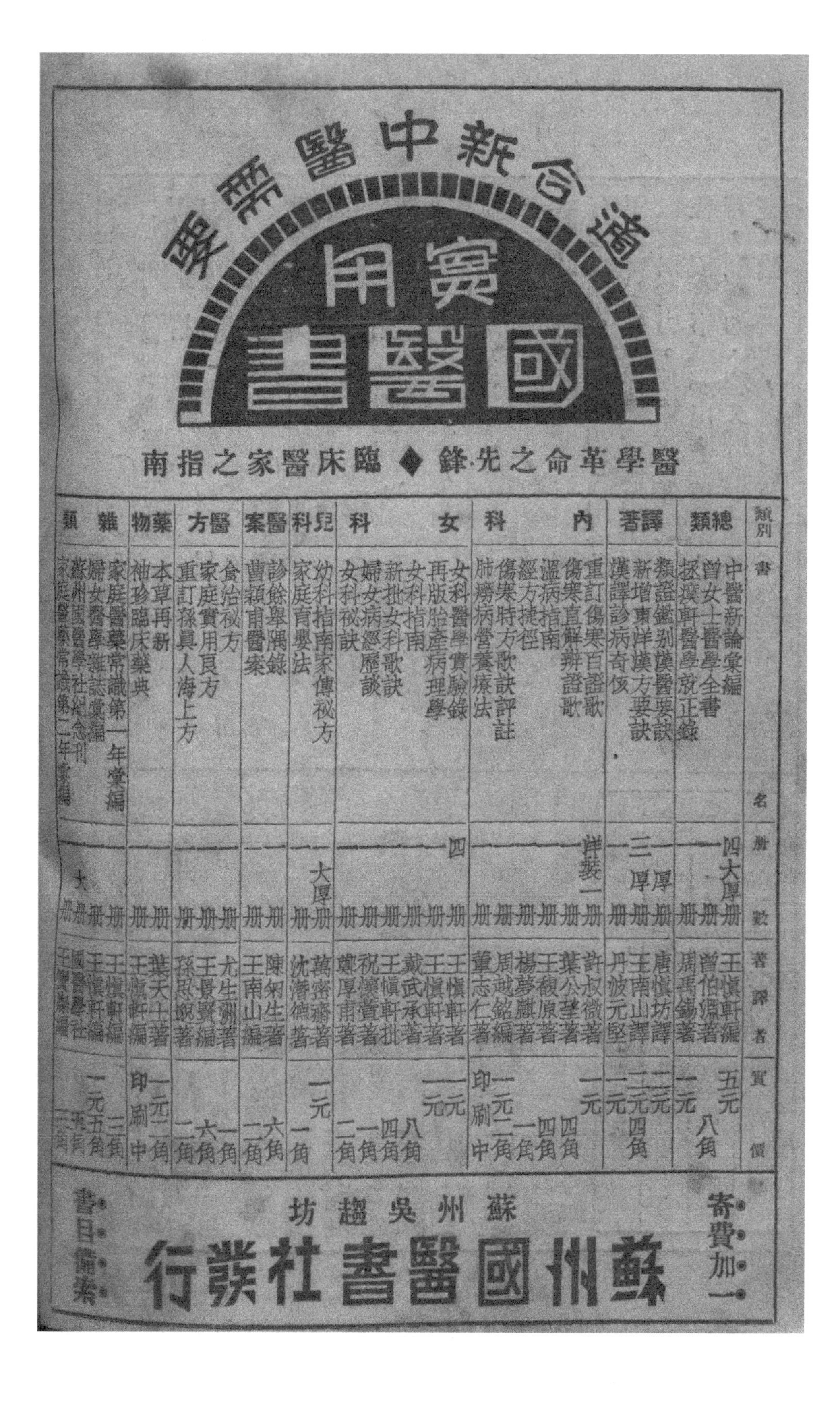

類別	書名	冊數	著譯者	實價
總類	中醫新論彙編	四大厚冊	王慎軒編	五元
	曾女士醫學全書	一冊	曾伯淵著	八角
	拯漢軒醫學就正錄	一冊	周禹錫著	一元
譯著	類證鑑別漢醫要訣	一厚冊	唐慎坊譯	二元
	新增東洋漢方要訣	三厚冊	王南山譯	二元四角
	漢譯診病奇侅	一冊	丹波元堅	一元
內科	重訂傷寒百證歌	洋裝一冊	許叔微著	一元
	傷寒直解辨證歌	一冊	葉公望著	四角
	溫病指南	一冊	王馥原著	四角
	經方捷徑	一冊	楊夢麟著	一角
	傷寒時方歌訣評註	一冊	周越銘編	一元二角
	肺癆病營養療法	一冊	董志仁著	印刷中
女科	女科醫學實驗錄	四冊	王慎軒著	一元
	再版胎產病理學	一冊	王慎軒著	一元
	女科指南	一冊	戴武承著	八角
	新批女科歌訣	一冊	王慎軒批	四角
	婦女病經歷談	一冊	祝懷萱著	一角
	女科祕訣	一冊	鄭厚甫著	二角
兒科	幼科指南家傳祕方	一大厚冊	萬密齋著	一元
	家庭育嬰法	一冊	沈潛德著	一角
醫案	診餘舉隅錄	一冊	陳甸生著	六角
	曹穎甫醫案	一冊	王南山編	二角
醫方	食治祕方	一冊	尤生洲著	一角
	家庭實用良方	一冊	王景賢編	六角
	重訂孫眞人海上方	一冊	孫思邈著	二角
藥物	本草再新	一冊	葉天士著	一元二角
	袖珍臨床藥典	一冊	王慎軒編	印刷中
雜類	家庭醫藥常識第一年彙編	一冊	王慎軒編	二角
	婦女醫學雜誌彙編	一冊	王慎軒編	一元五角
	蘇州國醫學社紀念刊	一冊	國醫學社	[illegible]
	家庭醫藥常識第二年彙編	大冊	王慎軒編	[illegible]

章校長太炎先生醫學遺著特輯

蘇州國醫雜誌

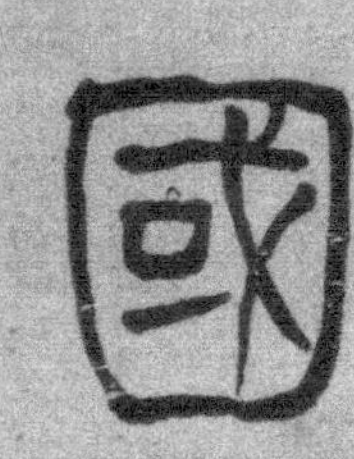

第十期

章炳麟題

蘇州國醫研究院啓事

本院承各方惠贈下列圖書不勝感激除分別編號庋藏以供師生參攷外特將書名列表於後以誌謝忱並代介紹

書名	著者	冊數	定價	出版處
竹齋醫學叢刊	黃竹齋	一冊	七角	周柳亭醫室南京建鄴路羊市橋九九號
傷寒雜病讀本	黃竹齋	四冊	叁元	
古今醫案按	俞震東	十冊		
十四經經穴圖譜	東方鍼灸學社	一冊	壹元五角	東方書藥局甯波江東洪聖廟弄二二號
鍼灸祕授全書	周復初	一冊	價未詳	東方針灸書局浙江甯波江東泥堰頭中興里一號
鍼灸則	周圭氏	一冊	七角	東方針灸書局浙江甯波江東泥堰頭中興里一號
金匱今釋	陸淵雷	二冊	六元	陸淵雷醫室上海牯嶺路人安里
傷寒論今釋	陸淵雷	八冊	十元	陸淵雷醫室上海牯嶺路人安里
陸氏論醫集	陸淵雷	四冊	五元	陸淵雷醫室上海牯嶺路人安里
醫學各科講義	張崇熙	全書二十四冊	十二元	東亞醫學書局上海檳榔路B二八六號
小兒科學　眼科學　婦科學　產科學　生理學　調劑學　花柳病學　皮膚病學　顯微鏡用法及檢查細菌法　耳鼻咽喉齒科學　臨床經驗處方　各種注射療法　診療實用指南　診斷學　傳染病學　細菌學　病理學　藥物學　外科學　解剖學　精裝解剖生理學　精裝外科學				
溫病明理	惲鐵樵	一冊	八角	章巨膺醫寓上海牯嶺路人安里十四號
藥盦醫案全集	惲鐵樵	八冊	八元	章巨膺醫寓上海牯嶺路人安里十四號

書名	著者	冊數	定價	出版處
脈學發微	惲鐵樵	一冊	一元	章巨膺醫寓上海牯嶺路人安里十四號
生理新語	惲鐵樵	一冊	八角	章巨膺醫寓上海牯嶺路人安里十四號
用藥指南	朱振聲	一冊	一元	上海幸福書局上海三馬路雲南路
中國時令病學	時逸人	一冊	五角	中醫改進研究會山西太原市新民中正街
中國婦科學	時逸人	一冊	一元	中醫改進研究會山西太原市新民中正街
中醫系統學	王一仁	一冊	八角	仁盦學舍杭州東坡路七弄三號
內經讀本	王一仁	一冊	二元五角	仁盦學舍杭州東坡路七弄三號
難經讀本	王一仁	一冊	八角	仁盦學舍杭州東坡路七弄三號
醫學平論	徐瀛芳	一冊	六角	上海四馬路二八三號國醫印書館
溫病論衡	謝誦穆	一冊	六角	上海四馬路二八三號醫國印書館
國醫的科學	李克蕙	一冊	二角	南京洪武路七十四號李克蕙診所
傳染病預防法	中醫改進會	一冊	一角	山西太原新民中正街中醫改進研究會
大衆醫藥彙刊	楊志一	一冊	二元	上海白克路西祥康里九十號
中醫新生命	陸淵雷	二十三	每期一角五分	上海牯嶺路人安里十一號

本校前校長章太炎先生遺像

太炎先生題書本校校訓

誠敬勤樸

章炳麟

蘇州國醫雜誌第十期——章校長太炎先生醫學遺著特輯目錄

陸淵雷序
唐愼坊序
王愼軒序

醫學演講

傷寒論演講詞……（一—五）
對本校學生演講詞……（五—八）

醫學論文

傷寒誤認風溫之誤治論……（九—九）
論藏腑經脈之要諦……（九—一一）
論診脈有詳略之法……（一一—一二）
論十二經與針術……（一二—一三）
論十二經關闔之理……（一三—一四）
論傷寒傳經之非……（一四—一五）
溫度不能以探口爲據說……（一五—一六）
治溫退熱論……（一六—一七）
論肺炎病治法……（一七—一九）
陽明證變法與用麻桂二湯之正義……（一九）
黃癉論……（二〇—二一）
論厥陰病……（二一—二二）
瘧論……（二二—二三）
溫病自口鼻入論……（二三—二四）
中土傳染病論……（二四）
論少陰病……（二五）
論霍亂上……（二五—二八）
論霍亂中……（二八—二九）
論霍亂下……（二九—三〇）
論溼溫治法……（三〇—三四）
傷寒新論……（三四—三六）
論醫筆記……（三七—四〇）
桃仁承氣及抵當湯之應用……（四〇—四一）
猩紅熱論……（四一—四三）
勸中醫審霍亂之治……（四三—四四）
對於統一病名建議書……（四五—四六）
時師誤指傷寒小柴胡證爲溼溫辨……（四六—四八）
腳氣論……（四八—四九）

論醫書牘

與田桐書……（五〇）
答張破浜論誤下救下書……（五〇—五二）
徵求柯韻伯遺著啓……（五二）
答張破浜論醫書……（五二—五三）
論中醫剝復案與吳檢齋書……（五三—五五）
與惲鐵樵書一……（五五—五六）
與惲鐵樵書二……（五六—五七）
論骨蒸五勞六極與某君書……（五七—五八）
與余雲岫論脾臟書……（五八—五九）
答王一仁再論霍亂之治法……（五九—六〇）

醫學考證

張仲景事狀考……（六一—六三）
古方權量之考證……（六三—六五）
王叔和考……（六五—六六）

醫學文苑

擬重刻古醫書目序……（六七）
題陳無擇三因方五言一律……（六七—六八）
防疫詩二首……（六八—六九）
保赤新書序……（六八—六九）
傷寒論單論本題辭……（六九—七一）
仲氏世醫記……（七一—七二）
中國醫藥問題序……（七二—七三）
傷寒論輯義按序……（七四—七五）
傷寒論今釋序……（七五—七七）
覆刻何本金匱玉函經題辭……（七七—七九）
中國藥學大辭典序……（七九—八〇）
輓西醫江逢治……（八〇）
輓國醫惲鐵樵……（八〇）
輓陳善餘……（八〇）

中央國醫館備案
蘇州國醫學校設立

蘇州國醫研究院招收學員

宗旨 以科學方式研究高深之國醫學術造就高等國醫人材及養成國醫教育師資為宗旨

資格 曾在國醫學校或國醫院畢業或肄業三年以上或從師學醫四年以上領有證明文件經學考試及格者

學制 分科研究一年畢業

學額 五十名

報名 即日起

考期 七月念五日 八月念五日

開學 八月二十八日

章程 函索即寄

院址 蘇州長春巷三十九號

中央國醫館備案

蘇州國醫學校第七屆招男女生

學額 新生四十名 二三年級插班生十名

報名 即日起

考試 高中畢業者免試有同等學力者考黨義國文插班生加考醫學

考期 八月一日 二十一日

免費 本校原有各級免費額十二名茲再增加研究院清寒免費額五名又凡本校四年級生入研究院者免收研究費

章程 本校及蘇州國醫研究院章程函索即寄

贈紀念刊 本校概況及各科講義大要均載紀念刊中招生期內附鄭一角即寄贈

「校址」蘇州城內長春巷

主席校董李根源 校長唐慎坊 副校長章次公 王慎軒

蘇州國醫研究院重要職員一覽

姓名	任職	履歷
唐慎坊	院長	前清舉人 前鹽城縣知事 前江甯地方審判廳廳長 前蘇州中西醫學講習所所長 蘇州國醫學校校長
李軼塵	祕書	前清舉人 前江西省政府第一科科長 蘇州國醫學校文牘主任
王慎軒	總務主任兼女科主任	中央國醫館名譽理事 吳縣中醫公會常務委員 蘇州國醫學校副校長兼總務主任 蘇州國醫編譯館館長
陸淵雷	內科主任	前鐵樵函授學校教務主任 前上海國醫學院教務主任 中央國醫館常務理事兼學術整理委員會專任委員
余無言	外科主任	中央國醫館名譽理事 前陸軍第二師師司令部軍醫官 前上海中國醫學院外科教授
徐衡之	幼科主任	中央國醫館名譽理事 前上海國醫學院代理院長兼總務主任 前上海國醫分館董事
章次公	藥物主任	中央國醫館名譽理事 前上海國醫學院藥物教授 上海紅卐字會醫院中醫部主任 蘇州國醫學校副校長
葉橘泉	病理主任	中央國醫館名譽理事 前吳興縣政府國醫檢定委員 國藥丹方實驗研究社社長
宋愛人	治療主任	吳縣中醫公會編輯委員 前吳縣醫鐘刊物社主編 吳縣公民醫刊主編
祝懷萱	方劑主任	前吳縣醫學會醫藥衛生報編輯 蘇州國醫編譯館編輯 蘇州國醫學校講師
謝誦穆	編緝主任	前上海國醫學院教授 中央國醫館上海分館醫藥顧問 中醫新生命月刊編輯
高博謙	訓育主任兼圖書館館長	前武進肖谿中學國文史地教員 前輔華中學訓育主任兼國文教員 前延齡中學訓育主任兼國文教員
祝曜卿	診療所所長	前蘇州中醫院院長 前蘇州中醫專門學校教員 蘇州國醫學校教授兼診療所所長
施毅軒	重病研究室主任	北平協和醫學院畢業 蘇州國醫學校生理解剖教授 蘇州產婦科醫院院長
張又良	實習指導主任	前蘇州青年會診療所女科主任 蘇州國醫學校教授 吳縣中醫公會編輯委員

陸序

古者大醫。采藥於山。儲以待用。傳記所稱賣藥者。皆醫工。非藥賈也。宋元以後。醫者不自儲藥。藥賈始多。大柢人事愈繁。則分職愈細。降逮近世。藥之種植化制無論已。至於醫。有專攻生理以明其常者。有專究病理以知其變者。有專事解剖以識病竈者。有專養菌類以察病原者。更有造作診察新法。以探索病情者。凡此諸家。皆以其所得。詔告醫工。醫工受諸家之術。察病授藥。不知其他。夫如是。故病愈不得專美其醫。不愈。醫亦不居其過。譬猶珍羞百味。羅列鼎俎。或以適口療飢。或以饕餮釀病。彼耕稼田魚和合割亨者。尸其功罪。而扛鼎羞蕘之人不與焉。是故醫工能臨病救療。鮮能發明新理。諸學問家發明新理。臨病亦不能救療。今日遠西醫學所以日進未已。雖拜科學之賜。蓋亦分職之效也。中土則不然。百工之研究發明。官司自昔不爲獎勸。苟專攻醫學。不爲臨病之工。莫能得食。醫工用藥。雖可取給市賈。然病原病理診察諸術。悉賴一人之智力。中土醫學之所以因循不進。雖受氣化玄談之毒。蓋亦官司不獎學術。無由分職故也。餘杭章太炎先生。國學泰斗。文章巨宗。常以其餘緒治醫。既博聞强記。識見卓絕。而游其門。相與上下議論者。又皆一時之俊。是以每發一義。足令越人卻步。仲景變色。予少壯以後。棄文學教讀而業醫。業醫有年。始得親炙先生。每晉謁。先生輒引與論醫。竟日不倦。時聆精義妙理。則退而震驚。以爲中醫之發明家。前無古人。顧先生之家人戚屬。偶攖小極。輒外召醫。不自與藥。與藥亦不甚效。蓋學問家之醫學。固未可與臨病之工。較一日之短長也。曩予課醫校諸生。常以科學說中醫舊說虛妄者。雖靈素難經。不惜辭闢。諸生翕然信從。而忌者毀之。謂陸某書生。能空言。不能治病。彼意固欲得口實以毀予。予則以爲譽之過當。何則。能空言不能治病者。學問家發明開創之所為。視臨病之工。不啻雲泥。而予何足以堪之。必也淵博深邃。冥悟精思。如章先生者。然後庶幾耳。先生論醫之文若干篇。及門謝誦穆嘗裒集謀梓行。請於先生。先生汰去太半。僅存若干篇。將自點定。百六遘否。遽歸道山。已失原稿所在。今王君愼軒再裒集之。略以年月為次。不敢有所去取。悉校以授梓。夫遠西所稱學問家者。窮畢生之力。僅乃立一義。創一術。其人已足千古。章先生經師碩學。醫特其緒餘耳。其論醫之文。雖先生自視若有可汰。然其發前古之奧義。開後學之坦途。數十篇中。豈特一義一術而已。嗟乎。先生往矣。後起誰繼。序先生之書。不知涕泗之何從也。丙子七月。問業弟子川沙陸彭年淵雷拜序。

唐序

不佞幼讀太炎先生巵書。古奧莫能解。心嚮往之。無由識荆也。七八年前。先生貰新宅於侍其巷。李印老就其宅款燕。召不佞陪席。獲親謦欬。又一年。先生主印老。不佞偕王慎軒兄晉謁。先生講醫學兩小時。略謂太陽陽明六經。不過一代名詞。有如甲乙丙丁之類耳。又談用抵當丸之驗。凡此皆見於篇中者也。先生提倡國醫之念頗摯。慨允擔任吾校名譽校長。泰山北斗。衆望所歸。今歲新創研究院。又慨允爲院長。先生者。天下之大老也。吾校之榮譽爲何如耶。不意遽歸道山。國家失此導師。全國人士。驚走相告。同聲悲歎。吾校之不幸。誠卑卑不足道矣。茲彙集先生平日關於醫學講演之辭。發揮之論。凡已發表於篇牘。而爲醫林所欲先覩爲快者。集腋成裘。刊爲專號。雖零紈寸縑之微。要大有裨於後學。世之有心於先生之道德文章。而習歧黃家言者。庶幾有所啓發歟。

民國二十五年七月　　唐慎坊謹序

王序

余幼讀魯論。孔子告子貢曰。女以予爲多學而識之者與。對曰。然。非與。曰。非也。予一以貫之。不能瞭解其義。及長就教名師。間或涉獵經史。始知古來大儒。不在文章之淵博。而在性道之精誠。大而經緯萬端。小至一技一能。道無二致。理本一貫。融會貫通。神而明之。則衆物之表裏精粗無不到。而吾心之全體大用無不明矣。中庸所謂惟天下至誠。爲能盡其性。以至參天地之化育。是卽一貫之旨。故立言不務高遠。文詞不尙綺麗。但求有裨實用。章先生太炎。人第知其博聞强識。文章驚世。足以流傳不朽。余謂此不知先生者也。先生之學問。惟精惟一。先生之懷抱。利國濟民。豈僅在區區文字哉。余羈跡吳下。徒負虛名。癸酉冬。奉先生召。謬承研詢中醫心法。始得親炙道範。先生生平未嘗學醫。亦無暇深研醫籍。聆其言論。於醫理頗有心得。闡揚無遺。足見天地萬物。渾然一體。非其眞積力久。曷克臻此。先生任本校名譽校長。甫及三載。遽歸道山。曷勝痛悼。茲搜輯關於醫學遺著若干篇。以授剞劂。東鱗西爪。不足以述先生學問之萬一。第在醫言醫。聊誌景仰。昭示來茲云爾。

中華民國二十五年七月　古越王愼軒謹序

本校此次編輯章太炎先生醫學遺著。承　沈仲圭。馮超人。謝誦穆。祝懷萱諸先生。熱心贊助。並予指導。編者感激異常。敬表謝意。惟尙有章次公先生序一篇。因來稿較遲。未及排入。祇得留待下期發表。謹請章先生與讀者諸君原諒是幸。

徐名山誌

傷寒論演講詞

在杭州中醫學校講（民國十二年秋）

西醫與中醫治療上結果之比較。彼西醫重在解剖實驗。故治臟腑病見長。吾中醫求歲時節令。故治時感病見長。不獨近今爲然。古亦如此。如華陀善𠜂割之術。及治傷寒。則技甚短。外臺祕要述其方。傷寒一篇。僅有五苓散而已。故元化之治傷寒。不見信於後世。而仲景傷寒論爲治時感之要錄矣。要知仲景傷寒論。其於病機。乃積千百年之經驗而來。聞及五行之說。特猶算家之以甲乙丙丁代數耳。若近代葉氏之流。於病狀尚未說明。先以五行之談爲舖張。則直是油腔滑調矣。五行六氣所配。本亦不同。例如言五行。肺爲金。胃爲土。言六氣。則太陰爲濕土。陽明爲燥金。則知五行之說。不妨隨意分配。故祇可作比例觀也。至說解剖一事。亦已載在靈樞。但所以多錯謬者。蓋由祇刳胸腹。而不能割剝肌肉。故所載十二經特爲謬誤。至世人誤言肝臟在左。滑伯仁獨言肝臟在右。其道在左。其說則與事實相符。蓋臟腑部位。本較血管爲明瞭也。其他如膀胱無上口之說。亦以視察不精。故爾。自遠西解剖之說行。有可以證明吾土舊說者。即如衝任督三脈。衝即大動脈。內經云。衝爲十二經之海。又曰、衝爲血海。明謂血脈之本源。其義可知。又考靈樞經云。衝脈出於頏顙。乃即西醫所謂大動脈弓者近是。又云、上胸中而散。亦是大動脈之一支。惟大靜脈尚未明言耳。任即輸精管。舊謂鬚由任脈上榮所生者。誤也。督即脊髓神經。惟神經散布於周身者。爲吾土所未知也。至十二經脈之說。內經云、心合脈。又云、血皆屬心。此義中西本無異論。但謂臟腑各自有脈。外通手足。則與解剖實驗者迥異。蓋血之流行。由心臟搏動。自大動脈出而分布各處。其頭面手足之脈。與各臟腑原不相干。如靈樞所說。手之三陰。從胸走手。足之三陰。從足走胸。手之三陽。從手走頭。足之三陽。從頭走足者。則恐當時臆想之談也。仲景以太陽陽明等名篇。不過沿用舊名。要于經脈起止之說無與也。又如三焦屬手少陽經。內經言上焦如霧。中焦如漚。下焦如瀆。是象其形。又曰、三焦者決瀆之官。水道出焉。是指其用。難經則謂三焦有名無形。試問三焦究有物否。大概卽西醫之所謂淋巴腺者是。故素問稱之曰孤府。因其各處皆有。又謂半表半裏者何。蓋半表者。卽金匱所謂腠者是三焦通會元眞之處。半裏者。謂其內在胸腹之中也。考解剖學中言淋巴幹。左曰胸管。由下而上。右曰右淋巴管。由上而下。大約所謂胸管卽是上中二焦。其淋巴管之在下者。卽是下焦。且經言下焦別迴腸。則係淋巴管在下者無疑。總之、三焦是腺。似屬可靠。故內經謂爲決瀆之官。凡此皆可據彼新說。以相證明者也。若夫診脈之法。內經有三部九候。仲景傷寒論。則僅有三部。而無九候。所謂三部者。人迎寸口趺陽是也。較內經則爲直截易明矣。傷寒論一書。大概是治外感的書。難經云、傷寒有五。有中風、有傷寒、有濕溫、有溫病、有熱病、則傷寒論是廣義的傷寒。非五者中之一種傷寒。卽如痙溫暍三症。本在太陽篇中。叔和因與傷寒少異。特爲移其篇次。若據仲景原書。則三症亦可謂之傷寒。可見傷寒是廣義之傷寒。非專指發熱惡寒一種。而自唐以來。或以狹義視傷寒論。如唐孫思邈千金翼方。首謂傷寒全論。不過三方。桂枝、麻黃、大青龍湯是也。其餘均爲救逆之方云云。余意不然。若小青龍。亦豈爲救逆者乎。又如金劉河間。以爲傷寒論祇論傷寒。與溫病無干。詎知傷寒論提綱中已說明。太陽病。發熱而渴。不惡寒者。爲溫病乎。且如服桂枝湯。大汗出。大煩渴不解。脈洪大者。

白虎加人參湯主之。則明明揭出溫病之治方。又有所謂汗後惡熱。用調胃承氣湯。亦爲溫病立法。況陽明一篇。全爲熱病而設。所謂正陽陽明。即熱病是也。柯韻伯曾謂仲景六經。各有提綱。非定以次相傳。其語甚確。柯氏又謂傷寒祇太陽少陰有之。肝膽爲發溫之原。陽明爲成溫之藪。其病傷寒者鮮矣。語尤精闢。故厥陰脈滑而厥。用白虎湯。少陰脈微而厥。用通脈四逆。同是一厥。治有不同。即少陰篇中之用黃連阿膠湯。甚則用承氣湯。亦是溫病。非由太陽經傳來可知。昔人謂少陰病必由太陽傳入者。則由叔和序例日傳一經之說誤之。按日傳一經。義出內經。而仲景並無是言。且陽明篇有云。陽明居中土也。無所復傳。可見陽明無再傳三陰之理。更觀太陽篇中。有云二三日者。有云八九日者。甚至有云過經十餘日不解者。何嘗日傳一經耶。蓋傷寒論全是活法。無死法。陽明無再傳三陰之理。而三陰反借陽明爲出路。乃即內經所謂中陰溜府之義也。且傷寒本非極少之病。亦非極重之病。仲景云、發於陽者七日愈。發於陰者六日愈。足見病之輕者。不藥已可自愈。更可見傷寒爲常見之病。若執定日傳一經者爲傷寒。否則非是。不獨與本論有悖。且與內經所謂熱病者傷寒之類也一句。亦有牴觸矣。故六經遞傳之說。余以爲不能成立。近日本人以遠西所謂腸窒扶斯譯爲傷寒。因其病亦有七日一期。頗有相似。但究未確當。其實乃爲吾國傷寒論太陽篇中之抵當湯證也。所謂抵當湯證者。脈微而沉。少腹硬滿。其人如狂。仲景斷爲太陽隨經。瘀熱在裏。經即小腸。不涉膀胱。故小便仍利。與熱結膀胱用桃核承氣證湯證之小便不利者。絕對不同。且當六七日間。倘有表證。頗與腸窒扶斯證潛伏期相似。惟用藥治療。則絕異西醫謂腸窒扶斯不可下。誤下則腸穿孔而下血。將引起腹膜炎。而此乃猛藥下血者。蓋發病至此止六七日。非有兩星期之久。故下之無穿孔之患。金匱治腸癰。膿未成。可下之。用大黃牡丹湯。膿已成不可下。即其例也。若至兩星期後。用小品犀角地黃湯加黃芩方。方爲近是。總之、腸窒扶斯。祇是太陽傷寒之一證。非可以證傷寒全體也。至厥陰中之厥熱相間一種。先寒後熱。數日而平。平後復發。乃即西醫之所謂再歸熱也。但其中厥少熱多。用白虎湯。厥多熱少。用當歸四逆湯。須有分別。昔高世栻有厥瘧之說。恐非是瘧。亦是此厥熱一類耳。又傷寒少陰病。本多寒症。河間以爲傳經之病。無有不熱。而疑仲景爲誤。不知少陰寒症本是猝發。絕非由傳經所得。其餘太陽傷寒。證狀既異。分爲兩種病亦可。若依內因外因言之。則太陽傷寒全是外因。而少陰傷寒。乃素有內因。而新遇外因者也。內因者何。心臟虛弱是也。少陰厥逆。固由於此。即間有熱症。亦所謂心虛者熱收於內也。但仲景書本是廣義。故盡稱爲傷寒耳。要知傷寒論所包者廣。即汎言五種傷寒。恐亦不能包括。何況太陽一種乎。觀仲景序論云。宗族數百人。十年之中。病傷寒而亡者過半。則非一種傷寒可知。又曰、雖未能盡愈諸病。庶可見病知源。若能尋余所集。思過半矣。苟其中不涉溫病。何能思過半耶。總之、治外感症法。悉自傷寒論出。可無疑義。至近今治溫病方。葉香巖開其端。吳鞠通繼其後。王孟英統其成。惟孟英膽氣較葉吳爲大。然銀翹桑菊等方。服而即愈者。恐亦非眞溫熱。不過小小風熱。或少陽之遊熱耳。如眞爲溫病。此等方亦不能治。必傷寒論中梔子白虎等湯。治可奏效。而葉吳輩以爲苦寒遏伏。不如改用甘寒。詎知眞正溫病。未有不至陽明者。苦寒尚有泄熱之功。甘寒則徒增液而厚腸胃。不獨此也。更有以爲溫病藥總寒涼。每令早服犀角。而反致神昏譫語者比比。觀仲景方。未有用犀角者。本草謂犀角解毒。千金外臺方中。多以犀角止血。故凡大吐衄大崩下。或便血等。多以犀角治之。蓋犀角有收縮血管之功用也。陽明病原有自汗。今反以犀角收之。於是將邪逼入腸胃。神昏譫語。自然起矣。人每不明此理。以爲神昏譫語。總是邪入心包。因此犀角之誤服。終不瞭然。惟陸九芝爲能知之耳。由是以觀。河間已遜仲景。葉吾輩更不如河間遠矣。夫仲景方法。本甚圓活。用之得當。效如桴鼓。其於溫熱。惟麻桂二方。所治有異。餘如麻杏甘石等方。均可用也。至河間雙解散防風通聖散。雖間有可用。而立法已不如仲景甚遠。卽如防風通聖散一方。既用麻黃之發汗。復用硝黃之攻下。其法固屬兩解表裏。自仲景麻杏石甘湯大柴胡湯得來。然仲景立法精嚴。凡兩解表裏者。外既用麻黃之發汗。內祇用石膏淸裏。而不任硝黃之攻下。如麻杏甘石湯是也。內既用大黃之攻下。外祇用柴胡和解。而不任麻黃之發汗。如大柴胡湯是也。若一汗一下。彼此牽制。則仲景從無此法。河間之方。蓋已變仲景之本。無怪柯韻伯斥之爲庸醫矣。

對本校學生演講詞

民國二十四年秋在蘇州國醫學校演講周自強記

余於醫學荒疏已久。今惟將記憶所及者。與諸生略述一二。吾人閱金匱要略。殊嫌其簡。不足以應付萬病。千金外臺二書。雖能補金匱之不足。而其弊在列方宂雜。且多未經實驗者。至宋代有蘇沈良方及本事方。都是經驗之方。惜其法偏執。不易應用耳。降及金元。有四大家之學說。更屬各偏一端矣。其有見於熱病流行。溫藥無效。投以寒涼。多得痊愈。遂偏主以寒涼治病者。劉河間是也。其有見於民罹飢寒。脾胃多病。投以溫補。多獲救治。遂偏主以溫補治病者。李東垣是也。實則寒涼溫補。豈可一概而施。其有見於燕冀關外之人。體格壯實。堪任峻劑。蒙人常服多量大黃而無妨害。遂主以攻下治病者。張子和是也。故子和之攻。東垣之補。河間之涼。皆屬偏也。惟朱丹溪立方平穩。無關痛癢。後世宗之。遂成時方之祖。有明一代。良醫極少。大抵均拾四大家之唾餘。其能網羅諸家之學說而自成一家者。惟薛立齋而已。其後喻嘉言崛起於江西。所著寓意草。持論嚴正。尙堪師法。惟渠好爲苛論。若盡遵彼之醫門法律。則醫亦不可爲矣。清代醫學。鮮有特出。如張路玉、王孟英等其醫名雖盛。亦僅偏執一端耳。蓋路玉偏於溫補。孟英偏於清涼。皆有流弊也。惟柯韻柏註解傷寒。爲世推重。然按之實際。柯氏之說。亦有可商者。如傷寒傳足不傳手之說。在仲景書中。實未明言手經足經之分別。例如陽明宜下之證。雖云胃家實。但胃居於中。腸居於下。大便燥結。究在於腸。承氣攻下。亦必由胃而腸。腸屬手陽明。胃屬足陽明。胃病必及於腸。治腸必及於胃。安能強分手足耶。柯氏又稱太陽與膀胱無關。與肺相密切。雖似有理。究屬牽強。至於傷寒六經。每日相傳一日一經等語。更不足以取信於今人矣。余謂研究傷寒論。先須明其大意。不必逐條強解。死於句下也。即如六經所屬。亦未盡然。如少陰病脈微細。但欲寐。明係心臟衰弱之病。實與腎臟無關。何必拘拘於心腎屬少陰之說耶。

傷寒論之太陽病。應分別論之。病初起時之麻黃湯證桂枝湯證。僅爲太陽病之前驅症。猶非太陽正病也。惟水蓄膀胱之五苓散證。及熱結膀胱之桃仁承氣湯證。斯爲太陽正病。然所謂熱結膀胱者。病實不在膀胱而在小腸。西醫謂之腸窒扶斯是也。但腸窒扶斯。初起之時。多由小柴胡證變成。實不起於麻桂二證也。人謂小柴胡證屬少陽。從太陽病傳變而來。然原文曰。傷寒五六日中風。往來寒熱。既無太陽傳來之明文。而又列於太陽篇中。安得硬指其爲少陽病乎。嘗見腸窒扶斯初起之證候。有寒熱往來。胸脅苦滿。俗醫謂之濕溫。或云類瘧。實即小柴胡湯證也。此時投以小柴胡湯。必有效。如失治不愈。變爲痞滿嘔吐等症。則當用半夏瀉心湯。如再失治。則必變成桃仁承氣及抵當湯證。此乃屢驗不爽者也。至少陽篇與太陽篇之分。大概特發之柴胡證。屬於太陽篇。由太陽病轉變之柴胡證。則屬少陽篇。然病由太陽病傳變而爲少陽病者。實不多覯。故少陽篇之原文無多。少陽病口苦咽乾目眩耳聾。前人皆謂屬膽。余則以爲屬三焦。蓋三焦爲津液之府。即後人所謂淋巴系統。口苦咽乾目眩耳聾者。上焦之津液不布也。胸脅苦滿者。中焦之津液凝聚也。若病在下焦。則爲腸窒扶斯矣。此卽由小柴胡湯證變爲桃仁承氣及抵當湯之路徑。至若太陰病。則當與陽明病相對而言。陽明病之胃家實大便難。乃腸胃之實證。太陰病之腹滿而吐。自利益甚。卽腸胃之虛症。固不必强分陽明屬胃。太陰屬脾也。太陰篇中有桂枝加芍藥湯證與桂枝加大黃湯證。一爲胃實證。一爲脾虛證。二者互見於此。可知脾胃相連。實不能截然劃分也。少陰之病。純屬心病。脈微細者。心動弱也。但欲寐者。心神衰也。心之搏動既衰。血之流行必懈。以致體溫不能外達。故爲四肢厥冷。此皆心病之明徵。實與腎臟無關。至於厥陰之病。實與少陽病相對。少陽病寒熱往來。其病尙淺。厥陰病厥幾日。熱亦幾日。卽較少陽病爲深矣。惟近世坊間流行之傷寒論。誤將厥利嘔噦。列入厥陰篇中。殊失仲景立論之本旨。其實厥陰篇中。僅首條提綱。及各條上著有厥陰病三字者。乃爲厥陰之本病。其餘厥利嘔噦諸條。當照金匱玉函經。與霍亂勞復陰陽易等。另列一篇。庶幾無誤。蓋凡讀傷寒論之方法。貴乎得其大體。固不必拘泥於文句也。

至於傷寒與溫病。究竟如何分別。余謂前人論傷寒溫病。混淆太甚。後人論傷寒溫病。分別太繁。惟陸九芝陽明爲溫病之藪一語。最爲切當。蓋病至陽明。則傷寒與溫病無異。如服桂枝湯後。大煩渴者。用白虎加人參湯。服麻黃湯後。蒸蒸發熱者。用調胃承氣湯。此猶傷寒爲其皮。溫病爲其骨。其實傷寒與溫病。不能截然分別。凡病至發熱不惡寒。口渴心煩者。卽可以稱爲陽明病。亦可以稱爲溫病。不必强爲劃分也。不然。豈有一日服麻黃桂枝之時。則爲傷寒。次日服白虎承氣之時。卽變爲溫病乎。考傷寒溫病之分。始於喻嘉言。至葉天士吳鞠通。則更將溫病分列許多名目。實已越出難經傷寒有五之範圍矣。近來西學東漸。又有腸窒扶斯之名。或謂腸窒扶斯者。卽濕溫也。然今人所稱之濕溫。已非古人所謂之濕溫矣。古人以暑病夾溼名濕溫。朱肱活人書中之蒼朮白虎湯。卽其治也。今人則以寒熱往來。胸脅苦滿者。爲濕溫。此非蒼朮白虎湯所能治。祇能用小柴胡湯、半夏瀉心湯、抵當湯等。循序施治。庶幾可愈。惟自外人有腸窒扶斯防腸穿孔之說。人皆不敢攻下。但余之經驗。凡攻下而得黑糞者。必不致腸穿孔。雖攻下而出血者。亦當分別。如下膿血者。卽傷寒論所謂下血則愈之症。亦非腸穿孔。惟下鮮血者。方爲腸穿孔也。人皆以腸穿孔爲不可救治之病。然以犀角地黃湯治之。亦有可救者也。況中醫攻下之力。有輕重緩急之分。祇預審察病之輕重。分別攻下。決不致變成腸穿孔。大概大承氣湯最峻。小承氣湯次之。以其皆有厚樸枳實也。他如調胃承氣桃核承氣抵當湯。則皆僅有大黃而無枳樸。有瀉熱祛瘀之功。而無峻攻傷腸之力。若更欲平穩。則有抵當丸。蓋其方後註云。服後晬時始下。不下更服。可見此方之和緩矣。今人誤於西醫腸窒扶斯防腸穿孔之說。每遇濕溫應下之症。竟至如此平穩之方。棄而不用。豈足以愈病耶。

仲景傷寒論一書。包含甚廣。惟太陽篇太無系統。使人讀之有望洋之嘆。余意欲將本篇分三章。以桂枝、麻黃、梔豉、白虎、調胃承氣證爲一章。小柴胡、瀉心湯、抵當湯、桃核承氣證爲一章。其餘又爲一章。如是分章。較易明瞭。要之讀傷寒論之法。貴乎明其大體。若陳修園之隨句敷衍。强爲解釋。甚至誤認傷寒自太陽病起至厥陰病止。只是一種病之傳變。如是死於句下。何能運用仲景之法。以治變化無窮之病乎。

董志仁先生著　肺癆病營養療法　出版

本書著者董志仁先生係杭州有名之肺癆專家，董先生因臨證之際，病人對於飲食宜忌恆欲詳細詢問，一一答覆殊苦瑣煩，爰擬此書，俾便病家有所遵循。病者讀此，則飲食有則，可以早復健康，醫家如以此書介紹病家，則可免一一答覆之瑣煩。

出版處　蘇州吳趨坊　蘇州國醫書社

每部實價二角

傷寒誤認風溫之誤治論

三三醫報一卷二十期（民國十三年二月十三日出版）

太陽中風。發熱自汗惡風。太陽溫病。發熱而渴不惡寒。今人每詆前修鹵莽。以傷寒法治溫。矯枉過正。乃于冬日中風。率誤認爲冬溫。雖明見項强。猶且狐疑不斷。有桂枝湯不敢用。於是緜延旬月者多矣。且春月亦有中風。其風視冬爲和。終非風溫之類。肘後本有葱豉湯。其嗇嗇惡寒者。依活人法桂枝加地黃湯可也。若槪以風溫治之。差之毫釐。謬以千里。春夏愼桂枝。此爲時病言也。若無病者與內因爲病者不在此例。余觀廣州炎蒸之域。盛夏以肉桂作茗飲。不以辛熱爲甚也。

論臟腑經脈之要諦

山西醫學雜誌第十八册（民國十二年四月出版）

前世解剖之術未精。故說有正經十二。奇經八。由今驗之。心合於脈。諸血者皆屬於心。故血脈悉自心敷布。出於心者爲大動脈。返於心者爲大靜脈。皆舊所謂衝脈是也。自大動脈布於臟腑。其動脈支分無數。返於靜脈。以返於大靜脈焉。自大動脈布於頭手足。此三者左右各有動脈。支分亦無數。返於靜脈。以返於大靜脈焉。自大靜脈復入於心。心又出布於大動脈。謂之大循環。頭手足三。左右動脈各一。靜脈各一。數亦十二。然與素問靈樞所謂十二經者。其條列則不同。自心以外。臟腑之脈。不與頭手足順接。而頭手足之脈。亦各不相順接。其因以周注者。唯大動脈大靜脈爲之樞。是故以太陽太陰諸名攝舉藏府可也。以爲十二經分在手足。內連臟腑。上連頭。不可也。且夫人之病也。發熱則周身肌膚皆熱。厥冷則四肢五指皆冷。曷嘗有手足六經之限哉。傷寒論所以分六部者。各有所繫。名目次第。雖襲內經。固非以經脈區分也。按傷寒太陽等六篇。並不加經字。猶曰太陽部陽明部耳。柯氏論翼。謂經爲徑界。然仲景本未直用經字。不煩改義。若其云過經不解使經不傳欲作再經者。此以六日七日爲一經。猶女子月事以一月爲經。乃自其期候言。非自其形質言矣。雖然診脈之法。不過三部。傷寒論仲景自序。舉寸口人迎趺陽爲主。寸口卽手脈。人迎卽頭脈。趺陽卽足脈。知此三者。手足十二經何取焉。奇經有八。說亦不諦。唯衝脈當以脈名。督脈卽中樞神經。任脈在男子卽輸精管。在女子卽輸卵管。與脈爲血管專名殊矣。帶脈舉世未有見者。陽蹻陰蹻。陽維陰維。皆足膝牛筋腱。亦名曰脈何哉。素問稱衝脈爲十二經之海是也。考大動脈分三部。自心左部發原上行。至肺者曰上行大動脈。自此回曲而下。其勢如弧者曰大動脈。自此下鬲至尾閭薦骨之間而盡者。曰下行大動脈。其上下行分出頭手足者皆支也。而大動脈至尾閭薦骨間別起一大支。自少腹上行至胸而散。靈樞云。衝脈者五臟六腑之海也。五臟六腑皆稟焉。其上者出於頏顙。此上行大動脈支分而出於頸以上頭者也。滲諸陽。灌諸精。其下者注少陰之大絡。出於氣衝。氣衝在毛際兩旁。大動脈於是異矣。其說最核。而素問所云。衝脈起於氣衝。挾臍上行至胸中而散者。特其別起之一支也。通言亦爲衝脈。別言則爲少陰之大絡矣。諸如此條。則不可謂不審諦。然既知衝脈爲十二經五臟六腑之海。而反列之奇經。更以其所支分者爲正經。此乃以孽奪宗。舉鄙目而遺綱紀也。雖然。診脈之法。脈經有診宗氣衢。其候在左乳下。左乳下當心下端。以此觀心之彈血。而衝脈之情可得矣。知診左乳。所謂衝脈爲奇經何取焉。

問者曰。經稱邪於人。中項則下太陽。中面則下陽明。中頰則下少陽。中於陰者常自䯒臂始。此亦分頭手足三。而頭部專得陽病。手足專得陰病何也。若云陰脈不上頭。此既無其徵矣。豈有說乎。答曰、邪之中人。苟及營衞。則亦感及神經。神經中樞此則在頭。卽督脈是頭部至耳目鼻口。亦爲神經末梢。然終近於中樞。與手足之絕遠者異也。督脈總督一身之陽氣。故邪中頭部多爲陽病。神經末梢則在手足。其陽氣所及漸微。故邪中手足。多爲陰病。自營衞言。脈之上頭。其勢則逆。又去大動脈爲近。是以陽氣重。脈之行手足。其勢則甚。又及指掌之間。去大動脈已遠。是以陽氣微。人面不衣。陰病不得頭有汗。但頭有汗卽死。皆以中樞神經所在。總督一身陽氣。而血脈亦抗進。使然。余以爲手足十二經分陰陽也。是故頭爲陽之本。而亦陽之會也。四肢爲陽之末。而非陽之本也。雖然、中頭部與中手足。自其形式言耳。其因則心爲之。心力强。彈血猛。使營衞足以抗外邪。則證先見於陽盛之地。必爲頭痛。心力弱。彈血懦。使營衞不足抗外邪。則證先見於陽微之地。必爲四肢厥冷。中項中面中頰中䯒臂者。非果邪有所偏中也。以其病證先見者而謂之中云爾。

雜病新論（一）

三三醫報一卷二十八期（民國十三年五月出版）

——論診脈有詳略之法——

診脈本有詳略之法。詳而取之。素問所謂三部九候。仲景所謂人迎、寸口、趺陽。有時亦兼及少陰、少陽。是也。略而取之。卽專診寸口。八十一難、及脈經之說是也。其在素問亦有然者。以尺內兩傍候季脇。尺外以候腎。尺裏以候腹。左外以候肝。內以候鬲。右外以候胃。內以候脾。（左右關也。）右外以候肺。內以候胸中。左外以候心。內以候膻中。（左右寸也。）仲景書中。有以寸關尺分診者。亦略而取之也。又云、諸積大法。脈來細而附骨者乃積也。寸口積在胸中。微出寸口。積在喉中。關上積在臍旁。上關上。積在心下。微下關。積在少腹。尺中積在氣衝。脈出左。積在左。脈出右。積在右。脈兩出。積在中央。則亦專取寸口三部矣。雖然、左關候肝。右關候脾。乃與藏府所處相反。(肝本不在左。滑伯仁已明言之。脾則反在左方)而診驗所得。則誠是也。且寸口三部。其血管則一耳。寸之浮。關之平。尺之沉。以肌肉厚薄使然。因以浮者候心肺。平者候肝脾。沉者候兩腎及腹。其取義若是矣。及其病也。遲、數、浮、沉、大、小之度。詭於恆時。雖同一血管。而三部亦有錯異。或乃一臟病劇。則一部獨應。此固非古人虛說。今世醫師人人皆能驗而得之。實徵既然。不能問其原也。脈本屬心。而他臟府之病。亦可形之於脈。實徵既然。亦不能問其原也。

雜病新論(二)　三三醫報一卷二十八期(民國十二年五月出版)

——論十二經與針術——

十二經脈。分手足而連臟府。既非實事。針經、甲乙經、所說俞穴。皆以十二經部署。凡刺某穴。主治某病。今世針師。猶僂爲之。起病神速。過於藥物。若是者何也。答曰、針術所始。蓋起於按摩。凡習手臂者。有點穴術。指按其處。則一手一足盡廢。於是變之則爲按摩。於是變之則爲針術焉。斯乃積驗所得。其以十二經部署者。則以後追爲之說耳。且一穴主治厥病多端。非屬於某經者。卽治某經之病。甄權取穴。又徵與針經、甲乙經、不同。其膏肓穴又後得焉。起病神速。亦不後於針經、甲乙經之所記也。由此言之。針術爲實用。以十二經部署者爲文具也。

雜病新論（三） 三三醫報一卷二十八期（民國十二年五月出版）

——論十二經開闔之理——

手太陽爲小腸。足太陽爲旁光。手陽明爲大腸。足陽明爲胃。手少陽爲三焦。足少陽爲膽。手太陰爲肺。足太陰爲脾。手少陰爲心。足少陰爲腎。手厥陰爲膻中。足厥陰爲肝。以爲藏府血脈。悉通於手足。此不然也。以爲藏府標識。不取手足實義。此如算家代數。捷於推求。終已不可廢矣。何者。藏府十二。應於六氣。則兩藏兩府。當有通名。且太陽爲開。陽明爲闔。少陽爲樞。太陰爲開。厥陰爲闔。少陰爲樞。歷徵病狀。未嘗有差忒者。不得以泥形迹訾之也。

問曰。素問稱三陽之離合也。太陽爲開。陽明爲闔。少陽爲樞。三陰之離合也。太陰爲開。厥陰爲闔。少陰爲樞。何謂也。荅曰、縈繞於人之一身。使營養不匱者。血與津液而已。空氣飲食。以助血液滋長。而皆自外至。所自有者。惟血與液也。手少陰心。周注血脈而爲樞。手少陽三焦。轉輸津液而爲樞。由是言之。三陰之稱樞稱開闔者。爲血言。三陽之稱樞稱開闔者。爲液言。心手少陰也。以其筋力伸縮。使動脈靜脈貫注無已。是樞也。腎足少陰也。分泌血中水液雜薉成尿。以注旁光。而血得以鮮潔者返。是亦樞也。脾足太陰也。分裂細胞以成白血。是開也。肺手太陰也。以其呼吸使血清潔而赤。是亦開也。肝足厥陰也。處門脈大靜脈間。脾、胃、腸、之血。自門脈而返。欲至大靜脈之所。肝則間之。爲其傳舍。使其停蓄。故曰肝藏血。是闔也。膻中手厥陰也。橫膈心肝之間。使肝不得彭脹逆滿以犯心。是亦闔也。三焦手少陽也。取腸胃之液。以注靜脈。亦取動脈而滲以爲液。斟酌飽滿。相與轉注。是樞也。膽足少陽也。膽汁下注小腸。使飲食易化。是亦樞也。旁光足太陽也。腎已分泌水液而爲尿。旁光瀉之。是開也。小腸手太陽也。轉化滋味力滲於胃。以其液歸下焦。以其渣滓下大腸爲溲便。是亦開也。胃足陽明也。受納水穀。是闔也。大腸手陽明也。傳瀉溲便。近於開矣。然大腸特能吸收水分。故津液不與溲便同下。是亦闔也。此舉平人大齊言之。及其爲病。則變動相涉者多。其爲樞與開闔者。又不專爲血與液也。

臟府列十二。或除去膻中則十一。或又言腦、髓、骨、脈、膽、女子胞、名曰奇恆之府。今人又以胃下積膏稱曰脺臟。其在前世。或與三焦同論耳。以其別有脈管。故今人謂獨成一臟。然則女子胞亦不可遺也。

雜病新論（四）（三三醫報一卷二十八期（民國十三年五月出版）

——論傷寒傳經之非——

傷寒論稱太陽病六七日。太陽病八九日。太陽病過經十餘日。又云、陽明中土也。無所復傳。又云、少陰病得之一二日。少陰病得之二三日。是傷寒非皆傳徧六經。三陰病不必自三陽傳致。更無一日傳一經之說也。叔和序例引內經以皮傳。後人轉相師法。遂謂一日太陽。二日陽明。三日少陽。四日太陰。五日少陰。六日厥陰。劉守眞見世無其病。遂謂世無傷寒。一以溫病概之。然如正陽陽明之非受傳。少陰寒證之爲直入。雖活人與成無己又不能有異言。柯氏論翼出。以爲六經提綱。各立門戶。而更豁然呈露矣。乃近世言溫病者。猶謂傷寒傳經。溫病不傳經。又變其說爲傷寒傳足不傳手。溫病傳手不傳足。傷寒自足太陽至足陽明。溫病自手太陰至手厥陰。夫使溫病不涉足經。則脾胃肝腎皆不得受病。彼亦自知其難通也。至傷寒始足太陽。溫病始手太陰說。則不能無辯矣。（手足十二經脈。本無實驗。然以表幟臟府。有不得不用其名者）前已詳說。

後皆仿此。(完)

溫度不能以探口爲據說

中醫雜誌(民國十三年六月出版)

平人氣象。四時溫度均衡。以攝氏表證之。膚表常自三十三度至三十五度。腋窩常三十七度。舌下常三十七度二分。魄門常三十七度五分。以是爲均。而朝暮升降。或有一度之差。病發熱者升至三度以上爲劇。四度以上必死。此遠西恆說也。然觀膚表與腋舌魄門。其溫度之差甚遠。則進至藏府與衝脈噴血之處。其溫度宜更加于腋舌魄門也。至於病時。則比例難均矣。拘于物理之語者。謂病時腋舌魄門溫度增高。胸腹中亦因而增高。則鹵莽之論。彼以熱氣布濩傳經便捷。病時之熱。宜內外一致。然諸客邪初發熱者。體中或甯靜如常。神情亦了了不異。以表探口量之。不見熱增。如蒸饅頭。外已溫潤。內猶未徹。此可見膚表有熱。舌下不必與之同進也。熱度初已徧體涼和。以表探口量之。溫度當微高于平人。甚有勞役飽食。熱卽復發者。不然卽已。此可見菀熱在表裏時。膚表不必與之同進也。發熱之候。有舌下溫度甚高。一二日卽愈者。則必胸腹中之熱未增也。或舌下溫度不甚高。而病反劇。則必胸腹中之熱已增也。然則表裏溫度雖相傳注。而以形層次第自有等差明矣。又有捫身探口。溫度增高無幾。而知其血熱熾盛者。余戚屬一女子。年十七。患腦脊髓炎。噤急掣戾。人事昏迷。脈一息八至。鼻衄如注而不爲衰。然按其身則溫溫不甚灼熱。以表探口量之。亦祇攝氏表三十八度。盡三日死。夫脈已八至。血行極快。血熱熾甚可知。而按身探口。懸絕如此。此又不可捫量而得也。(破浪按此中醫脈學極爲可靠。)若夫癰瘍洪腫。勢如燔炙。腸澼奔迸。魄門如烙。而他處不與同進者。其數更難枚數矣。余謂人之經脈。如流水然。激下流以爲湍。上流固受其波也。然散且淡矣。激上流以爲湍。其下亦然。人之外營。則經孫絡也。稍入則經也。此二者次第與邪相拒。于是發熱。手足及頭。諸大經脈之增熱。未如外營之甚也。衝脈之增熱。又不如諸大經脈之甚也。轉增轉甚。其裏之熱始劇矣。內熱外達。表亦發熱。諸大經脈之增熱。必不如衝脈之甚也。外營之增熱。必不如諸大經脈之甚也。轉增轉甚。其表之熱亦漸劇矣。亦有始終發熱。而裏熱甚微者。始終裏熱。而表熱甚微者。要以診脈辨證。探口按身。相參得其同異。若一以探口爲據。則所失多也。

治溫退熱論

中醫雜誌第十三期(民國十三年十二月出版)

溫病與傷寒異治。然傷寒論所說。本爲傷寒廣義。中風溫熱。悉在其中。故不通傷寒論。即不能治溫。夫太陽病翕翕發熱。陽明病發潮熱。少陽病寒熱往來。此何故耶。太陽病營衛兼病。營即血脈。周布于外者。血之循環展轉便利。故發熱無間斷時也。陽明病熱聚胃腸。(大論言陽明病胃家實。然亦兼統腸言。如云胃中有燥屎五六枚。屎在腸不在胃。故可知。)而散布血脈者但其分支。熱既湊聚于府中。故不能循環迅疾。特晡時則發潮熱也。少陽病熱在三焦。三焦爲水道。內則鬲上鬲下臍下。如上焦下焦中焦。外則布列肌腠。通會元眞。而內外諸淋巴管本無維網。末流漸會。如二大幹。右曰右淋巴總幹。左曰胸管。此二者又各不相注。(二幹皆入靜脈。稱幹者依日本人語。其實此乃衆流所滙。是末非本。不得稱幹。)故發熱不能無間斷。而爲寒熱往來也。(少陽亦或發熱不斷。然無過二三日。)

大論稱陽明發汗。津液越出。大便爲難。表虛裏實。久則讝語。此固無有疑義。又稱少陽不可發汗。發汗則讝語。說者但云少陽少血而已。夫血管張大。則水道取汁以爲汗。然汗固自水道出也。少陽三焦。本是水道。而不可發汗者。蓋少陽口苦咽乾。

咽乾所由。在水道得熱。津液被煎。復發其汗。則燥熱轉甚而爲讝語矣。（其太陽篇本有柴胡證。蓋太陽有兼病營衞者。有病入募原者。募原卽三焦。亦稱太陽者。以太陽主表。而三焦應腠理豪毛也。）由此言之。少陽視陽明。得病爲輕。祇虛熱游行而止耳。其最淺者。纔及外腠而不壅於內之三焦。不見胸脇滿證。其發熱也涓涓相屬。而較之營衞俱病者爲殺。吳鞠通銀翹散本于葉氏。用亦頗合。但自謂手太陰方（肺）則誤。其中銀花連翹本瘡瘍排膿藥。加之竹葉豆豉牛蒡。皆退治游熱之品。而桔梗甘草爲利咽喉。則膽之使。此數味皆于少陽爲近。唯薄荷荊芥近於表散。乃亦非純肺藥也。有方而不能自解。所謂行之不著。習焉不察者歟。

太炎師自註。　肺於五臟。處位最高。獨司呼吸。空氣所盪。故客邪爲病。涉肺者多。巢氏病源云。風熱者。先從皮毛入于肺。其狀令人惡風寒戰。目欲脫。淨唾出。候之三日內及五日內。目不精明者是也。祕要所錄數方。皆以葳蕤及豉爲主。而加入人參者則謬甚矣。

論肺炎病治法

山西醫學雜誌第二十一期（民國十三年十二月出版）

肺炎者。亦傷寒溫病之一部也。審爲肺脹。宜越婢加半夏湯。其咳嗽發熱。喘息不甚者。無汗宜小靑龍加石膏湯。有汗宜麻杏石甘湯。非難療之候也。然當視其脈浮大有力者。或浮緊有力者。乃可任此不疑。非是則當變矣。蓋咳嗽發熱。未見危候。數日身忽壯熱。加以喘息。脈反微弱。直視撮空。喪其神守者。此肺雖塡滿。而脈反更瓠落。血痺不利。心藏將絕。夫太陰失開。開之而少陰轉絕。亦惟樞轉少陰以調之。汗藥寒藥。皆在所禁矣。微弱而反壯熱者何也。脈法云、陽反獨留者。則爲身體大熱。是血先絕而氣獨在也。形體如煙薰者。身無精華。是血絕不榮於身也。心脈挾咽系目直視者。心經絕也。頭爲諸陽之會。搖頭者。陰絕而陽無根也。（以上成說）然則此症之麻黃。必不可用。要略咳嗽篇云。以其人遂痹。故不用麻黃。若逆而內之者。必厥。所以然者。以其人血虛。麻黃發其陽故也。至以寒藥阻遏脈道。其戒更不言而喻矣。（予見西醫治此。有用强心劑。服後神清喘止。其熱漸退而愈者。初疑其偶然。推問乃知其有法。且云、專治强心雖不治喘欬。亦効。是謂治病求本。深有所得者。）此症在傷寒論中。當以眞武湯加乾薑、五味、細辛、爲主。蓋神明不傾。則直視撮空自已。血脈調利。則熱勢自衰。而咳嗽亦當以熱證治之。亦不得以表證視之也。（喻嘉言治趙室案。見其欬聲窘迫。壯熱不退。脈數無力。肌膚枯澀。醫者用河柳犀角。表裏不解。且引熱邪直入心包。顚悸無倫。視胃實譫語。更增十倍。乃至體如煙薰。直視搖頭。而終謂當用麻杏石甘湯主之。）然可以治脈緊血盛者耳。脈既無力。則懈弛不收。其血自痺。麻杏甘石適足以增痺。而重虛也。（彼病服白虎湯稍退者。乃暫時刦止之力。於病無損也。）彼與犀角而致譫語直視者。亦非引熱入心。正以犀角爲止血之藥。凡熱深血溢。治以鹹寒。若血利大衄之屬。得犀角而自解。今脈弛血痺如此。而更飮以犀角。乃促其心之絕矣。夫邪氣盛則實。正氣奪則虛。譫語直視。多因邪氣壅盛使然。而正氣虛奪亦有然。是故亡陽可以致譫語。心絕可以致直視。其時雖有客邪。而有所不能攻擊。當其脈數無力。未至譫語直視也。斯時已當固護其心。無取以淸肺爲快。從未可遽與眞武。以小靑龍去麻黃加茯苓與之可也。其次如華元化五嗽丸。（桂心皂莢乾薑等分）千金桂枝去芍藥加皂莢湯。亦可酌而取也。麻杏石甘湯。斷非其治。明如喻氏。而猶不達於此。然其藥既未下。故世人莫能顯徵其失焉。或者乃引葉氏溫邪犯肺。逆傳心包之說。以皮附病機。然苟非血痺。雖熱邪襲心。祇爲懊憹不眠而已。梔豉猪苓黃連阿膠諸方。多足治之。安有直視譫語諸危候也。要之手太陰病。於傷寒祇爲太陰裏證。而有寒熱虛實之殊。血不痺者。專責之肺。自是小青龍越婢之治。血若痺者。此乃危及少陰。必責之心。乃爲眞武之治。仲景製眞武一方。用心審諦。度越常蹊。而世人但以治老衰虛喘。其於外感咳嗽。則未見用此者。於今乃知其精絕也。

陽明證變法與用麻桂二湯之正義（中醫雜誌十四期（民國十四年二月））

問曰、「大論說陽明外證。身熱汗自出。不惡寒反惡熱。」又云、「陽明病。脈遲汗出。外微惡寒者。表未解也。可發汗。宜桂枝湯。」「陽明病。脈浮無汗而喘者。發汗則愈。宜麻黃湯。」此二條。似與陽明外證條自相違戾。何也。答曰、此爲內有蓄熱。外受風寒。陽明病之變也。夫太陽之爲病。頭項强痛而惡寒。今二證與太陽表證同。特無頭項强痛爲異。是以知爲陽明。不下利。故不得與葛根。不煩躁。故不得與青龍。非桂枝麻黃二湯。固無與勝此者矣。若蓄熱本輕。解肌發汗。即無餘事。若蓄熱重者。服桂枝湯已。大汗出。大煩渴不解。脈洪大者。自可與白虎加人參湯。服麻黃湯已。不惡寒。但蒸蒸發熱者。自可與調胃承氣湯。是由初得病證。胃家本實。而風寒外錮。使內證不形于表。故先以桂枝麻黃與之。服已微惡寒及喘皆解。而胃家之實暴者。則必與白虎調胃矣。治病之訣。勢如轉規。夫豈局促顧慮者所能勝耶。麻桂二湯證。本是陽明變局。仲景慮周藻密。于正變悉無所遺。是以獨著斯義。今人見發熱汗出微惡寒者。與發熱無汗而喘者。明知當與麻桂。而以頭不痛。項不强。故猶豫不前。觀此則可以悟矣。若內熱蒸動。外無風寒者。雖荆芥薄荷。猶當屏絕。而況于麻黃二湯。柯氏韻伯論翼上。說此詳矣。

黃疸論

民國十三年作紹興醫藥月報一卷四號（民國十五年出版）

要略治黃疸方。徐靈胎以爲用輒不效。余嘗患膽氣上逆。痛引胸背。殆十年矣。素不禁酒。飲必酣醉。一日偶食橘肉。膽氣上攻。第四日乃定。右脅下扇動如旋風。須臾胸背引痛。若鑽針狀。詰旦。面目盡黃。小便亦赤。徧問東西諸醫。皆云、膽中凝汁爲石。石猝吒裂。上入血管。以是作痛。膽汁色黃。自血中排泄而出。則徧體皆黃。而小便特甚也。以芒硝下之。當得燥糞堅如礫者。余思要略本有大黃硝石湯。服芒硝不疑。二日果應。因念千金所云。太醫校尉史脫家婢患黃疸。服豬膏髮煎。下燥糞十餘枚者。卽此是也。膽汁上滲之義。中土舊籍。未有其徵。獨喩嘉言論錢小魯嗜酒積熱證云。酒者清冽之物。惟喜滲入。滲入必先及膽。化溺雖多。其烈惟膽獨當之。膽之熱汁。滿而溢出於外。以漸滲於經絡。則身目俱黃。爲酒疸之病。此乃正與新說相同。喩公精思冥悟。所得往往如此。然于醫門法律黃疸門中。又未舉是義。何也。經言肝熱病者。小便先黃。又言溺黃赤安臥者疸病。肝膽同處。膽熱則肝亦熱。此又其證也。余自服芒硝後。膽石雖下。黃猶未已。緜延至於浹月。因思血中黃汁。自小便泄出。則必以通利小便爲主。茵陳蒿湯過駃。且以茵陳五苓散處之。喩氏亦云。因其滲而出也。可轉驅而納諸膀胱。從溺道而消也。於是朝下芒硝。夕下茵陳五苓散。二十日始愈。由是言之。要略方非無效。然西人論黃疸。專以膽汁上逆爲主。劇者因膽石。輕者因胆口炎腫。汁不下於小腸。此二者。惟論熱病發黃。不論黃疸。其餘發黃。通以黃疸目之。要略有桂枝黃耆湯、小建中湯諸法。皆與膽汁上逆之證絕殊。不辨而用之。固宜其不效也。大抵膽石爲病。胸脇無有不結痛者。當其吒裂。則大黃硝石湯。梔子大黃湯。茵陳蒿湯。擇而用之。未有不愈者也。其虛寒裏急者。腹亦切痛。面亦萎黃。則小建中之證者見胸脇結痛者。卽以小建中湯與之。豈徒不效。且又增劇矣。欲辨此者。膽石吒裂。則脈如平人。虛寒裏急證。則陽脈濇陰脈弦。且胸脇痛與腹中痛。亦有辨也。

論厥陰病

紹興醫藥月報一卷四號（民國十五年）

柯氏論翼云。太陰提綱。是內傷寒。不是外感。厥陰提綱。是溫病而非傷寒。夫相火寄甲乙之間。故肝膽爲發溫之原。腸胃爲市。故陽明爲成溫之藪。其厥陰傷寒表證手足厥寒。脈細欲絕。而當歸四逆湯不用薑附者。以相火寄於肝經。雖寒而藏不寒。故先厥者後必發熱。手足愈冷。肝膽愈熱。故厥深熱亦深。所以不得妄投薑附以遺患也。（以上綜述柯說）案本論厥陰篇中以標傷寒者二十餘事。然厥熱有多少之殊。方劑有溫涼之異。則知所謂傷寒者。乃是廣義。或爲眞傷寒。或爲溫熱。視脈證而定也。當歸四逆湯證。則傷寒也。方中取桂枝湯而去生薑倍大棗。又加細辛。細辛辛溫乃甚於生薑。斯何取焉。論曰。厥者陰陽氣不相順接。便爲厥也。人身血脈。自大動脈出。自大靜脈入。心爲之樞。勢如轉規。獨腹部靜脈有門脈者。納脾胃大小腸動脈之血。以轉輸於大靜脈。而門脈大靜脈間。中隔肝藏。勢非直達。故素問說厥陰曰兩陰交盡。曰陰之絕陽。以是厥陰爲病。則陰陽氣不相承接。尤易。細辛徑通上下。與生薑橫散者。功用大殊。故與當歸同任。爲順接兩脈設也。至內有久寒者。仍加生薑茱萸以溫之。然終不用附子者。肝居靜脈絕續之交。職在藏血。非若心主百脈。用在彈血者。無取附子以鼓舞之也。要此尙屬傷寒。故以溫通爲主。若厥陰溫病致厥者。則必以白虎湯治之。（本論白虎證仍在傷寒條下。所謂傷寒廣義。）由今驗之。厥陰溫病最多。而不得如少陰急下也。（本論云下之利不止）傷寒時有之。亦不得如少陰急溫也。（厥陰篇有用四逆湯者。二證皆大汗大利厥逆者也。此二條不標傷寒。恐是霍亂之類。與常病不同。）觀其處方。去甚去奢。少陽之取和解而已。前世醫師。見熱厥而用四逆湯。此誤近人漸知之。近世醫師。又誤以厥痙同言。至用至寶丹紫雪丹。以治厥。亦無有不斃者。厥爲手足逆冷。痙則手足瘛瘲。其候易辨。不知近人何以混之。醫之骫法。乃至是乎。

瘧論

紹興醫藥月報一卷五號（民國十五年）

瘧之因。有謂在少陽者。有謂在太陰者。西人則謂蟁嘬人血所含微菌。注入血中所致。夫草澤之區。蟁蝱所聚。夏秋間率多患瘧。城市較之則少。以爲蟁喙傳毒。有其徵也。然冬末春初。亦有患瘧者。斯時蟄虫未起。蟁竟安在。且北方夏日。草長更快。蟁亦漸多。其病瘧者則甚少。反覆相徵。此其難通者也。少陽病寒熱相往來。瘧亦寒熱往來。治以小柴胡加減諸湯。十而愈九。以爲過在少陽。有其徵也。然溫瘧但熱不寒。其治則以白虎加桂。必欲概以少陽。亦其難通者也。治瘴瘧溫瘧者。多以厚樸草果燥脾則愈。又瘧病差後。往往成痞。在左脇下。左正脾位（舊說脾在右。實不然。）脾脹則成痞。以爲過在太陰。有其徵也。然瘧脈自弦。弦非在脾之候。且太陰證則已入裏。不得更有寒熱往來。此亦其難通者也。今若以溫瘧爲溫病類。（依傷寒序例）痎瘧則獨取少陽。（牡瘧仍有熱。卽痎瘧寒多者耳。）斯爲無過。少陽三焦爲水府。瘧病多痰。而本草上柴胡。正治胸中痰實。是以任爲要藥。與胸脅滿。心下支結。用柴胡者同義。轉甚則用蜀漆以吐之。（少陽禁吐。爲傷寒言也。瘧則無所禁耳。）宋人治瘧。且有以砒石劫吐者。皆以痰故。其爲三焦壅滯可知也。其或以燥藥解者。或差後成痞者。則以溝瀆不行。其溫必合于脾。縱有微菌。亦由于水道停淤。容彼滋長。不然。菌自滅矣。且瘧後有徧身虛脹者。與痞雖有表裏。而乃皆責之于脾。或用防已黃耆湯。以轉少陽之樞。或用越婢湯。以助太陰之開。無不愈者。其故亦可思也。

溫病自口鼻入論

紹興醫藥月報一卷六號（民國十五年）

吳又可謂傷寒由皮毛而入。溫疫由口鼻而入。彼所謂溫疫者。非尋常溫病也。近人則謂溫病亦自口鼻入矣。嘗試論之。風者百病之長。風卽空氣也。六氣雖殊。其五者悉自空氣而達。人之病也。自非七情過差。及直犯水火兵刃木石蟲獸與夫飲食牀笫之過。則必以風爲長。毛竅肌膚無時不與空氣接觸也。口鼻呼吸無時不與空氣迎送也。由風所傳。寒暑燥熱濕。因之而達。傷寒初中。亦未有不兼口鼻者。是故外方發熱。而內卽現鼻鳴氣喘。則必皮毛與鼻兼受之矣。外方發熱。而內卽現咽乾。則必肌膚與口兼受之矣。若專感於皮毛肌膚者。鼻咽肺胃之間。不應同現病象也。溫病有咳逆咽乾之證。以爲口鼻所受。固也。冬不藏精。又傷於寒。則春爲溫病。不藏精。傷於寒。事必相兼。然後春爲溫病。由不藏精。推之太僕所謂按蹻。以及傷火任力之類。亦可以相例矣。或者指言桃李冬華。此則天時。非人事也。與不藏精更無涉矣。（按經言冬傷於寒。春必病溫。又言精者身之本也。故藏於精者。春不病溫。太僕注。謂冬不按蹻。則精氣伏藏。以陽不妄升。故春無溫病。其於精字無解。近人或謂汗者精氣也。藏精卽不出汗。然經明言精者身之本。汗豈足以當此。此自當指男女媾精言。不藏精者。未必遽病溫也。）是由房事强力。則毛蒸理泄。熱勢外行。猝遭寒氣。阻其宣發。遂爲鬱熱。比春風氣溫暖。其熱始達於表。是始之寒由皮毛肌膚而入。終之熱由皮毛肌膚而出。可云溫病不由表入耶。卽陽明內熱。外蒸膚表者。病發自府。而亦必與時氣溫燠相迎。非竟無與於皮毛也。若春時外受風溫者。更自皮毛肌膚侵入無疑。世無徒具七竅。不有皮毛之人體。故傷寒從毛竅而入。溫病從口鼻而入。雖二語世莫不奉為定案。其實二者。亦皆互有。而總以從毛竅入者為多。南人中焦濕熱素盛。一感溫邪。即表裏合一。遂似全從口鼻而入。亦不察之甚也。若果盡從口鼻而入。何以治法中有汗法乎。

中土傳染病論

紹興醫藥月報一卷八號(民國十五年)

微生菌者。遠西近代所發明也。舊時祇言微生蟲。則中土亦有之。按諸書言五尸者。尸即蟲耳。道書所謂三尸。本草所謂三蟲伏尸。(三蟲體大易見。伏尸體微難見。故謂之伏。)並指微蟲為尸。可證也。(五疰亦是蟲病。疰即今蛀字。正當作蠹耳。)周禮庶氏以嘉草攻蠱。左氏言女陽物而晦時。注則生內熱惑蠱之疾。金匱要略所謂狐惑。即左氏惑蠱病也。此即微生細蟲。而與微生菌尚殊。此動物。彼植物也。唯說射工含沙射人。沙為何物。則恐菌之變名。然此土言蟲病者。不過數事。今西人之言菌者。則往往而是矣。凡諸熱病。彼皆以菌為發病之原。余謂由熱生菌。非由菌致熱。蓋菌本以濕熱為緣。梅雨浸淫。氣加溽暑。其時竹木皆能生菌。人之血本濡潤物也。而飲食滋味。媒孽於中者。尚多。疾行生熱。則自蒸而為菌。何以云由菌致熱乎。若謂風寒暑濕。不能病人。世人尚有凍死暍死者。夫病則其細焉者爾。若謂有菌始能傳染。尋常傷風。何以亦有傳染者。傷風猶可言有菌也。而欠無菌。人而共曉。何以人之欠者亦相傳染耶。蓋人類官骸血肉。彼此相似。是以感應為易。起屍之事。多由獸類所引。此電氣所感通也。夫病亦然。其氣揮發。則染及他人耳。唯疫癘尸疰房幃妬精與常病有殊者。舊說為蟲。今說為菌。斯得之爾。凡五蒸五疰之屬。要在鼓舞脾陽。使生白血。則殺菌之功自立。暴病如飛尸遁尸輩。一用溫下可也。

論少陰病

紹興醫藥月報四卷四號（民國十七年二月十五出版）

大論少陰一篇。多屬心病。惟眞武湯證爲腎病耳。少陰寒證。世知爲寒邪直中。若少陰熱證。則皆謂寒邪傳經。入裏化熱。殊不盡然。如云少陰得之二三日以上。心中煩。不得臥。黃連阿膠湯主之。少陰病。得之二三日。口燥咽乾者。急下之。宜大承氣湯。言得之二三日。則爲少陰自病。非自他經傳入可知。恐此亦是熱病。以少陰本有伏熱。營血在表。逢迎熱邪。卽得直入而見是證。脈經謂風溫之治。在厥陰少陰。則熱病直入少陰。夫何足怪。少陰病。自利淸水。色純靑。心下必痛。口乾燥者。急下之。宜大承氣湯。成注以爲肝邪乘腎。亦不然。此本心病。於腎無與。若謂肝邪乘之者。厥陰爲病。消渴。氣上撞心。心中疼熱。而不皆自利。假令自利。以大承氣下之。利不止而死矣。此乃心中結熱發炎。危亟已甚。幸其分邪小腸。猶得自利。通因通用。故取急下耳。與要略胸痺篇所謂痛心徹背。背痛徹心者。一爲心中寒。一爲心中熱。故彼用烏頭赤石脂丸。而此用大承氣湯。今西人稱心囊炎者。其卽此少陰證歟。

論霍亂上

傷寒論輯義按附刊（民國十七年九月）

霍亂吐利四逆之證。多起于夏秋間。依仲景大論。熱多欲飮水者用五苓散。寒多不用水者用理中丸。四肢拘急。手足厥冷者。用四逆湯。脈不出者。用通脈四逆湯。兼煩躁欲死者。用吳茱萸湯。並見霍亂少陰二篇。余十六歲時。嘗見一方數百里中。病者吐利厥冷。四肢攣急。脈微欲絕。老醫以四逆湯與之。十活八九。三十歲後。又見是證。老醫舉四逆湯吳茱萸湯與之。亦十活八九。此皆目擊。非虛言也。而五苓證則絕少見。理中證亦其不亟者耳。夫夏時得此。何也。大凡心藏搏動。藉酸素輸致之力。(酸素亦稱養氣)夏時空氣稀薄。酸素寡而心藏弱。(古時千金方以五味酸藥爲生脈之劑。卽此義也。)冬則反是。是故冬日之寒。則血脈之行疾。夏日氣熱。則血脈之行遲。觀夫傷寒脈緊。而溫病多有沈遲之脈。暑病則多弦細芤遲之脈。所謂脈盛身寒。得之傷寒。脈虛身熱。得之傷暑。非獨病時爲然。血流脈行。冬夏亦自有張弛也。夫知此。則可以知霍亂之原矣。歲暮嚴寒。冰雪凜凜。而人之處其中者。脈勁失駛。戒備亦嚴。是以乍得傷寒。多爲陽證。其得少陰證者。必平時心藏極弱之人也。夏秋間氣。或有涼。較之冬時。不逮遠甚也。然以久處炎熇。心力弛懈。脈行甚遲。猝遇寒邪中之。營衛雖欲抵拒。而素不設備。遇敵退撓。則惟任其直入。寒入而厥。血脈不能收攝水分。上下出于腸胃而爲吐利。旁出于膚而爲魄汗。水分盡泄。則血如枯蝦。脈欲停止。于是死矣。冬時寒雖盛而易制。夏時寒雖微而莫當。守備有殊。而勇怯之勢異也。

徐靈胎氏不解此義。以爲仲景大論所謂霍亂者。因于傷寒。而今吐利出于夏時。則非霍亂。四逆湯服之必死。不悟大論所說者屬傷寒。而今之發于夏秋間者爲寒疫。(破浪按。太炎師嘗語余曰。吳又可不識溫疫。妄作瘟疫論。古無瘟字。是出于中世。疫分寒熱。寒疫今世少見。但卽霍亂也。)叔和序例云。從春分以後。至秋分節前。天有暴寒者。皆爲時行寒疫。夫以盛陽氣柔。脈素惰緩。爲寒所薄。則病更亟于傷寒。(叔和云。寒疫與溫暑相似。但治有殊耳。然非特治殊。見證亦有異。)是以發熱頭痛之霍亂。夏秋間不可得見。而死期猝至。亦無有過經者。則以傷寒尙緩。寒疫彌暴也。徐氏所謂服四逆湯必危者。此乃夏時偶傷飲食致然。本非霍亂。夫嘔吐而利。其病衆多。非獨霍亂一候。嘗見霍亂起時。老醫與四逆茱萸。用之神效。改歲有偶患吐利者。新學不識。竟與四逆。致斃。其識者或與半夏瀉心湯。病卽良已。則前者爲眞霍亂。後者爲尋常之吐利耳。霍亂無有不吐利。而吐利不必皆霍亂。仲景大論太陽篇。「傷寒發熱。汗出不解。心中痞鞕。嘔吐而下利者。大柴胡湯主之。」此與霍亂乃有冰炭之殊矣。然其辨之亦易明也。大柴胡證。爲太陽傷寒久未罷者。與夏秋霍亂暴至者固殊。諸瀉心證。初無手足厥冷脈微欲絕之狀。且霍亂所泄者清水。而溲便甚少。非若鶩溏腸垢之淆雜者。（今西人以腹中不痛爲霍亂。痛卽非是。蓋痛則不通。通則不痛。其理易明。然與此土舊說稍異。亦足備考。）自非粗工。安有目眯黑白者也。

若眞霍亂證。發于冬時。與傷寒相屬者。頭痛發熱。固有之矣。發于夏秋。與寒疫相屬者。則熱象不可得見。是以經言長夏善病洞泄寒中。徐靈胎王孟英乃云。絕未見有寒霍亂者。豈當時適未遇之。抑故爲矯誣之論也。近人陸九芝善治溫熱悉歸本於傷寒論痛斥葉天士吳鞠通輩用生地麥冬犀角牛黃之非議論快絕至治霍亂則鞠通敢用四逆理中而九芝獨爲異論乃其所謂霍亂者實無吐利形證不知何以混稱也

（按徐靈胎治逵耕石暑熱壞證。脈微欲絕。遺尿讝語。循衣摸床。以爲陽越之候。急以人參附子與之。二服得生。然則暑熱陽越。尚爲虛寒欲絕之狀。豈暴寒所劫而無寒疫耶。斯實一間未達矣。）

西人治霍亂。有以鴉片制止者。此卽斗門方中御米止利法也。民間無醫。亦有以礬石石榴皮澀止者。其用與鴉片同。輕者得止。劇者仍無以愈之。獨以鹽水注射脈中。雖危亟亦有起者。按鹽水探吐。本千金治乾霍亂法。而今施于吐利。世多不解其故。余以鹽水能收攝血脈。周官瘍醫稱以鹹養脈。少愈曰。鹹入胃也。其氣走中焦。注于諸脈。脈者血之所走也。與鹹相得卽血凝。嘗觀俗人有爭血統是非者。兩人各刺血。注之水中。水或有鹽。則兩血相聚。是其證也。亦能收攝水分。令不泄出。許叔微以禹餘糧丸治水脹。稱食鹽則水脹再作。是其證也。是以鹽能凝血。亦能調血。經稱心欲輭。急食鹽以輭之。霍亂血結如塊。用鹽水者。非取其剛而取其柔也。夫治有異法而同愈者。鹽水與四逆茱萸二湯。近之矣。非溫涼相反之謂也。

問曰。別錄香薷主霍亂腹痛吐利。唐本草薄荷。主霍亂宿食不消。陶隱居云。霍亂煑飲香薷。無不差。千金翼方治霍亂。有一味香薷方。有一味雞蘇方。恐心藏垂絕。不應更用辛散。答曰。言腹痛則非無阻拒。言宿食不消則不關血脈。此非眞霍亂。特以相似名之耳。

論霍亂中

海甯孫世揚曰。霍亂有裏寒外熱者。此陽欲垂盡也。斷無頭痛發熱身疼。與吐利齊作之事。正使有之。則是時行感冒而致吐利。本與霍亂異病。仲景不應混之。按本論問曰。病發熱。頭痛身疼。惡寒吐利者。此屬何病。答曰。此名霍亂。霍亂自吐下。又利止。復更發熱也。卽知發熱。頭痛身痛。在吐利斷後。非與同時。余謂斯論獨得仲景眞旨。霍亂正作時。胃逆口噤。白湯茗飲皆不得入。何欲飲水不欲飲水之可言。故非獨五苓證在吐利斷後。卽理中證亦然。合之桂枝證。凡爲差後三法。蓋其始吐利無度。水汋將竭。愈後口渴。亟欲飲水自救。飲水多則懼脹滿。故與五苓散以消之。此差後第一法也。其或寒多不用水者。雖煩渴不形。內之津液。猶自澌涸。故與理中丸。健行中焦。而助泌別。則津液自滋。此差後第二法也。若但身痛者。直以桂枝湯調其營衛。此差後第三法也。分類言之。則五苓桂枝二證爲陰病轉陽。理中證則陰病漸衰。未得轉陽者爾。肘後治霍亂差後大渴者。以黃粱五升。煑汁飲之。今人或用白虎加人參湯。竹葉石膏湯。不能臥者。用黃連阿膠湯。豬苓湯。雖與五苓散有溫涼之殊。其存津救陰。亦無異也。若吐利初起。用理中而止者。多屬太陰傷寒。吐利腹痛之候。故方下有吐多下多腹痛加減之法。爲太陰傷寒設也。霍亂則少陰傷寒之屬。吐利不腹痛。水液橫決。無能禁者。過在心藏。不在脾胃。雖用理中。未得止也。素問陰陽大論皆以霍亂屬太陰者。此徒據形式爲言。猶喘咳則歸之肺爾。陰陽大論又云。不遠熱則熱至。身熱吐利霍亂。此亦時行吐利。必非眞霍亂也。

論霍亂下

民國十五年夏。鄞范文虎以書問曰。前此二十載。霍亂大作。非大附子一兩連三四劑不治。前此五年霍亂又作。以紫雪和生薑汁井水冷調服。亦愈。去歲霍亂又作。以酒燉黃芩一二兩治之。今歲霍亂又大作。僕用王清任解毒活血湯進三四劑。服後化大熱得已。而進薑附者多不救。將歲時不同。不可執一乎。答曰。嚴用和云。吐利之證。傷寒伏暑皆有之。非獨霍亂。醫者當審而治之。夫常病之吐利者。自腸胃涌泄而出。是以利必有溏糞。吐必有餘食。霍亂之吐利者。自血液抽汲而出。是以溲如米汁。而溏糞餘食罕見。且腸胃亦不與相格拒。無腹痛狀。心合于脈。脈爲血府。故血被抽汲則脈脫。脈脫而心絕矣。夫以血脈循環。內攝水汋。其凝聚之力甚固。曷爲不能相保。使如懸霤奔瀑以去哉。此土則以爲寒邪直中少陰。心藏是西人則以爲血中有霍亂菌。二說雖殊。要之邪併血分。心陽撓敗。力不能抗則無異。俗方或取明礬、石榴皮、銅青、爲治。皆能殺菌。用大方唯以通脈爲主。是猶兵法攻守之異也。王清任之爲解毒活血湯也。欲兩有之以爲功。其主藥乃在桃仁紅花。紅花五錢。行血通脈之力亦不細。桃仁八錢。則入血殺菌之功偉矣。足下又以其方進三四劑。所以治有奇效。非夫徐王歧說比也。然清任自云。一兩時後。汗如水。肢如冰。是方亦無功。仍以附子乾薑大劑治之。然則始起即厥者。必急用薑附可知也。足下謂今歲進薑附多不救。此進薑附者何人哉。意其診斷不審。以傷暑吐利爲霍亂。則宜其不救矣。夫大疫行時。非遽無常病也。長夏暴注。泊泊乎不可止者。其剽疾亦與霍亂相似。醫者狃於所見。遂一切以霍亂命之。識病先誤。其藥焉得有效耶。去歲用黃芩而愈者。亦必腸胃常病也。凡諸吐利。輕者進六和湯亦得止。甚者以半夏瀉心湯與之。什愈八九。及霍亂作。而半夏瀉心湯不足任者。以其所吐利者出自血液。而非腸胃水穀之餘。故合芩連乾薑半夏之力而不足以遏之也。若夫腸胃常病。則黃芩自擅場矣。僕以爲霍亂初起。腹不作痛。利如米汁。其可斷爲霍亂已明。唯厥逆未見。或不敢遽與四逆。而理中平緩。不足以戡亂禁暴。專任黃芩。又有不辨陰陽之過。無已。可取聖濟附子丸爲湯。以附子強心。以乾薑黃連止吐利。以烏梅殺菌。每服六錢。（生附子一錢乾薑黃連各一錢五分烏梅二錢）是亦與清任第一方同功。賢於專任黃芩萬萬也。紫雪生薑汁治法。僕記前五年霍亂作時。亦多賴附子得起。此仍四逆流亞。不知服紫雪生薑汁者。果何證狀。恐腸胃不調吐利之候。必非眞霍亂也。足下以爲何如。

論溼溫治法

民國十九年八月稿上海國醫學院院刊（民國二十年一月出版）

溼溫名見難經。爲五種傷寒之一。病多見於夏秋之時。其候朝至日中身熱甚微。晡時身熱稍增。亦潮熱類也。熱初不甚。二七三七日間。其熱以漸而高。遠西謂之腸窒扶斯。彼說小腸黏膜。寄生微菌。漸至生瘡。故腸部多雷鳴疼痛。病經二七日。則熱漸張弛。脈亦細微。譫語昏瞶。有下血而愈者。亦有腸中出血穿孔以至死者。故於下藥畏之如虎。如彼所言。雖於溼溫之義稍異。而於太陽病之名轉爲眞切。病果有菌。要之非溼亦無以滋其毒。則二說相爲因果矣。其云小腸生瘡者。卽大論所謂太陽隨經瘀熱在裏。應以抵當湯丸下之者也。其自下血而愈者。則猶大論所謂熱結旁光。血自下。下者愈也。此土治溼溼者。術雖未工。然非經誤治。則絕無下血出血之候。蓋時醫於此。無不以黃連主療。黃連性能解毒厚腸胃。則腸中自無生瘡之患。乃所以遷延時日者。祗以最初不敢發汗。其次治之又無定術也。下血蓄血之候。此土非誤治不常見。而西醫治療者多有之。夫以病在小腸。窟穴深阻。邪毒外行則延於經脈。上行則薄於胸府。此其分殺之機也。不能乘其出而迎擊之。又不能因其雷鳴而圍攻之。小腸聚毒。展轉益厚。幸以生理自然之機。其血自下。毒得宣泄而愈。醫於此則可謂至無術也。若至小腹鞕滿。血不得下。非以抵當丸下之。病何由去。苟患穿孔而先養癰。迨潰爛日甚。穿孔果可免耶。抵當之與承氣。厥用不同。下之而腸穿孔者。未之有也。假令下血不止。自有芎藭地黃湯治之。安用臨事迟橈爲。且夫焦頭以救療。不如曲突而徙薪。治苟有法。則抵當湯丸亦無用矣。案大論痙濕暍本在太陽篇中。王叔和無故移編。而濕溫之治遂不可見。其陽明病之瘀熱發黃。與太陽病之瘀熱蓄血。但見其末。更無其本。活人以濕溫無下手處。撰用白虎加蒼朮湯治之。夫蒼朮之燥與白虎之潤。用正相反。自非渴欲引飲。無用白虎之理。若果渴欲引飲。則是溼已去而熱獨在也。但用白虎已足。安取蒼朮之蛇足乎。誠欲溼溫兼治。仲景自有梔子厚樸湯。近觀溼溫之候。至四五日。無有不患胸滿者。則梔子正爲對證。而白虎非病勢傳變以後不用也。溼溫固多自汗。亦自有無汗者。仲景有麻黃杏仁薏苡甘草湯。今拘於脈經重暍之說。雖微發汗亦禁不用。此又所謂因噎廢食者矣。若乃自汗不止。白斑出。手足冷者。此爲邪盡而正亦衰。又當以寒溼法治之矣。今錄仲景十一方小品一方。以爲治溼溫之準繩。而祕要所載熱病䘌瘡諸方。學者亦可互攷焉。

太陽病。發熱。日晡所劇者。此名風濕。夏秋間氣溫。其風即溫風矣。宜麻黃杏仁薏苡甘草湯。每服四錢今人夏日不敢用麻黃以香薷代之亦得

溼家自汗出。胸中窒。腹滿者。宜梔子厚樸湯。

胸滿腹中雷鳴者。宜半夏瀉心湯。（半夏生用）

服半夏瀉心湯已。若但發熱。渴欲引飲者。此濕已去也。宜白虎加人參湯。微者。但與煖水。次與五苓散。（五苓散不可作湯）

以上正治法

溼家誤治致發黃者。宜梔子檗皮湯。劇者宜茵陳蒿湯。

溼家誤治。或發黃或不發黃。但脈沉微。或沉結。小便自利。小腹鞕滿。其人或昏瞶。或發狂者。此小腸有蓄血也。宜抵當丸下之。（每服三錢）

以上救逆法

溼家服抵當丸已。瘀血得下。若下不止。血淡紅者。宜小品芍藥地黃湯。（通名犀角地黃湯）

以上斡旋法

溼家自汗出不止。白斑出。手足冷者。宜白朮附子湯。微者但與防己黃芪湯。

濕家病。十餘日。熱暴下。身冷。脈微細。無少腹鞕滿候者。雖自安臥。一二日必有尿血而絕。此非欲愈。心弱。腎不能泌別故也。急與白通湯。甚者乃三四服。（寒厥之與熱厥，昔人所難辨，今以寒暑表探口量取辨之甚易，曾見有體溫降至九十度者。）以上急救法。

復次。遠西於腸窒扶斯。慎其飲食。雖糜粥亦不得與。此蓋過甚之論。凡熱病將息。生冷魚肉麵酪五辛臭惡之物皆不得食。大論桂枝湯方下具之。非獨腸窒扶斯也。今人多食膏油。病亦當戒。飲食不慎。醫藥之功不過及半爾。

問者曰。腸窒扶斯。遠西以其無特效藥而不能治也。今子云服黃連者無下血出血之患。豈黃連爲此特效藥耶。曰、猶有苦參焉。据本草別錄。苦參主心腹結氣。黃疸。溺有餘瀝。逐水。除伏熱。腸澼。癰腫。療惡瘡。下部䘌。則殺蟲除熱利水之效。過於黃連也。千金療天行熱病。五六日以上。宜服苦參湯。（苦參 黃芩 地黃 三味）張仲文療天行熱毒垂死破棺千金湯。直用苦參。文仲或以是爲吐劑。千金蓋以是爲寒劑。若用諸溼溫。視諸溫病當更效。昔人治熱病狂言。有以苦參爲末。每服二錢。用煮散法服之者。今用仲景法。則自微發汗後。尚有諸方。必欲直攻病本。則一味苦參亦足爾。以病態多變。故不欲執言也。

問曰。吳有性溫疫論。以爲邪氣舍於募原。故首用達原飲導之。觀其以檳榔厚樸草果治溼。以知母黃芩治熱。知其所謂溫疫者。實亦溼溫而已。顧吳氏以爲寒劑沮遏熱勢。用之則其熱愈甚。故傳胃以後。果於用承氣。而懲於用黃連。又稱溫疫裏證。神色不敗。言動自如。忽然六脈如絲。或至於無。皆緣應下失下。內結壅閉。氣逆於內。不能達於四末。此脈厥也。若更用人參生脈散輩。禍不旋踵。宜承氣緩緩下之。六脈自復。今所論與吳氏有異。其說可得聞耶。應之曰。治溼溫者。其藥必寒溫相間。是以梔子必參厚樸。芩連必參半夏乾薑。而直用白虎者甚希。雖世之習用黃連者。亦未嘗不與厚樸相參也。其云脈厥。應以承氣緩下者。溼溫之候。至少腹鞕滿。昏瞶發狂。脈雖沉微至結。猶應以抵當丸下之。（用承氣則不中病）大論之法固然。若少腹如常。溫度暴下。斯則急當救心。豈猶有下之之法乎。至吳氏所見身冷如冰。指甲青黑。六脈如絲。服附子湯而斃者。其外候咽喉腫痛。內候心腹脹滿。渴思冰水。此自熱厥之候。大論所謂厥應下之也。觀其指甲青黑。則瘀血偏於周身。可知下之亦應用抵當。不應用承氣矣。今之治法。亦非與吳氏立異也。

西名腸窒扶斯。卽此名溼溫。羣醫驗證皆知之。日本人譯爲傷寒。據五種傷寒言之亦得。然非麻黃湯證之傷寒也。其腸中生瘡及出血證。此所未悉。余謂卽太陽隨經瘀熱蓄血者。蓋以其小便自利。知太陽決爲小腸而非膀胱也。傷寒論本彙論五種傷寒自得及此。余又驗溼溫自下血而愈者。血或成塊。未見有瘖瘂間雜其中如豆瘡倒靨然者。是則生瘖之說。猶須詳究。而蓄血則的然不疑矣。嘗以是說授武進徐衡之。衡之後治一溼溫。爲前醫誤用生脈散。熱不得泄。十日後發狂。腹鞕。先以涼膈散與之。不效。次與大劑桃核承氣湯。狂雖少蘇。血不得下。明日停藥。則其狂如故。其家轉求西醫。醫量其溫度。已如平人。以爲病在神經。鍼之不效。病家又返求衡之。乃與抵當丸二錢。下血或碧或紫或如淤泥。下後腹綏狂愈。衡之喜甚。歸以告余。余謂焦頭爛額。誠易見功。與其開此法門以圖急救。不如廣開步驟。使進藥順序。則血不得聚。瘖亦內消。所謂上工治未病也。因整齊長沙遺術。爲正治救逆斡旋急救四法如此。民國十九年八月章炳麟識。

傷寒新論

民國二十年稿中醫新論彙編（民國二十一年出版）

世疑南方無傷寒。而余見之甚多。仲景生於南陽。在淮水之域。官於長沙。在大江之南。非南人云何。用傷寒法治驗者。許叔微之本事方獨多所見。叔微生於儀徵。仕於南宋臨安之都。亦南人也。若誤信一日傳一經之說。按圖索驥。以論傷寒。非徒南方所無。北方亦不得見也。或不知諸經傷寒發於本部。謂必以頭項强痛先之。則傷寒自見其少矣。雖然頭項强痛之症。亦往往而有。初不甚劇。有七日愈者。有三四日愈者。受邪雖淺。猶爲太陽風寒。粗工不審問耳。（中略）柯韻伯謂傷寒非冬時專有。風雨所擊。衣服不同。及入山谷固陰沍寒之地者。雖在夏時。亦有傷寒。由今觀之。霍亂四逆證。卽少陰傷寒之類。誠不必冬時也。若據叔和傷寒序例。從春分以後。至秋分以前。天有暴寒者。爲寒疫。則反急於傷寒。劉守眞以北人治傷寒。喜用寒下。今北方尙然也。是以誤下結胸者。南方希見。而北方甚多。然其人膚理原密。不易發散。多臥火炕。鬱熱在中。非寒下亦無治療之術。而南方自五谿以上至於黔蜀。高山深溪。多飲寒水。有以生附子數枚。煮豚肉爲飲者。(豚肉性寒。足解附子之毒。然熱性終在。)云夏日服之。無霍亂病。此則病之寒熱。藥之溫涼。南北適得其反。世人見北方氣寒。南方氣熱。遂謂病候亦然。此知天時而不知土宜也。又水澤低窪者。每多濕熱。山阜高峻者。每多寒燥。浙江江蘇偏南。浙東與浙西。又處其南。然浙東寒病。視江蘇浙西爲多。此乃地形高下之異也。

西人治中土時病。往往不效。而傷寒溫病尤甚。蓋其術至拙矣。有名腸窒扶斯者。以四七日爲期。初七日發熱不甚。二七日發熱最高。三七日發熱亦高。四七日發熱漸下。或遂得解。二七三七日中。熱甚者多發狂。若熱犯心卽死。彼謂腸中結熱。生瘡化膿。未成膿則熱甚。已成膿則熱衰。此土譯者。見傷寒論有七日愈六日愈及傷寒再經諸文。遂譯腸窒扶斯爲傷寒。或又說爲熱病。亦或說爲腸癰。按腸癰見證甚速。而此見證甚遲。則非腸癰也。膿之化成。自有期限。癰瘍所同。亦不得以再經傅會也。余謂此亦傷寒霍亂中一候。大論太陽病六七日。表症仍在。脈微而沉。反不結胸。其人發狂者。以熱在下焦。小腹當硬滿。小便自利者。下血乃愈。所以然者。以太陽隨經瘀熱在裏故也。抵當湯主之。太陽病身黃脈沉結。小腹硬。小便不利者。爲無血也。小便自利。其人如狂者。血證諦也。抵當湯主之。亦有不發狂者。大論陽明病。其人喜忘。必有蓄血。屎雖硬。大便反易。其色必黑。宜抵當湯下之。病人無表裏證。發狂七八日。雖脈浮數者。可下之。假令已下。脈數不解。合熱則消穀善飢。至六七日不大便者。有瘀血。宜抵當湯。若脈數不解。而下不止。必協熱而便膿血也。據此諸文。太陽隨經。則小腸也。陽明蓄血。則迴腸也。夫以蓄血爲患。不先頭痛而先發熱。則必以漸化膿可知。今之腸窒扶斯。卽此證也。抵當湯爲下血最重之劑。西人治此。昔亦主下。久之謂毒在血脈。下之無效。此但知有大黃。而未知有抵當湯也。更謂二七三七之間。膿已化成。或自下血。若下之則血不止。腸中穿孔。故反以止血爲治。而取石灰爲用。石灰本爲療痔止血之劑。崔氏治十年血利。亦取石灰一味服之。彼以治腸窒扶斯。猶此義也。血則止矣。熱毒在裏。無可如何。乃云聽其自愈。然則腸澼邪重者。悉將以澀藥止之而聽其自愈也。按二七三七之間。膿已成。則不可下。仲景太陽病用抵當湯者。本在初七二七之間。（陽明病用抵當湯者。七八日下後。又六七日始用之。此本無發狂之候。蓋化膿遲耳）膿未成也。據要略腫癰用大黃牡丹湯下之。脈遲緊者。膿未成。可下之。脈洪數者。膿已成。不可下。此可以得其比例矣。然則初七二七間失下。至三七之初。膿已成者。宜如何。曰小品有芍藥地黃湯。療傷寒及溫病。應發汗而不發之內瘀有蓄血。大便黑者。芍藥三兩。地黃半斤。丹皮一兩。犀角屑一兩。有熱如狂者。加黃芩二兩。日二三服。此主消化瘀血。不用直下。而又無刼血留毒之過。（古治血利。必以犀角黃連地榆等療之。見千金外台者。凡六七方。得地黃塡竅。丹皮芍藥除瘀。故有石灰之利。無石灰之害）眞可補大論之闕遺也。要之腸窒扶斯。乃傷寒溫病熱病中一候。病已入裏。卽無溫熱傷寒之分。若以概論傷寒溫熱。謂必四七日乃愈。此猶醯雞在覆。不知天地之大也。夫抵當湯與大小承氣湯同解腸熱。而一爲瘀血。一爲大便結不同也。抵當與桃核承氣同治血結。而一在小腸。一在膀胱不同也。（要略婦人經水不利下。抵當湯主之。注亦治男子膀胱滿急有瘀血者。彼治雜病。故可通用）抵當用芍藥地黃同治瘀血在裏發狂。而一爲膿未成。一爲膿已成不同也。此病皆入腹。熱皆熾盛。猶不可混合如此。況於亦屬表裏形證。千變萬化。其可以一端概哉。二十年以來。西醫撲地。而海上粗工。倘無杜門之患。豈非以治時行寒邪。此猶有愈於彼者歟。然不曉原流。各承家技。於傷寒溫熱諸病。終無必愈之術也。

論醫筆記

徐衡之記上海國醫學院院刊（民國二十年一月出版）

其一

間嘗以事謁太炎先生。縱論至於醫。先生垂問西醫腸窒扶斯之腸出血穿孔性腹膜炎。何吾土不多見。衡之對以中醫治療傷寒。有曲突徙薪之妙。病在太陽。治卽愈於太陽。病在陽明。治卽愈於陽明。彼西醫治療傷寒。最初無特效藥。惟利用其待期療法。故其后有腸出血腹膜炎之弊。然則此二症者。均西醫因循有以誤之也。先生以此說固然。按之實際。則猶不止此。夫西醫籍謂傷寒病之成因。起於傷寒桿菌。并謂其菌喜宿於腸。此語（菌宿於腸）因果倒置。當此症潛伏時期。桿菌或散布周身血液。決不在腸。何以言之。西醫謂此症潛伏時期。有頭痛四肢痠痛惡寒發熱戰慄等證象。此與太陽症絕類。麻黃桂枝大青龍。其效如響。然麻黃桂枝未必是菌殺藥也。病之所以愈。或因週身血液中桿菌因汗而排泄於外。西醫於潛伏時見大便之祕者。輒以甘汞蓖麻子油下之。於是虛餒其腸。血中徵菌。乘虛攻襲。誤下之後。壞病未見。又無善治。於是遷延時日。屯聚於腸之菌。逐漸滋長。遂造成腸出血腹膜炎之變。準此以觀。西醫談虎色變之腸窒腸斯。卽西醫早用下腸有以致之也。不然。腸出出與穿孔性腸膜炎。在西醫籍中。原因如何。症候如何。診斷預后又如何。言之津津。何中醫絕少遇見。就吾土之經驗。以反證其學理。吾之所言。大致不謬。顧中醫於太陽症。亦未嘗無誤下者。惟所用之藥。爲硝黃枳朴。其力猛悍。其發也暴。其壞病爲結胸。西醫之下藥。爲甘汞蓖麻油。發作性遲慢。病人受其害於無形之中。故同一誤下。而結果不同。以此隅反。中醫設誤用甘汞蓖麻油。治太陽表證。其結果之不良可斷言也。

其二

見惠湯本氏皇漢醫學。觀其識論痛切。治療審正。而能參以遠西之說。所謂融會中西。更迭新醫者。唯此公足以當之。柯尤往矣。今日欲循長沙之法。此公亦一大宗師也。至其所錄。治效奇中者固多。然由東方專以仲景爲法。而千金外臺諸方置之不譚。有時病證爲仲量書所未道者。則不得不用複方。約方如囊。古有明訓。仲景諸方。固有可複者。亦有斷不可複者。如葛根朮附。合爲一方。則奇觚不中於繩矣。又有千金正方俛拾卽是者。乃不肯以千金爲用。而必取仲景方複合之。如所錄某氏治角弓反張證。以大承氣湯與烏頭湯合用。治雖有效。而約方倘非合法。承氣湯之用。主在硝黃。烏頭湯之用。主在烏頭麻黃湯著。……（此處原文似有遺漏）然千金有三黃湯。卽麻黃細辛獨活黃耆黃芩五味。心熱者可加大黃。內有久寒者可加附子。釋此不用。而必以迂回取徑。亦見其隘也。大氐自王叔和以至孫思邈王燾諸公所論病理。不必皆合。而方劑則皆取於積驗。非獨孫王也。卽宋時和劑聖濟。以及許叔微陳無擇之書。其因證處方。亦多有可取。但令不失仲景型模。亦無屏之不錄之理。金元以後。乃當別論耳。此則吾人所當論推者也。

其三

姻戚某。年五十歲。病肝胃痛多年。發作時。胸脘劇痛。腹中有塊墳起。冷氣上衝巔頂。遍治無效。余爲疏小柴胡去參加青陳皮。亦無效。改處理中加吳萸青皮方。亦不驗。遂予溫白丸。按外台溫白丸治癥瘕積聚。丸如菉豆大。每服七粒。遞加以知爲度。余變換其服法。予二十一粒。囑分三次服。而病者誤聽。一服盡之。服後腹大痛。吐瀉繼之。時在六月。病家驚爲霍亂。余曰。是藥後當有見象也。瀉七次。腹痛止。吐亦已。從此痼病霍然。距今已十數年。未聞一發。

其四

太陽篇中桃核承氣湯抵當湯二方。皆治結血。昔人多不能分辨。東人書中。或以桃核證爲新瘀。抵當證爲久瘀。其實非是。余嘗攷之。太陽有旁光小腸之分。桃核承氣湯。乃治熱結旁光者。抵當湯乃治熱瘀小腸者。病所不同。病情亦異。論稱太陽病不解。熱結旁光。其人如狂。血自下下者愈。夫熱結旁光。其人自下血。則病以愈。此與太陽病得衄而解者蓋同。蓋病已深入血脈。腎藏泌別不能得力。則熱邪必幷入血中。自旁光而出。假使一時盡下。卽亦不須用藥。以下或不盡。少腹結急。勢必以藥導之。此桃核承氣所主也。至若太陽抵當證。頗有類遠西之腸窒扶斯。彼土以腸窒扶斯爲傷寒桿菌。屯聚於腸。抵當湯證之所起。則爲太陽隨經瘀熱在裏。經者小腸也。西人治腸窒扶斯多用待期療法。三星期而後。小腸發炎過甚。馴至出血穿孔。及腹膜炎諸證。仲景用抵當湯。祗在六七日至十餘日間。急以峻藥下之。腸中瘀熱。一下而解。此仲景醫術所以神也。若病者已逾兩星期。則抵當湯似不可用。宜小品犀角地黃湯。加黃芩方。蓋腸中瘀熱過甚。剝蝕腸膜。快藥下之。誠有出血之危也。至桃核承氣湯。抵當湯證狀之辨識。一則熱結旁光。故小便不利。一則熱結小腸。小便自利。此大較也。抵當湯證脈微而沉者。此因熱血瘀于一處。血液循行爲之障礙。故爾若遽以爲心藏衰弱。則爲脈狀所愚矣。凡脈微身寒之證。不必盡由心藏衰弱。如食積脹滿。亦能使然。況瘀血聚于小腸乎。

又二證發狂雖同。其因亦異。抵當證之發狂。以瘀熱在裏。猶承氣證有見鬼狀。然桃核證之如狂。則以病機乍轉。必呈瞑眩之象。如衄解者必先瞑目心煩也。

其五

論語。康子饋藥。拜而受之曰、丘未達。不敢嘗。劉寶楠論語正義。達、猶曉也。言不曉此藥治何病疾。恐飲之反有害也。按使藥不可飲。直當却之。何以受爲。余謂達者鍼也。與春秋左氏傳在肓之上。膏之下。攻之不可。達之不能之達義同。凡病恆有先鍼刺而後服藥者。仲景傷寒論太陽病。初服桂枝湯。反煩不解者。先刺風池風府。却與桂枝湯則愈。是其證也。意者孔子適病中風。康子饋以桂枝湯。孔子以未施鍼。故不敢遽嘗。鍼後仍是可嘗。故受不辭。

治病當精究生理學。固也。然凡治療有效。而以生理學解之。輒不可通者。有二事焉。跌仆之傷。手足皮膚。瘀血外現。紫黑斑紋。粲然可見。中土傷科。治以攻瘀藥。如紅花桃仁大黃水蛭䗪蟲。其瘀血從大便而出。而傷處愈矣。試問手足瘀血。以何得從腸出。此生理學不可解者也。謂所下乃是脈中良血。則是誅伐無過。體當愈虛。而何以遂愈耶。又脇下有水氣。欬逆引痛。仲景名曰懸飲。西籍謂是漿液性肋膜炎證。須手術抽水。然仲景之十棗湯。三因方之控涎丹。服之疾涎從大便出。而脇下之水除矣。其水從何而下。亦生理學不可解者也。若謂十棗湯控涎丹所下者。非肋膜之水。但使水分減少。則肋膜之水被分泌於外者。自然吸收入內。說雖成理。然西說固謂肋膜炎之病因於菌毒。是雖吸收其水。而病菌毒素仍在體內。病何以遽愈哉。或者今之生理學。尙未造極。其不能恃之解釋者。恐不僅如上述二者已也。

桃仁承氣及抵當湯之應用

中醫新論彙編（民國二十一年一月出版）

太陽篇中桃仁承氣湯抵當湯二方。皆治結血。昔人多不能分辨。東人書中。或以桃核證爲新瘀。抵當證爲久瘀。其實非是。余嘗攷之。太陽有膀胱小腸之分。桃核承氣湯乃治熱結膀胱者。抵當湯乃治熱瘀小腸者。病所不同。病情亦異。論稱太陽病不解。熱結膀胱。其人如狂。血自下。下者愈。夫熱結膀胱。其人自下血。則病以愈。此與太陽病得衄而解者蓋同。蓋病已深入血脈。腎藏泌別不能得力。則熱邪必并入血中。自膀胱而出。假使一時盡下。卽亦不須用藥。以下或不盡。少腹結急。勢必以藥導之。此桃核承氣所主也。至若太陽抵當證。頗有類遠西之腸窒扶斯。彼土以腸窒扶斯爲傷寒桿菌屯聚於腸。抵當湯證之所起。則爲太陽隨經瘀熱在裏。裏者、小腸也。西人治腸窒扶斯多用待期療法。三星期而後。小腹發炎過甚。馴至出血穿孔。及腹膜炎諸證。仲景用抵當湯。祇在六七日至十餘日間。急以峻藥下之。腸中瘀熱。一下而解。此仲景醫術所以神也。若病者已逾兩星期。則抵當湯似不可用。宜小品犀角地黃湯加黃芩方。蓋腸中瘀熱過甚。剝蝕腸膜。快藥下之。誠有出血之危也。至桃核承氣湯抵當湯證狀之辨識。一則熱結膀胱。故小便不利。一則熱結小腹。小便自利。此大較也。抵當湯證。脈微而沉者。此因熱血瘀於一處。血液循行爲之障礙故爾。若遽以爲心藏衰弱。則爲脈狀所愚矣。凡脈微身寒之症。不必盡由心臟衰弱。如食積脹滿。亦能使然。況瘀血聚於小腸乎。

又二證發狂雖同。其因亦異。抵當證之發狂。以瘀熱在裏。猶承氣證有見鬼狀。然桃核證之如狂。則以病機乍轉。必呈瞑眩之象。如衄解者。必先目瞑心煩也。

猩紅熱論 中醫新論彙編(民國二十一年一月出版)

今世有猩紅熱者。卽陽毒至劇者也。西醫以爲病在腸不在肺。余驗一切斑疹。日晡必潮熱。以潮熱爲陽明候。此爲手陽明大腸病無疑。(大腸發疹。勢必延及小腸。然當以大腸爲主。)夫風痧之作也。不徹則已。徹則見于皮毛。中間無留於肌肉者。

又其候必兼欬嗽。是乃陽明爲主。而上行旁達。以干於肺。疎其肺。導其腸可也。夫猩紅熱之作也。咽喉必爛腐。腫起於咽與廉泉。以鄰近蔓延及喉。斑疹隱軫於肌肉。而後外達膚表。斯知專以陽明爲主。夫肺固其末已。（陽毒雖不腐咽者。亦皆隱軫于肌肉。下至風斑小病亦然。此爲異於風痧）金匱要略以升麻鼈甲湯治陽毒。今人試之無效。劉守眞防風通聖散雙解表裏。今人移以治此。亦往往不驗。蓋陽明病宜去汗藥。而咽喉乾燥。經有發汗之禁。況于已成膿血者。麻蘇芎芥薄荷防風。必不應連彙而任。雖以硝黃下藥牽制。猶疑其過。活人取外臺祕要方中葛根橘皮湯。尙過任汗藥也。猩紅熱者。本於伏氣。治宜內消。切不可外散。獨活人所用化斑湯。以白虎加人參萎蕤。爲得其要。以其不欬。知非肺病也。則用人參而不疑。雖然。于胃卽中。於腸猶遠。近代吳鞠通以斑疹分言。發斑者用化斑湯。而變人參萎蕤爲玄參犀角。發疹者。用銀翹散去豆豉。加細生地、丹皮、大青葉、倍人參。于化斑則去人參。于銀翹則不去薄荷荊芥。其亦疑于肺病也。其間竹葉、大青、桔梗、甘草、並治咽喉。生地、丹皮以淸血。銀花、連翹以排膿。玄參、牛蒡以解毒。亦得其似。于腸終不相及。西人舉腸而遺肺。失其標也。吳氏舉肺而遺腸。失其本矣。世有用牛黃眞珠者。往往得愈。其方得之筆工。而託於神效。方有璧鏡象牙屑蠶。不可審知。牛黃眞珠。今遂以爲要藥。余以爲腸中發炎生疹。膽汁必不下行。腸之毒癘。反藉膽以上逆。由是戰于咽中。咽本胃系。咽喉亦膽之使也。牛黃本膽汁。宜爲膽藥。眞珠爲石灰質。兼含蛋白。西人治咽。或以石灰注入。要略之用鼈甲。義亦同矣。非是二藥。無他品以濟之。及膽與咽而止耳。治腸之藥未備也。展轉徵責。治此者仍當取升麻鼈甲湯大法。而不必用其方。取大法云何。以其治主內消。不主外散。升麻雄黃以敗毒。鼈甲以石灰質治咽。蜀椒以下行解腸毒也。不用其方云何。鼈甲責之難化。入湯劑多不效。熱毒在腸。宜徵取寒下。不宜以蜀椒溫下也。余擬一方。用升麻一錢五分、連翹三錢、赤小豆三錢、玄參三錢、牡丹皮二錢、梔子二錢、牛黃錢半、眞珠一錢二分、芒硝錢半、甘草三錢。作散服之。每二時服一次。每服悉以鷄子白攪和下之。必用赤小豆梔子者。所以引其下行。且使毒癘不犯心也。不去升麻者。非少入升麻。則不得降也。自是而後化斑湯始可任矣。其視舊法。將爲剴切歟。

勸中醫審霍亂之治

中醫新論彙編(民國二十一年一月出版)

今歲霍亂盛行。滬名醫丁君亦染疫死。或譏中西醫師。彼此相斫。雖病甚恥求救於異道者。至於就死不悔。是固醫家之癥結。然非所論於霍亂一病也。霍亂甚者。厥利交作。漸至脈脫。在此土則以四逆湯通脈四逆湯救之。在西土則以樟腦鍼鹽水鍼救之。四逆湯二方。並以生附子爲君。强其心臟。以乾薑爲臣。止其吐利。二者相合。治自得道。樟腦鍼亦强心之術。與此同意。若夫以水淡血。以鹽收拾脈管。則所謂以鹹養脈者也。(以鹹養脈見周官瘍醫。)二者之治。初不甚殊。至於評其證狀。則西醫稱吐利不腹痛者爲眞霍亂。吐利腹痛者爲似霍亂。按之此土傷寒論。則霍亂篇本未言及腹痛。觀其手足厥逆。蓋少陰傷寒之屬。而吐利腹痛者。別爲太陰傷寒。太陰傷寒。病不甚劇。試以病機言。腹痛者猶有所格拒。不痛者則如桔槔抽水。莫之能禦矣。以病所言。腹痛者無過腸胃不調之候。不痛者則危及心君。脈脫而斃矣。此則評論證狀。彼此亦不甚殊也。惟得病之因。彼以爲霍亂菌。此以爲淸濁出氣。自相干亂。無可和會。要之治療之術。彼亦急於强心。而不暇沾沾殺菌。此土民間之治霍亂者。或以明礬。或以石榴皮。或以銅靑。乃皆有殺菌之用。惟大方則異是。是固病因同異。亦可以不論也。中醫遇此。果早用四逆湯。自不待以鹽水注射。若遷延不進。須臾口噤胃反。藥不可下。非鹽水注射。卽無以濟之。此正所謂異曲同工者。猶同一中醫湯藥得所。則不必問鍼艾。不然。則非鍼艾無以療矣。然霍亂之爲病也。其界甚嚴。若但舉形式。則夫飲食過差。小有感冒而致吐利者。或亦濫以霍亂名之。自名醫別錄。千金本草。已重香薷、薄荷、橘皮、厚樸、等藥能治霍亂。近代徐靈胎王孟英輩。竟謂霍亂不可以熱藥療。熱藥入口卽死。然試質其病狀。腹果不痛乎。下糞如米汁乎。手足果厥冷乎。則未然也。蓋前者所指。卽尋常之吐利。後者所見、亦傷暑之類。本非霍亂。而强以霍亂命之者也。名實爽負。朱紫混淆。醫師之不辨眞僞者。遂定以二說爲主。若所遇非眞霍亂。雖少差誤未爲害。若遇眞霍亂。厥逆脈脫之後。雖理中湯輩猶無所濟。而可以表散清導清涼之藥。促其心之絕乎。余恐丁君之死。非在恥任西醫。而在其自習中醫之入於歧途也。方今天災流行。民命危如朝露。苟治之不誤。無論其爲中醫西醫。什必可以救六七。爲中醫者。恥吾術之不若人。固也。然苟觀西醫强心之術。用之多效。退而求之于吾之經方。有與之冥然相契者。且川東夔府湘西辰沅一帶。三伏日卽以生附子豬肉合煮飲之以防霍亂。北方直隸山東之民。常啖生蒜。亦無霍亂病。此皆强心健胃之熱劑也。是因四逆湯法。推之四裔而皆準。考之民俗而不惑。醫者何故不信經方。而信徐王之歧說耶。四逆湯通脈四逆湯等。載在大論。醫者人人習知。今不必更爲疏錄。但願習中醫者。守之以約。勿以多歧亡羊。則民免夭札矣。又上二方並用生附子。若以市肆所行淡附片進。則殊無絲毫之效也。又經方雖有定式。劑之大小。亦須臨時視病輕重消息行之。惟諸藥比例。則不可差。以通脈四逆湯論。大附子一個。卽今川附子。乾者可重七八錢。乾薑三兩。甘草二兩。以孔繼涵同度記所質。古一兩當今法馬一錢五分有奇。大致可以四分之一約之。則乾薑七錢五分。甘草五錢。分溫再服。則一服得全劑之半。若隨意輕重。比例錯亂。亦不足以著效也。

對於統一病名建議書

醫界春秋八十一期(民國二十一年七月十五日)

夫欲統一中西病名。先須以兩方病名對照。而此對照之前。先須以中國古今病名對照。如古之稱疝偏爲腹痛。小腹痛之稱。而今但爲小腸急痛之稱。痰飲(本作淡飲)爲水流腸間之稱。而今以爲濃稠濁唾之稱。此古今病名有異也。次須以西土本文及此間譯名對照。腸窒扶斯西人本無傷寒之稱。而日本人譯爲傷寒。在中土即腸窒扶斯初起時。寒熱往來。胸膈痞滿爲少陽傷寒。其後小腹急結。迫欲下血。爲太陽傷寒傳本。(名山按：此句費解，恐原文有脫漏)原不足包括各種傷寒。「如太陽傷寒頭項强惡寒。與腸窒扶斯不同。」在西土則本不以傷寒名之。强相皮傅。此譯名之不合本義一也。沛斯德應尋西名本義。而日本人譯爲黑死。但以死時證狀名之。此譯名之無關病義二也。故先以中土古今二者對照。次以西土本名譯名二者對照。然後可以中西相對擇取其是。不然者鹵莽從事。其足以愜心貴當否耶。

又中土病名。有相承沿用。而實當改易者。改易不必純取西名。即中土亦已有之。如今之痢疾。古但作利。與泄瀉洞下同名。究之裏急後重。何利之有。有釋名釋疾病云。下重而赤白曰𦝫。言厲𦝫難也。林億等校定千金序例。直稱之爲滯下。此當以滯下改痢之病也。今之中風界說甚亂。金匱所舉各種有痿痹目眩狂易諸病。而腦出血無聞也。內經稱血之與氣幷走於上。則爲大厥。此與腦出血甚近。而又與腦充血相亂。扁鵲診尸厥云。上有絕陽之絡。下有破陰之絡。紐所謂上者自指頭腦。所謂絡者自卽血管。所謂絕陽之絡者。自謂血管斷裂。此正與腦出血爲合。當可以尸厥改俗用中風之名也。其餘應以西名改定者。固屬多端。臟腑固病。宜取西名者多。以中土昧于解剖。病所往往不能定。不如西醫之詳悉也。感冒猝病宜中名者多。且如傷寒種類本非一端。中風風溫濕病病狀亦異。而西土除腸窒扶斯以外。率多稱流行性感冒。則又不如中醫之明辨也。

要之此事必須聚集中西良工比較核實。方可出而行世。若但以一二人專輒之見。定其去取。必不足以行遠。如此而欲懲戒他人。是所謂作法于涼者矣。猶不如任其散漫之爲愈也。清時定醫宗金鑑。至今無人遵用者。此非後來之殷鑑耶。

時師誤指傷寒小柴胡證爲溼溫辨（醫報一卷十一十二合刊）（民國二十三年三月十日）

夏秋之交。有病寒熱往來如瘧。胸中滿悶者。久久不治。或致小腸蓄血。始作時。時師輒謂之溼溫。按溼溫名見難經。爲五種傷寒之一。但言其脈陽濡而弱。陰小而急。猶未志其證狀。脈經卷七云。傷寒溼溫。其人常傷於溼。因而中暍。溼熱相搏。則發溼溫病。苦兩脛逆冷。腹滿叉胸。頭目痛苦。妄言。治在足太陰。不可發汗。汗出必不能言。耳聾不知痛所在。身青面色變。名曰重暍。如此者醫殺之也。（以上脈經）然則暍病有溼。名曰溼溫。猶溫病有風。則曰風溫。狀亦猛烈。非汎汎似陰陽兩歧者。其後朱肱活人書。許叔微本事方。皆據難經之脈。脈經之證。以定溼溫。而以白虎加蒼朮湯治之。異是者。不在溼溫之域。（兩脛逆冷而用白虎。猶厥陰傷寒脈滑而厥者。主以白虎湯也。皆以裏有熱故。）今之所謂溼溫者。果兩脛逆冷耶。果頭目痛苦耶。病發十日以內。果已妄言耶。徒以其病在夏秋。身又有汗。遂强傅以溼溫之名。葉桂創之。吳瑭以來附之。衆口雷同。牢不可破。夫病之治療。古今或容有異。若以病狀定病名。此不能違古而妄更者。葉吳之所謂溼溫。可謂懸牛頭賣馬脯矣。案傷寒論少陽篇云。本太陽病不解。轉入少陽者。脇下鞕滿。乾嘔。不能食。往來寒熱。尚未吐下。脈沈緊者。與小柴胡湯。太陽篇云。傷寒五六日中風往來寒熱。胸脇苦滿。默默不欲食。心煩。喜嘔者。與小柴胡湯。又云。血弱氣盡。腠理開。邪氣因入。與正氣相搏。結於脇下。正邪分爭。往來寒熱。休作有時。默默不欲飲食。藏府相連。其痛必下。邪高痛下。故使嘔也。小柴胡湯主之。今夏秋間有此寒熱往來胸膈滿悶證狀。初不由太陽轉入少陽。則正太陽傷寒也。凡胸脇滿者病必不能離於少陽。以三焦爲津液之原。(三焦卽今西人所謂淋巴腺)邪氣襲入。則津液失宣。是以胸脇苦滿。其由太陽轉入少陽者固然。其列在太陽病中者。實亦太陽與少陽并病爾。觀第二條稱腠理開。腠者是三焦通會元眞之處。(見金匱要略此謂淋巴腺布於周身者)則兼病三焦明矣。其候漸深。則小腸蓄血生瘡。遠西謂之腸窒扶斯。小腸者。太陽本府。生瘡者。瘡瘍化膿。其膿皆淋巴腺壅聚成之。是亦少陽三焦病也。大抵傷寒太陽篇中當分兩大部。其一頭痛項强發熱。或惡風或惡寒者。惡風宜桂枝湯。惡寒宜麻黄湯。失此不治。則病多轉入陽明。爲梔豉白虎調胃承氣等證。鮮有傳入太陽本府者。其一寒熱往來。胸脇苦滿者。宜用小柴胡湯。失此不治。則見太陽本府蓄血之候。是故第一部所病。本非太陽。特以心臟不衰。血脈足以抵抗客邪。故對於少陰之心臟衰弱血脈不能抵抗客邪者而命之曰太陽。其第二部所病。爲太陽本府蓄血之發端。則眞太陽病也。自時師誤認此爲溼溫。傷寒小柴胡證之名遂以湮沒。非徒識病施治不能得要領。而所謂太陽傷寒者。亦徒有對待少陰之假名。鮮見太陽眞病矣。若然。據太陽篇文。此證有起於五六日後者。有不起於五六日後而脇痛者。今夏秋間病此者。若屬第一證。則不起五六日後。若屬第二證。則不必盡有脇痛之候。何也。曰、本篇固云。傷寒中風有柴胡證。但見一證便是。不必悉具。是故雖無脇痛。固不失爲柴胡證也。若然。經言溼上甚爲熱。今人於此不敢用柴胡者。懼其升提以致上熱耳。古人乃恣用之。何也。曰、此今人誤認本病爲溼溫之誤也。且小柴胡湯中有半夏黃芩。升降相輔。勢若鹿盧。是故醫王湯所用柴胡升麻誤服有致頭眩者。小柴胡湯所用柴胡甚重。未有服之而致頭眩者。此種方配合之善。固異於後人也。（本草柴胡下云。半夏爲之使。知自古以半夏合柴胡。）何患其升提過甚乎。若然、小柴胡湯能通津液。使濈然汗出而愈。固已。復有他用耶。曰、本論婦人中風七八日。續得寒熱。發作有時。經水適斷者。此爲熱入血室。其血必結。小柴胡湯主之。夫血結胞中。與血蓄小腸。其類同也。然則服小柴胡湯者。所以豫防小腸蓄血。乃所謂治未病也。非上工孰能神妙如此者乎。

自孫思邈已不解太陽篇深旨。故云尋方大意。不出三種。一卽桂枝。二卽麻黃。三卽青龍。此之三方。凡療傷寒不出之也。其柴胡湯諸方。皆是吐下發汗後不解之事。非是正對之法。鹵莽滅裂。亦已甚矣。

脚氣論

脚氣舊名緩風。其因難知。驗之無菌也。日本脚氣最多。遇病卽戒稻食。以麥麩爲饌。且云、常食連麩麥飯。卽無脚氣。麥本心穀。此土小麥入藥。不得取麩。以是收斂心氣。卽明脚氣之因在心。日本人說此。以爲心臟擴大。緩弛不任彈血。是以血痺。以脚去心最遠。故病自脚始。仲景師要略中風引湯。腎氣丸。舊皆以治脚氣入腹。風引湯者。桂枝大黃以行血痺。石英以保心也。然今治脚氣者。驗其血中多石灰質。故用藥以石灰質爲禁。而風引湯乃有石藥八味。（牡蠣雖動物。其殼亦石灰也。）似適得其反矣。（按風引湯蓋治熱病差後足脛麻痺之方。誤取治脚氣耳。）

腎氣丸之用附子。以彈心藏。桂枝。地黃。以開血痺。牡丹皮。以淸血垢。心力選愞。故取山茱萸之酸以鼓之。血痺則血中濁穢不能泌別故取茯苓澤瀉以滲之且夫血中多石灰質者何自而致乎緩風骨痿自骨中溶釋而出也地黃質黏有續骨之功（見淮南子）茱萸味酸有養骨之效（見周官瘍醫）此乃一藥而兼數用矣其薯蕷一味開血痺特有神效血痺虛勞方中。風氣諸不足。用薯蕷丸。今雲南人患脚氣者。以生薯蕷切片。散布脛上。以布纏之。約一時許。脛上熱癢卽愈。於是知腎氣丸之神也然喩氏曾謂脚氣入腹而見上氣喘急嘔吐自汗。地氣已加於天。襲用腎氣丸。必不應。當取朱奉議八味湯。

附子　乾薑　桂心　人參　白朮　芍藥　茯苓　甘草

余謂當改腎氣丸爲湯山茱萸功力薄弱重加木瓜以收之可也附子炮者力緩生用可也

最有系統最有精粹

國醫讀本

本書內容，共分八種，第一種中醫系統學，第二種內經讀本，第三種難經讀本，第四種傷寒讀本，第五種金匱讀本，第六種飲片新參，第七種本草經新註，第八種分類方劑，新舊合參，每種皆有特到之處，全部原價十二元，茲售特價，精裝本八元，平裝本六元，零售亦照價八折，爲最合經濟條件之醫著，得此一書，學驗可以日新，終身用之不盡，凡例附讀法，函索者附郵一分，

發行處　杭州東坡路湖濱七弄三號　王一仁醫寓
代售處　蘇州吳趨坊　蘇州國醫書社

沈仲圭先生新著……全書一冊　實價八角

健康之道

本集分論文衞生證治方藥飲食五類，選輯精當切用之文字數十篇，如飲食類之「食肉須知」，說明猪肉在醫療上之價值，及如何食法，方合衞生，又如方藥類之「養腦固精丸」，則爲由遺精而成神經衰弱之效方，立方之妥善周到，製法之別創一格洵爲古今醫書所未逮，蓋本書立說一本科學原理，行文又極清新流利，且特注意於常人忽略之問題，無論醫家病家，皆有一讀之必要又本集對于肺腎胃病之治療衞生頗多經驗之談尤稱特點。

發行處　杭州粮道山十號沈仲圭醫室
代售處　蘇州吳趨坊蘇州國醫書社

論醫書牘

與田桐書

子琴兄鑒。貴恙經徐衡之章次公二君診治。其初以爲緩中補虛。應服大黃䗪蟲丸。而兄意欲服參。故改用小建中湯。其中白芍、當歸。原有止痛之效。但於此證尙非的對。後聞改用大黃牡丹湯。尊意猶疑不敢煎服。其實胃中有瘤。非攻破之藥斷不能治。如大黃牡丹湯等。亦尙是輕劑耳。近日本西醫用中藥者。對於胃癌有用抵當湯法。乃大黃、桃仁、加水蛭也。中土舊法。欲攻肉積。必用水銀硇砂等。水銀不敢輕試。硇砂則不妨試之。若旣不肯剖割。又不肯用攻破。有形之積。何能消去。遷延稍久。大命必傾。願勿以攻破爲忌。而專以補藥養癰也。切至之言。願兄垂聽。弟章炳麟白。

答張破浪論誤下救下書　民國十二年十二月

破浪吾弟足下。來書疑僕過信叔和。(傷寒論王叔和論)叔和於太陽篇痙溼暍外。未嘗改易仲景舊次。拙著雜病新論中。已有證明。可參究之。夫叔和之誤。在其序例。(强行內經一日傳一經之說。與本論義不相涉。)而不在其編次。論文方喻以來。諸師疏發大義。卓然可觀。其攻擊序例。不遺餘力。僕亦猶是也。若夫自我作古。變易章句。反以叔和爲誤編者。此猶宋儒顛倒大學。以舊本爲錯亂也。是乃晚世惡習。亦何足倚焉。

舒君（破浪案卽舒馳遠作傷寒論集註者）書素所未見。其疑大陷胸湯。以下救下。請得以陽明篇證之。傷寒若吐若下後。不大便至十餘日。潮熱見鬼。微者但發熱讝語。大承氣湯主之。此非以下救下乎。陽明之病。爲胃家實。往往因下得愈。然所以致胃家實者。仲景則曰。「太陽病發汗。若下。若利小便。此亡津液。胃中乾燥。因轉屬陽明。不更衣內實。大便難者。此名陽明也。」然則太陽誤下致內實胃燥者。可不以大小承氣救之乎。夫以大陷胸湯救誤下成結胸者。其道亦猶是也。蓋誤下內陷以後。有令津液枯者。則轉屬陽明而爲內實。有津液上囘者。（下後液津上囘。此爲實事原註）則與內陷之熱。遇于胸中。而爲結胸。內實則有燥屎。結胸則有惡涎。此並有形之物。非徒無形之熱也。非更以下救下。將何術哉。然江南浙西妄下者少。故結胸證不多見。而大陷胸湯之當否。亦無由同驗也。吾昔在浙中。見某署攝有更夫。其人直隸人也。偶患中風。遽飲皮硝半盌。卽大下成結胸。有揚州醫以大陷胸下之。病卽良已。此絕無可疑者。凡事虛擬其理。不如實徵其狀。況醫道自古至今。長于空議。多不徵實。隨吾所發。必至甲乙相爭。無裨實益。此誤下救下之實況。故書以告。

又大陷胸丸。舒君疑急病不應緩治。然按其方下云。四味合研。如脂和散。取如彈丸一枚。別擣甘遂末一錢半。白蜜一合。水二升。煮取一升。溫頓服之。是仍煮丸成湯也。此義本事方已有發明。唯四味但取如彈丸者一枚。則分劑視大陷胸湯爲輕。甘遂同用一錢半。大陷胸湯二升。分再服。大陷胸丸一升。取服之。是甘遂分劑。視大陷胸湯爲重。（以一服計）硝黃雖減。甘遂反增。又何爲而疑其緩乎。章炳麟頓首。

破浪按。舒馳遠集註。義宗喻嘉言。力詆叔和。較嘉言爲尤甚。其于誤下救下條。大斥其非。且有近人汪蓮石刊傷寒論精華重其說。邪說橫行。傷寒論愈講愈晦。醫道愈論愈茫然。舒馳遠書。閱者亦不少。故破浪將舒君之意。上書吾師。請其答覆。以爲定論。此函自去年十二月發者。破浪將此意編入中醫指導錄內。特錄其書。以入貴誌。俾使天下醫者。讀舒氏書者。知其妄論也。

徵求柯韻伯遺著啓

三三醫報一卷二十二期（民國十三年六月十三日出版）

慈谿柯韻伯先生。醫術精明。著述宏富。其于傷寒一家。疏通證明。遠出方喻以上。自葉天士陳修園皆深明之。來蘇集本有傷寒論翼傷寒論註傷寒附翼三種。而世所梓行。祇傷寒論註傷寒附翼二種。有余氏者。得傷寒論翼註之。其中字句譌誤甚多。僕在京師。亦曾得來蘇集全帙。其傷寒論翼一種。尚有誤字。此當徵求者一。先生自序。先註內經。而後次及傷寒。今柯氏內經註無傳。此當徵求者二。先生於唐宋金元諸家方劑。多有解評。陳修園數引之。而原書今不可見。此當徵求者三。僕念先生生於清初。去今未三百年。其原本無論已刻未刻。當未散亡。如有得以上各種者。不惜重資購取。章炳麟白。

答張破浪論醫書

紹興醫藥月報（民國十三年十二月）

破浪足下。惠書詢以醫事。不佞於此。未嘗三折肱也。家門師友。專此者多。故頗涉其崖略。學林中醫術平議一卷。昔年妄作。是時猶信靈素甲乙所論經脈流注。以爲實然。故所論不能得要領。由今思之。辨藏府之方位。識經脈之起止。西人積驗而得之。吾土雖嘗有解剖。久乃傳訛。必不足以相奪。及乎察病予藥。彼善治痼病。獨短於傷寒溫熱。此則適與相反。蓋有形與無形異也自成無己以後。解傷寒論者多家。不佞所願。則學柯氏。蓋其破傳經之謬。辨三方鼎足之非。知陽明厥陰病為溫熱。識太陰病為內傷。其於長沙眞旨。可謂以神遇而不以目視矣。近代如陸九芝輩。得其餘緒。遂為溫熱病大家。況賢於陸氏者乎。獨其變易章句。猶與喩程諸家同病。有能鎔柯氏論翼之精義。以合叔和舊本之型範者。斯於名實兩得之矣。若尤在涇徐靈胎陳脩園之徒。亦各有所長。尤陳大端不能踰於柯氏。徐乃留意雜病。而傷寒非其所深知也。雜病之書。所取材者衆矣。局方良方之專輒。金元四大家之虛誕。近人雖無有宗之者。終不能盡廢其術。蓋亦其所獨到者也。求之先民。金匱要略。既不能如傷寒論詳悉。孫思邈王燾書又苦集方過繁。辨症過略。使人無所依以量度。然則遠西之術。誠有不可泯沒者矣。予奪過中。皆非智者之言也。頃因硏治傷寒。始作時病新論一卷。亦尙以為未了。雜病獨依舊術施治。西醫所不治而不佞能瘳之者。蓋亦數人。然終不敢有所論著。足下暇時能過我。一與商搉。則所願也。章炳麟頓首。

論中醫剝復案與吳檢齋書

華國月刊第三期第三册(民國十五年六月)

親齋足下。得某君中醫剝復案。明中醫不可廢。是也。然謂中醫為哲學醫。又以五行為可信。前者則近於辭遁。後者直令人笑耳。禹之六府曰。水火金木土穀。此指其切於民用者也。五行之官曰。句芒、祝融、后土、蓐收、玄冥。亦猶今世有鹽法電氣河道之官。因事而施。亦切於民用者也。逮鴻範所陳。亦舉五行之性耳。生克之說。雖鴻範亦無其文。尤在涇醫學讀書記。舉客難五行義。語亦近實。在涇欲為舊說弁護。不得不文飾其辭。然亦可知在涇意矣。醫之聖者。莫如仲景。平脈辨脈及金匱要略。發端略舉五行事狀。而他篇言是者絕少。今卽不言五行。亦何損於中醫之實邪。醫者之妙。喩如行師。運用操舍。以一心。

察微而得之此非所謂哲學也謂其變化無方之至耳五行之論亦於哲學何與此乃漢代緯候之談可以爲愚不可以爲哲也且五藏之配五行尙書古今文二家已有異議鄭康成雖從今說及注周官疾醫云肺氣熱(配火)心氣次之(配土)肝氣涼(配金)脾氣溫(配木)腎氣寒(配水)則猶從古說也以此知五行分配本非一成猶之天之赤道黃道及月行之九道近代變九道稱白道於測天之實不相干也某君所持論似皆不足以駁余氏至論醫學進步謂四家進於千金外臺葉徐又進於四家以僕所論實不其然且葉氏自作聰明徐氏志在復古二家者又不可同論也僕嘗謂藏府血脈之形昔人特嘗解剖而不能得其實此當以西醫爲審五行之說昔人或以爲符號久之妄言生克遂若人之五藏無不相拏乳亦無不相賊害者晚世庸醫藉爲口訣則實驗可以盡廢此必當改革者也中醫之勝於西醫者大抵傷寒爲獨甚溫病熱病本在五種傷寒之中(梔豉湯白虎湯大承氣湯非治溫熱病而何)其治之則各有法而非葉天士輩專務甘寒者所能廢也藏府錮病則西醫愈於中醫以其察識明白非若中醫之懸揣也固有西醫所不能治而中醫能治之者僕嘗於肺病裏水二證實驗其然(有肺痿西醫稱不治者僕以鍾乳補肺湯爲丸療之有裏水西醫放水至三次乃不愈者僕以越婢加朮湯療之皆全愈)若夫腸癰用大黃牡丹湯與刲割無異霍亂用四逆湯與鹽水注射無異則所謂異曲同工者也如曰幸而得之不治於西醫而治於漢醫則不得云幸而得之也如曰治療雖善未足以成醫學傷寒論固參合脈證以求病情然後處方亦不可云徒善治療也僕與余氏往來頻數觀其意似以傷寒金匱千金外臺爲有用而上不取靈素難經以其言藏府血脈之多違也下不取四大家以其言五行之爲僻適也剽剝太過亦信有之以僕所身驗者漢唐兩宋之術固視金之爲有效若乃不襲藏府血脈之譌不拘五行生克之論者蓋獨仲景一人耳(平脈辨脈五行是其金匱發端涉及洮汰未盡者)凡人之善於技者苟有可錄雖串醫亦當咨焉執一說以蔽天下之是者其失則隘揭己之短而以爲長者其失則戇不知某君以

爲何如也。此覆。即頌起居貞吉。章炳麟頓首。七月六日。

先是中華教育改進社有人提議規復中醫學科。余氏著議駁之。復有自署矇叟者。反駁余氏。集成一書。題爲中醫剝復案。承仕初未得見。有友人張君者。以是書屬承仕寄呈章先生。乞一言以證中醫之不當廢。先生復書如右。可知學術自有眞。初非夸言國故者所得假也。承仕本不知醫。故迻寫一通。以示世之治方術者。七月十二日。承仕記。

與惲鐵樵書一

民國十七年仲秋

鐵樵先生大鑒。前數日得函。幷治霍亂暑證濕溫三法。暍即暑證。蓋無疑義。唯素問稱凡傷於寒而成溫病者。先夏至日爲溫。後夏至日爲暑。彼暑似即熱病。要略暍證。乃眞暑病耳。熱病較溫爲甚。溫病汗出脈躁。暑病則脈弦細芤遲。此其虛實不同之處也。鄙人舊論霍亂。亦推夏日脈虛之故。知其寒薄心臟。又以少陰篇厥利並作證。與霍亂比殆無差別。因知霍亂即少陰傷寒之類。少陰者。心也。然時猶以大論有五苓理中二證。頭痛發熱。既與陰證不相似。且熱多欲飲水。寒多不欲飲水吐利時亦不能有此現象。心頗疑之。亦存而不論。頃與弟子孫世陽詳較霍亂篇文義。乃知發熱頭痛身疼。皆在利止以後。(霍亂篇第二節)因知五苓理中二證。皆吐利差後之現象。方係善後。亦于急救無干。太陰病吐利腹痛。飲理中而愈者。亦本非霍亂病也。會甯波老醫范文虎以書來質。其人本解讀傷寒論。敢用四逆湯者。尙謂今歲霍亂用薑附多不救。唯王清任解毒活血湯治之得已。因爲解其治效之由。與霍亂暴注不同之故。是爲論二篇。第一篇本曩歲舊作。第二第三爲今歲新作。錄呈座右。未知有當於心否耶。專肅。即頌興居萬福。章炳麟頓首。

與惲鐵樵書二 民國十七年七月十四日

鐵樵先生左右得手書。獎飾逾量。並惠大著二十冊。深慰下懷。鄙人少時略讀醫經。聞時師夏至一陰生之說。以爲比附卦象。非必實事。稍長見夏時果多虛寒脈證。而不能得其理。或以井水夏寒爲喻者。其實井水四時保其常度。夏時井水寒于空氣。而非寒于三時之井水自體也。此亦不足爲例證者。近數歲。乃知夏時酸素薄。血行遲。更證以汗多陽虛之理。始悟夏時心力較弱。由脈懈汗多爲之。而外證之現寒象者。由心力弱爲之。此事說破亦易曉。徒以天資遲鈍。研尋半生始得之。亦自笑矣。大著薈萃羣言。折中自己。裨益後學。效著而功宏。竊觀臟腑錮病。以中醫不習解剖生理。自讓西醫獨步。唯彼中傷寒治療。至今淺陋無勝人處。而吾土獨傷寒論辨析最詳。卽入手桂枝麻黃大青龍小柴胡諸方。變化錯綜。已非彼土所能夢到。是以醫家遇此。未嘗束手。惜後人爭論。莫衷一是。要之。賢者貴能識大。如清代諸家解傷寒者武斷臆說。雖多不免。然如柯氏知六經各立門戶。非必以次相傳。而陽明厥陰二篇、則一起卽爲溫熱。此識其大者也。尤氏知直中之寒。久亦化熱。傳經之熱。極則生陰。斯論爲前人所未及。按之少陰厥陰二篇。此類甚衆。此亦識其大者也。若夫按文責義。雖甚精審。猶多差繆。蓋一人精力。不足辦此。但于大體了然。卽爲不世出之英矣。大著參會羣言。加之判斷。迥非獨任私智者比。至欲條條皆有充分確當之論。恐須俟之後生。從來提倡學術者。但指示方向。使人不迷。開通道路。使人得入而已。轉精轉密。往往在其門下。與夫聞風私淑之人。則今時雖有未周。不足慮也。鄙意著書講學。足以啓誘後生。至欲與西醫較勝負。則言論不足以決之。莫如會聚當世醫案。（醫案者即宋人所謂本事方也）有西醫所不能治。而中醫治之得愈者。詳其證狀。疏其方藥。錄爲一編。則事實不可誣矣。如君所治白喉一案。用麻杏石甘湯而愈者。能再將當時證狀。詳悉錄寫。則治效自然不刊。此類醫案。在鄙人亦有之。卽他醫當亦有之。惜前此西醫治者。其名與藥劑。未得盡悉耳。今欲爲此比較。但廣徵醫家。錄取治案。並徵前此西醫治案。證據既具。自無所逃。所謂我欲載之空言。不如見之行事之深切著明也。尊意以爲何如。章炳麟頓首。夏曆七月十四日。

論骨蒸五勞六極與某君書

上海國醫學院院刊第二期（民國十八年七月）

某某先生左右。據孫生膺若來言。有女子日發寒熱二次。自汗卽退。顴如烟支。小便混濁。先生以爲虛勞難治。鄙意此證寒熱自汗。當非骨蒸。卽血痺虛勞之類耳。據外臺五勞六極與虛勞各爲一門。其治法截然有異。金匱所謂血痺虛勞者。卽外臺所謂五勞六極。外臺所謂虛勞者。卽傳屍骨蒸。亦包肺痿在內。今人於此多不分辨。故治此而愈者。治彼則邈然無效。大抵肺痿應以鍾乳補肺湯救之。卽西醫用石灰質之義。骨蒸應以苦參青箱等攻之。絕不可用溫補。至五勞六極。乃病之淺者。雖其疲憊。亦不遽死。此證寒熱自汗。自應以小建中調其營衞。營衞得諧。則寒熱自汗自止。至於色如烟支。血虛應有此象。小便混濁。凡寒熱交作者多然。亦不必爲旁光病也。以黃芪建中去大棗加茯苓。乃爲的方。此雖老生常談。而於此則爲確中也。如果眞是骨蒸。則前用大黃乃是中病之藥。（古人治骨蒸多用大黃芒消）不應反至增劇。又沈存中稱去骨髓中熱無如柴胡。如果是骨蒸。則前用大柴胡湯。何以反不效耶。鄙見如此。未識先生以爲然否。手肅。卽問起居康勝。章炳麟頓首。

與余雲岫論脾臟書

上海國醫學院院刊第二期（民國十八年七月）

雲岫我兄左右。一昨論脾臟事。兄疑脛子油即古所謂脾臟。而左脅下一器。日本人所謂脾者。古書何以不見。按釋名稱脾裨也。在胃下。裨助胃氣主化穀也。言在胃下。則爲脛子油甚明。難經稱脾扁廣三寸。長五寸。有散膏半斤。其言廣長之度。爲左脅下器爲脛子油。雖難明白。言散膏半斤。則明是脛子油也。但詩稱嘉殽脾臄。月令稱祭先脾。今脛子油但可充面脂去垢之用。又時或煮以爲藥。而不可烹調爲膳。唯左脅下一物。今浙西稱草鞵底。江南稱夾肝者。味不甚美。而頗可食。華佗別傳言。有人病腹中半切痛。佗令臥。破腹視脾半腐壞。刮去惡肉。以膏傅創。飲之藥。百日平復。言腐壞。言惡肉。則爲草鞵底非脛子油可知。活人書稱脾如馬蹏。今人或稱脾如刀鐮。皆是此物。則非徒日本人稱之爲脾。中國亦稱之爲脾矣。脛子油之與草鞵底。方位不同。然據靈樞經（依太素本）脾大則善湊䏚而痛。脾高則引季脅而痛。楊上善注。䏚胠空處也。胠即季脅。胠空處即季脅下無骨處。其地位又與左脅下相應。恐此二物古人皆名爲脾。故或言在胃下。或言在胠空處。或言磨化水穀。或言用以爲殺也。且草鞵底中滿貯血液。而難經既言有散膏。又言主裹血。則已混二物爲一矣。古人定名不正。兩器同號。往往有之。亦猶難經稱膽胃旁光爲青腸黃腸黑腸。今人呼睾丸爲腎囊爾。至所謂脾藏營脾統血者。古人雖未知脾生白血之事。然滿貯血液。則明明可視。且藏營統血與磨化水穀。分明是兩種作用。則亦必是兩種官器。兩器皆稱脾。此古人命名之失。其實則非有偏缺也。兄以爲何如。書肅即候起居。麟白。

再日本人稱膍子油爲脾藏。脾字不知何本。恐是膟字之誤。記祭義。取膟膋乃退。注。血與腸間脂也。此以膟爲血膋爲腸間脂。郊特牲。取膟膋燔燎。注直訓腸間脂。膟在腸上。古人通稱腸間。日本人遂誤爲脾耳。

答王一仁再論霍亂之治法

中醫新論彙編(民國二十一年一月出版)

余前作一書。勸中醫審霍亂之治。王君一仁來書商榷。適與鄙見相反。王君以爲今年疫症由心臟亢熱過甚。反致遏伏清陽。雖見吐瀉肢冷脈伏冷汗如漿之症。未可便投四逆湯。此蓋以熱厥視霍亂耳。厥陰與厥利兼作。名曰熱厥。而無冷汗如漿之症。所利亦非如米汁者。脈滑而厥。可以白虎湯治之。甚者自下之症。又無脈微欲絕之象。其餘霍亂分別至易。豈可混耶。又云。今年亢旱過久。熱症之多。乃必然之勢。引傷寒論五苓散語爲證。不知人之受寒。不盡因乎天時。但深夜當風。裸袒露臥。多飲寒漿。雖熱時亦能致寒。而心臟素虛者。遭此則多爲厥利。況人身血行之度。當寒候則血脈緊張而流速。當暑候則血脈弛緩而流遲。則心臟自無亢進之勢。所以暑季多見心弱之症。今之亢旱。乃其所以致虛寒也。仲景五苓散方。有發熱頭痛欲飲水形證。觀本篇發端云。「霍亂自吐下。又利止復更發熱也。」則知發熱頭痛在吐下已斷之後。非與吐下同時。故四逆爲急救之方。五苓乃善後之藥。非厥利時便服五苓也。王君謂誤用四逆及經西法鹽水鍼後。多致煩躁口渴舌焦者。此其故何也。霍亂吐下無度。水分將竭。愈後口渴。趣勢自然。於是多飲水。而又恐水之不消也。故以五苓散化之。近代陳修園輩於四逆湯行後。或用白虎湯。或用竹葉石膏湯以救津液。此皆善後之術。而於臨時急救無干。其所以致煩渴舌焦者。則由水分抽盡使然。豈其病之本爲熱證哉。少陰下利。無有不渴。知少陰下利之爲寒證。則霍亂之非熱證。愈可知矣。至王君以黄連爲治。而又不任吳茱萸湯。此仍惡其熱耳。要知似霍亂症。吐利交作。腹中作痛。而無厥逆脈微之狀。則半夏瀉心湯。正爲中病。芩連乾薑。錯雜相濟可也。若眞霍亂症。則斷非其治矣。王君用黄連解毒外加碧玉散等。果於厥逆脈脫之證用之乎。抑於尋常吐利者用之乎。若紫雪丹之用。以治溼熱。已多不效。而以移治吐利。此惟傷寒大柴胡證。發熱汗出不解。心中痞硬。嘔吐而下利者。容可相化。倘有毫厘千里之差。若謂暑時吐利亦可任此。非王孟英輩極端過激之論。必不然也。吾盡言此。非欲與王君爭勝。蓋以五十年中。王孟英之歧說。蔓衍於江南。眞霍亂任此。無有不斃。似霍亂得之而偶愈。則自以爲功。而又藉此混淆朱紫。以亂世人之耳目。故不得不爲之辨。如其不信。世亦自有西醫在。不患治療之無具也。

張崇熙醫師編……

醫學各科全書

▲將一切新醫學識……完全宣佈
▲將各科治療經驗……切實貢獻

本書共分二十四册，計有解剖學生理學，細菌學，病理學，診斷學，藥物學，傳染病學，內科學，外科學，皮膚病學，花柳病學，婦科學，產科學，小兒科學，眼科學，耳鼻咽喉齒科學，調劑學，急救學，衛生學，看護學，各種注射療法，顯微鏡用法及檢查細菌法，臨牀經驗處方，診療實用指南。均以淺顯文字，敘述明晰，爲中醫科學化者，所必讀之書。

全書二十四册　定價十二元
優待醫校學生　特價七折

總發行所上海梹榔路B二八六號
東亞醫學書局

葉橘泉先生著　近世內科國藥處方集

本書爲中醫科學化之最新著作，以新醫科學之理論，採取國藥之處方，病名則以新醫譯名爲主，而附以中醫之舊名，旨在溝通中西醫界之膈膜，俾中醫不守舊，西醫不盲從，以期創造中國本位新醫學。

全書兩厚册　售國幣一元

總發行　浙江吳興雙林存濟醫廬
代售處　蘇州國醫書社

大衆醫學月刊
—第一年彙訂出版了—

本彙訂內容精采。材料豐富。科目完備。大凡百病療養方法。以及醫藥衛生常識。靡不詳載無遺。內容并有「食物專號」揮發食物營養之價值。及療病之偉效。「中藥專號」用科學之方法。解中藥之特效。「腦病專號」於各種腦病之療法。作精詳之研究。尤爲精切實用。名貴非常。全書都數十萬言。精裝一大厚册。定價一大洋貳元四角。特價大洋壹元六角。郵匯不通。郵票通用。外埠掛號寄費一角三分。存書無多。欲購從速。

上海白克路西祥康里九十號　國醫出版社發行

醫學考證

張仲景事狀考

上海國醫學院院刊第一期（民國十八年七月）

林億傷寒論序引甘伯宗名醫錄。張仲景。名機。南陽人。舉孝廉。官至長沙太守。始受術於同羣張伯祖。時人言識用精微過其師。

太平御覽七百二十二引何顒別傳。同郡張仲景總角造顒。顒謂曰。君用思精而韻不高。後將爲良醫。卒如其言。顒先識獨覺。言無虛發。王仲宣年十七。嘗遇仲景。仲景曰。君有病。宜服五石湯。不治且成。後年三十當眉落。仲宣以其貰長也遠不治也。後至三十。病果成。竟眉落。其精如此。仲景之方術。今傳於世。

皇甫謐甲乙經序。仲景見侍中王仲宣時年二十餘。謂曰。君有病。四十當眉落。眉落半年而死。令服五石湯可免。仲宣嫌其言忤。受湯勿服。居三日。見仲宣。謂曰。服湯否。仲宣曰。已服。仲景曰。色候固非服湯之診。君何輕命也。仲宣猶不言。後二十年。果眉落。後一百八十七日而死。終如其言。此事雖扁鵲倉公無以加也。仲景論廣伊尹湯液爲數十卷。用之多驗。抱朴子至理篇。仲景穿胸以納赤餅。

案何顒在後漢書黨錮傳。南陽襄鄉人。別傳言同郡張仲景。則名醫錄稱仲景南陽人信矣。顒于郭泰賈彪爲後進。而能先識曹操荀彧。殆行輩相若者也。顒別傳載王仲宣年與甲乙經序不同。尋魏志王粲傳。建安二十一年。從征吳。二十二年道病卒。時年四十一。然則甲乙經序稱年四十眉落後一百八十七日而死。視何顒別傳爲得實。仲宣終於建安二十二年。前二十年遇仲景。時建安二年也、魏志粲年十七。以西京擾亂。乃之荊州依劉表。仲景生南陽。仕爲長沙太守。南陽長沙。皆荊州部。故得與仲宣相遇。然據劉表傳及英雄記。長沙太守南陽張羨叛表。表圍之。連年不下。羨病死。長沙復立其子懌。表遂攻并懌。桓階傳。太祖與袁紹相拒於官渡。表舉州以應紹。長沙太守張羨舉長沙及旁三郡拒表。則建安四五年間事也。羨父子相繼據長沙。仲景不得爲其太守。意者先在荊州。與仲宣遇。表既幷懌。仲景始以表命官其地。則宜在建安七年後矣。南陽張氏。自廷尉釋之以來。世爲甲族。故廣韻列張氏十四望。南陽次於清河。仲景自序。亦稱宗族素多。其與羨懌或爲一宗。表亦無所忌。觀桓階說羨拒表。城陷自匿。表尙辟爲從事祭酒。則於張氏同族。愈無嫌恨可知也。何顒嘗與王允謀誅董卓。未遂而卒。計卒時未篤老。仲景則爲其所獎進者。自序稱建安紀年以來。猶未十稔。是在建安七八年中。傷寒論於是始作。上與何顒相校。其時不過中年也。抱朴稱仲景穿胸以納赤餅。其絕技乃與元化相類。而法不傳。魏晉間人。多以元化仲景並稱。其術之工相似也。計元化長於仲景。蓋數十歲。何以明之。魏志華佗傳。時人以爲年且百歲。而貌有壯容。爲太祖所收。荀彧請含宥之。太祖曰。不憂天下當無此鼠輩耶。遂考竟佗。或以建安十七年死。元化死復在其前。而年且近百歲。其視仲景。蓋三四十年以長。然兩人始終無會聚事。穿胸之術。亦不自元化得之。抱朴至理篇。淳于能解顱以理腦。元化能刳腹以滌胃。此則倉公已有刳治之術。仲景元化蓋並得其傳者也。元化臨死出一卷書與獄吏曰。此可以活人。孫奇以爲卽金匱要略。亦無據。尋抱朴雜應篇。余見戴霸華佗所集金匱綠囊。崔中書黃素方。及百家雜方。五百許卷。明元化書亦稱金匱。奇乃誤以仲景相傳耳。仲景處荊州。元化譙人。蹤迹多在彭城廣陵間。故兩人終身不相遇。且甲乙經序稱華佗性惡矜技。焉肯謂他人書能活人也。仲景在後漢書三國志皆無傳。史通人物篇曰。當三國異朝兩晉殊宅。若元化仲景。時才重於許洛。何楨許詢。文雅高於楊豫。而陳壽國志王隱晉書廣列諸傳。遺此不編。今謂仲景事何顒依劉表。交王粲。所與游皆名士。疑其言行可稱者衆。不徒以醫術著也。

古方權量之考證

上海國醫學院院刊第一期(民國十八年七月)

古權衡之難定者。在其自有盈朒。宋世如歐陽永叔沈存中諸公。各以古器與今之權量比勘。亦種種不同。夫謂古一兩當今之三錢者。此惟王莽貨泉爲然。據漢志貨泉重五銖。今平得貨泉十枚。重六錢三分五厘。則一銖當今一分二厘七毫。二十四銖而成兩。當今三錢另四厘八毫也。若漢五銖錢以今稱平之。一枚適重八分。十三枚則重一兩零四分。以唐開通元寶十枚互平略相當。(沈冠雲云開通元寶十枚。重一兩零三分。此與今之所平得者正同。然則今之一錢。不逮開通元寶一枚也。)是一銖當今一分六厘。二十四銖當今三錢八分四厘也。五銖錢存者最多。除梁女錢隋鐵錢易辨外。以五字交股者漢錢。而其重悉如此。殆可以爲定法矣。昔人謂十六五銖錢。當十開通元寶錢。實不然也。又上考武帝三銖。以三枚平之。重一錢八分八厘。是一銖當今二分另八八八不盡。又考王莽貨布。貨布重二十五銖。今以二枚平之。重九錢二分。是一銖當今一分八厘四毫。且三國晉宋權衡未改於漢也。今以宋四銖四枚平之。重二錢七分。是一銖當今一分六厘八毫七秒五忽。是雖非斠能如畫一。然一銖之重未有在一分六厘以下者。更以黃金驗之。漢志稱太公作九府圜法。黃金方寸重一斤。劉徽九章注亦有是說。而清康熙雍正兩朝所核黃金重量積營造尺一立方寸重十六兩八錢。則欲求權衡之差。又當先知尺度之差矣。漢尺在者。有建初銅尺。孔尚謂當今量地官尺六寸六分。所謂量地官尺者。未知卽營造尺否也。今以莽大泉比營造尺一枚得七分九厘。積十枚得七寸九分。據漢志稱大泉徑一寸二分。是漢一寸。當今六分五厘八毫三秒三忽不盡也。然劉歆尺卽晉前尺所本。據宋王厚之所舉者。晉前尺實得營造尺六寸九分。現積十大泉者爲長。莽泉在者。貨布最爲完好。漢志稱貨布廣一寸。今以營造尺度之得七分一厘。然則王厚之所圖者。與貨布尺相近矣。與大泉尺相遠。以大泉寸法自乘再乘。得今二百八十五分。所積黃金重。今平四兩七錢八分八厘。卽漢時十六兩。是漢一兩當今二錢九分九厘二毫半也。以貨布寸法自乘再乘。得今三百五十七分九百十一厘。所積黃金當重今平六兩零一分二厘九毫強。卽漢時十六兩。是漢一兩當今三錢五厘八毫有奇。以大泉寸法計一銖之重。略與貨泉相當。以貨布寸法計一銖之重。略與漢五銖相當。則漢代權衡本有出入。然爲孔氏同度記謂漢一兩祇當今二錢五分有奇。則歷驗未有其徵也。（徐氏謂漢一兩當今二錢更謬）

漢量在者。清宮有王莽銅斛。然宋時范鎮已不見是器。蓋依著隋志仿造者爾。若依大泉寸法。漢時立方一寸。當今二百八十二分。一斗積一百六十二立方寸。當今四十六寸一百七十分。以清康熙斗法三百二十立方寸除之。得一升四合四勺強。以清雍正斗法三百十六立方寸以除。得一升四合六勺強。若依貨布寸法。漢時立方一寸。當今三百五十七分九百十一厘。一斗積一百六十二立方寸。當今五十七寸九百八十一分四百九十二厘。以清康熙斗法三百二十立方寸除之。得一升八合一勺强。以清雍正斗法三百十六方寸除之。得一升八合三勺强。二者相差。如徐氏所稱古一斗當今二升者。則於貨布寸法爲近。（周禮中年人食三鬴。謂一月之食也。依古一寸今一升八合。一日得粟一升一合五勺。粟率五十。粺米二十七。則爲米六合二勺也。若依一升四合六勺計。則太少矣）藥物重輕。礦植既異。植物之根莖葉實復有不同。漢時散藥一錢匕者。謂以五銖錢鈔之不落爲度。然則積藥既厚。無過三倍於錢爾。而植物與銅重量殊絶。木中重者。無如烏木紫檀。視銅祇六分之一。其餘或十五分之一矣。以之作散。重者亦輕。大抵草木散藥積與五銖錢等。其重無過十分之一。積五銖銅三倍其重。無過十分之三。今據五銖銅重八分之三。則二錢四分以十除之得二分四厘。是草木散藥一錢匕之重也。石質重於草木。然以玉較銅。若一與二六比。糜碎作散。化堅爲壤。其重當減三分之一。以較銅。若一與三九比。然則石藥作散。體積三倍五銖錢者。得重六分一厘五毫也。金質又重於石。以黑鉛較銅。若三與三比。以水銀較銅。若九與五比。丹砂輕於水銀。亦與鉛相等。糜碎作散。其重當減三分之一。是故鉛丹丹砂積與五銖錢等。其重亦等。若三倍錢積而成一匕。則得二錢四分也。

王叔和考（錄自菿漢微言）

中醫新生命（民國廿四年一月再版）

張仲景名機。見林億所引名醫錄。而王叔和之名。則世所不知。余案御覽七百二十引高湛養生論曰。王叔和。高平人也。博好經方。洞識攝生之道。嘗謂人曰。食不欲雜。雜則或有所犯。當時或無災患。積久爲人作疾。尋常飲食。每令得所。多餐令人彭亨短氣。或至暴疾。夏至秋分。少食肥膩餅臛之屬。此物與酒食瓜果相妨。當時不必卽病。入秋節變。陽消陰息。寒氣總至。

多至暴卒。良由涉夏取冷太過。飲食不節故也。千金方二十六食治篇。錄河東衞汎記云。高平王熙。稱食不欲雜。雜則或有所犯。有所犯者。或有所傷。或當時雖無災苦。積久爲人作患。又食噉鮭肴。務令簡少。魚肉果實。取益人者而食之。凡常飲食。每令節儉。若貪味多餐。臨盤大飽。食訖覺腹中彭亨短氣。或致暴疾。仍爲霍亂。又夏至以後。訖至秋分。必須愼肥膩餅臑酥油之屬。此物與酒漿瓜果。理極相妨。夫在身所以多疾者。皆由春夏取冷太過。飲食不節故也。此與高湛所引王叔和說。文義大同。辭有詳略。則知高平王熙。卽高平王叔和也。叔和名熙。乃賴此一見耳。

凡中醫界欲閱讀日文醫書或從事翻譯者請加入

吳縣教育局核准設立　蘇州日本語補習學社函授部　常年招生

◎要摘章程◎

1 宗旨：用通信方法教授日本語，使學者能在最短期內，養成閱讀日文書報及翻譯作文之能力爲宗旨

2 教材：初級從字母開始，授短句及淺近讀本，口語文法等；中級授讀本文法翻譯等；高級授文選文典日語華譯公式等。

3 獎金：於每屆修業完了及畢業時，成績最優者三名，給予獎金，第一名國幣三十元，第二名國幣二十元，第三名國幣十元。

4 納費：初級十元，中級十三元，高級十五元：學費講義費郵費均在內。

優待法辦　如聲明由蘇州國醫編譯館徐名山先生介紹，得特別優待，七成收費。

社址：蘇州公園路元和路二十五號

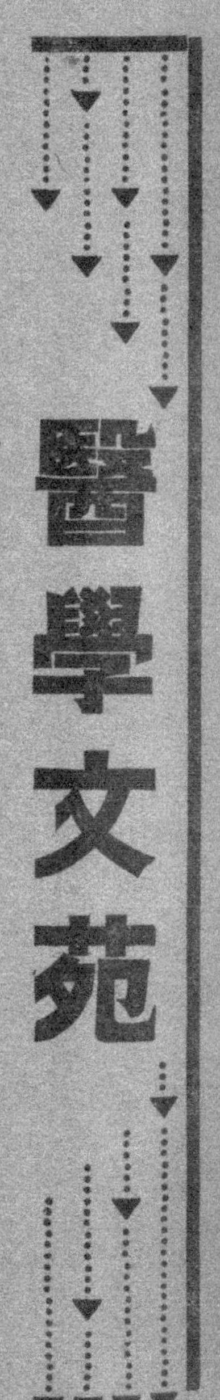

擬重刻古醫書目序　民國十二年十二月

馮君諱一梅。字夢香。慈谿人。從學曲園先生。于不佞爲先進。博見多聞。兼綜方技。是篇則在浙局所擬者也。甲乙肘後鬼遺及證類本草。孫輯神農本草。本草醫師所不可闕者。其林校傷寒論原本。則趙清常影宋所刻。日本安政三年所翻。其異於成無已注本者。卷首獨有目錄。方下獨多叔和按語。又林氏以別本校勘者。成注本亦刪去。余昔以論中寒實結胸與三物小陷胸湯白散亦可服。寒熱互岐。諸家不決。因檢千金翼方所引。但作三物小白散。而林校所引別本。正與千金翼方同。由是宿疑冰釋。今成注本刪此校語。則終古疑滯矣。信乎稽古之士。宜得善本而讀之也。本事續方亦多勝處。良方傷於奇峻。局方偏於香燥。誠如昔人所指。然如至寶丹四君子湯二陳湯香薷飲等。人所共曉。不得其書。則冥冥不知緣起矣。唯中藏出自晚宋。用藥與古絕殊。外臺祕要所錄元化諸方。此並不見。頗疑宋人臆造。孫淵如誤信之爾。活人書、三因方、聖濟總錄、儒門事親。今上海皆有印本。其餘單行者殊少。馮君之志。待後人成之矣。民國十二年十二月。章炳麟識。

題陳無擇三因方五言一律

(三三醫報一卷二十四期　民國十三年三月二十三日出版)

予去近千載。留書爲我師。持將空字讀。不共俗工知。大藥疑蛇擣。良方豈鬼遺。清天風露惡。何處不相資。

防疫詩二首

（三三醫報一卷二十四期（民國十二年三月二十三日出版）

高柳日光赤。飛塵暗度牆。濟生無橘井。隱背尙藜牀。竈上苦新藥。階前抒酢漿。何當赴龍窟。一寫百金方。

少壯日以去。員與存舊人。暴書嘗苦執。裹藥暫宜春。湯煖浮筒桂。盆堅擣細辛。頻齡如可度。焉用坐庚申。

保赤新書序

民國十三年七月

視疾恆易於成人而艱於赤子。漢志有嬰兒方十九卷。唐人稱巫方顱顖經爲兒醫宗。自古有專書。惜其不傳也。世所行者以錢乙小兒藥證眞訣爲備。其方多譎奇。醫師尊其名而勿敢用。有其書與無之等。然則所以扶護幼孤者。將何賴焉。陽湖惲鐵樵。少以疾爲粗工所困。發憤求岐伯仲景之書、研精覃思。若將終身。垂老作傷寒研究。發意超卓。又剴切當病狀。爲能得漢師微旨。其說素問。亦往往有至言。今者復以餘緒爲保赤新書。始成胎教痲疹兩篇。語特淺露。意不欲以訓醫工。將使家人婦子見而知之也。夫赤子之疾。自變烝顚不合外。亦多與成人無異。今學者率不讀傷寒論。以家技爲兒醫。其術又不本錢氏。欲以起疾難矣。鐵樵於醫術。旣撢其原。此書雖平易。亦往往與古義會。其所發明蓋有出於嬰兒方之外者矣。夫傷寒熱病。以亡津液爲難治。是以二陳神朮諸劑。今已有知其非者。然不悟妄用甘潤。適以厚其腸胃。而留熱以不泄。無救於津液。又增其病。于是則爲之戒石斛。發汗過多。則神衰而心惕。以有振顫擗地之候。是故大青龍諸法。古人已慎之也。然妄用興奮。則使督脈直上下行。其變至於瘛瘲。于是則為之戒香藥。此二妄者。蓋近起於明清末師。故經方無宿戒。喻嘉言陸九芝始窺其弊。而鐵樵以其所遇。獨為危言。若是者雖治成人之醫。猶當持以為矩。豈獨兒醫之所務耶。余窺涉經方。顧不能數為人治病。今見鐵樵之書。以為道在是。故喜而序其耑。中華民國十三年七月。餘杭章炳麟。

傷寒論單論本題辭

山西醫藥雜誌第二十期(民國十二年八月出版)

隋經籍志張仲景方十五卷。梁有張仲景辨傷寒十卷。唐藝文志王叔和張仲景藥方十五卷。又傷寒卒病論十卷。唐志以十五卷者題王叔和。則傷寒論在其中。今傷寒論單行本十卷。金匱要略則三卷。合之不及十五卷數。然要略亦尚有闕文。據林億序。翰林學士王洙在館閣日。於蠹簡中得仲景金匱玉函要略方三卷。稱要略則不詳。言蠹簡則不備可知也。五藏風寒積聚篇。脾無中寒。腎無中風中寒。億等已知其闕矣。又周禮天官疾醫疏引張仲景金匱云。神農能嘗百藥。則炎帝者也。今要略不見其語。千金方診候篇引張仲景曰。欲療諸病。當先以湯蕩滌五藏六府云云。凡二百五十餘字。不詳所出。依宋志金匱要略方三卷。金匱玉函八卷。皆稱王叔和集。林億序要略亦云先校定傷寒論。次校定金匱玉函經。今又校成此書。是金匱玉函有詳略二本。詳者則為賈疏千金方所引。宋時八卷。隋唐時五卷。兩志所云十五卷者。合傷寒論與金匱玉函經。十卷者。即此傷寒論也。其書傳於今者。宋開寶中高繼沖所獻。治平二年林億等所校。明趙開美以宋本摹刻。與成無已注本並行。至清而逸。(按趙開美仲景全書序。先以成注傷寒論金匱要略合刻。命之名仲景全書。既刻已。復得宋板傷寒論。復并刻之。然清世所傳唯成注本。而單論本則清修四庫書時。已不可見。)入日本楓山祕府。安政三年。丹波元堅又重摹之。由是復行於中土。其與成本異者。卷首各有目錄。方下亦多叔和校語數事。及億等校語。成本亦盡删之矣。叔和於方下或云疑非仲景方。疑非仲景意。終不敢以已意删剟。以是知其編次審愼。宋文憲習於金華口耳之學。顧謂叔和變亂仲景故書。此足以杜其口。林校雖簡。亦甚有精善者。今據成本寒實結胸無熱證者。與三物小陷胸湯。白散亦可服。二方寒熱僢馳。疑論蠭起。及檢千金翼方。則云與三物小白散。而林校所引一本。正與千金翼方同。成注本不著林校。則終古不可得決矣。信乎稽古之士。宜得善本而讀之也。千金翼方所錄論文太陽篇。則孫氏以己意編次。誠不如本書善。檢其文字今作鞕者。皆作堅。(千金方同)固瑕亦作堅瘕。蓋孫氏所據爲梁本。(按唐書隱逸孫思邈傳。隋文帝輔政。以國子博士召。不拜。密語人曰。復五十年。有聖人出。吾且助之。是時去梁亡不及三十年。故得見梁時舊本。思邈又言。江南諸師祕仲景法不傳。是其得之甚難也。若隋平江南以後。則仲景方十五卷已在書府。何憂其祕乎)繼沖所獻。億等所校者爲隋本。故一不避隋諱。一避隋諱也。近世治經籍者。皆以得眞本爲亟。獨醫家爲藝事。學者往往不尋古始。方喻以下。恣意顚倒。淸世唯有成無已注本爲稍完善。然尙不能窺其本原。是本之出。非論古方技者之幸歟。或曰。昔禮記已行。而魏徵有類禮。說文以形分部。徐鉉復爲之韻譜。厥在醫經。素問。不刊之書也。然甲乙太素。卽重爲詮次。傷寒論錄在千金翼方者。太陽篇乃以方劑部署。其後朱肱作活人書。又類證而列焉。今獨矜其編次何也。應之曰。近代治傷寒論者。若柯琴徐大椿據方爲次。卽千金翼方例。尤怡又據諸篇分列正治權變救逆諸法。亦於活人爲近。是二者非吾所訾也。方喻諸師。橫以叔和所編爲失次。自定其文。謂仲景本書故。然則誣罔亦甚矣。今以孫朱柯徐尤諸書美也。學者比於類禮韻譜可也。然不得禮記說文眞本。卽亦無以信後。存其本迹以爲審。觀其會通以爲明。上工之事也。且以金匱玉函八卷之書。成無已詐叔微尙時引其文。而元明以來不可見。此傷寒論十卷。獨完好與梁七錄無異。則天之未絕民命也。雖有拱璧以先駟馬。未能珍於此也。

仲氏世醫記

華國月刊第二期第一册（民國十四年春）

杭縣仲右長。余中表弟也。父昴庭先生。清時以舉人教於淳安。好明道伊川之學。尤善醫。是時下江諸師。皆宗蘇州葉氏。顧忘其有禁方。習灸刺。以郛表鈔撮爲眞。不效。則不知反求經訓。覩漢唐師法。夭枉日衆。先生獨祖述仲景。旁治孫思邈王燾之書。以近世喻張柯陳四家語教人。然自有神悟。處方精微。絜靜希用駃藥。而病應湯即效。人以爲神。上元宗源瀚知甯波府。聞先生名。設局屬主之。已而就徵療清慈禧太后歸。又主浙江醫局。所全活無慮數萬人。先師德清俞君恨俗醫不知古。下藥輒增人病。發憤作廢醫論。有疾。委身以待天命。後病篤。得先生方。始肯服。服之病良已。乃知道未絕也。先生歿幾二十年。而右長繼其學。家所畜方書甚衆。右長發篋盡抽讀之。尤精傷寒論。口占指數。條條可覆。故治病無猶豫。民國九年春。余以中酒病膽。傳爲黃疸。自治得愈。逾二月。又病宿食。自調局方平胃散啜之。餔時即發熱。中夜汗出。止。自是往來寒熱如瘧。日二三度。自知陽明少陽病也。服小柴胡湯四五劑。不應。熱作。即憒憒不可奈何。間以芒消窴之。微得下。表證不爲衰。乃遣力延右長。至。右長視方曰、不誤。余曰、苟不誤。何故服四五劑不效。且小柴胡加減七方。湯劑最神者也。余頗爲人治疾。諸病在經府表裏者。服此不過二三日愈。今爲已治。乃如啗朽木。又不省也。右長視方良久。曰、此病挾熱。診脈得陽微結。何乃去黃芩。加芍藥。此小誤也。余曰、病自宿食起。常欲得溲便解之。以黃芩止利。故去之耳。右長曰。在小柴胡湯中。勿慮也。乃去芍藥。還黃芩。少減生薑分劑。服湯二刻。即熱作。汗隨之出。神氣甚清。詰旦如瘧者止。余曰、增損一味。神效至此乎。右長猶謙讓不自許。蓋其識用精微。雖用恆法。而奇效過於人也。方鼎庭先生在時。於余為尊行。常得侍。余治經甚勤。先生曰。厲學誠善。然更當達性命知天人。無以經術為至。余時少年銳進。不甚求道術。取醫經視之。亦莫能辨其條理。中歲荐歷憂患。始悲痛求大乘教典。旁通老莊。晚更涉二程陳王師說。甚善之。功成屏居。歲歲逢天行疫癘。旦暮不能自保。於醫經亦勤求之矣。今右長承嗣家學。條秩審諦。善決嫌疑。比於前人。故樂而道之。抑記云。醫不三世。不服其藥。顧仲景又以各承家技為誚。今之稱世醫者豈少邪。本術已乖。後嗣轉益謭陋。則誤人也愈甚。必如仲氏父子者。斯可也。

中國醫藥問題序

民國十六年仲冬

歙縣王君一仁作中國醫藥問題一篇。求序於余。觀其意。欲興黃農之道切矣。余以為今之中醫。務求自立。不在齗齗持論與西醫抗辯也。何謂自立。凡病有西醫所不能治。而此能治之者。自中工以上。雖少必有一二案。聚諸家之案言。則知術亦不劣矣。偶中之猶不可以自信也。如是者數遇。則始可以自信矣。自信之。猶局於一病也。謂數病可以自信者。則始可以言自立矣。語曰。人能弘道。非道弘人。苟自立矣。世孰得而傾之。乃若求其利病。則中醫之忽略解剖。不精生理。或不免絀於西醫也。獨傷寒熱病之屬。其邪浮而無根。非藏府癥結比。自仲景以來。論其脈證獨備。而治法亦詳。中醫能按法治之者。率視西醫為勝。且冰囊卻熱。犯水潠之戒。熨炭逼汗。有火逆之禁。仲景已逆為關防。故後人無有敢妄試之者。如文蛤散、救逆湯輩。已無所用。而今或不得不用也。若固病之在胸腹者。疑似之間。吾尚不能指其病所。又曷以勝人哉。余於方書。獨信傷寒論。其雜病之書。自金匱時復而下。率不敢一一保任。然如越婢湯之治裹水。葶藶大棗湯之治肺癰。大黃牡丹湯之治腸癰。

用之數效。往往西醫所不能者。推之千金外臺諸書。效方當更廣。是故中醫誠有缺陷。遽以爲可廢則非也。習西醫者。見其起病有驗。輒謂中土醫術不足道。其效乃在藥。夫藥由人用。方由人合。用之失。雖黃精人參亦殺人。然則所以能起病者。果藥之功耶。抑醫之功耶。王君以爲中醫世世進化。余猶有異同者。自素問難經。以五行內統五藏。外貫百病。其說多附會。逮仲景作。獨傷寒平脈篇金匱要略首章一及之。餘悉不道。於是法治切實。方劑廣博。而南朝諸師承其風。以爲進化。誠然。隋唐兩宋惟巢元方多說五行。他師或時有涉及者。要之借爲緣飾。不以典要視之。及金元以下。如守眞潔古。明清之景岳天士諸師。雖才有高下。學有疏密。然不免棄六朝唐宋切實之術。而未忘五行玄虛之說以爲本。尤在涇心知其非。借客難以攻之。猶不能不爲曲護。徐靈胎深詆陰陽五行爲欺人。顧已亦不能無濡染。夫以二子之精博。於彼衆口雷同終無奈何。欲言進化。難矣。且異法方宜。醫師所宜知。而清醫或乏地理常識。乃不知守眞在北。仲景在南。日言南北異治。而於外臺所錄南朝諸方。未嘗一顧焉。甚者聞仲景生南陽。官長沙。反謂其法專行於河朔。江淮地望猶且錯謬。何異法方宜之足言。此亦一蔽也。若夫瘍醫以內補拓膿。鈴醫以離骨散拔牙。鍼師之術。密相授受。亦往往有愈者。加以禁方奇藥。隨時發露。有仲景思邈所不及知者。此則不可不謂之進化也。夫病家之求醫也。在能治病。則知醫師之所以自立者。亦在治療得全而已矣。誠能自立。如按摩特術之淺者耳。傳之日本。猶奉行弗替。而況其深博者歟。不能自立。以辯論與人相持。猶往時釋教東來。習道者號呼以攻難。固無幸也。王君嘗欲列中醫於官立大學教科中。吾恐今之官學。尚未足自重。果足爲中醫引重耶。書法棋道手臂之術。教科所不列。然其技之高下。固有的然可驗者矣。假令學子惰於習業。以畢業證書爲行術之券。則醫術之媮。或甚於前。是適爲西醫驅除也。是在中醫界之自勉耳。是爲序。民國十六年仲冬章炳麟

傷寒論輯義按序 民國十七年仲秋

武進惲鐵樵。少知棋道文學。壯而治醫方。尤長於中風五水。晚見醫術之偷。窮治傷寒論數歲。取日本丹波元簡輯義爲之後按。辯論剴切。要於人人易知。屬序於余。是時中西醫師方以其術相傾。而鐵樵固欲爲中醫立極者也。乃序之曰。自素問靈樞說藏府經脈之狀。於今多不驗。訐者遂謂中土無醫。余聞之莊生。荃者所以在魚。得魚而忘荃。蹏者所以在兔。得兔而忘蹏。夫醫者以愈病爲職。不貴其明於理。而貴其施於事也。不責其言有物。而責其治有效也。治苟有效。無異於得魚兔。安問其荃與蹏爲。今有劇病。中外國工所不療。而鈴醫不識文字者能起之。人亦不能薄鈴醫也。況過於是者哉。且前世醫經猥衆。漢志錄黃帝內經而外。又有扁鵲白氏二家。益以旁篇二十五卷。而黃帝復有外經。是數者仲景宜見之。按以五情歸五藏。又以魂魄神志屬之者。素問之恆論也。然又言頭者精明之府。頭傾視深。神將奪矣。此爲自相舛駮。而與說文思字从囟。遠西以神識屬腦者相應。夫以一家之言。猶有同異。況於餘家旁篇。仲景雖言撰用素問九卷。然諸藏府經脈之狀。仲景不明言。安知其必與素問九卷同也。雖然。前世論生理雖有歧異。必不若近世遠西之精也。治錮病者不素習遠西新術。病所不定。誅伐無過。不可以言大巧。金匱要略方雖在。不中要害者。猶什二已。若夫傷寒卒病。略校脈證。則病所易知。然其因循之害。誤治之變。乃危於錮病遠甚。微汗小下而疾不去。劫之以冰而變愈多。遷延始愈。則曰病衰待時也。變劇至斃。則曰熱甚宜死也。以校仲景。高天下澤。不足以爲優劣之比。是故他書或有廢興。傷寒論者。無時焉可廢者也。觀其綱領病狀。包五種傷寒。正治權變救逆之術。靡有不備。違之分秒。則失以千里。故曰尋余所集。思過半矣。宜奉其文以爲金科玉條。舉而措之。無不應者。固無以注釋爲也。顧自宋金以下。六經有一日一傳之說。太陽病有三方鼎立之論。拘文。則以太陽爲旁光。妄稱傳足不傳手。則以少陰爲腎。方喩之徒。又以己意變亂。其後張錫駒陳念祖雖少愼。而更以五運六氣相皮傅。瑾瑜匿瑕。川澤納汚。使人違之不能。從之不可。爲後按者。但以簡前注之誤。使大論還於純白。斯止矣。傷寒論諸本有注者。以成氏爲最先。然於文義或多疏略。而東土訓詁獨詳。故鐵樵依丹波輯義爲本。次下已意。以爲後按。其取材博。其持論審。於近世爲希有。以大論文辭奧雅。方術亦奇正相變。闕疑者猶百之二三。及奮筆以詆大陷胸湯。余按誤下之變。結胸重而痞輕。治痞用瀉心湯。猶不捨大黃。況於結胸危劇之候。且徵之治驗。亦曾見其有實效。於此不能無所獻替。然其大指不合者鮮矣。雖然。醫者以愈病爲職者也。由博而返約。推十以合一者。又精義之事也。吾顧世之治傷寒論者。不斬於爲博士。而斬於爲鈴醫。大義既憭。次當諳誦論文。反覆不厭。久之旁皇周浹。漸於胸次。每遇一病。不煩窮思而用之自合。治效苟著。雖樵采於山澤賣藥於市閭、其道自尊。然則漁父可以傲上聖。漉鹽之甿可以抗大儒矣。豈在中西辯論之間也。戊辰仲秋章炳麟。

傷寒今釋序 民國二十年八月

傷寒今釋者。陸子淵雷爲醫校講授作也。自金以來。解傷寒論者多矣。大氏可分三部。陋若陶華。妄若舒詔。僻若黃元御。弗與焉。依據古經。言必有則。而不能通仲景之意。則成無己是也。才辯自用。顚倒舊編。時亦能解前人之執。而過或甚焉。則方有執喩昌是也。假借運氣。附會歲露。以實效之書。變爲玄談。則張志聰陳念祖是也。去此三繆。能卓然自立者。創通大義。莫如浙之柯氏。分擘條理。莫如吳之尤氏。嗟乎。解傷寒者百餘家。其能自立者。不過二人。斯亦希矣。自傷寒論傳及日本。爲說者亦數十人。其隨文解義者。頗視中土爲審愼。其以方術治病。變化從心。不滯故常者。又往往多效。今仲景而在。其必曰。吾道東矣。陸子綜合中土諸師說。參以東方之所證明。有所疑滯。又與遠西新術校焉。而爲今釋八卷。陸子少嘗治漢儒訓故之學。又通算術物理。其用心精。故於醫術。亦不敢率爾言之也。書成示余。余以爲通達神指。療治必效。使漢師舊術。褎然自成爲一家。今雖未也。要以發前修之錮惑。使後進者得窺大方。亦庶幾近之矣。抑余謂治傷寒論者。宜先問二大端。然後及其科條文句。二大端者何。一曰傷寒中風溫病諸名。以惡寒惡風惡熱命之。此論其證。非論其因。是仲景所守也。今遠西論熱病者。輒以細菌爲本因。按素問言。人清靜則腠理閉拒。雖有大風苛毒。勿能害。依說文。苛爲小草。毒爲害人之草。小草害人者。非細菌云何。宋玉風賦。以爲庶人之雌風。動沙堁。吹死灰。駭溷濁。揚腐餘。故其風中人。敺溫致溼。生病造熱。中脣爲胗。得目爲蔑。是則風非能病人。由風之所挾者以病人。溷濁腐餘。是卽細菌。沙堁死灰。卽細菌所依。風則爲傳播之。以達人體。義至明白矣。而仲景亦不言。蓋溷之不言病起於風寒熱。遠之又不言病起於苛毒腐餘。獨據脈證以施治療。依其術。卽投杯而臥者。何也。病因之說不必同。其爲客邪則同。仲景之法。自四逆白通諸方急救心臟而外。大抵以汗吐下利小便爲主。淸之則有白虎。方中知母。亦能宣泄。則下法之微也。和之則有小柴胡。使上焦得通。津液得下。身濈然而汗出。則汗法之變也。要之。諸法皆視病之所在。因勢順導。以驅客邪於體外。使爲風寒熱之邪。固去也。使爲細菌之邪。亦去也。若者爲眞因。固可以弗論也。二曰太陽陽明等六部之名。昔人拘於臟腑。不合則指言經絡。又不合則罔以無形之氣。卒未有使人厭服者。近世或專以虛實論。又汗漫無所主。夫仲景自言撰用素問。必不事事背古。自有素問。以至漢末。五六百歲。其閒因革損益亦多矣。亦甯有事事牽於舊術哉。余謂少陰病者。心病也。心臟弱。故脈微細。血行懈。故不能排逐客邪。而爲厥冷。偶有熱證。

亦所謂心虛者熱收於內也。若太陽病。則對少陰病爲言。心臟不弱。血行有力。故能排其客邪。外抵孫絡肌膚。而爲發熱。此不必爲膀胱小腸也。篇中唯桃核承氣證爲熱結膀胱抵當湯丸證爲小腸瘀熱然祇其一端陽明病者。胃腸病也。胃家實之文。仲景所明著。其極至於燥屎不下。若太陰病。則對陽明病爲言。以胃腸虛。故腹滿而吐。自利益甚。此不必爲脾也。篇中有胃氣弱之文又有脾家實之文知脾本胃之通稱少陽病者。三焦病也。津液摶於邪而不能化。故口苦咽乾。其自太陽轉入者。則上中二焦皆腫鞕。故乾嘔脇滿。津液與邪相結。邪熱被阻。不得外至孫絡。故往來寒熱。若厥陰病。則以進於少陽爲言。消渴。甚於口苦咽乾也。吐蚘。甚於乾嘔也。熱厥相間。甚於往來寒熱也。或在上。則氣上撞心。心中疼熱。甚於脇滿也。或在下。則下利膿血。是爲下焦腐化。甚於上中二焦腫鞕也。此不必爲肝與心主也。然則少陰陽明少陽三者。撰用素問。不違其本。太陽太陰厥陰三者。但以前者相校。或反或進名之。又不規規於素問之義也。醫者。以療病爲任者也。得其療術。卽病因可以弗論。療病者。以病所爲據依者也。得其病所。則治不至於逆。隨所在而導之可矣。前一事。余始發其凡。後一事。柯氏已略見大體。其論亦尙有支離。故爲之整齊其說。隱括以親繩墨焉。陸子讀中東書。皆甚精博。以余言格之。其無有齟齬不調者乎。余耄矣。願後起者益發憤以求精進也。民國二十年八月章炳麟序

覆刻何本金匱玉函經題辭

民國二十一年十月

金匱玉函經八卷。清康熙末學士何焯所鈔宋本。而醫師陳世傑爲之校刻者也。其書卽傷寒論。顧篇第條目方法或少異。宋林億等校定序目略言之矣。案宋史藝文志醫書類張仲景傷寒論十卷。又金匱要略方三卷。注張仲景撰。王叔和集。又

金匱玉函八卷。注王叔和集。三者劃然不以相亂。崇文總目有張仲景金匱要略三卷。紹興祕書目有金匱玉函八卷。數與宋志相應。自晁公武讀書志。混金匱玉函經與金匱要略爲一。其後馬端臨徐鎔皆不能別。訖於清修四庫。且無金匱玉函之目。當晁氏作志時。蓋聞有金匱玉函名。未窺其書。故强以要略方後傳。懸牛頭。賣馬脯。不自知其非。然於八卷三卷之異。亦不比考。何其疏失至於是也。明中葉葉文莊菉竹堂書目。有玉函經一冊。不著卷數。其爲是書與杜光庭玉函經。未可知也。余觀趙開美所刻傷寒論。方下有林億等校語。頗引玉函以見異同。成無已傷寒論註許叔微本事方。亦時時道及之。而千金方診候篇引張仲景曰欲療諸病當先以湯滌五藏六府等二百五十七字。不知所從來。及得是經。則諸家所引。皆在其中。千金診候所述。卽是經證治總例之文也。詳其篇次。先以證治總例。其文與叔和傷寒例絕異。刪平脈篇。視論本爲闕。人熱病陰陽交幷生死證篇。視論本爲增。厥陰篇惟錄綱領四條。而厥利嘔噦自爲篇。汗吐下可不諸條外。更有可溫可火可灸可刺可水。而水火灸刺。復有不可。又出叔和法外。惟千金翼方傷寒宜忌。別出九目。本於是經。此篇第與傷寒論有不同也。痓溼暍篇。有脊强者五痓之總名等三十一字。論本與要略皆無之。太陽病三四日不吐下見芤乃汗之一條。論本所無。而千金翼方所述有是。又寒實結胸無熱證者與三物小白散。與千金翼方所述及林億等所引一本皆同。不云可與小陷胸湯。此條法與傷寒論有不同也。列方一百十五道。蓋增柴胡加大黃芒消桑螵蛸湯。又別有甘草湯。卽甘草一味者。皆舊所不著。此方目與傷寒論有不同也。仲景遊宦之跡。多在荆州。江南諸師。閟其遺法者蓋衆矣。億等校定是經。謂亦叔和所集。宋志因之。尋叔和已集傷寒論。必不自爲歧異。且其證治總例言地水火風。合和成人。四氣合德。四神安和。人一氣不調。有一病生。四神動作。四百四病同時俱起。此乃本之釋典。非中土方書所有。叔和當魏晉閒。釋典雖已入中國。士人鮮涉其書。知是經非叔和所集。而爲江南諸師祕愛仲景方者所別編。六朝人多好佛。故得引是以成其例耳。唐時獨孫思邈多取是經。宋館閣雖嘗校定。傳者已稀。元明以來。不絕如線。幸有何氏得宋本。寫授其人刻之。下去乾隆校四庫時。纔六十餘歲。而四庫竟未列入。蓋時校錄諸臣於醫書最爲疏略。如傷寒論祇錄成無已注本。不錄治平原校。而時程永培所爲購得諸書。往往棄之不采。卽其比也。余前得日本覆刻陳本。驚歎不已。後十餘歲。醫師徐衡之章成之又以陳氏初印本進。距其校刻時二百十六年矣。衡之等懼其書不傳。將重爲鏤版以行。而質於余。余觀陳刻亦閒有不正者。如駃改爲駛。失氣改爲矢氣。皆由不達古字古言。以意點竄。因悉爲較正。其餘保字可通者。皆仍其故。幷列陳何舊序於前。以志緣起。較成。授衡之等覆刻。乃爲題辭云爾。民國二十一年章炳麟

中國藥學大辭典序 民國二十三年九月

醫師陳存仁以其所著中國藥學大辭典求序。余頗識醫經利病。然於藥物知其名不識其形。疏方治病雖不誤。可謂之知醫。不可謂之知本草也。雖然。請嘗言之。藥物者本於自然。自蛇鹿各有其治金創之藥。而況於人。其始得之。猶人食五穀。麋鹿食薦。適以果腹則止矣。豈嘗討論。然後用之哉。其次鈴醫用之。十愈其九。則遂以爲行藥。漸有本草別錄集之。其次大醫和齊數味以爲大方。然或上病下取。或下病上取。藥不必與病相應。而效捷於枹鼓。此不可以其方論藥也。其次有化驗之術。有餌獸之術。論藥漸精。然有機不與無機同效。庶物好惡或與人殊。試之亦未盡其道也。故余以爲問藥於中西大醫。不如問之鈴醫爲審。雖古之增益本草者。豈醫師孟浪而言之。與强以理定之哉。其大半亦出於鈴醫也。今陳子之爲書。圖象

明審。援引中外著述。近百餘家。抑可謂勤於蒐采者矣。使求藥者不惑於眞僞。不暗於土宜。不誤於處方。大齊如是足也。有時求之今人而窮。宜莫如退而反古。反古者非謂宗師桐雷以重其言。則訪諸鈴醫是矣。余素不甚辨藥物形色。又老耄不暇爲。陳子方壯。宜以是求進。民國廿三年九月。章炳麟序。

輓西醫江逢治博士

醫師著錄幾千人，海上求方，唯夫子初臨獨逸。
湯劑遠西無四逆，少陰不治，願諸公還讀傷寒。

輓國醫惲鐵樵

千金方不是奇書，更赴滄溟求啓祕。
五石散竟成末疾，尙憐甲乙未編經。

輓陳善餘

論文在卅載以前，盛德若虛，未就厲鄉窺藏史。
學醫自中工而下，聖儒長往，始知元里有方書。

介紹醫藥雜誌

國醫公報	全年連郵二元	南京長生祠中央國醫館
醫界春秋	全年一元一角	上海白克路西祥康里七七號
山西醫學雜誌	全年八角九分	山西省城中正街中醫改進會
光華醫藥雜誌	全年連郵二元	上海北山路棣隆里九號
東西醫藥報	全年日金三元	臺灣臺北樂町二丁94番地
廣濟醫刊	全年二元四角	杭州缸兒巷四十六號
醫學衛生月刊	全年七角二分	蘇州吳趨坊國醫書社代售
家庭醫藥常識	全年連郵三角	蘇州吳趨坊國醫書社
診療醫報	全年連郵一元	上海霞飛路一○四號
醫鐸	全年一元二角	福州南台中醫專門學校
現代醫藥月刊	全年連郵一元	福建福清城內官塘墩本刊社
神州國醫學報	全年連郵一元	上海南門路尊德里神州醫會
社會醫藥	全年一元五角	上海大沽路新馬安里三七號
醫林一諤	全年連郵二元	廣州大德路蘇行街
如皋中醫月刊	全年連郵三角	如皋育德所中醫公會
衛生雜誌	全年連郵一元	上海薩坡賽路一九○號
大衆醫學月刊	全年連郵二元	上海白克路西祥康里本刊社
長壽週刊	全年連郵二元	上海三馬路雲南路本週刊社
常熟國醫雜誌	全年連郵六角	常熟小河下二十二號
正言醫報	全年連郵三元	天津文學東箭道國醫研究所
晨光國醫雜誌	全年一元二角	廈門中華路七十七號二樓
中國醫藥雜誌	全年連郵一元	山東沂水黃山鋪街
醫事公論	全年九角六分	鎮江中正路北六二號又二號
中醫新生命	全年一元四角	上海牯嶺路人安里十一號
中西醫藥月刊	全年二元四角	上海北四川路永豐坊六五號
新醫藥	全年連郵二元	上海南市外馬路一四六九號
現代國醫	全年連郵二元	上海老靶子路二四三號
現代中醫	全年連郵一元	上海西門石皮弄一號
同濟醫藥季刊	全年一元一角	上海靜安寺路同濟醫學院
壽世醫報	全年連郵五角	蘇州閶邱坊巷一○九號

醫醒雜誌	創刊號未定價	蘇州吳縣中醫公會
江都國醫報	全年一元二角	揚州古旗亭三十六號
杏林醫學月報	全年連郵一元	廣州大德路蘇行街八十四號
中華醫藥報	全年連郵四角	上海光啓路中華國醫學會
中醫旬刊	全年連郵一元	福建廈門國醫專門學校
湖北醫學月刊	全年連郵二元	湖北新市場上側永福里一號
醫藥雜誌	每冊定價二角	漢口湖北國醫專科學校
醒亞醫報	全年連郵一元	廈門丁仔巷門牌一號
明日醫藥	全年一元五角	北平什刹海後井胡同七號
鍼灸雜誌	全年一元八角	無錫中國鍼灸學研究社
文醫半月刊	全年七角二分	北平西城華北國醫學院
痲瘋季刊	全年一元二角	上海博物院一三一號
國醫文獻	全年四期一元	上海中國醫學院
中醫世界	全年一元五角	上海山東路中醫書局
幸福雜誌	全年連郵二元	上海三馬路幸福書局
民生醫藥	全年連郵一元	杭州同春坊民生醫藥月刊社

介紹醫藥書籍

中國急性傳染病學	時逸人著	實價二元二角	蘇州吳趨坊國醫書社代售
健康之道	沈仲圭著	定價八角	蘇州吳趨坊國醫書社代售
醫方概要	李疇人編	特價二元四角	蘇州蒲林巷李疇人醫室
合理的民間單方	葉橘泉著	實價八角	浙江湖州雙林存濟醫廬
吐血肺癆指南	慈航居士	祇收寄費	杭州糧道山十號
魏氏驗案類編	魏文燿著	實價一元	蘇州吳趨坊國醫書社代售
醫學平論	徐瀛芳著	實價六角	蘇州吳趨坊國醫書社代售

自然科學研究 本草學……樣本待索

黃勞逸君，研究化學與藥物學有年，曾任上海國醫學院有機化學醫化學及南京國醫傳習所藥物學等教職，六年前，編新中藥一書交上海醫學書局出版，又與沈仲圭君等合著生理與衛生診斷與治療及藥物與驗方三書，由上海校經山房出版，平時以研究所獲，常發表其國藥之文字，于民國醫學雜誌，醫藥學，同濟醫學季刊，廣濟醫刊，新醫藥刊，社會醫報及民生醫藥等刊，今復收集中西專家以自然科學研究國藥之文字，或個人實驗之所獲，輯成自然科學研究本草學一書，每一藥物，分有效成分之化學分析藥理之動物試驗正確之藥效用量及畏反等五節，全書分上下二冊，共二十萬言，茲已發售預約，在預約期內，僅收對折價法幣二元，函索樣本，附郵五分，空郵不覆。

索樣處 浙江省杭市祖廟巷二十八號黃宅

溫病論衡

謝誦穆先生著 平裝一冊 實價六角

本書曾登載中醫新生命經著者重加刪訂益臻精善後附濕溫論治一卷分引言證狀診斷治療方選藥選處方示例醫案八門爲著者臨床經驗之結晶與醫學平論同時出書平裝一冊實價六角兩書合購減收一元郵費國內二角兩書均由上海四馬路二八三號國醫印書館發行

出版處 上海知行醫學研究社
代售處 蘇州國醫書社

國醫的科學

李克蕙醫士著 實價二角

本書以淺顯文字，就國醫歷來之經驗結論，利用現代科學智識說明之，祛除空洞玄談，印證原有科學，一以國醫科學化，世界醫學國醫化爲主旨，凡欲研究國醫學，或懷疑國醫學，於此書均有相當的答案與解釋。

南京洪武路七四號李克蕙診所出版
蘇州吳趨坊蘇州國醫書社代售

漢藥新覺上集預約

明日醫學雜誌社出版
郭若定先生著
實價二元四角預約七折
本書十二月三十日出書

本著內容：總論篇！（一）藥理總論，（二）製劑要義，（三）漢藥漢方概說，（四）配合禁忌詳表。各論篇！（一）興奮藥類，（二）發汗藥類，（三）解熱藥類，（四）清涼藥類，（五）強壯藥類，（六）健胃整腸藥類，（七）催吐藥類，（八）通下藥類，（九）利尿及泌尿器消毒藥類。全書凡三十餘萬言。

明日醫藥雜誌

本誌宗旨純爲學術努力，凡以科學法則整理中國醫藥之文稿，以及醫史資料，醫藥風俗，藥材產銷狀況，並國內外醫林新發明之譯著，無不盡量刊載。

每期二角五分 全年一元四角

發行處 北平什刹後井胡同七號 明日醫藥社

本校研究院內科主任 陸淵雷先生名著 金匱要略今釋

本書比傷寒論爲難讀，故今注解極少近出參以新理者尤渺不可得遑論精粗淵雷此著後於傷寒今釋三年自謂發明新義極多比傷寒今釋更善連史紙精裝八厚冊定價十二元實售七折郵費四角國外酌加

發行處 上海牯嶺路人安里陸淵雷醫室
代售處 蘇州吳趨坊蘇州國醫書社

注意 古本十四經發揮……出版

十四經發揮，爲元朝滑伯仁所著，乃中國古代鍼灸經穴學之奇書，滑伯仁學醫京口名醫王居中，學鍼法於東平高洞陽，盡得其術，馳名吳楚間，于鍼石診脈，頗有發明之功，是書非獨學鍼灸宜者熟玩之，亦爲學中醫者所必讀也，第此書古本久已流傳海外，中國書坊，已無從購買，去歲，本社社長承澹盦，赴日考察醫學，見日人譯有十四經揮之書購讀之，不禁拍案叫絕，繼思既有譯本，亦必有碩果僅存之古本在焉，因不憚煩勞，舉凡東京市之醫學書店，莫不細心流覽，一日竟於某舊書店獲得古本十四經發揮焉，欣忻之餘，不惜重價購而隨之歸，該書雖已破舊，字迹尚屬清楚，且經日本名鍼灸家批註，茲爲提倡古代學術，公開研究起見，故不敢祕而藏之，付梓以廣流傳，內容悉照古本，不更一字：全書字體，清晰無倫，鋼八經穴，悉照原本製版，精裝一厚冊，定價八角，郵費加二，掛號寄奉，郵票代洋，九折計算。

中國鍼灸學研究社出版
蘇州國醫書社代售

蘇州國醫研究院講師實習導師一覽

中醫講師 以姓氏筆劃多寡爲次序

王仁一 王卓若 王志純 王慎軒 王聞喜
朱壽朋 宋愛人 余無言 沈仲圭 李怡庵
李疇人 周柳亭 茅子明 祝懷萱 徐衡之
唐慎坊 秦伯未 孫永祚 曹穎甫 許半龍
陳煥雲 陸淵雷 章次公 張又良 張贊臣
張忍庵 葉古紅 葉伯良 葉橘泉 潘國賢
謝利恆 謝誦穆 顏星齋 顧福如

西醫講師 以姓氏筆劃多寡爲次序

王幾道 李廣勳 李邦政 周頌凡 施毅軒
唐仁緇 張卜熊 楊和慶

院外實習導師 由董事兼任之以姓氏筆劃多寡爲次序

王慎軒 李疇人 曹黼侯 許鶴丹 程文卿
經綬章 鄭燕山 錢伯煊 顧允若 顧福如

院內實習導師 以姓氏筆劃多寡爲次序

丁友竹 王志純 王慎軒 王逸儒 祝曜卿
祝懷萱 施毅軒 唐慎坊 張又良 葉伯良
葉橘泉 劉子坎 劉滌新 潘國賢 顏星齋

中華民國二十五年夏季出版

蘇州國醫雜誌第十期 章校長太炎先生醫學遺著特輯

編輯者 蘇州國醫學校 蘇州長春巷三十九號 電話第二三六七號

發行者 蘇州國醫書社 蘇州吳趨坊一三七號 電話第五百六十三號

印刷者 蘇州文新印書館 蘇州景德路七十六號 電話第八百九十一號

蘇州國醫雜誌價目表

期數	價目	寄費
每季一期	另售一角五分 本期另售三角	寄費一分
每年四期	預定實價六角	寄費在內

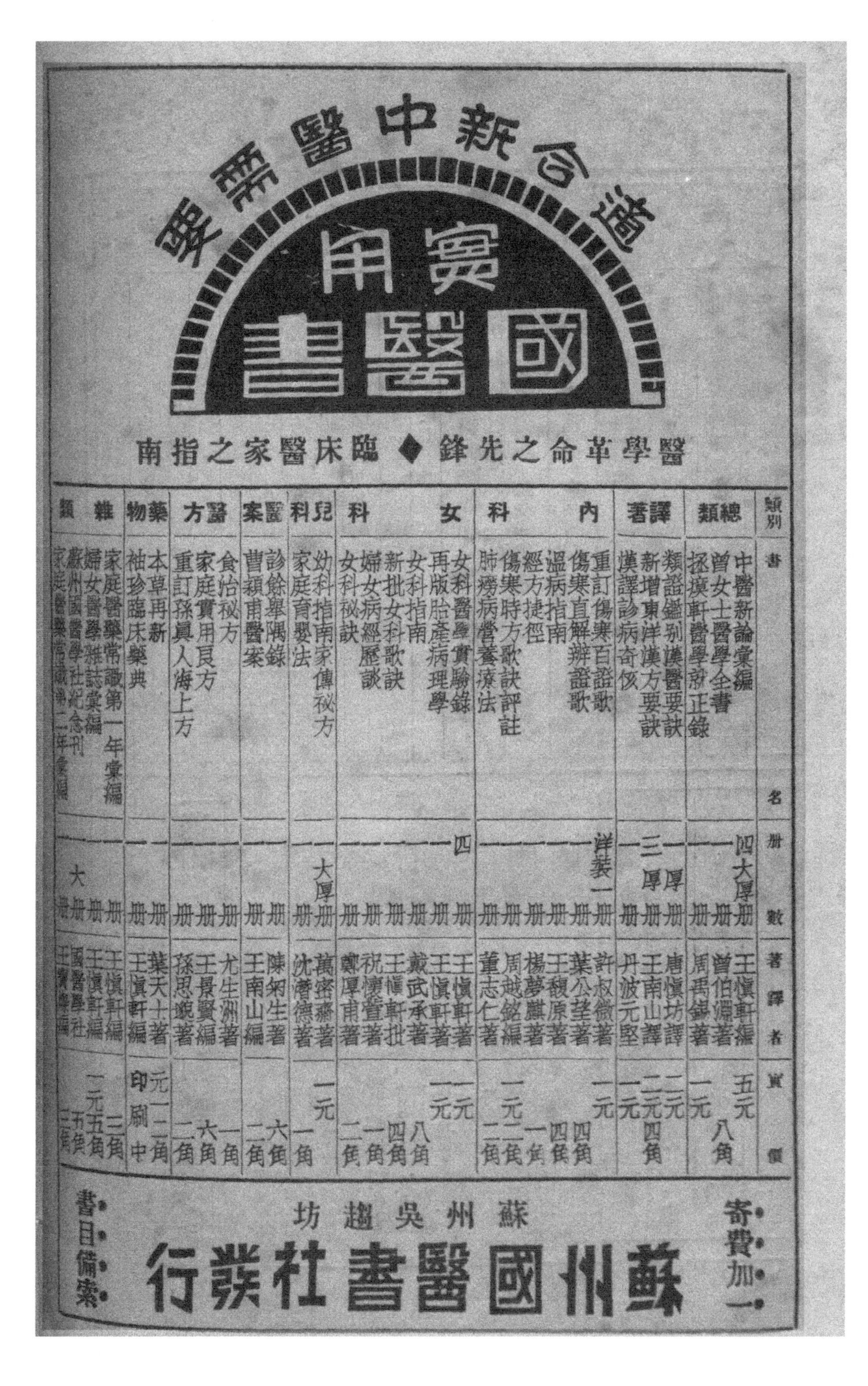

適合新中醫需要
實用國醫書

醫學革命之先鋒 ◆ 臨床醫家之指南

類別	書名	冊數	著譯者	實價
總類	中醫新論彙編	四大厚冊	王慎軒編	五元
	曾女士醫學全書	一冊	曾伯淵著	八角
	拯瘼軒醫學糾正錄	一冊	周禹錫著	一元
譯著	類證鑑別漢醫要訣	一厚冊	唐慎坊譯	二元
	新增東洋漢方要訣	三厚冊	王南山譯	二元四角
	漢譯診病奇侅	一冊	丹波元堅	一元
內科	重訂傷寒百證歌	洋裝一冊	許叔微著	一元
	傷寒直解辨證歌	一冊	葉公望著	四角
	溫病指南	一冊	王馥原著	四角
	經方捷徑	一冊	楊夢麟著	一角
	傷寒時方歌訣評註	一冊	周越銘編	一元二角
	肺癆病營養療法	一冊	董志仁著	二角
女科	女科醫學實驗錄	四冊	王慎軒著	一元
	再版胎產病理學	一冊	王慎軒著	一元
	女科指南	一冊	戴武承著	八角
	新批女科歌訣	一冊	王慎軒批	四角
	婦女病經歷談	一冊	祝懷萱著	一角
	女科秘訣	一冊	鄭厚甫著	二角
兒科	幼科指南家傳秘方	一大厚冊	萬密齋著	一元
	家庭育嬰法	一冊	沈潛德著	一角
醫案	診餘舉隅錄	一冊	陳紹生著	六角
	曹穎甫醫案	一冊	王南山編	二角
醫方	食治秘方	一冊	尤生洲著	一角
	家庭實用良方	一冊	王景賢編	六角
	重訂孫眞人海上方	一冊	孫思邈著	二角
藥物	本草再新	一冊	葉天士著	元二角
	袖珍臨床藥典	一冊	王慎軒編	印刷中
雜類	家庭醫藥常識第一年彙編	一冊	王慎軒編	三角
	婦女醫學雜誌彙編	一冊	王慎軒編	一元五角
	蘇州國醫學社紀念刊	一冊	國醫學社	五角
	家庭醫藥常識第二年彙編	一大冊	王慎軒編	二角

寄費加一

蘇州吳趨坊

蘇州國醫書社發行

書目備索

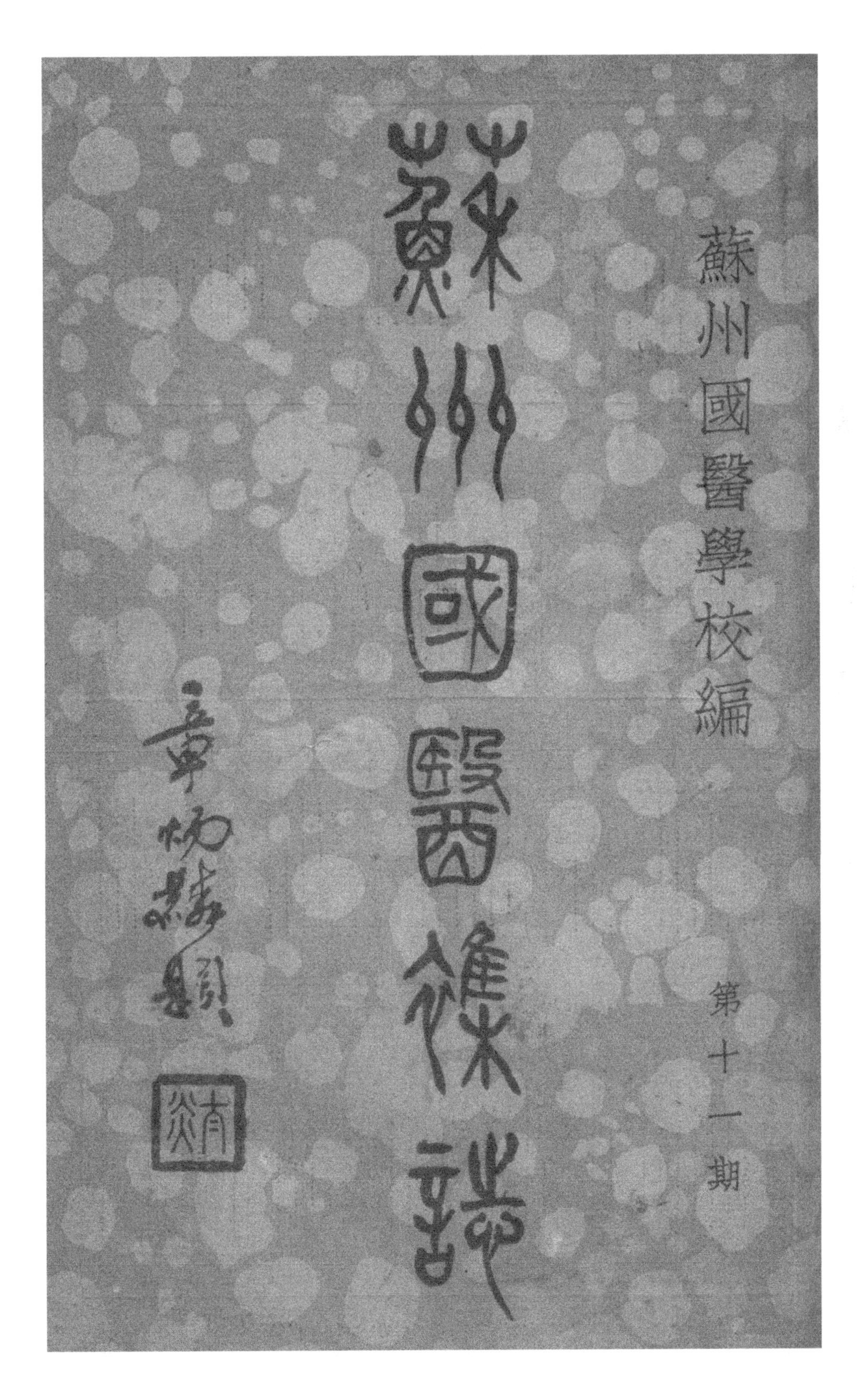
蘇州國醫雜誌
蘇州國醫學校編
第十一期
章炳麟題

本雜誌以前各期之要目

▲譯著

- 漢醫要訣……唐愼坊譯
- 和漢藥物學……王博平譯
- 神經衰弱的灸治療法……徐觀濤譯
- 漢方醫學的新研究……徐觀濤譯
- 漢醫與民間治療法……徐觀濤譯
- 漢藥治療新解……唐愼坊譯
- 叩漢方醫學之門……徐名山譯
- 漢醫全書……唐愼坊譯
- 瘢疹的早期診斷法……徐名山譯

▲講壇

- 顧福如先生演講錄……周自強記
- 黃星樓先生演講錄……周自強記
- 余澤覺先生演講錄……王博平記
- 孫永祚先生演講錄……周自強記
- 張贊臣先生演講錄……陳丹華記
- 朱振聲先生演講錄……周自強記
- 董志仁先生演講錄……王雲芳錄
- 柯興參先生演講錄……石蔚華錄
- 楊志一先生演講錄……王景賢錄
- 章太炎先生演講……周自強記
- 余無言先生演講……周自強記
- 唐仁繕先生演講……陳碩人記
- 祝懷萱先生演講……張鑑青記

▲言論

- 提倡解剖說……洪貫之
- 中醫西醫解……陳丹華
- 敬告初學醫者……邵求眞
- 醫學之空間性及其新舊觀……張忍庵
- 新生活運動與衛生之意義……范行準
- 醫學與民族之關係……徐觀濤
- 論傷寒金匱之異點……潘國賢
- 研究國醫學的意義和方法……王東英
- 論中國醫學之眞價値……邢萬成
- 國醫教育的現況與展望……徐名山
- 擁護科學的醫學……麗生
- 改進國醫之具體方案……楊夢麒

▲經義

- 讀傷寒論太陽篇之心得……陳丹華
- 傷寒論傷寒中風之眞諦……楊夢麒
- 傷寒論五瀉心證之研究……周自強

▲生理

- 國醫之內分泌學……王南山
- 試述月經之生理……嚴蕙平
- 國醫所謂之腎……王景賢
- 內經生理之科學觀……徐觀濤
- 體工調和血液之自然良能……李克蕙
- 內經所言之天癸……吳少九

▲心理

- 催眠術之研究……陳丹華
- 醫生應知的心理學……潘啟
- 夢話……周自強
- 心理療法在醫學上之重要……楊夢麒

▲病理

- 江南果無傷寒耶……范濟春
- 傷風不愈便成癆之原因……邢萬成
- 產後血暈辨……郁佩英
- 尿之病理……鄒森源
- 狂犬病之研究……王景賢
- 抑鬱傷肝之現代觀察……陸自量
- 肥胖病之研究……楊夢麒
- 濕病原理……陸自量
- 六淫與細菌……張世柏

▲治療

- 中西治療血虛病之比較……沈潛德
- 霍亂中西治療法之比觀……陸自量
- 婦人重身用毒藥之研究……沈潛德
- 古方治療一得……陸自量
- 治肺癆宜注重脾胃說……王桂林
- 治痰飲之五大法……郁佩英
- 國醫外療法對於內科病……王南山
- 攻下療法與胃腸病……呂孟祥

▲內科

- 近世內科國醫處方集……葉橘泉
- 神經系病……宮晚香
- 百日咳之研究……楊夢麒
- 淋病……周自強
- 夢遺之原因……陸自量
- 疫痧之研究……柳劍南
- 論瘄疾之病源與治法……吳明之
- 濕溫治療法之研究……沈仲圭
- 溫病研討……王志純
- 癃尿病……吳明之
- 痢疾證治……衛勤賢

▲女科

- 痛經……張又良
- 白帶之病理……嚴蕙平
- 女科醫籍考……張又良
- 痛經治療談……顧志道
- 停經……王景賢
- 婦人不孕之原因與療法……王蘊玉
- 產後血崩論……包增南

▲兒科

- 關于痧子……潘國賢
- 急慢驚風與太陽病之研討……陸自量
- 天花……章巨濟
- 說小兒疳積……胡蕭梧
- 痘症梗概……陳丹華
- 天痘概論……潘國賢
- 小兒肺炎治驗記……楊志一

▲藥物

- 烏梅治口甘之研究……王志純
- 瀉藥與各臟器之關係……周自強
- 試述毒藥之配劑法……宋克明
- 大黃能延年益壽之管見……管愈之
- 何首烏治婦人帶下之研究……王博平
- 藥物實驗錄……周禹錫
- 鳳尾草之功用……李雄候
- 失血應用三七之標準……張鑑青
- 葛根非發汗藥……楊夢麒
- 接骨仙桃草對於血症之功效……蘇善寶
- 論中醫之補氣藥……吳明之
- 山藥能治肺癆之吾見……潘愷義
- 川芎之生理作用……經利彬
- 麻黃和石膏之醫療作用……袁雲瑞
- 大黃之研究……陶克文

▲方劑

- 新發明之秘方報告……張又良
- 梔子豉湯之眞理……周自強
- 白虎湯之科學觀……朱彩霞
- 大小陷胸湯合論……華志誠
- 論國醫治黑熱病驗方……葉古紅
- 大承氣和白虎湯合論……倪強

▲醫案

- 馬培之先生內科醫案……王愼軒編
- 丁甘仁先生內科醫案……王愼軒編
- 曹穎甫先生內科醫案……王南山編
- 黃體仁先生女科醫案……王愼軒編
- 王愼軒先生女科醫案……王南山編

▲文獻研究

- 十藥神書考……謝誦穆
- 古方權量說……孫永祚
- 陰陽毒考……周自強
- 周禮醫師編圖註……陳丹華

▲雜俎

- 國立中醫研究院組織條例……
- 修正江蘇省管理中醫暫行規則……
- 學醫導徑……周禹錫
- 本校課餘研究會記錄……陳丹華記

▲講義

- 金匱講義……淩九雲編
- 藥物講義……王愼軒編
- 內經生理學講義……王愼軒編
- 舌苔講義……王志純編
- 雜病講義……張又良編
- 方劑講義……余澤霓編
- 傷寒講義……王愼軒編
- 女科講義……王愼軒編
- 兒科講義……徐名山編
- 藥物讀本……楊夢麒編

尚有其餘要目及章太炎先生遺著特輯遷校特刊不及詳載

發行所　蘇州吳趨坊蘇州國醫書社

蘇州國醫雜誌第十一期目錄

攝影——本校研究院旅行見習團在杭州時攝影

特載

蘇州國醫研究院創辦動機及籌備經過……王慎軒（一）
唐院長對研究院學員訓詞……楊夢麒記（五）
王總務主任在紀念週訓詞……徐觀濤記（六）

本校研究院旅行見習團杭游彙誌

旅杭記略……葉橘泉（一二）
參觀民生藥廠以後的感想……陳碩人（一八）
參觀浙江文獻展覽會以後……徐名山（二〇）
參觀醫專聽見關於藥學的幾句話……狄嘉箴（二五）

本校鮮藥展覽會彙輯

本校鮮藥展覽會宣言……編者（二七）
本校添設藥物試植場之經過與現況……張又良（二八）
鮮藥展覽會開幕前奏……李靜子（二九）
鮮藥展覽會之意義……袁雲瑞（三〇）
蘇州明報對展覽會之批評……何劍魂（三二）
新聞報對展覽會之批評……朱君宜（三四）

講壇

章太炎先生之醫學……章次公先生講（三五）
國醫內科研究法……陸淵雷先生講（三九）
實扶的里的病理及治療……唐仁綸博士講（四六）
外科研究第一講……余無言先生講（五〇）
怎樣研究女科學……王慎軒先生講（五四）
國醫文獻研究之意義和方法……葉橘泉先生講（五九）
千金外臺研究法概論……祝懷萱先生講（六二）
流行性腦脊髓膜炎……王幾道博士講（六六）
耳鳴之原因……楊和慶博士講（七三）

附載

本校研究院職員一覽……（七五）
本校研究院講師一覽……（七七）
本校研究院實習導師一覽……（七八）
本校研究院招收學員簡章……（七八）

湯士彥主編

中國醫藥研究月報

本報定每月十五日出版一冊特約海內外各名醫撰述內容分評論學說專著雜俎新聞醫藥介紹醫藥問答評論務求切實學說力避空泛醫藥界及社會人士允宜人手一編創刊號定十月十五日出版預定全年連郵一元（郵票十足通用）又凡定閱本報者一律致發本社研究員證書（附繳證書費一角）有向本報責疑及優先刊登本人作品之權利藉示共同研究之旨

中國醫學研究月報社　社址　杭州直吉祥巷五十二號

陸晉笙遺著「鬼戲術」出版廣告

陸晉笙先生吳門著族斐聲政界治績炳然於醫學造詣尤深著述甚富闡發絕精有鮮溪醫述十種及葉氏香巖徑神益醫智厥功非淺今少君成一世講又刊先生遺著「鬼戲術」價二元推闡內難精華復摘薛生白醫經原旨要義標名「雪梯」誠傑構也謹代介紹望醫林名家快讀爲幸

購書處　上海愚園路愚書坊五十號　陸成一醫寓　蘇州鳳凰街六八號陸成一醫室　介紹者無錫周小農啓

國醫砥柱月刊……出版

本刊零售每期一角預定全年十二冊一元一角，半年六角，郵費在內希海內研究醫藥者從速預定

特色　全國當代名醫撰稿　材料豐富　學說新穎　編排醒目　印刷精美

北平西城北溝沿三十號　國醫砥柱月刊社

名醫錢今陽主辦 國醫素 創刊號……出版了！

爲紀念創刊而犧牲！特徵求紀念定戶五千份！

創刊號已出版，許半龍，徐衡之，章次公，盛心如等，均有近著論文刊載在內，在二十六年三月十七日以前，訂全年四期，連郵祇收大洋五角以五千份爲限，滿額卽行提早截止，仍照原價（郵票代洋，九五拆計算，）如介紹全年定戶二份，贈送介紹人學會紀念信箋一束，介紹全年定戶四份，送贈介紹人本刊全年一份。

定閱處　江蘇省武進縣化龍巷一百十八號國醫素雜誌社總務部

葉橘泉先生著 近世內科 國藥方集

本書爲中醫科學化之最新著作，以新醫譯名爲主，而附以中醫之舊名：旨在溝通中西醫界之隔膜，俾中醫不守舊，西醫不盲從，以期創造中國本位的新醫學。

以新醫科學之理論，採取國藥之處方，病名則以新醫譯名爲主……

全書兩厚冊　售國幣一元

總發行　蘇州鐵瓶巷二二號　存濟醫廬

代售處　蘇州國醫書社

張崇熙醫師編

醫學各科全書

△將一切新醫學識……完全宣佈

△將各科治療經驗……切實貢獻

本書共分二十四冊，計有解剖學生理學，細菌學，病理學，診斷學，藥物學，傳染病學，內科學，外科學，皮膚病學花柳病學，婦科學，產科學，小兒科學，眼科，耳鼻咽喉齒科學，調劑學，急救學，衛生學，看護學，各種注射療法，顯微鏡用法及檢查，細菌法，臨牀經驗處方，診療實用指南。均以淺顯文字敘述明晰，爲中醫科學化者，必讀之書。

全書二十四冊　定價十二元

優待醫校學生　特價七折

總發行所　上海梹榔路B二八六號　東亞醫學書局

施今墨先生主編……文醫半月刊

專家撰述　內容豐富　招登廣告　省費效大

歡迎投稿　歡迎定閱　定價低廉　從未脫期

每期三分　全年七角

訂閱處　北平西城華北國醫學院

蘇州國醫學校

元

林森

國民政府主席林子超先生題

蘇州國醫研究院旅杭見習團與浙江省國醫分館同人合影留念 廿五.十一.十一

蘇州國醫雜誌定閱單

戶名	
地址	
期數	自第　　期起至第　　期止計　　年份
報費	計洋　　元　　角　　分（郵票代洋九五折計算 郵票一元作九角五分）
日期	中華民國　　年　　月　　日定

如欲預定本誌，請將此單填就，連同報費寄下即可。

定閱處：蘇州吳趨坊一三七號蘇州國醫書社

蘇州國醫學校師生研究之精品

蘇州國醫雜誌 徵求長期定閱

內容

有中西醫家的演說　有皇漢醫學的譯著

有本校教授的講義　有藥物研究的發明

有文獻研究的專著　有臨床實驗的報告

預定全年——大洋六角

按期寄奉——郵費在內

●長期定戶之利益●

▼（一）本誌定戶，如有關於醫學上疑難問題提出。經編者認為確有研究之價值者，得聘請本校各科專門教授，詳細答覆。

▼（二）本誌每年必有一二期特刊，特刊定價，因篇幅關係，較普通增加數倍，優待長期定戶，概不加價。

▼（三）如非長期定戶，購閱本誌各期，不論期數多寡，均須另加郵費，如定閱全年者，郵費概不另加。

▼（四）本誌因篇幅關係，對於長篇著述，勢不能一次登完，如非長期定閱，則往往不能讀完全文。

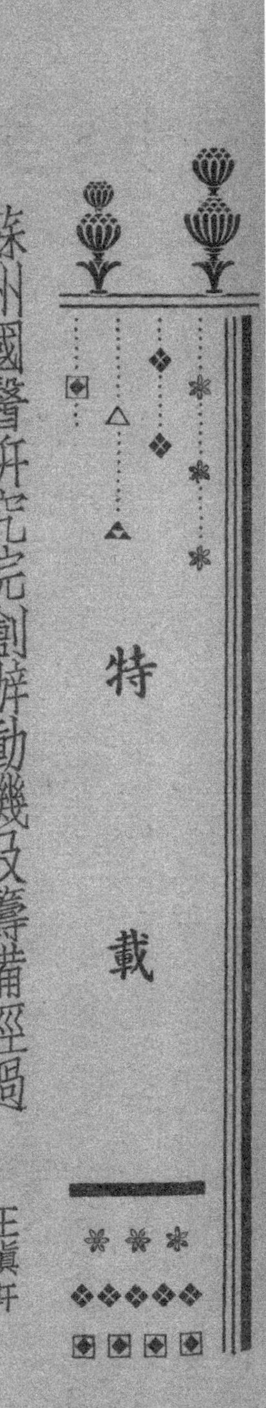

蘇州國醫研究院創辦動機及籌備經過

王慎軒

一　引言

在科學昌明的二十世紀中，各國的科學家醫學家無不竭力研究治療技術，以冀延長人類的壽命，但是他們研究的結果，雖然發明了不少的特效藥、而對於其他許多的疾病，却還滯留在姑息療法和期待療法的過程中，想不出確有特效的治法，聰明的外國人畢竟比我們機警的多，他們意識着自己窮年兀兀的研究治病的成績，有時還不及中國醫術的顯著而速效，於是他們就轉變方向回頭來研究一向被認爲『原始醫術』的中國醫學了。假如有人聽了上面的話，以爲外國科學家決不會開倒車，這一定是我在說欺人的狂言，那末我舉出下面的事實來證明：

二　中醫學在海外之進展

㊀法國　巴黎醫科大學學生李松井（譯音）在科學協會演講血液循環和中國針灸術，當時有許多醫藥界鉅子和科學家、都捨棄別組講演不聽，專聽李君的理論，認爲非常滿意。丹狄醫科大學教授喬琪蘇列電摩朗氏　（George

Sue Lre de Mecant）等已開始搜集中國古醫書，着手探討。

㈡德國　柏林大學湯姆斯教授，爲近世有名之藥學化學專家，執柏林大學化學教鞭者垂三十年，各國有名藥學之士出先生門下者，無慮千百人，先生特注意吾中國藥品，其標本室內陳列吾國名藥殆數百種。

㈢美國　舊金山美報云：國際聯盟會及其他機關，歷年耗數百萬金元，輸送醫藥學術至中國，彼等之年報中盛稱中國如何信任西方之藥，而舍棄舊醫術，然而此間沿太平洋海岸，中國藥材及奇效醫術，乃日益推廣，蓬焉勃焉，其傳播之速，有如一種新宗教，新式建築之中國醫院到處皆是，美國人紛紜前往就診。所付中國藥材之費，已不下數千萬元。

㈣蘇俄　（莫斯科電）蘇俄健康委員會醫藥會議議決，成立東方醫藥研究會，亞洛爾，科爾索夫，柏魯特等各科學家，均將參加研究。

㈤日本　（一）日本舉國復興皇漢醫學運動之際，漢醫之受人崇拜信仰，固不待言，東洋和漢醫學研究會會長渡邊熙氏，爲德國留學生，得德國博士學位，歸日本後，歷任國內各大病院院長之職，今次發出宣言，謂：『余每感西洋治療學術，不敷應用，又無充分把握，乃決心習漢醫。學成後，始知前者藐視漢醫之心，全爲意氣用事，故欲極力表揚漢醫，爲世界醫學闢一新途徑』云云。（二）日本帝國大學教授，引地興五郎云：『本人致力醫學，已踰念載，開業以來，亦具相當成績，惟以學無止境，遂復留德實習，然以本人經驗所得，科學治療，尚有賴乎漢醫藥學補充之必要。近數年來，每用新藥注射外，助以漢藥湯劑，成績特著。德國醫界，已有和漢治療學之協同設施，而醫科大學之畢業者，多修習漢醫以充實新智。由此推想，漢醫傳至今日，必有眞理存在，故特來華考察。』（三）日本大阪漢方醫學院院長今井豐雲氏，爲深究中國醫學起見，特來華考察中國醫藥事業，于上月下旬莅滬，參觀上海市各種醫藥建設，並于廿五日赴上海中國醫學院演講，略謂：氏以科學方法及個人經驗，致力發揚中國醫藥凡三十年，現在日本上下均感覺西洋醫藥之不足治病，有提倡漢醫之必要，十年之後，日本之漢醫藥可完全恢復明治以前之狀況云。

(六)國聯　於一九三一年，日內瓦國際聯盟當局，以漢醫爲中國五千年流傳之學術，爲世界人類謀幸福起見，有廣爲介紹之必要，故決定由中國、日本、印度、美國、以及歐洲各國，選派專門衛生家組織中國古醫研究會，此案業經通過，各專門委員，從事研究，謀漢醫改良進步，各國認爲此舉實現，實開全世界千古醫藥之一大新紀元也。以上不過略舉記憶所及，但亦可以藉此窺見世界學者研究中國醫學的熱心了。

三　創辦的動機

後，國醫學校已得到有力的保障，國醫也從此有了法律上的地位，於是鄙人爲貫澈素志起見，更向本校董事會議提出設立蘇州國醫研究院當時鄙人提出的理由約有下列數點：

（一）提高國醫程度——操縱人類生命的醫學本來是極高深的一種學問，尤其是『中國醫學』正需要有高深醫學知識的人材以科學方法來整理與改進。而這嚴重的使命與艱鉅的工作，並不是淺學者所能完成的。現在本校及各地的許多國醫學校都以造就開業醫生爲目標，而對於改進醫藥學人材之培養，則尙未注意及之；當這中醫條例公布，正在提倡國醫學術的時候，設立研究院，招收國醫學校優秀生及畢業生或已開業的青年醫師，在許多醫學名家的指導之下，從事各科專門的研究，以便他們將來可以負起改進國醫學的使命，這實在是目下所最需要的事。

（二）補救國醫教育的缺點——現在許多國醫學校的課程，大都自四年級起偏重臨診實習，對於學理方面則放任學生隨意看書而不加以負責之指導，虛度青年寶貴的光陰，這是最可惜的。設立研究院以後，則每天除由醫學名家輪流講演外，復規定文獻研究臨證研究醫論撰述等工作，庶可得到更高深的醫藥知識和熟練的療病技術。

（三）造就國醫教育師資——目前國醫學校之教師，祇爲時代所限，大多數僅受舊學說的陶冶，缺乏科學的素養，要他們負起培養新中醫的使命，恐怕不容易實現我們的理想，而國醫學校畢業生又因爲學驗不豐，也恐怕不能勝任，如果再受研究院的高深教育後，那末就可以勝任國醫學校的教師，而爲中醫革命的先鋒軍了。

（四）甄拔私家傳授的優秀青年——查最近公佈中醫條例第一條第三款『中醫學校畢業得有證書者，經內政部審查合格，給予證書後，得執行業務，』照這樣說來，私家醫室傳授出來的學生如果沒有該條第四款『曾執行中醫業務五年以上』的資格，豈不是很生問題的嗎?!而且他們在求學的時期，不像學校教育那樣的有規定的功課、學識的偏狹和技術的過於單純，是必然難免的，如有賢明的同道，能把他們醫室內比較優秀的幾位學生，出具證明書保送到研究院來，經本院考試及格後，准予入院深造，既可以提高治病技術與學識，而且還可以免除開業上的一切困難。

四　籌備之經過

鄙人在校董會議席上把要設立蘇州國醫研究院的主張和理由說明之後，各位董事先生都很贊成，遂將提案當場通過。並舉唐愼坊先生兼任院長，鄙人兼總務主任，負責着手籌備。鄙人受委之後，中心耿耿，日夜籌劃，在這半年以來，或爲研究院向中央備案事，親賫呈文，耑赴首都，或爲聘請各科主任及講師事，往返寧滬杭湖等處，不知耗費了多少的精神和物質，和同事們共同的努力，我們理想中的研究院，方才如小孩子那樣地從母體中呱呱地生產出來，這在我固然是因爲實現了我底心願，覺得非常的愉快，就是本校全體同人也在他們的心田中充滿着欣歡的情緒!

唐院長對研究院學員訓詞

楊夢麒記

今日爲蘇州國醫學校附設國醫研究院開學之期，諸生醫學已有根柢，或已懸壺行道，來此深造，濟濟一堂，甚盛甚盛，本院教授，率皆飽學精詣中西貫通之名師，而留學外邦醫學博士，亦多敦請親臨講演，總期諸生精益求精，學而不厭，獲得至高至深之學識，將來出而問世，獲得盡善盡美之榮譽，庶不負本院提倡國醫之一片苦心，亦有以間執讒慝之口矣，惟鄙人忝爲一院之長，年事較大，經歷較深，有不能不爲諸生告者。一曰勤，吾人爲社會一分子，即當爲社會服務，萬不可稍存怠惰之意，卽以鄙人而論，年逾知命，原不足畏，然而始終抱一勤字主義，不知老之將至，從前供職法曹，勤於案牘，嗣後登錄律師，勤於律務，曩年王副校長愼軒創辦國醫學校，推鄙人爲長，鄙人事繁，本難應命，特以生性好勤，奮起擔任，四載於茲矣，諸生血氣方剛，求學念切，更宜朝乾夕惕，孜孜不倦，願牢牢記一勤字。一曰敬，敬之對待名詞，卽是慢字，際此求學之時，對於師長不可慢，對於同學不可慢，將來行醫之日，對於病家尤不可慢，若一涉於慢，則不但失却自己人格，且處世亦不相宜，不慢卽是敬，孔子曰，行己以敬，又曰居敬而行簡，願諸生牢牢記一敬字。一曰誠，誠者眞實之謂也，醫生對於病家，或敷衍其詞，或足恭其貌，或諱言其疾而慰其心，或張大其詞而誇其技，此皆不誠之過也，不誠則易取人之厭惡，亦易招人之怨尤，而求學時代，尤必以誠爲至要，蓋誠以待人，則人亦以誠待之，而可收切磋琢磨之效矣，願諸生牢牢記一誠字。一曰樸，現在社會日趨奢侈，極爲可慨，婦女界尤喜裝飾，灼髮高趾，袒臂朱唇，舶來化粧品漏卮千百萬言之可爲痛心，自實行新生活以來，人人尙樸，挽狂瀾於旣倒，亦復興之道也，願諸生牢牢記一樸字。凡此四語，爲吾校之校訓，茲以移訓本院，其亦有當於中否耶。

王總務主任在紀念週訓詞

徐觀濤記

各位同學，在每次紀念週中，我總是扮起從前道學先生的面孔，向諸位講些古人修身養性的格言，有時候，說不定還要聲色俱厲地把諸位痛斥一頓；諸位當中，研究院的同學，有的已經是懸壺開業的醫生，有的雖未開過業，但是已經在別的國醫學校中或私家醫室畢了業；其他各級的同學，也大多數受過中等學校的教育，現在到本校來受這樣嚴格的管理和訓練，或許以爲本校太看輕了諸位的人格，在背地裏咒駡本人和負訓育責任的幾位先生。而且這樣的情形，事實上並不是沒有，我也曾經耳聞過好幾次了；不過我覺得諸位的觀念是錯誤了，而且根本沒有把來校求學的目的認識清楚，大家應該深深地知道，在這社會經濟日趨衰落的現實環境裏，多數的青年，不但得不到求學的機會，簡直連吃飯也幾乎發生問題，以致不得不埋沒他們的天才，前程永遠籠罩着灰黯的愁雲；還有東北的青年，現在是非但談不到求學，竟至失去了他們身家財產父母妻兒所寄託的家鄉，過着流亡的生活，現在諸位居然能夠在這兒安安樂樂地讀書，生活也有吃有着有用，每逢星期日還可以去白相蘇州的名勝地，或逛逛電影院遊藝場，在我覺得諸位眞可算是「天之嬌子」了。講到求學的環境，本校交通雖然便利，而地處却很幽靜，並不像十里洋場的上海那樣的嘈雜汚濁，使人不能安心求學，容易走入墮落的道路，而且本校校園中有很多的樹木，空氣也很清潔，對於你們修學遊息，都很相宜，你們在這樣幸福的環境之下，應該體諒你們的家長培植你們的苦心，和各位師長諄諄敎誨的熱忱，好好地修養品性，用功讀書，才對得起培植你們的人們，才不辜負你們寶貴的青春。你們更應該知道，醫師爲保護國民健康延續人類生命的一種專門人材，他所負的使命非常重大，一個國家民族的强弱盛衰和一個病人的生死存亡，均繫於醫師身上，所以研究醫學這門學問，也絕對不是性情粗暴疏懶的人所能嘗試的，諸位都是未來的醫師，在民族復興的過程中，首先要把國民的體格强健起來，一切復興的事業，才可有爲，但這嚴重的使命，卽在諸位身上，所以諸位在此地求學，學校方面固然不能夠馬馬虎虎，像從前的幾種學校那樣地隨便你們用功不用功，等到年限一滿，就給你們一張文憑，叫你們出去騙飯吃，幹庸醫殺人的勾當，同時諸位自身更要明白自己將來所負使命之重大，看古人『嚴以律己』的樣，隨時隨地反省自己的行爲有無違反人格道德的地方，自己對於功課方面有無辜負父母師長的期望，這是我所十二分希冀的。

其次，我還要對諸位講一點關於立身的道理，提起清朝時候的曾國藩，大概沒有一個人不曉得的吧？他是當時很有名的一位儒將，他不但治軍嚴明，精通韜略，同時還做得好詩，寫得好字，教訓得一個好兒子——我想像他那樣，也可算是個成功的人了，但是我們仔細一研究他底成功的原因，却不外從『嚴以律己』四個字上面得來的；關於他底詳細的情形，我不想多說，諸位看了他的家書日記嘉言錄這一類的書籍，自然會明白的，現在我僅把他的一段格言來告訴諸位，他說：『士人第一要有志，第二要有識，第三要有恆；有志則不甘爲下流，有識則知學問無盡，不敢以一得自足，有恆則斷無不成之事，三者缺一不可。』這幾句話，實在眞是至理明言，世界上任何偉人的成功，總離不掉『志』『識』『恆』這三個條件的，不過我覺得對於我們學醫的人，更具有深切的意義，我想諸位中或許有不明白的，現在也不妨談談：

我在幼年讀書的時候，塾師嘗出『有志者事竟成』的題目，叫我做論文，那時候可笑得很，我竟連一個字也做不出，同時我看看其他的同學，也都不過是東拉西扯的瞎說一堆，根本沒有把志字解釋得清楚，後來到師範學校去讀書，我也根本沒有一定的求學目的和堅決的志向，所以畢業之後，對於各種功課，雖然都懂得一點，可是實際却一無所長，徒然得了一張文憑回來而已。直到中醫專門學校畢業以後，我方才立志從醫藥事業方面求發展，那時我一方面要應付病家，力求診務的發展，一方面編輯醫書，撰述醫學各科講義，創辦函授醫校，主編婦女醫學雜誌，民生醫報……等；那時候，範圍不大，人手又少，我一個人兼任許多方面的事情，不論是酷熱的炎夏，或者是嚴寒的殘冬，每天總要工作到深夜十二點鐘以後，才能休息，有時候我身體很勞乏，精神也很疲倦，加上某種意外的刺戟，心境也覺得很惡劣的時候，我常常想，每天賺數十塊錢的診金，安安逸逸地過一輩子生活不好，何必要這樣自尋苦吃，埋頭死幹呢？但另一方面我又覺得我的發展醫學改進醫學的目的尙未達到，於是又重新振起精神，依然在苦幹了。就是現在，我底吃着更不生問題，而且個人的業務也已相當地發展，照平常人的思想，一定以爲『多一事不如少一事』，何必還要辦什麽國醫學校來淘閒氣討苦吃呢？但我因爲立志要達到復興中國醫學的目的，所以也竟不惜個人的精神財力來苦幹了。諸位想，我假如沒有一種堅決的志向，我那能在今日得與諸君歡聚一堂呢！所以我覺得人最怕沒有志向，志向是一種吸引力，有志向，無論做事求學都會成功，現在諸位到本校來求學，也一定要有一個救世濟民强種强國的志向，那末這志向自然會把你全副的精神引到學醫方面去，使你無形中成功一個銳意研究，孜孜不倦的好學生，將來自然也成功一個藥到病除著手成春的良醫。

再講到『識』，也是事業成功的必要條件，一個人如果沒有識，他的志向也一定不能確立，卽使他有一種堅決的志向，而他那種志向也一定難免是不正確的；舉例來說：好像宋朝時候的秦檜，他因爲立志要勾通金邦，顚覆宋室，經他處心積慮的結果，居然陷害了岳飛等許多的忠臣，把錦繡的河山送給番邦，他的志向不能說他不堅決，而且也居然被他達到了目的，但可惜他當時沒有懂得忠君愛國的道理，并且沒有把自己的地位和前途認識淸楚，他那種堅決的志向，非但對於國家民族有絕對的危害，而且害了他自身遺臭萬年，這次研究院旅行見習團到杭州去，諸位如果到過西湖岳墳的，就可以看到他底長跪在岳飛墳前的銅像，這豈不是說明有志而沒有識，也不能成功一個完人的嗎？！舉近一點的事實來說：最近在綏遠擾亂的僞軍首領李守信王英，和在冀東公然賣國通敵的殷汝耕等國賊，從他們的行動上，我們不能說他們沒有志向，不過因爲他們沒有把國家民族和自身的地位認識清楚，以致立下了一個賣國求榮的志向，害了他做歷史的罪人，爲全國人民所共棄，這也豈不是證明有志而不能無識的一個很好的例子嗎?!所以諸位如果聽了我前面的話，想從今日起立志做人，那末第一要緊的，還要認識國家民族所處的環境和自身將來所負的使命，才不致於將來做一個專門自私自利，甚至敲病人的竹槓的庸劣醫生，這更爲我所剴切地期望於諸位的。至於講到醫學的技術和應付方面，我們更要具有『識』的條件，否則我們雖然有心要把病人治好來，但因爲事前沒有把疾病的原因、證候、預後等等，認識得清清楚楚，以致遇到一個傷寒病人的腸出血，或是一個陽明病人的讝語發狂，看見病人的家屬哭起來了，而你也弄得手忙脚亂，方寸無主，跟着他們着忙，這豈不醫病反而把病人的生命躭悞了嗎?又如碰到有錢的病家，往往同時請了許多醫生來會診，當時一定你一句他一句，議論紛紜，公說公有理，婆說婆有理，而你如果沒有卓越的見識，一定也會失却主觀，莫知所從，結果病人給醫壞了，我雖不殺伯仁，伯仁實由我而死，試問良心和道德何在呢?所以千句話併做一句說，『識』是事業成功之母，而對於我們學醫的人更其來得重要。諸位都是英氣鬱勃的青年，是復興國家民族的中堅，也是復興歧黃學術的生力軍，將來所負的使命非常重大，還請在今日求學時代，三復斯言!

第三講到『恆』，孔子曰『人而無恆不可以作巫醫』，恆就是忍耐的功夫，繼續不斷的努力，再接再厲的精神；一個人有了卓越的識力，才能決定正確的志向，有了正確的志向，才能使工作循着軌道進行，不致毫無目的地東學一點，西學一點，把寶貴的精神和光陰白白地浪費，而結果一無所成就，但如果沒有繼之以恆，把自己所研究的學問或所幹的事業，不辭勞悴，不怕艱難的澈底幹下去，則難免遇難而退，或半途而廢，或見異思遷，要想達到成功的目的，依然不過是等於夢想而已。好像本校住宿的同學，當吳教官初來的時候，學校實施軍事管理，各同學都能把自己的床舖疊得很好，把衣服鞋襪書籍等物也整理很清潔整齊，就是坐立走的姿勢，也都表示出十足的精神來，那時我看到這樣的情形，非常高興，很替同學們的前途慶幸。可是沒有幾天功夫，床舖依然和從前一樣的凌亂了，寢室裏的衣服和課桌上的書籍也沒有人去整理了，坐立走的時候也和從前的老先生一樣地彎腰曲背，顯出精神頹唐的樣子來了。結果，我們這一次的新生活運動，可以說一句並沒有多大的成績表現出來。對於個人的生活習慣，倘且沒有恆心來把它改良，更那能談得到求學問幹事業呢？現在希望諸位要記牢一句話，就是求學問本來不是一件容易的事，學醫更不是僅僅鼓一時之勇氣的一暴十寒者所能成功，必須要持之以恆，方能達到最後的目的。

總括我上面所講的話，簡單地說，就是「識」所以決「志」，「恆」所以遂「志」，「志」所以成事，古今偉人之所以能成偉大之事業者，莫不以此三者為其成功之要素；我這樣的解釋，完全是從我個人的生活經驗所得的一種見解，雖然與曾文正公自己所下的註解，似有不同的地方，但我們現在只要取法古人的言行，並不是要把古人的話，拿來當作聖經般的捧讀，這也是諸位所應該明瞭的。末了，希望諸位聽了我今天所講的話，能體諒父兄師長栽培教導的苦心，明白自己將來所負的使命，各自好好兒地努力，

本校研究院旅行見習團杭游彙誌

旅杭記略

葉橘泉

語云，百聞不如一見，而且醫學貴乎實習，所以本院章程有旅行見習之規定，本屆第一次旅杭見習，預定作數日之勾留，時間分配則每日上午學員分組赴杭市各名醫診所見習，以採取各家之特長與經驗。下午則逐日參觀中西醫校，藥號，藥廠等有關醫藥學術之機關與處所，以增見聞，事前函請浙省國醫分館予以協助，承分館長邢君熙平熱心贊助，允借館中宿舍爲團員之寄宿，並代徵求杭市名醫接洽見習事。於是匆匆籌備組織旅行團，除研究院全體外，三年級同學亦紛紛加入，男女團員共計八十餘人。推定總務、經濟、文書、速記、調查、衞生、救護等七股。預備就緒後，決於十一月七日早車赴杭，六日天氣驟變，雨下傾盆，因行程已決，姑聽之。七日晨六時全體出發，同行者有院長唐慎坊，總務主任王慎軒，軍事教官馬文福，教授王志純，祝懷萱與余六人，一切行動以軍事管理，期以紀律化。一二三，開步走，革靴噠噠，步伐整齊，於曉霧迷濛中向車站進發，精神振奮，並不以天陰未晴而氣餒。登車後因購團體證，路局爲余等特掛專車一節，師生數十人，集處一車廂，更形熱烈。汽笛聲中車向蘇嘉綫推進，七時天色放晴，一輪曉日，自東方漸漸升，諸團員莫不爲之眉飛色舞，笑語喧騰，雜以女同學之宛轉嬌聲，輕歌低唱，其樂也融融；因杭州爲山水明秀之區，而西湖名勝甲天下，故均有悠然神往之概。八時三十分至嘉興換車，十一點抵杭州城站下車，排隊至望仙橋國醫分館，館中正在派員赴站歡迎我等已先作不速之客矣；蓋火車新訂時刻，是日到站特早耳。行裝甫卸，有數同學要余導往湖濱，以瞻仰西子湖之美色，因當日已經過午，不及赴各醫室見習，利用時間，以償其心願，乃與祝君懷萱、偕十餘同學，作散隊之遊，（是日下午爲自由遊散日）至湖濱，雇小艇蕩槳湖中，秋水澄清，波平如鏡，遙望環湖馬路，車馳如電，游女如雲，遠山絳楓點赤，亭閣凝煙，濟秋之湖光山色，足以令人心醉而神怡，舟搖搖以清颺，風微微以吹襟，飄飄乎有凌虛羽化之概，祝君之詩興勃發，呼唔咕嗶，嘴不停吟；同學則或引吭以高歌，或扣舷而低唱，咸樂得手舞足蹈矣。既而至三潭印月，登退省庵，覩彭玉麟遺墨，傍有修竹千竿，迴橋九曲，數亭翼然，俯瞰池中，游鱗可數，靜聆南屏鐘聲隱約，即於九曲橋上合攝一影，以留鴻爪。續游郭莊，於船室品茗，祝君善詼諧，出言令人捧腹，如「雅人雅事」「古色古香」之同學留蹟「若即若離」「半推半就」之兩舟並行等，均爲之笑痛肚腸根耳。歸渡中，已西山啣日，而蘇堤之殘柳絲絲，似爲余等牽住斜暉。舟經月老祠前，祝君之詩興又發，與二三同學聯吟，亦雅亦謔之笑料又來矣。是遊也，盡半日之時間，極人生之樂事，事後回憶，尚覺趣味雋永耳。

翌日上午研究院同學分十二組，派赴杭市名醫王邈達、裘吉生……等各名醫診所見習。下午二時，假青年會二樓開會，招待來賓，請中西醫藥學家作學術之演講，到會者有西湖醫院院長楊郁生，民生製藥廠廠長周師洛，浙省國醫分館學整會委員蔡松巖，中醫專校醫務主任傅炳然，浙江省黨部莫良夫，杭地方銀行黃醒秋，及名醫沈仲圭、王一仁、湯士彥、王君穀孫、里千、陳道隆、董志仁等卅餘人，濟濟一堂，均有極誠懇警闢之演講，直至六時餘始盡歡而散。

第三日下午全體排隊出發至柴木巷參觀浙江中醫專校，承校長范耀文先生等，極誠招待，款以茶點，一部分同學被該校學友邀作友誼的藍球比賽，余等由該校教授方君亦元導領參觀各教室，並說明其課程之分配，與教材之編輯；竊以爲當此國醫教育尙未能列入學校系統，政府不加提倡，國內各醫校均由自動改進中，教材既不能統一，編制又素乏聯絡，今後亟須互相交換，期達有統系的進行，此項貢拙，承該校當局首肯贊同，深願余等此行，成爲國醫教育陣綫聯合之嚆矢，則幸甚矣。繼而參觀省立救濟院育嬰所，該院主任鍾君伯庸，爲一富有朝氣之研究家也，對於育嬰上種種設備，均力研改進，據云該院嬰孩刻已統改人工哺育法，一律喂以鮮牛乳，如牛乳之消毒、冰藏、嬰孩之洗浴、病後之隔離、保母之訓練，稍長兒之運動、遊戲、敎育……等，莫不積極設施，成績斐然，即嬰孩尿布之乾燥室，（陰雨天應用）亦爲鍾君研究所發明，係用一密閉室，四壁設火衖，利用柴薪，費省而效宏。該院屋室寬敞，四周迴廊，玻窗明淨，中央有廣大之草坪，略綴花草，空氣陽光，均極合育兒上之條件也。杭州胡慶餘堂，資本之雄厚，營業之廣大，爲國內著名國藥號之冠，余等特往參觀，時適在下午，前廳左設飲片櫃，右爲丸散櫃，門市非常熱鬧；我儕魚貫而人，先觀養鹿棚，欄以木柵，每欄內有鹿一或兩隻，隣接排比，如迴廊曲折宛延，無慮數十百。旋觀各工場，如泡製部、切片部、磨藥部、製丸部等，嗣請其出示珍奇希見之藥材，以資鑑識，乃取出馬寶、牛黃、猴棗、狗寶、鹿胎、雄精等，馬寶則形圓色白，碩大質重，似礦物，其大如兒頭，權之當有十餘斤，其有一圓徑對剖者，見中心有圓形空洞，細檢之，見有輪形重叠層，蓋馬之內臟結石也；據云，產西藏，但不知爲何種馬類所產生，而有如是之巨大，其詳情則該號職員亦不知云。牛黃之整個形狀不圓而四方，且有如菱角者突出，色黃褐，碎者內有積叠層，果是牛之胆結石，則其形當渾圓或橢圓，不當四方而角突，此恐係加之人工造作矣。猴棗則橢圓形而色深綠，或黑褐，質沉重，剖視之有積叠層，一望而知是猿類之胆石，或云生于猴類之口內，不足信也。鹿胎則外罩薄膜，內有一小鹿，長約八九寸，頭足畢具，且有一尾，但此薄膜，既不像胎盤，（胎盤當連繫一臍帶）又不像羊膜，因問此種鹿胎是否該號斬鹿時所得，則謂非也；至於產生于何處，以如何方法取出，彼亦不知底蘊耳。尙有海狗腎、黃狗腎等，海狗腎、一名膃肭臍，又稱海狗鞭，蓋卽海狗之陽具（生殖器）也，形長、色赤褐、稍端有叢毛，蓋陽具之包皮也；根端累累然，有睾丸二，此物古稱補腎壯陽，以海狗之生殖精特强，故甚合近世內分泌賀爾蒙療法之原理耳。惟黃狗腎則祇陽具一條，已無睾丸，余知其効等於零耳；因詢何以不連睾丸，既割此物，何不連帶取其睾丸乎，答稱不知，並謂向來如此云。嗚呼、國藥業之不求改進，坐于「向來如此」四字耳。深望國藥界趕快覺悟，勿再墨守陳法，而流于淘汰之例耳。如胡慶餘堂之擁有資本，以若是巨大之範圍，欲求改進，自較易易；日本之武田長兵衞商店，在彼之明治維新以前，亦是一出售飲片丸散之漢藥店，祇以該店主人武田氏之知應時世潮流，力求改革，用科學方法，由仿造而後自製，一變而成新藥廠；現在規模偉大，出品精良，不但抵制輸入，而且暢銷于各國，成爲世界著名之大藥廠矣。希國內諸大藥商，急起而仿傚之。

第四日下午，預定日程爲參觀民生製藥廠，及省立醫藥專校等，因尙有機會難得之浙江文獻展覽會，亦不可不去，且因時日匆促，並人數衆多，全體參觀擁擠不便，更有多數同學沉醉于西湖之遊，紛紛要求展限日期，祇以校院功課關係，不能徇從，于是變更辦法，分隊自由進行，有參觀文獻展覽會者，有參觀西湖博物館者，有游覽湖濱，並參觀葛嶺翔麟醫院及公園圖書館者，至自願加入余等參觀民生藥廠及省立醫專者僅十餘人耳。先至同春坊由民生製藥廠創辦人周君師洛招余等入內部機器製藥室，首先映入我人眼簾者，爲巨大之國藥製劑「安嗽精」浸取機，該機之裝置設施，聞係周君親自設計，浸器係一大筒形器，盛生藥遠志桔梗貝母等，以酒精爲溶劑，其下部由蒸汽管通以熱力，溶劑蒸發後，則由冷凝器再回復至盛生藥之容器，復蒸發再達冷凝器，再回至盛藥之容器，如是循環不息，直至生藥中之有効成分完全被浸出爲止。周君復出示其新近所造之一小型浸取器，謂係省立醫專某友所委造，藉作試驗國藥之用，該器小巧玲瓏，裝置極便，祇須點一火酒燈於器下，即可浸取生藥中之有効成分也。余對藥物之研究，最感興趣，以爲國醫之價値全在於藥物，並覺國藥之亟待研究，其責任在于我輩耳。故年來於醫事之餘，輒喜試製有效之成藥，欲製藥液，非此機件不爲功，曾託周君代製一具，已荷允諾，刻因人事倥傯，不遑着手于此，稍俟時日，定當專心從事，藉償夙願耳。他如軋片機，打丸機，糖衣機……等各工人均在工作，出品殊快捷，又如糠粃中提取維乙素之裝置，以及震盪機等，目不暇接。樓上爲安瓿消毒部，裝液部，封口部，覆檢部，安瓿印字部，包裝部……等，純由女工操作，尤見精細嚴密。後至試驗室，有一藥師方在試驗各種防已之成分，據周君謂防已之種類鑑別，曾費去不少時間，搜羅標本，詢諸中藥店，均不知，後於草藥醫處得到原植物之形態，以資鑑別云。又出示其所製之許多生藥切片標本，給我儕于顯微鏡下檢視大黃切片之組織，能見其構造上之特徵，可據此以辨析毫厘，於是知研究生藥，于肉眼所見之形態科屬的分別外，鑑定其種類，又非解剖其內部，以顯微鏡的鑑別不可也。事畢興辭，並由周君具刺介紹，乃至刀茅巷省立醫藥專校，承教授俞德蓀先生引導，該校具有三十餘年之歷史，設備完善，規模宏大，全校面積有八十餘畝，內分醫藥兩科，如楊郁生周師洛等，均於是校畢業也。余等以時間匆促，幾等走馬觀花，不能詳細印入于腦際；其中印象最深者，爲解剖標本陳列室，室中有余德蓀先生之尊翁某公(已忘其名)遺體之陳列，公病胃癌而去世，聞之余君云，係遵遺囑而解剖，如余公者，誠所謂死且不朽矣。我國人之崇奉舊禮教，下焉者無論已，曾憶當年總理臨終時，有遺囑解剖其遺體，陳列其肝癌，作醫學上研究之參考，斯時報章騰載，紛紛通電反對；謂不應殘酷分屍。後來結果如何，雖不之知，然一般要人貴戚之識見可知矣。能以學術爲前提如余公者，有幾人乎？深望今後知識階級之改易其舊觀念，若病原因不明而死者，大可利用其無用之遺體，仿余公及名記者戈公振先生等之解剖遺體，作醫學上貢獻的不朽盛舉也。旋至藥化學實驗處，改由藥學教授於達望先生引導參觀生藥陳列室，藥物種植園，生藥有効成分化驗室等處，於先生殷殷指示，並謂深望中西合作研究國藥，因國藥之前途，最有希望，惜現在研究，尙感經濟力之不足，設備之不全，而藥學專門人材亦殊感缺乏。又謂彼校中今後擬專設國藥研究館，已得上海五洲藥房捐助經費萬元，且得藥學大家曾廣方博士之協助，將來希望先生多多貢獻國藥之經驗，吾人應交換聯合研究之云云。余之謬承不棄，固增慚赧，然接受其誠懇之期勉，敢不竭我駑駘，追隨於驥後乎?!且談且行，至化驗室，於君示以由國藥中提取之各種揮發油，如荳蔻油、當歸油、桂枝油、茴香油等。其時適在提取麻黃中之揮發油，方法是將麻黃搗成末，混以溶劑，置長頸燒瓶內，上口接一屈折迴流之玻管，管之他端有活塞，燒瓶之下，點火酒燈，燒煮任沸，其蒸發之溶液，由玻管之曲折迴旋，經冷凝而轉流至他端，則水液沉於下，而揮發油浮於上矣。俟油液上升至相當刻度後，開活塞，放棄水液，卽可得淨油若干也。此玻管之構造，及裝置，極其靈巧，聞係購之於日本，我國尙無此項出品云。余對於此玻件，誠夢寐不能忘，俟有餘暇時，誓必設法購置一具，以償嘗試研究之素願耳。是日返杭，市國醫界同志湯士彥、裘吉生先生等，柬邀余等於湖濱某餐館（已忘其名）宴會以聯歡，蓋湯君于國醫運動素著勞績，裘吉生先生爲醫藥藏書家也。唐院長謂盛情不可却，于是與唐王祝君四人，相將赴約，至則有老友沈君仲圭、董君志仁、以及王君一仁、陸君清潔等，均在座。

舊好新交，一旦暢敍，握手言歡，互傾衷悰；席間裘先生暢談其藏書之經過，四十年來，搜羅海內孤本及東鄰祕籍，不下數千種。其以此所耗費之心力與金錢，他姑不論，即文瀾閣（浙江圖書館）所藏之普濟方，在兩年前設法借抄，費去九牛二虎之力，方得到該館之許可。然不能出借，于是聘請六十餘書手，逐日到館抄寫，盡六個月之時間，方始抄齊，該書裝置十六大箱，全書二千數百卷，如此巨書，又係孤本，裘先生費盡心力，必期得到而後已。餘如最近世界書局出版之珍本醫書集成，皇漢醫學叢書，均爲裘君之藏本，坊間以爲珍本叢書之精華，咸在於此，據裘君云：其家藏之珍本，尚有十百倍於此耳。今將發大宏願，繼續印行珍本集成，及皇漢叢書之續集耳，先生藏書之富，可謂豪矣。但尚欲然不自以爲足，而殷殷垂問余等，並委代爲留意，設法探訪徵求，如有珍貴孤本，渠當不惜代價以購求之云。國醫在四面楚歌之今日，幸有此老，其人，誠爲國醫歷史上之一代功臣耳。是日國醫分館及中醫專校亦特邀宴，祗以時間不及，且此行諸承贊助，駐館攪擾，已感不安，而爲之敬辭。翌晨，又承館方招待全體，響以茶點，於國醫分館之講堂，開一盛大之茶會，邢君熙平、王君治華等，均有極長之演說，後於分館前合攝一影而返。臨行時，復承分館代表王君君毅，醫專代表李君冠雄等，至站送行，依依之情，殊令人不易忘懷者也。車抵蘇站，已萬家燈火時矣。

參觀民生藥廠以後的感想

陳頎人

這一次參加赴杭旅行見習團，到杭州參觀了不少的醫藥團體，在我腦海中印象較深的，便是民生藥廠。

民生藥廠的創辦人周師洛先生，並不是什麽天才的科學家，不過他有堅强的毅力，百折不撓的精神，因此他在中國的藥界中，有相當的成功，不能不使我們欽佩！崇拜！

他從我們中藥的寶藏——本艸綱目中，製出許多新藥，抵制舶來品，減少中國的漏巵，這不能不算是他的功績，不能不算是中國的幸運。

然而在中醫的立場上講，我覺得他用中藥製劑的動機，究竟不是我們中醫藥界自身的覺悟，如果我們沒有深切的認識和覺悟，卻不能不算是中醫藥界的危機。

周先生之流，雖不是西醫，然而中國現在的情形之下，一般藥劑師化驗師的工作，好像專為供給西醫的需要，這是無可諱言的事實，他們一年一年的研究，漸漸地把我們國藥的寶藏開發起來，不斷地供給西醫，一方面現在的西醫也漸次覺悟過來，竟知道中國的草藥功效，遠勝於礦物類的西藥，漸漸地接收國藥的寶藏，改善他們的治療方法，假使我們還是株守着以往的丸散製劑的老法子，不設法改良，到那時我們的寶藏，全被西醫所攝取，我們自己還是高唱着中醫治療可靠的論調，一方面醫學的行政，仍舊任憑西醫去主持，那時候的新醫，便是現在西醫，而中醫自身便有滅亡的危險！在整個的國家言，本無所謂中醫與西醫，誰能夠努力，誰就是將來新醫藥界的主人翁，中國藥材，本不是中醫的專有品，而西醫能夠接收國藥的寶藏，改善治療，再不做洋藥的買辦，當然是中國的幸運，然在我們中醫界言之，豈不是自暴自棄嗎？

我們假使不願自暴自棄，準備做將來的新醫，我們便不能不聯絡中醫藥界自任改良製藥的工作，要跟着民生藥廠的進行，迎頭趕上去！

還有，民生廠裏專聘了一位藥劑師，正在研究國藥防己而做着初步的工作，就是提煉防己的總成分。而分析各種原素的工作，還沒有做到。縱使將來做到了那種工作，還不知道在什麼時候才能夠成功。而他們大規模製造的安嗽精安嗽露等，總不過是一種合劑的提煉方法，在製造新藥的工作上，這是第一步。但也是我們現在所最最需要的工作。

這種工作并不難，我們也能夠做，我們也去買了機器，自己親手來實行做去，我相信將來的成績一定很可觀。為什麼呢？因為我們是國醫，老實不客氣的講一句，我們肚皮裏所知道的有效方藥，一定比普通的一般藥劑師來得多而且確呢。

假使我們放棄這種工作不幹，卻以為有一般藥劑師們在埋頭做着，希望坐享其成，這就是自暴自棄！須知，要吃龍肉，親自下海，要想不勞而獲，天下那有這樣便宜的事呢？對嗎？

參觀浙江文獻展覽會以後

徐名山

本校旅行見習團到杭州第三天的下午，同學們因為大多數未曾領略過名聞中國的杭州風景，都三五成羣地去暢遊六橋三竺了，惟有我因為曾在杭州過過七年的漂流生活，對於西湖的風景，早已覺得平凡而引不起興味，所以就在那天一個子跑到大學路圖書館去參觀浙江文獻展覽會。走進第一重鐵門，穿過了圖書館門前的花園，拾級而上，大門的牆壁上懸着很大的布幅，用很大的藝術字體書浙江文獻展覽會數字，大門的兩傍，掛着松柏紮成的長聯，記得上聯是：『文章昭日月，萃杭秀湖婺睦衢越明台溫處十一州精華，闡爾幽潛，詎曰尚論前古事。』下聯為：『忠義壯河山，綜周秦漢吳晉唐宋元明清二千年故實，賢人觀感，他看振起後賢心。』我當時見此對聯，亦覺得平淡無奇，不甚注意，迨參觀之後，出門時重新對之念讀，覺得字字貼切，句句警人，故特將它筆錄下來。

陳列品計分十二處，每處均臨時間隔，參觀路線，使參觀者得循徑而進，其第一室完全陳列鄉賢遺著，分稿本、鈔本、校本、舊刊、四大類，惟稿本都爲明清兩代之物，宋元名賢之手筆，則絕無僅有，其中以詩稿詞鈔爲最多，史錄筆記次之，最爲余所注意者，有清季名醫柯韶伯先生編輯之古今名醫彙粹一書，共計八卷十二冊，洋洋大觀，堪稱鉅著，據該會標簽所載，該書成於清康熙年間，係柯韶伯先生手書原稿本，余細閱原稿工整之事跡，當年柯先生埋首著述之情形，彷彿如在目前。除柯氏遺稿外，尚有傷寒指掌之原稿本四冊，亦頗珍貴；此書原著者吳貞，清季坤安歸安人，爲當時享有盛名之吳中名醫葉天士薛生白之門弟子，頗得乃師之衣缽眞傳，此書即係吳氏親筆原稿，字跡亦頗清秀可愛。此外，復有傅青主女科鈔本四冊，係清道光優貢仁和王斯恩所手鈔，全書均爲工整小楷，復加硃紅眉批，古人治學之刻苦認眞，於此可見一斑也。刻本部分，均爲明以前之舊刊，其較著者，如宋刊慈谿黃震黃氏日鈔，元刊吳興趙孟頫松雪集，明刊錢塘盧德園先生集，均爲近世所罕見者，此外尚有明嘉靖刊四明芝園主人攝生衆妙方四冊——十一卷，亦爲坊間不可多得之珍本，以上諸醫書原稿及刻本，當時曾擬向該會職員商借影印之辦法，卒以自己財力未及，氣爲之餒，而未啓諸口，倘醫界同志及出版家能將其印行問世，則不特余個人所馨香禱祝者也。

前進至第二陳列室，大部分爲選舉文獻——即科舉制度之史料，而檔案、書院文獻，及其他文獻等，亦頗不少，其中較値吾人之注意者，有明萬曆崇禎年田契及清丈田單（與中國地政史有關）太平天國通商方旗，及在浙江所貼之門牌；光緒十年中法戰後浙江巡撫告示，「洪憲」元年袁世凱僭稱時之浙江巡按使告示等，均於歷史上有重大之價值。此外鄉賢遺像亦陳列於第二室中，如宋慈谿楊慈湖畫像，明臨海陳本叔遺像，清俞曲園先生攝影肖像，均頗難得。

第三室以刻書藏書文獻爲主，而郡邑叢書，鄉賢彙傳，金石志，藝文志，鄉賢遺像等，亦頗不少，刻書文獻之最早者，厥爲後周顯德年間浙江湖州刊陀羅尼經，次爲上虞縣藏版宋磧砂版大藏經，此本較近年上海印行之磧砂版大藏經底本爲佳。藏書文獻中如四明范氏天一閣藏明刻魯班營造法式，餘姚黃梨洲藏明抄學習記言，歸安嚴九能藏宋刊本周文忠公書稿，均爲海內所僅見者。鄉賢彙傳，記載鄉賢之事跡，頗爲詳細，余曾擬將於醫學史有關之浙中名醫之傳述一一抄錄，後因時間關係，卒未如願，迄今思之，猶覺悵悵然若有所失也。

第四室所陳列者俱爲浙江方志，合浙江圖書館，范氏天一閣，王氏九峯舊廬，南潯劉氏嘉業橋，北平圖書館之所藏，每一舊府屬多至四五十種，少則十餘種，自宋明以迄最近，蒐羅幾備，用能蔚爲大觀也。

第五第六室之陳列品以鄉賢字畫冊頁爲主，間列畫像。遺墨之較著者，如明大儒王陽明與朱侍御三箚，明徐文長楷書金剛經，清姜西溟先生墨蹟，杭郡名賢簡牘，畫像如清陳洪綬繪劉青田三世授經圖，清毛西河先生遺像，均爲邦人所罕見，且足以使觀覽者覩物思人，知先賢之如何篤行力學，俾浙中大師名儒之教澤得遠被夫他鄉，其意義亦至爲重大也。

第七室陳列古代陶瓷十餘種，均爲最近浙省各地古窰遺址所掘發者，其中可得而述者，如由紹興離渚出土之晉磁盤，紹興禹陵廟下窰瓷，吳興搖鈴山窰瓷，均爲古代先民之遺物，頗有歷史考據之價值者，其中餘姚上林湖窰瓷圖案精美，尤爲可貴。

第八陳列室所陳列者，以古器古物佔多數，大半具有歷史上之價値者，其可得而述者，如商素鼎，周曹侯鐘，周太師鼎，秦量，楚劍，漢建初洗，六朝銅鼓，魏、晉、隋、唐諸朝造像及瓷俑，均爲比較難以經見之古物，此次余竟得一飽眼福，可謂幸矣。

第九室之陳列品，以鄉賢遺物及手製珍玩爲主，其中如清朝山陰陶在寬先生手製之陶公床，陶公櫃，其構造之巧妙，製作之精緻，實出人意想之外，據該館標籤所記，此床在當時曾聞名世界，作者發明之苦心，概可見矣。其他如清金華張作枏擬製渾天儀，宋祥符開國銅印，元梅花道人，及清朱竹垞，宋蘇東坡，明張蒼水諸家之遺硯，及宋錢武肅王天冊堂寶王印，明雲和王懷彬朝笏等物，在在皆足表示吾浙文風之素盛，及浙人之富於研究精神也。

第十室陳列，約分兩部分，一爲吳越錢氏文獻，當五代之際，干戈擾攘，天下大亂，錢武肅王者，浙之臨安人，目覩當時政治日非，民不安居，遂率浙之健兒，平定吳越，保境安民，其有功于吾浙者甚大。該館特將與當時錢氏有關之文獻陳列其中，以供衆覽，余此次所見者，有武肅王天冊堂寶，唐羅隱代書謝賜鐵劵表眞蹟，忠懿王造金塗塔，及其他文獻若干種，瀏覽之下，不禁令人追念錢氏保境安民之盛德也。二爲靈峯精舍禮樂器，靈峯爲吾邑（富陽）夏震武先生之別號，先生爲晚清浙江之唯一理學家，其思想言行頗具古風，嘗建靈峯精舍于邑之里山，並集徒講學於其中，精舍與余家相距僅三十餘里，每屆舊歷新年，余循例往親戚家賀年時，輒見先生玄冠道服，儼然方外人，余當時旣未對先生之人格有相當之認識，故嘗私議其爲怪物焉。茲所陳列者，皆先生手製之古代禮樂器，爲士子習禮之用，凡簠簋俎豆鐘鼎琴簫及商周禮服莫不仿製俱全，此外又有蠹峯先生晚年所用之手杖，亦陳列其間，余觀摩有頃，不禁喟然嘆曰，如蠹峯先生者，不僅保存中國文化之有心人，抑且爲吾富春人士增光不少也。

第十一陳列室，均爲有關浙省之民族革命文獻，吾浙人士愛鄉愛國，素無二致，其公忠體國，捨身成仁之精神，尤爲歷史所稱著，溯之上古，勾踐之臥薪嘗胆，發憤興國，爲先樹之典型。厥後東晉偏安，二謝以一戰鎮大局；臨安遷都，宗澤以耄耋之年猶屢挫敵勢；在明則有青田劉伯溫之輔佐帝業，于忠肅之奠安社稷，明之季末，更忠烈蔚起，甯波錢忠介（肅樂）張蒼水（煌言）東陽張玉笥（國維）等，皆忠義照天，流芳萬古者也。迨遜清末葉，孫中山先生提倡革命，或以文字輔其成，或竟捨身以成仁，亦惟兩浙之英傑爲多焉。嗚呼！浙之人亦足以自豪矣。

該會此次所陳列者，計有明張蒼水公遺像，明孫瑺抗清所用佩劍，明海鹽鄭曉禦倭用盔，明甲申殉難浙江六君子遺墨，及創造中華民國之先烈湖州陳英士先生殉難血衣，遺墨，望遠鏡，陶成章烈士之遺墨及當時用以起義之手槍，紹興徐錫麟烈士之墨蹟，及秋瑾女俠之和裝，佩刀及遺像等物，皆足以導揚民氣，激發民族精神，使與此會之邦人志士咸聞風而興起也。

余性好奇，無論何種展覽，每欲一觀其究竟以爲快，惟統計數年來歷次所參觀者，不外三型；或則羅列文獻，資人研究，如浙江省立民教館所舉辦之國際形勢展覽會是也；或則蒐求物產，獎進實業，如轟動全國之西湖博覽會是也；或惟敷陳書畫，供人鑒賞者，則難勝舉矣。至集古今於一室，舉文物以並列，足使覽者細察深省，共汲浙之佳風而更皈化之益張先賢偉大磅礴之精神，而轉移全國之趨向以臻於健全，莫如斯會耳。余以其意義之重大，及予我印象之深刻，爰於參觀歸來，濡筆而爲之記。

民國二十五年十一月十二日于蘇州國醫編譯館

參觀醫專聽見關於藥學方面的幾句話

狄嘉箴

西湖景色甲天下，我對他早已心神向往，可是雖然臥寐求之，却未得如願，此次校裏因爲研究院赴杭見習，我們也得同去領略西子風光，我之數載宿願，因之能償於一旦，這是多麼值得幸運的事啊！

但是我囘來後覺得西湖的波光水影，和葛嶺天竺的峯巒起伏，實在沒有使我再去囘憶他，咀嚼他的必要，祗有那參觀醫專時聽見關於藥物的幾句話，却値得囘憶的，咀嚼的，我想把他寫出來，或許能夠使無路可走的初學者，和墨守成見的老中醫，有正軌可循，囘頭是岸的好處。

葉橘泉先生，誰也知道他是一個切實研究，而又好學不倦的新中醫，要去參觀醫專的主張，葉先生最先發起，可是葉先生的同志却很少，這次參觀的人數，大約不滿二十個吧，（其餘的同學，想來是沉醉在那西子湖中南屏山上了。）所以，此次的態度，是很鎭靜的，那時候招待我們去參觀的，就是該校的藥學主任於達望先生，葉先生得了這個機會，不肯失之交臂，勤勤懇懇的向於達望先生緊緊的追問着研究藥物的方法，那位於先生就直直爽爽的說出幾句話來：

我從前的研究藥學，是偏於西藥方面的，因爲我以前的觀念，祗曉得西藥確有治療疾病的功效，而以爲中藥皆是草根樹皮，不足以取效驗，所以對於中藥的功能，不得知其底蘊，後來虛心觀察中醫治病的確有效，我的思想便漸漸地改變過來，在最近幾年中，乃從事研究中藥工作，用種種方法，化驗中藥的成分，作種種試驗，證明中藥的效果，經幾番化驗和實驗之下，覺得中藥的的確確有非常的效驗，我預備在本校特設之中藥研究館成立時，糾合幾個志同道合的同志，來着着實實的研究一下，以期將來對於中國及世界醫界有相當的貢獻。

我聽了這一番話過後，不禁回顧到現在的中醫界研究藥學還是持着那紅色入心，白色入肺的謬論，當他是不可踰越的正軌，而西醫却偷偷地在把我們的藥物在拚命地研究，不久的將來，西醫有擷我們的精華取國醫之地位而代之的可能，所以我們須得大聲疾呼，快起來努力科學化，振起那一線斷斷續續的中醫的生命，不要到嗚呼哀哉，壽終正寢以後，再回過頭來嘆着悔不當初的冤氣。中醫們呀！努力努力！（完）

健康之道

本書係杭州沈仲圭精心結構之作，內分論文，衞生，治療，方藥，飲食五編，（末附卅年前之我一編，係先生自述生平之作，）文筆清新流利，談理一本科學，沈先生年來治肺勞，遺精，胃病等證獨多，故於此三種疾患之治療衞生，供獻尤多。全書十六開本平裝一冊，實售八角，寄費免收，挂號寄奉，如與增訂隨息居飲食譜合購，減收一元二角。

杭州粮道山十號
仲圭醫寓總發行

謝誦穆先生著
溫病論衡
平裝一冊　實價六角

本書曾登載中醫新生命經著者重加刪訂益臻精善後附濕溫論治一卷分引言證狀診斷治療方選藥選處方示例醫案八門爲著者臨床經驗之結晶與醫學平論同時出書平裝一冊實價六角兩書合購減收一元郵費國內二角兩書均由上海四馬路二八三號國醫印書館發行

出版處　上海知行醫學研究社
代售處　蘇州國醫書社

曹穎甫醫案　姜佐景編按
經方實驗錄
樣本奉贈　函索即寄

第一集二厚冊外加書函實價二元
預約價一元四角郵票代款九五折
扣加郵寄費一角五分牛香港澳門
國外等處照郵章遞加二十六年一
月拾五日預約截止以郵印爲憑一
月底出書

上海城內果育堂街一四四號
姜佐景醫廬啓

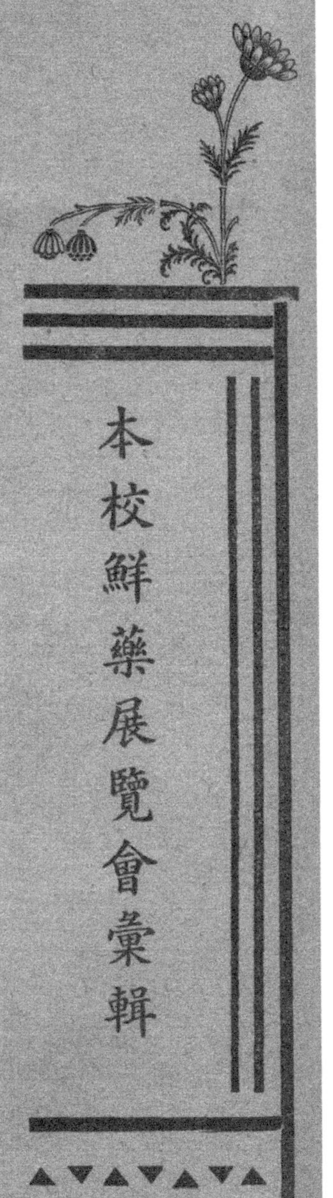

本校鮮藥展覽會宣言

醫貴乎能用藥，藥貴乎能驅病，輓近西洋醫學經科學家孜孜兀兀之鑽研，對於生理病理，可謂已臻登峯造極之境；至於治療，則多數疾病均尚無特效之藥也。中華國產藥物雖未經科學研究，不明其理，然憑數千年經驗之累積，得知其確具奇特之功效，世界藥學專家，莫不競相研究其藥理與栽植之方法。茲就其最著者言之：英國弗貝爾博士特赴四川峨嵋山，採集新奇藥物；德國認藿香爲能治百病之聖藥，近正闢地種植藿香草；美國加里福尼亞醫藥家，信仰大黃治病神效，亦在廣闢場地，實行試種；法國政府鑒於越南人民每年需要價值八十餘萬關平銀之中國藥材，明令獎勵民衆種植中藥；日本三共藥廠，製茵陳草爲黃疸新藥，製麻黃爲治咳聖藥『發多馨』，一面更下令朝鮮台灣普遍種植漢藥。近則據昭和九年之統計，年產生藥五千零六十五萬零七百八十九公斤（一公斤等於二市斤）值洋八百二十三萬六千三百二十八元。

回視我國，以天產藥物冠絕世界之國家，祇因藥理之不加研究，種植之墨守成法，以致出品不良，產量不豐，非但銷路日見退縮，而厚朴、川椒、獨活、當歸、川芎等藥，反有仰給外人之勢矣。坐令大好天然產品，漸遭廢棄，民生疾苦，借材異邦，學術經濟，兩受損失，實至可笑而復最可嘆也！

本校爲造就國醫藥學人材之機關，負有以科學方式改進國醫藥學之使命，對於藥物效能之研究，藥物生產之改良，義不容辭，故自去年新遷校舍後，即籌設國藥試植場於校之西部，遴派採藥專員，分赴杭州、吳興、南京、上海、鎮江等處，選採種子苗本，着手試植。一載以還，經全校師生之努力栽植，除因土地不宜，中途枯萎外，已有鮮藥三百餘種，今爲喚起國人對於國藥研究與栽培之興趣，俾挽救民族經濟之衰落起見，特將本場所植鮮藥，公開展覽。如有熱心之士，繼起提倡研究，俾國藥效能，日益發明，國藥製品，日益精良，國藥生產，日益豐富，則不特我國醫藥界之無上光榮，抑亦中華民族之無窮福利也。謹此宣言。

本校添設藥物試植場之經過與現況

張又良

考上古醫藥，本屬一體，自唐宋而後，乃另設藥局，以供世用，於是以至重之任，委於賈人之手，眞僞優劣，莫之能分；因以相思子爲赤豆，以白前作白薇，魚魯亥豕，以訛傳訛，千百年來，無一人能識其眞者。長此以往，非特不足以與西藥爭衡，而古聖賢遺留之精華，恐亦將消滅於無形也。本校素以改良國醫藥學術爲宗旨，此中利弊，早已洞鑒，故自開校以來，除藥物學之整理外，鮮藥之研究，亦不遺餘力，惟藥物生產，各有地宜，一時收集，殊非易事，是以百計籌劃，終鮮成效，幸今年春季，承江蘇省立醫政學院之助，始得成藥物試植場之議，於是除派員選購附近空地，以備闢植外，即指定校園中隙地六方，鳩工墾治，建設籬笆，增添山土，先行試植；一面以公情私誼，向川、滇、湖、杭等地徵求種子，並遴員赴山野間，採尋宿根，數月以來，雖因時間及土地氣候之關係，不能有充分之進展，但試植結果，除枯萎或未發芽外，尚得三百數十餘種。在此短期之中有如許之成績，頗足以自慰者也。本校栽植鮮藥，雖專供學生研究形態性味之用，而培養之法，亦極注意；故每種藥物之栽植，其時間之遲早，入土之深淺，施肥之多寡，均審其性質之所宜，而適應之。並將經過狀況，加以記錄，以為將來改良之憑藉；又以藥物品質之優劣，與采收之遲早，有密切之關係，故本校每藥下種後，即委定專員時時注意其發育形態，及全盛狀況，一一記之，以供參考。並於每本枝莖之上，標以簽條，凡品名，學名，科別，功效，產地等，均詳加填明，俾學生得一目瞭然之益。惟今草創伊始，設備殊多簡陋，且藥物以新植關係，發長亦未能入於常軌，欲謀宏大之規模，須待之以時日。茲值展覽開始之日，爰將籌設之經過與概況，略述如右，為垂愛本校之諸君子告：

鮮藥展覽會開幕前奏

李靜子

吾國醫學之價值，在於治療，而治療之基本，胥在藥物；以藥物之確有效驗，故治療能收良好之結果，則吾國醫學所以能賡續數千年，迄今尚不絕如縷，受西醫之激盪而不歸於淘汰者，賴有藥物故耳。然則國醫之於藥物，豈不重且要哉！簡冊所載，古時之醫，多自備藥物，蒐採泡製，必皆躬親，其於藥物之性狀產地，固知之甚詳，其所用藥亦必眞而無僞。後世人事漸繁，醫藥分途，而藥之採集種植，運販銷售，成為藥賈之專業，醫者惟知其性味功效，而不復究其收採泡製形態產地矣。故今時之醫，大多不識藥之眞面目，甚者動植礦而不能分，更無論藥之眞僞矣。而習俗相沿，每有名實不同者，如蘇地以白薇爲白前，以白前爲白薇，以相思子爲赤小豆；且商人重利，多以僞亂眞，魚目而充明珠，令人莫可究辨。益以藥之種植泡製，未能悉合其法，性味不免少異，其治療之價值因以大減，至於今日，國藥之淆雜淩夷，可謂至於極矣。

夫一物不知，儒者之恥，醫不識藥，受僞藥次貨之應響，必致減少其治病之成績，而爲人子，爲人父者如不識藥，雖有特效之處方，亦必因藥效之不佳，而枉送其生命，是故醫者固宜識藥，而社會人士，莫不宜識藥；今則醫者治病之成績，以及病者之生命，皆操於藥商之手，如不亟謀補救，則前途誠不堪設想也。

本校既以改進國醫爲目的，而國藥之淆雜淩夷，自不能視若無睹，爲使學生明瞭藥物之科屬形態，以及研究其培植之方法起見，特闢圃植藥，以供師生實地之研究，而謀改良之方法。同時爲欲使社會人士對於國藥之認識，故將所植藥物公開展覽之，俾進各界人士於認識研究國藥之前途，而爲整理改進國藥之張本，至若謂本會之舉，不過供一時之觀賞，則大非本會之主旨矣。

本校鮮藥展覽會之意義

袁雲瑞

今日之國醫，幾瀕於風雨飄搖之秋矣。此無他，良以國醫之治績雖然卓著，而理論失於翔實，輒有虛遠無憑，不着邊際之談，於是遭異派之物議，受社會之摧殘，乃本身未能立定鞏固之基礎，是以一經潮流之激衝，而自形其崩潰也。然則或曰國醫既無鞏固之基礎，但何以能相傳至數千百年而不替，且治病成績，又往往遠駕他醫之上者，其理安在哉。蓋國醫所謂無鞏固之基礎者，卽前云理論之失於翔實，不克以己之所長，佈諸社會，而置信於當世也。其所以能相傳至數千百年而不替，治療成績之所以卓特顯著者，歸納言之，皆恃藥物之功耳。以其有藥物之偉效，爲國醫之護符，故雖處于風雨飄搖之境遇中，而猶能得社會上一般人士之信仰，以維持其苟延殘喘之命運也。夫以此論之，則國醫維一之生命爲藥物，奠其鞏固之基礎，則亦唯以研究藥物爲前提，迴顧國醫之與國藥，昔者醫自採藥，備以取用，藥者卽醫，醫藥無所分，故醫者咸知藥之眞僞精劣，且泡製修合之法，亦能爲之，療治之際，自無醫藥隔閡之弊矣。迨乎宋元以後，醫藥分歧，於是爲醫者但以研究藥物之功效，爲醫療施治之章本，醫不備藥，而藥物之採備泡製，悉以藥工任之，其間流弊百出，亦勿之顧也。降至今日，爲醫者不但藥物泡製修合之法，罔無所知，卽其眞面目之能識得一二者，蓋亦稀矣。夫醫者既不識藥，則藥物之性態形狀，全無所曉，遑論其他研究之道哉。研究之道未由，則對於國醫唯一之生命，奚能保，其不滅亡者，更待何時耶。故爲今之計，宜作澈底研究之辦法，以提倡種植鮮藥爲要務，凡醫者應將各種藥物，提倡自行種植之宜，其土壤適其栽培，乾則依法收之，如是者，則藥物之宜燥宜濕，適寒適熱，皆得以詳審，而對於醫療作用上之研究，殊有不少之資助也。且藥物之種植者既多，其產量亦增，大可供盡量科學者之研究也。如分別其形態科屬，化驗其成分結構，推究其藥理作用，證之以古人經驗載述，庶中國之藥物，得以闡揚光大於世，亦卽國醫之基礎鞏，而數千年之學術，方能永傳不替，固不僅目前之危局得以免也。矧自泰西醫術東漸以來，國內西醫之應用藥品，皆取自舶來，每年西藥輸入之數量，殊堪驚人，漏巵之巨，奚啻千萬，國家經濟愈益窘困，但彼西醫之所以採用西藥者，亦自有故，乃因中國藥物之未經科學製煉，而不適治療上之應用也。今國藥既有多量之出產，供諸科學之研究，而科學國藥之目的可期，使爲西醫者，亦皆應用國藥，則漏巵可杜，未始非復興民族經濟之一策也。雖然，此事豈易言哉，設無人提倡于前，則何有人繼之于後？本校有鑒及斯，乃派員往各地選採種子苗本，闢地試植，近已得數百餘種，雖無巨大之成績，然以之喚起同志種植鮮藥之動機，亦得謂後興國醫學術之先聲，救濟國家經濟之實踐工作也。值茲展覽之時，爰書數語，爲我國醫界及諸同志告。

國醫學校展覽會給我的印象

何劍魂

——錄自蘇州明報——

科學昌明了以後，一切都在棄舊迎新中冀求着新的享受，時代的輪軸已滾滾的轉變了整個環境，歐風美雨，漸漸的向我國固有的文化道德和一切侵蝕，所以才有倔强者起來提倡和發揮國粹。

此次國醫學會舉辦的展覽會，把許多純粹的國藥陳列，給大衆有清晰明確的指示，并且標明了名稱和產地。我被好奇心鼓勵着，終於在昨天下午去觀光了。

天是陰霾得很沉悶，初夏的暖風吹在每個人的面頰上。熱汗慢慢地從皮膚的孔縫裏鑽了出來。

帶着一顆好奇和興奮的心，隨了一位比我認得路程的一良兄同行，從景德路到道堂巷，再折進長春巷。

門前的閑人擠了一堆，我和一良倆挨進門，那位警士同志和招待員向我和氣地微笑，同時我感着十二分的高興。

在簽名處胡亂的塗上一個名，因爲我見着人多便寫不出端正的字來的。

穿過了客廳，才瞧見如激流那末的遊人在騷動，男的，女的，老的，少的，擠了一羣又一羣。小孩們圍住猴子在戲弄笑靨上泛着得意的神氣，我有些爲猴子不平了，假如讓牠有一天掙脫了那條鎖鏈，也許要報雪這個怨憤呢！

其次是一只獵犬和一頭老虎，同樣的也遭着鎖鏈的束縛，但是看的人儘圍着圈子，沒有人敢去戲弄和欺侮，唉！人們的矛盾和驕矜的心理啊！

另有一頭鷹和一隻不知名稱的水鳥，都躲在樹底的濃蔭下瞇着眼睛，整理羽毛。

大概這些陳列的用意在吸引每個游覽者的興緻吧！

使我值得注意的是一間小小的書籍陳列室，羅列着各種關於醫藥原理上的書本。但我是門外漢，不能領會這些。

藥品展覽室裏用着一方方的小匣，小匣子裏置着我國各省地出產的藥品，加以簡略的說明，足以促起民衆們對國藥的注意，像榴皮、皂莢、絲瓜絡、蟬蛻、蜈蚣等等，背着極輕微的力量去搜集來配製後，而於國醫上却有相當的治病功効。

從藥品陳列室出來，又在假山上休憩了一會，無意中遇到錦帆，談了些閒話，別了這雅淨的地方出來。

在『出口』處，好幾位招待員誠懇的叫我批評這個難關，却把我梗了一下，因爲我是一個毫無國醫學識的人，況且也夠不上批評的資格，但是他們都是很誠摯的，還有什麽方法推諉？最後，我終於提起筆來塗上一句：『儘量發揮出固有的國粹來！』

（編者按：本校此次所展覽者，係以鮮藥爲主要，其他飲片標本，及本校出版書藉，均不過點綴而已，何君此文對於本校鮮藥部分，未有評敎。）

鮮藥展覽會歸來

——錄自上海新聞報——

朱君宜

鮮藥展覽會在我國，還是一個創舉，這次蘇州國醫學校附設的國藥試植場經過相當時的籌備，終於在本月三日的大雨中開幕了。這引起了全國國醫界熱烈的興趣，三日來京滬一帶名醫參與斯會的達五百餘人之多，南京方面還有許多西醫特地趕來參觀，造成了空前未有的盛舉。

此次該會的鮮藥，完全是從國內採集，籌備日期達八月之久，雖遠至川滇粵閩，亦都派員前往，據說一共得到六百餘種，但大半因爲氣候和地利關係，能夠活着的祇有三百八十餘種，這是很可惜的。

據該會主事者語筆者云，近年來國醫在世界各國，都得到相當的信仰，最近法國獎勵越南人民種植中國藥材，德國對於我國的藿香，認爲是關於身體健康中所不可缺少的東西，這都是很好的證明，而且西藥原料很多採用我國藥，經他們配合以賣買到我國來，獲利至少在五六倍以上，最可惜的是因爲我國種植不精，所以這筆原料都被日本奪了去，聽說還有川芎、遠志、麻黃等藥，我國因爲麻黃不足，反而要到外國去採購，這不是一個笑話嗎？

至於展覽的各種藥物，筆者是一個十足的門外漢，所以祇好略而不談了。(却酬)

講壇

章太炎先生之醫學

章次公先生講

成之方冠，學於上海中醫專門學校，讀餘杭先生所述傷寒論略說，韙之，以爲由此而出，國醫其庶幾可以發皇矣。頃之，因海寧孫世揚之介，執贄門下，言醫藥之學，啓發懇至，采獲實多，而詔示成之者三事，貫習羣方，用資證驗，一也。上不取靈樞內難，下不采薛葉諸家，以長沙爲宗師，二也。兼綜遠西之說，以資攻錯，三也。自後講習國醫諸校，疏通滯義，不違家法，要令舊術之繁亂者，反諸正則，辨慮妄，審嚮背懷疑之論，分析百端，有所擿發，不避上理。闇疏者苟欲玄虛以自文，詆成之爲左道；皮相者微識新理以傅麗呰成之爲誑耀；叢舉世之詬，故於中醫專校中醫學院，小子鳴鼓而攻，不以爲悔，益自砥礪，行我素志，武進徐衡之，亦以啓新復古爲志，創上海國醫學院，成之助其成，乃敦請先生爲院長，發凡起例，皆經先生所手訂，規摹始立，醫藥之書，亦漸推明，醫林髦士，翕然從風，遂爲全國斗杓，追維創導，所以摩盪人心者，則民族革命之導師餘杭先生，亦卽國醫革新之導師。成之事先生也，所聞醫藥者多，故論醫藥之學，所謂不賢者識其小也。

太炎先生，諱炳麟，字枚叔，浙江餘杭人，慕崑山顧炎武之爲人，更名絳，字太炎，學者稱太炎先生。少甚異族，未嘗應舉，故得泛覽典文，謹守樸學，所疏通證明者，在文字器數之間，遭禍繫獄，始專讀瑜伽師地論及因明論，以爲理極不可改，而應機說法，于今又適，自揣平生學術，始則轉俗成眞，終乃回眞向俗，觀其會通，時有新意，雖兼綜故籍，得之精思者多，精要之言，而皆持之有故，言之成理，不好與儒先立異，亦不欲爲苟同，若齊物論釋文始，尚書拾遺諸書，所謂一字千金矣。嘗謂學術無大小，所貴在成條貫，制割大理，不過二途，一曰求是，再曰致用，下論動物植物，上至求證眞如，皆求是耳。人心好眞，制器在理，此則求是，致用更互相爲矣。先生於醫，是以不求徧物，立其大者，立其小者，語必徵實，說必盡理，所疏通證明者，而皆補前人所未舉，若五藏配五行，舊有兩說，古文家謂脾木肺火心土肝金腎水。今文家則曰肝木心火脾土肺金腎水。各自爲說，不足以核實，今醫家者流，導源今文，不知其說不足據，而膠執傅會，以爲神理所在，沿至數千載而不悟，徐靈胎喻嘉言，心知其非，不能發其覆，先生始斥之曰，五行之說，昔人或以爲符號，久之妄言生克，遂若人之五藏，無不相孳乳，亦無不相賊害者，晚世庸醫，藉爲口訣，則實驗可以盡廢，此必當改革者也。前人不知三焦有實體，王叔和謂三焦有名無形，金一龍又稱三焦有前後之別，王清任則云三焦有有形有無形之分，陳無擇袁淳甫虞天民之流，似知三焦爲實體，亦皆隨意所使，以爲當然耳，獨先生據遠西新理，以證三焦，則曰，內經所言上焦如霧，中焦如漚，下焦如瀆，是象其形，又曰，三焦者決瀆之官，水道出焉，是指其用，難經則謂三焦有名無形，試問三焦究有物否，大概卽西醫之所謂淋巴腺者是，故素問稱之曰孤府，因其各處皆有，又謂半表半裏者何，蓋半表者，卽金匱所謂腠理者，是三焦通會元眞之處，半裏者，謂其內在胸腹之中也，今解剖學中言淋巴幹，左曰胸管，由下而上，右曰右淋巴管，由上而下，大約所謂胸管，卽是上中二焦，其淋巴管之在下者，即是下焦，且經言下焦別迴腸，則係淋巴管在下者無疑，總之三焦是腺，似屬可靠，故內經謂爲決瀆之官。有清一代，醫之所致力者，厥爲傷寒溫熱之辨，而先生不爲然，曰，溼溫名見難經，爲五種傷寒之一，但言其脈陽濡而弱，陰小而急，猶未志其證狀，脈經卷七云，傷寒溼溫，其人常傷於溼，因而中暍，溼熱相搏，則發溼溫，病苦兩脛逆冷，滿腹叉胸，頭目痛苦，妄言，治在足太陰，不可發汗，汗出必不能言，耳聾，不知痛所在，身青面色變，名曰重暍，如此者醫殺之也，然則暍病有溼，名曰溼溫，猶溫病有風，則曰風溫，狀亦猛烈，非汎汎似陰陽兩歧者，今之所謂溼溫者，果兩脛逆冷，邪，果頭目痛苦，邪，病發十日以內，果已妄言，邪，徒以其病在夏秋，身又有汗，遂强傅以溼溫之名，夫病之治療，古今或容有異，若以病狀定病名，此不能違古而妄更者，夏秋間有此寒熱往來胸膈滿悶證狀，初不由太陽轉入少陽，則正太陽傷寒也，凡胸脅滿者，病必不能離於少陽，以三焦爲津液之原，邪氣襲入，則津液失宣，是以胸脅苦滿，其由太陽轉入少陽者固然，其列在太陽病中者，實亦太陽與少陽并病爾，大抵傷寒太陽篇中寒熱往來，胸脅苦滿者，宜用小柴胡湯。失此不治，則見太陽本府蓄血之候，自時師誤仞此爲溼溫，傷寒小柴胡證之名，遂以湮沒，非徒識病施治不能得要領，而所謂太陽傷寒者，亦徒有對待少陰之假名，鮮見太陽眞病矣。霍亂無有不吐利，而吐利不必皆霍亂，長夏暴注，汩汩乎不可止者，其剽疾亦與霍亂相似，醫者狃于所見，遂一切以霍亂命之，先生辨之曰，嚴用和云，吐利之證，傷寒伏暑皆有之，非獨霍亂，醫者當審而治之，夫常病之吐利者，自腸胃涌泄而出，是以利必有溏糞，吐必有餘食，霍亂之吐利者，自血液抽汲而出，是以溲如米汁，而溏糞餘食鮮見，且腸胃亦不與相格拒，無腹痛狀，心合于脈，脈爲血府，故血被抽汲，則脈朓，脈脫而心絕矣，夫以血脈循環，內攝水汋，其凝聚之力甚固，曷爲不能相保，使如懸霤奔瀑以去哉，此土則以爲寒邪直中少陰，西人則以爲血中有霍亂菌，二說雖殊，要之邪併血分，心陽撓敗，力不能抗，則無異。近時日人謂腸窒扶斯之腸出血，爲維他命C之缺乏，機械性刺激，是亦副因，而非主因，故有下血而解者，若至腸穿孔則不免也。而先生已能明之，曰，遠西謂腸窒扶斯，小腸黏膜，寄生微菌，漸至生瘡，故腸部多雷鳴疼痛，病經二七日，則熱漸張弛，脈亦細微，譫語昏聵，有下血而愈者，亦有腸中出血穿孔以至死者，故於下藥畏之如虎，如彼所言，雖於溼溫之義稍異，而於太陽病之名轉爲眞切，其云小腸生瘡者，卽大論抵當湯症，以太陽隨經瘀熱在裏故也，太陽隨經則小腸也，陽明蓄血則廻腸也，抵當湯爲下血最重之劑，仲景未嘗避忌不之用，西人治此，昔亦主下，久之謂毒在血脈，下之無效，此但知有大黃，而未知有抵當湯也，更謂二七三七之間，膿已化成，或自下血，若下之則血不止，腸中穿孔，故反以止血爲治，而取石灰爲用。石灰本爲瘀瘡止血之劑，崔氏治十年血利，亦取石灰一味服之，彼以治腸窒扶斯，猶此義也，血則止矣，熱毒在裏，無可如何，乃云聽其自愈，然則腸澼邪重者，悉將以澀藥止之，而聽其自愈也。按二七三七之間，膿已成，則不可下，仲景太陽病用抵當湯者，本在初七二七之間，（陽明病用抵當湯者，七八日下後，又六七日始用之，此本無發狂之候，蓋化膿遲耳，）膿未成也。先生此論，足使西醫駭怪却走，要非浮夸無據者，他日果驗之於病碻卓不拔者，亦治腸窒扶斯一大發明也。先生於學，精思冥悟，於醫靡不然，片辭單語，有發千古之覆者，如論柴胡大黃，本經皆謂其推陳致新，大黃之推陳致新，在破積攻堅，而柴胡則疏泄淋巴之瘀阻也，黃連石斛，皆厚腸胃，黃連之厚腸胃，有收斂止瀉之功，石斛之厚腸胃，有潤燥護腐之力，用於腸窒扶斯，更能補充營養之效，而腸出血自免，其理與東人論腸窒扶斯當注意維他命C之缺乏同也。所言精審類如此，世多以先生善言理，治病未必効，然先生嘗述，有肺痿，西醫稱不治者，僕以鐘乳補肺湯爲丸療之，有裏水，西醫放水至三次不愈者，以越婢加朮湯療之，皆全愈，豈規規而求之以察，索之以辨者歟。時有廖平，亦以經師治方術，略法今文，讀王冰素問八篇，以此爲孔門詩易詩說，舉凡鄘衞王秦陳五十篇，邶鄘齊唐魏邠七十二篇大小雅大小頌及易之上下經十首六首諸義，皆能貫通聯合，是不通其條貫使方術爲圖書符命，視先生遠矣。著猝病新論四卷精要之言，則在考證，若論三焦卽淋巴腺，張仲景事狀考，古今權量考，溼溫論治諸篇。可懸之國門，宋元以來依違於彼是之閒，局促於一曲之內，蓋未嘗有也。

國醫內科研究法

陸淵雷先生講
徐名山記錄

晚近中醫學校愈開愈多，全國不下數十百處，氣象很覺蓬勃，就中除却名醫事業作爲裝點門面者，以及無聊醫生作爲營業者，等諸自鄶，可以不計外，那沒有背景的中醫學校，也很難辦得優良，原因是做中醫的，不會教書；會教書的醫學又未必高明，請不到好教員，這是無可如何的事！這裏王愼軒先生用一片眞心全副精神，辦成貴校，所聘教職員，又皆一時之選，多數是鄙人的舊相識，知道的明確些。所以鄙人認爲中醫學校中比較最善而最有希望的，要推貴校了。

王先生幾次親到上海，要鄙人担任研究院的內科主任。鄙人是慚愧得很，治病愈多，愈覺本領不濟，讀書愈多，愈覺知識不夠；簡直研究不出什麼來。可是到這裏得向諸先生請教，諸同學討論，本是很願意的，工夫忙了些，不能常來；今天竟來了，當然很興會。王先生派我做內科研究主任。就先講中醫內科的研究法。這裏未講正文，先要講兩件先決問題；是那兩件？

一要「泯人我，破門戶」。學術只有是非，分不得中西，更分不得你我。鄙人改業做中醫時，認定中醫學中的五行運氣，以及不合實際的五臟六腑等名目，須用科學先行翻譯確定，使人讀中醫書與科學不覺得扞隔。但是眼見西醫們飛揚跋扈，太把中醫看賤了；於是發言立論不免有偏袒中醫的地方。此雖有激而然，其實也存了人我之見，存了門戶之見。如今想起來，是很不可以的。西醫因不懂中醫，因有人我門戶，因而糟塌中醫，我如今只求實際的學問，又不是中醫的遺臣奴隸，何苦自欺欺人的偏袒著自己弄得描不準學問的目標呢？

其二要「注重舊道德。」禮記有云。「甘受和，白受采。」這是說心地光明虛白的人，才配受各種學問的陶冶。鄙人主張學問要從新，要向大都會一邊跑。道德卻要從舊，要向鄉村，甚至回頭向千百年前跑。道德靠不住的人，不但學問研究不好；即使研究好了，應用起來，也不免損人利己；反不如不學的無所損益於世。

百忙中何以要提出這兩層先說呢？因爲吾近年研究醫學的結果，覺得西醫理論知識，雖不能說登峯造極，大部分已不能推翻；而中醫除治療方法外，其理論知識竟絕少——或可說是沒有可取的。用了中醫的治療法，不用西醫的理論知識，那就成了個醫匠，不能算醫學家；更談不上學校和研究院了！復次，近年中醫學中的主張與新學說，多有鄙人所首創的，例如擯退內經，非但不可作入門課本，且不可作正當科目，只可作研究參考之助。又如內經多說鍼灸，自成一派；後人將鍼灸學說拉入藥治裏面，全失根據。此等意見，初發表時，當然引起很大的驚奇，攻擊與慢罵，不用說他。過了幾年，風氣漸漸改變，往年人人驚詫的新主張，至是多數人覺得不錯了。於是往年罵我的人，著書立說，他們的主張，竟與我往年一樣了。我却不知他們是自己明白了？抑是隨順潮流？可是像跑路一樣，鄙人常比他們跑前一段，比及他們追到這一段時，鄙人又向前去一段了！所以他們永遠不會與鄙人站在同一線上，而鄙人永遠是他們的罵胚！平心而論，他們如果這樣罵我說「幾年前的陸淵雷還算不錯，如今却越發荒謬起來……」果是這種口氣，乃是他們見鄙未到，我雖受罵，還要可憐他們，引導他們，但是他們一方面儘鈔我老文章，一方面儘罵我。換句話說，同是一種主張或學說，先前出於陸淵雷之口，總是荒謬；過幾天出於他們之口，才是頂刮刮的大發明，這豈不是道德太欠缺？人格太不夠麽？看他們這種手腕，很是聰明的，可惜他們的聰明都誤用於詐術上，假使用以研究眞實學問，未必便不如鄙人，也用不到拾吾的牙慧而又費心費力來罵我了！道德錯了，雖有聰明，研究不成學問，道德豈不成了學問的底子？還不緊要麽？鄙人有一班遙從通信的學生，定要他們守舊道德，執師生禮，就是這個理由。饒他這樣醫術中眞正緊要關鍵，鄙人還想留起若干，且緩一齊敎給他們，必須受了佛門五戒——殺、盜、淫、妄、酒——才敎給他，想是如此想，是否實行還未定。

諸同學誠能聽鄙人規勸，破除人我門戶，又辦下一片道德心，這樣研究醫學，一定有很大的成就。如今要說正文了。

怎樣叫內科？這問題似乎太淺易了！發熱怕冷頭痛的病，或是腹脹便祕泄利之病，是內科；害個疔瘡癰瘍發背，是外科。豈知現下的內外科不是這樣分別，因解剖學視體內體外不殊，而所謂內科病者，其體內藏器當有一定之病竈故也。例如骨蒸勞欬，向例以爲內科；今用人工氣胸法治療，則屬於外科矣。（於此帶講人工氣胸之大略，以非正文從略。）又如溼溫卽腸窒扶斯，內科也；苟能割除小腸之病竈以治之，亦將畫入外科，蓋內外科不從病上分別，從治療法上分別也。西方割治之術日見進步，故內科西醫之營生，漸被奪於外科西醫。若從中醫說，則冬日凍瘡，明是外科，服當歸四逆湯可愈，則亦可屬內科。遍身生小疣，如北瓜，外科也；久服薏苡仁可愈，亦可屬內科。故病無絕對的內科外科，治法乃有內科外科耳。鄙人做內科醫，凡不用刀鍼用藥物及其他方法以治病者，皆臆稱其法爲內科法，今所研究者，以此爲範圍。

研究法有臨床的與學理的兩途，缺一不可。

A臨床研究：中國的習慣與法律，病人對醫師沒有什麼維繫，極是自由的。中醫又沒有醫院；就有，病人住院出院也極自由，醫師不能干涉。稍微重的病，一兩天不肯就好；病人就會不耐煩，對醫師不信任，勢必別請他醫。今天請了陸淵雷，開下藥方便走。明天改請了王慎軒，也是開下藥方便走。如果不再請復診，醫師對於自己用藥後的效驗是很難知道的。若要看到一個病的全經過，簡直極少這種機會！西醫則不然了；病人入醫院，往往要立下生死文書，一切服從醫師。即使醫治得不大妙，非得醫師的許可，不能別請醫，不能吃別的藥，甚至不能自由出院。這種辦法，一方果然使醫師得盡其治療之能事，而免卻雜藥亂投之弊。一方醫師得見完全經過，於實驗及統計上有絕大便利。北平有個規模最大的醫院；凡富貴人進院，住頭等病房的，他們自是十分巴結，好好替你醫治。若住三四等病房，醫師心目中看來，簡直不是病客，而與他們實驗室中的家兔天竺鼠等有同樣的待遇。不但不許中途出院；死了，還得算清房飯醫藥諸費，方放出屍體來。這樣領出的屍體，聽了有破了肚的，有切開了天靈蓋的，種種不一而足。可憐中國沒有治外法權，苦主要追究，須經過外交手續。外交官吏與醫院當局多少有交情，與小百姓沒交情。向外國人交涉，自來又覺得頭脹，得罷且罷，慣了的。這種苦主，那裏還可告訴；所以那醫院裏，並沒有固定的醫師，都是外國派了來做臨床實驗功課的，六七年換一班。古語道得好，「學書紙費，學醫人費」。像他們學醫，費的是我們北平的貧苦有色種人；學成了回春妙手，便給他們碧眼高鼻子的無色種同胞享受；這是那裏說起？做中醫的沒有這種憑藉，這臨床研究就很困難了。只有一法，糾合起若干同志，將治療經過互相報告以作研究；積得多了，未始沒有成績。可是這就要道德了！不然，只管將自己不會醫的病報告給人，騙取方術；那有效方法卻不肯說出來；豈不失了共同研究的目標？鄙人因此目的，曾經發起過「新中醫研究社」，集會結社是絕對自由的，不過先要得許可，又要服從指導。那時鄙人依法糾集了三十五人以上的發起人，簽名蓋章，費了不少麻煩，呈文遞上去，做張做致了好幾天；只怪鄙人太不識竅，呈文以外再想不到別的手續了；結果是指令下來「應毋庸議」這樣便沒有辦成功。諸同學既有同學的天然團結，很可以順便這樣做，將各人的治療經過互相報告互相研究，對團體外不妨嚴守祕密，在團體中卻須十分忠實，一切嫉忌祇取守祕密等惡習，一點使不得；那才可以彼此有益，得到進步。

B 學理研究：解剖，化驗，動物試驗等方法，比較的稍難，不能人人辦到。唯一方法，便是讀書了。說到中醫書，一般認爲第一部該是內經，其次爲難經。殊不知內經係秦漢人文字，國學根底淺的，往往讀不透澈。內經的主要，又是鍼灸，不是藥治；後人把鍼灸的理論拉到藥治上去，一發糾纏錯誤。全部內經只有些另金碎玉，要自己有眼光去領會。所以內經爲最後參攷的書，決不可作正常功課讀。還有做中醫學上障礙物的「氣化」，也是內經中的特產，却發生在王冰加入的幾篇大論裏。鄙人是反對氣化的急先鋒，因爲反對，便格外研究。研究時抱了兩種希望：若覺氣化真有理，真可信，我便將幡然一改，變反對爲擁護，因爲吾只知學術的是非，並不固執護短故也。若氣化畢竟無理，也可以堅決吾的反對心。這樣虛心研究的結果，覺得氣化學說，愈研究愈是紕漏百出。吾有「從根本上推翻氣化」一文，本是遥誦講義的片段，登載中醫新生命中，諸同學不妨一閱。因此吾主張內經不必怎樣讀他，難經分量少，名爲解釋內經，卻比內經更多錯謬，也不須讀他。那該讀的便是傷寒論，金匱要略，巢氏病源，千金方，千金翼方，外台祕要，聖濟總錄，這幾部大書了。金元諸家也得看看。

此外普通內科書不拘一門的，如王肯堂六科準繩，喻嘉言醫門法律，張石頑醫通，乾隆時的醫宗金鑑，陸九芝的世補齋醫書等，也要看一番。不過看這等書，要自己放出眼光來，由我去決擇他，不要跟著他盲從才是。大抵他們說的怎樣證狀該用怎樣藥，總有點經驗在裏面；至於理論，什麼「熱極生風」「寒極火化」等等，便不該聽信他。又醫書中文筆愈佳，如喻嘉言等他的胡說尤其容易動人，讀者愼勿受騙。

鄙人所讀中醫書，日本人的著作爲多。至於平時實際治病，博取衣食的小本領，也從日本醫書中得來。不怕諸同學笑話，說出來只不多幾部小書。(一)是漢法醫典，寥寥只百餘方，卻十之七八有效；此書著者野津猛男，本是日本人學成了西醫的，一次治一胃炎嘔吐，用盡西法不應；忽然想起他父祖所用的漢醫方，找一個用用，居然大效起來；於是跟一位老年漢醫學習，記出這些方來。不過此書用藥分量，須加重四五倍以上方效，大概日本人飯量淺，故用藥量也輕；治日本人必須輕，治中國人必須重，這是事實不容改變的。(二)是勿誤藥室方函口訣，著者淺田宗伯，爲日本最後的著名漢醫。書中古方後世方，皆有每方錄原書主療文，附加淺田自己的經驗用法，可寶處便在他的經驗用法中。此書原本恐是漢文，吾沒有買到；買到的乃日人譯和文之本，改了名字，叫淺田宗伯處方全集。近年有個渡邊熙，也是西醫醉心漢法的，用淺田書爲藍本，注了些西醫病名在上面，並稍加按語，印出來，名東洋醫學處方各論，小小一冊，錯字很多，定價卻甚貴。中國已有譯本，即所謂漢和處方學津梁者；然其精要，仍在淺田之原文也。(三)爲觀聚方要補，丹波元簡著，丹波氏世爲醫官數百年，此書本其先世遺稿，元簡爲之刪補刊行，故曰要補。諸方但引原書主療文，自己不著一字，體例正如徐靈胎之蘭台軌範，從著作上論，此書較淺田書爲高；而實用，則淺田書尤便初學。日本人做學問，肯切實用功，不若中國人之欺世益名，又一切江湖習氣較少，比中國人爲質樸，是以可取。

若要識病，必須研讀西醫書，中醫病名不但各書互異，簡直無有是處，不成能立，往時鄙人有一種主張，以爲治病只憑證候，不須識病。實際上固有病已治愈而未識其病者。（時醫臆造之病名當然不算）現在覺得此主張不甚妥，識了病有種種便利。例如豫後之斷定，非識病則不能明確。有時識病既確，治療上亦大有裨益。譬如痢疾，中醫但以裏急後重，大便不爽爲候。苟研究過西醫書，則知僅僅裏急後重，無發熱等全身證狀，飲食起居如常者，病不過直腸發炎，無病菌之毒。治之只須黃芩消炎，桔梗枳實赤芍等排膿，更視脈舌，或熱或溼等各加副藥治之，無有不愈。若全身證狀重者，則有細菌爲毒，此時白頭翁爲除痢毒主藥，煨葛根爲退痢疾發熱的主藥，芩連爲消炎主藥，枳實桔梗赤芍爲排膿主藥，木香爲腹痛主藥，當歸可以增陰氣而助滑腸。此中黃芩赤芍合甘草紅棗，又本是治下利之黃芩湯，若有副證，加副藥治之，愈亦不難。更有一種「小腸性赤痢」，亦可名「傷寒性型赤痢」，病竈在小腸上部而不及直腸，故無裏急後重之證，甚有發熱及便祕者。若非驗大便中菌，誰也不能識爲痢疾，然其菌毒所布發甚重之全身症，疑是傷寒，用對症的傷寒法，始終不能退熱，不能減輕病勢。鄙人所有二三例，舌色及脈，不是眞傷寒。（腸窒扶斯）而其他疑似之急性熱病，又皆在否決之例。其可能者惟小腸性痢疾。於是放膽用痢藥治之，病卽大差。此種，若非讀過西醫書，只怕無論丹溪景岳再生，都辦不了。讀西醫書而識病，有如許便益。故西醫的病理，以及簡要診斷方法，不可不兼學焉。

以上臨床學理兩種研究法，皆就鄙人所經歷者言之，雖未能確然不易，要亦失之不遠，講說至此，殆已過兩小時。同學習慣，每小時休息一次者，不免爲之困倦，有欠伸者。吾今姑止於此。

實扶的里的病理及治療（續前）

唐仁緒博士講
陳碩人筆記

（二）喉頭實扶的里，又名喉頭格魯布，（Kehlkopfkromp）大都續發於咽頭實扶的里，爲三種實扶的里當中最重篤而多危險的一種。在二歲至七歲的小兒患這種實扶的里最多，他的主要症候就是發生急性喉頭狹窄，屬遭生命的危險；這是因爲患喉頭實扶的里的時候在聲帶的表面被覆纖維素性沈著物（義膜）以致呼吸空氣的出入門，（聲門）發生狹窄，喉頭一旦狹窄，那就發生呼吸困難，呼吸困難，如達高度，即易發生窒息，而陷入危險的狀態。（若用俗語來形容這種危險就是閉氣。）我現在再將喉頭狹窄發生的經過和他的結果，略爲一說，諸君或可更覺明瞭啊：喉頭狹窄發生的起初，即覺聲音嘶嗄，發生格魯布咳嗽。這種咳嗽，是一種刺戟性咳嗽，聲若犬吠，有經驗的醫師，若聞此聲，即可推測斷爲本病。狹窄的程度，如再增進，則呈呼吸困難的現象，此時咽頭大都潮紅腫脹，但是義膜不必一定察見。下顎骨的下方和後方的淋巴腺，發生壓痛性的腫脹，若用喉頭鏡檢查喉頭，則見灰白色的義膜附著在聲帶和他的周圍。該部腫脹著明，所以空氣的流通，當然發生阻礙。體溫雖多上昇，但不必然，很少超過攝氏三十九度。脈搏著明細小頻數，屢帶不整。此際若早得確實的診斷，施以適當的處置，大都經過數日，就可治愈。否則錯過治療的良機，各種症候，次第進行，空氣通過聲門，更形障礙，格魯布咳嗽亦更劇烈，呼吸困難，亦隨達極度。血液內的炭酸增加，而酸素則反缺少，所以口唇舌頰耳翼手指等處的皮膚，失却健康皮膚的紅潤，變爲鉛灰色，或呈紫色。患者的顏貌，現出痛苦狀的表情，舉動不安，轉輾牀上，心臟亦著明衰弱，終以無救窒息而死。再格魯布的發作，多在夜間，突然驚破睡眠，發生呼吸困難，頓陷窒息狀態，這是因爲睡眠的時候，增生格魯布性義膜，以致被覆聲門，引起格魯布的緣故。有時且因粘液的聚積，或兩側聲帶的邊緣，互相粘着的時候，亦可引起格魯布的發作。但患兒往往可由咯出纖維素性義膜，而消散這種的發作，這無非咯出後，聲門偶然得到一種流通空氣的機會罷了。我們照上面講的經過看起來，喉頭實扶的里的持續，往往祇有一日到三日間有在一星期左右，至於長久的持續，那就屬於例外的了。他的死亡原因，大都屬於由喉頭狹窄引起窒息的結果，這已經是很明白的事實，當可毋庸再述。喉頭實扶的里的併發症，當以氣管枝炎和氣管枝肺炎的兩種爲最多。

(三)鼻腔實扶的里大都續發於咽頭實扶的里，原發性的鼻腔實扶的里，普通比較的稀少。本病也是多數侵犯小兒，就是乳兒，亦可發生，患鼻腔實扶的里的時候，大半先來鼻腔的閉塞，不久鼻腔的分泌物漸次增加。分泌物的性狀，初爲漿液性，後卽變爲血樣的敗膿性，鼻孔的外口部和上口唇的皮膚，因爲當有分泌物的刺戟，所以常常發生潮紅腫脹糜爛，從發炎鼻粘膜脫離的壞疽性斷片，屢和鼻涕一同排出於外方，若用鼻鏡檢查鼻腔，則可得見鼻腔內充滿灰白綠色的壞疽性組織，鼻腔實扶的里，也是不可輕視的一種病，並且常能轉爲全身敗血症，或由衰脫而死亡。他的熱度雖然時常上昇至三十八度左右，但有時候竟可毫無體溫的增高。患兒除有鼻塞流涕之外，也並無何等顯著的痛苦現象，因此父母亦不十分介意，也未疑心是一種鼻腔實扶的里。直待經過日久，尙未見愈的時候，方才求治於醫師。我現在舉一個有這種情形的病例來證明一下，或者也許增加些興趣啊：

病誌第九百八十五號(鼻部)診察日期二十三年十一月六日，姓名陳某男八歲，住本埠武定路武定坊。發病經過情形：據云四日以來，鼻腔閉塞而多鼻涕，且常出血，尤以右側鼻腔爲劇，右側面頰部曾經腫脹，現已稍退，並無寒熱。

診察所得：左側鼻腔入口部稍有血性分泌物，右側鼻腔粘膜著明腫脹，充滿灰白綠色壞疽性組織，不易剝離，强剝之則易出血。鼻孔的外口部，略有糜爛，顯微鏡檢查：由右側鼻腔採取少許分泌物，轉送朱仰高醫師檢驗，結果查得實扶的里桿菌（報告單爲四三三七號）診斷結果，確定爲鼻腔實扶的里。治療經過情形：立刻注射實扶的里血清一萬單位，注射後第三日，充滿右側鼻腔的灰白綠色壞疽性組織，業已自己剝離，故取出非常容易（如長塊狀）粘膜腫脹，亦均退去，而鼻腔呼吸亦隨恢復。

實扶的里既然公認爲是一種由實扶的里桿菌感染的傳染病，當然也要依照一般傳染病的規定，立刻送入傳染病院，施行隔離。但是在事實上講起來，未必個個可以辦得到，因爲有時候家長不願將患病兒童送入病院，施行隔離醫治，所以大都卽在家庭中施行隔離，延醫診治。此時切不可與病人共同食宿，尤以兒童爲然，寢室務須常使空氣流通，能得日光直接照射更良。一切用具玩具和寢室，當用消毒藥液謹愼消毒，若能用蒸氣消毒，則更佳。再口腔衛生，亦屬緊要，可用減菌藥水，當常漱口，至於注射預防血清一層，須經醫師診察後，始可注射。但是因爲經過相當日期後，他的防禦力卽可消失，所以一般人往往不願注射。

實扶的里惟一的特效治療法，就是注射實扶的里血清，無論其爲咽頭實扶的里，喉頭實扶的里，或鼻腔實扶的里，如果得着確實的診斷，立刻就應注射實扶的里血清；注射愈早，見效愈速。血清的分量，是用單位計算，單位的多少，是依發病的日期；病的輕重，病人的年齡和體質而定。普通對於喉頭實扶的里的血清注射單位，總在一萬以上，照我們醫師的經驗上講起來，與其失在注射單位少的時候，寧可失在注射單位多的時候。關於這一點，當然主治醫師可以斟酌情形注射，儘可毋慮。當血清注射的時候，和他注射的後來，往往發生兩種病症，這種病症，並不是每次注射必定發生的，現將這兩種病症的現象大概說一說如左：

（一）過敏症：在一星期前曾經注射血清過的人，如果再行第二次血清注射，屢有發起激烈可怖的反應，有時竟可危及生命（卽使第一次血清注射遠在數年前亦然如此）所幸預防這種可畏的過敏症，倘稱簡便，就是在注射的時候，應當先用極少量注入經過半小時或一小時後，如無反應，再用稍多量注入；再經半小時或一小時後，始可注入全量。其所以分次注射的緣故，因爲可以預先麻鈍患者的過敏性。如此分次注射，大概可免遭遇上述的危險。現在一般有經驗的醫師在注射各種血清的時候，一定要先問有否注射過血清，或逕施行分次注射，無非也就是要想預先防備這種過敏症啊。

（二）血清病：這個血清病，不是專門發在實扶的里血清，就是其他血清也可發生的。他的病象，卽在血清注射後一星期左右，常常從顏面軀幹以至四肢發生赤色指頭大蕁麻疹樣的斑點，搔癢劇烈，頗以爲苦。同時熱度亦復上昇，因此往往引起病人及家屬的恐懼；其實我敢擔保無礙，也更談不到生命的危險。大抵經過三四日至一週，卽可熱降疹退，恢復健康。如與給與下劑和鈣劑，那就他的治愈日期更爲迅速。

再喉頭實扶的里，若已陷入窒息狀態，而不及注射血清或已注射血清，而呼吸困難，更形劇烈的時候，當卽斷然施行氣管切開另闢氣道，急謀呼吸，以救萬一，往往可使窒息狀紫藍色的容貌，由數次通暢的呼吸，變爲紅潤色而挽回將絕的生命。惜乎一般家屬大都不願將兒童受此手術，實可嘆啊！（完）

外科研究第一講

余無言先生講

外科概論

(一)中醫外科學之歷史

中醫外科學說。始於靈樞癰疽篇。考靈素為中醫書之最古者。後人有以班固漢書藝文志不載靈樞素問之名。而祇載黃帝內經十八卷。卽疑靈素非黃帝書。為後人所依託者。未為無見。卽證之李仕材讀內經論。亦祇言『藝文志曰「內經十八卷」素問九卷。靈樞九卷。乃其數也』可見李氏亦祇以靈素各有九卷。適合內經十八卷之數。亦無從證明靈素卽內經也。究之內經是否卽靈素。靈素是否卽內經。安得起黃帝而問之。然觀其文辭典雅。必為秦漢以前之書。則可斷言也。

靈樞癰疽篇。所載外科病名。自頂至足。僅十七症。大體雖具。而語焉未詳。仲聖之書亦然。直至晉末。劉涓子始以鬼遺方一書。傳於其姊之從孫龔慶宣。書中於癰疽金瘡之部位。及治療法頗詳。此為外科書之最早者。迨至千金外台等書。乃更較詳備。再後則有宋之聖濟總錄(宋徽宗御纂)外科精要(陳自明)元之外科精要發揮(朱震亨)外科精義(齊德之)明之外科樞要(薛已)外科正宗(陳實功)外科理例(汪機)外科發揮(薛已)清之金鑑外科心法(清高宗御纂)外科百效全書(龔在中)瘍醫大全(顧士澄)外科全生集(王維德)等書。外科學說乃大備。

其中名家多有發明。計之如次。陳自明之外科精要。創為托裏排膿諸方。傳至今世。為醫家所宗。盡世瘍醫。惟持攻毒之方。治其外而不治其內。治其末而不治其本。比比皆是。齊德之撰外科精義。繼陳氏而力矯此弊。務審病之所以然。而量其强弱以施治。汪機之外科理例亦本其說。稱外科本諸內。知乎內以求乎外。其如視諸掌乎。治外遺內。所謂不揣其本而齊其末也。可謂探原之論。陳實功善用刀鍼。一時無兩。其所著外科正宗。又細載病名。詳列治法。大段已具。故後之醫者。奉爲外科入門之善本。至王維德本其曾祖若谷之傳。著爲全生集。發明陽和湯、醒消丸等方。以消爲貴。以托爲畏。以濫用刀鍼爲戒。於是痛詆正宗之說。其學說雖平穩可師。而詆毁正宗。不無太過。此一家言之每多偏見也。至若集外科之大成者。則御纂之外科金鑑。及顧氏之瘍醫大全尚矣。

(二)內經學說以前之外科推測

外科學說。始於靈樞。前已言之矣。但內經學說以前之外科狀況。吾人不得而知。苟欲研究。確爲一最有興趣之問題。曩余主講外科於上海中國醫學院。曾編有混合外科學講義。其中對於外科。有下列之討論。

中醫外科。在醫學史上言。其歷史遠不如內科學之悠久。以故古代醫書。對於外科。均略而不詳。然以予意測之。中醫外科治療之發明。定較內科爲早。蓋上古人穴居野處。抵抗力强。且心地純潔。無多大情慾。以戕賊其身心。內科病當然較少。而其時爲人與獸爭之時代。身體受創。料爲常事。創傷無有不痛苦者。必思有以解除之。而外科療治乃發軔。不識此種最初之外科療治。何以失傳也。想當時無文字記載。以致漸歸湮滅耳。

上之推測。乃余一時之理想。不覺毅然決然筆之於書。今經余一再研究。外科治療較內科爲早之說。確有佐證。茲舉之於次。上古之世。樹居人在前。穴居人在後。此爲歷史之所昭示。蓋古代人之所患。一爲洪水。一爲猛獸。當洪水泛濫之時。

猛獸橫行之際。人多樹居以避之。人非鳥類。樹居本非所安。有時或偶然失足。有時或睡眠轉側。轟然墮落於地。則外傷成矣。有時與猛獸爭鬥。傷更易致。且下有水患。濕毒易染。上冒風日。瘍瘺易生。此皆外科病之發生。先於內科病。多於內科病之鐵證。迨洪水漸退。人類漸繁。先民乃得穴居。穴居之時。必然易致寒濕之疾。故韓愈原道篇云『木處而顛。土處而病也。』又云『爲之醫藥。以濟其夭死。』莊子亦曰『民濕寢則腰疾偏死。木處則惴慄恂懼。』此兩語更足證明木處易致外科病。土處易致內科病。而外科病較早於內科病。尤爲有據也。

(三)泰西外科學之歷史

泰西於外科學說。亦稱上古之世。載籍無稽。在西曆紀元前二千年頃。始於埃及國。見外科之萌芽。嗣後日益進步。於紀元前第六世紀。進步至速。例如施於宦官之睪丸摘出術。及刺絡。切斷術。眼科手術、齒科手術等。均甚巧妙。又在印度國、波羅門時代。此學亦覺進步。如脫臼、折骨、切斷、開腹術、直腸瘻管手術。造耳術、造鼻術、造唇術等是也。

在希臘國。有醫聖歇撲克拉斯氏者。外科之精卓絕一時。其著述中。有穿顱術一編。議論極爲正確。在羅馬國。紀元後二世紀頃。有庫拉烏具爾賴氏出。從事解剖學之研究。貢獻極多。

洎乎中世。此學不啻不進。反有退步之勢。亞賴比亞國。亞布爾加塞姆氏出。始發外科學之曙光。普照歐洲。厥後至十三世紀。此學之榮譽。爲意大利人所得。至十四世紀。法人又復奪之。隆盛有加。如亞謨布魯亞治派爾氏者。發明結紮法。盛名因之不朽。

十七十八兩世紀。英法兩國。此學益見進步。如法醫强易布氏。英醫埕亨泰氏。盛名嘖嘖。迨十九世紀。美醫馬爾通氏。

創用以脫麻醉。其翌年。英醫撕姆浦松氏。發明嘔囉仿謨麻醉。於是外科手術。更爲便利。其後英國利斯泰氏。又發明制腐法。則更昭垂千古矣。至德國之醫學。較他邦發達極遲。今則駕他國而上之。其能代表負有外科學隆名者。則倍倫、富霍、藍建氏及鉄阿特爾、斐爾氏等是也。近世派斯托爾氏、及古弗氏。又發明防腐法。在昔時醫家認爲恐怖煩難之大手術。今則措置裕如矣。

(四)泰西外科學之喧賓奪主

海禁未開以前。初不知何以爲西醫也。只知醫有內外。而不知醫有中西。清季海禁大開。外人之來華傳教者。不一而足。始由教士傳播其學術。繼設醫院治療我華人。於是研究者日衆。稱曰西醫。而通商大埠。均有教會醫院及教會醫生。後國人知西醫之方法。足以補中醫之不逮。而尤以外科爲然。乃派遣學生出洋。加以深造。在初時政府之意。以爲採取泰西之新知。以補中說之缺點。誠大好事。初不料後之學者。學得西說皮毛。卽唾棄中醫眞髓也。此輩本其科學之眼光。排斥中醫不遺餘力。近且提倡消滅中醫。謂中醫爲玄學。不許列入學校系統。直欲一網打盡。剷除到底。吾不知此輩是何心肝也。須知中醫主也。西醫賓也。中醫爲有用之學。歷史悠久。治療昭著。不能因其有陰陽、五行、五運六氣等說。卽將其學術之眞髓治療之實效。亦併掩沒而不彰。用夷變夏。終覺期期不可。喧賓奪主。豈能訥訥無言。於此時也。欲挽救中醫危亡。發揮外科眞理。非一人之力所能濟。願與同人共勉之。

(未完)

補白 本期所登中西講師之演講錄，係按照演講時期之先後爲次序，並非由編者之主觀選擇登載，且爲篇幅所限，尚有許多名家博士之講稿，未及排入，敬請諸位講師及讀者原諒是幸！(名山)

怎樣研究女科學

王慎軒先生講
徐名山筆記

(一)緒言

(二)女科學源流概論　(1)女科醫學之濫觴　(2)漢迄南北朝之女科學　(3)隋唐時代之女科學　(4)宋元時代之女科學　(5)明清時代之女科學

(三)女科學研究法　(1)要以內科爲基礎　(2)要有抉擇的目光　(3)要有虛心的態度

(四)女科醫生應有之修養　(1)要了解女人的精神生活　(2)要有誠懇和氣的態度　(3)要繼續不斷的吸取新知識

(一)緒言

本院的宗旨，不僅是造就醫學的實用人材，而且還要使諸君能夠負擔起國醫革命的重任。所以一面聘請許多西醫專家逐日到本院來講演，並且特約一位西醫導師，專門指導諸君對於疑難重病的研究。但一面我們覺得所謂國醫革命，並不是丟棄了固有的國粹醫學，去專門學習舶來醫學，剽襲外人的些許皮毛，就算了事，而是要我們應用科學的知識，科學的原理，去改進固有的舊醫學，使成爲有系統的，有條理的，能證驗的，科學化的，中國本位的新醫學。俗語說，「前事不忘，後事之師，」我們要改進國醫學，第一要對於中國醫學的整個體系及其所包含的各個分系，有正確的認識與深切的了解；第二更要明瞭它過去的歷程，及每一時代的學說，所以產生的原因和背景，然後再根據科學的原則，應用科學的方式，把它從縱的方面和橫的方面，都加以一番徹底的整理；整理必須要等到整理的工作完畢的時候，方才可以談得到改進，否則空言改進，等於隔靴搔癢，根本無裨於實際的。因此本院規定課程，特別注重文獻研究，其他如派赴中西名醫診所或醫院實習，及在本院診療所臨證研究，不過使諸君對於文獻研究有一實驗的機會，藉以證驗古人的學說，並且同時測驗自己的學力而已。至於文獻研究的原則和方法，已由葉橘泉先生負責計劃和指導，我不想在這兒多加說明；同時我因爲對於女科比較有經驗些，所以今天所講的話，以屬於女科範圍者爲限。

（二）女科學源流概說

我相信一切學術思想的起點，都是由人類從生活的過程中本能地發現，並不是由於一時代或一地域的神樣的天才者所憑空創造出來的；同時歷代學術思想的進化，也是由於人類爲一時一地的生活環境所限，爲適應生存起見，而自然地演變，並不是由神樣的天才者，仙樣的預言家，脫離了他們的生活環境而超然獨特地空構出來的。這凡是研究過學術思想史的人們，都是這樣地肯定，並不是我個人武斷的見解。醫學是各種學術當中的一種，它底進化的歷程，當然也不能超越這個定理的範圍，所以我們研究醫學源流，同時必須把各個時代的人民生活環境，及當時除了醫學以外的各種學術思想，也要求得相當地了解或認識；可惜我自己因爲校務，診務，家務及其他的許多俗務纏住着，對各門學問，都不能有充分的研究，以致今天所講的話，還是有點隔靴搔癢；我希望諸君，能夠比我作更進一步的研究！

（1）女科醫學之濫觴

講到女科醫學的源流，因爲女子是人類的母親，世界的創造者，所以女科這門學問，自古與其他內外小兒各科佔同樣重要的位置。但何以上古醫學史上，沒有女科佔光明燦爛的一頁呢？這是因爲中國醫學，在上古的時候，治療技術非常單純，各科都混合在一起，原無門類之分，所以在當時，女科亦包括於『周禮疾醫』之內，而不另立專門。不過據另一方面，我們可以看到最先發明醫學的軒轅黃帝時代，曾有素問女胎及黃帝養胎經（見隋志）二書，專論女人之病；可惜這二種書早已散佚，我們不能見其眞面目，以致無從說明他的思想。此外，唐王燾外臺祕要裏面有素女與黃帝之問答數條，對於女人產乳等病，詳有論及，卽以女子瘕病而論，有黃瘕，青瘕，燥瘕，血瘕，脂瘕，狐瘕，蛇瘕，鼈瘕之分，且每一證候之下，都附有方，或可謂最早之女科書，惟所謂黃帝著作，大都爲後人所僞託，如內經一書，經中日學者之研究，大家都認爲非黃帝時代之書，又如與道敎有關之本經一書，相傳爲黃帝所著，及太公所註釋，實則唐之李筌所著，假託黃帝之名以問世，此又爲學者所早有定論也。故外臺所載黃帝素女之問答各節，當不無使吾人懷疑之處，且秦漢時代帝王都好長生之術，方士之流，倡言長生不死之方者，皆託言黃帝老子，以欺矇其君王，外臺所載黃帝素女問答中，有『關元』『氣海』『陰陽』『玉門』等名詞，完全爲道家之術語，更足使人疑爲非黃帝時代之著述，但無論僞託與否，此爲最早之女科著述，則可以斷言也。至於最初以專醫女人病而得名的人，則有戰國時候的秦越人，史記扁鵲傳中說：『扁鵲過邯鄲，聞貴婦人，卽爲帶下醫。』論者咸以此爲女科有專醫之濫觴，故今人有別稱女科醫生爲帶下醫也。

（2）漢迄南北朝之女科學

其次研究女科學的人，就要算後漢長沙太守張仲景了，仲景著有傷寒金匱，這是大家都知道的；不過據隋志所載，仲景尙著有療婦人方二卷；據陳自明云：『民間有婦人傷寒方書，稱仲景所撰，而王叔和爲之序……』仲景傷寒論自序中亦言：『撰用胎臚藥錄』，有人說：『胎』爲女科書，『臚』就是兒科書，這話雖未必可信，但證以古傳幼科之書名顱顖經，則又未必完全不可信了。不過以上諸書，均久已散佚，不可見，無論其有或無，都不過是後人的一種推想而已。現在吾人倘能得見者，惟金匱要略中有婦人姙娠病脈證并治篇證三條方八首；婦人產後病篇論一首，證六條，方七首；婦人雜病篇論一首，脈證合十四條方十四首，文雖殘闕不全，其用藥之思想，則堪稱與傷寒論及金匱其他各篇一貫，且亦不言五運六氣，當是仲景所撰；於女科學源流，亦不無有一線可尋也。

自張仲景後，有徐之才逐月養胎方一卷，徐爲南北朝時代的北齊人，其書曾被唐孫思邈錄入千金要方中，對於姙娠養胎之法，自第一月起至第十月，至每月必先述攝生方法，次述姙娠疾病，並安胎方藥，對於曾經傷胎之婦人，則另有附方，逐月均然也。其於養胎方法中，如：『姙娠一月，宜食大麥，毋食腥辛；』『姙娠二月，男子勿勞，居處必靜；』『姙娠四月，食宜稻類，羹宜魚雁；』『姙娠五月，朝吸天光，以避寒殃；其食稻麥，其羹牛羊；』『姙娠六月，身欲微勞，出遊於野；』………均與現代科學之養胎法同一見解。且徐氏又謂『姙娠三月，欲子美好，數視璧玉；欲子賢良，端坐淸虛；』此於胎敎上有相當之意義。良以胎兒因其神經組織非常脆弱，故精神生活極不完全，最易受母體精神之感應，姙婦有高尚之精神生活，以影響其胎兒，不但於醫學上有重大之關係，卽於優生學上亦頗有價値也。徐氏爲一千五百餘年前之人，能有此種思想，不能不使吾人驚嘆其才也。

（3）隋唐時代之女科學

繼徐氏而起，且集徐氏以前諸女科學說之大成者，則有隋太醫博士巢元方等纂述之諸病源候論，其中包含婦人雜病諸候凡一百四十一論；婦人姙娠病諸候六十一論；將產病諸候三論；難產病諸候七論；產病諸候七十一論，共計婦人病源二百四十餘論，末附養生導引諸法，誠如宋綬序云：『會萃羣說，沉研精理，爲術藝之楷模，診察之津涉。』故唐千金外臺諸論，亦多本自此書。惟中國醫學之眞價值，胥在方藥，巢氏此書，僅廣集諸家之空論，未附經驗之方藥，以致失去吾人研究之價值；且巢氏篤好玄虛，甚至以『墳墓不祀』『夫婦年命相尅』……等，爲婦人無子之主要原因，而對於較爲實際的仲景學說，反被懷疑，且加以擯棄，巢氏曾曰：「張仲景所說三十六種帶下疾，皆由子藏冷熱勞損而挾帶下，起於陰內，條目混漫，與諸方不同；但仲景義最玄深，非愚淺能解……」等語，足證仲景之帶下論，未爲巢氏所採入，綜上二點，吾實深爲此書惜也。其次，爲唐孫思邈千金要方中之婦人方，分二十餘門，集五百四十餘方，又灸法二十餘條，堪稱集唐以前女科諸方之大成，凡爲巢元方所棄而不載之方，此書大多採入，吾儕當研究文獻之際，如與巢氏書逐條對照，則爲頗有意義之工作也。今人之談中醫科學化者，咸謂孫眞人迷信道敎邪說，妄冀鍊丹長生，其書不足爲後人法，余謂然則然矣，但觀千金方有證有法，不似巢氏病源之專尙空談，如以其人而廢其書，則無異因噎廢食，此余未敢苟同也。繼千金之後，而博採諸方，匯萃羣論之女科醫籍，厥惟唐王燾所編外臺祕要一書，該書婦人方，分上下二卷，凡八十五門，四百八十餘方，凡孫思邈前後之諸家方論，及爲千金方所遺漏未載之方，均爲外台所收入，且古之如張文仲、集驗、小品、崔氏、許仁則、釋僧深，均爲當時醫學名家，各有著述，惜其書多已亡佚，幸王氏外台間有採入，各題名號，使後之學者，得有線索可尋，其功實未可沒也。惟是書病在衆說紛紜，羣方淆雜，設非胸有成竹者，讀之反茫然失其所據，惟在吾人以科學之目光，具革命之精神，隨時有所鑑別取捨，庶幾讀古人書，不爲古人所誤矣。唐時著名之女科專籍，復有經效產寶一書，書爲唐太和節度隨軍昝殷所著，相傳殷爲四川人，唐大中初年，相國白敏中駐守成都，因其家人有分娩死者，乃念及天下婦人之橫夭於產者，必難勝數，遂遍訪名醫，思救人命，或以殷介；白氏迎召，問以產乳之道，殷乃撰方三卷，贊於敏中，敏中重其簡效切用，因以產寶名之云。惟此書久已散佚，清季張金城得之日本重刊之，書凡三卷，分四十一門，集二百六十餘方。書中立論，除胎前不忌蓋樸外，均精當中肯，頗足為後世法。此外於女科醫史上有特殊意義者，尚有楊康候十產論一卷，書雖不署撰時年代，然宋陳自明大全良方曾引用之，為唐代之書，殆無疑義。著者自言『世之收生者，少有精良妙手，多致傾命，予因傷痛而備言之。』故書中所述，純為助產之手術，且與現代科學之助產學不甚相背，實為中醫女科史上之一頁新紀錄也。故於述女科源流時，特為提及焉。（未完）

文獻研究的意義與方法

葉橘泉先生講

「文獻」這二個字的意義，就是說一種靠得住的有價值的記載，據我的意見，吾人研究文獻，應當分「古代文獻」與「現代文獻」二種來講。我們如果要研究學問，無論是舊的或新的，都應當向文獻中去搜求材料；倘使欲明白每一種學術的來源和遞變，以及經過的情形，或寶貴的資料……等，都應當研究「古代的文獻」；如欲追求新的創獲和新的發明，那是應當參考近世最新學理的報告——「現代的文獻」。

研究古代的文獻，有些人用考據的方法，如以人名，地名，及關于時代的名辭等來考證書籍的眞僞，學說的來源，以及著者的環境和影響，藉明學術的原委，這也是一種極好的研究方法。但是據我的意見，古人的文獻，無論其書的著作者是眞是僞，如果其中的記載忠實，而有研究的價值者，我們宜採取以為研究的資料，若空論學理而無關實際者，即使確是古之所謂聖賢名言，亦當棄置不稍留戀，最好把方書的治療記載，搜集攏來，比較其據證的處方，統計其方中的用藥，以及同類藥品的應用分量和治療證候的對象，如吉益東洞的研究仲景經方——藥徵——與余雲岫氏之研究千金外台的用藥——國藥文獻研究——等的方法。

站在中國醫藥學術立場上講文獻的研究，雖應當先從古代的文獻着手，然而同時應留意現代的文獻，因爲中國醫藥學術理論雖然不合實際，而數千年來無量數的寶貴經驗，都是散漫而無系統的記載在各家著述的當中，這一點經驗的記載可以說就是我們國醫藥學術的根命所在，所以我人根據了這些記載用藥來治病，往往有不可思議的功效，並能治癒科學醫藥所不能治的疾病，這當中的原理，縱的方面是我國醫藥歷史較世界任何國家爲悠久，橫的方面是國境的幅員廣大，藥材豐富，稱得起地大物博的緣故了。且因人口繁多，由歷代經驗所認識的症候和藥效，已頗近於事實而可靠。雖然醫藥書籍多至汗牛充棟，不過據我的所見，古人的著作不能整個的信任，因爲這些各個的經驗和散漫的傳統的記錄當中，雖多根據實驗的記載，然欲自圓其說，又爲時代所限，不得不以五行氣化等玄說牽强附會，所以我覺得欲研究古人的文獻，應當分別抉擇，以定棄取的方法，對于理論方面，必須拋棄五行氣化等玄說，以免糾葛，對于症候及方藥的實錄，應該深切注意，因爲這些，才是眞正的文獻，古人雖不明疾病的原因，但病體所發現之證候，確有深切的認識，我們在今日之下，對于病理的研究，藥理的探討，固應當根據科學的原理，追求其所以然之故，在臨床時國藥方劑的應用，尙須根據患者所顯的證候分類，如表、裏、虛、實、寒、熱、陰、陽、等——國醫學術上獨特的症候學——以施治療，因爲古來的經驗，完全建築在這些上面。

我們現在研究中國醫藥學術，一方面固然是應當儘量吸收近世科學的新知識——「現代文獻」——把來解決學術上之種種疑難問題，一方面還須注意歷古相傳寶貴經驗的記載——「古代文獻」——把它爬羅剔抉，作成有系統的札記分析其等類辨別其異同印證其方藥及治療，然後再把科學的病理和藥理來闡明證候療法所以奏效的原理，若能全國一致，認定這個目標勇往直前做去，則不但可以整理改進國醫舊學，並且對于世界醫藥學術亦大有幫助。

我們須知近世科學程度尚極幼稚，對于人體生理上的祕密，尚未完全發見，所謂科學醫藥的治療範圍尚極狹隘，藥物亦極簡單，他們所謂特效藥者很少很少，用西藥作對症的療法，如解熱劑痲醉止痛劑——等，不僅一過性之旋效旋復，而且往往貽反自然的流弊。所以日本的湯本求眞，既治西學，又感覺到治療的不完備而復研究漢醫藥學，又和田啓十郎亦有「理論之完備，莫若西醫治法之週到，莫如中醫」等說。日本人最是了不得，使我們不得不佩服，因爲他們能利用科學來研究古方的治療；就是他們最近所發明的新藥，像人尿中提取性的刺激素——「英男兒萌」「婀閥好萌」——等，都是得力於漢方醫藥的經驗，我國的西醫，只知道批評中醫，譏笑中醫不合科學，不識病原，那裏知道他們素來最不滿意而時常指摘爲汚穢不堪之紫河車臍帶童便糞金汁等，在今日之下，一樁樁，一件件，都被東西洋各國學者研究而發見很有效的原素在內，就是人身的汗液，最近被日本的醫學博士木內幹氏研究所發見內有四種原素，（一）破壞酵素，（二）建設酵素，（三）抗體，（四）賀爾蒙等，既經明瞭牠內容之後，他（木內氏）就大大的利用牠來治療不妊症，月經病等他的療法，叫做「皮膚療法」係用懷孕婦的雙手消毒洗淨後，浸于溫水中二三十分鐘，然後用此水注射于患者，或令懷孕婦和患者同時浸洗于浴槽中數十分鐘，能治卵巢機能障礙及貧血萎黃等病，其原理是妊婦的汗腺分泌液中含有性的刺激素，（汗液本與尿同是人身的排泄物）同時浸浴，則患者之皮膚能吸收此種刺激素，而奏著明之療效。

本來我國本草綱目早已收載人汗人尿等藥物，我想古人當時假使沒有經驗過，決不會憑空揑造事實的，不過可惜古時沒有化驗分析等學術，只能說明其大概的效能，虧得那個木內氏想入非非，根據古代文獻利用新的學理發明了這個奇特的療法。

胎兒的臍帶，古來本有治療功效的記載，近代海外文獻的報告，取其浸出液能預防小兒的痲疹，學術上的原理，因母體上的免疫質原由胎盤臍帶輸送于兒體，所以初生兒在兩個月之內，對于痲疹之侵襲，倘有先天遺傳的免疫力而不致以被染，可是過了相當時期後，此種免疫質就不免告竭，而易染痲疹了。注射了臍帶浸出液，可以預防痲疹，從此可知胎盤臍帶中原來含有種種神祕的內分泌的免疫體。

最近我有一個朋友，是南京李克蕙，他根據了近世學理，研究古代文獻，竟發見了唐時已有應用甲狀腺療病的經驗，千金外台等方書中往往用豬靨羊靨鹿靨等，以療氣癭，這確是有趣的研究資料。

其他如經穴的針灸療法，及人類本能發明的單方，藥物的相使相須——常歸之與川芎——同類相引，同氣相求——臟器療法——等，應用上既確有實效，其中必有相當價值的原理，我人在研究古代文獻之際，尤須同時注意參考近世科學的新的現代文獻，孳孳矻矻的研究，以期觸類引伸，勿固執的困守在故紙堆中，勿盲從的喜獵外來皮毛，日本的醫藥學家，就是我們最好的一個榜樣。（未完）

千金外臺研究法概論

祝懷萱先生講

引言

近頃之治國醫學者，罔不知從大論要略入手。大論要略之方，已能了了。則繼以千金外臺，爲攷證輔益之資，庶幾讀後世方論有所依據，臨疑難病證有所應付，開發國醫學之寶藏，捨此莫由。晁公武論千金，謂後世或能窺其一二，未有不爲名醫者；鄭文焯謂是編博據精解，漢晉方伎多賴以傳。陳振孫在南宋末，論外臺已稱所引小品深師崔氏許仁則張文仲之類，今無傳者，猶間見于此。孫兆謂王氏編次，各題名號，使後之學者，皆知所出，此其所長也。諸家于此二書，贊嘆之情，流溢詞表，其他更不遑一一引。千金外臺之可貴，既如上述；顧宋元以來醫家，著述雖汗牛充棟，耑事詮論二書者，除張石頑千金衍義外，實不多覯，嘻！亦異矣！不揣鄙陋，爰將一已研覈之法，述其梗概如右：

正論

吾人果欲從事研究千金外臺，則首須明瞭二書之內容若何，俾可準備相當工具。又凡研究一事，必先有其標的，標的既認定，內容能瞭解，工具又完備，始得着手進行，不致望洋興嘆。茲先述二書內容之大概：攷千金要方三十卷，林億稱其于張仲景之法，十居其二三，陳延之小品，十居其五六。予謂當有思邈手製之方附益其間。何以言之？蓋外臺方四十卷中，與千金方同者，雖未詳加統計，約得十之六七，千金所有之方，爲外臺所無者，疑即眞人之所祕驗，學者最當注意，此其一。二書諸方，多載證狀，不參議論，某證合某藥，頗易觸類旁通，比附而得，其有一方祇數藥組成者，尤耐人尋味。如石韋散治石淋（外臺卷二十七）黃芩湯治傷寒六七日，發汗不解，嘔逆下利，小便不利，胸脅痞滿，微熱而煩（外臺卷一）等，此其二。更有一方數十藥者，貌視之似雜廁無序，施之臨床，確有奇效，如腎瀝散治男子勞傷風痹；（千金卷十九）大小五石澤蘭圓，治婦人經候諸證（千金卷之四）等，此其三。關于二書內容之要義，一時倘探討不盡，他日再詳之，今姑止此。繼舉研究之標的大綱，數之亦得三項：、曰藉以考正大論要略之脫譌也，若白虎湯煮服法，（大論卷五，外臺卷一）。龐子人丸證文，（大論卷六，外臺卷二十七）。半夏厚樸湯證文（要略卷七，千金卷三）。之類。曰、藉以證明本經別錄之藥效也，例如桔梗之治心脅刺痛及腸鳴；（按桔梗本經下品，治胸脅痛如刀刺，腸鳴幽幽。外臺卷七高良薑湯，療久心刺肋冷氣結痛，又丹參湯療腸鳴發則覺作聲，二方中俱有桔梗。）前胡之治胸脅痞滿及寒熱；（按前胡別錄中品，治胸脅中痞，……傷寒寒熱外臺卷一。黃芩湯，療傷寒六七日，……胸脅痞滿，又卷七。前胡湯，療胸膈滿。二方中俱有前胡）之類。曰、藉以發見近世認為難治症之良方也，若華陀治胃反方，疑可療胃癌。（千金卷十六，外臺卷八。）葛根龍膽湯，疑可療急性腦脊髓膜炎（千金卷十，外臺卷一，名葛根湯，按此二方，為予一己之見解，是否合理，有無應效，猶待試驗）之類。標的既略如上述，至要者，厥惟工具之準備：一須稍通漢師訓詁之學識，如辭句舛訛之攷正，字義奧賾之闡解。二須熟悉本經藥物之功用，如藥力之主攻主補並藥性之屬寒屬熱。三須兼具中西病理學說，如同一類病，知其有寒熱虛實之不同，此屬于中醫病理學方面者。又如集合數證，知其為某類病者，此屬于西醫病理學方面者。以上所說，雖迫于時間，未得發揮詳盡，然苟能依此法例，極深研幾，定有良好之成績，筌蹄之忘，固所願也。篳路藍縷，聊作先導云爾。

附說

前論倘有補充之處，再申言之，以結我說：西醫余雲岫氏，援吉益東洞藥徵體例，研究千金藥效，（見社會醫報）余氏雖反對國醫最烈之人，此舉于國醫藥上，甚有貢獻，吾儕當注意取法，勿以人廢言可也。予比來繙閱外臺，每究一症，必先數其方有若干首，藥有若干種，某藥入方較多者，則知其于某症有特效。例如外臺療瘧方百餘首，方中有常山者，居半數，可徵常山爲瘧症特效藥。又予閱外臺之際，同時校讀千金，藉能識其詳略，辨其是非。據個人研究所得，品評二書，千金方以奇祕爲勝，外臺方較精切可從。至若千金翼方三十卷，鄭氏醫詁，謂辨論方法，見于前方者（卽千金要方）十之五六，惟傷寒部中，發明仲景之論，足輔前功，斯言誠然。特方中阿膠等俱有炙字，貽後世泡製之習，外臺亦蹈此弊，當翦闢之。更有一事，予引爲悵憾者，鍼砭之術，未嘗學問也。但平時聞見其效者比比，最奇是愚夫蠢嫗，目不識丁者，竟得異人傳授，賴一技以起中西醫藥不能愈之病，因而享盛名，獲厚利者，吾儕對之有愧色。或曰，其法皆出自千金方。近聞日本精究此術，國人儘有負笈東渡者，豈眞禮失之市而求之野歟？頃讀金息侯著瓜圃述異，內載孫眞人傳砭記，（記附後）謂曾遇孫眞人教授砭術，頗類神話，惟息老道學正誠士也，人猶健在，使其說非虛，則砭法述異一書，應與千金外臺同寶。他日有緣，或能遂予立雪程門之願，未知息老果許我否耶？

附孫眞人傳砭記

余避地津沽，嘗遇異人授以砭術，遂作砭經。老友孫惠敷韜見而驚曰，所遇蓋孫眞人也。爲作孫眞人傳砭記。其言曰：韜本孫眞人之後，世藏家譜，有眞人像，道服白鬒，左鍼龍，右砭虎，實傳鍼砭之祕。今春訪金息老于沽上，互談異聞，息老謂其先人桐山公，少游蜀，患瘰癧瀕危，遇一孫叟，道服白鬒，似六十許人，以石球摩治而愈，殆砭術也。屈指至今近百年矣。去秋亦遇一孫叟，道服白鬒，似六十許人，自稱曾在蜀爲先人治病，初疑未信，姑叩以砭術，則答砭非鍼也。後世誤砭爲鍼，而砭術遂絕。乃詳論鍼砭之異，並口授砭術，原原本本，聞所未聞。别後思之，誠異人也。韜聞而聳然警曰，噫！殆遇孫眞人矣。姓同貌同，又獨傳砭傳，非眞人而何，必遇仙矣。于是息老追述所聞，爲砭法述要，凡論砭之本，砭之體，砭之形，砭之用，砭之訣，砭之效，以及主治要略，並附符咒，莫不一一述之于篇，獨得砭祕。使其術失而復傳，亦足以救世活人而有餘矣，庶不負眞人之意云云。以上皆孫君記中語，倘所遇果爲眞人，憶別時曾言與有緣法，後會有期，或者倘可一面乎?!赤松黃石，吾亦欲從之游耳！

流行性腦脊髓膜炎

(Meningitis Cerabrospinalis Epidemica)

王幾道博士講

近年來本病流行甚廣，或散見於各地。因其症狀兇惡，患者易致死亡。於傳染病中占重要之一頁，故於腥紅熱後，繼述本病也。

【原因】 本病一八八七年 Weichselbaum 發見一種細胞內腦脊髓膜炎球菌 (Meningococcus Intracellularis Weichselbaum)乃腦脊髓膜之急性化膿性疾患。多犯小兒，尤以三歲以下之幼兒最多，而年老者亦間有發生，男子較女子爲多，常爲散在性發生，時或起大流行，季節多自冬季以迄初夏，而於寒冷之時爲多。

所謂 Weichselbaum 細胞內球菌，爲一種雙球菌 (Diplococcus) 亦稱腦膜炎雙球菌——(Diplococcus & Meningococcus Intracellularris) 與淋菌相似，多存於血球內，Gram 染色陰性，以 Laffler 氏之 Methylenblau 極易使之着色。對於溫度及光線之抵抗不大，本病原存於脊髓液中爲數極少。如欲直接證明，須用集菌法，取新鮮之脊髓液3—5c.c.保持。37°C.不使與光綫接觸，再加同量之2—5%葡萄糖肉汁，或腹水肉汁培養基，置於孵卵器內12小時，其時所生之沉澱物中可見無數之腦膜炎雙球菌，而此種細菌僅能發育於含蛋白質之培養基上，如於血液寒天培養基上，則生帶紅色露滴狀之集落。

【感染徑路】 病原菌達至鼻咽頭腔粘膜，發生加答兒，雖有時自淋巴道傳至腦膜，然後多數入於血行，漸次侵及腦膜，故可認爲一種菌血症，如在流行時，即健康人之鼻咽頭粘膜，可證明本菌者不少。其傳染方法，大抵係泡沫傳染——(Tröpfchen-Infektion)即當噴嚏咳嗽時泡沫飛散而起之直接傳染也。但本病菌因抵抗力薄弱，設非多人聚居及不講衛生之處，通常不易傳染。所以患本病者，大概於居處不潔或低下階級之人。此外健康之攜菌者之傳染亦甚重要，此等人曾與腦膜炎病人接觸，於其自身並不發生病症，但鼻腔咽頭藏有病菌，每易傳染他人。有扁桃腺肥大者，尤易爲本病侵襲，故於預防上極宜早切開也。

又常人之鼻腔與咽頭內有二種細菌，與腦膜炎球菌極相類似，一爲加答兒小球菌(Micrococcus Catarrhalis)亦居於細胞內，Gram染色陰性，在各種培養基上均能發育，一爲肥大雙球菌——(Diplococcus Crassus) Gram或爲陰性，或爲陽性，形狀極易混誤，然在20度時能生長於普通之寒天培養基上，與腦膜炎球菌不同。故如欲得純粹培養，宜用含蛋白質之培養基，如血液寒天(Blutagar)等，或更行凝集法(Agglutination)以證明該菌。

【病理解剖】 本症係腦脊髓軟膜之化膿性炎症。腦表面尤其前部及中部之溝及血管的部位特別著明。於脊髓則後部著明。軟腦膜現爲充血及浮腫而溷濁。脈絡膜(Tela Chorioidea)被膜(Ependym)腦實質等亦被侵犯。

因膿様腦脊液之加增而壓力增大，腦室擴張，惹起內腦水腫者有之。

腦脊髓液為帶黃色稀薄膿様，有似磨玻璃狀。時有漿液性者(漿液型 Serose Form)。

【症候】潛伏期1—4日，前驅症狀雖不顯著，然有時覺身體不舒，倦怠，眩暈，頭痛等，不定症狀，一般症狀，往往突然發熱，(39°—40°C.)惡寒戰慄，痙攣，劇甚之頭痛，後頭部最甚，嘔吐，下痢，項部疼痛，並沉重之全身徵狀，神識模糊，口唇匐行疹(Herpes Labialis)等。又本病之特徵為頭部後傾，不能向各方轉側，向前之運動更難，且常發劇痛，所謂項强(Nac-bestarre)也。因背部肌肉攣縮，發生脊柱之强直，呈角弓反張之狀——(Opisthotonus)幷有壓痛，腹肌亦緊張下陷，形成所謂舟狀膜(Kahnbauch)有些發生尿閉與便閉，知覺過敏，食思不振，脾臟腫大，腱反射亢進等。脈度雖與熱度並行，時有遲緩不整者。呼吸則一般促進，體溫初雖為稽留熱，而後多為不規則的弛張熱。經過之沉重者，可毫不發熱，而在死之直前，則體溫可昇至41度以上。意識有障礙甚少，時而全明瞭者有之，亦有現無欲狀態，或意識溷濁者。嘔吐及下痢有甚為輕微，有頻發者，或有著名下痢者，故於乳兒有與消化不良症鑑別困難。又本病患者，往往發現皮下出血，或薔薇疹，猩紅熱狀或麻疹狀發疹者。且皮膚紋畫症(Dermographismus)多為陽性，即以硬固之物體刺戟皮膚，其所生長之赤條不消退。又病人之下肢常呈半彎曲之位置，膝關節之伸展，謂之 Kerning 氏徵狀。又刺戟脊柱後根部，則發生皮膚與肌肉之知覺過敏(Hyperästhesie)予以輕微之觸摸或壓迫，覺極不舒適，腓腸肌尤然。即對於光綫與雜音，同呈過敏性。至於腦神經方面之徵狀，則有視神經炎，一過性之眼筋麻痺(上眼瞼下垂症)眼球震盪症，斜視，瞳孔開大或縮小，重聽，牙關緊急等。

腰椎穿刺液常現溷濁膿樣粘稠性。腦壓增高(三〇〇—四〇〇 Mm H_2O 或其以上)暫時放置之則成凝塊及蜘蛛膜，中含多量之蛋白質(Globulin)。Nonnesche Reaktion 呈强陽性(附 Nonnesche Reaktion)以185g $(NH_4)_2SO_4$溶於100C.C.水中，製成一種飽和溶液，用此試藥與腦脊髓液等量混和，發生混濁，卽爲陽性反應。因此時腦脊髓液中 Globulin 增多故也。最好以腦脊髓液1C.C.置於$(NH_4)_2SO_4$溶液1C.C.上面，如爲陽性，則在接觸面發生環狀溷濁。又 Pandy 氏反應陽性，卽將盛有石炭酸溶液(石炭酸一〇〇餾水加至一五〇)之試管中加入腦脊髓液一滴，能使 Globulin 增多。如試管之背部爲黑暗之處，則可見乳狀之溷濁。此外多核白血球及淋巴球增加。同時細胞內或細胞外認出 Gram 陰性之 Weicheslbaun 氏球菌，時有幾於透明，於培養基上始克證明其病原菌者。又經過亞急性者，可因脊髓管內出血而液帶出血性。

白血球常增加，而嗜酸性白血球則反爲減少，或竟消滅。又往往有盛大之發汗及關節腫脹。Diazo 反應多陰性，有時起皮下出血。大抵重症病人之多數於短時間內羸瘦極顯，小兒尤甚。

本病之持續普通2—4星期，有急性型——(Acute Form)亞急性型(Subacute Form)往往呈特異之間歇性經過。病情之輕重一進一退，時有變化，是以全身症狀與體溫之一過性減輕，未必預後上佳良之徵。此外有電擊性型——(Meningitis Cerb aspinalis Epidemica Sideraus)症狀劇烈，數時間至二十四小時間有不幸之轉歸。又有不全型或頓挫型，(Abortine Form)初起劇烈之徵狀，二三日後卽退，非流行時則診斷不明。

本病有起種種合併症及後遺症。有中耳炎，角膜炎，視神經萎縮，虹彩炎，虹彩毛様體炎等。其中以聽神經之障礙爲

中国近现代中医药期刊续编·第二辑

多，兒童後天性聾啞症，多有由於幼時所經過之腦膜炎者。此外爲膿胸，心內膜炎，心囊炎，耳下腺炎及慢性腦水腫(Chronischer Hydracephalus)者病人起發作性之頭痛，失神或痙攣，精神疲弱，運動障礙等症。又有發生偏癱，截癱等腦脊髓神經之痲痺者。

【診斷】本病之有定型的症狀，而又於流行期間出現者，其診斷不難，如不在流行或本無流行之地，而一旦遭逢，則確實之診斷頗非易事。如病至後期，病人已不能自述其病歷，則診斷尤難，但考其病之急遽，腦症狀之早發，特異之頭痛，項強，匐行疹，Kerning 徵狀，全身知覺過敏，以及脊髓液之變化等，皆爲診斷上重要之根據也。

本病所當鑑別者：——

A. 化膿性腦膜炎，大都續發於頭部疾病之後。例如化膿性耳病，頭部外傷，頭部丹毒，耳下腺炎等是也。宜詳查其病歷，並可證明原發地之存在，而最應注意者，爲耳內之檢查。

B. 結核性腦膜炎，大抵起於兒童，發生極緩，初期有著明之胃腸症狀，其後有眼肌痲痺，斜視，徐脈等腦底症候，甚爲明顯。然其體內必有潛在之結核病竈，普通不發生匐行疹，脊髓液並不溷濁，以之注入動物腹下，可引起粟粒結核。

C. 急性全身顆粒結核之腦膜型。其症狀有極似流行性腦膜炎者，宜細心區別。然在初期，呼吸困難之症狀已極顯明，皮膚蒼白，脊髓液中有結核菌之存在。

D. 腦膜炎樣之症狀，亦有於各種熱性傳染病之初期或經過中見之，稱爲腦膜炎狀態——(Meningisnus)其與眞性腦膜炎鑑別困難，有時不得不行腰椎穿刺，而施行腦脊髓液之檢查。在腦膜炎狀態，雖腦壓亦多少增加，然液中之蛋白質與細胞，並不十分增加。且無腦膜炎球菌之存在，在可疑時更可行培養法以區別之。其他臨床證候，細心觀察，亦可爲診斷之助。

例如：——

1 在肺炎之初期往往發生腦膜炎狀態（Meningisnus）。特以兒童爲多，此時肺內無變化，診斷不易。然呼吸自始卽稍急促，顏面潮紅，稍後卽肺內現特有之變化，並喀出鏽色痰，與流行性腦膜炎時續發性肺變化不同，在懷疑時，可取脊髓驗之。

2 腸熱症亦有發生腦膜炎狀態。此時與緩和之腦膜炎，必須區別。大抵腸熱症無匐行疹，而有特異之薔薇疹及鼓腸等，倘難以區別，可從血液或大便培養細菌以知之，如爲未經預防注射之人，可採取血淸行 Widal 氏反應檢查之，一旦起腸出血，則診斷更難。

3 流行性感冒時亦往往發生腦膜炎狀態。但此時上氣道之加答兒症狀，十分顯明，且脊髓液中無特殊之變化。

4 敗血症之時，心臟與呼吸方面之症狀較强，皮膚與關節有敗血症之變化，血中有病原體，且有病原竈可尋。

5 腦膜炎發生濃密之薔薇疹者，與發疹熱（Flecktyphus）之腦膜炎亦須區別。然其時之顏面之發赤浮腫特異，結膜炎甚强，發熱甚久，脈搏急速，卽此已極不同，倘更行脊髓液之檢查，尤易鑑別。

6 又鉛中毒蛔虫等症，有時亦須鑑別者。本病診斷上比較的不難，疑惑時須行腰椎穿刺，檢查液中淡白性與細胞之變化，以及微生物之有無，有時須行純培養或動物試驗，方能確診。

【預後】幼小兒一般不良，死亡率20—60%遺留和識障礙者不少。

【療法】臥牀安靜，頭部及脊柱部安置冰囊及冰枕，項部可用吸角或芥子泥等誘導劑。對於腦壓增高，頭痛及意識不清可行腰椎穿刺，使腦脊髓液排出，或每日施行一次，用後自覺症狀均見輕減，並可使經過縮短，昔時血清療法未普遍施用時，以此法爲最佳，即至近時尚不能廢。

注射血清可於皮下靜脈內脊髓內腦室內行之，最多用者爲脊髓內，實施時宜先行腰椎穿刺，抽出約40－50C.C.腦脊髓液，然後用同量之血清（或20－30C.C.）之預先加溫者，徐徐注入脊髓管內。初期每日或隔日一次，至病勢銳減，則用量亦得酌減。近來歐美學者，以本病亦起全身中毒（Intoxikation）是以同時並用大量血清注射靜脈內。據云此合併療法之效果，較之舊時僅注射脊髓管內者爲佳，其死亡率亦大爲減少，云血清用量愈大愈佳，但注射靜脈內者，有起過敏症之虞。

藥劑療法有用 Electrargol, Urotropin, Trypaflanin 等注射，其效果不確，其他消化劑，强心劑，Purtepon, Morphin, Bram 等痲醉劑。有時幷用溫浴法，對於頑固之便祕與尿祕，應每日注意，而對於褥瘡之發生，亦應顧及也。

【預防】本病之預防亦甚重要，病人隔離，雖空氣中或經物品之間接傳染比較少數，然病人之吐液，吐物，咯痰，手帕，衣服等，附有病人咽頭粘液之物，俱當嚴重消毒。又本病之攜菌者，易爲傳染之媒介，故家庭中一兒染病，其兄弟姊妹等不可令其入藥，即家屬與鄰近之人亦受監視，在必要時可檢視各人之咽頭粘液中有否球菌，以定防疫之方針。據 Wan-ermaun 氏之說，凡咽頭附有腦膜炎菌者，可散布乾燥血清以防之。

【結論】總之病由於傳染 Weichselaun 細胞內腦膜炎球菌而起，突發惡寒，戰慄高熱痙攣，劇烈之頭痛項部强直角弓反張，神識昏迷昏睡等症候，對於皮膚之刺激發生過敏反應。此外光綫及音響均能使症狀增惡，Kerning 氏徵及 Babinskieches Josschlen Phanomen 之有無，均當細心檢察，而腦脊髓液之檢查，尤屬必要。如已確診爲腦脊髓膜炎，宜將病人隔離，施以上述之處置，血淸注射，絕不能猶預，宜愈早愈好，而脊髓液之抽出對於本病有良好之影響，其他則對症療法，亦不可忽視也。（完）

『耳鳴』的原因

楊和慶博士講
朱益民速記

各位爲研究院同學，程度均已十分高超，對於各種學科，都已有很深切的研究；鄙人蒙王校長相邀，前來担任講師，實覺慚愧！不過同諸位來作一個相互的討論。

對於內、外、婦、幼、諸科的問題，已有各專門講師講過，諸位都已明白，鄙人對耳鼻咽喉科稍有研究，今天就來談談『耳鳴的原因』並且和各位討論。

『耳鳴』是病狀而非病名，『耳鳴』的原因也至複雜。

普通一般醫生的誤解：普通一般醫生，爲要迎合病家的心理，都把『耳鳴』叫做『肝陽』，這個非但是中醫如此，西醫亦如此；因而相沿成習，凡遇耳鳴都叫做肝陽，其實『耳鳴』之和『肝陽』一無關係，這眞是最不通的名詞，現在就把『耳鳴』的幾個主要原因，說在下面：

『耳鳴』的原因

耳朵爲何要響?耳朵響的原因，主要的約有七個:

1貧血:　通常一般最普通多見的原因，都是由於貧血。所以我們在臨床上碰到耳鳴的病人，第一先該檢查的，他是否貧血?假使是貧血，就要再查出他貧血的原因，是急性(大出血)抑是慢性(腸寄生蟲等)。要查他血球的數量，是否減少?血色素，是否淡薄?

血球的數量，誰都知道，在成年的男子，大約是500.000.0女子，大約是400.000.0此外，就是檢查他的大便，是否有腸寄生蟲。

耳鳴和貧血的生理上關係:　耳器管的聽神經，就是司聽覺的東西;它位於很末稍的地方，如果人身上血液不夠，在各末稍部位，必定先起顯著的缺乏，耳神經不能常常得到血液的供養，就要發病而成『耳鳴』。

2心臟病:　心臟在人體上的作用，好像是機器的馬達，馬達發生障礙，則整個機器的循環盤旋，就會遲鈍，這樣的人，必是兼見「手足厥冷」和「口唇青紫」等現象。

3腎臟病:　凡是『耳鳴』的病人，也要看看他的腰子是否健全?腰子在人體上，像是一只沙濾器，腰子健全，就能行新陳的代謝，假使一旦腰子發生障礙而病，如腎臟炎等，而使血壓亢進，血壓亢進之能使人耳鳴，在這裏，我們有一個很易見的證據，就是人們在排便的時候，如果大便不甚通暢，而要用力漲出來的話，必定「面紅耳赤，」「頭部的血管怒張，」這就是血壓亢進的現象，所以大便時漲得利害的人，必定覺得耳鳴，因此就該驗他的小便，有無蛋白質?以及量他的血壓，是否增高。

4 血壓增高：　血壓的增高能使人耳鳴，前面已經講過；不用再詳加解釋，所以血壓的檢查也是一件不可忽略的事，像慢性腦充血時見『耳鳴』，腦出血的前驅期 Stadiwm Prodronum 也見『耳鳴』，於此就可以知道本病對於血壓的關係。

5 中耳硬化：　年紀高的人，他身體的各部均漸漸的石灰化，耳中也自然免不掉要硬化起來，所以老年人耳聾眼花，這些是比較沒有辦法的。

6 外因：　像噴嚏，排涕……等暫時的外因，這個可以用小小的手術，就能使他恢復，所以在問診上也是很爲重要。還有很多是因耳中不潔的屑膜阻塞，也能耳鳴。

7 其他：　像梅毒等都是極有關係，此外尚有很多不主要的原因，不能盡言。

關於耳鳴的原因已如上述，講到治療，必須先要研究其屬於某種原因，而施以根本的療法，不能貿然爲之。

總之：先要行大小便的檢查，血球血色素的檢驗以及行 Kalu Tesl 和 Wass Tesl 的反應以驗血，此外如血壓心臟，腰子等檢查都是十分重要。（完）

本校研究院重要職員一覽

姓名	任職	履歷
唐愼坊	院長	前清舉人　前鹽城縣知事　前江甯地方審判廳廳長　前蘇州中西醫學講習所所長　蘇州國醫學校校長

蘇州國醫雜誌　職員表

李畊塵　祕書主任　前清舉人　前江西省政府第一科科長　蘇州國醫學校文牘主任

王慎軒　總務主任兼女科主任　中央國醫館名譽理事　中央國醫館編審委員　吳縣中醫公會常務委員　蘇州國醫學校副校長兼總務主任　蘇州國醫編譯館館長

陸淵雷　內科主任　前鐵樵函授學校教務主任　前上海國醫學院教務主任　中央國醫館常務理事兼學術整理委員會專任委員

余無言　外科主任　中央國醫館名譽理事　前陸軍第二師司令部軍醫官　前上海中國醫學院外科教授　大自然醫學研究社社長

徐衡之　幼科主任　中央國醫館名譽理事　前上海國醫學院代理院長兼總務主任　前上海國醫分館董事

章次公　藥物主任　中央國醫館名譽理事　前上海國醫學院藥物教授　上海紅卍字會醫院中醫部主任　蘇州國醫學校副校長

葉橘泉　病理主任　中央國醫館名譽理事　前吳興縣政府國醫檢定委員　國藥丹方實驗研究社社長

宋愛人　治療主任　中央國醫館名譽理事　吳縣中醫公會編輯委員　前吳縣醫鐘刊物社主編　吳縣公民醫刊主編

祝懷萱　方劑主任　前吳縣醫學會醫藥衛生報編輯　蘇州國醫編譯館編輯　蘇州國醫學校講師

謝誦穆　編輯主任　前上海國醫學院教授　中央國醫館上海分館醫學顧問　中醫新生命月刊編輯

高博謙　訓育主任兼圖書館館長　前武進省谿中學國文史地教員　前輔華中學訓育主任兼國文教員　前延齡中學訓育主任兼國文教員

祝曜卿　診療所所長　前蘇州中醫院院長　前蘇州中醫專門學校教員　蘇州國醫學校教授兼診療所所長

施毅軒　重病研究室主任　北平協和醫學院畢業　蘇州國醫學校生理解剖教授　蘇州產婦科醫院院長

張又良　實習指導主任　前蘇州青年會診療所女科主任　蘇州國醫學校教授　吳縣中醫公會編輯委員

本校研究院講師一覽

中醫講師　以姓氏筆劃多寡爲次序

王一仁　王卓若　王志純　王愼軒　王聞喜　朱壽朋　宋愛人　余無言　沈仲圭　李怡庵　李疇人　林琴鶴

周柳亭　茅子明　祝懷萱　徐衡之　唐愼坊　秦伯未　孫永祚　曹穎甫　許半龍　陳煥雲　陸淵雷　章次公

張又良　張贊臣　張忍庵　張崇熙　葉古紅　葉伯良　葉橘泉　潘國賢　謝利恆　謝誦穆　顏星齋　顧福如

西醫講師　以姓氏筆劃多寡爲次序

王幾道　德國柏林大學醫學博士

李廣勳　美國本薛文義醫學院醫學博士

李邦政　德國柏林大學醫學博士

周頌凡　日本帝國大學畢業

施毅軒　北平協和醫學院畢業

唐仁緒　德國柏林大學醫學博士

張卜熊　美國哈佛大學醫學博士
楊和慶　德國柏林大學醫學博士

本校研究院實習導師一覽

院外實習導師　由董事兼任之以姓氏筆劃多寡爲次序

王愼軒　李疇人　曹黼侯　章志方　許鶴丹　程文卿　張卜熊　經綬章　鄭燕山　錢伯煊　顧允若　顧福如

院內實習導師　以姓氏筆劃多寡爲次序

丁友竹　王志純　王愼軒　王逸儒　祝曜卿　祝懷萱　施毅軒　唐愼坊　張又良　葉伯良　葉橘泉　劉子坎
劉滌新　潘國賢　顏星齋

中央國醫館核准設立　蘇州國醫研究院招收學員簡章　民國二十五年度訂

一、定名　本院定名爲蘇州國醫研究院
二、宗旨　本院爲蘇州國醫學校所設立以科學方式研究高深國醫藥學術造就國醫高等人材及養成國醫教育師資爲宗旨
三、院址　蘇州城內長春巷三十九號
四、院董　本院院董由蘇州國醫學校校董兼任之
五、職員　本院設院長祕書主任總務主任訓育主任各一人內外女幼藥物方劑病理治療各科研究主任各一人內

外女幼四科實習導師各若干人

六、講師　本院講師除各科主任兼任外再聘中西醫師擔任之

七、學額　春秋兩季各招五十名男女兼收

八、學制　本院採取分科研究制暫設內外女幼四科每人祗少須研究兩科研究期間以一年爲限分二學期如欲研究三科以上者須延長其研究時間

九、學課　本院研究課程採取下列三種方式

甲、文獻研究：內科學研究　外科學研究　女科學研究　兒科學研究　藥物學研究　方劑學研究　病理學研究　治療學研究

乙、臨牀研究：本院臨牀研究分下列三種

(一)院內實習　由各科實習導師指導學員各自診病以資實地之研究

(二)院外實習　派往各名醫處輪流實習

(三)旅行見習　每年二次由實習導師率領學員旅行外埠分赴名醫診所見習臨證

丙、學術演講：本院學術演講除由各科主任逐日輪流擔任外並特聘各地中西名醫來院演講

十、資格　本院學員入學以年滿二十四歲具下列甲乙兩項資格者爲合格

(甲)凡有下列資格之一經本院審查合格者准予免試入學

(一)已經政府審查合格領有開業執照者

(二)曾在國醫學校或國醫學院畢業或肄業三年以上領有證明文件者

(三)從師學醫四年以上由業師及已領開業執照之國醫三人塡具證明書或由各地之國醫分支館或醫藥改進分支會中醫公會中醫學會保送者

(乙)凡未具上列免試資格之一經本院入學考試合格者

考試科目：醫經　本草　方劑　診斷（以上為必試科）　內科　外科　女科　幼科　（以上為選試科例如自願專門研究內外二科者祇須考內科外科）

十一、報名　凡志願來學者須先填報名單並繳證明文件（畢業證書或轉學證書或成績報告單或證明書或保送書）最近四寸半身照片一張報名費一元（錄取與否概不發還）

十二、入學　凡已准入學者須於開學日報到繳清各費并由學員親填志願書及邀近地妥實保證人填具保證書

十三、納費　本院學員每學期應繳研究費四十元講義費十元雜費二元旅行見習費五元（有餘發還不足補繳）住宿者再繳住宿費十元膳費三十五元（通學半膳者膳費減半）

十四、免費　（一）凡一學期之操行學業在八十分以上者第一名免下學期之學費第二名免下學期學費之半第三名免下學期學費四分之一（二）凡蘇州國醫學校四年級學生除校中原有實習時間外均須入院研究免收研究費

十五、考試　本院學員考試分平日考試學期考試畢業考試如學期考試不及格者不得升學畢業考試不及格者不得畢業

十六、休假　本院分例假准假二種

（一）例假　本院例假為暑假寒假年假來復日節日及各種紀念日

（二）准假　本院學員因家有重大要事或因病而欲請假者須遵請假規程不得擅自離院或逾期不歸

十七、畢業　本院學員研究期滿考查成績及格者除呈報外發給畢業證書

十八、旁聽　本院各科講師皆係國內著名醫家如有本地開業中西醫師慕本院講師之名而欲來院聽講者須預先報名並邀近地妥實保證人填具保證書經本院認可得繳納旁聽費（每學期十二元）列入旁聽席

十九、附則　本簡章如有未盡事宜得由院務會議修正之

主席院董李根源　院長唐慎坊　總務主任王慎軒仝訂

介紹醫藥雜誌

國醫公報　全年連郵二元　南京長生祠中央國醫館
醫界春秋　全年二元一角　上海白克路西祥康里七七號
山西醫學雜誌　全年八角九分　山西省城中正街中醫改進會
光華醫藥雜誌　全年連郵二元　上海北山西路棣隆里九號
東西醫藥報　全年日金三元　臺灣臺北永樂町二丁94番地
廣濟醫刊　全年二元四角　杭州缸兒巷四十六號
醫學衛生月刊　全年七角二分　蘇州吳趨坊國醫書社代售
家庭醫藥常識　全年連郵三角　蘇州吳趨坊國醫書社
診療醫報　全年連郵一元　上海霞飛路一〇四號
醫鐸　全年一元二角　福州南台中醫專門學校
現代醫藥月刊　全年連郵一元　福建福清城內官塘嶘本刊
神州國醫學報　全年連郵一元　上海廈門路尊德里神州醫會
社會醫藥　全年一元五角　上海大沽路新馬安里三七號
醫林一諤　全年連郵二元　廣州大德路蘇行街
如皋中醫月刊　全年連郵三角　如皋育德所中醫公會
衛生雜誌　全年連郵一元　上海薩坡賽路一九〇號
大衆醫學月刊　全年連郵二元　上海白克路西祥康里本刊社
長壽週刊　全年連郵二元　上海三馬路雲南路本週刊社
常熟國醫雜誌　全年連郵六角　常熟小河下二十二號
正言醫報　全年連郵三元　天津文學東箭道國醫研究所
晨光國醫雜誌　全年一元二角　廈門中華路七十七號二樓
中國醫藥雜誌　全年連郵一元　山東沂水黃山鋪街
醫事公論　全年九角六分　鎮江中正路北六二號又二號
中醫新生命　全年一元四角　上海粘嶺路人安里十一號
中西醫藥月刊　全年二元四角　上海愚園路718弄雲壽坊7號
新醫藥　全年連郵二元　上海南市外馬路一四六九號
現代國醫　全年連郵二元　上海老靶子路二四三號
現代中醫　全年連郵一元　上海西門石皮弄一號
同濟醫藥季刊　全年一元一角　上海靜安寺路同濟醫學院
壽世醫報　全年連郵五角　蘇州閶邱坊巷一〇九號

醫醒雜誌　創刊號未定價　蘇州吳縣中醫公會
江都國醫報　全年連郵二角　揚州古旗亭三十六號
杏林醫學月報　全年連郵一元　廣州大德路蘇行街八十四號
中華醫藥報　全年連郵四角　上海光啓路中華國醫學會
國醫旬刊　全年連郵一元　福建廈門國醫專門學校
湖北醫學月刊　全年連郵二元　湖北新市場上側永福里一號
醫藥雜誌　每冊定價二角　漢口湖北國醫專科學校
醒亞醫報　全年連郵一元　廈門丁仔巷門牌一號
明日醫藥　全年一元五角　北平西直門半壁街甲四八號
鍼灸雜誌　全年一元八角　無錫中國鍼灸學研究社
文醫半月刊　全年七角二分　北平西城華北國醫學院
痳瘋季刊　全年一元二角　上海博物院一三一號
國醫文獻　全年四期一元　上海中國醫學院
中醫世界　全年一元五角　上海山東路中醫書局
幸福雜誌　全年連郵二元　上海三馬路幸福書局
民生醫藥　全年連郵一元　杭州同春坊民生醫藥月刊社
吳興醫藥　全年連郵一元　浙江湖州吳興國醫公會

介紹醫藥書籍

中國急性傳染病學　時逸人著　實價二元二角　蘇州吳趨坊國醫書社代售
健康之道　沈仲圭著　定價八角　蘇州吳趨坊國醫書社代售
醫方概要　李疇人編　特價二元四角　蘇州蒲林巷李疇人醫室
合理的民間單方　葉橘泉著　實價三角　蘇州鐵瓶巷二二號存濟醫廬
魏氏驗案類編　魏文耀著　實價一元　蘇州吳趨坊國醫書社代售
醫學平論　徐瀛芳著　實價六角　蘇州吳趨坊國醫書社代售

中醫新生命月刊

主任—陸淵雷　編輯—謝誦穆

爲中醫科學化之前進物刊。多載陸淵雷氏近作講義。與遙從同學之課卷答問。及外來有價値之醫學稿件。長篇特著有陸氏之流行病須知。謝誦穆之中醫僞書考。衞原之中醫病名之研究。翻譯有張永霖君之診病奇侅。東亞君之漢藥麻黃之醫治應用與藥理。皆係富有研究性之作品。每月一册。已出二十六期。全年一元四角。半年七角五分。

（上海牯嶺路人安里陸淵雷醫室發行）

漢藥新覺上集預約

明日醫學雜誌社出版

郭若定先生著

實價二元四角預約七折

二十六年二月底出書

本書內容：總論篇—(一)藥理總論，(二)製劑要義，(三)漢藥漢方概說，(四)配合禁忌詳表。各論篇—(一)興奮藥類，(二)發汗藥類，(三)解熱藥類，(四)清涼藥類，(五)強壯藥類，(六)健胃整腸藥類，(七)催吐藥，(九)利尿及泌尿器消毒藥類。全書凡三十餘萬言。

中國婦科病學

時逸人先生著

本書爲中西合參之著內容共分三編第一篇月經病第二篇胎產病第三篇產後病舉凡婦科各病逐層剖析備極詳證候診斷治法處方皆有精深之經驗醫家病家手此一輯足供按圖索驥之需要

定價一元特價八角郵力外加

發行處 山西太原 中醫改進研究會

二書代售處 蘇州吳趨坊 蘇州國醫書社

蘇州國醫學校前校長

章太炎先生醫學遺著

特輯……現已出版

本校前校長章太炎先生，道德文章，久爲吾人所欽仰，寰海以內，無不認爲當代儒宗，樸學大師也。大師精研經史子集外，對於醫學亦有深湛之研究，自黃帝內經以迄漢唐宋元明清，歷代醫學著作，莫不瀏覽殆遍；其博聞強記，過目不忘之處尤爲常人所不及。大師嘗謂本校同人曰：「讀書應使古人爲我用，不可我爲古人役也。」一是以大師對於醫學，獨具超人之見解，與一般食古不化者不可同日而語。自大師長校二載以還，本校同人沐大師之感化，無論處事治學，莫不競業業黽勉自勵，今不幸大師遽歸道山，同人等頓失導師，哀痛之餘，爰搜集其歷年醫學著作，發表於本校校刊（蘇州國醫雜誌）第十期，顏曰「章校長太炎先生醫學遺著特輯」，以誌紀念。且爲發揚太炎先生醫學思想起見，凡預定蘇州國醫雜誌一年者，本期特輯，概不加價；另售本期雜誌，特價三角。

發行處 蘇州吳趨坊 蘇州國醫書社

國醫的科學

李克蕙醫士著　實價二角

本書以淺顯文字，就國醫歷來之經驗結晶，利用現代科學智識說明之，祛除空洞玄談，印證原有科學，一以國醫科學化，世界醫學國醫化爲主旨，凡欲研究國醫學，或懷疑國醫學，於此書均有相當的答案與解釋。

南京洪武路七四號李克蕙診所出版

蘇州吳趨坊蘇州國醫書社代售

本校研究院內科主任 陸淵雷先生名著

金匱要略今釋

本書比傷寒論爲難讀古今注解極少近出參以新理者尤鮮不可得遑論精粗淵雷此著後於傷寒今釋三年自謂發明新義極多比傷寒今釋更善連史紙精裝八厚册定價十二元實售七折郵費四角國外酌加

發行處 上海牯嶺路人安里陸淵雷醫室

代售處 蘇州吳趨坊 蘇州國醫書社

杭州三三醫社寄售醫書

（珍本醫集書成）實價二十五元 裘吉生主編世界書局出版精裝十四巨册六百萬言集孤本遺稿九十種爲醫林一大鉅著

（皇漢醫學叢書）實價二十元 陳存仁主編世界書局出版精裝十四巨册都五百萬言丹波氏醫籍考與聿脩堂叢書皆輯入集中彌覺珍貴

（外治壽世方初編）實價六角 鄒存淦輯四卷二册木刻大版賽連紙印自傷寒中風至呃逆瀉痢凡二十六門皆以古方外治法療治雖稚弱之體及疑難不決之症施用亦無弊害

（精印精校達生編）實價二角 上中下三卷附福幼編一卷聚珍仿宋字精印精校無訛購贈於人最爲相宜

（吳鞠通醫案）實價一元八角 本書前紹興裘氏木刻叢書中曾輯入印行不多世界書局翻印時以首一册誤稱全書此外別無傳本祇杭州金氏排印三百部宣堆紙綫裝四册現已絕少

（梅氏精刻驗方新編）實價一元八角 賽連紙印十六厚册前浙撫梅氏校刻與坊間翻印本不同定價低廉以便樂善者購送

（本草思辨錄）實價一元二角 本書四卷爲越中名宿周伯度先生遺著刻版後祇裘氏借印百部傳世現留存者已不多本社得之非易分讓同道幸勿交臂失之

（杭州開元路三三醫社）

肺癆病營養療法

董志仁著　實價二角

本書著者董志仁先生，係杭州有名之肺癆專家，董先生因臨症之際，病人對於飲食宜忌，恆欲詳細詢問，一一答覆，殊苦瑣煩，爰撰此書，俾便病家有所遵循。病者讀此，則飲食有則，可以早復健康，醫家如以此書介紹病家，則可免一一答覆之瑣煩。

蘇州國醫書社

新出版醫學書

地址：蘇州吳趨坊一三七號

蘇州國醫學校國藥試植場叢刊之一

「簡要中藥作物學」

黃勞逸著　實價四角

古時之醫，多自備藥，蒐採泡製，必皆親躬；是以效力準確，對證施治，沉疴立起。今則藥之修治，委於商賈之手，醫者大多不識藥，且商人重利，尤多以僞亂眞，以致治效不著，國醫漸失社會之信仰，良可慨也。是書對於藥物之種植栽培收採，莫不詳細敍述，凡青年新中醫欲研究藥物，製藥廠家欲自植原料，新家庭欲自植簡要藥物，及有心經營種藥事業者，皆宜人手一編焉。

中華民國二十五年秋季出版

蘇州國醫雜誌第十一期

編輯者　蘇州國醫學校　蘇州長春巷三十九號　電話第二三六七號

發行者　蘇州國醫書社　蘇州吳趨坊一三七號　電話第五百六十三號

印刷者　蘇州文新印書館　蘇州景德路七十六號　電話第八百九十一號

蘇州國醫雜誌價目表

期數	價目	寄費
每季一期	另售一角五分	寄費一分
每年四期	預定實價六角	寄費在內

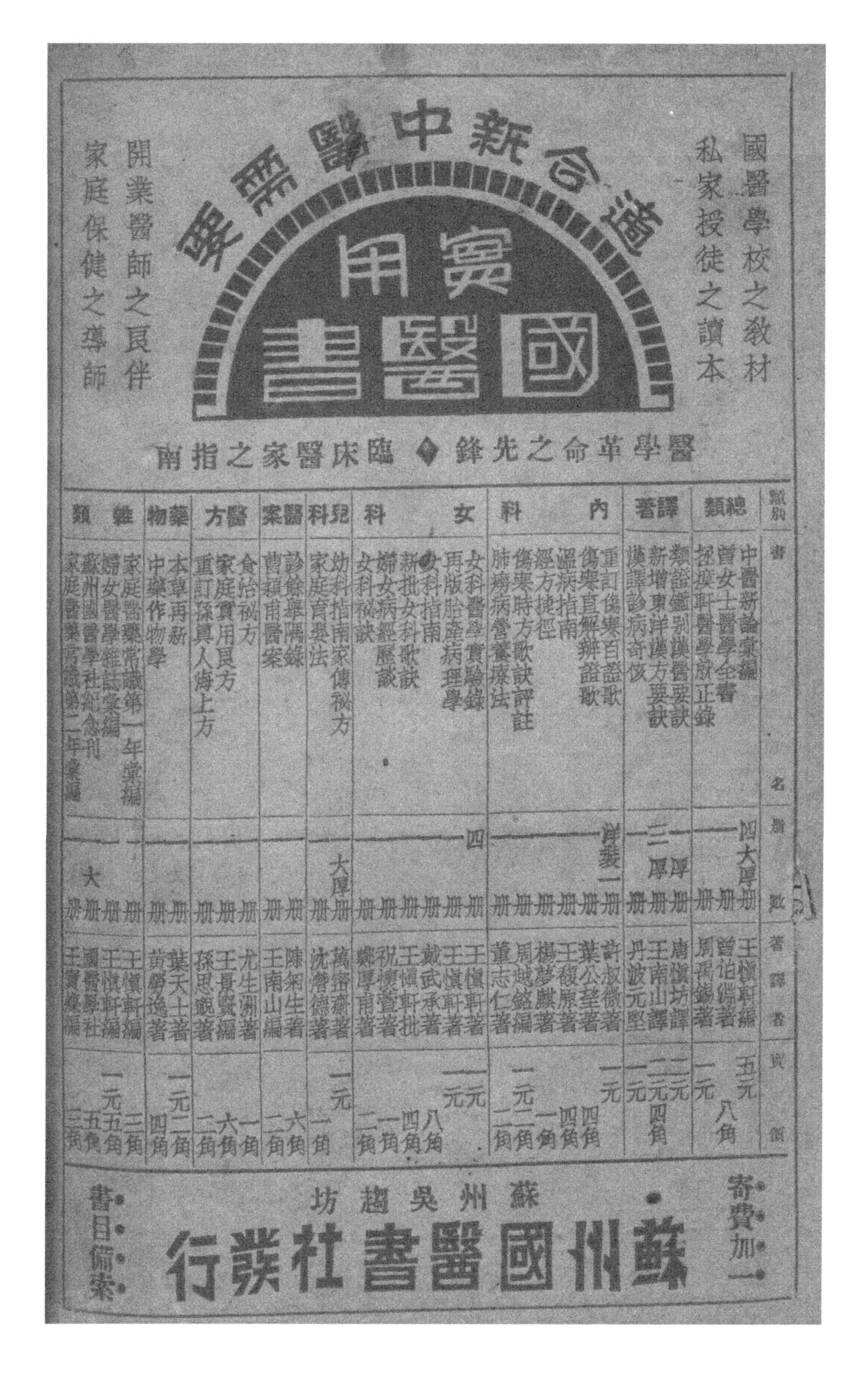

適合新中醫需要

實用國醫書

國醫學校之教材 私家授徒之讀本

開業醫師之良伴 家庭保健之導師

醫學革命之先鋒 ◆ 臨床醫家之指南

類別	書名	冊數	著譯者	實價
總類	中醫新論彙編	四大厚冊	王慎軒編	五元
	曾女士醫學全書	一冊	曾伯端著	八角
	拯嬰軒醫學廓正錄	一冊	周禹錫著	一元
譯著	類證鑑別漢醫要訣	一厚冊	唐慎坊譯	二元
	新增東洋漢方要訣	三厚冊	王南山譯	二元四角
	漢譯診病奇侅	一冊	丹波元堅	一元
內科	重訂傷寒百證歌	洋裝一冊	許叔微著	一元
	傷寒直解辨證歌	一冊	葉公望著	四角
	溫病指南	一冊	王馥原著	四角
	經方捷徑	一冊	楊夢麟著	一角
	傷寒時方歌訣評註	一冊	周越銘編	一元二角
	肺癆病營養療法	一冊	董志仁著	二角
女科	女科醫學實驗錄	四冊	王慎軒著	一元
	再版胎產病理學	一冊	王慎軒著	一元
	女科指南	一冊	戴武承著	八角
	新批女科歌訣	一冊	王慎軒批	四角
	婦女病經驗談	一冊	祝懷萱著	一角
	女科祕訣	一冊	鄭厚甫著	二角
兒科	幼科指南家傳祕方	大厚冊	萬密齋著	一元
	家庭育嬰法	一冊	沈潛德著	一角
醫案	診餘舉隅錄	一冊	陳匊生著	六角
	曹穎甫醫案	一冊	王南山編	二角
醫方	食治秘方	一冊	尤生洲著	一角
	家庭實用良方	一冊	王景賢編	六角
	重訂孫眞人海上方	一冊	孫思邈著	二角
藥物	本草再新	一冊	葉天士著	一元二角
	中藥作物學	一冊	黃勞逸著	四角
雜類	家庭醫藥常識第一年彙編	一冊	王慎軒編	三角
	婦女醫學雜誌彙編	一冊	王慎軒編	一元五角
	蘇州國醫學社紀念刊	一冊	國醫學社	五角
	家庭醫藥常識第二年彙編	大冊	王實燦編	三角

寄費加一

蘇州吳趨坊

蘇州國醫書社發行

書目備索

國醫雜誌

第十二期——要目

譯著

漢醫全書……唐慎坊譯
腦膜炎……程仕根譯

講壇

用藥之學理與習慣……章次公講
怎樣研究國藥……周師洛講
研究醫案之途徑……沈仲圭講

論壇

現代中醫應有之認識……李寶琦
非常時期國醫界應有的動向……徐名山

內科研究

中暑……楊夢麒
不寐……朱益民
腦出血之中醫病名……冉昌儒

方劑研究

牡蠣澤瀉散之檢討……周自强
桃核承氣湯論……陳丹華
釋小青龍湯……吳少九

藥學研究

研究藥物之我見……謝誦穆
芎藭之生理作用……經利彬 石原皋

蘇州國醫學校編

部登記證警字第三四一六號 中華郵政特准掛號認爲新聞紙類

蘇州國醫書社發行

蘇州國醫學校編譯館出版

日本有名皇漢醫之——

兩大巨著

醫學革命之指南針

唐慎坊先生譯

類證鑑別 漢醫要訣

全書一厚册
實價銀二元

原著者之介紹

本書原著者大塚敬節氏為日本有名之皇漢醫渠曾畢業熊本醫科學校本係西醫出身後感西洋醫學之缺點甚多乃本其科學之素養苦心研究皇漢醫學此書即氏用科學方法研究漢醫學之結晶品也

內容總目

第一編 病證學
第二編 診候學
第三編 治療學
第四編 藥物學
第五編 處方學

臨床醫家最切實用

王南山先生譯

新增 東洋漢方要訣

全書三厚册
實價二元四

▲著作者＝日本長澤道壽
▲評按者＝日本北出友松子
▲新增者＝日本中山三柳

本書四大特點

1 內容豐富……凡中日名醫之效方皆被採入無遺
2 說理精詳……每方必詳述主治用法加減禁忌等
3 引證廣博……古今名醫發揮方義之說莫不列入
4 最切實用……按語均係經驗心得絕無空泛之弊

地址 蘇州吳趨坊

蘇州國醫書社發行

電話 五百六十三號

蘇州國醫雜誌第十二期目錄

譯著

漢醫全書……栗原廣三著 唐愼坊譯（一）
腦膜炎之豫防與看護……伊藤知教著 程仕根譯（六）

講壇

周師洛先生對本校旅杭見習團講辭……袁雲瑞記（九）
用藥之學理與習慣……章次公先生講 周自強記（一二）
醫案叢話……沈仲圭先生講（一六）
爛喉風和白喉之區別……陳煥雲先生講（一九）
平產助產術……施毅軒先生講（二二）

論壇

現代中醫應有之認識……李寶琦（二八）
非常時期國醫學生應有的動向……徐名山（三〇）

內科研究

中暑……楊夢麒（三四）
不寐……朱益民（三六）
腦出血之中醫病名及其他……冉昌儒（四〇）
噎膈論……陳松齡（四四）
癥瘕……毛炳南（四八）
黃癉論……朱啓明（四九）

方劑研究

牡蠣澤瀉散之檢討……周自強（五二）
桃核承氣湯論……陳丹華（五六）
釋小青龍湯……吳少九（五九）
甘草瀉心湯……王蘊玉（六三）
越脾加朮湯……徐庚德（六六）

藥學研究

研究藥物之我見（三年級課卷選集）……謝誦穆（六八）
葶藶之生理作用……經利彬 石原皋（七二）

中醫新生命月刊

主任—陸淵雷　編輯—謝誦穆

為中醫科學化之前進物刊。多載陸淵雷氏近作講義。與遙從同學之課卷答問。及外來有價值之醫學稿件。長篇特著有陸氏之流行病須知。謝誦穆之中醫僞書考。衞原之中醫病名之研究。翻譯有張永霖君之診病奇侅。東亞君之漢藥麻黃之醫治應用與藥理。皆係富有研究性之作品。每月一册。已出二十六期。全年一元四角。半年七角五分。

(上海牯嶺路人安里陸淵雷醫室發行)

漢藥新覺上集須約

明日醫學雜誌社出版

郭若定先生著

實價二元四角預約七折

二十六年三月底出書

本著內容：總論篇—(一)藥理總論，(二)製劑要義，(三)漢藥漢方概說，(四)配合禁忌詳表。各論篇—(一)興奮藥類，(二)發汗藥類，(三)解熱藥類，(四)清涼藥類，(五)強壯藥類，(六)健胃整腸藥類，(七)催吐藥，(九)利尿及泌尿器消毒藥類。全書凡三十餘萬言。

中國婦科病學

時逸人先生著

本書為中西合參之著內容共分三編第一篇月經病第二篇胎產病第三篇產後病舉凡婦科各病逐層剖析備極詳證候診斷治法處方皆有精深之經驗醫家病家手此一輯足供按圖索驥之需要

定價一元特價八角郵力外加

發行處 山西太原 中醫改進研究會

二書代售處 蘇州吳趨坊 蘇州國醫書社

蘇州國醫學校前校長

章太炎先生醫學遺著特輯……現已出版

本校前校長章太炎先生，道德文章，久為吾人所欽仰，寰海以內，無不認為當代儒宗，樸學大師也。大師精研經史子集外，對於醫學亦有深湛之研究，自黃帝內經以迄漢唐宋元明清，歷代醫學著作。莫不瀏覽殆遍；其博聞強記，過目不忘之處尤為常人所不及。大師嘗謂本校同人曰：「讀書應使古人為我用，不可我為古人役也。」是以大師對於醫學，獨具超人之見解，與一般食古不化者不可同日而語。自大師長校二載以還，本校同人沐大師之感化，無論處事治學，莫不兢業業黽勉自勵，今不幸大師遽歸道山，同人等頓失導師，哀痛之餘，爰搜集其歷年醫學著作，發表於本校校刊(蘇州國醫雜誌)第十期，顏曰「章校長太炎先生醫學遺著特輯」，以誌紀念。且為發揚太炎先生醫學思想起見，凡預定蘇州國醫雜誌一年者，本期特輯，概不加價；另售本期雜誌，特價三角。

發行處 蘇州吳趨坊 蘇州國醫書社

國醫的科學

李克蕙醫士著　實價二角

本書以淺顯文字，就國醫歷來之經驗結晶，利用現代科學智識說明之，袪除空洞玄談，印證原有科學，一以國醫科學化，世界醫學國醫化為主旨，凡欲研究國醫學，或懷疑國醫學，於此書均有相當的答案與解釋。

南京洪武路七四號李克蕙診所出版

蘇州吳趨坊蘇州國醫書社代售

本校研究院內科主任 陸淵雷先生名著

金匱要略今釋

本書比傷寒論為難讀古今注解極少近出參以新理者尤渺不可得遺論精粗淵雷此著後於傷寒今釋三年自謂發明新義極多比傷寒今釋更善連史紙精裝八厚册定價十二元實售七折郵費四角國外酌加

發行處 上海牯嶺路人安里陸淵雷醫室

代售處 蘇州吳趨坊 蘇州國醫書社

杭州三三醫社寄售醫書

(珍本醫集書成)實價二十五元　裘吉生主編世界書局出版精裝十四巨册六百萬言集孤本遺稿九十種為醫林一大鉅著

(皇漢醫學叢書)實價二十元　陳存仁主編世界書局出版精裝十四巨册都五百萬言丹波氏醫籍考與聿脩堂叢書皆輯入集中彌覺珍貴

(外治壽世方初續)實價六角　鄒存淦輯四卷二册木刻大版賽連紙印自傷寒中風至呃逆瀉痢凡二十六門皆以古方外治法療治雖稚弱之體及疑難不決之症施用亦無弊害

(精印精校達生編)實價二角　上中下三卷附福幼編一卷聚珍仿宋字精印精校無訛購贈於人最為相宜

(吳鞠通醫案)實價一元八角　本書前紹興裘氏木刻叢書中曾輯入印行不多世界書局翻印時以首一册誤稱全書此外別無傳本祇杭州金氏排印三百部宣堆紙線裝四册現已絕少

(梅氏精刻驗方新編)實價一元八角　賽連紙印十六厚册前浙撫梅氏校刻與坊間翻印本不同定價低廉以便樂善者購送

(本草思辨錄)實價一元二角　本書四卷為越中名宿周伯度先生遺著刻版後祇裘氏借印百部傳世現留存者已不多本社得之非易分讓同道幸勿交臂失之

(杭州開元路三三醫社)

漢醫全書（續）

栗原廣三著
唐慎坊譯

第一部

漢醫術發達史

（一）起始的考察

吾輩考察漢醫學之盛衰。即所謂消長關係者。頗爲廣汎。欲以一朝一夕論究之。了解之。殊非易事。然不知其根本。非但無從考察。抑且不能理解。凡治病之觀念與民族心理之發達。不可不一一加以調查。最初不過傳說。其次始有顯明之記錄。再次玩味其中之思想。如此循序而進也。

（二）始興時代

漢醫學發生於中國。始於何代。無從稽考。後漢張仲景著傷寒論。以之爲治病之原則。由是漸次發達。經過唐宋明清之時代。此學大興。吾人所知者。如此而已。在漢以前歷史上無可根據者。不可考已。

中國建國之當時與神農

依據傳說。中國最初所謂太古時代。卽指三皇五帝時代而言。今舉帝王之名如左。

伏羲氏、神農氏、黃帝、唐堯、虞舜。其次則夏商周。更次則周末春秋戰國。至秦始皇翦滅羣雄。始建統一之國家焉。

中國開創之時代。距今約五千餘年。（卽蘇紀元前三千年）燧人氏鑽木取火。敎民火食。伏羲氏造網罟。敎民漁獵。神農氏作耒耜。敎民耕種。又嘗百草。敎民醫藥。

漢醫學與黃帝

三皇之後。則爲五帝。五帝之首。則爲黃帝。黃帝與漢醫學有密切之關係。其臣下以醫學名者。列舉如左。

僦貸季　三皇時代以後人。岐伯之師。製定經絡穴道臟腑陰陽之度數。深究色脈之旨。通於神明。而肇醫之端緒。

岐伯　黃帝之臣。黃帝相與問答。而作內經。傳於後世。

伯高　少俞　鬼臾區　以上三人。黃帝之臣。互相協力。發明五行之旨。詳論脈理。樹立經論。

俞跗　黃帝之臣。治病不用湯液。或剝膚解肌。或決脈結筋。或搦髓腦。或滌腸胃。或浣五臟。外科之方。由此立焉。

桐君　黃帝之臣。識草木之性質。定藥物之分配。君臣佐使。各致其用。著有採藥對四卷。採藥別錄十卷。

雷公　名斆。黃帝之臣。著至敎論及藥性炮炙二冊。深通醫術。爲藥方之始祖。

由此可知在黃帝時代。醫術已樹其根幹。然以神農爲藥之始祖。則因後世相傳之神農本草經。以神農冠於本草之上。故有此傳說。其實神農本草經。乃搜集漢代以前名醫所用之藥物。梁之陶弘景。以此爲基礎而編纂之者也。故神農爲藥之始祖。其說未必可信。黃帝與臣下九人。相爲問答。而成靈樞素問內外十八卷。素問爲漢醫學之基本。果作於黃帝時代。則黃帝爲醫學及藥方之始祖矣。

降而自堯至殷之時代。

藥方治病。始於伊尹。伊尹著湯液本草。後世祖述其方。是伊尹者固當時之政治家。亦同時爲醫術藥方家也。

(三)漢醫學理論之基礎

如上所述。漢醫學創於堯舜以前。黃帝之世。固不待言。其後孔子作周易。刪詩書。稱堯舜之道。尙書中洪範九疇一篇。有五行之說。此五行之思想所由昉也。

陰陽五行。天地人三才。殆爲諸學之基礎。而漢醫術亦不能外焉。

醫者爲天行道。故醫爲仁術。以仁人之心爲心。以陰隲之說相勸。行天之道。以善爲歸。故醫爲仁術。可不愼哉。夫人身之生理。原與天地一致。亦爲自然所支配。故當時所謂學者。必對於天體物理及自然現象而觀察之。而理學亦爲醫學之基礎焉。

(四)漢醫學學說之構成與發達

由自然哲學五行思想而育成之漢醫學。經過相當之時期。迄唐宋之世。而始完成。孫思邈千金方未出以前。毫無專門學之色彩。不過爲士大夫之副業。故有儒醫之稱。

朱子理氣說。於漢醫學有重大之影響。離實驗而趨於空理。遂爲紙上空談。有如金元明代之哲學。(漢醫學)此後陰陽五行理氣說之空理醫學。幾成爲繁雜之哲理矣。

朱子之說

朱子之說。天地開闢之初。混沌一氣。名爲太極。太極在天地未開闢以前早已成立。毫末無損。亘於無限。太極有兩個原動。卽動與靜。換言之。卽陰與陽也。動卽積極而理生。靜卽消極而氣發。一動一靜。萬物以生。

周惇頤字茂叔。號濂溪。著太極圖說。爲後世宋儒之祖。其說曰。

無極而太極。太極動而生陽。動極而靜。靜而生陰。靜極而復動。一動一靜。互爲其根。分陰分陽。兩儀立焉。五行一陰陽也。陰陽一太極也。太極本無極也。五行之生。各其性。無極眞二五之精。妙合而凝。乾道成男。坤道成女。二氣交感。化生萬物。萬物生而變化無窮焉。人也得其秀而最靈。旣生矣。神發知。五性感動而善惡分。萬事出矣。聖人定人以中正仁義。故聖人與天地合其德。(下略)

說明自然界之現象時。以太極之無爲根本。此動而爲有。卽水也火也木也金也土也。森羅萬象。由此而起。人者受天地之正氣。(陰陽調和之氣)爲萬物之靈。顱圓象天。趾方象地。

植物多陰氣。親乎地。動物多陽氣。親乎天。能運用其理智。此人類之所以異於動物也。

三才思想　五行思想　營氣衞氣

天地人謂之三才。天有日月。陽光炳照。地有河海。流行地中。換言之。在此宇宙之間。天有日月巡迴。以分晝夜。地有河海長流。交潤萬物。吾人之身。營氣循十二經。(如水循地中)作成根氣。(地系)衞氣循肺肝生陽氣。以相和平。(太陽系)人身之二氣。營衞是也。換言之。卽陰陽二氣。水行於天地。猶血氣行於人身也。

禮記月令篇配合五臟如左。

肝	金	秋	收斂
肺	火	夏	燃燒
心	土	四季土用	培養
脾	木	春	生育
腎	水	冬	排泄

漢醫學之定義如左。

(表)	(裏)	(五行)	(五色)	(五味)	(五主)	(五根)	(五志)	(五氣)
肝	膽	木	青	酸	筋	眼	怒	溫
心	小腸	火	赤	苦	血	舌	喜	熱
脾	胃	土	黃	甘	肉	口	思	濕
肺	大腸	金	白	辛	皮	鼻	憂	燥
腎	膀胱	水	黑	鹹	骨	耳	恐	寒

此等之思想。悉由唐宋時代之空論的儒敎思想而生。茲將儒醫及名醫姓名年代列后。（待續）

腦膜炎之豫防與看護

伊藤知教博士著
程仕根譯

腦膜炎之一般症狀

△症狀衆多＝小兒之病中最可畏者，厥爲腦膜炎。一罹此病，十之八九難以扶持。雖幸保得如風前燈火之生命，而此可愛之孩子，不得不一生爲低能兒，任何亦不能囘復其原來之身體，誠可嘆也！有一人患病，立卽傳染全區，有僅一時損及腦部；有屬於先天者；有屬於後天者；種類繁多。而其中能復原痊癒者，亦復有之。

△主要症狀＝一、頭痛　二、意識障礙　最初雖不立卽昏沉，但必精神萎頓，容易啼哭，若受平日所無之某種刺戟然；又多睡眠，倦怠顯著，遂陷於愚魯而無慾之狀態中。　三、發熱　腦膜炎之主要症狀爲發熱，而亦有例外，如出血性硬腦膜炎，漿液性腦膜炎，以及鉛中毒之所謂腦膜炎等等，幾無發熱之象。　四、腦內壓上昇　此卽少數之專家亦難知之。腦內壓亢昇，則嘔吐，眼瞳散大等異象，及脈搏不整，腱反射亢增紛見，其他項部強直，後頭部硬張，手足抽搐，全身痙攣之症狀，均隨之而起。醫者若知此係腦內壓上昇之故，可行腰椎穿刺法，若是外行人，祇須看乳兒之大顖門，腦內壓上昇，其必高聳；又且脈搏強急，一望卽可判明。腦內壓低，則有凹象。

結核性腦膜炎

△發於氣管支淋巴腺者＝小兒之腦膜炎，最常見者首推結核性腦膜炎。此病之初，並非腦膜中起結核病；結核菌必先在其他場所作病竈，然後由血液及淋巴道傳於腦膜而生炎症。尤由小兒氣管支淋巴腺萌發者爲多。

△症狀可分三期＝此病在生後六個月以下之乳兒少患，多患於一歲至七歲之小兒；發病之季節常爲夏季；其誘因不外痲疹，百日咳，頭部之外傷，或受何種手術之後。症狀雜多，普通分第一期（前驅期）第二期（刺戟期）第三期（痲痹期）三期。

其病之起，初極緩慢，唯見精神倦怠，嗜眠，不喜乳食及其他食物，身體日瘦，漸見輕度發熱，此乃前驅症狀也。往後，劇烈之頭痛及嘔吐突起，小兒因頭痛常號哭，以手拉髮，挖鼻撅唇，而睡眠亦受其障礙矣。又與飲食無關，嘔吐起則便祕，於是明光强音均怕接觸，皮膚上如以手搔之，則其處紅腫如蚯蚓；此乃知覺神經變成過敏之證據。又在運動神經方面，則見時時齧齒嘆息或呵欠，意識呆鈍，病勢增進極明。此時，小兒之顖門隆起，病已達第三期矣。

△腦水腫之起來＝腦膜之炎症愈烈，於是腦脊髓液猶如救火兵麕集入腦，腦水腫之症狀乃明顯發生；意識全然溷濁，目光亦呆鈍直視，有時突作大聲叫喊，使看護者吃驚。再在此時看病兒之腹部，恰如舟身凹入。一至末期，意識愈溷濁，陷入昏睡狀態，屢發譫言，全身反復痙攣；不思飲食，如故直至臨死二三日前，忽索飲食，頭亦清楚，使看護者欣喜，但多在此空歡喜之時死去。自發病至死時，其間通常相距二三週或四週。

看護宜早

蘇州國醫雜誌 譯著

▲無特效藥＝治療小兒結核性腦膜炎之特效藥，尙未發現。醫家之治，僅能和緩病兒之苦痛，助其自愈機能之發展，應症施治而已。先使室內幽暗，減低外界刺戟，冀將腦部炎症誘導於他處，頭部貼以冰囊或冰枕，耳後放一水蛭，使之輕輕蠕動，又用發疱膏芥子泥貼於額部及胸部。其他之適當方法，必須俟之異日。

化膿性腦膜炎

▲由化膿菌發病＝誠如其名，此乃由化膿菌而起之腦膜炎，由身體之某部化膿而傳遞於腦膜起病。最多之例，如痳疹與猩紅熱痊愈後之中耳炎，延燒及其隣舍腦部。此外由鼻與眼等之化膿，將病菌移來，由流行性感冒與肺炎引起者亦復不少。

▲治療之道唯一＝發病甚急，突然高熱達四十度左右，於數日間即斃者極多。其中如一般腦膜炎的症狀即有減退，然其人仍未離險境，若反復施以腰椎穿刺，亦有全愈之例，不若結核性腦膜炎之絕望也。（未完）

中央國醫館編審委員 張忍庵先生著

傷寒論之演析 出版預告

本書係張忍庵先生研究傷寒論心得之結晶，全書注重在傷寒論整個體系之綜合的檢討及其內涵之分類的演析，與一般之偏於文字之注釋者，有迥然之別。讀者得此一書，則研究仲景學術思想，庶有門徑可循；所以是書不啻爲研究傷寒論之鎖鑰也。茲已徵得張先生之同意，由本社出版發行，全書已經付印，不日當可與讀者見面矣，特此預告。

蘇州吳趨坊 蘇州國醫書社啓

周師洛先生對本校旅杭見習團講辭

袁雲瑞記

諸位先生！兄弟今天得參與這個盛會，非常榮幸中國數千年來的醫藥學術，皆不依科學而邁進，如本草綱目的內容，合於科學者固有而大多不合科學的程序，故凡事之不能依據科學的立場者其進步必鮮，所以中國的醫藥學術依舊是陳腐不堪，很少新的發現。

欲求一切事情之上軌道，非科學不足以致之，中國往昔並非不重科學，讀大學上的一句「致知格物」就可知道了，但是三四千年來的人多沒有留意到這句話，所以做到「致知格物」的人也很少，講到外國的科學也是由漸而至，決非偶然做成的，如當初外國的化學，咸視若一種神秘似的學術，稱之曰 Alchemie 後來經過許多學者的整理和研究，才將Al二字除去，逐漸成科學的化學 Chemie。

中國之藥物學，在數千年前，已有本草綱目的載述，其分類有金石草木等部，已具科學之雛形，惜後人無繼續努力者，以致今日尚不能成爲科學之根據，但古人對于藥物之製造，卻非常合于科學，如秦穆公鍊飛雲丹第一轉卽輕粉，其製法以水銀和食鹽與明礬研合至不見水銀珠爲度，遂用二鍋，一覆一盛，將水銀和食鹽之混合物置于其中，二鍋覆合之口，用泥封固勿令洩氣，下以火燒之，所燒時間，以燃香爲標準，經燃過數炷香之後，啓開，則卽成輕粉，蓋食鹽是氯化鈉，與水銀化合，則成氯化汞，經過高溫，則昇化於上鍋，而成白粉，（卽輕粉）兄弟從前服務軍界，曾經親自試驗，確能製出，其法與現金昇化製甘汞同，惜乎中國人的腦經，只知研究文學，鮮有注意及此者，是以常有中國科學落後的一句口頭語。

兄弟從前每見鄉里人士之患病者，無良好之醫師診治，固屬痛苦，而治療之藥物，又不改進，所以我自中學畢業之後，卽投入藥學專科學校讀書，期達到改進醫藥之目的，但是畢業之後，大失所望，因爲中國藥物之名目繁多，奚啻數千百種，而研究藥物之人士又極少，此次全國國民代表大會的藥師團體之會員，只有八十餘人，以少數人的才力，來担任如此艱鉅的工作，當然那裏能夠辦得了呢？不過我盡着我個人的力量做去就是了，至於能否達到完成的目的，姑且不管。

我在民國十五年時，先創設同春藥房，考查內部販賣的藥品，就輕而易舉者，自己研究製造，有一部份的注射藥，告成之後，因金價飛漲，而玻璃小瓶之價值，亦隨之昂貴，我們所應用的玻璃安瓶，皆來自外國，中國之玻璃，因內有阿爾加里性，不能應用，於是苦心研究，歷時數月，卒告成功，遂於民國二十年，創設玻璃廠，兼製化學儀器，後以製藥所需之機械，苦無法供給，所以又費了許多的腦力，乃成立機械部，自行製造，因製藥而及乎玻璃，兼及乎機械，像這樣工業落後的我國，一切東西，都要他們自己去研究創造，那豈不是困難之極嗎？

現在要努力的，就是用科學的方法製藥，這是很不容易的一樁事，本草綱目的金石部，大概已經闡明，可勿必研究，比如芒硝，他的分子，就是硫酸鈉等，已經知道，所以無研究的價值，所須研究者，其惟生藥，（卽草木部）但殊感困難，尤其是用科學方法研究更難生藥之分類，如雙子葉單子葉、隱花顯花等，日本藥學家早已分得非常清楚，而且詳細，可見日本人之用科學方法研究藥物，已有相當成績，所以他們又要發展到中國來，在南滿設立醫科大學，並研究我國藥物，現在我們要自己研究，正可借着他們的成績作爲參考，如蝴蝶花科的天仙子、鬧陽花等，知道著有「阿脫羅冰」Atropin的成分，則研究之時，當然比較容易，天仙子即莨菪，日本藥學專家長井義博士由德囘日後，發現有「阿脫羅冰」的成分，於是提煉出來，至歐戰以後，可無須仰給外國，假使中國人也能盡心去研究，未嘗是不可成功的事，但日本完全是政府的力量，若單靠個人的力量，那也是萬萬不可能的。

研究生藥的方法，應先調查他的分類，然後再用化學的方法，提出他的成分，及理學的方法，和原素分析，研究他的構造，如芳香體，脂肪體等，有幾個困核及分子量等，並其構造，或加以光學的方法研究，觀察他對於光學之感應如何，至此，則生藥之原質已明，而研究生藥之能事完矣，此皆藥學家之職責，至若應用於治病，則須賴醫師之幫助，加以生理及藥理的試驗，非藥學家之事也，講時容易，不到二十分鐘即完，若要眞眞的做去，決不是這樣便當的一囘事啊！如防已經日人之提煉，謂有「喜那美仁」的成分，日本鹽野義藥廠有此種藥品製出，治痛風有卓效，我們也將漢防已來研究分析，結果所得的功效較優，製品的定名曰「喜美靈」，而成分則少異，兄弟自己患背部筋肉瘻痲質斯，注射此藥二次即愈，不過局部略有反應，現尙繼續研究，終因設備關係，不能暢所欲爲，此研究生藥學而困難的一個例子，但我們決不可因難而退，還是要抱着十二分的雄心去研究，期達到最後的目的。

我希望大家不要存着門戶之見，而分着東西的派別，應打破一切的間隔，努力研究，務以復興民族，使登健康之道

周師洛先生對本校旅杭見習團講辭

為宗旨昔年[illegible]為徵收營業稅命新藥業為西藥業公會兄弟據理力爭，極力反對，故仍改為新藥業公會，因為在中國的地方由中國的人用中國的原料來製造藥品，以供國人應用，何得名為西藥，醫學亦然，故兄弟的意思，亦不應該有中西之分，我很希望大家根據科學共同研究，研究的人愈多，則醫藥之前途進步亦愈速，而藥的方面將各種生藥都經科學的整理，使成科學的製品，俾我國藥品，能不至仰給於國外，是兄弟所馨香禱祝者也。

用藥之學理與習慣

章次公講
周自強記

有此病則用此方，有此證則用此藥，此仲景學派所持者，我人用藥，祇求其無忤學理已足，夫何必顧及習慣？雖然，中醫尚未能至統一無間之今日，人自為政，派別紛歧，一派之藥方自別派視之目為不然，甚則痛下批評，病家為之猶疑莫決，或拒服此藥，病卒未愈，我人為適應起見，不得不顧及習慣；融洽輿情，嚴格言之，此亦一種江湖法術而已！求學理習慣兩者無所悖，則吾人藥方，以崇奉陰陽五行者觀之，固甚當，以現代學理論之，彌足珍是也。欲達到此學理與習慣兩適當之境，必精通新舊諸學說而後可，試舉數藥之例於下：

（1）遠志—古人言遠志入心，且顧藥名而思其義，似亦屬對心志有幾何作用者，而今人謂之祛痰，在慣為調和之說者，可曰痰迷心竅，祛痰卽所以入心，此自學理觀之，自爾荒謬可笑，譬如中風—腦出血—痰聲曳鋸之際，過去用遠志菖蒲合胆星竹瀝，此遠志自以開心竅為目的，我人祇須心知其用，以排除氣管內容物為目的，其治病之奏效相同，不必拘拘於說理之間。

（2）清水豆卷—腸窒扶斯初起或一候時，海上醫生多用清水豆卷，以清透退熱，我人知腸熱初起，非退熱可效，彼以爲清透之藥，如豆卷眞正功用在於利尿與維持營養而已，利尿可以排除毒素，維持營養可增抗病之機，治療腸熱要的凡三：1維持心臟，2撲滅桿菌，3維持營養—苡米豆卷—以及多得維他命C（維他命C缺乏易成腸出血）我人用豆卷治病之目的，不外上述，則病症得治，即可不必堅決反對清透之說。

（3）何首烏—濕溫症至舌苔紫絳如豬肝，爲毒素盛，如舌絳而乾，過去以爲邪入營分，氣陰兩傷之候，治須西洋參、習慣以爲生津潤燥，我人心知其爲營養與强心兩作用而已。又濕溫症便祕已久，易於自家中毒，若至舌乾傷陰，須用元參、何首烏養陰增液，使便通則陰液乃回。如與又可增液承氣之類，其實首烏中含與大黃相同之成分，功在通便，而不在養陰，我人若不顧習慣而用大黃，靡不視爲怪誕，若用何首烏，將認爲善用後世方，行且引爲同道也。

（4）犀角—犀角之應用於一切熱病見神經症時，如神昏搐搦之類，彼以爲用在入心宣通神明，曰：犀角神獸也。而我人用之以强心止血，凡熱病之發熱愈高，則心藏負担日增，愈易衰弱。中醫術語曰：陽極入陰，犀角之動物試驗，已有增加心力之證據，又袁淑範謂動物角類皆有黏性而能止血，故我用之以强心，防制其腸出血等，即減少神智昏迷之證。獲效相同，理可弗問。

（5）牛黃—日本頃以兔試驗牛黃之功用，濕溫之發熱至四十度者，得此可減退熱度至三十七度，於眞性赤痢菌，亦有殺滅之功效，譽爲熱性病之退熱妙劑，牛黃爲牛膽汁病變所凝結，推其功效，則仲景用豬膽汁通便，殊含有解熱殺菌之企圖，又可想見牛黃清心丸之饒有至理，溫熱派如葉天士輩，於整個醫學，雖無所供獻，而用犀羚紫雪至寶丹等强心解熱，洵可補仲景所不及，爲後來開法門，此功未可沒也。

（6）紅花—又如紅花古人用以袪瘀產後惡露不盡之兒枕痛，崩漏之久久不愈者，所謂「暴崩宜止久崩宜攻」者，用之，皆曰袪瘀也。自今日觀之本品能收縮子宮，收縮血管子宮血管收縮，則留瘀可去枕痛可安出血可止崩漏乃治與習慣不相悖謬。昔人有以紅花治肺病吐血謂可袪瘀生新今乃知不過收縮血管以止出血耳！他若川芎之試娠妊，亦收縮子宮之效，桃仁與紅花功效彷彿，然二者於妊娠，則在禁忌之列。

（7）桃仁杏仁—桃仁杏仁皆油類滋潤鎮痛鎮痙制止分泌之藥，且有相當之麻醉作用。以治咳血，二者固可同用。以桃仁有止咳作用，若治痢下，則杏仁不若蔞仁，蔞仁雖不如杏仁之能兼鎮痛，然習慣則自以杏仁爲突兀也。間嘗謂處方之與病情習慣，務須純粹一貫，而不雜遝，例如目前之論吸着劑，同一吸着爲目的，若治腸熱症，寧用黃芩炭銀花炭，而不取禹餘糧赤石脂，在遵從古人經驗順洽習慣與情也。

（8）苦味藥—苦能堅腸，黃連黃柏黃芩苦參之成分全則同，我人若以止瀉爲目的，甯取黃連，則合理中湯爲連理湯，若在下痢，則以黃柏較優矣！

（9）動物藥—動物藥如蠍尾、地龍、蛇，皆有治僂麻質斯，恢復麻痺，振奮官能之功用。然回天再造丸活絡丹用蠍尾，不用地龍。又如老人癃閉溲難，爲膀胱麻痺，用螻蛄通溲有效，余嘗試以蠍尾亦效，推之蛇及地龍，諒皆應有相當功用，以其皆能興奮官能，恢復麻痺也。據最近報告地龍退熱極效，勝於「匹辣米同」，惟多用之易起心臟衰弱，則其他動物藥於退熱，當亦有效也。

（10）升麻—補中益氣湯用升麻，相傳用以升提清氣，今知實取其營養解熱二作用。與升麻相同功者，爲常山柴胡，我人宜顧重習慣上之使用，倘于補中益氣湯用常山卽有扞格之感，又有以升麻止瀉，亦謂其能升提，此在年老者，腸之吸收減少，小便不多，水分趨向大腸時，自以升麻之營養價値可助腸以吸收水分而治愈其泄瀉，若腸炎初起，不當用之。我人當顧及學理，毅然排除此不當之習慣。又如荷葉，不論新久，皆治泄瀉。古人云以其一莖直上，可以升提，不知其含單寗酸也。桔梗用於痢疾，前人謂其性升提，可爲諸藥舟楫，又謂能開鬱悶，其實桔梗同愛美丁之成分，治阿米巴痢有效，多服則刺激胃粘膜，氣管有蓄痰者，往往致吐也。

（11）葛根—又如葛根，古人謂能生津，以其中含澱粉，如以之治腸炎初起之泄瀉爲目的；瀉止而津液自存者，意自不謬，以澱粉能庇護粘膜故，若久瀉用之，便爾少效。治嘔吐者，亦屬澱粉庇護胃粘膜故，若取其退熱，謂升散鬱火，宣發陽氣者，葛根殊無此效，溫熱初起兼泄瀉者，用柴葛解肌湯。則葛根有營養價値，且澱粉能治泄瀉，故尙堪應用也。

（12）黨參—傷寒漸愈而見心下痞者，爲胃機能虛弱失常，黨參能健胃，而黃連苦味，亦能健胃，習慣上，用參者絕少，謂參之補性，能使人滿。其實黨參之滿，在於製參之糖分，能制止消化液之分泌，俗謂參怕萊菔子，以萊菔子有消化素也。今若利用此消化素，使黨參萊菔子同用，則糖分消化，胃機强健，而痞滿可除。熱性病甫愈時，有胃炎症之痞滿，所謂「胃火未淨」者，用黃連少許內服，可以健胃，所謂「苦寒清火」也。然多服能敗胃者，以刺激過度，而胃粘膜發炎，亦所謂「久而增氣」也。故有以芳香性健胃劑，如王桂等同用者，取交泰丸意，所謂「胃不和則臥不安」，熱病甫愈而不得寐者，用交泰丸，又所謂「引火歸元」也。若左金丸，則苦味與辛辣性健胃藥同用。然產婦惡阻不能用，因吳黃有下胎能力，曾有人合川楝小茴吳萸治妊婦腹痛，取其鎮靜止痛，而胎兒忽墮，故嘔吐在妊婦，左金丸當有所顧忌。

(13)民間丹方—治吐血用童便，曰「水中金」，取壯男便壺中者，謂能降火，又以治哮喘，驗之學理，取壯男尿者，恐有內分泌作用，而新陳代謝亦較盛，故治神經性喘息者，以尿中鈣鹽之作用也。

又婦女月事經久不調，服植物性劑，亦難得效者，丹方用紫河車最驗，古云：紫河車大補先天元氣，其實亦內分泌之刺激卵巢作用，河車大造丸用之取治亦好。

是故用藥欲合於學理習慣，必須商量權衡而後可，因得下列之結論曰：(A)主症之一藥品，於學說習慣，均無衝突者，爲最善。(B)藥之功用相同者，若同時有數味可用，則觀察方劑之主意，無忤純粹之條件以用之。(C)如一藥在學理上如此，惟與習慣相衝突者，寗去習慣而從學理。(D)一藥在習慣無所杆格，而與學理不合者，亦當放棄習慣。

醫案叢話

沈仲圭先生講

今擬講題爲醫案叢話。蓋欲使諸君於東鱗西爪之叢話中。稍得研究醫案之途徑而已。吾人治醫。當先習基本醫學。次習應用醫學。以上兩類必讀之書。次第習完。然後搜羅有價值之參攷書。隨時瀏覽。以廣見聞。醫案殆在參攷之例。惟吾人臨症。病狀單純。一診卽知者。固不難選方擇藥。迅奏膚功。然亦有病型不完備。或數病合併。所謂疑難雜證者。不得不借助於先民醫案。以爲診督及處方之借鏡矣。

自來醫案。以文體分。有筆記體方案式二種。前者大都詳記病情之始末。治療之全經過。後者僅簡略的記述症因脈治及處方。此種記賬式之醫案。無甚價値。因病之症狀不全。方之效否不知也。

讀前人醫案。取其據症用藥之法度。乘其玄妙之理論。方得取精遺粕之旨。如謝映廬治『丁桂蘭內人。年近五十。得崩漏之病。始則白帶淫溢。繼則經行不止。甚則紅白黃黑各色注下。綿綿不絕。遷延五載。肌膚乾瘦。面浮跗腫。胸脅作脹。穀食艱進。所下已有腥穢。自分必死。所喜脈無弦大。可進補劑。然閱前方十全歸脾之藥。毫無一效。(以下述舊說病理文長從刪)所服參耆歸脾。計非不善。但甘溫守補。豈能趨入奇經。仿內經血枯血脫方法。特製烏鰂丸。義取鹹味就下。通以濟濇。更以穢濁氣味爲之引導。參入塡下之品。立成一方。似於奇經八脈。毫無遺義。且令其買閩產墨魚。間日煮服。亦是同氣相求之意。如此調理兩月。按日不輟。五載痼疾。一方告痊。後黃鼎翁之內。悉同此症。但多有少腹下墜。未勞思索。逕取前方加黃耆而痊。附方熟地、枸杞、蓯蓉、鹿角霜、故紙、茜草、牡蠣、鎖陽、海螵蛸、桑螵蛸、鮑魚湯煎。』本案中間一叚。大談虛玄不實之病理。可略而不理。至其據肌膚乾瘦。面浮跗腫。及帶下崩漏。遷延五載。而進溫補固濇。頗堪取法。又此病胸脅作脹。穀食艱進。謝氏用藥。仍不屏絕滋膩。及前醫用十全歸脾無效。謝氏以溫補藥合內經四烏鰂骨一藘茹丸而愈。個中原理。大可玩味矣。

昔賢醫案。釋以科學。其理愈明。如杏軒醫案初集唇衄奇症奇治云『唇衄之名。醫書未載。而予則親見之。證治之奇。理不可測。乾隆壬子秋。一商人求診。據述上唇偶起一瘡。搔破血出不止。或直射如箭。已經旬矣。求與止血之藥。按唇屬脾。必由脾熱上蒸。以故血流不止。初用清劑不效。因血流多。恐其陰傷。更用滋水養陰之劑。亦不效。及敷外科金瘡各種止血藥。又不效。挨至月餘。去血無算。形神羸憊。自分必死。忽夢其先亡語曰。爾病非醫藥能治。可用栗一枚。連殼燒灰。同硫黃等分。研末和敷自愈。醒後依法敷之。血果止。商人親向予言。眞咄咄怪事也。』按此病實爲血友病。有此病素質之人。其血液缺乏凝固性。血管壁缺乏收縮性。以致不論身體何處。一遇出血。卽汨汨而來。莫可遏止。此症不奇而方則奇矣。（按外用止血劑。以龍馬散爲最效。方用馬勃三份。五花龍骨七份。煉松香五份。共研爲粉。）又如同書續錄許月隣令愛齒衄云。『月翁令愛患齒衄。藥服生地、丹皮、赤芍、連翹、石膏、升麻之屬。衄反甚。予於方內除升麻。加犀角。一服卽止。……』（下釋犀角止衄之理茲從刪）程氏解釋用犀角之理。玄妙已極。不能見信於今日科學昌明之世。吾人閱此案。當易其說曰。犀角有收斂止血之效。生地、丹皮。有消炎止血之效。石膏爲鈣類藥。能減弱血管壁之滲透性。並能與血液結合而凝固。合消炎收斂之藥物。以治局部充血之齒衄。宜乎一服卽止也。

兩病合併。有宜兩方分治。有宜一方合治。如杏軒醫案初集『治方萊巖公郎。稟質向虧。誦讀煩勞。心神傷耗。初病浮火上升。繼則陽强不密。精時自下。診脈虛細無力。方定六味地黃湯除茯苓、澤瀉。加麥冬、五味、遠志、棗仁、牡蠣、芡實。期以功成百日。服藥數劑未應。更醫病狀依然。（按遺精之深重者。非專恃藥劑所能根治。必須注意精神之修養。如佛家之止觀法。道家之呼吸法。並皆佳妙。苟能力行不斷。自然宿疾除根。止觀法因是子靜坐法續編有述及。呼吸法普通衞生書皆載。而張錫純衷中參西錄編末附錄之法。尤純粹之道家法也。）復召診視。予曰。此水火失濟象也。豈能速效。仍用前方。再加龍骨、蒺藜、桑螵蛸、蓮蕊鬚。合乎滑者濇之之意。守服兩旬。虛陽漸斂。精下日減。但病久形羸食少。究由脾胃有虧。經云。腎者主水。受五臟六腑之精而藏之。是精藏於腎。非生於腎也。譬諸錢糧雖貯庫中。然非庫中自出。須補脾胃化源。欲於前方內參入脾藥。嫌其雜而不專。乃從脾胃分治之法。早用參苓白朮散。晚間仍進前藥。服之益效。續擬丸方。調養而瘳。』此以六味地黃湯加減治滑精。以參苓白朮散治胃呆也。又如叢桂草堂醫案卷一『治孫姓婦。年四十餘。素有肺病。欬嗽痰中帶血。頭暈心悸。徹夜不寐。精神疲憊。心內覺熱。飲食不多。脈息細弱。此平日勞神太過。血液衰耗。肺病日久。將成肺癆也。擬方用百合、棗仁、茯神、柏子仁各三錢。沙參、麥冬、地黃各二錢。阿膠一錢五分。服後血止能寐。但汗多氣喘。原方去百合。加黃耆五分。枸杞子二錢。浮麥三錢。胡桃肉三錢。接服兩劑。汗收喘定。但尚有欬嗽而已。原方去黃耆。加地骨皮、貝母、枇杷葉。服三劑後。欬大減。精神亦健。能乘輿出門。遂改用集靈膏。令其常服而痊。』欬嗽痰中帶血爲肺病。頭暈心悸。徹夜不寐。爲操勞太過之失眠。本爲二病。而袁氏以一方賅之。惟夜則無寐。晝則疲憊。此種現狀。消耗精神頗巨。實較痰血尤爲重要。故方中藥品。亦側重失眠。用以平欬止血者。惟阿膠百合而已。

醫案中間有經驗方。可錄出備用。如杏軒醫案初集胎動下血條云。『昔聞先輩云。補中益氣湯乃安胎聖藥。予未深信。乾隆癸丑秋。某婦懷孕數月。腰腹俱痛。惡露行多。勢欲下墜。諸藥不應。投以此方加阿膠。卽安。後屢用皆驗。緣方中有參、耆、歸、朮。培補氣血。妙在升柴二味。升舉之力。俾胎元不至下陷。然後補藥得以奏功。血熱加黃芩。血虛加地黃尤妙。』（按此方不僅治半產。產後子宮下垂。用之亦效。）此孕婦流產之效方也。余讀書時。見有此項效力。輒錄入簡冊。題曰臨症備忘錄。用力甚省。收效甚大。諸君盍仿行之。

讀醫案不可無懷疑態度。蓋中國醫學築基於哲學之上。不合科學之醫理藥理。隨處可見也。

爛喉風和白喉之區別

陳煥雲先生講

年屆秋末冬初，溫燥內蘊，清寒外束，喉症盛行，喉症至今日最易混淆，最易誤治者，尤其是『爛喉風』與『白喉』，此兩症本來名稱各異，不能勉强假借者，何以除西醫外，國醫及民衆均籠統稱爲『白喉』。蓋有各種原因在，(一)因此兩症起病及死亡同一迅速而死象又彷彿者(二)因喉關同是要起腐者，(三)因同是有傳染性者(四)因西醫對于此兩症同是稱『白喉』者(五)因民衆不知有眞假性，一病喉症起腐即驚駭相告曰『白喉』(六)因民衆或國醫偏信『白喉』忌表抉微一書，不善研讀，誤認喉間起腐俱是『白喉』。(七)因非喉科專家國醫，似乎趨時徇象，竟亦有籠統稱爲『白喉』。至于國醫亦籠統稱爲『白喉』。民衆犧牲性命不知凡幾矣，此鄙人所最目擊心傷者，即是此兩症籠統名稱混合區別，雖『爛喉風』即西醫所稱假性『白喉』，『白喉』即西醫所稱眞性『白喉』。辨明眞假性治療，統一名稱『白喉』似無妨害，鄙人期期爲不可，不如仍從舊習慣名稱爲愈，况此兩症一稱其名，即有大自然之區別，豈不較眞性『白喉』假性『白喉』爲直截了當耶。鄙人特提出其區別五點，撮其大略分述如下：

(一)病名區別：喉症命名，姑舉一例，如以原因命名，有花柳結毒喉疳，痧毒喉疳，痘毒喉疳，胎毒喉疳，乳痰喉疳，各種喉風，以象形命名，有喉蛾，喉菌，喉珠，以他種病名命名，有喉瘤，喉癬，喉癰，以見症命名，有喉痺，爛喉痧等等，『爛喉風』和『白喉』均以見症命名，但『爛喉風』是見症之形象，『白喉』是見症之形色，『爛喉風』是許多喉風中之一種，許多爛喉中之一種，有一個風字表示風火急速，多屬是明實之症，『白喉』腐色始終皆白，側重在白字，白喉肺經本色，喉爲肺之門戶，表示火灼肺經陰虧水不濟火之症，不比『爛喉風』腐色或白或黃，甚或紫黯色，灰黑色等不一，兩症病名之區別，已首先顯明。

(二)病因區別：『爛喉風』多患於天時不正，暴熱驟涼，或風溫，伏暑濕熱，時疫，痰滯，秋燥，錯雜蘊蒸肺胃而發，『白喉』

多患於血虧內熱之體，或肺腎陰薄虛火上炎，或吸烟飲酒，恣食煎熬炙煿辛熱刺戟性烈物品，或腸胃間積滯蘊熱，加以天氣或地理時令環境上空氣亢燥，或再傳染『白喉』病毒而發此區別之在於病因者。

（三）病象區別：『爛喉風』初起形寒形熱，舌苔先白繼黃，先薄繼厚垢，漸再化薄，脈先浮緊浮數，不愈，轉弦滑洪大，頭痕胸悶，喉關作痛且腫，或腫及頸項，色赤或紫，子舌腫垂，漸漸起腐，蔓延，腐色先白繼黃，先薄而沈着，繼厚而突起，頗覺穢濁，似濃痰，似瘡瘍之厚膿，腐經良好對症之服藥，吹藥，漱藥，弔泡藥，紮脚藥後，腐卽發浮，漸化漸退，但多日痰涎稠黏，口氣穢惡，呼吸言語及飲食妨礙，時欲泛嘔，表示肺氣鬱遏，意欲宣暢之象，直至涎清腐浮脫去乃愈，『爛喉風』之特徵如是。『白喉』初起，亦形寒發熱，骨節疼痛，頭痕肢痠，咽喉乾硬，喉疼口渴，兩關紅腫堅硬，或現白點，舌苔薄白，或黃而糙，津液不潤，或質已紅絳，無甚膩涎，脈始浮緊，嗣後洪大細小靡定，一二日間，頗似普通感冒，三日後或壯熱煩躁，或竟不熱，神倦酣臥昏沈，尤爲『白喉』特徵。其重要之點，厥爲『白喉』形色，白點或塊，或條或片，頗淸楚，有白如洋臘燭油凍色者，有帶灰白色，有粉白色，且形乾燥，四圍附着肌肉，揩之不去，拑之出血，『白喉』既現，寒熱反除，與『爛喉風』之熱愈高腐益甚，適成反比例。

（四）病理區別：『爛喉風』腐隨身熱爲進退，是病多屬肺胃外因，身熱漸退，則邪外撤，故愈，『白喉』身熱速退，卽轉重，是病偏屬肺腎內外因，熱退則邪內入，故重，『爛喉風』多膩涎，乃風火痰濕溫熱蘊釀上潮，吐清則邪撤病愈，是以宜宣解。『白喉』少膩涎，卽有亦是熱灼津液所化，吐清則液涸身死，是以忌表散。

（五）治療區別：『爛喉風』首先辨明是否有無表邪，是否純係裏熱，或表裏皆感，或表多裏少，或裏多表少，其關鍵全在於是，始起表邪束縛，裏熱鬱勃，往往愈蒸愈腐，倘先宣解，熱有出路，腐卽退，或表裏交盛，表裏偏多偏少者，則清散，清洩，清化，清潤等藥，隨症用之，倘至純係裏邪化火，化燥化毒，則又清涼肅降直清其火，急救其陰，『白喉』症象辨得明確，始用除瘟化毒湯不愈，急用養陰清降法，救治可愈，最忌表散，倘誤犯之，升火刼汗，陽越於上而熱益熾，陰虧於下而津益涸，是速之斃矣，則其治法又大有區別者在。

從以上五點區別觀之，顯見該兩症立場上實在絕對處於相反地位，倘從其相同處而研究其所不同處，則一一均得比較，而看清楚矣，旣看清楚，決不致于誤治，所以鄙人以爲要使此兩症不誤治，當自正其名以區別之爲始。

平產助產術(Leitung der Normalen geburt)　施毅軒先生講

產科醫生對于臨分娩產婦，第一須詢問的，就是泡水是否已破。如泡水未破，方可從容預備，最要者係問診，產婦末次月經何時，是否已足月；係初產婦抑經產婦；以前之分娩是否正常；妊娠末期健康與否；有無病患；陣痛何時開始，痛陣休息期之長短，然後開始外檢查。

詳察胎兒位置及心音，如胎兒位置已定之，一切陣痛正常，可無須內檢查。

如有疑問，始行內檢查。內檢查有二法：一法以二指由肛門探入，醫師之手務須消毒，然不如陰道檢查明顯，因有直腸壁與陰道間隔之故。更一法，卽由陰道直接檢查。檢查之先，醫師之手及產婦陰部，須嚴行消毒。檢查須注意者，卽前進部，子宮口大小，先進在骨盆入口抑中部，漿泡已破否。

如手指探入薦骨前角，則可知兒頭仍在骨盆入口上。如手指不能探及薦骨前角，則兒頭已入盆骨，或已至骨盆中部。如子宮口已開大則須詳察矢狀縫及大小囟門，以定其位置。如泡水未破，則檢查時須十分留意，勿觸之使破。如檢查時，痛陣發生，則須停止檢查，而手指仍留于陰道中，待產痛過後，再繼續檢查。在羊水破時，須察其水量之多寡，如羊水太多，須隨時內檢查察兒頭是否已下入骨盆，有否臍帶及兒手下墜。在分娩期中，須時刻注意痛陣大小長短，及有否壓痛，以定將產與否。須時時聽胎兒心音，如在一百以下一百八十以上，皆非正常現象；胎兒心音明晰處，愈向中移，及向下移，則知離分娩期愈近。蓋知其背漸向前轉，兒頭漸入骨盆，其醫師須至極要時，始可內檢查，並須嚴密消毒，以防微菌傳染入子宮，致生產褥熱。

產婦須導大便，及時時小便，使臨產時直腸膀胱空虛，否則壓及子宮，能使陣痛微弱，如至極要時，須導小便，則導尿管及尿道口須嚴消毒。如兒頭已下壓尿道，導管不能塞入，則須以二指（須消毒）伸入陰道，推兒頭使後稍離尿道，以便導管易于出入。內檢查時及臨產前，陰部四週須洗淨，陰毛須剃去。

產床須平硬，床中央須墊橡皮布，置小褥單。須多備冷熱沸水，消毒藥水，肥皂、手刷、洗手盆，以備醫師洗手。浴盆、浴布、小兒衣服、尿布，以備胎兒洗浴。臍帶線、臍帶布、捲臍帶鉗、臍帶剪，以備剪臍帶。滑石粉、淡眼藥，以備點兒眼及臍部消毒。餘除月經帶、棉花、消毒紗布等宜多備置。一切手術器械及注射器注射劑亦須備而待用。如產婦胞水未破，痛陣不甚劇，胎兒位置正常，則宜行走活動，不須早臥。在胞水破後，則宜靜臥。產婦分娩時之位置，普通宜仰臥。如胎頭部有時不直對骨盆入口，而稍偏于左右者，可使產婦側臥，以糾正其位置。如兒頭左偏，則產婦宜向左邊側臥，俾子宮底及胎兒臀部既左傾，則兒頭勢必向右移動，是則本偏者，此時可直對骨盆入口矣。

保護會陰 Dammschuz

由痛陣初起，以至開口期終時，助產者但須靜待詳察其痛陣之長短强弱，以定其進步與否。如泡水破後，壓痛起時，須使產婦仰臥陰部全露兩腿分置，察其兒頭是否排臨至；兒頭排臨時，如泡水仍不破，則宜用人工挑之使破，如于排臨時，痛陣微弱，可注以催痛劑，是時第一重要即係保護會陰，因兒頭至骨盆底後即力抵會陰部，至排臨以及撥露時，會陰及女陰部非常緊漲，故易破裂，于是助產者須加意保護。助產者之手須嚴行消毒，然後以拇指及食指分置于會陰兩側，一方面用微力抵胎兒額部使後頭（因該部為兒頭最小之週圍）先向陰道口排臨，一方面撮會陰及陰道口部，使聚于前，俾會陰部面積稍大，然後以另一手，于排臨處保護陰道口上部，及微將四週撥開，俾兒頭易于排臨。一方面防痛陣太猛，兒頭撥露太急時，須抵之不使猛出，否則會陰必不免破裂。在兒頭排臨時，同時有四種壓力，會集兒體（一）子宮收縮力；（二）腹部收縮力（三）產婦迸氣橫隔膜下壓小腹腔力加增（四）骨盆肌肉收縮力。因此兒頭常被猛壓，故助產者至兒頭將撥露時，必嚴禁產婦迸氣，最好令其將口張開，則腹腔壓力，必為之一鬆。兒頭擴張陰部次數愈多，則會陰愈易保全，此亦間接保護會陰之一法也。更有一種側臥保護會陰法，使產婦側臥，助產者立其背後，伸手于兩腿間，保護會陰。產婦側臥一方面壓力不致太猛，會陰易于保全，然助產者對于二種姿勢，習于其一者，則必嫌另一姿勢不便。

更有一種間接保護會陰之法，即于兒頭排臨時，陰道口及會陰部之肌肉已顯破裂，知其必難保全，則助產者于是時，宜先將會陰剪開，是名會陰切開法。否則任其自裂，則裂痕有太長或不整齊之患，或竟直裂至肛門。自動切開者長短自主，切痕整齊，易于縫合。法于離開陰唇繫帶（卽陰道口下部連大陰唇分中處）二糎處，以鈍頭剪刀，插入陰道口與兒頭之間，向坐骨方面斜剪約三糎長，不可太短，否則仍有繼裂之患，此種斜切卽防其續裂，不致侵及肛門，且縫合時亦較易着手。縫合會陰須于胎盤娩出之後，人工切開之痕極易縫合，自行裂開者，以其裂痕深淺不同，故有時甚難縫。

肩部分娩法 Geburt der Schulter

兒頭娩出後，須察其頭部有無臍帶圍繞，如有須卽剋放開，不使牢束。兒頭既娩出，則肩部大部隨之而出，然有時肩部太闊，亦常遇阻力，且會陰部于肩部分娩時亦易破裂，故宜注意。助肩部分娩法，通常用兩手捧兒頭兩側，向下拖使其上肩部先依循恥骨縫下邊娩出，然後向上微舉，使其下肩依循會陰部娩出，如阻力太大，可以食指插入前肩腋窩，向下力鉤，至上肩露出陰道口，然後另一手食指鉤後肩腋窩，微向上抬。兩手食指同時鈎上下腋窩，先向下拖，然後向上拖，則肩部必可娩出，肩部既出，餘部則必隨之娩出矣。

臍帶剪紮法 Abnabelung

小兒娩出後，則必有母體羊水，血液，分泌物等，黏其頭面，故第一先用消毒紗布拭其眼部，然後以手指包紗布拭其口腔及喉部，防有汚物阻塞。然後試撫臍帶部，察其仍有脈搏否，因小兒生後胎盤循環仍作三五分鐘之繼續，待其停後始可剪斷臍帶，法于離開胎兒臍部約二三寸長，以消毒臍帶線結紮之，最後再將留于兒體之臍帶環轉，將其端結紮處之餘線再與小兒緊紮臍部之臍帶併合結紮，務使牢結，然後一面將小兒移開，爲其洗浴。一面再以臍帶線將緊依產婦陰部之臍帶紮結，以爲臍帶墜出之標記。如外部臍帶墜出段愈長，則知胎盤必已剝離，排近子宮口或已進入陰道矣。

產後期 Nach geburts Periode

小兒產後則第一須注意者，卽胎盤之剝離。普通在小兒產後三五分鐘至遲二十至三十分鐘後，起一輕微之痛陣，胎盤卽自剝離。有時卽自剝離，有時卽自娩出，決不須人力幫助，切忌于腹部揉搓擠壓或拖臍帶等。因胎盤如已剝離則無須助力，如未剝離則拖擠無益，且蠻力拖下，則必有胎盤殘留于子宮壁，或血管不規則之破裂，有大出血之患，胎盤殘留于子宮壁，則必有繼續出血之患。如有時胎盤已剝離，而未能自動娩出，則可稍助之以人力，如未眞剝離則拖亦不能出，而有危險。惟須確知胎盤是否眞實剝離，其表示如下：1五分鐘後起一陣痛陣或腰酸。2胎盤剝離時大半忽有一陣血流出。3子宮底甚硬在腹部外面用手可以察出。4以手按子宮底部，向骨盆處擠壓，有一段臍帶掉下，手鬆時亦不縮進去（如手鬆後仍往上縮者則尚未剝離也。）

如以上數種表示者，則可知確已剝離，而行 Credesche Handgriff 將胎盤擠出。設手放之後臍帶仍縮者，可暫停六七分鐘後再行此法。如數小時尚未剝離而不甚出血者，可待之。倘不願久待，或慮生其他併合症，可用人工剝離法。（胎盤至多可待十二小時）胎盤出陰門後，可以兩手執胎盤拖轉，將卵膜轉成帶狀，使其自然剝離，不至破碎，既出剝離之胎盤，尚須察視其全部有否以下之現象：1取胎盤應仔細察視胎盤本身有無缺少。2胎盤四週血管卵膜，有無截痕，有無副胎盤，及副胎盤有無遺漏在子宮內。3胎盤有無特殊情形，如白梗塞及石灰質聚積等，（灰質聚積大都有梅毒性之胎兒有此現象。）

會陰破裂 Dammriss

會陰破裂之程度約三種，如下：第一度會陰表皮，稍具顯明破裂。第二度會陰第一層肌肉及陰道內壁破裂。第三度會陰肌肉以及直腸前壁與陰道所隔之處之壁皆破裂，有時能裂至肛門括約肌。

會陰破裂縫合法　第一度時用 Seide（絲線）皮及肉同時縫一二針，隔七八日後已結合之，即可將縫線拆去，即不縫亦能自行長合也。第二度時須用 Catgut（貓腸線）將肌肉灣而向上，兩面相等縫合，肌肉既已縫合，再將外皮用 Seide 縫合，（Catgut 無須拆去能與肌肉溶化）待長合後，須將 Seide 拆去。第三度時應仔細縫之其要點如下：1最好上麻醉劑或蒙藥，爲病者解除痛苦。2用多量棉花纏于麥粒鉗上，塞入陰道內，既可壓住血液，不使流出，並可顯出會陰內之破裂部位，易于分明。3用血管鉗將其裂口邊緣夾住，使其裂口之全部，均行露出，于是時肌肉同肌肉，皮膚同皮膚縫合，須針針相對，切勿可歪斜。肌肉處仍用 Catgut，皮膚處仍用 Seide 至長合後，即可將 Seide 拆去。

健康之道

本書係杭州沈仲圭精心結構之作內分論文衞生治療方藥飲食五編（末附卅年前之我一編係先生自述生平之作）文筆清新流利談理一本科學沈先生年來治肺勞遺精胃病等證獨多故於此三種疾患之治療衞生供獻尤多全書十六開本平裝一冊實售八角寄費免收挂號寄奉如與增訂隨息居飲食譜合購減收一元二角

杭州粮道山十號
仲圭醫寓總發行

謝誦穆先生著
溫病論衡　平裝一冊　實價六角

本書曾登載中醫新生命經著者重加刪訂益臻精善後附濕溫論治一卷分引言證狀診斷治療方選藥選處方示例醫案八門爲著者臨床經驗之結晶與醫學平論同時出書平裝一冊實價六角兩書合購減收一元郵費國內二角兩書均由上海四馬路二八三號國醫印書館發行

出版處　上海知行醫學研究社
代售處　蘇州國醫書社

曹穎甫醫案　姜佐景編按
經方實驗錄
樣本奉贈　函索即寄

第一集二厚冊外加書函實價二元預約價一元四角郵票代款九五折扣加郵寄費一角五分半香港澳門國外等處照郵章遞加二十六年一月拾五日預約截止以郵印爲憑一月底出書

上海城內果育堂街一四四號
姜佐景醫廬啓

論壇

現代中醫應有之認識

李寶琦

時代的巨輪，不絕地向前推進，不論是政治經濟文化建設都在天天改換着新的面目，而與人類發生最大關係的醫藥，當然也受着時代巨輪的推動，飛快地向前邁進，近來西洋醫藥進步的神速，眞使我們看了驚奇。反觀我們中國，自從鴉片戰爭以後，打破了閉關自守的壁壘，一樣樣新的文化，都從外洋輸入，醫學當然也跟着進來，近百年來中國的舊面目，差不多已完全改了過來，而外國人的勢力也逐漸深厚，但是醫學却不然，西醫的勢力雖然一天天地在滋長，把中醫排擠，然而社會上信仰中醫情願請教中醫的仍舊很多，甚至有許多名流學者，到外國去留學過的，生起病來，不相信西醫，而請教中醫的也不少，我們試想中國的一切，都因爲受了西洋文化的激盪而改換了面目，甚而至於全部崩潰，而醫學却仍舊是舊的醫學，五行六氣帶有玄學色彩的醫學，却沒有失去他的地位，改換他的面目，這究竟是什麽緣故呢？究竟他根據了些什麽而有如此堅固的根柢呢？

這當然不是偶然的，也不是幸運的，牠自有牠足以存立的價值，非但足以存立，并且有大發光輝，照耀全世界，使醫學日趨完善的可能，他有如此之大的力量，是在木、火、土、金、水、風、寒、暑、溼、燥、火、等玄虛理論嗎？不是！是在十二經脈，奇經八脈等針灸學識嗎？不是！然則他的力量是在那裏呢？說出來也很平淡，他的力量就在治驗，其可貴處也就在這點子治驗，這是先人百千次治病的結晶，千百年來千萬人使用有效而造成的定論，儘管時代不絕地在前進，舊的一切在加速的崩潰，然而他是大水裏的磐石，雖然洶湧的巨浪在他旁邊捲過，周圍的一切都已跟着奔流，他是不爲所動的。但是時代的車輪究竟是前進的，他因爲不能跟着前進，畢竟是被遺落在後面了！我們將永遠讓他遺落在後面而不去加以推進嗎？不對的，我們要共同拿出力量，拚命的拖着他向前奔馳。這將是誰的責任？這就是現代中醫的責任，而我們要負起這責任，一定要有相當的認識！

『傷寒論』的所以可貴，就在他着重證治，而少談理論，他只說種種病象，而不說所以見這病象的緣故，是什麼證象，便用什麼藥。『內經』在醫學上的評價，所以不及傷寒論，就是因爲他多談理論，而忽略證治的緣故。病理當然很重要，但是不明人體生理情形，而用向壁虛構的方式製造出來的病理，還是沒有的比較乾脆，而中國醫學所以千百年來仍然是老樣子，一些沒有進步，就是爲了不在證治實驗上用工夫，却在玄虛的理論中大打圈子，結果是弄得根深蒂固，雖然受到西洋文化的冲刷，還是不能冲去中醫腦中的陳腐觀念，這卻不是五行六氣確實可貴，而是中醫的衞道觀念太重，死命不肯接受新科學的緣故。要知道現代中醫不是舊中醫的承繼者，而是新中醫的創造者，要創造一方面要接受舊的，一方面要接受新的科學，而接受舊的應該有選擇，該接受的便仔細接受，不要遺漏一點，不必接受的便毫不客氣的加以淘汰，不要姑息一點，然而究竟那些是應該接受的？那些是不應該接受的？我們根據了上面的說法，則可貴的治驗該接受，虛玄的理論該淘汰，而該接受的部份又該吸收西洋科學，另外創造新的，眞確的理論，而把他發揚光大起來！

現在我們試把中醫理論最玄虛的部份——五行——加以檢討，看他有沒有存在的價値？

五行就是木、火、土、金、水，他便代表肝、心、脾、肺、腎、五臟，其作用有相生、相尅二端，相生和相尅的規則，講起來也很簡單，就是順次則相生，隔一則相尅。譬如五行的次序：爲木、火、土、金、水。則木生火，火生土，土生金，金生水，水生木，謂之相生，木尅土，火尅金，土尅水，金尅木，水尅火，謂之相尅。而在相生相尅之外，又有休王的道理，休王就是把一年分爲五個季節，一年通常本來只分四季，現在怎麽會有五季的呢？這也是五行家爲了要使符合五行，而把他硬造出來的，這五個季節，就是春、夏、長夏、秋、冬，春是肝令，肝的代表是木，所以在春天木就是王，木所生的火，就是相，如宰相之扶助皇上一樣，而王所尅之土，便當死，相所尅之金，便當囚，生王的水，因爲已經過時，所以便當廢，其循環的方式，爲王、相、死、囚、廢，是爲火王，則土相，金死，水囚，木廢。長夏爲土令，則土王，金相，水死，木囚，火廢。　（未完）

非常時期國醫學生應有的動向

徐名山

自從五年前的「九一八」事件發生以來，愛好和平的中華民族，雖然沈痛地，長期的忍耐着，但口頭高唱着「合作」「親善」「提攜」的我們的貴鄰國，攫取了我們底東北，破壞了我們的海關，操縱了我們底冀察，還不能滿足他的慾望，近來更步步進逼地向我們提出使人難以容忍的要求；要是我們承認了這種要求，就無異是引刀自殺，要是不承認呢？那末我們只有在戰爭中去建立和平！在黑暗中去追求光明！

中國是整個人民大衆共有的中國，中國的領土是全體人民大衆共有的領土，你是中國人民的一份子，你假使不準備去做無恥的漢奸和賣國賊，不願從炎黃子孫的地位降而爲帝國主義者的奴隸，那末我請你不要再文縐縐地用那老氣橫秋的舊中醫的腔調來說「我們是國醫啊！我們不配參加戰爭……」等語來掩飾自己的怯弱，我們應該團結我們的精神展開我們的陣線，興奮起我們身體內的每一個生活細胞，改變我們過去頹唐的生活方式，從速加緊對於自己的訓練和準備，以便應付非常時期的當前大難，這實在是不容我們再猶豫的事了。

所謂訓練和準備，究竟是怎樣一囘事呢？這意義包含甚廣，而且在各種刊物上，已經說得很多了，所以這兒僅僅把我們國醫界應該如何訓練和準備的問題來討論一下：

現在的戰爭因爲科學的進步，殺人的方法眞是層出不窮，無奇不有，同時帝國主義者爲了要奪取弱小民族的領土與領空，以冀延長其快將沒落的壽命，對於弱小民族的進攻，當然不惜採取最殘忍最毒辣的手段；——如細菌戰，化學戰，毒品戰，炸彈戰，死光戰等，在在皆足以致人於死地，假使你沒有預防的方法，祇想臨時逃走的念頭，那末我可以告訴你：就是你底身上生有一百隻脚，總難以逃去死神的魔手，我們國醫都是被侵迫的大中華民國的一分子，當此整個民族危急存亡之際，如果不甘願躺在屠板上任人宰割的話，那末至少應當有下列的準備：

（1）練習救護技術——民族戰爭一旦爆發的時候，在鎗林彈雨，炮火連天之中，軍士們的受傷固不必說，就是老百姓也難免流彈所及，我們從事醫藥事業的人，不論參加前線或服務後方，對於各種急救的技術，如繃帶術，止血術，担架術，人工蘇生術，消毒術，及其他臨時必需的簡易外科手術等，均應該事前有充分的練習。

（2）研究防毒方法——吾人猶憶第一次世界大戰的時候，德國受協約國的包圍，在快將慘敗之前，冀圖最後的勝利起見，竟公然用氯氣襲擊法，當時英法聯軍，初見黃綠色之瓦斯雲，撲面而來，頓覺氣管壅塞，呼吸困難，旋即欬血暴發，面色青紫，僵斃戰壕，事後巡視戰地，則僅留大砲數百門，與尸骸數千具，可謂慘矣！但歐戰迄今，殺人毒氣的發明，其種類之繁多，和毒勢之猛烈，已非從前可比，我們是保障人類生命的醫生，亟應改變研究方針，儘量吸收世界學者最新發明之防毒學術，同時并把此種方法，儘量向民衆宣傳，實在是較任何工作都來得重要。

（3）戰地病的研究——戰時人馬疲乏，營養不良，對於疾病的感染性，比較平時强，加之屍體縱橫，掩埋困難，而敵人又要用飛機散佈細菌，傳染病之蔓延猖獗，是吾人的意中事，我們對於戰時最易流行的傳染病的預防方法，和治療的方法，也應該在事前有充分的研究，如能進一步發明以國產藥物治療此等疾病的方法，固然是最好沒有，否則我們也不妨降格以求，充分明瞭西醫的治療方法，因爲我們的目的，是在救護民族生命，我們那有這樣的閑暇來談中西醫的區別問題呢?!

（4）看護知識的備具——我們國醫一向只知道爲人醫病，而從來不知道看護這回事，有的甚至以爲看護是奴隸的工作，談也不屑去談他，這實在是非常錯誤的觀念，尤其是在戰爭的時候，我們非但要自己具有看護傷病軍士的本領，而且還要把自己獲得的知識，儘量地灌輸給大衆，使得凡是國民都能爲民族服務。

（5）戰爭衛生學的研究——前面已經說過，戰爭的時候最易發生疾病，萬一不幸而疫病流行，則後方之運輸，無人負責，前方之傷病者，無人救護，兵士們亦終日呻吟於戰地，不待敵人之攻擊，自己早已土崩瓦解，復興民族便等於夢想，我們爲預防將來不幸事件的發生起見，一面應熟練注射防疫針的手術，一面如兵營衛生，飲食衛生，交通衛生，戰壕衛生……等，都應該有相當的明瞭。

（6）對於一般戰時常識的獲得——如防毒面具，及防毒口罩的自製及使用方法，在飛機來襲擊時的燈火管制，交通管制，僞裝設置法，躲避法……等，均應當求其完全的懂得。

以上是對於技術的訓練和知識的修養而言，但我以爲僅僅這樣，我們還不能說是已經完成了我們的使命，我們在行動上也應該有更進一步的表現：

（1）組織團體——任何事情，如果需要多數人的力量來完成，那末最要緊的就是要有統一的意志，否則便漫無秩序，不但不易指揮，而且危險萬狀，所以我們應該有救護隊等之組織，每隊有一隊長爲領導，由許多的小隊，編成一大隊，共同選舉一個賢明而又勇敢的隊長出來領導全隊的人員，平日則臥薪嘗胆的修養自己，必要時則相將共赴國難。

（2）宣傳民衆——自己有了戰時應具的技術和知識以後，我們千萬不要獨善其身，更不應該保守祕密，也不應該自己只管研究死學問；應該在某一個時期，全體出動，分隊到街頭或鄉間去，向民衆作公開的演講，使民衆也可得到救護，防空，防毒，防疫，看護等的知識，以便知而易行，行而不誤。假如在宣傳的時候，能出版小册，發散傳單，標語，圖畫，廣告，或以自己做的防毒口罩等，分送給民衆做模範，使得可以照樣仿製，那是更好的事了。

——完——

內科研究

中暑

楊夢麒

【病名】中暑一名中熱。又名中暍。又名暑熱中風。西名 Insolatio。又可稱之爲日射病。或熱射病。舊俗亦稱發痧。雖張潔古有靜而得之爲中暑。動而得之爲中暍之說。然於治療上實毫無區別。又考說文。暍傷暑也。玉篇曰。中熱也。張氏以動靜分暑暍。未免太覺穿鑿矣。（考索甚勤　誦穆）

【病因】夏日炎炎。暑熱薰蒸之時。或旅途行人。勞身奔走。咽喉似灼。或田畝農夫。竭力耕耘。汗血爲漿。赤日爲魃。而清風不來。熱地成爐。而寒泉難覓。精神疲而欲絕。筋力困而不堪。受酷日之相侵。即神昏而仆倒。其他原因。多係平素身體薄弱。患心臟衰弱症等。或因睡眠不足。飢餓口渴等。

【病理】人身之血液循環。遇寒則緩。得熱則高。全恃周身之汗腺調節之。今受外界極高之熱度。體溫不及放散。失其調節之機能。於是血管擴張。血液增高。頭腦充血。以致神識昏糊。皮膚灼熱。輕症者漸次回復。重症者則在數小時內。心臟痲痺而死。

【病狀】 可分先後兩期。

(1)先期 發汗倦怠。惡心煩渴。頭痛目眩。耳鳴胸悶。皮膚灼熱。體溫超過四十度。

(2)後期 卒然倒仆。手足痙攣。眼睛上視。瞳孔散大。牙關緊閉。知覺喪失。皮膚慘白。四肢厥冷。大小便失禁。呼吸促迫不整。或停息。脈搏頻數細小。或閉絕而伏。

【療法】 可分三個步驟。今述之於下。

(1)處置方法 先移患者於涼陰或涼爽之室內。酌量脫其緊著之衣服。仰面平臥。以物撬開其口。口中有痰者。用潔絹纏指拭去。每一時間灌注冷水於其頭部。或施用冰囊芥子泥等。再投以葡萄酒及各種清涼飲料。

(2)治療方藥 蘇合香丸化開灌之。或以上好汾酒半茶杯。入眞樟腦三分。攪匀。燉微溫。徐徐灌之。或用不蛀皂角。刮去黑皮。燒存性。同甘草研末。新汲水調服一錢。又方。取大蒜一握。道上熱土雜研爛。以新水和之。濾去滓灌之。即蘇。

(按)蘇合香丸爲蘇合香油、丁香、安息香、青木香、白檀香、沉香、薰陸香、龍腦香、麝香、蓽撥香、附子、訶黎勒、烏犀角、屑硃砂等十四味。主要藥爲各種香類。能興奮心臟之機能。而催進其血行，使精神活潑。呼吸快利。再加犀角之解熱。硃砂之鎭痙。灌之自可立甦。又按。酒味辛甘而苦。揮發性最烈。能興奮神經。使心臟力亢進。樟腦辛烈芳香。善竄通竅利滯。興奮神經。二味合用。其力愈强而速。故能回甦於頃刻。又按。皂角辛鹹溫。有小毒。用作衝動藥噴嚏藥。據余雲岫曰。『皂角之爲物。含有石鹼素甚多。故鄉間多用以滌瑕蕩垢。吾輩所用之驅痰劑。如西尼加遠志桔梗等。皆含有石鹼素。所謂刺激性驅痰劑者也。』以此可知皂角有興奮神經化痰涎之力。故通關散稀涎散皆用之。而治卒倒也。又按。大蒜辛溫有毒。含有揮發性之含硫油及大蒜油。效能辟穢通竅。入胃後被胃酸化合。而所含各質。均漸次分解。由腸壁吸入而達血中。即能促進血液之流動。同時由中樞神經而傳於氣管枝神經。令氣管枝四周之黏膜分泌增加。以追痰外出。且臭氣强烈。能刺激腦部之知覺神經。故可立醒。

(3)善後調理　蘇醒後宜靜息。勿行走。服以人參白虎湯。痰涎多者。服以消暑丸。

人參白虎湯　石膏　知母　甘草　粳米　人參

(按)本方之石膏主治煩渴。旁治譫語身熱自汗，以其善于阻止造溫機能之進展。知母生津解熱。其味甘苦。其性滋潤。善治口渴。甘草生津清熱。且能緩和病勢。粳米內含營養成分甚富。養胃生津。人參專治心臟衰弱。及一切神經衰弱之症。能促進血液之進行。使精神振興。體力强健。

消暑丸　半夏　甘草　茯苓

(按)半夏燥濕化痰。降逆止嘔。由腸壁吸入血中。能刺激末梢神經。使精神振興。血液之循環增快。同時促進肺之呼吸作用。痰沫容易驅出。甘草甘緩。由腸壁而至血中。促進全身細胞新陳代謝作用。同時咽喉部之分泌亦增。易使痰沫附着而欬出。茯苓爲利水藥。與胃極無變化。由腸壁吸入血中。能增高血壓。使腎臟之分泌機能亢進。

考證處極簡鍊。療法亦合學理。　謝誦穆識

不寐

朱益民

『日出而作，日入而息。』吾人於夜晚能得充分安適之睡眠，則白天能有飽滿振作之精神，以應付所事；睡眠所以恢復疲勞也——是故西醫溫士略曰：『凡人用腦過度者，必賴睡眠爲之休養，以補其缺；倘消耗過度與休養不得其平均，則腦經衰弱，遂成狂易之症，而卽於死亡。』德諺有言：『健全之睡眠，足抵日食之半；』曾國藩養生法首段卽曰：『眠食有恆』；佛經曰：『眠爲眼食』；俚語亦有：『日圖三餐，夜圖一宿；』『一夜弗睡，十夜難償』之句，是可知睡眠對人體之重要也。

蓋睡眠則一身安適，萬念俱無，思慮停息，煩惱全忘，竟日之疲勞，悉賴以回復，誠養生之要素，自然之强壯劑也；西國謂『睡眠爲貧民之財產，勞工之補食，』亦非虛語也。

睡眠對人體之關係，既若是之密切而重要，吾人焉得置而弗論，惟歷來治醫者，均以本病爲非能完全獨立之症候目之，捨古人之間一著論外，餘不多見，卽攷之近時諸籍，亦僅於某種病中附帶說及耳——誠然，不寐爲證候名而非病名；蓋不寐類皆因他種疾病而現其症，初非因不寐而併發他病也。然則，但治愈其不寐而餘症悉愈者有之，如精神興奮之病者，是爲其例也。

次卽以其原因論，先賢之論不寐者，其原因有四，一曰陰血虛：經曰：『衞氣不得入於陰……不得入於陰，則陰氣虛，故目不瞑矣；』『……老者之氣血衰，其肌肉枯，氣道濇，五臟之氣相搏，其營氣衰少而衞氣內伐，故晝不精而夜不瞑；』『陰虛故目不瞑……』屬於此者，以半夏湯，六君子湯，歸脾湯之類加減，一曰痰水壅滯：經云：『臥則喘者，水氣之客也，』此水停心下，故不得寐，屬於此者，治以茯苓甘草湯，蘇子竹茹湯，控涎丹等類加減之；醫通曰：『凡婦人肥盛多鬱，不得眠者，吐之，從鬱結痰火治……』屬於此者，宜溫膽湯，又以怔忡驚恐健忘癲狂失志不寐之屬於痰涎沃心者，以導痰湯加味。一曰肝虛驚悸：綱目曰『人臥則血歸於肝，今血不靜，臥不歸肝，故驚悸不得臥也』醫通曰：『有寐中覺魂魄飛蕩驚悸，通夕不得安眠，是肝虛受邪也……』屬於此者，以獨活湯、珍珠母丸、鱉甲羌活湯、金匱酸棗仁湯、安神定志丸、琥珀養心丹之類加減之。一曰胃不和：經曰『胃不和則臥不安也』屬於此者，以保和丸及橘紅、茯苓、石斛、甘草、半夏、神麯、枳實之類。此言其原因之大概綱要也，餘有詳細分類者，詳於箚記，略之。

攷不寐之近因頗多，有因外傷疼痛，有因痰喘、氣急、咳嗽，有因患搔痒症，有因過飢過飽，有因過暖過寒，有因思慮過度，腦部充血，有因驚恐而精神興奮，有因空氣惡濁，或呼吸困難，有因聲響喧鬧而心煩不寐，亦有因遺精衰弱等等者。於疾病中之見不寐者，如神經衰弱，歇斯的里，癲癇瘋狂，腦充血，進行性諸疾患，呼吸器諸疾患，外傷等；統觀以上所述，吾人可分析之為三種原因：

(一)由於大腦皮質及中樞神經興奮性之亢進所致者。

(二)由於精神發揚所致者。

(三)由於疼痛、咳嗽等刺激所致者。(亦可謂之外因)

於此吾人可得一結論：凡(短期間之外因不寐除外)患不寐之病人，皆具有神經質之素因者，是可斷言也。吾國醫之治本病，除就其對症下藥外，必求其原因所在而根本治療之；苟能診斷確實，標本兼治，其不寐之原因除，則未有不覆杯霍然者，即久服多服亦無成慣性及蓄積作用之流弊，此國藥治本病之優於西藥也。何以知之？蓋西藥之治本病者有二：其屬於一與二之原因者，則投以溴素製劑；對屬於第三種之原因者，則投以嗎啡製劑；捨本而求其末，其疾焉得根治乎?

溴素劑因含有毒性，其麻痺大腦之力甚强，故續用每有發疹，反射機能減退，大腦機能鈍遲，食思不振，刺激粘膜，頭痛暈眩，全身倦怠，記憶力及思考力減退，口蓋及咽頭之反射機能消失尤爲顯著，易致陽萎，發生Brom面皰等。且有害於心臟，心管，故有循環系疾患之病人用之尤爲危險！其中如 Sulfonal 類之催眠藥又有刺激腎臟之害，如此圖效於一時而遺害於將來，何啻飲鴆以止渴?以之視阿片爲何如?!且患者若誤服多量，必頭目昏沉，寒戰，四肢厥冷，指甲口唇青紫，心臟衰弱，大腦麻痺而死。

至若嗎啡製劑，其成癮之慣性，麻痺之毒力，人人皆知，更何待言！以此等藥治不寐，爲最消極之辦法，設藥性一過，國疼痛者依然呻吟呼號，失眠者依然眼看東方之發白也；且服溴劑以催眠者，醒後每感倦乏及種種之不舒，此非吾好爲藥宣傳而訐擊西藥，乃事實俱在，豈可以强辭而奪之乎?然西藥之功效確實者，作者亦至爲賞用，蓋決非以門外戶之見而存私也。就中惟 "Roche" Sedolerol 則流弊絕少，然安眠之効，此因之大減，殊爲可惜者也。

要之，對本病之藥物治療，吾人可下一定義曰『中藥則效緩而流弊無，西藥則效速而流弊多』。

捨藥物而外，則有精神的療法與物理的療法二種。物理的療法，如於睡前以熱水洗擦下肢及足部，俾使腦血就下；默念數目，默誦佛號，細聽鐘錶之擺聲，此卽所謂精神貫注之法，統一其思想，而不雜以他念，俾入黑甜也。除以上二療法外，又如一般的「催眠術」每有奏奇效者，或如信仰安慰，卽信仰宗教等等，視其起病之原因所在而施以相當處置，患者而爲神經質素因者，以精神療法爲效；反之，則以物理的及藥物的相輔而行，無有不效者也。

不寐以精神療法爲上，物理療法次之，藥物則久服多成習慣性，誠非根本辦法。　謝誦穆

腦出血之中醫病名及其他

冉昌儒

現在有些西醫書稱「腦出血」爲卒中腦出血三字。病竈和病理。都顯明的表示出來。至腦出血病在中醫書上的舊名。龐雜之至。內經上叫做『大厥』。似乎近理一點。『厥』就是氣閉。驟然暈倒。『大』就是特別利害。比其他的昏倒來得兇猛。預後也非常險惡。名辭固然較爲恰當。但總覺渾統不清。也沒說出病竈的所在。雖然內經上說。『血之與氣。併走於上。則成大厥』和現在的學理大致相合。細覈他命名的精粗。就顯明判別出來了。

至於『卒中』的命名。也有些意思。『卒』就是忽然而來。迅雷不及掩耳的表徵。『中』就是恰恰正正。中了命中地方的寫照。這僅就當下症狀而命名。其他沒甚麼涵意。但由猝然中邪(此邪字代病毒而言)而昏厥。以至於死的病。不止一種。『卒中』只可作許多急性昏厥的總名。怎可拉來作一種狹義的特殊病的代名呢。所以少數西醫用此兩字來譯代腦出血。不大妥當。

古書分卒中爲什麼痰中火中溫中……都是揣測之談。把腦出血與其他卒然昏厥的病。混在一起。所以如果要用卒中來譯代腦出血。那麼卒中兩字。得重新加以評價。要限制他的定義。使卒中專代表腦出血。否則。卒中所包含的疾病很多。不止腦出血一種。就發生邏輯上的錯誤。

腦出血也有說是中風。『中風』在古時有兩種涵義。一種是被視爲外感性病。一種是神經性病。其包含至廣。腦出血

的症狀。是驟然而來。並且特顯神經上的症狀。古醫常把神經上的病態。認爲難以捉摸的『風病』。內經上又有『風善行而數變』的話。於是後人便把腦出血證也輕輕戴上『中風』的頭銜了。從此以後。一般醫生多顧名思義的去用祛風藥。散之發之。盡其技倆。景岳的『非風』論可謂獨具隻眼。但在這種學說沒有普遍的時候。仍不少被其禍殃。

猝然昏厥的病很多。却也有用去風發寒的藥治好的。不過這是神經一時麻痺。血液暫時停頓的病。用興奮神經的藥。行血的藥。應手而效。但決不是眞性的腦出血。

腦出血的眞象要明白。首先須要瞭悉腦中樞的生理和血管的分佈。腦是神經中樞。並有支配全身各重要器官的本能。各器官各有中樞。且有一定的位置。如全身的運動中樞。在大腦皮的兩半球前正中迴轉後正中迴轉。及互中葉。詳說起來。上肢的運動中樞。在前正中迴轉之三分之一部。顏面運動中樞。在前正中迴轉之下三分之一部。舌運動中樞。在前正中迴轉之下部等。又如知覺中樞。也是一樣。視覺中樞在後頭葉的皮質。聽覺中樞在顳顬葉的皮質。嗅覺中樞在鈎狀迴轉。味覺中樞在穹窿迴轉前部。以上各個中樞。發出來的神經絲索。他通過的部分。也有一定。若這些中樞或他通過部分的中途有了障礙或損害。就發生神經絲索最後達到的部分。發生疾病。腦中的血管路徑。起自左右頸動脈。和脊椎動脈的分枝。由內頸動脈系發出的。有眼動脈。前大腦動脈。中大腦動脈。而兩側的前腦大動脈。又結合而成前交通動脈。中大腦動脈。就是席而味氏窩動脈。此動脈比前大腦動脈易起障礙。由脊椎動脈系發出的。有後下小腦動脈。基礎動脈。前下小腦動脈。聽動脈。及上小腦動脈。後大腦動脈。此處又兩側連結而成后交通動脈。此外尙有向後分佈的。爲前脈絡膜動脈。終末動脈。此等動脈。各各榮養他經過區域的各部分而分佈。如前大腦動脈。分佈在穹窿面上前頭迴轉之全部。

中前頭迴轉的一部。兩正中迴轉之上三分之一。上顱頂葉迴轉之大部分。在內面爲前楔狀迴轉之中央眼窩面。及嗅覺部。又像中大腦動脈。分佈在穹窿面。爲前頭葉。及顱頂葉。塡充前大腦動脈所不及分佈的地方。及後頭葉的前部。顱頂葉的上部。眼窩的一部。在席而氏窩則分歧而布於下前頭迴轉。前正中迴轉。後正中迴轉。下顱頂葉。及顳顬葉。又如後大腦動脈。分佈在穹窿部。爲後頭葉之後部。在內面爲後頭之全部。及前楔狀迴轉的附近部。腦底動脈。分佈在大腦的內部等。這些各部血管出血。因部位的不同。故發生種種不同的症狀。在內囊部是血管最易破裂的地方。而運動及知覺的神經絲索。必定要通過內囊的後脚。所以內囊的中間三分之二處出血。則反對側發生半身運動麻痺。後面三分之一的地方出血。則知覺脫失。若兩脚同時出血。則反對側運動知覺共起麻痺。再若腦橋後部有病變。則同側的上下兩肢及顏面神經麻痺。這都是神經及血管經過區域有障礙而發的症象。

腦出血是屬興奮性的。但有時現虛脫症。而用桂附等興奮的。這是病變的關係。與出血部位的不同。其出血的根本原因。還是由興奮轉成虛脫的。腦出血有三個因子。第一是動脈的硬化。失了生理的彈性。和潤澤性質。這多見於年老的人。因新陳代謝漸漸衰退。代謝的殘存物。又隨時增加。沉積在血管內面。積蓄久了。血管便失去他的潤澤性。最後轉爲硬化。他的遠因。多半由腎藏炎。障礙了代謝殘渣的排泄而起的。有因嗜好飲酒。以致脂肪過多。因爲酒到了人體。最易和別種脂肪酸。變成脂肪質。沉着在血管而起的。此外還有鉛中毒水銀中毒痛風梅毒心藏肥大。以及不適當的生活。及肥胖多脂的人。都是血管硬化的素因。第二是腦粟粒動脈瘤。因動脈硬化的結果。彈力消失。收縮力也因此減弱。不能抵抗血壓的脆弱部分。便漸漸的擴張變成動脈瘤。發現在動脈的形體很小。自豌豆以至蠶豆大。形象不等。或者在鏡下才能發現。所以叫做粟粒動脈瘤。據 Hillis 及 Pick 二氏的研究。是項動脈瘤有兩種。一種爲假性動脈瘤。因血管壁上孔隙和內膜相交通。而以纖維變性的腦組織。和變性的血管壁。爲界限。—實在是血腫。——一種是分離性動脈瘤。因爲血管膜破裂。血液浸入中外膜而起。此種小動脈瘤受到血壓突然亢進的影響。極易破裂出血。第三是血壓的亢進。血壓亢進的原因。一爲心理的作用。像憤怒恐怖……。二爲病理的作用。像血管硬化。彈力缺乏。管腔狹窄而起摩擦。遂爲血壓亢進。如患腎藏炎的人。因排尿障礙的結果。……又如腳氣毒素的作用。末梢動脈也有起拘攣而血壓亢進的。上面二個原因的結果。左心室或右心室必繼起肥大。（血管硬化狹窄。及腎藏炎的結果。則左心室肥大。腳氣的結果。則右心室肥大較多於左心室。）攷其所以然的原因。總不外血管痙攣。管腔狹小。欲以調節血行。所以發心室代償性肥大。左右心室肥大的結果。大動脈血壓亢進。互爲因果。血壓亢進便持續。此外如排尿發汗等器官有了障礙。均是血壓亢進的原因。三爲外部的刺激。像冷水浴能使皮膚血管收縮。而深部充血。以及飽食飲酒交接溫浴等。都能使血行旺盛。而致血壓亢進的。

腦出血的治法。第一在使血壓下降。高舉頭部。以毛巾浸濕冷水。罩覆其上。或用冰帶亦可。或以水蛭貼於顳顬部。或以醋水灌腸。或用下劑以通其便。同時足蹠等處貼芥子泥。使血下行。或置熱水帶亦可。均是使腦內的血液下行。減低血壓。緩和衝勢。然後因病施治。若猝然昏倒。不省人事。口眼喎斜。癱瘓不仁。痰涎壅盛。顏面潮紅。語言蹇濇。此俗謂肝火旺盛。風火煽動。激其血液。併走於上。直衝犯腦。震擾神經。速宜潛陽熄風。平肝降火。佐以豁痰。潛陽熄風。就是鎮靜神經。像龍齒、牡蠣、鼈甲、龜板、羚羊角、貝母、石決明、代瑁、貝齒、磁石、代赭石等。平肝降火。就是降低血壓。使血下行。腦部可因此不致再有出血的危險。或出血處。可慢慢由吸收而復原。像石羔、元精石、紫石英、白石英等。腦出血的人。常常便祕。當用下劑。如枳實、大黃、芒硝、通其大便。因腸部激動而充血。以誘導作用。腦部血壓亦可由此減低。又如使下部溫暖。上用冷物。及高抬其身。亦同此理。腦出血因各器官動作麻痺。分泌物不能照常排除。停留於內。停於氣管者。爲痰涎。最使呼吸易障礙。故必加化痰之品。像胆星、天竹簧、萊菔子、牛黃、猴棗等。腦出血部壓迫及於司心藏。及司肺藏之神經者。每現脈沉微呼吸淺小……等脫象。當强壯回陽之品。以救頃刻。像肉桂、附子、人參、乾薑等。在於急投。興奮神經。挽回生活力。遺後症常呈口眼喎斜。半身不隨……等症。當用活潑血液。調勻氣機的藥。像地黃飲子順風勻氣散。促進新陳代謝。使崩潰物加速吸收。俾易恢復健康。

於腦出血之病名病理治療。剖析入細。　謝誦穆識

噎膈論

陳松齡

噎膈者。乃噎塞不通。阻隔不下之謂也。其與朝食暮吐。暮食朝吐之胃反證。古人每易淆爲一談。如朱丹溪云：『翻胃即噎膈。噎膈乃翻胃之漸。』其說似是而非。所以後之學者易於謬誤。而對於治療。更將不能明確。或主香燥溫散。或主滋潤清熱。各自其是。所以歷代先哲。互有偏見。皆由於病理、病名之不能合一也。又曰：『此症切不可用香燥之藥。若服之必死。宜薄滋味。』此其於治療上之卓見也。亦曰：『因久食煎炒而生胃火。咽膈乾燥。飲食不得流利。』所謂咽中介介。食不得下之狀也。其於診斷上。亦有獨到之認識。是以中醫對於病之原因。不能運用科學之分析。而妄以五行六氣之玄說以爲辨。致原因失實。病名不一。撲朔迷離。非神明之士。不足以悟其眞相。徒然望洋興歎。（文意顯豁。不引古書爲證。亦得。誦穆）噎膈之病。其

在食道。或因於燥熱。或津液缺乏。非若胃反之症。或有水飲停蓄。或腸胃運化失職。或大便結積。而使食入不下。反作嘔吐。如此。則噎膈之病竈既可證明。當再推究其致病之原因。考西醫書籍。食道病有食道炎。食道狹窄。及食道癌之三種證狀。與噎膈類同。茲將其分述之。（單純之食道炎。與噎膈不符。惟因反射性使肌層攣縮。引起狹窄症候。則類似噎膈耳。）

食道之發炎。或因於豪飲。或貪食煎熬灼熱之品而引起炎症。其病之證狀。為嚥食困難。胸骨部時訴疼痛。或嚥下窒塞作痛。時感灼熱。日本大塚敬節之中國內科醫鑑有記載曰：『余嘗治一十二歲之少年。於正月中喫燒餅。因吞食非常灼熱之一片。致嚥下作痛。與以梔子豉湯。二日而全治。』此因食物之灼熱。而引起食道炎。究之梔子豉湯之證。傷寒論曰：『煩熱胸中窒者。梔子豉湯主之。』又曰：『傷寒五六日。大下之後。身熱不去。心中結痛者。未欲解也。梔子豉湯主之。』觀乎此二文。則梔子豉湯治煩熱胸中窒。或心下結痛者。與食道炎發生之證狀吻合。而大塚敬節以此湯消退食道炎腫。是有所根據。而涵意殊深也。無怪奏效之速。所謂在上者。因而湧泄之意。非投以梔子豉湯。而果能湧吐。實為消退炎腫之作用耳。致於食道狹窄。及食道癌者。若津液枯竭。則食道呈乾燥狀態。嚥下介介。食入感覺困難下咽。甚則僅得流動物通利。食道日漸萎枯而益狹窄。及至阻塞不通為止。繆仲淳祕傳噎膈膏『人參濃汁　人乳　牛乳　梨汁　蔗汁　蘆根汁　龍眼濃汁　右七味各等分。加薑汁少許。隔湯熬成膏子。下煉蜜。徐徐頻服之。其效如仙丹。』陳修園醫學從衆八汁湯『治噎食　生藕汁　生薑汁　雪梨汁　蘿蔔汁　甘蔗汁　白菓汁　蜂蜜　竹瀝　右各一盞。和勻飯上蒸熟。任意食之。』觀上二方。皆為滋液潤燥之劑。從其藥效而論之。則對於食道之枯燥。而現狹窄症。是乃的劑。食道癌者。起於甲狀腺腫。或動脈瘤等症。癌腫時。往往患部訴疼痛。或壓迫迴歸神經而起麻痺。日本大塚敬節中國內科醫鑑記載曰：『在食道癌之患者。與以旋覆花代赭石湯。可得非常之成績。余曾診一五十八歲之男子。往診時已呈衰弱。漸漸不能起牀之態。主證爲劍狀突起之下端。感覺疼痛。且覺咽下困難。可成噎氣之狀。（中略）自投旋覆代赭湯之後。翌日而疼痛去。』究之傷寒論旋覆代赭湯條文曰：『傷寒發汗。若吐。若下。解後。心下痞鞕。噫氣不除者。旋覆代赭湯主之。』心下痞鞕。噫氣不除。用旋覆花之鹹以輭堅。代赭石重以鎮逆。所以用旋覆代赭湯治食道癌。能得意外之效者。實基於斯也。又楊氏家藏祕方之二氣散。其證文曰『治陰陽痞結。咽膈噎塞。狀如梅核。妨礙飲食。久久不愈而翻胃者。』其證實爲食道癌也。二氣散者。卽傷寒論之梔子乾薑湯。梔子苦寒。乾薑辛熱。溫可以散結。寒可以退炎。其能療梅核氣。亦卽食道癌也。綜上所述。則可得結論。食道炎。食道狹窄。及食道癌。皆爲食道疾患。噎膈者。象其病而名之也。其症候厥有二。（一）乾燥性。（二）炎腫性。其治療之處方。得歸納爲滋液潤燥。或消炎散腫之法而已。若用溫燥辛香之劑以治。則必誤矣。茲更將古人配合溫燥辛香之方劑。以治胃內積水。胃機能衰弱。及胃擴張之症。而誤稱噎膈。致引起後人於治療上發生種種之錯誤。特舉數例。以伸辨胃反噎膈之不可混入一門。以作此論之補筆。設想亦甚周到　誦穆

三因方五噎散。治：『五種噎。飲食不下。胸背痛。嘔噦不徹。攻刺疼痛。涎與淚俱出。』人參　茯苓　製厚樸　枳殼麸炒　桂心　炙草　白朮　訶子炮去核　白薑炒　陳皮　三稜炮　神麯炒　麥芽炮各二兩　木香炒　梹榔　莪朮炮各半兩　右爲末。每服二錢。薑三片。棗一枚。水一盞煎七分。空心溫服。鹽湯點亦得』沉香散。治：『五噎五膈。胸中久寒。諸氣結聚。嘔逆噎塞。飲食不化。結氣不消。常服寬氣通噎。寬中進食。　白朮　茯苓各半兩　木通　當歸　陳皮　青皮　大腹皮　大腹子　芍藥　沉香各二兩　甘草一兩半炙　白芷　蘇葉　枳殼各三兩麸炒　右爲末。每服二錢。水一盞。薑三片。棗一枚。

煎七分。空心服。』五膈丸治：『憂恚思慮膈塞不通。及食冷物卽發。其病苦心痛。不得氣息。引背痛如刺。心下堅大如粉絮。緊痛則吐。吐卽愈。食飲不下。甚者手足冷。短氣。或上氣喘急。嘔逆。悉主之。 麥冬去心 炙草各五兩 人參四兩 川椒炒出汗 遠志肉炒 細辛去苗 桂心各二兩 炮薑二兩 製附子一兩 右爲末。蜜丸彈子大。含化。日三夜二。胸中當熱。七日愈。亦可丸如梧子大。米湯下二三十丸。』寬膈丸治：『氣不升降。胸膈結痞。 木香 三稜炮 青皮各半兩 大腹子一分 製半夏三兩 右爲末。每服二三十丸。食後米湯下。薑汁和爲丸。如梧子大。』上列數方。皆謂能治噎膈。然詳參其證文。如：『胸背痛嘔噦不徹。』『胸中久寒。諸氣結聚。嘔逆噎塞。飲食不化。結氣不消。』『食飲不下。甚者手足冷。短氣。或上氣喘急嘔逆。』皆爲胃內之病證。而毫無食道部之證狀。再考其藥品。如：白薑、厚樸、三稜、莪朮、木香、桂心、訶子、梹榔、白朮、陳皮、青皮、沉香、白芷、川椒、細辛、炮薑、附子、半夏、神麯、麥芽等之配合。均爲溫燥辛香行氣和中之劑。其所謂能治五噎五膈者。決非食道部所發生之噎膈症也。是以中醫之病名。錯雜混亂。廣泛博大。不足爲法也。貴乎辨其方藥。察其證象。對證投劑。始克中的。若斤斤乎病名。拘泥於湯丸。必爲前人顚倒。是故根據西醫病理。按其證狀而重訂病名。實爲改進中醫之急務也。

噎膈爲食道病。如食道擴張。狹窄。食道憩室。食道癌等。大抵爲實質上之疾病。

古人論此。罕得眞相。惟遜淸楊照藜之說。頗有可采。楊云：『噎膈一證。葉天士則以爲陰液下竭。陽氣上結。食管窄隘使然。其說原本內經。最爲有據。予鄉有治此者。於赤日中縛病人於柱。以物撬其口。抑其舌。卽見喉間有物如贅瘤然。正阻食管。以利刃鋤而去之。出血甚多。病者亦困頓累日始愈。又有一無賴垂老患此。人皆幸其必死。其人恨極。以紫藤鞭柄探入喉。以求速死。嘔血數升。所患竟愈。此二人雖不可爲法。然食管中的係有形之物。阻拖其間。而非無故窄隘也明矣』語見古今醫案按幾噎膈門所引葉天士食管窄隘之說與新說不謀而合。所述無賴一案。爲食道癌之類。又謂喉頭有物如贅瘤。則噎膈中尚有喉頭腫瘤之病也。　謝誦穆

癥瘕

毛炳南

癥瘕一症。古書所載。皆以氣凝血滯爲病。謂堅而有形。牢固不動者爲癥。氣滯則聚而見形。氣行則散而無迹者爲瘕。

嘗讀杏林醫學月刊李健頤先生癥瘕病之研究一文。曰『癥瘕之病。全非血積氣滯之所致。乃因子宮頸及輸卵管發生腫瘤。或腫癌之故。瘤之生。是由血管積毒結成小核。如綠荳大。數月後。核漸大。或如梅李。此核生於輸卵管。輸卵管上通卵巢、下連子宮、管莖細嫩。虛懸如絲。管中核大。屢見搖動。或疑似胎。此即是瘕。生於子宮頸。頸核固大。腹部硬滿。月經稀少。數月後。腫核愈大。腹狀如甕。堅固不動。即是癥也』嗣有譚活水氏。以李氏之言。尚未完善。乃補充之曰『癥瘕爲病。究不專屬於婦女。亦並不專屬在子宮頸輸卵管。而其他部。若腸、胃、胆汁管、輸尿管等皆有之。其致病之由。大抵平滑筋構成官器。調節機能有廢物阻礙。則筋肉收縮頻數。而淋巴腺囊管之間。黏液儲蓄。夾有氣體。格而不行。毛細管迴血管。亦連結爲病。遂至忽痙攣而發劇痛。於是淋巴腺管以日受毛細管迴血管之老廢物竄入。進而擴張囊膜。初尚柔軟可以移動。或聚或散。則謂之瘕。久而積堅凝成結核。推之不動。則成爲癥。實則一物』云。余瀏覽至此。耳目爲之一新。深佩李譚二君立說之精當。爲不可易也。顧近世有生理解剖之學。供我參證。故能知疾病之眞相。而古人爲時代學力所限。於內景之器質形能。認識無多。宜其以堅而有形爲癥。散則無形爲瘕等語。模糊了之也。

癥瘕積聚。皆腹內臟器之病變。古人不明內景。以此籠統模糊之四字概之。殊不能使吾人滿意。所引李譚二君之說。已道着癥瘕眞際。惜尙有短闕。異日鄙人當草專篇以論之。　謝誦穆識

黃癉論

朱啓明

【總論】　黃癉一症。有內傷外感之分。（分內傷外感却有見地　誦穆）傷寒濕家之發黃。因於外感也。麻黃連翹赤小豆湯。桂枝加黃耆湯。千金麻黃醇酒湯。可以汗而解之。酒穀女勞之黃癉。因於內傷也。通利小便。爲其正治。梔子大黃湯。茵陳蒿湯。硝石礬石散等方。各宜隨證而施用。不可混治也。

【原因】　黃癉之原因。中醫責之濕熱。西醫歸之膽汁。雖各言之有理。猶不能盡然也。從黃癉小便不利一症推敲。則腎臟之排泄失常。要亦爲原因之一也。今不侈言病理。但將古人所論之證治。參以臨診之實驗。分述如下。並釋其藥效。以就正於吾師。

【分論】　今之治黃病者。不求所因。惟知色鮮明者爲陽黃。屬於熱。色暗晦者爲陰黃。屬於寒。然則女勞之額黑。酒癉所變之黑癉。豈以其黑。遂謂陰黃可用乾薑附子乎。又或每遇黃病。輒曰。此屬濕熱。治之不效。諉之天命。誠以黃癉之治。內傷外感。不可相提並論也。茲劃分內傷外感。爲大綱而述之。

外感性黃癉　傷寒論曰:「傷寒瘀熱在裏。身必發黃。麻黃連翹赤小豆湯主之。」按此由傷寒表邪失汗。而發其證。皮顯深黃色。發熱無汗。小便短赤不利。嘔吐頭疼。麻黃爲發汗利尿藥。有解熱作用。並能排除血液鬱積之廢料及毒素。與

連翹赤小豆梓白皮等同用。其效益捷。佐以杏仁。利氣助表。生薑健胃鎭嘔。甘草緩和解毒。大棗之緩和滋養。與生薑有調劑作用。回復消化之機能也。

又曰：「傷寒身黃發熱者。梔子柏皮湯主之。」按此症小便亦短而赤色。胸悶煩躁。黃色深濃。梔子爲清涼解熱解毒藥。有清血消炎作用。對於十二指腸炎性充血之黃癉。有特殊功效。柏皮爲强有力之消炎解熱藥。並有利尿之作用。佐以甘草之緩和解毒。對症施用。其效卓著。

金匱要略曰「諸病黃家。但利其小便。假令脈浮。當以汗解之。宜桂枝加黃耆湯。」按黃耆功能達表。使衞分充溢。而陽氣流通。微汗津津。有退黃之專長。黃耆桂枝苦酒湯。治胸不滿。四肢疲倦。小便自利之黃病。亦有特效。可證黃耆爲此症之要品也。

內傷性黃癉　金匱要略曰：「酒癉心中懊憹。或熱痛。梔子大黃湯主之。」按此症由於嗜飲醕酒而發。其證心中懊憹而熱。不能食。時欲吐。小便黃或不利。或面發赤斑。梔子豆豉。功能解熱解毒。主治心中懊憹。大黃枳實。清熱解毒。而有攻下之力。若合葛花解醒湯同用。以治酒癉。效如響應。

又曰：「穀疸之病。寒熱不食。食卽頭眩。心胸不安。久久發黃。爲穀癉。茵陳蒿湯主之。」按此症亦見小便不利。茵陳蒿爲利尿藥。能使黃癉色素。導向小便而排泄。故爲黃癉之主藥。梔子大黃功見前。惟大黃用之於便閉者。較妥。

金匱云：「額上黑。微汗出。手足中熱。薄暮卽發。膀胱急。小便自利。名曰女勞癉。腹如水狀不治。」按此症由於房勞而發。與酒癉之變症同是黑癉。最宜詳辨。何以辨之。純黑不黃。而脈沉者。女勞癉也。雖黑而微黃。脈浮弱者。酒癉之變症也。仲師云：「酒癉下之久久爲黑疸。目青面黑。心中如噉蒜虀狀。皮膚爪之不仁。大便正黑。其脈浮弱。雖黑微黃故知。」又云：「黃家日晡所發熱。而反惡寒。此爲女勞。得之額上黑。足下熱。因作黑癉。」是黑癉爲女勞癉及酒癉之總名也。然症狀有邪實正虛之不同。原因有房勞誤下之互別。卽此而論其治法。自不得不明爲之分辨。金匱治女勞癉有硝石礬石散一方。然腎虛而濕熱下注者。宜合六味丸、八味丸同服。切不可稍加一二苦寒之品。以絕其生陽。至於酒癉之變症。金匱有論無方。審其證狀。皆內有血瘀及乾血之象。治宜清濕熱爲主。祛瘀血佐之。豬膏髮煎。亦可借用。蓋髮灰爲祛瘀之妙品。得豬膏之潤燥。則更佳矣。若再加枳椇子、粉葛花、紫丹參、丹皮、紅花、絳通草等。厥功尤偉也。

述前人黃癉學說甚詳備。 謝誦穆識

蘇州國醫書社出版

女科醫學實驗錄

女科專家王愼軒先生著

沈健可先生曰：王君愼軒；抱倜儻之才，精軒岐之學，而尤擅女科；如調經種子胎前產後，及一切危急重症，一經王君診治，輒能著手成春。遠近慕名，譽爲女科中之聖手。女科實驗錄係王君經驗之精華，寄父章太炎觀之，頗加激賞，稱爲扁鵲替人。

全書四册 實價一元

女科指南

戴武承著 王愼軒訂

古來論調經者多主溫補，此書則寒熱攻補分別列論，前人論胎前者多主安胎，而此書則治病安胎，分別清楚，且議論非常透澈。

全書一册 實價八角

女科祕訣

鄭厚甫著 王愼軒校

此係女科名醫鄭厚甫先生治驗祕訣，對於婦女經帶胎產及各種雜病，均有精當之治法，經女科名醫王愼軒先生校正，益臻善美矣

全書一册 實價二角

方劑研究

牡蠣澤瀉散之檢討

周自强

A. 主症之討論

牡蠣澤瀉散之主症，於傷寒論「陰陽易差後勞復篇」中，曰：「大病差後，從腰以下有水氣者，牡蠣澤瀉散主之。」大病者急性熱病症情重篤或經過迂緩者也。凡此病情，其人輒虛羸疲弱，累月未易復。今以病後之身，腰下水氣，遽投逐水之峻劑如此；雖曰已瘥，毋乃過乎？歷檢千金外台及諸叢書之水腫中，又難覩牡蠣澤瀉散之復見，旁證無從。而傷寒註家，率衆口一辭曰：「腰以下水腫，當利小便，」據金匱一語合牡蠣澤瀉散之主證而無誤矣。心知其太峻，則曰；病後邪實者可用；而正虛者難投。淵雷先生今釋謂治實腫陽水大驗，不必腰以下腫，更不必大病差後者。從可知本方之峻，非大病差後所專也。余既受命論本方，終不能無間於前人，乃有疑乎「水氣」之詞矣。考仲景之稱水氣，其意概諸水腫、脹滿、氣壅、及蓄水在內，漉漉有聲而言：其界說初非若何嚴格者也。故太陽篇小青龍湯證曰：「傷寒表不解，心下有水氣，乾嘔發熱而欬，或渴、或利、或噎、或小便不利，少腹滿或喘者。」又曰：「傷寒，心下有水氣，咳而微喘，小青龍湯主之。」又太陽篇生薑瀉心湯曰：「傷寒汗出解之後，胃中不和，心下痞鞕，乾噫食臭，脅下有水氣，腹中雷鳴下利者。」少陰篇眞武湯證曰：「少陰病二三日不已，至四五日，腹痛，小便不利，四肢沉重疼痛，自下利者，此爲有水氣，其人或欬，或小便利，或下利，或嘔者。」又金匱消渴小便不利篇曰：「小便不利者，有水氣，其人若渴；括蔞瞿麥丸主之。」金匱水氣篇第三條曰：「寸口脈沉滑者，中有水氣，面目腫大，有熱，名曰風水。」水氣篇各條之有膚腫浮腫者，又皆曰此風水，此裏水，此皮水，此正水，而言水氣者，皆不明言腫狀，是水氣之症，非即指水腫也明矣！此說極是 考諸原文則嘔渴悸欬，小腹胸脅滿，微喘，或腹中雷鳴，四肢沉重疼痛，大便或利者，即可以水氣名之。小便不利者，尤多兼見，而小便利，則迥非水氣向愈之兆。惟小便不利者，服藥得利，則病邪有尾閭可從，益以正氣之復，病情多從此淸澈耳。故余曰：「腰下有水氣者，多兼浮腫，而其他證候，甚不備也。」不備者何證？曰：從牡蠣等之藥效可知之，牡蠣含炭酸鈣燐酸鈣珪酸等最富，其於消化系之炎症最有效，觀之石膏可信也。急性熱病之經過中，胃腸受摧殘最亘，體內酸類之產生多，往往刺激各藏器組織，誘起炎症之發生。此亦在竹葉石膏湯中詳論之矣。則本症之生，當屬消化器之炎症，併發泌尿器炎症，延及下肢組織，影響淋巴迴流而然；消化系病則食少噯噯吐逆，渴悸。延之泌尿器病，則小便不利，酸素蓄積，水毒壅滯，淋巴滲溢，腰下浮腫；呼吸系病則眩冒咳痰，故方中並列消化逐水疏導之藥也！

B. 方藥之解釋

牡蠣：——制酸健胃藥，治胃液溢，含炭酸鈣燐酸鈣珪酸動物質等，能中和胃酸，使消化力增大，減少腸分泌，使便燥結。一部由腸壁入血，增大白血球效用，使血液凝固力强，小部份燐酸鈣能促進全身細胞之新陳代謝，於腦神經尤甚，能輭堅化痰。藥徵曰：「主治胸腹之動，旁治驚狂煩躁。」

澤瀉：─利濕熱，治瀉痢，消腫通淋，用作利尿及治水腫中暑藥，肥健消水藥徵曰：「主治小便不利，冒眩，旁治渴。」

蜀漆：─爲常山苗，功同，成分與黃連同。行水吐痰，除寒熱，爲截瘧藥，在胃能激胃神經，使胃黏膜分泌增加，至腸能激腸蠕動，使積糞緩緩排出，入血能刺激中樞神經，使體溫下降；又能減少窒素之排泄，以阻止體溫高升，且可使固有溫度次第消失。本經治傷寒寒熱，胸中痰結吐逆。別錄治水脹洒洒惡寒，能刺激淋巴吸收毒素及水分之功。故曰：治痰涎，又能治滯也。

葶藶：─瀉肺行水，下氣定喘，用爲利尿及祛痰藥。本經曰：「結氣飲食寒熱，通利水道。」別錄：「下膀胱水，利小腹。」藥徵曰：「主治水，旁治肺癰結胸。」

商陸：─有效成分爲毒性之 Phytolaccetoxin 約4%至5%，融於酒精，能大瀉臟腑之水，作利尿藥，別錄曰：「療水腫腹滿，散水氣。」

海藻：─瀉熱散結，化痰涎，消癭瘤，用作軟堅及利尿藥。本經：「下十二水腫。」別錄：「利小便。」

括蔞根：─含 Bryonin 澱粉，樹膠，糖，瀉火潤燥，生津止渴，在胃不起變化，至腸吸入血中，使血行增速，促進呼吸，易於咯痰，作消渴潤燥及排膿生肌消腫藥，治消渴身熱，補虛安中，唇乾口燥，短氣，止小便利，通月水。藥徵曰：「主治渴。」

本方以牡蠣澤瀉爲名，其特重於二藥可知。牡蠣成分以炭酸鈣燐酸鈣爲主，而各家對此藥之論，亦以治消化器病無異辭，兼治驚悸動震之神經系病，則能促進腦神經系等細胞之新陳代謝故也。澤瀉利水消腫，仲景以治支飲眩冒。夫仲景時所謂飲者，於消化器病最多。非消化不健，即因炎症而分泌特異黏液，致擾亂消化之機能。澤瀉之有利於消化器蓋碻矣。獨漆成分與黃連同，Berberin消退臟器炎症，本經謂治胸中痰結吐逆是也！其調整體溫，刺激淋巴，吸收水分毒素，則與海藻之功相侔。二者吸收之毒素，伍以商陸葶藶，挾而下趨，則既留之水液，已從便去。已病之組織，得鈣質之中和漸趨平復。淋巴液之壅滯不流者，已得疎導，更以括樓根袪呼吸系之痰，補呼吸系之罅漏、不使小便過滲，且助體液之回復也。金匱水氣篇越婢加朮湯證曰：「假令小便自利，此亡津液，故令渴也。」大病差後而渴，其津液不足，亦已審矣。括樓根豈徒然置之哉？綜觀本方藥品七：五者有用於消化器，逐水者二三品耳！則本方之不僅於腰下水氣，其病原亦不在水腫爲患，明矣！

C. 結論

急性熱病中最受折磨者，當推消化系。最易致復病者，在房事、勞動、不謹口腹、三者；本方證既不起於房事之後，不因於勞動之後，則爲食復者無疑。今姑棄其病因病理，就藥效以推症狀。本方證患者：或微有熱，或微咳痰，食入恆少，噫嗳吐逆，胸滿口渴，悸利，腰以下腫，小溲不利，或便結，或眩冒，或喘氣，其人必身體疲弱，然病則屬進行性是也。以大病之後，正氣恆弱，不耐重劑，故以散每服方寸匕，日三，得溲利，邪勢衰，病去六七，可以止藥，而邪正並顧者矣！博洽者卽以本方化裁施用，亦宜以消化系之證候爲重，腰下水腫之候爲輕，庶乎可。若持以起單純陽實之水腫而如響者，此則方劑配合之功，其非仲景之初意乎？

論水氣一段最有精意。 謝誦穆

牡蠣澤瀉散之檢討

桃核承氣湯論

陳丹華

藥品　桃仁　大黃　桂枝　甘草　芒硝

命名　本方卽調胃承氣湯加桃仁桂枝。而以桃仁爲君。故名。（簡便而易於記憶誦稷）

方類　大方複方。

劑別　洩劑。爲袪瘀泄熱之主劑。

主治　傷寒論曰：『太陽病不解。熱結膀胱。其人如狂。血自下。下者愈。其外不解者。尚未可攻。當先解其外。外解已。但少腹急結者。乃可攻之。宜桃核承氣湯。』按膀胱爲太陽之腑。與血室相連。血室者。乃下焦一大夾室。主一身之血液。前連於膀胱。而後連於大腸者也。（血室一段。詳後面批語。桃核承氣之病竈多在腸。謂血室乃一夾室。不確。誦稷）太陽病不解。化熱從上焦氣分而入膀胱。本無如狂之症。茲云熱結膀胱。其人如狂者。蓋膀胱與血室相連。膀胱熱氣太過。則夾室中血液。被膀胱之熱所蒸。則凝結而爲死魄。血結爲死魄。則擾亂其魂。是以狂也。看熱入血室。譫語見鬼。爲魄亂其魂。則本症其人如狂。亦爲魄亂其魂可知。經曰：『血在下如狂。』斯言尤爲可證。是不獨膀胱之氣病。而胞室之血亦病。胞室之血既結。則當借大腸爲出路。攻其血結。使血結自下。血結既下。則自愈矣。故曰血自下。下者愈。歷來註家以爲血自下。下者愈。可以不用方治。不知本節下段。明言可攻。則此段血自下之有方治可知。以如斯重症。謂不用方治而能自愈者。不特於理不合。抑亦於文義不通也。然攻之亦有條件。須外解已。但少腹急結者。乃可攻之耳。少腹急結。極有深義。陳注解急結。謂其血有急欲通之象。非也。蓋熱結膀胱。是氣血兼病。膀胱之氣鬱而不化。則小便不通而裏急。胞室之血。爲膀胱之熱所蒸而凝結。故少腹急結。論云：『太陽病。飲水多。小便少者。必苦裏急。』又曰：『婦人熱入血室。脇下滿。如結胸狀。』觀此二節。則本症少腹急結。實爲熱結膀胱。氣血交病之鐵證也。

附腹診部位　從左臍傍之天樞邊起。於其上下約距離二三指間。以三指探按之。覺有結狀之物。斜按之。覺痛甚。以指移上。覺痛亦隨之者。是桃核承氣湯之腹證也。又或臍上或臍下。亦覺有結。按之雖痛。然在此左臍傍者。爲正候。其臍上臍下者。爲結之甚而波及之者也。

旁治　血淋。及藏毒下瘀血者。噎膈有積血者。齗齒陽明畜血者。女子月事不調。先期作痛。與經閉不行者。產後惡露澀滯。臍腹大痛者。胎死腹中。胞衣不下。氣急息迫者。淋家小腹急結。痛連腰腿。莖中疼痛。小便涓滴不通者。打撲疼痛。不能轉側。二便閉澀者。

藥理　桃仁主瘀血。有消炎而化散變壞濁血之作用。經仲師之實驗。認爲主治瘀血少腹滿痛之要藥。兼治腸癰。及婦人經水不利。茲考徵如下。師論桃仁承氣湯證曰。少腹急結。大黃牡丹皮湯證曰。少腹腫痞。與葦莖湯三方。各用桃仁五十枚。下瘀血湯證曰。產婦腹痛。又曰經水不利。用桃仁三十枚。大黃䗪蟲丸證曰。腹滿。用桃仁一升。抵當丸證曰。少腹滿。用桃仁二十五枚。抵當湯證曰。少腹當鞕滿。又曰。婦人經水不利。用桃仁二十枚。桂枝茯苓丸證不具。桃仁與諸藥等分。據此諸方。則桃仁主治瘀血急結。少腹滿痛明矣。大黃主下瘀血。瀉實熱。有亢進大腸蠕動之作用。與桃仁配伍。以治下焦血分之熱結。逐下新凝之瘀血。爲本方不可缺之要藥也。桂枝主衝逆。內含桂皮油。有弛緩滑平筋攣縮之作用。考大論桂枝加桂湯治氣自少腹上衝心。桂枝甘草湯治其人叉手自冒心。心下悸。欲得按。苓桂甘棗湯。治欲作奔豚。苓桂五味甘草湯治氣從少腹上衝胸咽。桂枝湯治其氣上衝者。苓桂朮甘湯治氣上衝胸。觀此諸方。桂枝治衝逆也明矣。故桃核承氣湯。方極云。治血證少腹急結。上衝者。類聚方廣義云治血行不利上衝心悸小腹拘急四肢堅痺或痼冷者。心法附錄云治吐血。覺胸中氣塞。上吐紫血者。皆用桂枝以平衝逆也。方喻程汪柯魏諸賢。並云。太陽隨經之邪。原從表分傳入。非桂枝不解。然經文明言。外解已。乃可攻。則用此方時。已無表證矣。若推溯病邪傳入之路。則陽明經府之熱。亦從太陽傳入。何以不須桂枝耶。成氏錢氏又謂。桂枝通脈消瘀。然抵當湯丸。大黃䗪蟲丸。最爲通瘀快劑。何以不須桂枝耶。是知桂枝之用。非爲解外。非爲通瘀。特爲降衝逆耳。甘草主清熱。其味甘。故又能和緩急迫。以治少腹急結。經云。『病者。苦急。急食甘以緩之。』其斯甘草之謂乎。芒硝主輭堅。內含鹽類硫酸鈉。且有泄熱瀉下作用。其功略同大黃。大黃僅長於蕩滌。芒硝又善於輭堅。本方桃仁合硝黃同用。能直入下焦。破利結血。引從大便而出。設不配以硝黃。則桃仁不得發揮其驅瘀之功能也。

禁忌　太陽病。熱結膀胱。其人如狂。外證未解者。不可孟浪投以此方攻之。蓋太陽主一身之表。病在太陽。苟有一毫外邪未解。皆不可妄攻。若妄攻之。則外邪乘虛而內陷。必致變症百出。論云『太陽病。外症未解。不可下也。下之爲逆。』又云。『心下痞。表未解者。不可攻痞。表解乃可攻痞。』此仲師所以於本症攻下。愼之又愼。外解之後。尤必待少腹急結。乃可攻之也。

有人問血室云。『熱入血室。何以致譫語。血淨又何以譫語自止。又何以致熱入血室』

吾答之云。『在月經來時。往往有頭痛憂鬱眩暈等症狀。凡神經質之女子。或素有經痛病之女子。大率有之。所謂熱入血室病。卽指此等女子而言。蓋此等女子在平常無病時。已有此等不快症狀。在患熱性病時。而月經來。則由頭痛眩暈憂鬱等增劇。進而爲譫語。其病本由於經至引起。故經血淨則譫語亦止也。非眞正熱入於血室也。』桃仁承氣所結。亦不在膀胱。若在膀胱。當小便不利。血自下。其血當從大便出。其病竈當在腸。若謂血結於胞宮。則女子容或有此病理變化。然男子無胞宮。而亦有桃仁承氣證。則無辭以解矣。 謝誦穆

釋小青龍湯

吳少九

(一)小青龍湯之適應證

傷寒論小青龍湯證曰：『傷寒表不解。心下有水氣。乾嘔。發熱而欬。……或喘者。小青龍湯主之。』根據本論所言。察其證候。考其藥效。知本方證確爲今日所稱之枝氣管肺炎證。小青龍湯特效於枝氣管肺炎。其治績遠過西醫之上。殆爲今日醫界公認之事實。試先就小青龍湯方證之證候及病理研究之。則本方之藥理作用當如何。乃可得而言已。

(二)小青龍湯證(枝氣管肺炎)之證候及病理的研究

枝氣管肺炎。或稱小葉性肺炎。亦曰卡他兒性肺炎。一般繼發於枝氣管卡他兒。或與流行性感冒。痲疹。百日咳等併發。多於乳兒之虛弱者及老人患之。本證多以嘔吐開始。繼以食慾不振。欬嗽。呼吸迫促。發弛張熱。伴有鼻翼呼吸。口唇青紫。脈搏頻數。四肢厥冷等證。斯時枝氣管及細枝氣管。爲炎性滲出物所壅塞。管壁擴張。聽之有響性小水泡。乃至細水泡

即捻髮性水泡音。按傷寒論小青龍湯證曰傷寒表不解。（惡寒頭痛項强脈浮）是流行性感冒與本證併發者也。初期是流行性感冒。後續發肺炎。誦穆　曰心下有水氣。是炎性滲出物壅塞氣管壁之候也。曰乾嘔。本證之開始證狀也。曰發熱而欬。本證之繼發證狀也。是枝氣管肺炎證傷寒論所言竟無不合。（按本論下文或渴云云皆或然證。非主證可知。其云或喘。因本證初起呼吸迫促。並不顯著。故云。然非或然證也。其下條云。欬而微喘。可以互證）然頗嫌其略而不詳。治病當分別主證副證。誦穆　若恃本論以爲用小青龍湯之根據。則殊顢頇而多危險。蓋本證有特徵。爲傷寒論所未言。而實重要。臨床上不可不注意及之者。此特徵爲何。即1鼻翼呼吸。2口唇青紫。口唇青紫。四肢厥冷。當用桂麻之溫開。誦穆　3脈搏頻數。4四肢厥冷等證候是也。試言其理。鼻翼呼吸即鼻扇。爲鼻翼舉筋之病理的反射作用。凡枝氣管發炎。氣道壅塞。吸酸除炭之作用失職。且爲劇欬勢力所不及。則鼻翼舉筋扇張而起救濟功能。吾人試攬鏡作窒息之狀。則當見鼻翼舉筋弛張不已。所以鼻翼弛張者。呼吸困難而迫促。其弛欲多量呼出炭氣。其張欲多量吸取酸素也。此亦體工之自然療能。（自然療能。不問有效無效。特有必然性。如傷風菌侵入鼻黏膜則噴嚏。侵入喉頭黏膜則咳嗽等）而枝氣管肺炎所以必見鼻扇者。即同此理。然此時此地之自然療能。無疑已宣告無效。因此之故。本證呼吸機能既壞。影響及循環系。始則肺藏毛細管鬱血。繼則血液氧化不足。而全身靜脈鬱血。於是而口唇青紫矣。斯時心藏因惡血之刺戟。而動悸亢進。殆近於虛性興奮。於是診脈必頻數而兼微細。夫呼吸、循環、食物、爲體溫之三大來源。患者初起即食慾不振。而呼吸、循環兩機能。復愈趨愈劣。於是體溫之來源不繼。而四肢厥冷矣。凡患枝氣管肺炎者。此等證皆有相互關係。必皆相因而至。此等診斷既確。然後可處以小青龍湯方。蓋傷寒論以心下有水氣。爲本方證之特候。事實固亦正確。特此爲病者自覺症。中醫又無從聽診。不易得明確之診斷也。

(三)小青龍湯對於枝氣管肺炎之藥理作用

小青龍湯證既確爲枝氣管肺炎證證候及病理皆無可疑。而小青龍湯用於枝氣管肺炎。乃實爲最理想之劑。西醫於本證藥物療法。謂在病證重篤時。除用强心劑外。幾無特效良藥可言。是故言病理。言診斷。西醫無不精細入微。以言治療。則不得不讓我中醫獨步。茲試言小青龍湯對於枝氣管肺炎之藥理作用。方中麻黃爲主要藥。麻黃能定喘。其作用爲發汗利尿。枝氣管肺炎因呼吸迫促。新陳代謝低能之故。體內充滿老廢成分(如炭酸瓦斯之類)老廢成分愈積愈多。肺藏呼吸亦愈喘愈促。如此互爲因果。若投以適量之麻黃。使體內老廢成分。一方從汗腺排洩而出。一方從小便排洩而去。肺藏工作責任因而驟減。麻黃遂得奏定喘之效。肺發炎時。肺有鬱血。麻黃能增高血壓。能推動鬱血。誦稷 因之鼻翼呼吸亦隨喘而定。是爲肺炎向愈之一大機轉。故麻黃對肺炎之定喘作用。實卽麻黃之排毒作用。亦卽古人所謂發汗以治喘之作用也。其次爲桂枝。桂枝之主成分爲揮發油。凡揮發油於刺戟皮膚作用之外。且兼有防腐消炎作用。故用於枝氣管肺炎內服時。一部分自肺排洩。使痰易咯出。另一部分與Glykuron酸結合而排洩於尿中。有利尿作用。本藥且可融和血脈。對於肺藏毛細管鬱血及靜脈鬱血。有融和作用。其芳香性則有預防心藏衰弱之能。及健胃之效。此皆能與病體以不少之協助也。方中芍藥一味。自來註家皆不得其解。考芍藥成分中。含有多量之安息香酸。(C_6H_5COOH)有祛痰防腐作用。用爲分泌過多之枝氣管炎之祛痰劑。吾嘗懷疑古方排膿散中之芍藥。或非排膿。乃祛痰耳。而芍藥之於枝氣管肺炎。不惟祛痰。且可防腐。古人何以知此。蓋亦從經驗得來矣。復次。方中乾薑與半夏同用。細辛與五味子同用。前者有相得益彰之美。後者具開闔相濟之妙。而後者尤饒趣味。乾薑有祛痰逐飲之效。細辛有開肺鎮欬之效。二藥皆極辛熱。然皆有消散炎腫之能。凡辛熱藥所以能消炎者。因辛熱藥能和血之故。如白附子之於腦脊髓膜炎。肉桂之於子宮內膜炎。而乾薑細辛二物於此。則不止於消炎而已。此二物對於枝氣管肺炎。更呈其偉大作用者。則爲二物之强心作用也。强心。則循環速而鬱血行。口唇青紫可除。循環速。則氧化盛而體溫復。四肢厥冷可回。西醫於本證用强心劑。幾爲惟一療法。然求能如此二物於强心作用外。更具有祛痰、鎮咳、和血、消炎諸作用者。恐未必可得。且細辛開肺。氣管壁擴張。乾薑既得以盡其祛痰逐飲作用。更協以祛痰降水鎮嘔之半夏。凡枝氣管及細枝氣管。所有壅塞之炎性滲出物者。當已廓清無幾。斯時心下不復有水氣。惟餘氣管壁(枝氣管及細枝氣管壁)之擴張而已。於是以含有酸斂性之五味子收之。然後以甘草之黏滑作用緩和組織之急迫。至此而小青龍湯全方之任務遂於以完成。此等精妙縝密之處方。乃在中國二千年前。誠足令人驚奇不止。故枝氣管肺炎。處以小青龍湯。取效不過三小時。其治績恐非西醫所能望。此豈復偶然之事。所謂藥之而愈。不藥亦愈者耶。

(四)小青龍湯之加減及其他

按傷寒論小青龍湯方後有加減法。竊謂其無當要領。且殊紕繆。甚至謂喘減去麻黃。小青龍湯以麻黃爲主藥。減去則減全方之效。無論小青龍湯必不可去麻黃。即可去。特喘則獨不可去。豈惟不可去。且當重用。故有疑此非仲景原文者。又金匱有小青龍加石膏湯。治肺脹。意者肺脹之名。或即形容肺炎之狀者耶。此見古人論藏器病。固大致不誤。小青龍湯治肺炎患者高熱煩躁時。可加石膏用作解熱鎮靜藥。但須注意。雖高熱煩躁。却心下有水氣。否則爲大青龍湯證。或麻杏石甘湯證也。又金匱小青龍湯治溢飲。疑爲肺炎證之漿液性滲出物。浸潤於身體各組織。(併發肋膜炎者有之。不致浸潤各組織。謬)不得吸收與排洩。而引起之體表浮腫。故仍用小青龍湯之發汗、利尿、祛痰、逐飲、强心等作用。振興各組織之新陳代謝機能。而奏消腫之效。如後世龐附五皮飲卽脫方於此。然肺炎有無引起身體浮腫之可能。尙當存疑以待考。但因排洩機能失職之浮腫本方能治之。殆無可懷疑。又金匱婦人吐涎沫。心下痞。亦主小青龍湯。治其吐涎沫。此吐涎沫當與肺有關係。然不能成立爲一種病。尋繹原文。則又爲婦人特有證。亦無從知其究屬何一種病。此則已爲小青龍湯題中剩義。姑且等諸自鄶。且有待於臨床實驗耳。

中肯語極多。 謝誦穆

甘草瀉心湯論

王蘊玉

【藥品】 甘草（二錢） 黃芩（錢八） 黃連（八分後下） 乾薑（八分） 半夏（三錢製杵） 大棗（四枚劈） 金匱加人參（三錢） 右六味以水兩碗。先下五味。煮取一碗。再入黃連煮一兩沸。溫服一碗。再入水碗半。煮取八分。臨臥再服。（按古方分量與今不同。今遵臨診諸師新訂之分量。俾便應用。）

【主治】『傷寒中風。醫反下之。其人下利日數十行。完穀不化。腹中雷鳴。心下痞鞕而滿。乾嘔心煩不安。』『狐惑爲病。狀如傷寒。默默欲眠。目不得閉。臥起不安。蝕於喉爲惑。蝕於陰爲狐。而欲飲食。惡聞食臭。其面目乍赤乍黑乍白。蝕於上部。則聲嗄。皆宜此方主治之。』

【病理】 夫太陽爲病。氣血集於肌表。其人平素胃腑機能本已衰弱。醫者用藥不助之祛表。而反逞於一下。胃黏膜受下藥之刺激。耗傷局部正氣。在外之邪。乘虛內陷。成爲結熱。熱則血鬱。因鬱而發炎。因熱而膨漲。痞證乃成。腸中正氣虛微。

下部無陽囘護。故雷鳴穀不化。下部之寒邪上逆。與上部之熱邪相搏。故乾嘔心煩不安。本方云。非熱結。但胃中空虛。非全無結熱。實因醫者誤下。下部陽氣已傷。而上部所結之熱。乃無形之熱。仲景恐醫者再誤。重出此語。以示禁下之意。非全無熱邪。若係全無熱邪。焉有再用芩連之理乎。因用二味以瀉上部之熱。而用半夏以降逆和胃止嘔。用草棗以補中虛。用乾薑以散下寒。此妙乎治上熱下寒之方也。

狐惑之病。論者紛紛。莫衷一是。陳修園認爲蟲病。王孟英指爲疫毒。唐容川謂狐惑之惑。乃蜮字之訛。然以此論病。似荒渺無憑。但古人之所謂狐病蜮病。細玩症狀。頗與今日梅毒相似。必其人先犯花柳。或曾患花柳。一旦遺毒爆發。二期、三期、雖不敢知而頭痛發熱。身痛咽乾之症。在所必有。所謂狀如傷寒也。默默欲眠。毒困神經也。不欲飲食惡聞食臭者。毒火灼胃。胃液乾涸也。面目乍赤、乍黑、乍白者。毒留血管也。蝕於喉則爲梅毒喉嚨。蝕於陰則爲下疳魚口。他如聲音嗄。肛門腫。皆爲治花柳者。常見之症。特以潛伏日久。或竟屬遺傳。診是病者。每不知其原因。而我國古時又無精確之儀器。以分析毫芒。知其當然。而不知其所以然。乃不得以鬼祟、狐惑。以名之。然在上古時代。原無足怪。獨怪後之學者。不能由結果以溯其原因。特爲表出之耳。若參之洗。雄黃之薰。皆屬於外科。即甘草瀉心湯。唐氏極贊其效。蓋甘草可以解毒。芩連可以殺菌。病久脾虛。人參乾薑可以與奮。居然內服之六零六。有詳細之病狀。有特效之靈丹。若以原因未明。定名錯誤。不足病也。

【藥理】　甘草能瀉心臟之火。兼有營養緩和諸筋脈絡攣急。解百藥之毒。而爲瘍科重要之藥品。惟性極和平。少量難見功效。吳鞠通曰。甘草之性。最爲和平。有國老之稱。設不假之以重。烏能爲功。故余意一次常量。必須二錢。恆見醫所用。祇數分耳。杯水車薪。於事奚濟。或畏其味甘。甘令人滿。或南方地卑濕重。不敢多用。吾謂功用所在。正因其甘。獲益蒙害。匆知甘草與茯苓並用。微特不資滿。反能洩滿。此陶隱居之所以謂其有健脾除滿之能也。乾薑爲芳香性刺激藥。有健胃散寒之效。又能興奮腸胃神經作用。用於腸胃機能沉衰。而致嘔吐下痢。腹痛冷感等證有效。黃芩爲清涼性解熱。兼有健胃消炎作用。黃連爲健胃止瀉藥。用於消化不良。腸卡他兒、并治蛔蟲、腹痛、洩瀉等症。二味均具殺菌之力。半夏爲鎮嘔祛痰藥。用於欬逆咽痛。反胃吐食有效。大棗爲緩和性滋養藥。富含黏液質及砂糖等。既有營養之功。又有緩解攣急作用。人參爲興奮性強壯藥。用於神經衰弱。心臟衰弱。及胃機能衰弱等虛寒症。則頗有效。

本方治誤下成痞。下利無度。何以不用人參耶。以其心煩不安。似柴胡湯加減法曰。若胸中煩而不嘔。去半夏人參。可見煩者須去人參。且人參在(最新中國藥物學)王師愼軒臨床實驗。察其性味。甘苦微溫。施於虛寒衰弱等症。確頗有效。今邪熱蘊於胸中。血行虛性亢進。局部鬱結。用之將以益煩。是故去之。病經誤下。而胃中不和。甘草自是要藥。腹中雷鳴。是正虛而非邪實。是故重任甘草薑棗也。丹波氏云。方中應有人參。若無人參。何以善大虛之後哉。其理雖合。然丹波氏所謂。應有人參。恐其煩已除。單純胃擴張。或慢性胃炎。及其機能衰弱虛寒性之痞滿。故必以人參強健胃腑之機能也。

【禁忌】 此湯藥味。寒熱相雜。乃治上熱下寒之妙劑。若其人。平素嗜酒者。不宜與之。因酒客不喜甘。服之反增嘔逆也。陽虛泄瀉者。不宜與之。陽虛泄瀉。本宜附子理中之類。若反施之芩連。則必絕其生生之氣。陰虛火動者。不宜與之。因芩連苦寒性燥。半夏乾薑辛溫耗營。施之更竭其陰。以致反增其火。治不得當。反生他變。臨床診病之時。可不愼乎。

云狐惑是梅毒。 有新意。完穀不化。是腸之機能衰弱。 謝誦穆

越婢加朮湯論

徐庚德

越婢加朮湯，起於何時，出於何書，我輩學子，不得不加以考證；金匱中風歷節門云，千金越婢加朮湯，閱千金而無越婢加朮之名，惟七卷風毒脚氣門，祇有越婢之稱，考其藥味有麻黃、石膏、附子、白朮、生薑、大棗、甘草等七味；於金匱所云：越婢加朮湯多附子，外台十六卷肉極門，引千金越婢湯，有附子，無白朮，名起婢湯。十八卷風毒脚弱痺門，亦引千金越婢湯，有附朮。諸書所載有名同而藥異，有名異而藥同者也。金匱中風歷節門所載者，非千金之方，乃金匱水氣病篇之方，而引千金越婢之證，取其似中風之症也。後來林億等，將仲聖之方，而誤爲千金之方矣，既經考查之後，而證明此方，出于仲聖金匱水氣病篇，而我輩又如何是耶。心細於髮 誦穆 余竊思良久，乃自言自語曰，凡研究一問題，必先求其來源，與產生之原因及其理由，此方之來源既得，而產生之原因及理由，不得不引來研究一下，千金云：肉極熱，則身體津液脫，腠理開，汗大泄，厲風氣，下焦脚弱。金匱曰：裏水者，一身面目黃腫，其脈沉，小便不利，故令病水；假如小便自利，此亡津液，故令渴也，越婢加朮主之。身體津液脫，腠理開，汗大泄，而厲風氣者，爲腎藏機能衰減，泌尿不力，水毒積蓄於皮肉及漿液膜與腎藏外之血管，而皮膚起救濟代償之功能也。肉極者，爲肌肉潰水，則疲極也。下焦脚弱者，亦因慢性腎藏炎之患也。裏水者，一身面目黃腫，其脈沉，小便不利，故令渴也；考裏水之名，似有可疑，例如外台皮水門所載，越婢加朮湯主之，古今錄驗，及脈經注亦云皮水。據首條，及第二第四條當汗者，爲風水皮水，而越婢湯證云，風水惡風，方後云，風水加朮四兩，則本條裏水，當是風水皮水之訛；若水在裏者，則不當發汗。而今發汗者，則誤之而亦信其誤矣。一身面目黃腫者，爲腎藏泌尿機能失常，水不從小便出，而泛於皮下，故令面目黃腫，而小便不利。其脈沉者，爲水泛皮肉，黃腫之故，陸淵雷先生曰：肥人平脈常沉同理，服藥而浮，乃丹波氏之親驗。小便自利，此亡津液，故令渴者，非本方之證也，程氏及陸淵雷先生所說亦是，考越婢加朮湯爲逐水發汗劑，其主藥麻黃、石膏、白朮，麻黃爲發汗藥。陸淵雷先生曰：溫服則發汗，冷服則利尿，溫服卽溫暖，則排泄水毒於汗腺而爲汗；冷服卽寒冷，則排泄水毒於尿道而爲尿，尿汗雖異，排泄水毒則一也。水毒既已排出，則肉極浮腫自愈矣。石膏爲清腸胃藥，係硫酸鈣之含水結晶體，有鹼性反應，其效當與西藥之鈣鹽類相似，如黏液分泌過多，沉澱而蔽其黏膜，阻礙消化吸收時，用此鎔解之，此藥爲腸胃之要品，亦有排泄水毒之功，此外又有止血消炎，鎮靜强心强壯諸作用；而心於腎有相當之關係，心强則血利，血利則能調節腎藏分泌之機能，故能治一身面目黃腫，及肉極熱身體津液脫，腠理開汗大泄之患。白朮爲健腸胃逐水藥，能促進腸細胞組織之吸收力。夫既能强健腸細胞組織之吸收，而細胞之水毒，及老廢物亦不得不排泄于外，故有逐水之功。所以加白朮者，爲協麻黃石膏排泄水毒也。大棗、生薑、甘草三者，皆爲助麻黃、石膏、白朮，以著排泄之效也。總結上論，爲此方之來歷，及產生之原因，與理由而已，使我輩果能對之有澈底明瞭，則臨床用藥，庶幾無誤矣。今之市醫，一遇此病，往往以不求有功，但求無過之輕劑，而作應病之策，坐使因循轉變，失治療之良機；迨夫病人危途，人力難爲之時，乃又諉之曰天命，或竟卸過於病家調理之不愼，嗚呼！此豈天命使然乎，乃庸醫之罪也。

方意及其來原說得非常透闢。　謝誦穆

藥學研究

研究藥物之我見（三年級課卷選錄）

謝誦穆

鄙人以研究藥物之我見命題。卷畢交得二十六人。佳作不尠。其次者。亦間有警策語。因摘抄排纂。以資諸同學之觀摩。二十五年十二月謝誦穆記

近世中醫界有識之士。其作中西醫學之衡論者。莫不謂西醫長於病理病原之研究。中醫長於經驗宏博之藥效。是故藥物在中醫學中。實占極重要之地位。而中國醫學之發軔。亦可言自藥物始。晚近東西洋醫家。因震驚於中國藥物之神效。紛起研究。中國藥物出口。年有增加。中國醫家專門作藥物之研究而確有貢獻者。反不多覯。長此以往。東西洋研究之成績。或將駕我而上之。是故中國醫家。宜作藥物之研究。實爲急不容緩之事矣（李寶琦）

本草之意義

吾國藥物。包括鳥獸蟲魚玉石草木等類。範圍殊廣。而古人稱記載藥物之書曰本草者。一因草類佔其最多數。一則最先發現之藥物。即爲草類。（汪惠齡）此說極是。西人德樂根道夫云。『人類最初食物及最初藥物。必爲植物。可以無疑。至於以動物皮肉爲食用之事。必在有兵器之後。其中有理想有經驗有技巧等等。已爲文化進步之時。非復生民之初。全

憑良知者矣。故縱觀全世界各民族藥餌歷史。當上古之時。其藥品幾無不取材於植物。雖新近翻譯之古代埃及醫書。其中所載古代埃及藥物。似多用動物爲之。但此層却另有理由可說。緣此等古代死語。少能讀之人。甚難翻譯準確。古代埃及多有以鳥獸之名名植物者。譯者不辨。遂譯成鳥獸名。故覺得滿紙都是動物。其實仍植物爲多耳。此非臆造之談。試觀各民族古文。皆有喜取動物或動物器官以比擬植物或植物之花果者。更有因其相似之處。卽爲之取名者。此類甚多。無須列舉。所以各國植物界中。很多動物之名。彼埃及醫書中之動物藥。亦此類耳。故粗視之雖似動物藥品爲多。其實皆植物耳。』又近人黃鳴駒云。『中藥如狗脊、龍膽、牛膝、鹿蹄、鴨跖、狗舌、鼠尾、漏盧、飛廉、地蜈蚣、狼牙、虎掌、烏頭、木鼈、羊蹄、馬齒、龍眼、白頭翁、草石蠶、蝦蟆衣之類。皆以動物名植物。使外人直譯。必有誤會。固不獨蹲鴟誤怪。貽人笑柄已也。』 誦穆

藥物之發明

研究藥物之我見

本草二字。最初見於漢書。郊祀志云。『及孝宣參山。蓬山之罘成山萊山四時蚩尤勞谷五牀仙人玉女徑路黃帝天神原水之屬。皆罷。候神方士使者副佐本草待詔七十餘人皆歸家。』（顏師古注。本草待詔。謂以方藥本草而待詔者）平帝紀五年云。『徵天下通知逸經古記天文歷算鍾律小學史篇方術本草。及以五經論語孝經爾雅教授者，在所爲駕一封軺。傳遣詣京師。至者數千人。』游俠傳云。『樓護字君卿。齊人。父世醫也。護少隨父爲醫長安。出入貴戚家。護誦醫經本草方術數十萬言。長者咸愛重之。』周壽昌漢書注校補云。『本草顏注謂方藥本草。壽昌案。樓護傳護誦醫經本草方術數十萬言。是西漢時已有方藥本草一書。然藝文志不載。恐非今世傳之神農本草也。』案方藥本草疑非書名。周氏蓋失之武斷。然漢時必已有本草成書。則可斷言。太倉公所受之藥論。張仲景傷寒論自序之胎臚藥錄。皆是也。 誦穆

吾人推究各藥功效之發明。約可分之爲三種。一爲偶然發現者。一爲經驗而得。一爲妄想臆測而得。諸如藕皮之散血。瓦松之治蜂毒。烏藥之治癲疾。則由偶然發現者也。麻黃之發汗。石膏之退熱。大黃之瀉積。半夏之止嘔。則由經驗而得者也。貓頭之治鼠漏。水龜之攻菱積。則妄想臆測者也。在全部藥物中。用之有效有不效。其不效者。大都其藥效爲臆測妄想而得之故。(李寶琦)　章次公先生謂先民因覓食而發見藥物。其間經過迷惘懷疑。認識應用。研究五個時期。此一說也。有謂藥物係人類本能所發現者。如野村瑞城所著之民間藥云。『自人類生存地上。迄於今日。已不知發現多少之藥草。試觀於原始時代之人。或患疾病。或受傷痍之時。亦有治愈其病與脫却其痛苦之希望。與現代之人無異。其欲避免疾病也如是之切。自必向其周圍之天然物。有所試驗。以冀服之有効而治其病。此無他。因當時尙無醫術。又無藥品故也。吾儕人類。固有天賦的醫藥本能。故原始人類卽能採取藥草藥木以應用。觀夫犬貓負外傷時。常以舌舐患部。或掘穴以全身埋土中。而未開化之人類。亦與此有同樣之療法。又有犬貓誤食中毒之時。則自嚙一種草而吐出腹中之毒素。故原始時代吾人之先祖。亦能由其天賦醫藥之本能。應用藥草藥木以治疾病。爾後不知經過幾千百年之歲月。漸漸誘導吾人以研究此藥草藥木之功用焉。』富士川游內科全書之第二卷云。『徵之歷史。可知人類在太古蒙昧之時代。已有一定之藥品。毋庸置疑。卽現今之世亦然。各國民間。現在仍有其原始的藥品之存在。雖吾日本藥局方中。亦存有不少之有益藥物。實乃得之於野蠻人所常用者。其例頗多。野蠻人不僅發明適於治療爲目的之藥品。且能知其種種毒物。以供漁獵之用。又能發明嗜好品。凡此豈可謂爲偶然之事哉。或問此等發明。是否以犀利之自然觀察而知其生理作用乎。茲以年湮代遠。無從證明。但此決非偶然之事。則可斷言。觀夫互相隔離。且無一點關係之兩國國民。而有發明同一作用之藥品

故也』野村富士其意皆謂藥品由人類本能所發現此又一說也 誦穆

神農本草經

本草經相傳爲神農作非也(袁雲瑞)

相傳神農嘗百草辨性味別功用分上中下三品而著神農本草經流傳至今談藥物者仍多宗之惟本草經非神農所著而爲周秦時人手筆(李寶琦) 此書雖有周秦時人之手筆然兩漢方士亦多所增益陶弘景謂本經所出郡縣乃後漢時制疑仲景元化等所記此書雖不必出張華二公之手然既有後漢地名殆爲後漢時人所結集輕身長生爲道家思想至秦漢而大熾秦皇漢武喜服食求神仙道家以是投其所好也 誦穆

醫藥之分途

國醫由唐代將醫藥分爲兩界自是醫者不賣藥賣藥不爲醫於是爲醫者不問藥而賣藥者遂有僞品(陳嘉言)

太平御覽七百八十四引華嶠後漢書云張楷字公超家貧常乘驢車至縣賣藥又李肇國史補云『王彥伯自言醫道將行列三四竈煮藥於庭老幼塞門而請彥伯指曰熱者飲此寒者飲此風者飲此氣者飲此』皆醫者備藥之證入唐求法巡行記有藥行名目西湖老人繁勝錄有藥市名目則唐宋時藥肆發達之章故也 誦穆

外人研究中藥

各國學者紛紛搜集中國所產之藥材並翻譯本草綱目等藥物書以供參考之資料(張履冰) 日人所翻譯之本草綱目名頭註本草綱目德人翻譯之本草綱目和漢藥考前篇有其縮影王吉民醫師有英譯本草綱目考述綱目英譯

事甚詳。　誦穆

中藥與西藥

西藥輸入我國者。亦復不少。其製法之巧妙。服法之簡便。以視中國藥物。似覺過之。第覺失之太籠統。若凡拉蒙主治一切疼痛。補腎丸主治一切遺泄。而其原因之屬虛屬實。置之不問。是以服之亦有效有不效也。由是言之。中藥之失在於理論玄妙。而長於祛病。西藥之失在於主治籠統。而美於形式。與其有形式之美觀。不若有祛病之實效。此中藥之所以可貴也。(吳明之)　此說不無理由。惟所舉之凡拉蒙補腎丸。為通行之成藥。彷彿中國丸散仿單上之百病可治。自失之籠統。至於西醫藥與上所載之藥。亦各有專長。不能妄用。非盡如凡拉蒙補腎丸之籠統其辭也。惟西醫好用單味藥。中醫好用複劑。其效往往不及中醫。此則中醫為優耳。　誦穆　(未完)

芎藭之生理作用(續九期)

經利彬　石原皋

第二章

川芎對於小腸之作用

左傳言麥麴鞠窮禦濕，治河魚腹疾。李時珍言治濕瀉，每加二味，其應如響也。千金治泄注不已，僅列五方，而其中之四皆用之。據此則川芎有治泄瀉之效用。凡患泄瀉者，由於腸發炎，蠕動之作用乎?是以吾人乃取家兔天竺鼠等之小腸，從事試驗。

取家兔天竺鼠之十二指腸一段。懸於盛 300c.c.之Locke－Ringel 溶液中。保持37°c之恆溫，不斷吹入以空氣而描寫之。

吾人依照上述方法，曾做十七個試驗，在此種試驗中川芎抑制小腸之收縮，非常明顯。

加 5c.c. 之 10%川芎精液於其營養液中，則兔之十二指腸，張力弛緩，立刻下降，尚有微小之收縮，經過三分五十五秒後，卽完全停止。

加 1c.c. 之 10% 川芎精液，於其營養液中，則兔之十二指腸，立刻弛緩而下降，收縮微小，終至於停止。但較之加 5c.c. 者，下降之程度低，停止之時間延長耳。至若天竺鼠之十二指腸，亦立刻弛緩下降而停止，待經過二分四十四秒後，漸有微小之收縮。

加 1c.c. 之 1% 川芎精液於其營養液中，則兔之十二指腸，立刻收縮較小，終保持其張力而未停止。天竺鼠之十二指腸，立刻弛緩下降而停止，經過數分鐘後，肌肉之張力及其收縮，皆恢復至原來之程度。

加 2c.c. 之 1% 川芎精液於其營養液中，則天竺鼠之十二指腸，立刻弛緩下降而停止，經過數分後，肌肉之收縮雖恢復，但其張力，則仍不能恢復至原來程度。

吾人加 3c.c. 之 1% 川芎精液於其營養液中，則兔之十二指腸之收縮立刻較小，其張力之弛緩與收縮之慢小，隨時而進。

加 1c.c. 之 0.1% 川芎精液於其營養液中，則兔之十二指腸收縮雖減小，但其張力無甚變化。隨後其收縮逐漸恢復，天竺鼠之十二指腸之收縮，不完全制止，而且恢復甚快。

綜合以上諸試驗，川芎精液對於小腸之作用甚大。其作用之大小，與其分量有關，多量之川芎精液，能使小腸之收縮完全制止而不能恢復。微量之川芎精液，雖能使小腸之收縮緩慢，但不能完全制止。據吾人意見，川芎對於小腸之作用，是一種痲醉其交感神經作用。因 1c.c.之0.1% 川芎精液加在 300c.c. 溶液中而能使其收縮發生變化，若非對於交感神經之作用，決不能有此迅速之感應也。

前言凡患泄瀉者，由於腸發炎，蠕動促進。今川芎既能制止小腸之收縮，則當能抑制小腸在腹中之劇烈蠕動，而收止瀉之效。

討論　現吾人依據此試驗而討論川芎是否有治胃腹疼痛之可能。別錄言其能治心腹痛。孫氏集効方言其能治一切心痛。千金外臺祕要等方中，無論產前產後及一切腹中絞痛，諸方幾皆採用川芎。昔之所謂心口痛者，則胃痛是也。腸胃之是否有痛覺神經支配，在醫學上本有爭論。後經 Bittel(1697) Neumann (1911) 諸氏等之試驗，證實其有疼痛覺神經支配。夫然則由腸胃發炎，刺戟其痛覺神經而引起之胃腹痛，因受川芎之痲痹而能鎮痛，亦屬可能。前言多量川芎精液能痲痹交感神經而使子宮之收縮制止。然則婦人產後由子宮收縮所引起之腹中絞痛，亦能受川芎之作用而鎮痛，或無不可。惜吾人現無試驗此種作用之機會，不能完全證實其作用，僅述吾人之意見，姑備一說耳。

結論　川芎精液，痲痹小腸之交感神經，抑制其收縮。其作用之大小，與川芎精液之多寡有關。

第三章

川芎精液對於血壓之作用

歷代醫籍凡關於產後下血諸方，常用川芎，此或由於微量之川芎，使其子宮收縮，而生自然結紮之力，可以阻止其出血矣。吾人假定其有治產後子宮出血之效，則其對於血管收縮作用，倘有研究之必要。

今將吾人之試驗述之如下：

家兔 No.82 用 Vrethane 麻醉，在其頸動脈檢查血壓，注射 2c.c.之10% 川芎精液於其耳靜脈，則其血壓由 116mm.HG 降至 65mm.HG 其降低數為 51mm.HG。

家兔 No.83用 Vrethane 麻醉，在其頸動脈檢查血壓。起初注射 ½c.c. 之 10% 川芎精液於其耳動脈，則其血壓由 85m,m.HG. 降至60m.m.HG. 待其恢復後，再注射 2c.c. 於其耳靜脈，則血壓降至 47m.m.HG.

犬 No.16用哥魯芳醚之混合劑麻醉。在其頸動脈檢查血壓，注 5c.c. 之 10% 川芎精液於其股動脈，則其血壓由 125m.m.HG 降至 30m.m.HG 後漸恢復。

犬 No.17用 哥魯芳醚之混合劑麻醉，在其左頸動脈及右股動脈檢查血壓，注射 8c.c.之10% 川芎精液於其左股靜脈，則其右股動脈之血壓由 80m.m.HG 降至51m.m.HG, 右頸動脈之血壓由 80m.m.HG 降至 53m.m.HG.

犬 No.18用哥魯芳醚之混合劑麻醉。在其頸動脈檢查血壓。注射 2c.c. 之 10% 川芎精液於其股靜脈，則其血壓由 126m.m.HG 降至 88m.m.HG

犬 No.19 用哥魯芳醚之混合劑麻醉。用 Noit 氏法檢查血壓。注射 5c.c.之15% 川芎精液於其右股動脈，則左右股動脈及其頸動脈，同時開始下降。左右股動脈之血壓，皆由 66m.m.HG 降至 32m.m.HG 頸動脈之血壓由 126m.m.HG 降至 114m.m.HG 經過十分鐘後，則頸動脈血壓已降至 90m.m.HG. 右股動脈之血壓，降至 18m.m.HG 左股動脈之血壓回至 38m.m.HG。

據以上六個試驗，川芎精液有使血管擴張，致使其血壓降低之作用。此種作用，是屬於中樞神經的關係，而與日人木村康一所云川芎主要成分，麻痹中樞神經，完全相符。

由是觀之，川芎能使血管擴張，並無止血之作用。然則舊醫言其能治產後崩中下血者，不由於血壓之關係，是由於子宮肌肉之收縮耳。

討論　古籍所載，月經不通，常合用當歸，川芎。當歸與川芎爲同屬之植物。再考新醫方所用之 Angelica archang elica L. 亦有調經之作用，甚屬可信。

結論　川芎精液有顯明之減低血壓作用，此種作用是中樞神經的關係，故其減低血壓之作用甚大，而作用之時間甚短。　（完）

編輯者言

本誌付印時，蒙　李根源老先生惠下章太炎先生與李老論病書牘一束，卷端並有李老親筆序文一編，囑發表於本誌；惟因時間關係，未及排入本期，祇得留待下期發表。

與鞠通溫病條辨一書，舉世醫家，奉爲圭臬，不知其中紕繆甚多，本校三年級同學，嘗集會研討之；本誌下期將特闢「溫病條辯檢討」一欄，專載此類文字，想當爲讀者所樂聞也。

本誌第十期爲「章太炎先生醫學遺著特輯」，出版之後，頗得讀者之歡迎，茲蒙青浦唐映書先生惠寄「太炎先生荅滕叟書」一篇，編者感激之餘，自當於下期發表也。

（徐名山）

湯士彥主編

中國醫藥研究月報

本報定每月十五日出版一册特約海內外各名醫撰述內容分評論學說專著雜俎新聞醫藥介紹醫藥問答評論務求切實學說力避空泛醫藥界及社會人士允宜人手一編創刊號定十月十五日出版預定全年連郵一元（郵票十足通用）又凡定閱本報者一律致發本社研究員證書（附繳證書費一角）有向本報質疑及優先刊登本人作品之權利藉示共同研究之旨

中國醫學研究月報社　社址　杭州直吉祥巷五十二號

陸晉笙遺著「鬼儆術」出版廣告

陸晉笙先生吳門耆族夙聲政界治績炳然於醫學造詣尤深著述甚富闡發絕精有鬱溪醫述十種及葉氏香巖徑神徑醫智厥功非淺令少君成一世講又刊先生遺著「鬼儆術」價二元推闡內難精華復摘薛生白醫經原旨要義標名「雪梯」誠傑構也謹代介紹望醫林名家快讀爲幸

購書處　上海愚園路愚書坊五十號陸成一醫寓　蘇州鳳凰街六八號陸成一醫室　介紹者無錫周小農啓

國醫砥柱月刊⋯出版

本刊零售每期一角預定全年十二册一元一角，半年六角，郵費在內希海內研究醫藥者從速預定

特色　全國當代名醫撰稿　材料豐富　學說新穎　編排醒目　印刷精美

北平西城北溝沿三十號　國醫砥柱月刊社

名醫錢今陽主辦

國醫素創刊號⋯出版了！

爲紀念創刊而犧牲！特徵求紀念定戶五千份！

創刊號已出版，許半龍，徐衡之，章次公，盛心如等，均有近著論文刊載在內。在二十六年三月十七日以前，訂全年四期，連郵祇收大洋五角以五千份爲限，滿額卽行提早截止，仍照原價（郵票代洋，九五折計算，）如介紹全年定戶二份，贈送介紹人學會紀念信箋一束，介紹全年定戶四份，送贈介紹人本刊全年一份。

定閱處　江蘇省武進縣化龍巷一百十八號國醫素雜誌社總務部

葉橘泉先生著

近世內科國藥方集

本書爲中醫科學化之最新著作，以新醫科學之理論，採取國藥之處方，病名則以新醫譯名爲主，而附以中醫之舊名；旨在溝通中西醫界之膈膜，俾中醫不守舊，西醫不盲從，以期創造中國本位的新醫學。

全書兩厚册　售國幣一元

總發行　蘇州鐵瓶巷二十二號　存濟醫廬　代售處　蘇州國醫書社

施今墨先生主編⋯

文醫半月刊

專家撰述　內容豐富

歡迎投稿　歡迎定閱

每期三分　全年七角

招登廣告　定價低廉　省費效大　從未脫期

訂閱處　北平西城華北國醫學院

張崇熙醫師編

醫學各科全書

△將一切新醫學識⋯完全宣佈

△將各科治療經驗⋯切實貢獻

本書共分二十四册，計有解剖學生理學，細菌學，病理學，診斷學，藥物學，傳染病學，內科學，外科學，皮膚病學花柳病學，婦科學，產科學，小兒科學，眼科學，耳鼻咽喉齒科學，調劑學，急救學，衛生學，看護學，各種注射療法，顯微鏡用法及檢查，細菌法，臨牀經驗處方，診療實用指南。均以淺顯文字敍述明晰，爲中醫科學化者，必讀之書。

全書二十四册　定價十二元

優待醫校學生　特價七折

總發行所　上海梹榔路B二八六號　東亞醫學書局

介紹醫藥雜誌

國醫公報　全年連郵二元　南京長生祠中央國醫館
醫界春秋　全年二元一角　上海白克路西祥康里七七號
山西醫學雜誌　全年八角九分　山西省城中正街中醫改進會
光華醫藥雜誌　全年連郵二元　上海北山西路棣隆里九號
東西醫藥報　全年日金三元　臺灣臺北永樂町二丁94番地
廣濟醫刊　全年二元四角　杭州缸兒巷四十六號
醫學衛生月刊　全年七角二分　蘇州吳趨坊國醫書社代售
家庭醫藥常識　全年連郵三角　蘇州吳趨坊國醫書社
診療醫報　全年連郵一元　上海霞飛路一〇四號
醫鐸　全年一元二角　福州南台中醫專門學校
現代醫藥月刊　全年連郵一元　福建福清城內官塘墘本刊社
神州國醫學報　全年連郵一元　上海廈門路尊德里神州醫會
社會醫藥　全年一元五角　上海大沽路新馬安里三七號
醫林一諤　全年連郵二元　廣州大德路蘇行街
如皋中醫月刊　全年連郵三角　如皋育德所中醫公會
衛生雜誌　全年連郵一元　上海薩坡賽路一九〇號
大衆醫學月刊　全年連郵二元　上海白克路西祥康里本刊社
長壽週刊　全年連郵二元　上海三馬路雲南路本週刊社
常熟國醫雜誌　全年連郵六角　常熟小河下二十二號
正言醫報　全年連郵三元　天津文學東箭道國醫研究所
晨光國醫雜誌　全年一元二角　廈門中華路七十七號二樓
中國醫藥雜誌　全年連郵一元　山東沂水黃山鋪街
醫事公論　全年九角六分　鎮江中正路北六二號又二號
中醫新生命　全年一元四角　上海牯嶺路人安里十一號
中西醫藥月刊　全年二元四角　上海愚園路718弄雲壽坊7號
新醫藥　全年連郵二元　上海南市外馬路一四六九號
現代國醫　全年連郵二元　上海老靶子路二四三號
現代中醫　全年連郵一元　上海西門石皮弄一號
同濟醫藥季刊　全年一元一角　上海靜安寺路同濟醫學院
壽世醫報　全年連郵五角　蘇州閭邱坊巷一〇九號

醫醒雜誌　創刊號未定價　蘇州吳縣中醫公會
江都國醫報　全年一元二角　揚州古旗亭三十六號
杏林醫學月報　全年連郵一元　廣州大德路蘇行街八十四號
中華醫藥報　全年連郵四角　上海光啓路中華國醫學會
國醫旬刊　全年連郵一元　福建廈門國醫專門學校
湖北醫學月刊　全年連郵二元　湖北新市場上側永福里一號
醫藥雜誌　每冊定價二角　漢口湖北國醫專科學校
醒亞醫報　全年連郵一元　廈門丁仔巷門牌一號
明日醫藥　全年一元五角　北平西直門半壁街甲四八號
鍼灸雜誌　全年一元八角　無錫中國鍼灸學研究社
文醫半月刊　全年七角二分　北平西城華北國醫學院
痲瘋季刊　全年一元二角　上海博物院一三一號
國醫文獻　全年四期一元　上海中國醫學院
中醫世界　全年一元五角　上海山東路中醫書局
幸福雜誌　全年連郵二元　上海三馬路幸福書局
民生醫藥　全年連郵一元　杭州同春坊民生醫藥月刊社
吳興醫藥　全年連郵一元　浙江湖州吳興國醫公會

介紹醫藥書籍

中國急性傳染病學　時逸人著　實價二元二角　蘇州吳趨坊國醫書社代售
健康之道　沈仲圭著　定價八角　蘇州吳趨坊國醫書社代售
醫方概要　李疇人編　特價二元四角　蘇州蒲林巷李疇人醫室
合理的民間單方　葉橘泉著　實價三角　蘇州鐵瓶巷二二號存濟醫廬
魏氏驗案類編　魏文燿著　實價一元　蘇州吳趨坊國醫書社代售
醫學平論　徐瀛芳著　實價六角　蘇州吳趨坊國醫書社代售

肺癆病營養療法

董志仁著 實價二角

本書著者董志仁先生，係杭州有名之肺癆專家，董先生因臨症之際，病人對於飲食宜忌，恆欲詳細詢問，一一答覆，殊苦瑣煩，爰撰此書，俾便病家有所遵循。病者讀此，則飲食有則，可以早復健康，醫家如以此書介紹病家，則可免一一答覆之瑣煩。

蘇州國醫書社

新出版醫學書

地址：蘇州吳趨坊一三七號

蘇州國醫學校國藥試植場叢刊之一

「簡要中藥作物學」

黃勞逸著 實價四角

古時之醫，多自備藥，蒐採泡製，必皆親躬；是以效力準確，對證施治，沉疴立起。今則藥之修治，委於商賈之手，醫者大多不識藥，且商人重利，尤多以僞亂眞，以致治效不著，國醫漸失社會之信仰，良可慨也。是書對於藥物之種植栽培收採，莫不詳細敘述，凡青年新中醫欲研究藥物，製藥廠家欲自植原料，新家庭欲自植簡要藥物，及有心經營種藥事業者，皆宜人手一編焉。

中華民國二十五年冬季出版

蘇州國醫雜誌第十二期

編輯者 蘇州國醫學校 蘇州長春巷三十九號 電話第二三六七號

發行者 蘇州國醫書社 蘇州吳趨坊一三七號 電話第五百六十三號

印刷者 蘇州文新印書館 蘇州景德路七十六號 電話第八百九十一號

蘇州國醫雜誌價目表

期數	價目	寄費
每季一期	另售一角五分	寄費一分
每年四期	預定實價六角	寄費在內

醫學革命之先鋒◆臨床醫家之指南

類別	書名	冊數	著譯者	實價
總類	中醫新論彙編	四大厚冊	王慎軒編	五元
	曾女士醫學全書	一冊	曾伯淵著	八角
	拯濵軒醫學就正錄	一冊	周禹錫著	一元
譯著	類證鑑別漢醫要訣	一厚冊	唐愼坊譯	二元
	新增東洋漢方要訣	三厚冊	王南山譯	二元四角
	漢譯診病奇侅	一冊	丹波元堅	一元
內科	重訂傷寒百證歌	洋裝一冊	許叔微著	一元
	傷寒直解辨證歌	一冊	葉公埜著	四角
	溫病指南	一冊	王馥原著	四角
	經方捷徑	一冊	楊夢麒著	一角
	傷寒時方歌訣評註	一冊	周越銘編	一元二角
	肺癆病營養療法	一冊	董志仁著	二角
女科	女科醫學實驗錄	四冊	王慎軒著	一元
	再版胎產病理學	一冊	王慎軒著	一元
	女科指南	一冊	戴武承著	八角
	新批女科歌訣	一冊	王慎軒批	四角
	婦女病經歷談	一冊	祝懷萱著	一角
	女科祕訣	一冊	鄭厚甫著	二角
兒科	幼科指南家傳祕方	一大厚冊	萬密齋著	一元
	家庭育嬰法	一冊	沈濳德著	一角
醫案	診餘舉隅錄	一冊	陳匊生著	六角
	曹穎甫醫案	一冊	王南山編	二角
醫方	食治祕方	一冊	尤生洲著	一角
	家庭實用良方	一冊	王景賢編	六角
	重訂孫眞人海上方	一冊	孫思邈著	二角
藥物	本草再新	一冊	葉天士著	一元二角
	中藥作物學	一冊	黃勞逸著	四角
雜類	家庭醫藥常識第一年彙編	一冊	王慎軒編	三角
	婦女醫學雜誌彙編	一冊	王慎軒編	一元五角
	蘇州國醫學社紀念刊	一冊	國醫學社	五角
	家庭[illegible]	一大冊		

寄費加一

蘇州吳趨坊

蘇州國醫書社發行

書目備索